民事訴訟法

第4版

三木浩一・笠井正俊
垣内秀介・菱田雄郷

YUHIKAKU

第 4 版はしがき

　本書が初めて世に出たのは，ちょうど 10 年前の 2013 年 3 月のことである。その後，幸いにも順調に版と刷を重ねて今日に至り，このたび，前版から約 4 年半ぶりに新たに第 4 版を上梓する運びとなった。

　今回の改訂は，2022 年 5 月 18 日に成立（同年 5 月 25 日公布）した民事訴訟法の改正（「民事訴訟法等の一部を改正する法律」〔令和 4 年法律第 48 号〕）に，本書を対応させることを中心とする。この改正法では，民事訴訟手続におけるオンラインの広範な活用のさまざまな仕組みが導入された。また，あわせて，被害者の氏名等を相手方に秘匿する制度や法定審理期間訴訟手続も創設された。もっとも，この改正法の内容を本書に適切に反映させるには，若干の工夫が必要であった。今回，改正法の施行時期については，対象となる条文により，公布の日から，9 月以内から 4 年以内までの都合 4 段階に分けられた。そこで，この段階的な施行を踏まえ，2024 年 3 月までの施行部分は本文に組み入れることとし，それ以降の部分は，まだ具体的な細部の手続等が定まっていないこともあり，本文への組み入れは先送りとした。その代わり，改正法の全体像につき，2024 年 3 月までの施行部分とそれ以降の部分を合わせて，巻末に補遺として概説を設けた。なお，最後の施行が予想される約 3 年後には，今回の改正のすべてを本文に組み入れた形の第 5 版を予定している。

　この機会に，本書全体の見直しも行った。具体的には，新たに公表された重要判例や すこし詳しく をいくつか追加し，また，旧版の内容や表現についても気付いた箇所を書き改めた。

　最後になるが，今回の第 4 版の刊行にあたっては，有斐閣の中野亜樹さんと荻野純茄さんに大変お世話になった。記して，厚くお礼を申し上げたい。

2023 年 3 月

著者を代表して

三 木 浩 一

第 3 版はしがき

　ここにリーガルクエスト・シリーズ『民事訴訟法』の第 3 版を上梓する。本書の第 2 版を刊行したのは 2015 年 3 月であるので，約 3 年半ぶりの改訂となる。

　この間における民事訴訟法を取り巻く大きな状況の変化として，2017 年 5 月 26 日に成立した債権法の改正（「民法の一部を改正する法律」〔平成 29 年法律第 44 号〕，「民法の一部を改正する法律の施行に伴う関係法律の整備等に関する法律」〔平成 29 年法律第 45 号〕）がある。これらの改正法の施行日は，一部の規定を除いて 2020 年 4 月 1 日であるが，すでに世の中は改正法の施行を見据えて動き出していることを踏まえ，第 3 版の記述はすべて改正法を前提とした内容に改めた。

　また，この機会に本書全体の見直しを行った。具体的には，新たに公表された重要判例を追加したほか，いくつかの箇所では旧版の内容を書き改めた。また，第 2 版の改訂のときと同様に，本書のモットーである読者に理解しやすい表現を一層追求するとともに，読者から寄せられた疑問や要望に対応するなど，記述のさらなる充実を図った。これらの改訂により，本書の頁数は若干増加する仕儀となったが，教科書としての使いやすさは増したものと期待している。

　今回の第 3 版の刊行にあたっては，有斐閣書籍編集部の三宅亜紗美さんに大変お世話になった。厚くお礼を申し上げたい。

2018 年 7 月

著者を代表して
三　木　浩　一

第 2 版はしがき

　このたびリーガルクエスト・シリーズ『民事訴訟法』の第 2 版を上梓する運びとなった。本書の初版を出版したのは，わずか 2 年前の 2013 年 3 月のことであるが，幸いにも多くの読者の支持を得て，こうして早々と第 2 版を出すことができるのは，著者一同，望外の喜びである。

　この第 2 版では，この間における法改正への対応と新判例のフォローを行った。また，すこし詳しく や TERM を追加するとともに，本文の記述についても，より理解しやすい表現に努めるとともに，読者から寄せられた疑問に対応するなど，記述内容の一層の充実を図った。

　今回の第 2 版の刊行に当たっては，有斐閣書籍編集第 1 部の藤木雄さんに懇切かつ精緻な編集作業を行っていただいた。ここに記して，厚くお礼を申し上げたい。

2015 年 3 月

著者を代表して
三 木 浩 一

初版はしがき

　本書は，法科大学院への進学を目指す学部学生や法科大学院生を主要な読者として想定した民事訴訟法の教科書である。本書の執筆において，われわれ著者一同が最も意を用いたことは，法律学の中でもとくに難解とされる従来の民事訴訟法の議論に，なるべく平易な記述で明快な解説を与えることである。さらに，本書は，最新の判例や学説の動きにもできるだけ目配りをすることを心がけており，激動の嵐が渦巻いているとされる現代民事訴訟法学の最前線について，その鳥瞰図を得ようという知的好奇心の高い実務家のニーズにも応えられるものと考えている。こうした意図を達成するために，本書では，以下のような方針をとった。

　第1に，制度の趣旨や原理の根拠を丁寧に記述することを意識した。民事訴訟制度は全体が1つのシステムであり，ある個別の議論が他の個別の議論と有機的に関連することが多い。また，民事訴訟法という法典には，しばしば重要な原理や原則に関する明文の規定がなく，それらは，制度の本質や裁判実務の要請などから導かれることが少なくない。したがって，単に結論や事項のみを記述しただけでは，一見すると簡潔で分かりやすく見えても，実は学習者にとってはかえって分かりにくい。こうした点を考慮すると，一般には省略されがちな前提にまで遡って，そもそもから説き起こす解説をすることこそが，民事訴訟法の理解のために有益であると考えられる。そこで，本書では，ときとして過剰にわたることがあってもそれを恐れず，重要な問題には十分な字数を費やすことにした。こうした方針をとった結果として，本書は，リーガルクエスト・シリーズとしては異例の650頁を超える大部なものとなった。しかし，その頁数のある程度は，分かりやすさを追求した記述に費やされているので，どうか，この頁数に尻込みをしないでいただきたい。また，頁数を節約するために，結論を大きく左右しない観念的な議論や細かい議論の一部は，思い切って省略していることも強調しておきたい。

第2に，記述間の相互参照（リファー）をできるだけ充実させるよう，努力した。前述したように，民事訴訟法では複数の議論が相互に有機的に絡み合うことが多く，訴訟手続の後半で登場する制度が前半で登場する制度と深く関連していたり，教科書の後半で解説される議論が前半で解説される議論に影響を与えていることも珍しくない。こうした民事訴訟法の特徴的な性格は，「円環構造」という言葉で表現される。これは，学習者の側からすれば，教科書を読み始めると，いきなりよく分からない概念や議論にぶつかることにつながるので，それが民事訴訟法を難解と感じさせる要因の1つとなっている。したがって，民事訴訟法の教科書では，とりわけリファーの充実が重要であると考えられる。ただし，単にリファーの数を増やしただけでは，かえって煩わしくなるという別の問題もあるので，「○○については，⇨○○」というように，これもくどくなることを恐れず，必要に応じてリファーの趣旨をその都度表示している。読者におかれては，これを見て，リファー先を参照してそちらを先に読むか，それとも，そのまま現在の箇所を読み続けるかを，ご自分で判断する手がかりとしていただきたい。

　第3に，本書に固有の試みとして TERM というコーナーを設けた。民事訴訟法における専門用語の中には，学習者に混乱や誤解を惹起するものが少なからずあり，それが民事訴訟法を難解と感じさせるもう1つの要因ともなっている。詳しくは，実際に TERM の各コーナーをみていただく必要があるが，ここで若干の例を挙げると，以下のようなものがある。たとえば，同一の言葉が複数の異なる意味を有する場合がある。いわゆる概念の多義性あるいは多義語と呼ばれるものである。具体的には，「本案」，「請求原因」，「訴訟資料」，「書証」，「反射効」，「執行力」などである。また，ドイツ法を継受する際に，その翻訳が必ずしも適切でなかったり，ドイツとは歴史や背景が異なるなどのために，学習者を戸惑わせるものがある。たとえば，「暫定真実」や「職務上の当事者」などである。ほかにも，よく似ているが意味が異なる複数の言葉，理論的な見地からは使用を控えるべきものと思われる言葉，言葉本来の意味とかけ離れた意味で使われる専門用語など，さまざまな理由で学習者が注意を要する言葉を TERM で説明している。また，あえて TERM としては掲げていないが，わが国の民事訴訟法学で伝統的に用いられてきた「客観的範囲」，「主観的範

囲」，あるいは，「客観的併合」，「主観的併合」という言葉は，本来は，「客体的範囲」，「主体的範囲」，「客体的併合」，「主体的併合」とすべきものが戦前に誤訳され，遺憾なことに誰からも修正されることなく，今日にまで伝わっているものである。しかし，いつまでもこのまま放置しておいてよいものでもないであろう。そこで，本書では，後者の言葉で統一することにした。

　第4に，踏み込んだ事項や発展的な事項は，　すこし詳しく　というコーナーで解説している。そこに書かれている内容は，おおむね次の3つである。まず，本文で記述している事項について，それを発展的に検討したものがある。次に，技術性や専門性の高い事項で，学習の初期には飛ばしてよいものを，このコーナーに入れた。さらに，本書以外ではあまり詳しく書かれたことがない事項で，われわれの会合における議論を通じて浮上してきた問題のいくつかも，このコーナーで扱っている。読者が，初めて民事訴訟法を学ぶ段階では，必ずしもここに目を通す必要はない。学習が進んだ後に立ち返って読んでいただければ幸いである。

　第5に，見解が鋭く対立している問題や議論が複雑に絡み合っている問題などについては，積極的に本書の立場を明らかにすることにした。もちろん，本書は教科書であるから，客観性の高い記述が求められることはいうまでもない。しかし，こうした問題について，客観性という名の下に判例や学説の羅列に止めたのでは，いたずらに読者の混乱を招くばかりである。むしろ，読者自身がみずから考えるための指針として，ある程度本書の立場を明らかにしておくことのほうが望ましいと考えた。そして，こうした方針をとるにあたって，4人という少人数による共著の形式は，まことに有益であった。これが単著である場合には，こうした方針は客観性の欠如につながりやすいし，反対に大勢の共著である場合には，著者全員が納得するまで議論を戦わせることも，著者全員の間で見解の一致に達することも，望むことはできないであろう。幸いなことに，本書では，主要な問題について著者間で大きく意見が対立したことは少なく，わずか4人の間における見解の一致とはいえ，現在の学界におけるある程度有力な考え方につき，その一端なりとも示すことができたのではないかと思う。

初版はしがき

　本書は，各章ごとの執筆担当者を表示しているが，同時に，本書はわれわれ4名による真の意味での共同著作である．本書の作成は，各担当者が執筆した1次原稿に全員が目を通し，全員が顔を合わせる会合において，著述の内容はもとより，一字一句の表現に至るまで，全員が納得するまで徹底的に議論を重ねた．そうした過程において，従来の学説では見落とされていた問題や新たな議論の展開につながる課題が発見されたことも，一度や二度のことではない．そうした意味では，本書のための会合は，著者間の原稿の調整という作業を遙かに超えて，長期間にわたる実り豊かな研究会そのものであった．

　思い起こせば，本書の企画が立ち上がったのは，今を去ること7年以上前の2005年11月のことである．そして，著者全員による最初の会合が開かれたのは，2006年4月であり，最後の会合は，2012年9月であった．この間における各会合は，神保町にある有斐閣の会議室において，しばしば2日連続で開かれ，合計回数にして23回，延べ日数では35日に上る．1冊の本の執筆のために，これほど数多くの会合が開かれた例は稀有であると聞く．こうした会合の合間を縫って，ある年の春，窓外の陽光が誘うままに，近くの千鳥ヶ淵まで皆で満開の桜を見に行ったことも，振り返れば懐かしい思い出である．このような長期間にわたり，辛抱強くわれわれの作業を見守り，すべての会合に出席してくださり，作業が遅れがちなわれわれを常に優しく叱咤激励してくださった編集部の伊丹亜紀さんには，著者一同，感謝の言葉もない．また，伊丹さんとご一緒に，作業期間がかくも長期にわたったことから，順次バトンをつなぎながら，献身的にわれわれの執筆作業をご援助いただいた，神田裕司さん，辻南々子さん，鈴木淳也さん，藤木雄さんにも，心からの感謝を申し上げたい．

2013年3月

著者を代表して

三 木 浩 一

目 次

第1章 民事訴訟とは何か　*1*

1-1 民事訴訟の意義　*1*

1-1-1 民事訴訟制度の目的と機能 ……………………………………*1*

1-1-2 民事紛争解決に関わる諸制度 …………………………………*3*
　1-1-2-1 調停　*4*　　*1-1-2-2* 仲裁　*5*　　*1-1-2-3* 民事訴訟　*6*

1-1-3 民事訴訟法の法源 ………………………………………………*7*
　1-1-3-1 狭義の民事訴訟法と広義の民事訴訟法　*7*　　*1-1-3-2* 民事訴訟法の沿革　*8*　　*1-1-3-3* 慣習および判例　*10*

1-1-4 民事訴訟に関する法規の機能的分類 …………………………*12*
　1-1-4-1 機能的分類の意義　*12*　　*1-1-4-2* 効力規定　*13*
　1-1-4-3 訓示規定　*14*

1-2 法体系の中での民事訴訟制度　*15*

1-2-1 訴訟と非訟 ………………………………………………………*15*
　1-2-1-1 非訟事件の意義　*15*　　*1-2-1-2* 非訟手続の特徴　*16*
　1-2-1-3 訴訟事件の非訟化　*17*　　*1-2-1-4* 非訟手続における手続保障　*18*

1-2-2 判決手続に関連する手続 ………………………………………*19*
　1-2-2-1 強制執行手続　*19*　　*1-2-2-2* 民事保全手続　*20*　　*1-2-2-3* 倒産処理手続　*20*

1-2-3 判決手続の基本構造 ……………………………………………*21*
　1-2-3-1 判決手続の概略　*21*　　*1-2-3-2* 判決手続の基本理念　*21*
　1-2-3-3 判決手続における特別手続　*24*　　*1-2-3-4* 判決手続を補助する付随的手続　*26*

1-3 訴訟に要する費用とその負担　*27*

1-3-1 訴訟に要する費用 ………………………………………………*27*
　1-3-1-1 訴訟費用の意義　*27*　　*1-3-1-2* 訴訟費用の種類　*28*

1-3-2 訴訟費用負担の確定 ……………………………………………*29*
　1-3-2-1 訴訟費用の負担者　*29*　　*1-3-2-2* 訴訟費用確定の手続　*30*

1-3-3 資力が不十分な当事者の救済制度 ……………………………*30*
　1-3-3-1 訴訟救助　*31*　　*1-3-3-2* 法律扶助　*31*

第2章　訴訟手続の開始　33

2-1　訴え　33

2-1-1　訴えの概念 …………………………………………………………33
2-1-1-1　訴えと請求　33　**2-1-1-2**　単一の訴えと併合の訴え　34　**2-1-1-3**　独立の訴えと訴訟内の訴え　35

2-1-2　訴えの類型 …………………………………………………………35
2-1-2-1　給付の訴え　35　**2-1-2-2**　確認の訴え　36　**2-1-2-3**　形成の訴え　37　**2-1-2-4**　形式的形成の訴え　38　**2-1-2-5**　類型論の意義　39

2-1-3　訴え提起の方式 ……………………………………………………40
2-1-3-1　訴状の提出と印紙の貼付　40　**2-1-3-2**　訴状の記載事項　42　**2-1-3-3**　請求の特定　44

2-1-4　訴え提起後の手続 …………………………………………………45
2-1-4-1　事件の分配と訴状審査　45　**2-1-4-2**　訴状の送達　46　**2-1-4-3**　口頭弁論期日の指定　47

2-2　訴訟物　47

2-2-1　訴訟物の意義 ………………………………………………………47
2-2-2　訴訟物の機能 ………………………………………………………48
2-2-3　訴訟物理論 …………………………………………………………49
2-2-3-1　実体法説と訴訟法説　49　**2-2-3-2**　わが国における訴訟物理論の展開　50　**2-2-3-3**　給付訴訟の訴訟物　51　**2-2-3-4**　確認訴訟の訴訟物　54　**2-2-3-5**　形成訴訟の訴訟物　55　**2-2-3-6**　本書の立場　56

2-3　処分権主義　56

2-3-1　処分権主義の意義 …………………………………………………56
2-3-1-1　訴訟物に関する処分権主義　56　**2-3-1-2**　訴訟要件に関する処分権主義　57

2-3-2　処分権主義の機能 …………………………………………………58

2-4　訴訟の開始の効果　58

2-4-1　訴え提起の効果 ……………………………………………………58
2-4-1-1　訴訟係属の発生　58　**2-4-1-2**　時効の完成猶予の効力　59　**2-4-1-3**　出訴期間遵守の効果　60　**2-4-1-4**　その他の実体法上の効果　60

| **2-4-2** | 訴訟係属の効果 …………………………………………………… 61

第3章 裁判所 62

3-1 裁判所の概念 62

| **3-1-1** | 裁判所の意義 …………………………………………………… 62
| **3-1-2** | 裁 判 体 ………………………………………………………… 63
　　3-1-2-1 合議制と単独制 *63*　　*3-1-2-2* 合議体の構成，裁判長の権限等 *64*　　*3-1-2-3* 受命裁判官，受託裁判官 *65*
| **3-1-3** | 裁判官の種類 …………………………………………………… 66
| **3-1-4** | 裁判所書記官等 ………………………………………………… 67
| **3-1-5** | 専 門 委 員 ……………………………………………………… 68

3-2 管 轄 70

| **3-2-1** | 管轄の意義 ……………………………………………………… 70
| **3-2-2** | 管轄の種類 ……………………………………………………… 71
　　3-2-2-1 管轄の発生根拠 *71*　　*3-2-2-2* 専属管轄と任意管轄 *74*
　　3-2-2-3 管轄分配の指標 *76*
| **3-2-3** | 管轄の調査 ……………………………………………………… 79
| **3-2-4** | 管轄の標準時 …………………………………………………… 79
| **3-2-5** | 移　　送 ………………………………………………………… 80
　　3-2-5-1 管轄違いの場合の移送（16条）*80*　　*3-2-5-2* 遅滞を避ける等のための移送（17条）*81*　　*3-2-5-3* 簡易裁判所から地方裁判所への裁量移送（18条）*81*　　*3-2-5-4* 必要的移送（19条）*81*　　*3-2-5-5* 移送の裁判 *82*

3-3 裁判官の除斥・忌避・回避 82

| **3-3-1** | 除　　斥 ………………………………………………………… 82
　　3-3-1-1 除斥の意義 *82*　　*3-3-1-2* 除斥原因 *83*
| **3-3-2** | 忌　　避 ………………………………………………………… 85
　　3-3-2-1 忌避の意義 *85*　　*3-3-2-2* 忌避の原因 *86*　　*3-3-2-3* 除斥・忌避の裁判 *87*　　*3-3-2-4* 訴訟手続の停止 *88*
| **3-3-3** | 回　　避 ………………………………………………………… 89

第4章 当事者 90

4-1 当事者の概念とその意義 90

4-1-1 当事者概念 ……………………………………………… 90
4-1-2 二当事者対立構造 …………………………………… 92
4-1-3 当事者権 ……………………………………………… 93

4-2 当事者の確定 95

4-2-1 当事者確定の意義と基準 …………………………… 95
 4-2-1-1 当事者の特定と当事者の確定 95 **4-2-1-2** 当事者確定の基準 96 **4-2-1-3** 手続段階との関係 97 **4-2-1-4** 裁判例 99
4-2-2 表示の訂正と任意的当事者変更 ………………… 100
 4-2-2-1 表示の訂正 100 **4-2-2-2** 任意的当事者変更 101

4-3 当事者に関する能力 102

4-3-1 実体法との関係 …………………………………… 102
4-3-2 当事者能力 ………………………………………… 103
4-3-3 訴訟能力 …………………………………………… 104
 4-3-3-1 訴訟能力の意義 104 **4-3-3-2** 訴訟能力が認められる者 105 **4-3-3-3** 訴訟能力が要求される行為の範囲 105 **4-3-3-4** 訴訟能力欠缺の効果 106 **4-3-3-5** 訴訟要件としての訴訟能力 107
4-3-4 未成年者 …………………………………………… 108
4-3-5 成年被後見人 ……………………………………… 109
4-3-6 被保佐人および被補助人 ………………………… 109
 4-3-6-1 保佐人等の同意による訴訟行為 109 **4-3-6-2** 同意が不要な場合 111
4-3-7 意思無能力者 ……………………………………… 111

4-4 訴訟上の代理 112

4-4-1 訴訟上の代理の意義と種類 ……………………… 112
 4-4-1-1 訴訟上の代理制度の意義 112 **4-4-1-2** 訴訟上の代理権の効果 112 **4-4-1-3** 訴訟上の代理人の種類 113 **4-4-1-4** 補佐人 114
4-4-2 法定代理 …………………………………………… 114
 4-4-2-1 実体法の規定に基づく法定代理人 114 **4-4-2-2** 訴訟法上の特別代理人 115 **4-4-2-3** 法定代理人の権限 115

| 4-4-3 | 法人等の代表者 …………………………………… *116* |

| 4-4-4 | 訴訟委任に基づく代理人 ………………………… *118* |

  4-4-4-1 弁護士代理の原則 *118* **4-4-4-2** 弁護士代理原則違反の効果 *119* **4-4-4-3** 訴訟代理権の範囲 *122* **4-4-4-4** 訴訟代理権の発生・消滅 *123*

| 4-4-5 | 法令上の訴訟代理人 ……………………………… *124* |

4-5 第三者による訴訟担当 *126*

| 4-5-1 | 訴訟担当の意義と分類 …………………………… *126* |

| 4-5-2 | 法定訴訟担当 ……………………………………… *127* |

  4-5-2-1 法定訴訟担当の諸類型 *127* **4-5-2-2** 債権者代位訴訟の取扱い *130*

| 4-5-3 | 任意的訴訟担当 …………………………………… *132* |

  4-5-3-1 任意的訴訟担当の意義 *132* **4-5-3-2** 任意的訴訟担当の適法性 *132*

| 4-5-4 | 選定当事者 ………………………………………… *136* |

  4-5-4-1 選定当事者制度の意義 *136* **4-5-4-2** 選定の要件 *136* **4-5-4-3** 選定後の手続 *137*

第5章 審理の原則 *139*

5-1 審理の方式 *139*

| 5-1-1 | 民事訴訟における口頭弁論の意義 ……………… *139* |

  5-1-1-1 口頭弁論の概念 *139* **5-1-1-2** 口頭弁論の必要性 *142*

| 5-1-2 | 口頭弁論の諸原則 ………………………………… *145* |

  5-1-2-1 双方審尋主義 *145* **5-1-2-2** 公開主義 *145* **5-1-2-3** 口頭主義 *146* **5-1-2-4** 直接主義 *147*

| 5-1-3 | 審理の効率化のための諸原則 …………………… *148* |

  5-1-3-1 適時提出主義 *148* **5-1-3-2** 集中証拠調べの原則 *149* **5-1-3-3** 計画的進行主義 *150*

5-2 訴訟行為 *150*

| 5-2-1 | 意義と種類 ………………………………………… *150* |

  5-2-1-1 訴訟行為の意義 *150* **5-2-1-2** 当事者の訴訟行為 *151*

| 5-2-2 | 訴訟行為と私法行為 ……………………………… *152* |

  5-2-2-1 訴訟行為と私法行為の区別 *152* **5-2-2-2** 訴訟に関する合意

の効力 *152*　**5-2-2-3**　訴訟行為についての実体法規適用の有無 *154*

5-2-3　訴訟行為と信義則………………………………………………………*155*

5-2-4　訴訟行為の撤回…………………………………………………………*156*

5-2-5　訴訟行為と条件…………………………………………………………*157*

5-2-6　実体法上の形成権の行使に関する主張とその却下の効果……*157*

5-3　審理手続の進行 *159*

5-3-1　手続の進行に関する諸制度……………………………………………*159*

　5-3-1-1　職権進行主義と訴訟指揮権 *159*　**5-3-1-2**　期日 *161*
　5-3-1-3　期間 *162*　**5-3-1-4**　訴訟行為の追完 *163*　**5-3-1-5**　口頭
　弁論における訴訟指揮 *163*　**5-3-1-6**　訴訟記録 *164*

5-3-2　送　達……………………………………………………………………*165*

　5-3-2-1　送達の意義 *165*　**5-3-2-2**　送達しなければならない書類
　166　**5-3-2-3**　送達に関する機関 *167*　**5-3-2-4**　受送達者 *168*
　5-3-2-5　送達の方法 *168*　**5-3-2-6**　送達場所等の届出 *172*

5-3-3　当事者欠席の場合の取扱い……………………………………………*172*

　5-3-3-1　当事者の一方の欠席 *172*　**5-3-3-2**　当事者双方の欠席 *174*

5-3-4　申立権と責問権…………………………………………………………*175*

　5-3-4-1　申立権 *175*　**5-3-4-2**　責問権（異議権）の意義 *176*
　5-3-4-3　責問権の放棄・喪失 *177*

5-3-5　訴訟手続の停止…………………………………………………………*179*

　5-3-5-1　訴訟手続の停止の意義と効果 *179*　**5-3-5-2**　訴訟手続の中断
　180　**5-3-5-3**　訴訟手続の中止 *182*

第6章　審理の準備 *183*

6-1　準備書面 *183*

6-1-1　準備書面の意義…………………………………………………………*183*

6-1-2　準備書面の記載事項……………………………………………………*184*

6-1-3　準備書面の提出…………………………………………………………*184*

6-1-4　準備書面の効果…………………………………………………………*185*

6-2　争点整理手続 *186*

6-2-1　争点整理手続の意義……………………………………………………*186*

6-2-2　争点整理手続………………………………………………………………*188*

　6-2-2-1　各種の手続とその選択 *188*　**6-2-2-2**　準備的口頭弁論 *188*

| 6-2-2-3 | 弁論準備手続 189　　**6-2-2-4** 書面による準備手続 191

| **6-2-3** | 争点整理手続の終結 ……………………………………………… 192
| **6-2-4** | 口頭弁論への移行 ………………………………………………… 193
| **6-2-5** | 攻撃防御方法の提出制限 ………………………………………… 193

6-2-5-1 争点整理手続後の攻撃防御方法の提出 193　　**6-2-5-2** 時機に後れた攻撃防御方法の提出 194

6-3　審理の計画　196

| **6-3-1** | 進行協議期日 ……………………………………………………… 196
| **6-3-2** | 計　画　審　理 …………………………………………………… 196

6-3-2-1 計画的進行主義 196　　**6-3-2-2** 審理計画 197

6-4　情報収集制度　198

| **6-4-1** | 情報収集制度の必要性 …………………………………………… 198
| **6-4-2** | 当事者照会 ………………………………………………………… 198
| **6-4-3** | 提訴前の証拠収集処分等 ………………………………………… 199
| **6-4-4** | 証　拠　保　全 …………………………………………………… 200
| **6-4-5** | 弁護士会照会 ……………………………………………………… 202

第7章　事案の解明　203

7-1　弁　論　主　義　203

| **7-1-1** | 弁論主義の意義 …………………………………………………… 203

7-1-1-1 弁論主義の趣旨 203　　**7-1-1-2** 弁論主義の根拠 205
7-1-1-3 弁論主義の内容 206　　**7-1-1-4** 主張責任 209　　**7-1-1-5** 主張共通の原則 210

| **7-1-2** | 弁論主義の対象 …………………………………………………… 210

7-1-2-1 事実の種類 210　　**7-1-2-2** 弁論主義が適用される事実 212
7-1-2-3 規範的要件と弁論主義 216

| **7-1-3** | 職権探知主義 ……………………………………………………… 218

7-1-3-1 職権探知主義の趣旨 218　　**7-1-3-2** 職権探知主義の内容 219　　**7-1-3-3** 職権探知主義と弁論権 220

| **7-1-4** | 釈明権および釈明義務 …………………………………………… 221

7-1-4-1 釈明権・釈明義務の意義 221　　**7-1-4-2** 釈明権と弁論主義の関係 222　　**7-1-4-3** 釈明権の範囲 223　　**7-1-4-4** 釈明義務の範囲 224　　**7-1-4-5** 法的観点指摘義務 225

7-2 主張の規律 226

- **7-2-1** 「事実上の主張」と「法律上の主張」……………………………226
- **7-2-2** 主張の種類……………………………………………………227
- **7-2-3** 相手方の事実上の主張に対する態度……………………………229
  - **7-2-3-1** 否認 229　　**7-2-3-2** 自白 230　　**7-2-3-3** 不知・沈黙 231
  - **7-2-3-4** 擬制自白 232
- **7-2-4** 相手方の法律上の主張に対する態度……………………………233
- **7-2-5** 有理性審査……………………………………………………234

7-3 裁判上の自白 234

- **7-3-1** 自白の意義……………………………………………………234
- **7-3-2** 自白の成立要件………………………………………………236
  - **7-3-2-1** 「弁論としての陳述」236　　**7-3-2-2** 「事実の陳述」237
  - **7-3-2-3** 「主張の一致」241　　**7-3-2-4** 「不利益性」241
- **7-3-3** 自白の効果……………………………………………………244
  - **7-3-3-1** 証明不要効 244　　**7-3-3-2** 判断拘束効 245　　**7-3-3-3** 審理排除効 245　　**7-3-3-4** 撤回制限効 246
- **7-3-4** 権利自白………………………………………………………249

7-4 証明の規律 251

- **7-4-1** 証明および証拠の基本理念……………………………………251
- **7-4-2** 証明および証拠の諸概念………………………………………252
  - **7-4-2-1** 証明と疎明 252　　**7-4-2-2** 厳格な証明と自由な証明 253
  - **7-4-2-3** 証拠の種類 254　　**7-4-2-4** 証拠能力の制限 255　　**7-4-2-5** 証拠の機能 256
- **7-4-3** 事実認定の方法………………………………………………257
  - **7-4-3-1** 事実認定の資料 257　　**7-4-3-2** 自由心証主義 258
  - **7-4-3-3** 損害額の認定 259
- **7-4-4** 証明の対象……………………………………………………262
  - **7-4-4-1** 証明の対象となる事項 262　　**7-4-4-2** 証明を要しない事項 263
- **7-4-5** 証明責任………………………………………………………266
  - **7-4-5-1** 証明責任の概念 266　　**7-4-5-2** 証明責任の機能 267
  - **7-4-5-3** 「証明の必要」と「主観的証明責任」269　　**7-4-5-4** 証明責任の分配 270　　**7-4-5-5** 証明責任の転換 274　　**7-4-5-6** 法律上の推定 276　　**7-4-5-7** 主張・立証負担の軽減 281

7-5 証拠調べ 286

7-5-1 総説 ... 286
7-5-1-1 集中証拠調べ 286　**7-5-1-2** 証拠の申出 287　**7-5-1-3** 証拠の採否 289　**7-5-1-4** 証拠調べの実施 291

7-5-2 証人尋問 ... 293
7-5-2-1 証人尋問の意義 293　**7-5-2-2** 証人義務 294　**7-5-2-3** 証言拒絶権 296　**7-5-2-4** 証人尋問の手続 302

7-5-3 当事者尋問 ... 307
7-5-3-1 当事者尋問の意義 307　**7-5-3-2**「補充性」原則の撤廃 308　**7-5-3-3** 当事者尋問の手続 309

7-5-4 鑑定 ... 310
7-5-4-1 鑑定の意義 310　**7-5-4-2** 鑑定人 311　**7-5-4-3** 鑑定の手続 312　**7-5-4-4** 私鑑定 314

7-5-5 書証 ... 315
7-5-5-1 書証の意義 315　**7-5-5-2** 文書の証拠力 317　**7-5-5-3** 書証の手続 321　**7-5-5-4** 文書提出命令 322　**7-5-5-5** 文書送付嘱託 341

7-5-6 検証 ... 342
7-5-6-1 検証の意義 342　**7-5-6-2** 検証協力義務 343　**7-5-6-3** 検証の手続 344

第8章 訴訟要件 345

8-1 訴訟要件の意義 345

8-2 訴訟要件の種類 346

8-2-1 概観 ... 346
8-2-2 積極的訴訟要件と消極的訴訟要件 ... 347
8-2-3 職権調査事項と抗弁事項 ... 348

8-3 民事裁判権 349

8-3-1 民事裁判権の意義 ... 349
8-3-2 民事裁判権の対人的制約 ... 350
8-3-2-1 民事裁判権の対人的範囲に関する原則 350　**8-3-2-2** 天皇 351　**8-3-2-3** 外国国家 351　**8-3-2-4** 外国元首, 外交官等 352

8-3-3 国際裁判管轄 ... 352

8-3-3-1 国際裁判管轄の意義 *352* **8-3-3-2** 国際裁判管轄に関する立法の経緯 *353* **8-3-3-3** 管轄原因 *353* **8-3-3-4** その他の規律 *354*

8-3-4 審判権の限界 ··· *355*
8-3-4-1 審判権の限界の意義 *355* **8-3-4-2** 法律上の争訟性 *355* **8-3-4-3** 審判権に対するその他の制約 *358*

8-4 訴えの利益 *359*

8-4-1 訴えの利益の意義 ··· *359*
8-4-1-1 訴えの利益の必要性 *359* **8-4-1-2** 訴えの利益の概念 *360*

8-4-2 各種の訴えに共通する訴えの利益 ································ *360*

8-4-3 給付の訴えの利益 ··· *361*
8-4-3-1 現在給付の訴えの利益 *361* **8-4-3-2** 将来給付の訴えの利益 *363*

8-4-4 確認の訴えの利益 ··· *367*
8-4-4-1 確認の利益の判断枠組み *367* **8-4-4-2** 方法選択の適切性 *368* **8-4-4-3** 対象選択の適切性 *369* **8-4-4-4** 即時確定の利益 *374*

8-4-5 形成の訴えの利益 ··· *376*

8-5 当事者適格 *377*

8-5-1 当事者適格の意義 ··· *377*

8-5-2 一般的な規律 ··· *379*
8-5-2-1 当事者適格の一般的な判断基準 *379* **8-5-2-2** 当事者適格と管理処分権 *380* **8-5-2-3** 給付の訴えの場合 *382* **8-5-2-4** 確認の訴えの場合 *382* **8-5-2-5** 形成の訴えの場合 *383*

8-5-3 訴訟担当 ··· *384*

8-5-4 対世効との関係 ··· *385*

8-5-5 拡散的利益と当事者適格 ······································· *386*

8-6 当事者能力 *388*

8-6-1 当事者能力の意義 ··· *388*

8-6-2 法人格のない団体 ··· *388*
8-6-2-1 法人格のない団体に当事者能力を認める趣旨 *388* **8-6-2-2** 法人格のない団体に当事者能力を認める要件 *389* **8-6-2-3** 法人格のない団体に当事者能力を認めた場合の効果 *391*

8-7 訴訟要件の調査 *394*

8-7-1 調査の要否 ··· *394*

- **8-7-2** 判断資料の収集方法 ………………………………………… *394*
- **8-7-3** 本案要件との審理順序 ………………………………………… *395*
- **8-7-4** 判断の基準時 …………………………………………………… *396*

第9章　判　決　*398*

9-1　裁判の意義と種類　*398*

- **9-1-1** 訴訟の終了 ……………………………………………………… *398*
- **9-1-2** 裁判の意義 ……………………………………………………… *399*
- **9-1-3** 裁判の種類 ……………………………………………………… *400*
  - 9-1-3-1　判決，決定，命令　*400*　　9-1-3-2　裁判機関の違い　*400*
  - 9-1-3-3　手続面の違い　*401*　　9-1-3-4　裁判事項の違い　*401*
  - 9-1-3-5　その他の分類　*402*

9-2　終局判決　*402*

- **9-2-1** 終局判決の意義 ………………………………………………… *402*
- **9-2-2** 全部判決と一部判決 …………………………………………… *403*
  - 9-2-2-1　全部判決と一部判決の意義　*403*　　9-2-2-2　一部判決の許容性　*403*　　9-2-2-3　裁判の脱漏　*404*
- **9-2-3** 本案判決と訴訟判決 …………………………………………… *405*
- **9-2-4** 給付判決，確認判決，形成判決 ……………………………… *406*

9-3　中間判決　*406*

- **9-3-1** 中間判決の意義 ………………………………………………… *406*
- **9-3-2** 中間判決の対象となる事項 …………………………………… *407*
  - 9-3-2-1　独立した攻撃防御方法　*407*　　9-3-2-2　中間の争い　*408*
  - 9-3-2-3　請求の原因　*408*
- **9-3-3** 中間判決の効力 ………………………………………………… *408*

9-4　判決の成立と確定　*409*

- **9-4-1** 成立の手続 ……………………………………………………… *409*
  - 9-4-1-1　判決内容の確定　*409*　　9-4-1-2　判決書　*410*　　9-4-1-3　判決の言渡し　*413*　　9-4-1-4　判決の送達　*413*
- **9-4-2** 判決の確定 ……………………………………………………… *414*
  - 9-4-2-1　判決の確定の意義　*414*　　9-4-2-2　判決の確定時期　*414*
  - 9-4-2-3　判決確定の証明　*415*

目 次

9-4-3 判決の効力 …………………………………………………………… 415
  9-4-3-1 自己拘束力 415　　**9-4-3-2** 手続内拘束力 417　　**9-4-3-3** 確定判決の効力 417

9-5 申立事項と判決事項 418

9-5-1 申立事項と判決事項の関係 ……………………………………… 418
9-5-2 246条違反が問題となる判決の例 ……………………………… 419
9-5-3 一部認容判決 ………………………………………………………… 422
  9-5-3-1 一部認容判決の意義 422　　**9-5-3-2** 一部認容判決が認められる場合 422

9-6 既判力 424

9-6-1 既判力の意義 ………………………………………………………… 424
9-6-2 既判力の性質 ………………………………………………………… 425
9-6-3 拘束力の根拠 ………………………………………………………… 425
9-6-4 既判力の作用 ………………………………………………………… 426
  9-6-4-1 積極的作用と消極的作用 426　　**9-6-4-2** 既判力の作用する局面 427　　**9-6-4-3** 既判力の調査 429
9-6-5 既判力を有する裁判 ………………………………………………… 430
  9-6-5-1 確定した終局判決 430　　**9-6-5-2** 確定判決と同一の効力がある調書等 432　　**9-6-5-3** 決定 432
9-6-6 既判力の時的限界 …………………………………………………… 433
  9-6-6-1 既判力の時的限界の意義 433　　**9-6-6-2** 基準時後の形成権行使と遮断効 435　　**9-6-6-3** 確定判決変更の訴え 438
9-6-7 既判力の客体的範囲 ………………………………………………… 440
  9-6-7-1 既判力の客体的範囲に関する原則 440　　**9-6-7-2** 相殺の抗弁 442　　**9-6-7-3** 争点効論と信義則論 444
9-6-8 一部請求 ………………………………………………………………… 448
  9-6-8-1 一部請求の意義 448　　**9-6-8-2** 一部請求後の残部請求の可否 449　　**9-6-8-3** 相殺・過失相殺の取扱い 453
9-6-9 既判力の主体的範囲 ………………………………………………… 454
  9-6-9-1 相対的解決の原則 454　　**9-6-9-2** 被担当者に対する拡張 456　　**9-6-9-3** 承継人に対する拡張 457　　**9-6-9-4** 所持者に対する拡張 463　　**9-6-9-5** 対世効 464　　**9-6-9-6** 反射効 466

9-7 執行力 469

9-7-1 執行力の意義 ………………………………………………………… 469
9-7-2 仮執行宣言 …………………………………………………………… 470

xix

9-8 形成力 471

9-9 判決の無効 472

9-9-1 判決の無効の意義 …………………………………………………472
　9-9-1-1 非判決と無効の判決の区別 472　9-9-1-2 非判決 473
　9-9-1-3 無効の判決 475
9-9-2 確定判決の騙取 …………………………………………………475
9-9-3 送達の瑕疵 ……………………………………………………477
　9-9-3-1 救済の必要性 477　9-9-3-2 上訴の追完 478　9-9-3-3 再審の訴え 479

第10章 当事者の意思による終了 481

10-1 訴えの取下げ 481

10-1-1 訴えの取下げの意義 …………………………………………481
10-1-2 訴えの取下げの要件と手続 ……………………………………482
　10-1-2-1 訴えの取下げの要件 482　10-1-2-2 訴えの取下げの手続 483
10-1-3 訴えの取下げの効果 …………………………………………483
　10-1-3-1 訴訟係属の遡及的消滅 483　10-1-3-2 再訴禁止効 484
　10-1-3-3 訴訟外の訴え取下げ合意の効果 485

10-2 訴訟上の和解 486

10-2-1 訴訟上の和解の意義 …………………………………………486
　10-2-1-1 和解の意義と種類 486　10-2-1-2 積極的和解論と謙抑的和解論 487　10-2-1-3 訴訟上の和解の法的性質 489
10-2-2 訴訟上の和解の要件 …………………………………………490
10-2-3 訴訟上の和解の手続 …………………………………………492
　10-2-3-1 和解勧試と和解の成立 492　10-2-3-2 和解条項案の書面による受諾等 493
10-2-4 訴訟上の和解の効果 …………………………………………495
　10-2-4-1 訴訟終了効 495　10-2-4-2 執行力・形成力 495
　10-2-4-3 既判力の有無 496　10-2-4-4 和解の無効原因の主張方法 499　10-2-4-5 和解の解除 500

10-3 請求の放棄・認諾 *501*

- **10-3-1** 請求の放棄・認諾の意義 …………………………………………… *501*
- **10-3-2** 請求の放棄・認諾の要件と手続 …………………………………… *501*
- **10-3-3** 請求の放棄・認諾の効果 …………………………………………… *503*

第11章　複数請求訴訟 *505*

11-1 総　　説 *505*

- **11-1-1** 複数請求訴訟の存在意義 …………………………………………… *505*
- **11-1-2** 複数請求訴訟の種類・発生原因 …………………………………… *506*

11-2 請求の客体的併合 *508*

- **11-2-1** 請求の客体的併合の意義と要件 …………………………………… *508*
- **11-2-2** 併合の態様 …………………………………………………………… *511*
  - 11-2-2-1 単純併合 *511* 　11-2-2-2 予備的併合 *511* 　11-2-2-3 選択的併合 *513*
- **11-2-3** 併合請求の審理と判決 ……………………………………………… *513*
  - 11-2-3-1 単純併合の場合 *514* 　11-2-3-2 予備的併合の場合 *514*
  - 11-2-3-3 選択的併合の場合 *517*

11-3 訴えの変更 *518*

- **11-3-1** 訴えの変更の意義 …………………………………………………… *518*
- **11-3-2** 訴えの変更の態様 …………………………………………………… *519*
- **11-3-3** 訴えの変更の要件 …………………………………………………… *520*
- **11-3-4** 訴えの変更の手続 …………………………………………………… *521*
- **11-3-5** 訴えの変更後の審判 ………………………………………………… *523*

11-4 反　　訴 *523*

- **11-4-1** 反訴の意義 …………………………………………………………… *523*
- **11-4-2** 反訴の要件 …………………………………………………………… *524*
- **11-4-3** 控訴審での反訴 ……………………………………………………… *525*
- **11-4-4** 反訴の手続 …………………………………………………………… *526*

11-5 中間確認の訴え *527*

11-6 弁論の分離・併合 528

- **11-6-1** 弁論の分離・併合の意義 ……………………………………528
- **11-6-2** 弁論の分離・併合についての判断 …………………………529

11-7 重複訴訟の処理 531

- **11-7-1** 二重起訴禁止の趣旨と重複訴訟の処理 ……………………531
- **11-7-2** 二重起訴の禁止の要件と効果 ………………………………534
- **11-7-3** 重複訴訟の処理 ………………………………………………535
- **11-7-4** 相殺の抗弁の取扱い …………………………………………538

第12章　多数当事者訴訟 542

12-1　多数当事者訴訟の意義 542

12-2　共同訴訟および訴訟参加の諸類型 543

- **12-2-1** 共同訴訟の諸類型 ……………………………………………543
- **12-2-2** 訴訟参加の諸類型 ……………………………………………543

12-3　通常共同訴訟 544

- **12-3-1** 通常共同訴訟の意義 …………………………………………544
- **12-3-2** 通常共同訴訟の要件 …………………………………………544
- **12-3-3** 共同訴訟人独立の原則 ………………………………………546
  - 12-3-3-1　共同訴訟人独立の原則の意義　546　　12-3-3-2　共同訴訟人間の主張共通　546　　12-3-3-3　共同訴訟人間の証拠共通　547
- **12-3-4** 同時審判申出共同訴訟 ………………………………………548
  - 12-3-4-1　同時審判申出共同訴訟の意義　548　　12-3-4-2　同時審判申出共同訴訟の要件　549　　12-3-4-3　同時審判申出共同訴訟の審理　550

12-4　必要的共同訴訟 552

- **12-4-1** 必要的共同訴訟の意義 ………………………………………552
- **12-4-2** 固有必要的共同訴訟 …………………………………………553
  - 12-4-2-1　固有必要的共同訴訟の意義　553　　12-4-2-2　共同の管理処分権の行使が必要とされている場合　553　　12-4-2-3　他人間の法律関係に変動を生じさせる訴訟　553　　12-4-2-4　共同所有の場合　554
- **12-4-3** 類似必要的共同訴訟 …………………………………………559
  - 12-4-3-1　類似必要的共同訴訟の意義　559　　12-4-3-2　類似必要的共同

訴訟の要件　560
- **12-4-4**　必要的共同訴訟の審理と判決…………………………560

12-5　主体的追加的併合　562

- **12-5-1**　主体的追加的併合の意義……………………………562
- **12-5-2**　原告がイニシアティヴをとる場合…………………563
  - **12-5-2-1**　原告の申立てによる主体的追加的併合の意義　563　　**12-5-2-2**　主体的追加的併合の適法性　563
- **12-5-3**　被告がイニシアティヴをとる場合…………………564
- **12-5-4**　第三者がイニシアティヴをとる場合………………565

12-6　補助参加　565

- **12-6-1**　補助参加の意義………………………………………565
- **12-6-2**　補助参加の要件………………………………………566
  - **12-6-2-1**　訴訟係属　566　　**12-6-2-2**　補助参加の利益　566
- **12-6-3**　補助参加の手続………………………………………569
  - **12-6-3-1**　補助参加の申出　569　　**12-6-3-2**　補助参加の許否　570
- **12-6-4**　補助参加人の地位……………………………………570
  - **12-6-4-1**　請求の非定立　570　　**12-6-4-2**　独立的地位　571
  - **12-6-4-3**　従属的地位　571
- **12-6-5**　参加的効力……………………………………………573
  - **12-6-5-1**　参加的効力の意義　573　　**12-6-5-2**　参加的効力の要件　573
  - **12-6-5-3**　参加的効力の客体的範囲・主体的範囲　574
- **12-6-6**　共同訴訟的補助参加…………………………………575
  - **12-6-6-1**　共同訴訟的補助参加の意義　575　　**12-6-6-2**　共同訴訟的補助参加の要件　575　　**12-6-6-3**　共同訴訟的補助参加人の地位　576

12-7　訴訟告知　578

- **12-7-1**　訴訟告知の意義………………………………………578
- **12-7-2**　訴訟告知の要件と手続………………………………578
  - **12-7-2-1**　訴訟告知の要件　578　　**12-7-2-2**　訴訟告知の手続　579
- **12-7-3**　参加的効力の要件……………………………………579
  - **12-7-3-1**　補助参加の利益　579　　**12-7-3-2**　告知者と被告知者との間の実体関係　580　　**12-7-3-3**　補助参加が現実になされた場合　581
- **12-7-4**　訴訟告知の実体法上の効力……………………………581

12-8　独立当事者参加　582

- **12-8-1**　独立当事者参加の意義と分類…………………………582

12-8-2 権利主張参加・詐害防止参加の意義 ……………………………… *582*
12-8-2-1 権利主張参加の意義 *582*　**12-8-2-2** 詐害防止参加の意義 *583*

12-8-3 独立当事者参加の要件 ……………………………………………… *584*
12-8-3-1 権利主張参加の要件 *584*　**12-8-3-2** 詐害防止参加の要件 *586*　**12-8-3-3** 共通の要件 *587*

12-8-4 独立当事者参加の手続 ……………………………………………… *588*

12-8-5 独立当事者参加訴訟の審理 ………………………………………… *588*
12-8-5-1 40条準用の意義 *588*　**12-8-5-2** 二当事者間の訴訟上の和解等 *589*　**12-8-5-3** 上訴 *590*

12-8-6 独立当事者参加訴訟の判決 ………………………………………… *592*

12-8-7 訴訟脱退 ……………………………………………………………… *592*
12-8-7-1 訴訟脱退の意義 *592*　**12-8-7-2** 訴訟脱退の効果 *593*　**12-8-7-3** 訴訟脱退の要件 *594*

12-8-8 共同訴訟参加 ………………………………………………………… *595*
12-8-8-1 共同訴訟参加の意義 *595*　**12-8-8-2** 共同訴訟参加の要件および手続 *595*　**12-8-8-3** 共同訴訟参加により成立した共同訴訟の審理 *596*

12-9 訴訟承継 *596*

12-9-1 総説 ………………………………………………………………… *596*
12-9-1-1 訴訟承継の意義 *596*　**12-9-1-2** 訴訟承継の種類 *597*　**12-9-1-3** 訴訟承継の効果 *597*

12-9-2 当然承継の原因 ……………………………………………………… *598*

12-9-3 参加承継・引受承継 ………………………………………………… *599*
12-9-3-1 参加承継・引受承継の原因 *599*　**12-9-3-2** 参加承継・引受承継の手続 *600*　**12-9-3-3** 参加承継・引受承継訴訟の審理と判決 *603*

12-9-4 訴訟承継主義の限界 ………………………………………………… *604*

第13章　不服申立て　*606*

13-1 上訴 *606*

13-1-1 上訴の概念 …………………………………………………………… *606*
13-1-2 上訴制度の目的 ……………………………………………………… *607*
13-1-3 上訴の種類 …………………………………………………………… *607*

| **13-1-4** | 上訴の要件と効果 …………………………………………………609 |

　　　　13-1-4-1 上訴の要件　*609*　　**13-1-4-2** 上訴の効果　*610*

13-2　控　　訴　*612*

| **13-2-1** | 控訴の利益 ……………………………………………………………612 |
| **13-2-2** | 利益変更・不利益変更禁止の原則 ……………………………………615 |

　　　　13-2-2-1 利益変更・不利益変更禁止の原則の意義　*615*　　**13-2-2-2** 合一確定が必要な場合と利益変更禁止・不利益変更禁止の原則　*616*

13-2-3	附帯控訴 ……………………………………………………………617
13-2-4	控訴の提起 …………………………………………………………618
13-2-5	控訴審の審理 ………………………………………………………620

　　　　13-2-5-1 控訴審の構造　*620*　　**13-2-5-2** 口頭弁論　*621*

| **13-2-6** | 控訴審の判決 ………………………………………………………622 |

　　　　13-2-6-1 控訴却下　*622*　　**13-2-6-2** 控訴棄却　*622*　　**13-2-6-3** 原判決の取消し　*623*

| **13-2-7** | 当事者の意思による控訴権の処分 …………………………………624 |

　　　　13-2-7-1 不控訴の合意　*625*　　**13-2-7-2** 控訴権の放棄　*626*
　　　　13-2-7-3 控訴の取下げ　*626*

13-3　上告と上告受理　*627*

13-3-1	上告の意義 …………………………………………………………627
13-3-2	上告受理の意義 ……………………………………………………627
13-3-3	上告および上告受理の目的 …………………………………………627
13-3-4	上　告　理　由 ……………………………………………………628

　　　　13-3-4-1 憲法違反　*629*　　**13-3-4-2** 絶対的上告理由　*629*　　**13-3-4-3** 判決に影響を及ぼすことが明らかな法令違反　*631*　　**13-3-4-4** 再審事由の上告理由該当性　*632*

13-3-5	上告の手続 …………………………………………………………634
13-3-6	附帯上告の手続 ……………………………………………………635
13-3-7	上告審の審理と判決 ………………………………………………635

　　　　13-3-7-1 書面審理　*635*　　**13-3-7-2** 口頭弁論　*636*　　**13-3-7-3** 上告審における調査の範囲　*637*　　**13-3-7-4** 判決　*639*　　**13-3-7-5** 差戻判決の拘束力　*640*

| **13-3-8** | 上告受理制度 ………………………………………………………641 |

　　　　13-3-8-1 上告受理制度の意義　*641*　　**13-3-8-2** 上告受理申立理由　*641*　　**13-3-8-3** 上告受理申立ての手続　*642*

13-4 抗　告　643

13-4-1 抗告の意義と種類······················643
13-4-2 抗告のできる裁判······················643
　13-4-2-1　328条1項　643　　13-4-2-2　明文規定がある場合　644
13-4-3 抗告および抗告審の手続··············645
　13-4-3-1　抗告の手続　645　　13-4-3-2　抗告審における審理と裁判　646
13-4-4 再　抗　告····························646
13-4-5 許　可　抗　告························647
　13-4-5-1　許可抗告の意義　647　　13-4-5-2　許可抗告の対象　647
　13-4-5-3　抗告許可理由　648　　13-4-5-4　許可抗告および許可抗告審の手続　648

13-5 特　別　上　訴　649

13-5-1 特別上訴の意義······················649
13-5-2 特　別　上　告······················649
13-5-3 特　別　抗　告······················650

13-6 再　審　650

13-6-1 再審制度の意義······················650
13-6-2 再　審　事　由······················650
13-6-3 再審開始の要件······················652
　13-6-3-1　出訴期間の制限　652　　13-6-3-2　確定した有罪判決，過料の裁判　652　　13-6-3-3　338条2項と出訴期間　653　　13-6-3-4　再審の補充性　653　　13-6-3-5　再審の訴えの対象　654　　13-6-3-6　当事者適格　655
13-6-4 再審訴訟の審理と裁判··············657
　13-6-4-1　再審の訴え　657　　13-6-4-2　訴えの適法性および再審事由の審理と裁判　658　　13-6-4-3　本案の再審理と判決　658

第14章　略式手続　660

14-1 総　説　660

14-2 手形訴訟・小切手訴訟　661

14-2-1 手形訴訟・小切手訴訟の意義··············661

14-2-2 手形訴訟・小切手訴訟の手続 …………………………………663
14-2-2-1 訴えと審理 663　　14-2-2-2 判決と不服申立て 664

14-3 少 額 訴 訟　665

14-3-1 少額訴訟の意義 …………………………………………………665
14-3-2 少額訴訟の手続 …………………………………………………665
14-3-2-1 訴えと審理 665　　14-3-2-2 判決と不服申立て 667

14-4 督 促 手 続　668

14-4-1 督促手続の意義 …………………………………………………668
14-4-2 督促手続の進行 …………………………………………………669
14-4-2-1 支払督促の申立て 669　　14-4-2-2 支払督促の効力と督促異議 670　　14-4-2-3 督促異議の申立てによる訴訟への移行 672

2022 年民事訴訟法改正の概要　674

事項索引　679

判例索引　698

すこし詳しく 目 次

第1章
- 1-1 慣習の法源性と境界確定訴訟　*12*
- 1-2 行為規範と評価規範　*15*
- 1-3 非争訟的非訟事件と争訟的非訟事件　*19*
- 1-4 弁護士費用の敗訴者負担に向けた議論　*28*

第2章
- 2-1 却下という用語の多義性　*46*
- 2-2 訴状送達前における訴えの却下　*46*
- 2-3 私的自治の原則　*57*
- 2-4 私法上の意思表示　*61*

第3章
- 3-1 裁判所書記官の権限の拡大　*67*
- 3-2 裁判所調査官の役割と専門委員の役割　*70*
- 3-3 付加的管轄合意と専属的管轄合意　*73*
- 3-4 法定管轄のない裁判所への訴え提起と応訴管轄　*74*
- 3-5 特許権等に関する訴訟の専属管轄の特色　*75*
- 3-6 地方裁判所から家庭裁判所への移送　*81*
- 3-7 判例上,「前審の裁判」に当たらないとされている例　*85*
- 3-8 裁判官の訴訟指揮が忌避事由となる場合　*87*

第4章
- 4-1 決定手続における「当事者」　*92*
- 4-2 二当事者対立構造と当事者の実在　*93*
- 4-3 法人格否認の法理と当事者の確定　*99*
- 4-4 遺言執行者の当事者適格　*129*

第5章
- 5-1 形成権の訴訟外行使　*159*
- 5-2 手続裁量論　*160*
- 5-3 期日指定についての当事者の申立権　*162*
- 5-4 手続の進行の事実上の停止等　*180*

目 次

第6章
- 6-1 擬制陳述と弁論準備手続　*186*
- 6-2 「適時」と「時機」の関係　*194*

第7章
- 7-1 「弁論権」と「弁論主義」　*204*
- 7-2 弁論主義の根拠に関する諸学説　*205*
- 7-3 現実の訴訟における間接事実の役割　*212*
- 7-4 「重要な間接事実」の意義　*215*
- 7-5 弁論主義と自由心証主義の関係　*216*
- 7-6 権利抗弁　*228*
- 7-7 否認事実と間接事実　*230*
- 7-8 擬制自白と準備書面　*233*
- 7-9 日常的な法概念と権利自白　*251*
- 7-10 証明度の意義　*253*
- 7-11 裁量評価を伴う事実認定　*276*
- 7-12 民法188条による推定の覆滅　*278*
- 7-13 少額訴訟と証人尋問先行の原則　*309*
- 7-14 調査嘱託　*313*
- 7-15 鑑定嘱託　*314*
- 7-16 二段の推定の限界　*320*
- 7-17 宣誓認証私署証書　*321*
- 7-18 書証における法律と実務の乖離　*322*
- 7-19 一般義務化の不徹底　*323*
- 7-20 「利益文書」および「法律関係文書」の意味　*326*
- 7-21 公務組織利用文書と公務非組織利用文書　*334*
- 7-22 「稟議書」の自己利用文書該当性　*334*
- 7-23 インカメラ手続と当事者開示　*339*

第8章
- 8-1 訴訟要件と本案の審理　*346*
- 8-2 宗教紛争をめぐる理論的課題　*357*
- 8-3 訴えの利益概念の沿革　*359*
- 8-4 代償請求　*365*
- 8-5 紛争解決に対する確認判決の有効適切性　*368*
- 8-6 事実と法律関係の区別　*371*
- 8-7 将来の法律関係の確認　*372*
- 8-8 第三者との間の法律関係の確認　*373*

8-9	債務不存在確認の訴えの提訴強制機能と確認の利益 *376*
8-10	当事者の概念と当事者適格 *378*
8-11	当事者能力と当事者適格の相対化に関する議論 *390*
8-12	民法上の組合の当事者能力 *391*
8-13	法人格のない団体の代表者の権限 *393*

第 9 章

9-1	訴訟終了宣言判決 *405*
9-2	いわゆる「新様式判決」 *412*
9-3	強制執行の申立てと判決確定証明 *415*
9-4	判決の確定と訴訟の終了の関係 *418*
9-5	判決の証明効 *418*
9-6	246条と弁論主義の関係 *419*
9-7	審判手続の指定 *419*
9-8	給付の訴えに対して確認判決をすることの可否 *421*
9-9	現在給付の訴えに対して将来給付判決をすることの可否 *421*
9-10	定期金賠償 *422*
9-11	立退料の取扱い *424*
9-12	既判力の作用場面を論じる意義 *429*
9-13	形成判決の既判力 *431*
9-14	決定の既判力 *432*
9-15	期待可能性の不存在による既判力の縮小 *434*
9-16	期限未到来を理由とする棄却判決の既判力 *435*
9-17	強制執行の態様等に関する主文の記載と既判力 *441*
9-18	一部請求における相殺の抗弁と既判力 *443*
9-19	一部であることの「明示」 *453*
9-20	案分説を適用すべき場合 *454*
9-21	法人格否認の法理による既判力の拡張 *455*
9-22	不動産譲渡の場合における承継の時期 *460*
9-23	実質説と形式説 *461*
9-24	所持者の概念の拡張 *464*
9-25	第三者再審・詐害再審 *465*
9-26	反射効が議論されるその他の場合 *467*
9-27	最判昭和51・10・21の事案 *468*
9-28	形成力と形成結果の不可争性 *472*

第 10 章

| 10-1 | 即 決 和 解 *487* |

10-2　訴訟上の和解と事実認定　*488*
10-3　簡易裁判所での和解に代わる決定　*494*
10-4　請求の放棄・認諾や裁判上の和解と訴訟要件の具備　*502*

第 11 章

11-1　異種の訴訟手続によるべき請求の客体的併合が適法とされる場合　*510*
11-2　請求相互の関係において予備的併合が許容される範囲　*512*
11-3　主位的請求棄却・予備的請求認容の第1審判決に対して被告のみが控訴した場合の議論　*516*
11-4　反訴であれば重複訴訟に当たらないことの意味　*536*
11-5　後から提起された手形訴訟の取扱い　*537*
11-6　訴え先行型で相殺の抗弁の主張を不適法とした判例の問題点　*541*

第 12 章

12-1　固有必要的共同訴訟における請求の個数　*545*
12-2　共同訴訟人間の証拠共通の正当化根拠　*548*
12-3　主体的予備的併合の適法性　*551*
12-4　持分権に基づく妨害排除請求における保存行為という構成　*555*
12-5　最判平成20・7・17の問題　*556*
12-6　境界確定訴訟における固有必要的共同訴訟　*557*
12-7　反 射 効　*560*
12-8　訴訟物限定説と訴訟物非限定説の対立の意味　*569*
12-9　補助参加人による自白の取扱い　*572*
12-10　告知者と被告知者の認識が異なる場合　*580*
12-11　訴訟状態承認義務に対する批判　*598*

第 13 章

13-1　違式の裁判　*610*
13-2　旧実体的不服説　*614*
13-3　許可抗告の確定遮断効　*649*
13-4　第三者による再審の訴え　*656*
13-5　口頭弁論終結後の特定承継人の原告適格　*656*

第 14 章

14-1　手形訴訟・小切手訴訟での報告証書の証拠能力　*664*

TERM 目次

① 判決手続　*8*
② 「判例」概念の多義性　*11*
③ 司法資源　*24*
④ 本　案　*27*
⑤ 訴訟上の請求と実体法上の請求権　*34*
⑥ 請求原因　*44*
⑦ 職務上の当事者　*129*
⑧ 攻撃防御方法　*150*
⑨ 申　出　*151*
⑩ 「訴訟に関する合意」と「訴訟契約」　*154*
⑪ 原本・副本・正本・謄本・抄本　*166*
⑫ 欠席判決　*174*
⑬ 責問権　*177*
⑭ 弁論主義の諸原則に関する用語　*208*
⑮ 「訴訟資料」という言葉の多義性　*209*
⑯ 「準主要事実」という概念　*217*
⑰ 職権探知事項　*219*
⑱ 「審理排除効」と「判断拘束効」　*236*
⑲ 「証拠共通」という概念の多義性　*257*
⑳ 証明責任　*268*
㉑ 「暫定真実」という言葉　*280*
㉒ 「事案解明義務」概念の多義性　*285*
㉓ 書　証　*317*
㉔ 「公務文書」・「公務秘密文書」・「公務員の職務上の秘密に関する文書」　*330*
㉕ 訴訟要件という名称　*346*
㉖ 妨訴抗弁　*349*
㉗ 国際裁判管轄と一般の管轄　*352*
㉘ 管理権と管理処分権　*381*
㉙ 棄却と却下　*405*
㉚ 手続内拘束力　*417*
㉛ 「明示」（的）一部請求と「黙示」（的）一部請求　*452*
㉜ 「反射効」概念の多義性　*466*
㉝ 狭義の執行力と広義の執行力　*469*
㉞ 無効の判決　*473*
㉟ 「二重起訴の禁止（重複起訴の禁止）」と「重複訴訟の処理」の用語法　*534*

㊱ 事実審と法律審　609
㊲ 不服の範囲と不服の理由　620
㊳ 「略式手続」と「略式訴訟」　661

凡　例

1　法令名の略記

■「**民事訴訟法**」（平成 8 年法律 109 号）は，原則として**条数のみ**を記し，他の法令との混同を避けるなどの必要に応じて，「**民訴法**」（本文解説中），「**民訴**」（かっこ内引用中）の略記を用いることとした。

■「**民事訴訟規則**」（平成 8 年最高裁規則 5 号）は，本文解説中は「**民訴規**」，かっこ内引用中は「**規**」と略記した。

■「**旧民事訴訟法**」（明治 23 年法律 29 号。大正 15 年法律 61 号による改正後のもの）は，本文解説中は「**旧民訴法**」，かっこ内引用中は「**旧民訴**」と略記した。

■「**旧々民事訴訟法**」（明治 23 年法律 29 号。大正 15 年法律 61 号による改正前のもの）は，本文解説中は「**旧々民訴法**」と略記した。

■「**人事訴訟法**」（平成 15 年法律 109 号）は，本文解説中は「**人訴法**」と略記した。

■「**民事執行法**」（昭和 54 年法律 4 号）は，本文解説中は「**民執法**」と略記した。

■「**民事保全法**」（平成元年法律 91 号）は，本文解説中は「**民保法**」と略記した。

■　その他の法令をかっこ内で引用する場合には，以下の通り，有斐閣『六法全書』巻末の「法令名略語」によった。

意匠：意匠法	戸：戸籍法
会計士：公認会計士法	公害紛争：公害紛争処理法
会更：会社更生法	公証：公証人法
会社：会社法	公選：公職選挙法
家事：家事事件手続法	国公：国家公務員法
行書：行政書士法	裁：裁判所法
行訴：行政事件訴訟法	最事規：最高裁判所裁判事務処理規則
刑訴：刑事訴訟法	裁判外紛争解決：裁判外紛争解決手続の利用の促進に関する法律
憲：日本国憲法	
建設：建設業法	司書：司法書士法

凡　例

借地借家：借地借家法
商：商法
商登：商業登記法
消費契約：消費者契約法
商標：商標法
新案：実用新案法
人訴：人事訴訟法
税通：国税通則法
税理士：税理士法
専門委規：専門委員規則
地公：地方公務員法
知財高裁：知的財産高等裁判所設置法
地税：地方税法
仲裁：仲裁法
著作：著作権法
手：手形法
特許：特許法
独禁：私的独占の禁止及び公正取引の確保に関する法律

破：破産法
犯罪被害保護：犯罪被害者等の権利利益の保護を図るための刑事手続に付随する措置に関する法律
非訟：非訟事件手続法
不正競争：不正競争防止法
不登：不動産登記法
弁護：弁護士法
弁理士：弁理士法
放送：放送法
法適用：法の適用に関する通則法
民：民法
民再：民事再生法
民執：民事執行法
民訴費：民事訴訟費用等に関する法律
民調：民事調停法
民保：民事保全法
労審：労働審判法
労調：労働関係調整法

2　判例，判例集・雑誌名の略記

■ 判例の略記

最判平成 10・6・12 民集 52 巻 4 号 1147 頁
　→ 最高裁判所平成 10 年 6 月 12 日判決，最高裁判所民事判例集 52 巻 4 号 1147 頁登載

最大判(決)：最高裁判所大法廷判決(決定)　　高　判(決)：高等裁判所判決(決定)
最　判(決)：最高裁判所判決(決定)　　　　　地　判(決)：地方裁判所判決(決定)

■ 判例集・雑誌名の略記

民　集：大審院民事判例集または
　　　　最高裁判所民事判例集
民　録：大審院民事判決録
集　民：最高裁判所裁判集民事
刑　集：大審院刑事判例集または
　　　　最高裁判所刑事判例集
判決全集：大審院判決全集
高民集：高等裁判所民事判例集
東高民時報：東京高等裁判所民事判決時報
下民集：下級裁判所民事裁判例集

家　月：家庭裁判月報
行裁集：行政事件裁判例集
金　判：金融・商事判例
金　法：金融法務事情
ジュリ：ジュリスト
訟　月：訟務月報
新　聞：法律新聞
判　時：判例時報
判　タ：判例タイムズ

3　本書における用語の整理・統一について

＊以下に掲げた用語は，a) その概念・用語が一般的に定着しているとは言い難いが，本書において使用すべきであると著者一同が考えたもの，および，b) 複数の呼称を有するので，本書の執筆に先立ち，整理・統一を図る必要があると考えられたものである。

＊これらの用語は，本書の「はしがき」および関係各所において，その定義，位置づけ，使い方，その理由などを記してあるが，そのうち，特に冒頭でまとめて示しておいた方がよいと思われるものについて，以下の通り，一覧の形で掲げることとした。

a) その概念・用語が一般的に定着しているとは言い難いもの
- 判断拘束効（一般には「審判排除効」と呼ばれる効果の一部として理解されている）
  → 236 頁（❶ 18），245 頁（**7-3-3-2**）
- 審理排除効（一般には「審判排除効」と呼ばれる効果の一部として理解されている）
  → 236 頁（❶ 18），245 頁（**7-3-3-3**）
- 手続内拘束力（伝統的に「覊束力」と呼ばれてきたもの）
  → 417 頁（**9-4-3-2**），417 頁（❶ 30）
- 既判力の客体的範囲（一般的には「既判力の客観的範囲」と呼ばれてきたもの）
  → 440 頁（**9-6-7**）
- 既判力の主体的範囲（一般的には「既判力の主観的範囲」と呼ばれてきたもの）
  → 454 頁（**9-6-9**）
- 請求の客体的併合（一般的には「請求の客観的併合」と呼ばれてきたもの）
  → 507 頁（**11-1-2**），508 頁（**11-2**）
- 客体的予備的併合（一般的には「客観的予備的併合」と呼ばれてきたもの）
  → 404 頁（**9-2-2-2**）
- 主体的予備的併合（一般的には「主観的予備的併合」と呼ばれてきたもの）
  → 549 頁（**12-3-4-1**）
- 主体的追加的併合（一般的には「主観的追加的併合」と呼ばれてきたもの）
  → 562 頁（**12-5**）

b) 複数の呼称を有するもの
- 訓示規定（「訓示的規定」と呼ばれることもある）
  → 14 頁（**1-1-4-3**）
- 責問権（「異議権」と呼ばれることもある）
  → 176 頁（**5-3-4-2**），177 頁（❶ 13）など
- 撤回制限効（「不可撤回効」，「撤回不能効」，「撤回禁止効」などと呼ばれることもある）

→ 246 頁（**7-3-3-4**）

・**飛越上告**（「ひえつじょうこく」と呼ばれることもあるが，本書では「とびこしじょうこく」と呼ぶ）

→ 608 頁

著者紹介

三木浩一（みき・こういち）
　慶應義塾大学名誉教授
　《第1章，第6章，第7章　執筆》

笠井正俊（かさい・まさとし）
　京都大学大学院法学研究科教授
　《第3章，第5章，第10章，第11章，第14章　執筆》

垣内秀介（かきうち・しゅうすけ）
　東京大学大学院法学政治学研究科教授
　《第4章，第8章，第9章　執筆》

菱田雄郷（ひしだ・ゆうきょう）
　東京大学大学院法学政治学研究科教授
　《第2章，第12章，第13章　執筆》

第 1 章
民事訴訟とは何か

1-1 民事訴訟の意義
1-2 法体系の中での民事訴訟制度
1-3 訴訟に要する費用とその負担

1-1 民事訴訟の意義

1-1-1 民事訴訟制度の目的と機能

　民事訴訟制度は，民事上の紛争を解決するために社会が設けた公的な手続である。社会のあるところには必ず紛争があり，その紛争を解決または処理するための機構として，民事訴訟や刑事訴訟などの裁判制度がある。「社会のあるところには必ず法がある」ともいわれるが，もともと法が先にあってその後に裁判制度が作られたというわけではない。むしろ裁判例の蓄積が徐々に法の形をとって結晶化してきたのであり，歴史的にみれば，裁判手続こそが「法のゆりかご」であった。しばしば「法の歴史は裁判の歴史である」といわれる所以である。

　このように，客観的な事実や歴史的な認識のレベルにおいては，民事訴訟制度の必要性はあえて論ずるまでもなく，いうなれば自明のことである。とりわけ，高度に発達した裁判制度が定着した現代社会に生きる人々の中で，民事訴訟の存在意義を疑う者はいないであろう。ところが，民事訴訟法学の世界では，古くから，民事訴訟の目的は何であるかをめぐる議論，すなわち「民事訴訟の目的論」が，活発に論じられてきた。民事訴訟の目的を論ずること自体にどの

ような意味があるのかについては後述するとして，どのような見解が主張されてきたかを概観することから始めよう。

　まず，民事訴訟は，国家が自力救済を禁止したことの代償として設けられたものであるとして，私人の権利救済のための制度であることを強調する「権利保護説」がある。権利保護説は，近代における個人主義の精神によく合致するが，権利や私法が裁判の前に存在するとの立場を前提とするため，裁判による法創造の作用と結び付きにくいなどの批判がある。次に，国家は，自ら制定した法規による私法秩序を維持するために民事訴訟を設けたとする「私法維持説」（私法秩序維持説，法秩序維持説ともいう）がある。私法維持説は，裁判制度の国家的契機に焦点を当てたものであるが，私的自治の原則が妥当する民事訴訟の構造とは相容れないとの批判がある。そこで，権利や私法より訴訟が先にあったとの歴史認識を基礎として，民事訴訟の目的は端的に私的紛争の解決にあるとする「紛争解決説」が唱えられるようになった。紛争解決という観念は，権利や国家などの特定の価値的観念を前提としないので，価値相対主義に立脚する民主国家にふさわしい側面を持つ。しかし，紛争がただ解決されることが裁判の目的ではなく，法に従った解決こそが重要であるのに，その点を軽視しているとの批判がある。さらに，権利保護，私法維持，紛争解決のいずれもが民事訴訟の目的であるとする「多元説」もみられる。

　このように見解が百出していることから，民事訴訟の目的を論ずることの意味をめぐる議論もなされている。その中の有力な見解は，時空を超越した普遍的または哲学的な観点から民事訴訟の目的を論ずることに意味はなく，目的論は，現在のわが国の社会における民事訴訟の立法や解釈の指針として機能するものでなければならないという。そして，こうした見解によれば，多元説は，歴史認識としては正しいとしても，諸説を寄せ集めたにすぎないため，立法や解釈の指針とはなり得ないとして批判される。しかし，このような見解に対しては，もともと民事訴訟の目的論は抽象度が高いうえに，中間項に工夫を加えればいかなる結論も導くことが可能であるので，本来，具体的な立法や解釈を直接左右するようなものではないとして，ひとまず目的論を棚上げして民事訴訟を議論してよいとする「目的論棚上げ説」も唱えられている。また，民事訴訟の「目的」と現実に果たしている「機能」とは区別すべきであり，民事訴訟の機能，たとえば法創造機能（環境権のような新しい権利の形成）や政策実現機

能（禁煙訴訟のような社会運動の推進）などは，目的論の中で扱うべきではないとする見解もある。しかし，こうした見解に対しては，むしろ民事訴訟が現実に果たしている「機能」こそが，訴訟制度の利用者や裁判所にとっては重要であり，民事訴訟が果たす現実の機能を排除して抽象的な「目的」のみを議論することは，さほど生産的ではないとの反論も可能であろう。

　結局，次のように議論を整理すべきである。権利保護説，私法維持説，紛争解決説のいずれの論者も，その主張する民事訴訟の「目的」は異なっていても，民事訴訟の目的を一元的に説明する理論を構築することは，有益かつ必要であるとの基本的立場を前提とする。また，多元説や目的論棚上げ説も，目的論の実践的な機能には懐疑的であるが，それでも目的論が不要であるとまではいわない。しかし，アメリカなどの実証法学の傾向が強い国々では，そもそも目的論はあまり議論されない。また，わが国でも，実務家は目的論にはほとんど関心がない。このことは，仮に目的論が一定の有益性を有するとしても，それが「誰にとって」および「何にとって」有益なのか，という問いを導くことになる。一般に，民事訴訟の目的論が有益であるとされるのは，学説上の理論の体系化，学説の構造の探求，学問における共通の雰囲気の醸成，学説の首尾一貫性の検証，新しい学説の創造などの場面である。すなわち，主として研究者または理論にとっての有益性ということになる。しかし，学習者や実務家にとっては，民事訴訟が実際に果たしているさまざまな「機能」を正しく認識することこそが重要であり，また，学習や実務との関係では，当面，それで足りるであろう。

　ここにいう民事訴訟が現実に果たす「機能」とは，具体的には，伝統的な目的論が説くように，「権利保護」，「私法維持」，「紛争解決」（これらは，「機能」でもある）であり，さらに，これらに加えて，「真実の発見」，「心理的満足」，「黒白の決着」，「相手方との対峙」，「和解交渉のきっかけ」，「断固たる意思の表明」，「社会的関心の喚起」，「新たな法の創造（法創造機能）」，「政策への影響（政策実現機能）」など，きわめて多様なものがある。

1-1-2　民事紛争解決に関わる諸制度

　民事上の紛争は，常に民事訴訟によって解決されるとは限らない。また，民事訴訟が常に最良の紛争解決手段であるとも限らない。民事訴訟は，紛争解決

手段のうちの1つとして，おのずから固有の特徴と限界を有しており，紛争の種類および内容や当事者の意向によっては，民事訴訟以外の諸制度を利用することが望ましいことも少なくない。民事上の紛争解決のための制度や仕組みで，民事訴訟以外のものは，総称して，「**裁判外紛争解決**」または「**ADR**（Alternative Dispute Resolution）」と呼ばれる。裁判外紛争解決は，紛争解決の方法により，「裁断型」と「合意型」に分けることができる。また，その設置主体により，「司法型」，「行政型」，「民間型」に分けることができる。ここでは，民事訴訟との対比が目的であるので，代表的なADRを選んで，その概略をみてみることにしよう。

1-1-2-1 調　停

「調停」は，当事者間における紛争の自主的な解決のために，第三者が仲介または助力する形態による合意型の紛争解決手段である。ここで「合意型」というのは，自主的な解決としての和解を成立させるかどうかが，当事者間の合意に委ねられていることを意味する。また，調停は，基本的に，調停を行うかどうかも当事者の任意に委ねられているので，二重に当事者の自主性が尊重されているADRである。なお，法令等において，調停に近い制度として「斡旋」が設けられていることがある（公害紛争28条～30条，労調13条等）。一般に，斡旋は調停よりも手続的な形式性が緩やかな制度として位置付けられているが，調停との違いは必ずしも厳密なものではない。以下では，両者を一括して広義の調停として説明する。

調停には，「司法型」，「行政型」，「民間型」のいずれもがある。司法型の調停は，一般民事事件を対象とする民事調停（民事調停法），家事事件を対象とする家事調停（家事第3編），労働審判における調停（労審1条）がある。わが国の裁判外紛争解決に占める事件数では，民事調停および家事調停の数が圧倒的に多い。行政型の調停は，各種の法令に根拠規定を有し，制度としては数多く設けられている。代表的なものには，建築紛争に関する建設工事紛争審査会における調停（建設第3章の2）や公害紛争に関する公害等調整委員会および都道府県公害審査会等における調停（公害紛争第3章）などがある。民間型の調停も，多くの民間の機関や団体において設けられており，各地の弁護士会が運営する紛争解決センター（呼び名は弁護士会ごとに異なる）における調停，司法書士会や社会保険労務士会などその他の士業が運営する調停，自動車や家電などの

PLセンターが運営する調停など，さまざまなものがある。また，民間型の調停機関については，法務大臣による認証制度（裁判外紛争解決手続の利用の促進に関する法律）がある。

調停は，当事者の合意に基づく紛争解決であるので，裁断型に比べて感情的なしこりが残りにくい。したがって，継続的な取引関係や人間関係を維持する必要がある紛争には適していることが少なくない。たとえば，将来も取引が続く企業同士の紛争，親族間の紛争，隣人同士の紛争などである。また，裁断型では勝者と敗者が出やすいのに対し（ウィン＝ルーズ型），合意型の紛争解決では敗者が出ない解決（ウィン＝ウィン型）を探ることもできる。たとえば，土地を賃借して木造家屋を建設して居住している賃借人に対し，賃貸人が賃貸借期限の終了と自己利用の必要性を主張して明渡しを求めている紛争において，両者が共同出資をして当該土地上に収益性の高い高層ビルを建築するという内容の和解を提案するなどである。さらに，調停は，紛争解決結果に両当事者が同意しているので，その任意履行が得やすく，事後に強制執行などの新たな負担を生じることが少ない。

1-1-2-2　仲　裁

「仲裁」は，当事者が紛争の解決を第三者である仲裁人に委ね，仲裁人の判断に服する旨を合意して行う形態の紛争解決手段である。仲裁は，当事者双方が仲裁の合意をしなければ，行うことができない。この点で，原告が訴えを提起すれば，被告の同意がなくとも開始する民事訴訟とは異なる。しかし，有効な仲裁合意を結んで仲裁を行えば，仲裁人の判断に従わなければならず，これによって黒白の決着がつくので，民事訴訟と同じく「裁断型」の手続ということができる。仲裁に関する手続は，仲裁法によって規律されている。ただし，訴訟よりも自由度が高い。判決に相当する仲裁判断は，原則として訴訟と同じく法に基づいてなされる。また，仲裁判断は確定判決と同一の効力を有し（仲裁45条1項本文），一定の手続を踏めば判決と同様に強制執行をすることもできる（同46条）。こうしたことから，仲裁は，「私設の裁判」であるといわれる。

仲裁には，行政型と民間型がある。行政型の調停を行う機関として上述した建設工事紛争審査会や公害等調整委員会および都道府県公害審査会は，仲裁を行うこともできる（建設第3章の2，公害紛争第3章）。民間型でも，弁護士会の紛争解決センターは，一般に仲裁も行う。また，国内の仲裁案件のほかに，国

際的な仲裁も取り扱う民間型の仲裁機関として，日本商事仲裁協会と日本海運集会所がある。日本商事仲裁協会は，主として国際的な企業間の取引紛争に関する仲裁を行う。また，日本海運集会所は1926年から活動している老舗の仲裁機関であり，海事紛争を専門的に取り扱うが，海運業者間の紛争のみならず，荷主，損保会社，造船会社などの周辺業者が当事者となる紛争も，幅広く取り扱う。

　民事訴訟よりも仲裁がよく利用される分野として，国際的な企業間の商事紛争がある。仲裁判断は，1958年に採択された「外国仲裁判断の承認及び執行に関する条約」（一般に「ニューヨーク条約」と呼ばれる）により，外国の資産に対する執行が容易だからである。ニューヨーク条約は，締約国の裁判所に対し，他の締約国における仲裁判断の承認と執行を義務付けているが，現在では締約国の数は160に迫っており，主要な国のほとんどが名を連ねている。また，仲裁は，訴訟と比べて手続が柔軟であることも，国際商事紛争で仲裁が利用される理由である。たとえば，仲裁では，当事者は仲裁地や仲裁機関を自由に選ぶことができるし，手続で用いる言語も自由に合意することができる。また，手続が公開される訴訟と異なり，仲裁は秘密に行うことができるという利点も有しているので，知的財産や企業秘密が絡む事件に適することもある。

1-1-2-3　民事訴訟

　これらの紛争解決手段と比較して，「**民事訴訟**」は，次のような特徴を有している。最大の特徴は，「強制的」かつ「最終的」な紛争解決手段であるということである。

　まず，「強制的」であるが，これには強制執行が可能であるという意味のほかに，手続の開始における強制という意味がある。裁判外紛争解決手段は，調停にしても仲裁にしても，当事者間で手続の開始についての合意を必要とする。したがって，一方が手続を開始したくても，他方が拒めば開始することはできない。これに対し，民事訴訟は，手続の開始に当事者の合意は不要であり，被告の同意や応訴がなくても審理が進む。被告がそれを無視したり，または欠席しても，被告に対する判決は出される。そして，その判決は，否応なく両当事者を拘束する。

　次に，「最終的」であるが，このように強制的に手続を実施することができるので，調停において和解の合意が調わない場合や，仲裁開始の合意ができな

かった場合などにおいて，民事訴訟は最後の受け皿となる。また，仲裁が行われた場合でも，その手続過程に重大な瑕疵があった場合には，例外的にではあるが，民事訴訟を通じて救済を図ることができる（仲裁44条）。つまり，民事訴訟は，民事に関する紛争解決の「最後の砦」でもあるのである。

その他の特徴としては，民事訴訟は，一方において，調停と比べてはもちろんのこと，仲裁と比較しても手続が厳格であり，融通が利きにくいという欠点はあるものの，その反面として，手続の明確性や透明性が高いという大きな長所がある。また，審級制度を通じて再審理が保障されている点も，仲裁などとは異なる点であり，手続に対する信頼性がとくに高い。さらに，手続や判決が公開されることにより，「社会関心の喚起」，「新たな法の創造」，「政策への影響」などの機能が高いことも，大きな特徴である。

1-1-3 民事訴訟法の法源

1-1-3-1 狭義の民事訴訟法と広義の民事訴訟法

民事訴訟法は，狭義では，「**民事訴訟法**」という名称の法律（平8法109）を指す。狭義の民事訴訟法は，「形式的意義の民事訴訟法」ともいう。しかし，民事訴訟の制度や作用は，狭義の民事訴訟法だけが規律するものではなく，それ以外の数多くの法規が相まって，民事訴訟の制度や作用を成り立たせている。こうした民事訴訟に関係する法規の中には，実体法である民法などの私法および組織法である裁判所法（昭22法59）もある。私法は，民事訴訟における裁判内容の実体的な基準を提供するものであり，裁判所法は，裁判所の組織や権限を定める。また，民事訴訟の運営と作用を規律する手続法にも，狭義の民事訴訟法に加えて，数多くの法律や規則がある。これらのうち，民事の手続法の総体を「広義の民事訴訟法」または「実質的意義の民事訴訟法」という。

広義の民事訴訟法には，狭義の民事訴訟法に加えて，人事訴訟法（平15法109），民事訴訟費用等に関する法律（昭46法40），行政事件訴訟法（昭37法139），非訟事件手続法（平23法51），家事事件手続法（平23法52），民事執行法（昭54法4），民事保全法（平元法91），破産法（平16法75），会社更生法（平14法154），民事再生法（平11法225）などの法律や，民事訴訟規則，人事訴訟規則，民事訴訟費用等に関する規則，非訟事件手続規則，家事事件手続規則，民事執行規則，民事保全規則，破産規則，会社更生規則，民事再生規則などの最

高裁判所規則が含まれる。また，憲法，民法，会社法などの中にも，広義の民事訴訟法に属する規定が散在している（憲32条・82条，民202条・258条・744条，会社828条〜867条・868条〜878条・879条〜906条など）。

本書では，主として，狭義の民事訴訟法を取り上げるが，必要に応じて広義の民事訴訟法のうちの「**判決手続**」に関する制度や問題にも触れる。

> **TERM** ① **判 決 手 続**
>
> 「**判決手続**」という言葉は，裁判手続のうち，原告が訴えによって請求する権利義務の存否および内容を観念的に確定する手続段階を指すものとして，講学上または実務上でしばしば使われる。権利義務の事実上の実現を目的とする「執行手続」や，権利義務の実現を保全するための仮差押えや仮処分を行う「保全手続」などに対する言葉である。「訴訟手続」とほぼ同義であるが，「訴訟」という言葉には前述のように広義の意味もあるため，訴訟手続の中で裁判所による判決を目指して行われる手続段階を指すものとして，とくに「判決手続」という言葉が使われる。ただし，実際の「判決手続」は，常に判決で終了するとは限らず，原告の訴えの取下げや訴訟上の和解によって手続が終了することも多い。

1-1-3-2 民事訴訟法の沿革

広義の民事訴訟法は，いうまでもなく民事訴訟に関する法源であり，なかでも狭義の民事訴訟法がその中核をなす。わが国における近代的な民事訴訟法は，江戸時代以前の手続規範や裁判制度と直接的な連続性はなく，その歴史は明治期に始まる。こうした民事訴訟法の制定および改正の歴史は，おおむね次のとおりである。

明治維新から数年間は，民事訴訟の実施に際して依拠し得る法令はなく，事件は慣例に基づいて処理されていた。やがて，太政官布告や司法省布達・指令などによって，個別的な法制化が進んでいった。1876年，各種の法典編纂の必要性を痛感した政府は，司法省に法律取調所を設け，当時の民事訴訟の慣例や法規を整理する作業を実施し，また，フランス法を模した訴訟法案が作られるなどした。その後，政府は，当時最新とされたドイツ法を範として立法を行う決断をし，1886年，ドイツ人テッヒョーが起草した訴訟法案（テッヒョー草案）が政府に提出された。これを基礎として，法律取調委員会の審議を経て，1890年，わが国で初めての民事訴訟法が成立し，翌1891年から施行された。これが，現在の民事訴訟法につながる旧々民事訴訟法（明治民事訴訟法）である。

その内容は，主として，1877年制定のドイツ民事訴訟法を翻訳的に継受したものであった。

しかし，施行の直後から，規定が精密すぎて使いにくいなどの批判が出て，1895年頃から改正の検討が始まった。この改正の作業は曲折を経たが，最終的には，1926年，旧々民事訴訟法の判決手続の部分を全面的に改正する法律が成立し，1929年から施行された。これが，戦前から戦後をまたいで施行されてきた旧民事訴訟法である。このときの改正は，一般に「大正15（1926）年改正」と呼ばれる。

さらに，第2次大戦中は，手続の簡素化および審級の省略のための戦時民事特別法が制定された。第2次大戦後，日本国憲法のもとで司法制度の一新が企図され，1947年に制定された裁判所法により，裁判所の組織や権限も現在の姿に改められた。さらに，1948年，アメリカ法の影響を受けて，民事訴訟法の部分改正がなされ，簡易裁判所の手続の特則，特別上告制度等の新設，職権証拠調べの廃止，交互尋問制の導入などが行われた。さらに，1950年や1964年にも部分的な改正が行われた。しかし，明治期に作られた旧々民事訴訟法およびその大正15年改正に基づく旧民事訴訟法の基本的な構造が大きく変わったわけではなく，明治・大正期の立法が，昭和を経て平成の時代にまで維持されたのである。

しかし，大正15年改正から約70年が経過した頃には，その間における社会・経済の大きな変化もあって，従来の手続は，時代に対応できなくなっていった。とりわけ，裁判に時間と費用がかかりすぎるとの批判が高まった。そこで，民事訴訟法の全面的な見直しが行われ，1996年，現行の民事訴訟法が成立し，1998年から施行された。また，同時に民事訴訟規則の全面改正も行われた。この改正は，一般に「**平成8（1996）年改正**」と呼ばれる。平成8年改正は，民事訴訟法の全体に及ぶ大きな改正であったが，とくに重要な改正点として，争点整理手続の整備，証拠収集手段の拡充，最高裁判所に対する上告の制限，少額訴訟制度の導入などがある。

その後も，1999年，2001年，2003年，2004年，2007年，2011年など，数次にわたって，重要な部分改正がなされた。このうち，2001年の改正は，文書提出命令制度の整備を行ったものである。また，2004年の改正は，インターネットなどの電子情報処理の発達を踏まえてのものであり，2007年の改正

は，犯罪被害者等による民事上の権利実現の保護を図るための改正である。また，2011年には，国際裁判管轄に関する規定の新設を主たる内容とする改正が行われた。さらに，2022年には，広く国民にITの利用が浸透しており，世界的にも裁判手続のIT化が進行している状況を踏まえ，民事訴訟手続におけるオンラインの広範な活用を実現するための法改正を行った。この改正では，あわせて，性犯罪やDV等の被害者の氏名や住所等を相手方に秘匿する制度，法定審理期間訴訟手続なども，新たに設けられた。

　広義の民事訴訟法の沿革の概要は，以下のとおりである。強制執行に関する規定は，旧々民事訴訟法以来，民事訴訟法典の一部であったが，1979年，強制執行に関する規定の全面改正に際して，担保権の実行に関する旧競売法の改正と併せて，民事訴訟法典から独立させ，単行法としての民事執行法が成立し，1980年から施行された。また，同様に，民事訴訟法典の一部であった民事保全に関する規定が，民事執行法上の規定の一部と併せて改正され，1989年，単行法としての民事保全法が成立し，1991年から施行された。また，いずれも古い法律を実質的に全面改正するものとして，2002年の会社更生法（2003年施行），2003年の人事訴訟法（2004年施行），2004年の破産法（2005年施行），2011年の非訟事件手続法および家事事件手続法（2013年施行）の制定などが行われた。このようにして，広義の民事訴訟法についても，相次いで新たな時代の要請への対応が図られている。

1-1-3-3 慣習および判例

　実体法の世界においては，一定の慣習規範は，慣習法としての法源性が認められている（商1条2項，法適用3条等参照）。また，手続法である民事訴訟法の世界でも，制定法の整備が確立していない時代には，裁判実務における慣習や慣行にも一定の法源性が認められた。しかし，制定法が整った現在のわが国では，原則として慣習を手続法の法源とすることはできない。民事訴訟における法律関係は公法上の法律関係であり，私法における慣習法の考え方や慣習法と事実たる慣習の区別に関する議論などは必ずしも妥当しないし，また，民事訴訟においては，手続の安定性，透明性，画一性など，慣習の法源性を否定すべき本質的な要請があるからである。

　また，判例についても，英米法のような判例拘束性の原則（doctrine of stare decisis）が採用されていない以上（英米法では，判例が第1次的な法源であり，制定

法はむしろ第2次的な法源である），法源とはいえない。ただし，民事訴訟法の規定は，実務における解釈を通じて具体的な運用が行われることになり，そこに示された制定法の解釈は，先例としての事実上の機能を果たす。とりわけ，最上級審である最高裁が示した判例には，事実上の強い拘束力がある。そこで，このような拘束力を，法源そのものとは区別する意味で，判例の「法源的機能」と呼ぶことがある。あるいは，こうした事実上の拘束力に着目して，本来の「制度上の法源」に対して，「事実上の法源」と呼ばれることもある。すなわち，判例は，法律上の意味における法源ではないが，事実上，法源に近似した機能を有するといえる。制定法の中には，判例には法源的機能があることを前提とした規定を設けているものも，いくつかみられる。たとえば，民訴法には，裁量的な上訴受理を認める際の基準として，判例違反を例示する規定（318条1項・337条2項）が設けられている。また，裁判所法には，最高裁が判例変更をする場合には，事件を大法廷に回付すべき旨を定めた規定がある（裁10条3号）。

TERM ② 「判例」概念の多義性

「判例」という言葉は，多様な意味で用いられる。たとえば，具体的な特定の裁判そのものを指して「○年○月○日の判例」などということがあるが，この意味での「判例」は「過去の裁判」という意味であり，そこに現れた具体的な事実関係を含む。また，その裁判の理由中の法的判断のみを「判例」という場合もある。さらに，個々の裁判を離れて一般的に推測される裁判所の法律上の見解を称して「最高裁判所の判例は○○説である」という場合もある。この意味での「判例」は，「判例法理」または「判例理論」とも呼ばれる。これらに対し，民訴法318条1項・337条2項や裁判所法10条3号（「判例」という言葉は用いていないが，同条同号の「前に最高裁判所のした裁判」は「判例」と同義である）などの制定法が用いる「判例」は，当該法律上の効果を伴うものであるので，その定義を厳密に確定する必要がある。具体的には，学説上争いがあるが，制定法上の「判例」とは，勝敗を左右する論点である「主論」の判決理由中で示された法律上の判断のうちの結論部分（結論命題）と結論命題の不可欠の前提となる直接的な理由部分（直接的理由づけ命題）に限るとする見解が有力である。また，本文で述べた「法源的機能」としての「判例」も，事実上の機能を有するので，これに準じて考える必要がある。しかし，あくまでも事実上の機能としての「判例」であるので，制定法上の「判例」よりも外延は緩やかである。具体的には，たとえば「傍論」や「間接的理由づけ命題」であっても，それが事実上の強い影響力を持つ場合には「判例」の法源的機能といえる。

> **すこし詳しく 1-1　慣習の法源性と境界確定訴訟**
> ▶学説の中には，慣習を民事訴訟における法源の1つとして認め，その例として，境界確定訴訟を挙げるものがある。たしかに，境界確定訴訟については，2005年の不動産登記法の改正まで，明文の根拠法令は存在せず，いわば慣習上認められたものであった。しかし，境界確定訴訟という特殊な形態の訴訟が認められるかという問題と，その手続規律がどのようなものであるかという問題は別であり，前者は基本的には実体法の問題である。すなわち，境界確定訴訟は形式的形成訴訟（⇨ **2-1-2-4**）と考えられているが，形式的形成訴訟においては判決の確定によって法律関係が変動するので，境界確定訴訟の判決は，いわば実体法上の法律要件といえる。現に，ドイツでは，境界確定訴訟を定める規定は民法に置かれている。また，日本でも，同じく形式的形成訴訟とされている共有物分割の訴え（民258条）や父を定める訴え（同773条）は，やはり民法に定められている。他方，これらの手続規律であるが，形式的形成訴訟は実質的には非訟事件と考えられており，通常の民事訴訟とは異なる手続規律に服する。しかし，それは民事訴訟法や非訟事件手続法などの解釈から導かれるのであって，形式的形成訴訟の手続規律が慣習法によっているわけではない。

1-1-4　民事訴訟に関する法規の機能的分類

1-1-4-1　機能的分類の意義

　民事訴訟に関する法規には，効力規定と訓示規定とがある。「**効力規定**」は，裁判所や当事者に一定の義務を課すのみならず，これに違反したときは，その行為や手続が無効になるなど，その訴訟上の効力に一定の影響が生じるという機能を有する規定である。したがって，効力規定は，行為規範であると同時に評価規範でもある。これに対し，「**訓示規定**」は，効力規定と同じく裁判所や当事者に一定の義務を課すものであるが，これに違反しても訴訟上の効力に影響はない規定である。したがって，訓示規定は，評価規範ではない（行為規範と評価規範の意義については，⇨す 1-2）。また，効力規定は，さらに強行規定と任意規定に分けられる。強行規定は，裁判所の裁量や当事者の意思によって，その規定による効力を排除することができない規定である。これに対し，任意規定は，当事者の意思や態度によって効力を排除または緩和することができる規定である。ある規定が，効力規定か訓示規定か，あるいは，効力規定のうちの強行規定か任意規定かは，基本的に条文上に明示されていないので，解釈によって判断すべきこととなる。

1-1-4-2　効力規定

(1) 強行規定

　民事訴訟に関する法規のうち，訴訟制度の根幹や原理を定める規定，裁判所の正統性の基礎を定める規定，当事者の基本的な地位を定める規定などは，その遵守がとくに強く要請される性質のものである。そこで，このような法規は，効力規定の中でも強行規定であると考えられており，裁判所の裁量や当事者の意思でその効力を変更することはできない。具体的には，たとえば，裁判所の構成，裁判官の除斥，専属管轄，口頭弁論の公開，必要的口頭弁論，当事者能力，訴訟能力，不変期間などに関する規定である。強行規定に違反した場合の効力は，基本的にはその行為や手続が無効になるということである。

　ただし，強行規定の性格や訴訟の進行段階によっては，そうでない場合もある。たとえば，専属管轄に違反しても訴え提起が無効となるわけではなく，管轄裁判所へ移送することで（16条1項），訴訟は有効に続行される。あるいは，訴訟能力を欠く者の訴訟行為は無効であるが，適法に追認をすることにより遡って有効とすることができる（34条2項）。また，すべての強行規定違反が再審事由になるわけではないので，再審事由でない強行法規違反は，判決が確定すれば，もはやその効力を争うことができない（再審については，⇒13-6）。たとえば，専属管轄や口頭弁論の公開は上告理由（312条2項3号・5号）ではあるが，再審事由（338条1項参照）ではないので，これらの違反による瑕疵を判決確定後に問うことはできない。これに対し，裁判所の構成や裁判官の除斥は再審事由（338条1項1号・2号）なので，判決確定後であっても，これらの強行規定の違反を争うことができる。

(2) 任意規定

　任意規定も強行規定と同じく効力規定であるので，これに違反した行為や手続は基本的に無効となる。しかし，当事者の合意によってその規定の内容を変更することや，当事者が異議を述べない場合にその違反を不問に付すことができる点で，強行規定とは異なる。ただし，民事訴訟における任意規定という概念には，実体法とは異なって2つの意味があり，①当事者の特約が法規に優先するとされるものと，②不利益を受ける当事者が適時に異議を述べないときは瑕疵が治癒されるものとがある。

　まず，①は，民法などの実体法でいう任意規定と同じ意味である。この場合

の当事者の特約は，「訴訟上の合意」または「訴訟契約」と呼ばれる（⇨ **5-2-2-2**）。実体法上の法律関係は，原則として当事者の私的自治に委ねられるので，私法上の合意は広く認められているが，訴訟法においては，多数の事件を画一的に処理するという要請があるので，訴訟上の合意が認められる範囲は私法上の合意と比べて狭く，むしろ原則としては許されないとされる（これを「**任意訴訟の禁止**」という）。例外的に，訴訟上の合意が明文で認められている場合としては，3条の2や3条の3などを変更する国際管轄の合意（3条の7），4条や5条などを変更する国内管轄の合意（11条），281条1項本文の控訴権を変更する不控訴の合意（281条1項但書）などがある。つまり，専属管轄を除く管轄の規定や控訴権の規定は，①の意味における任意規定である。

　他方，②は，実体法とは異なった意味であり，訴訟法に固有の意味における任意規定である。この場合における不利益を受ける当事者の異議を述べないという態度は，「責問権の放棄・喪失」（90条）と呼ばれる（⇨ **5-3-4-3**）。責問権の放棄・喪失の対象となる規定としては，期日の呼出しの方法を定めた94条，訴えの変更の方式を定めた143条2項，証人尋問の方式を定めた202条などがある。つまり，これらの規定は，②の意味における任意規定である。

1-1-4-3　訓示規定

　訓示規定とは，それに違反しても訴訟上の効力には影響が生じない規定である。ここにいう「影響が生じない」の意味であるが，基本的には，①その規定に違反しても訴訟上の行為や手続は無効とはならない，ということである。しかし，②その規定によって課される義務の違反に対して，制裁が設けられていない，という意味で用いられることもある。すなわち，訓示規定という概念にも2つの意味がある。対象に即していえば，①は，主として裁判所に義務を課す訓示規定であり，②は，当事者に義務を課す訓示規定である。

　①の例としては，次のようなものがある。たとえば，147条の2は，訴訟手続の計画的な進行の義務を定めているが，これに違反して裁判所が手続を進めても，その手続が無効となるわけではない。また，251条1項は，判決の言渡しは口頭弁論終結の日から2か月以内にしなければならないと定めているが，この期間を超えたとしても，その判決の言渡しが無効となるわけではない。また，②の例には，次のようなものがある。たとえば，163条は，当事者は相手方に書面による照会ができる旨を定めているが，相手方がその回答を怠っても

格別の制裁はない。また，167条，174条，178条は，争点整理手続の終了後に攻撃防御方法を提出した当事者に説明義務を課しているが，説明義務を果たさなかった場合の制裁はない。

> **すこし詳しく 1-2　行為規範と評価規範**
> ▶効力規定と訓示規定，あるいは強行規定と任意規定という区別は，法規の機能に着目した分類である。これに対し，同じく法規の機能に着目した分類ではあるが，これらとは異なる観点に基づくものとして，「行為規範」と「評価規範」という分類がある。これは，法規の機能が働く時間軸の方向性による分類である。すなわち，行為規範とは，これから行為をするにあたって働く規範（展望的規範）であり，評価規範とは，既になされた行為や手続を振り返って，どのような法的評価を与えるかというときに働く規範（回顧的規範）である。私法法規は，裁判の場に登場するときは常に評価規範であるが，訴訟法規は，裁判の場において，まず行為規範として機能し，後に評価規範として機能する。ある訴訟法規が行為規範として機能するときと評価規範として機能するときとでは，規範としての拘束の程度に差異が生じる場合がある。なぜなら，評価規範として機能するときは，既になされた手続の安定性という考慮が強く働くので，規範としての拘束が行為規範よりも緩和されることになるからである。たとえば，訓示規定はその典型例であり，行為規範としての拘束はあるが，評価規範としての拘束はない。

1-2　法体系の中での民事訴訟制度

1-2-1　訴訟と非訟

1-2-1-1　非訟事件の意義

私人間の法律関係に関する裁判には，「**訴訟事件**」のほかに「**非訟事件**」がある。このように訴訟事件と非訟事件を並置するシステムはどこの国にでもあるわけではなく，わが国の制度はドイツ法制を継受したものである。元来は，具体的な紛争における権利関係を確定する作用が訴訟事件とされ，国家が後見的な役割を果たすべき作用が非訟事件とされた。しかし，沿革的な理由から非訟事件にはさまざまなものが取り込まれており，また政策的な考慮から，後述するように「訴訟事件の非訟化」が行われるなど，両者の区別は時代を追うごとに不明瞭さを増している。したがって，訴訟事件と非訟事件を理論的に区別

することは厳密には難しく，両者の理論的な区別を断念し，実定法がいずれに振り分けているかによる区別しかないとする見解もある。このことを留保しつつ，ごく大まかにいえば，訴訟事件が「本来の司法作用」であるのに対し，非訟事件は「裁判所が行う行政作用」である。すなわち，非訟事件は，基本的には，裁判所の合目的的な裁量によって処分を行う裁判手続である。

現行の実定法における振り分けによって区別すれば，民事訴訟法が適用される事件が訴訟事件であるのに対し（形式的意味における訴訟事件），非訟事件手続法またはその特別法が適用される事件が非訟事件ということになる（形式的意味における非訟事件）。形式的意味における訴訟事件には，民事訴訟事件（手続の一部に民事訴訟法の特別法である人事訴訟法が適用される人事訴訟事件を含む）のほか，民事訴訟法を包括的に準用するものとして，民事執行事件（民執20条），民事保全事件（民保7条），破産事件（破13条）などがある（ただし，民事執行，民事保全，破産などの手続は，裁判が判決ではなく決定によるものであり，また，手続が公開されないなど，実質的には一定の非訟性を有している）。これに対し，形式的意味における非訟事件としては，非訟事件手続法の第3編が定める民事非訟事件のほか，非訟事件手続法が適用されるものとして，借地非訟事件（借地借家第4章），会社非訟事件（会社第7編第3章）などがあり，また，非訟事件手続法が包括的に準用されているものとして，労働審判事件（労審29条1項）などがあり，さらに，非訟事件手続法の特別法である家事事件手続法が適用されるものとして，家事事件がある。

1-2-1-2 非訟手続の特徴

非訟事件は「**非訟手続**」によって運用される。非訟手続は，訴訟手続よりも簡略かつ柔軟である点に特徴がある。具体的な両者の異同は，訴訟手続の基本法である民事訴訟法と非訟手続の基本法である非訟事件手続法の規律の差異を踏まえて，次のように整理することができる。訴訟手続では，原則として口頭弁論という審理の方式が採用されており（必要的口頭弁論），公開の法廷において（公開原則），対立する当事者双方に主張と立証の機会を与え（対審原則），事実の認定は法定の証拠調べにより（厳格な証明），裁判は判決という最も慎重な形式で行う。これに対し，非訟手続では，口頭弁論という審理の方式を経ることなく，原則として審尋という審理の方式により，手続は公開されず（非訟30条），対審原則もなく，事実の認定に際して裁判所の職権による調査を行うこ

とができ（同49条），裁判も判決ではなく決定という簡略な方式による（同54条）。裁判に対する不服申立ても，訴訟手続では，控訴・上告という二度の再審査を求めることができるのに対し，非訟事件では，原則として一度の抗告が許されるのみである（同66条以下）。また，非訟事件では，いったんなされた裁判を，職権で取消しまたは変更することもできる（同59条）。

1-2-1-3 訴訟事件の非訟化

　フランス革命期に始まる近代的な民事訴訟法の草創期には，中世における不当な裁判に対する反省もあって，訴訟手続という裁判方式に対する強い信頼が寄せられ，非訟事件は例外的にしか認められなかった。しかし，福祉国家理念の発達とともに，私人の生活関係に対する国家の後見的な関与の度合いが高まり，それまで訴訟事件として処理してきた事項を非訟事件に移すという政策がとられるようになってきた。これを「訴訟事件の非訟化」という。訴訟事件を非訟化することは，裁判所の裁量による後見的な関与や事件の弾力的な処理を可能にし，私人間における多様な利害の柔軟な調整を，より効率的にもたらすことができるという側面がある。わが国でも，戦後の1947年，家事審判法（現在の家事事件手続法）の制定により，それまで訴訟事件であった夫婦共有財産の分割，親族間の扶養，遺産分割，夫婦の同居，推定相続人の廃除などが，非訟事件である家庭裁判所の審判事項に改められた。また，近年の例では，2004年に制定された労働審判法（平16法45）により，個々の労働者と事業主との間に生じた民事に関する紛争を，非訟事件の性質を有する労働審判によって解決する仕組みが設けられた。ただし，適法な異議の申立てがあると労働審判はその効力を失い（労審21条3項），労働審判の申立ての時に訴えの提起があったとみなされるので（同22条1項），労働審判制度は，完全な訴訟事件の非訟化というわけではない。

　さらに，実体法における一般条項の増加も，実質的な意味で訴訟事件の非訟化をもたらしている。たとえば，借地借家法（平3法90）は，借地借家契約の更新拒絶に際して「正当事由」を要件とする（借地借家6条・28条）。また，民法における離婚原因として，「婚姻を継続し難い重大な事由」が定められている（民770条1項5号）。こうした一般条項は，当事者間の多様な利害を総合的に比較衡量することを可能にし，複雑化した現代社会における事件ごとの個別的な解決を図ることに資するものであるが，一般条項という規定の構造上，裁

判官の広い裁量を前提とするという意味で，訴訟事件は実質的に非訟化することになる。また，手続法においても，訴訟事件の実質的な非訟化を帰結する規定の導入がみられる。たとえば，民訴法248条は，損害額の立証が不十分であっても，相当な損害額の認定を行うことができるとする規定である。この規定の法的性格については争いがあるが（⇨ **7-4-3-3**(2)），とりわけ裁量評価説をとる場合には，その判断が裁判官の裁量に委ねられるものと理解されるため，その意味における実質的な非訟化が顕著となる。

1-2-1-4　非訟手続における手続保障

　非訟手続は，基本的に訴訟手続よりも簡易かつ柔軟な手続であるが，そのことは，非訟手続において手続保障が重要性を持たないことを意味するわけではない。訴訟事件であろうと非訟事件であろうと，また，非訟事件の種類にかかわらず，およそ裁判を受ける者に対する手続保障は重要である。そして，訴訟事件と非訟事件の違いに応じて，保障の内容が異なることはあるにせよ，非訟事件も訴訟事件と同様に，憲法32条の「裁判を受ける権利」の保障のもとにあるものと考えるべきである。

　もっとも，この問題について，最高裁は，憲法32条の保障は，非訟事件には及ばないとの立場をとっている。すなわち，最高裁は，まず，権利義務の存否に関する争いの裁判は「純然たる訴訟事件」であるが，権利義務の存在を前提にしてその具体的な法律関係の内容を形成する作用の裁判は，非訟事件であるとする（最大決昭和40・6・30民集19巻4号1089頁）。そして，最近の判例において，憲法32条が保障する「裁判を受ける権利」は純然たる訴訟事件のみを対象とするものであり，非訟事件の抗告審において手続に関与する機会を失う不利益は，「裁判を受ける権利」とは直接の関係がないと判示し（最決平成20・5・8家月60巻8号51頁），非訟事件に対する憲法上の保障を正面から否定した。

　しかし，学説では，憲法上の「裁判を受ける権利」の核心である「**審尋請求権の保障**」（裁判において当事者が自己の見解を表明する機会の保障）は，非訟事件にも当然に及ぶとする見解が多数であり，こうした最高裁の立場に対して批判的なものが多い。なお，2011年に成立した新しい非訟事件手続法および家事事件手続法は，こうしたわが国の学説やドイツの立法の傾向などを考慮して，改正前に比べて当事者の手続保障を図るための規定を数多く設けた（非訟20

条・21 条・32 条・52 条・69 条・70 条，家事 41 条・42 条・47 条・63 条・69 条・70 条・89 条等）。

> **すこし詳しく 1-3** **非争訟的非訟事件と争訟的非訟事件**
> ▶非訟事件には，当事者対立構造を持たない事件（争訟性のない事件）と，当事者間に法律上の争いがあって実質的に両者の対立構造を有する事件（争訟性のある事件）とがある。前者は，非争訟的非訟事件と呼ばれ，後者は，争訟的非訟事件と呼ばれる。たとえば，家事事件手続法の別表第 1 に掲げる成年後見，保佐，補助，失踪宣告，未成年後見，相続の承認・放棄に関する事件などは，申立人のみで手続が行われるものであり，対立する相手方がいないので，非争訟的非訟事件である。非訟事件の本質は，司法が行う行政作用であるとされるが，その際に想定されているのは，こうした非争訟的非訟事件である。これに対し，家事事件手続法の別表第 2 に掲げる婚姻費用の分担に関する事件や遺産の分割に関する事件，借地借家法 41 条以下に定める借地条件の変更の裁判に関する事件，あるいは労働審判事件などは，申立人と相手方との間で実質的な法律上の争いが存在する事件であり，その点では訴訟に類似した性格を有する争訟的非訟事件である（訴訟事件の非訟化により非訟事件となった事件は当然に争訟的非訟事件である）。非争訟的非訟事件と争訟的非訟事件とでは，それぞれの手続保障の内容に差が生じ得る。たとえば，対審の原則（当事者が相手方の主張および立証に立ち会い，これに反駁する機会が対等に与えられるとする原則）は，相手方が存在しない非争訟的非訟事件では問題とならない。しかし，こうした差異は手続の性質に由来するものであって，非争訟的非訟事件についての手続保障の程度が低くてよいということを意味するものではない。

1-2-2 判決手続に関連する手続

　裁判制度による紛争解決は，判決手続だけでは全うすることができない。判決手続は，原告の訴えによって始まり，判決が確定すれば終了するが，判決は当事者間の権利関係を観念的に確定するものであり，被告がこれを任意に履行しない場合には，判決手続とは別個の強制的手段を用いて，確定した権利の実現を図る必要がある。こうした目的に資する関連手続として，「強制執行手続」，「民事保全手続」，「倒産処理手続」などがある。

1-2-2-1 強制執行手続

　確定判決により，給付請求権の存在が公証されたにもかかわらず，債務者がこれを任意に履行しない場合は，国家機関である執行機関を通じて権利の実現を強制的に達成する手段が用意されている。これを「強制執行手続」といい，

「民事執行法」に規定が置かれている（民事執行法は，強制執行手続のほかに，担保権の実行手続なども定めている）。強制執行手続は，債務名義に基づいて行われる。債務名義には，確定判決のほかに，仮執行の宣言が付いた判決，執行証書，確定した執行決定のある仲裁判断，和解調書，調停調書などがある（民執22条）。強制執行の方法は，請求権の種類に応じて多様である。たとえば，金銭債権の執行は，債務者の財産に対する差押え，差し押さえた財産の換価，換価によって得た金銭の配当という手順で行われる。なお，訴訟の類型のうち，確認訴訟や形成訴訟は強制執行の必要がないので，強制執行手続は，もっぱら給付訴訟のための関連手続である（訴訟の類型については，⇨ **2-1-2**）。

1-2-2-2　民事保全手続

　民事保全手続は，基本的には強制執行手続の準備手続である。訴えを提起してから判決を得るまでには一定の日数がかかる。その間に，たとえば債務者の資力が低下すると，判決確定後に行う金銭債権の執行が困難になる。また，従業員が解雇の無効を争っている訴訟において，判決が出るまで従業員の地位を仮に確保しておく必要があるというような場合もある。このような場合において，判決または執行までの暫定的措置として，被告となるべき者に対して現状の変更を禁止するとか，原告となるべき者のために一定の法律関係を形成するなどの処分を行うのが，「民事保全手続」であり，「民事保全法」に定めがある。民事保全手続には，金銭債権の強制執行を保全するための「仮差押え」，物の給付請求権の強制執行を保全するための「係争物に関する仮処分」，それ以外の保全処分としての「仮の地位を定める仮処分」がある。最後に挙げた仮の地位を定める仮処分は，強制執行の保全を目的としているわけではないので，確認訴訟や形成訴訟のために用いられることもある。

1-2-2-3　倒産処理手続

　倒産処理手続は，債務者が倒産状態にあるときに，権利関係の確定や執行などを統一的かつ包括的に行うための手続である。特定の債務者に対して複数の債権者の権利が競合し，債務者がすべての債権者に満足を与えることができなくなった場合には，各債権者の個別的な権利行使や強制執行を許すと，債権者の公平を害するおそれや債務者の再建を妨げるおそれなどが生じる。そこで，債務者の総財産を総債権者に公平に清算するため，または，総債権者の公平を確保しつつ債務者の効果的な再建を実現する手続として，倒産処理手続が設け

られている。倒産処理手続には，債務者の属性を問わない一般的な制度である破産手続（破産法）および民事再生手続（民事再生法），ならびに，株式会社のみを対象とする制度である特別清算（会社510条～574条・879条～903条）および会社更生手続（会社更生法）がある。

1-2-3　判決手続の基本構造

1-2-3-1　判決手続の概略

判決手続は，当事者間の紛争の対象である私法上の権利関係を確定することにより，紛争解決のための基準を作成する手続である。裁判所によって作成されるこの紛争解決のための基準が「判決」である。判決手続の対象となる当事者間の権利関係を（最狭義の）訴訟物という。判決手続は，原告の訴えによって始まる（訴訟物については，⇨ 2-2）。

平均的な判決手続の流れは，おおむね次のとおりである。まず，争点および証拠の整理手続において，両当事者が主張の応酬を行い，争いのある事実と争いのない事実を振り分け，必要な証拠を明らかにする。そして，口頭弁論における集中証拠調べを実施して，事案の解明を行う。裁判所は，そのようにして認定された事実に法を適用し，訴訟物についての判断を形成する。その結論は，判決によって示される。当事者は，判決に不服があれば，要件を充足する場合には控訴および上告をすることができる。

ただし，実際には，すべての事件が判決によって終了するわけではない。地方裁判所の第1審事件についてみれば，判決で終了する事件は，年や時代によって変動があるものの，大体5割弱であることが多い。他方，残りの5割強の事件は，訴訟上の和解や訴えの取下げなどで終了する。また，判決で終了する事件のうちでも，これも年や時代によって変動があるが，当事者双方が出席して実質的な攻撃防御を展開する事件は，おおむね6割程度である。すなわち，判決で終了する事件の4割程度は，一方の当事者が欠席するなどの理由により，実質的な攻撃防御がなく終了する。

1-2-3-2　判決手続の基本理念

判決手続の基本理念は，さまざまな切り口で整理することが可能である。ここでは，「公正と効率」，「信義誠実の原則」，「手続保障」という3つに整理しておく。これらは，判決手続の基本理念であることは言うに及ばず，あらゆる

司法手続に共通する高次の基本理念である。

(1) 公正と効率

民事訴訟の手続は,「適正」,「公平」,「迅速」,「経済」の要請を満たすように,実施されなければならない。

「適正」とは,真実に即した裁判を意味する。民事訴訟では,証拠の収集や提出が基本的に当事者の自治に委ねられているが,そのことは当事者による事実や証拠の収集手段を充実させなくてもよいということを意味しない。また,裁判所が真実の発見に努力しなくてもよいということを意味するものでもない。真実を追究しない裁判は,当事者の納得を得ることができないし,国民の信頼を得ることもできない。「公平」とは,裁判所が当事者の一方に偏することなく,常に平等を心がけて当事者を扱うことを意味する。「適正」と「公平」を併せて「公正」という。

「迅速」とは,訴訟の手続が不当に停滞または遅延しないことをいう。2003年に制定された「裁判の迅速化に関する法律」は,裁判の迅速化を推進することを国,日本弁護士連合会,裁判所,当事者等の責務として定めているが,これは迅速な裁判が訴訟制度の理念であることを前提とするものである。訴訟における救済の遅れは,実質的に当事者の裁判を受ける権利の否定につながるからである。「経済」とは,単に当事者に無用の出費を強いることのないようにするだけでなく,訴訟に要する手間や時間を含めた有形・無形の負担の低減を意味する。「迅速」と「経済」を併せて「効率」という。こうした意味における訴訟の「効率」は,司法資源の有効利用という国家や社会の公益の問題でもある。

以上を総合すると,民事訴訟の手続は「公正と効率」を目指す必要があるということになる。

(2) 信義誠実の原則

信義誠実の原則（信義則）は,相手方の信頼を裏切らないように誠実に行動すべきものとする考え方である。古くは,もっぱら私法の分野における原理であったが,現在では,私法であると公法であるとを問わず,あらゆる法領域を通じて妥当する普遍的な理念であると考えられている。民事訴訟法においては,平成8 (1996) 年改正に際して明文の規定 (2条) が置かれたが,このような規定がなかった旧法下でも,訴訟上の信義則の概念は既に認められていた。

実務においても，訴訟上の信義則は広く承認されており，旧法下から現行法下を通じて，訴訟上の信義則について判示した裁判例は少なくない。なお，信義則は，その一般条項としての性質上，本来的には事件ごとの個別事情をきめ細かく考慮してアドホックに適用されるべきものであるが，判例法理によって事件の個別性を超えた類型的適用が認められるようになったために，制度的な効果に近い地位を獲得するに至った訴訟上の信義則もみられる（具体的には，明示的一部請求棄却判決が確定した後の残部請求に対する信義則の適用など。⇨ **9-6-8-2**）。民事訴訟制度は，多数の事件を公平に処理する必要があるので，このように信義則の類型的適用と事実上の制度化が進展することは一定の場面では不可避であり，むしろ望ましい現象といえる。

信義則に違反する訴訟上の行為は，その内容や程度によって，訴訟手続上の適法性や有効性が否定されることがある（訴訟上の信義則に関する裁判例については，⇨ **5-2-3**）。

(3) **手続保障**

「手続保障」は，現在の民事訴訟法学における最重要概念の１つである。しかし，その意味するところは，論者や論じられる場面によって，必ずしも同一ではない。一般的には，憲法32条が保障する「裁判を受ける権利」を具体化するために，当事者に手続主体としての地位を保障すべき理念として観念される。手続主体としての地位にある者に認められる諸権能は「**当事者権**」と呼ばれるので（当事者権については，⇨ **4-1-3**），この意味における「手続保障」は，当事者権の保障とほぼ同義といってもよい。

当事者権の中核に位置するのは弁論権である。「**弁論権**」とは，裁判の基礎となる資料を提出する権利，すなわち主張および立証の機会を与えられる権利である。こうした弁論権およびこれを保障するための諸権利を包含するものとして，ドイツから輸入された「**審尋請求権**」（審問請求権ともいう）という概念もある。したがって，「手続保障」の中でもとくに重要なのは，当事者権のうちの「弁論権」ないし「審尋請求権」の保障である。後者の意味における手続保障は，判決手続のみならず，非訟手続を含むあらゆる司法上の手続において，等しく尊重されるべきものである。

また，相手方当事者や第三者が有する証拠や情報を取得する手段の充実についても，当事者の弁論権を実質的に下支えすることにつながるので，広い意味

における手続保障として観念することができる。

> **TERM ③ 司法資源**
> 「司法資源」とは、訴訟制度の運営に要する一切の物的資源、人的資源、時間資源などをいう。物的資源には、司法予算として投入される税金や裁判所の法廷のような施設および設備などがある。人的資源には、裁判官のみならず、書記官や事務官なども当然に含まれる。時間資源とは、限られた人的資源や物的資源を利用できる機会や時間である。こうした意味における司法資源が適切に配分されないと、事件の処理における迅速性や経済性が損なわれ、本文で述べたように、当事者に無用の負担や損害を与えるとともに、司法制度の運営における国家や社会の公益をも害することになる。

1-2-3-3 判決手続における特別手続

判決手続には、通常の手続のほかに、特則としての特別の手続がいくつか設けられている。具体的には、「簡易裁判所の手続」、「人事訴訟」、「行政訴訟」、「各種の略式手続（手形訴訟・小切手訴訟、少額訴訟、督促手続）」、「刑事手続に付随する損害賠償請求命令の申立手続」などである。

(1) **簡易裁判所の手続**

簡易裁判所は、軽微な事件を簡易な手続によって迅速に解決するために、戦後に全国に設置された第1審裁判所である。そこで、手続の簡易化および迅速化を実現するために、通常手続とは異なる規律が設けられている。たとえば、口頭による訴えの提起が認められること（271条）、準備書面の提出が義務付けられていないこと（276条1項）、一定の書面審理が認められていること（277条）、人証による証拠調べ（証人尋問等）に代えて書面による証拠調べができること（278条）、司法委員の立会いによる審理が認められること（279条）、判決書の記載を簡略化することができること（280条）などである。

(2) **人事訴訟の手続**

婚姻や親子などの身分関係の形成または存否の確認を目的とする訴訟については、民事訴訟法の特別法である人事訴訟法が適用される。人事訴訟法は、民事訴訟法の一部の規律を変更するものであり、その一部については人事訴訟法の規律が優先するが、それ以外については、人事訴訟においても基本法である民事訴訟法がそのまま適用される。人事訴訟に関する特別手続が設けられている理由は、身分関係については客観的な真実発見の要請が高く、当事者自治の要素を後退させる必要があること、手続の公開を制限すべき要素があること、

法律関係を画一的に確定する必要があることなどに、求めることができる。そこで、職権探知主義（人訴20条）、当事者尋問等の公開停止（同22条）、判決効の第三者への拡張（同24条1項）などの規定が置かれている。

(3) 行政訴訟の手続

行政庁の権限行使に対する国民の不服、行政処分の効力をめぐる争い、その他の行政法規の適用に関する訴訟については、行政事件訴訟法（昭37法139）が適用される。行政事件訴訟法は、争いとなる法律関係が、公益に関わることが多いことを考慮して、民事訴訟法とは別に設けられたものである。ただし、同法に定めがない事項については、民事訴訟法が一般的に適用されるので（行訴7条）、行政事件訴訟法も民事訴訟法の特別法である。具体的には、釈明処分の特則（同23条の2）、職権証拠調べ（同24条）、判決効の第三者への拡張（同32条1項）などの規定が置かれている。

(4) 各種の略式手続

略式手続は、一定の種類の事件が有する特徴に着目して、通常の手続よりも簡易かつ迅速な手続を設けたものである。手形訴訟および小切手訴訟、少額訴訟、督促手続などが、これに当たる（略式手続の詳細については、**第14章**〔660頁〕参照）。

手形訴訟および小切手訴訟は、手形金や小切手金の支払請求権を簡易かつ迅速に実現するための特別手続であり、証拠調べの対象を証券等の書証に限定するなどの特色がある（350条〜367条）。

少額訴訟は、60万円以下という少額の金銭の支払を求める請求についての特別手続であり、簡易裁判所が原則として1回の期日で審理を終えて判決を言い渡す（368条〜381条）。

督促手続は、金銭その他の一定数量の給付を求める請求について、簡易かつ迅速に債務名義を得させる手続である（382条〜402条）。まず、簡易裁判所書記官が債権者の申立てのみに基づいて支払督促を発し、これに異議がなければ仮執行宣言が付されるが、債務者の異議があれば通常の判決手続に移行するという特色がある。

(5) 刑事手続に付随する損害賠償請求命令の申立手続

犯罪被害者やその一般承継人の加害者に対する損害賠償請求を容易にするために、2007年に、「犯罪被害者等の権利利益の保護を図るための刑事手続に付

随する措置に関する法律」（平12法75）を改正して，刑事手続の結果を利用して行う損害賠償命令の申立手続が設けられた。すなわち，殺人や傷害などの故意により人を死傷させた罪にかかる事件など，所定の犯罪にかかる事件の犯罪被害者等は，その刑事事件が係属する裁判所（地方裁判所に限る）に対し，刑事事件の訴因を原因とする不法行為に基づく損害賠償請求を申し立てることができる（犯罪被害保護23条1項）。この申立てについての審理および裁判は，刑事事件について有罪の言渡しがなされた後に開始する（同26条1項）。この申立手続では，その審理は原則として4回以内の期日で終結し（同30条3項），その裁判の形式は決定である（同32条1項）。この決定に対して当事者が適法な異議の申立てをすれば，手続は通常の民事訴訟に移行するが，2週間の不変期間内に異議の申立てがなければ，決定は確定判決と同一の効力を有する（同33条～37条）。この申立手続には，特別の規定がある場合を除いて，その性質に反しない限り，民事訴訟法の規定が適用される（同40条）。

1-2-3-4　判決手続を補助する付随的手続

判決手続における事件本体（これを「本案」という）の手続は，原告が提起した訴え自体を対象とするものであるが，こうした本案手続のほかに，これに付随する手続もある。付随的手続は，訴訟手続中に生じた本案以外の争いを裁定したり，本案手続の審理や判決を補助したりするためのものである。

付随的手続の裁判の形式としては，本案判決とは別の独立した決定によるものと，本案判決の中で併せて判断されるものとがある。前者の例としては，裁判官の除斥や忌避の裁判（25条。⇨ **3-3**），訴え提起前の証拠収集の処分（132条の4～132条の9。⇨ **6-4-3**），文書提出命令の決定（223条。⇨ **7-5-5-3**），証拠保全手続（234条～242条。⇨ **6-4-4**）などがある。後者の例としては，訴訟費用の負担の裁判（67条。⇨ **1-3-2-2**），仮執行宣言（259条。⇨ **9-7-2**）などがある。

こうした付随的手続のうち，訴え提起前の証拠収集の処分や証拠保全手続は，本案手続とは別の機会に別の裁判所によって行われる。裁判官の除斥や忌避の裁判は，本案手続と同一の官署としての裁判所によって行われる。また，文書提出命令の決定，訴訟費用の負担の裁判，仮執行宣言などは，本案手続の中で同一の訴訟法上の裁判所によって行われるものであり，いわば手続内手続の性格を有する。

> **TERM** ④ **本　案**
> 　民事訴訟における「本案」という用語は，大きく2つの意味で使われる。1つは，本文で述べたように，付随的手続との対比において，事件本体という意味で使われる場合である（67条2項・258条4項・260条）。もう1つは，訴訟要件の有無という命題との対比において，原告の請求（訴訟物）の当否という命題のことを「本案」と呼ぶ場合である。訴訟要件の有無という命題を判断する判決は「訴訟判決」と呼ばれ，原告の請求の当否を判断する判決は「本案判決」と呼ばれる（本案判決と訴訟判決については，⇨ **9-2-3**）。一般的な文脈で「本案判決」という際の「本案」は，通常は後者の意味であり，この文脈の場合は訴訟判決を含まない。これに対し，前者の付随的手続との対比の意味における文脈で「本案判決」という場合には，訴訟判決をも含むことになる。

1-3　訴訟に要する費用とその負担

1-3-1　訴訟に要する費用

1-3-1-1　訴訟費用の意義

　民事訴訟制度は，国家の予算で運営される国家サービスの1つであるが，他の多くの国家サービスと同じく，制度の利用者にも一定の負担を求める仕組みとなっている。すなわち，当事者は，「民事訴訟費用等に関する法律」に定められた訴訟に要する費用を負担しなければならない。これを**訴訟費用**という。こうした訴訟費用を誰がどのような割合で負担するかについては，民事訴訟法に定めがある（61条〜74条）。原則としては，敗訴の当事者が相手方の訴訟費用を含めて負担することになる。これを，訴訟費用の**「敗訴者負担の原則」**という。

　法律上の意味における訴訟費用は，訴訟に要するあらゆる費用のうち，「民事訴訟費用等に関する法律」に定められたもののみをいうが，弁護士費用は，わが国では訴訟費用として定められていない。したがって，「敗訴者負担の原則」の適用を受けず，勝訴当事者は，自己の負担した弁護士費用を相手方から回収することはできない。このような制度は比較法的には珍しく，かねてより立法的な批判がなされている。しかし，他方において，弁護士費用に敗訴者負担を導入すると，勝敗の見込みの立たない事件について，訴訟提起が躊躇され

る危険があるとして，消費者団体や弁護士会の一部などを中心として，現行制度の維持を望む意見も根強い。

すこし詳しく 1-4　弁護士費用の敗訴者負担に向けた議論
▶弁護士費用は，当事者が訴訟で負担するコストの中で大きな比重を占めるが，これに敗訴者負担の原則が適用されないと，実体法が与えている権利の実質が訴訟をすることによって減殺されることになる。そこで，実体法の解釈論として，弁護士費用の敗訴者負担を実現できるとする考え方がある。判例（最判昭和44・2・27民集23巻2号441頁）は，基本的には不法行為訴訟に限ってこれを認めている。すなわち，不法行為の被害者が，自己の権利を擁護するために訴えの提起を余儀なくされ，その訴訟追行を弁護士に委任した場合には，諸般の事情をしん酌して相当と認められる額の範囲に限り，その不法行為と相当因果関係に立つ損害として，相手方に弁護士費用の支払を求めることができるとする。こうした考え方は，判例法理として定着し，広く用いられている。なお，不法行為のほかに一部の債務不履行についても，弁護士費用を損害に含めることを認めた最高裁判例がある（最判平成24・2・24判時2144号89頁。労働契約上の安全配慮義務違反を理由とする債務不履行に基づく損害賠償請求事件において，弁護士費用を安全配慮義務違反と相当因果関係に立つ損害と認めた）。また，立法論としては，弁護士費用の一部を訴訟費用にすべきかどうかが，かねてより議論されてきた。2004年，司法制度全般にわたる大きな改革の一環として，当事者の双方に弁護士等の代理人がついている場合において，両当事者が訴訟提起後に弁護士費用の敗訴者負担の合意をし，共同で裁判所に敗訴者負担の申立てを行ったときは，一定額の相手方の弁護士費用を訴訟費用として敗訴者に負担させることができるとする法案（民事訴訟費用等に関する法律の一部を改正する法律案）が国会に提出された。この法案は，この問題をめぐる激烈な議論の対立を考慮してぎりぎりの妥協点を探るものであったが，この法案に対しても多くの反対意見が寄せられ，結局，成立には至らず廃案となった。

1-3-1-2　訴訟費用の種類

「民事訴訟費用等に関する法律」が定める訴訟費用には，大別して，「裁判費用」と「当事者費用」がある。

「裁判費用」とは，裁判所が司法サービスの提供に要する費用である。裁判費用は，さらに，裁判所に対する各種の申立ての手数料と，それ以外の原因で納付する費用とに分けることができる。前者には，訴え提起に際して納付する提訴手数料のほか，その他の各種の申立てに際して納付する手数料が含まれる（民訴費第2章第1節）。こうした手数料は，訴状または申立書に収入印紙を貼付

する形で納付される（同8条）。手数料が納付されない場合は，申立て自体が不適法となる（137条，民訴費6条）。後者には，裁判所が証拠調べをするために必要な費用としての証人・鑑定人・通訳人等に支給する旅費・宿泊料・日当，裁判所外における証拠調べに要する裁判官等の出張費，裁判所が書類を郵便によって送達する場合の郵便料金などが含まれる（民訴費11条・18条～28条）。これらの費用は，その概算額を予納（あらかじめ納付すること）させる（同12条1項）。予納がないときは，裁判所は，その費用を要する手続を実施しないことができる（同条2項）。

「当事者費用」とは，当事者が自ら支出する費用のうち，訴訟費用として法定されているものである。これには，訴状その他の書面の作成に要する書記料や，当事者または代理人が期日に出頭するための旅費・日当・宿泊料などが含まれる（同2条4号・6号）。弁護士に対する報酬は，裁判所がとくにその付添いを命じた場合には当事者費用に含まれるが（155条2項，民訴費2条10号），それ以外は，弁護士を選任するかどうかは当事者の任意であるという理由で，前述のように，わが国では訴訟費用とはされていない。

1-3-2　訴訟費用負担の確定

1-3-2-1　訴訟費用の負担者

訴訟費用は，原則として敗訴者の負担とされる（61条。前述した「敗訴者負担の原則」）。一部敗訴の場合は，各当事者の負担の範囲は，裁判所の裁量で決める（64条）。勝訴の当事者が，不必要な行為をした場合や，訴訟を遅延させた場合には，裁判所は，その者に訴訟費用の一部または全部を負担させることができる（62条・63条）。共同訴訟人がともに敗訴した場合は，原則として等しい割合で訴訟費用を負担するが，事情に応じて，連帯負担や一部の者に負担をさせることもできる（65条）。訴訟費用の負担を命じられた者は，自らが支弁した費用が自分持ちになるだけではなく，相手方が支弁した費用を負担する義務を負うことになる。したがって，相手方は，負担者に対して，自己が支弁した費用の弁償を求める請求権を取得する。なお，法定代理人，訴訟代理人，裁判所書記官，執行官が，故意または重過失によって無益な費用を生じさせた場合には，裁判所は，申立てまたは職権によって，それらの者に対して費用負担者への償還を命じることができる（69条）。

1-3-2-2 訴訟費用確定の手続

　裁判所は，本案に関する終局判決の主文において，同時に，その審級における訴訟費用の全部について，その負担の裁判をする（67条1項）。この訴訟費用負担の裁判は，職権により行われるものであり，当事者の申立てを必要としない。上訴裁判所が，原審の本案の裁判を変更するときは，原裁判の中の訴訟費用の裁判は当然に効力を失い，上訴裁判所は，原審と上訴審を通じた総費用の負担についての裁判をする（67条2項）。上訴審が，上訴を却下または棄却するときは，上訴審は，自らの審級のみの訴訟費用の裁判をすれば足りる。訴訟費用の負担の裁判に対しては，独立の上訴は認められず（282条・313条），本案の上訴とともに行うことを要する。訴訟費用の裁判と本案の裁判は必然的に連動するので，本案について理由のない上訴が，訴訟費用の裁判の上訴を口実として提起されるのを防ぐ趣旨である。

　訴訟費用の負担の裁判は，費用の負担者および負担の割合を定めるものであり，具体的な金額まで定めるものではない。そこで，この裁判が執行力を生じた後に，当事者の申立てにより，第1審裁判所の裁判所書記官が，具体的な負担額を定める（71条1項～3項）。この裁判所書記官の処分に対しては，裁判所に対する異議の申立てが認められる（同条4項）。異議の申立てがあると，裁判所はその当否を判断し，異議の申立てに理由があると認める場合において，具体的な訴訟費用額を改めて定める必要があるときは，裁判所が自らその額を定める（同条6項）。裁判上の和解で訴訟が終了した場合や，裁判および和解によらないで終了した場合においても，必要に応じて，裁判所書記官による費用額の決定の処分がなされる（72条・73条）。

1-3-3 資力が不十分な当事者の救済制度

　当事者が，経済的な理由によって訴訟に要する費用を負担することができない場合には，これを放置しておくと，憲法が保障する裁判を受ける権利を損なうことになる。もちろん，訴訟費用については最終的には敗訴者負担の原則があるが，訴訟費用の負担の裁判がなされるまでの当面の間は，各当事者が自ら訴訟費用を負担せざるを得ない。また，現在のわが国の法制度のもとでは弁護士費用は訴訟費用ではないので，勝訴か敗訴かに関係なく各当事者の負担となる。そこで，訴訟に要する費用を負担することができない者のために，一定の

救済制度が設けられている。そのうち，訴訟費用の負担を緩和する制度が「訴訟救助」であり，弁護士費用なども一定の範囲でカバーする制度が「法律扶助」である。

1-3-3-1　訴訟救助

「訴訟救助」とは，一定の要件を満たす当事者に対し，訴訟費用の支払を猶予する制度である。救助の要件は，訴訟の準備および追行に必要な費用を支払う資力がないか，または，その支払により生活に著しい支障を生じること（無資力要件），および，勝訴の見込みがないとはいえないこと（勝訴見込み要件）である（82条1項）。前者の要件は，訴訟費用だけでなく，弁護士費用や事前の調査費用など，勝訴するために必要な経費のすべてを勘案して判断する。また，後者の要件は，勝訴の見込みがあることを積極的に要求するものではなく，勝訴の見込みがないとはいえないという程度で足りる。いずれも，救助対象者を不当に狭く限定しないようにしつつ，合理的な範囲で救助対象者を定めることを意図したものである。

訴訟救助は，審級ごとに裁判所が決定する（82条2項）。救助の決定を受けると，その者は，裁判費用などの一定の訴訟費用の支払を猶予される（83条）。したがって，原告の場合には訴状に提訴手数料のための印紙を貼付しなくても訴状は受理されるし，当事者双方ともに証拠調べや送達に必要な費用を予納しなくてもそれらを実施してもらうことができる。訴訟救助を受けた者が勝訴して相手方が訴訟費用の負担を命じられたときは，国が敗訴者である相手方から訴訟費用を取り立てる。

訴訟救助を受けた者が訴訟費用の負担を命じられたときは，その者は猶予された費用を支払わなければならない。訴訟救助は，訴訟費用の猶予の制度であって，免除の制度ではないからである。その者が無資力でついに取立てができないときは，やむを得ないこととして国庫の負担で終了することになる。

1-3-3-2　法律扶助

「法律扶助」とは，資力が乏しい当事者が，弁護士に対する訴訟委任や，その前提となる法律相談を求めることを可能にするために，一定の範囲で，弁護士費用などの立替えを行う制度である。訴訟救助は訴訟費用の猶予にとどまることを踏まえ，訴訟救助を超えたより広い範囲にまで，困窮者の救済を拡大することを目的とする。わが国では，もともと法律扶助の仕組みが十分ではなく，

かつては，財団法人である法律扶助協会が，一部国費の補助を受けつつ自主財源で法律扶助制度を運営していた。しかし，法律扶助は，本来的には国家の責務として行うべきものであり，また，法律相談や書類作成などが扶助の対象に含まれないなど，その範囲も狭かったことなどから，法律扶助に関する法律の制定や制度の改善が求められてきた。

そこで，2000年に，「民事法律扶助法」が制定され，法律扶助に関する国家の責務が明らかにされるとともに，全面的な国費による運営が実現し，扶助の対象も拡大することとなった。さらに，2004年に成立した「総合法律支援法」(平16法74。同法の施行により，民事法律扶助法は廃止された)により，国民が法律専門職のサービスをより身近に受けられるようにするための総合的な体制の一環として，法律扶助に関する制度の整備が進んだ。現在では，法律扶助事業は，法律扶助協会から「**日本司法支援センター（法テラス）**」に承継され，2006年10月から全国規模で運営されている。

第2章
訴訟手続の開始

2-1 訴　　え
2-2 訴　訟　物
2-3 処分権主義
2-4 訴訟の開始の効果

2-1 訴　　え

2-1-1 訴えの概念

2-1-1-1 訴えと請求

「**訴え**」とは，ある者が，裁判所に対して，他の者に対する特定の権利または法律関係（以下，単に「権利」という）の主張を提示し，これに基づいて一定の内容および形式の判決を求める申立てのことを指す（申立てについては，⇨ **5-2-1-2**）。訴えを提起する者を「**原告**」，その相手方を「**被告**」という。原告が，裁判所に対して，被告に対する〇年〇月〇日に締結した 200 万円の金銭消費貸借契約から生じた貸金返還請求権の主張を提示しつつ，これに基づいて被告は原告に対して 200 万円を返還せよ，という内容および形式の判決を求める申立てが訴えの例である。

「**請求**」とは，原告が被告に対してする特定の権利主張を指す。訴訟上の請求とも呼ばれる。前記の例においては特定の金銭消費貸借契約から生じた 200 万円の貸金返還請求権の主張が請求である。訴訟においては，かかる請求の当否が審判の対象となる。しかし，民事訴訟法においては，原告の被告に対する

特定の権利主張と，かかる主張に基づく一定の内容および形式の判決の要求の双方を含むものとして請求概念が用いられることもある。たとえば，訴状に請求の趣旨と請求の原因を記載することを求める134条2項2号における請求は，この意味である。それに対して，被告による請求の認諾（266条）という場合には，裁判所に対する一定の内容および形式の判決の要求を被告が認める意味に乏しいから，ここでの請求は被告に対する特定の権利主張のみを意味すると解される。以上のように，請求は，原告の被告に対する特定の権利主張のみを含む場合と，それに加えて裁判所に対する一定の内容および形式の判決の要求をも含む場合があり，それぞれ「**狭義の請求**」，「**広義の請求**」と呼ばれる。

狭義の請求を前提にすると，訴えと請求とは，請求が被告に対する特定の権利主張であるのに対して，訴えは，裁判所に対する，当該主張に基づく一定の内容および形式の判決の要求である，というように明確に区別することができる。これに対して，広義の請求と訴えの区別は微妙となる。強いていえば，裁判所に対して一定の判決を求める「行為」が訴えであるのに対して，請求は裁判所に対して要求されている「内容」を指す，と区別される。

> **TERM ⑤ 訴訟上の請求と実体法上の請求権**
> 訴訟上の請求は実体法上の請求権概念とは異なる定義が与えられている。しかし，歴史的には両者に密接な関係が存在することもあった。かつてのドイツでは給付訴訟しか認められておらず，訴えは実体法上の請求権の行使であると考えられていたため，審理の対象を「請求」と呼ぶことは当然だったのである。しかし，その後，確認の訴えや形成の訴えの存在が認められ，訴訟においては請求権以外の権利または法律関係も審理の対象になることが明らかになったことから，訴訟においては実体法上の請求権が行使されるという議論の自明性は失われた。請求という概念が用いられていながらその意味内容が実体法上の請求権とは異なることとなり，確認の訴えや形成の訴えにおける審理の対象も請求と呼ぶこととされているのは，以上の経緯に基づくものである。

2-1-1-2 単一の訴えと併合の訴え

訴えはさまざまな観点から分類できる。「**単一の訴え**」と「**併合の訴え**」とは，1つの訴えによっていくつの請求についての審判を求めているか，という観点からの分類である。1つの請求についての審判を求める訴えを単一の訴えといい，複数の請求についての審判を求める訴えを併合の訴えという。併合の訴えには，1人の原告と1人の被告との間に複数の請求が定立される場合と，複数

の原告から，または，複数の被告に対して複数の請求が定立される場合がある。前者については第11章（505頁），後者については第12章（542頁）で扱う。

2-1-1-3 独立の訴えと訴訟内の訴え

訴えは，それが新たな訴訟手続を開始させるために提起されるものであるか，既に係属中の訴訟内において，新たな請求についての併合審理を求めるために提起されるものであるか，という観点からも分類することができる。前者を「**独立の訴え**」，後者を「**訴訟内の訴え**」という。訴訟内の訴えには，①訴えの変更（143条），②中間確認の訴え（145条），③反訴（146条），④独立当事者参加（47条），⑤共同訴訟参加（52条），⑥参加承継（49条・51条），⑦訴訟引受け（50条・51条）等が含まれる。①ないし③については第11章（505頁）で，④ないし⑦については第12章（542頁）で扱う。

2-1-2 訴えの類型

訴えは，それによって求められている判決の形式に応じて，給付の訴え，確認の訴え，形成の訴えに分類される。以下，それぞれについて概観する。

2-1-2-1 給付の訴え

「給付の訴え」とは，被告に対する給付請求権の主張に基づいて，被告に対して一定の作為・不作為を命じる判決を求める申立てのことである。したがって，物や金銭の引渡しを求める訴えに限られず，たとえば，「被告は，原告に対し，別紙物件目録記載の土地について，所有権移転登記手続をせよ」という判決を求める訴え（意思表示を求める訴え）も，被告に対して一定の作為を命じる判決を求めるものであるから，給付の訴えに当たる。

給付の訴えは，原告の主張する請求権が事実審の口頭弁論終結時に履行すべき状態にあるか否かで「**現在の給付の訴え**」と「**将来の給付の訴え**」に分類される。口頭弁論終結時に履行すべき状態にある請求権が主張される場合が前者であり，口頭弁論終結時に履行すべき状態にない請求権が主張される場合が後者である。なお，口頭弁論終結時に履行すべき状態にない請求権とは，その時点で期限未到来の請求権，停止条件付請求権のみならず，将来の請求権であり，その基礎が既に成立しているものも含む。現在の給付の訴えと将来の給付の訴えの分類は，訴えの利益の判断に際して大きな意味を持つ（給付の訴えにおける訴えの利益については，⇨ **8-4-3**）。

給付の訴えに係る請求を認容する判決は「**給付判決**」と呼ばれる。給付判決が確定するか，仮執行宣言を付されると，これに基づき強制執行を求めることができる（民執22条1項1号・2号）。給付判決のこのような効力を「**(狭義の)執行力**」と呼ぶ（執行力については，⇨ **9-7**）。執行力の存在は給付の訴えを実効的な権利実現の手段としており，実際にも圧倒的多数の訴えが給付の訴えである。また，給付判決は同時に原告の主張する給付請求権を確定するものであるから，確定すれば執行力のみならず既判力（既判力については，⇨ **9-6**）も有する。他方，給付の訴えに係る請求を棄却する確定判決は，原告の主張する給付請求権の不存在を既判力によって確定するのみであり，執行力を持たない。権利の存否を既判力によって確定するのみで，(狭義の)執行力や形成力を持たない判決を「**確認判決**」というが，給付の訴えに係る請求を棄却する判決は確認判決である。

2-1-2-2　確認の訴え

「確認の訴え」とは，特定の権利の存在または不存在の主張に基づいて，当該権利の存否を確認する判決を求める申立てのことを指す。たとえば「原告が，別紙物件目録記載の土地について，所有権を有することを確認する」，または，「○○の契約に基づく原告の被告に対する○○円の債務が存在しないことを確認する」という判決を求める申立てが確認の訴えである。前者のように，特定の権利の存在の確認を求める訴えを「**積極的確認の訴え**」，後者のように特定の権利の不存在の確認を求める訴えを「**消極的確認の訴え**」と呼ぶ。なお，事実関係を確認する判決を求める訴えが提起されることもあるが，これについて確認の利益が認められるのは例外的な局面に限られる（134条の2。確認の利益については，⇨ **8-4-4**）。

確認の訴えに係る請求を認容し，または，棄却する判決は確認判決である。このような確認判決が確定すると原告の主張する権利の存在または不存在に係る判断について既判力が生じる。請求を認容する判決が確定しても狭義の執行力が生じることはなく，この判決を債務名義として強制執行を申し立てることはできない。その意味で，権利保護ないし紛争解決に対する効果は間接的であるが，確認の訴えには，紛争の基本となっている権利の存否を既判力によって確定することで，派生紛争を含めた紛争を抜本的に解決する機能がある。たとえば，ある土地の所有権の存否を既判力によって確定することは，当該土地に

ついての明渡請求権や登記請求権に係る紛争の解決にも資する。また，確認の訴えには，現実の侵害が生じていない段階で権利についての不安を除去するために当該権利の存在を確定することで紛争を予防する機能も認められる。

2-1-2-3　形成の訴え

「**形成の訴え**」とは，一定の形成原因の主張に基づいて，裁判所に対して一定の法律関係の変動をもたらす判決を求める申立てである。たとえば，被告に民法770条1項1号の不貞な行為があったという主張に基づいて「原告と被告とを離婚する」という判決を求める申立てが形成の訴えに当たる。

形成の訴えは，訴えをもって裁判所に法律関係の変動を請求することができると定められている場合に限って認められる。判決によって変動すべき法律関係は実体法上のものである場合も，訴訟法上のものである場合もある。前者における形成の訴えを「**実体法上の形成の訴え**」と呼び，後者の場合における形成の訴えを「**訴訟法上の形成の訴え**」と呼ぶ。離婚の訴え等は前者の例であり，確定判決の既判力を判決によって消滅させる確定判決の変更の訴え（117条）や再審の訴え（338条）等は後者の例である。

形成の訴えに係る請求を認容する判決は，「**形成判決**」と呼ばれ，これが確定した場合，判決で宣言された法律関係の変動が生ずる。このような効力を「**形成力**」という（形成力については，⇨ 9-8）。法律関係は形成判決の確定によってはじめて変動するのであるから，この判決の確定前に，形成後の法律関係を別の訴訟において主張したとしても，これがしん酌されることはない。たとえば，A取締役を解任する株主総会決議の取消しを求める訴え（会社831条）は形成の訴えであるから，A取締役が，同決議には取消原因があるため自分はなお取締役であると主張しつつ，会社に対して解任決議後の報酬の支払を求める訴えを提起した場合，この決議を取り消す旨の判決が確定していないかぎり，A取締役の主張は顧慮されない。

形成の訴えに係る請求を認容する判決も棄却する判決も確定すれば，形成原因の存否を既判力によって確定するが，形成力は請求認容判決のみにあり，請求棄却判決は形成力を持たない。その意味で，形成の訴えに係る請求を棄却する判決は確認判決である。

2-1-2-4 形式的形成の訴え

(1) 形式的形成訴訟の意義

　判決の確定によって法律関係が変動するという点では形成の訴えと共通するが，形成原因が具体的に定められておらず，訴訟物たる形成原因を観念することができないためにどのような判決を下すべきかが裁判官の健全な裁量に委ねられるという点で形成の訴えと異なる訴訟類型を「**形式的形成訴訟**」という。共有物分割訴訟（民258条1項）がその例である。土地の境界の確定を求める訴えも，土地を区分する公法上の境界（筆界）の確定を求める訴訟であると解したうえで形式的形成訴訟に属すると考えるのが判例である（最判昭和43・2・22民集22巻2号270頁等。不登147条・148条も参照）。このような訴訟類型では，裁判所は事実に法を適用するというよりは，合目的的な見地から裁量を行使することになることから，形式的形成訴訟は，実質的には非訟事件であるとされる。「形式的」という形容詞がつくのも実質は非訟事件であるが形式的に訴訟手続によるものとされているという趣旨である。

(2) 形式的形成訴訟における審理および判決の規律

　形式的形成訴訟には，審理および判決について通常の形成訴訟とは異なる規律が妥当する。以下，境界確定訴訟を例にとって概観する。

　第1に，判例によると，裁判所は，原告による境界の主張に拘束されることなく，自ら真実と認めるところに従い境界を定めるべきであり（大判大正12・6・2民集2巻345頁），原告の主張よりも原告に有利な境界を定めたとしても，246条に反したことにはならない（最判昭和38・10・15民集17巻9号1220頁，246条については，⇨ **9-5**）。また，判例は，第1審判決に対して控訴が提起された場合には不利益変更禁止の原則も妥当しないとする（前掲最判昭和38・10・15，不利益変更禁止の原則については，⇨ **13-2-2**）。以上のように処分権主義が制約されることについては，公法上の境界は当事者が自由に処分できるものではないという観点から説明することができる（処分権主義については，⇨ **2-3**）。

　第2に，通説によると，弁論主義は妥当しない（弁論主義については，⇨ **7-1**）。その理由としては，公法上の境界は当事者が自由に処分できる事項ではないということのほかに，形成原因の具体的な定めがないため，弁論主義の対象となるべき主要事実を観念し難いことが挙げられる。

　第3に，通説によると，証明責任も適用されない（証明責任については，⇨ **7-**

4-5）。境界確定訴訟においては主要事実が観念し難いことから，主要事実について真偽不明である場合に適用される証明責任の適用も想定し難いと説明される。

第4に，判例によると，裁判所は，請求棄却判決をすることはできず，すべての事情を総合考量して，何らかの境界を確定しなければならない（前掲大判大正12・6・2）。境界確定の訴えとは，境界を客観的に確定し得ない場合には，裁判所に対して合目的的な見地による境界の確定を求めるものであるという理解が前提とされていると考えられる。

2-1-2-5　類型論の意義

給付の訴え，確認の訴え，形成の訴えという3類型は，権利の存否を既判力によって確認することを共通の要素として有する。その意味で，給付の訴えと形成の訴えを確認の訴えの特殊な場合と考え，3類型の共通性を強調することもできる。このような見方を確認訴訟原型観という。しかし，実際には，3類型はそれぞれ固有の機能を有しており，具体的な取扱いも，かかる機能に応じて異なる。3類型を設定する理由もここにある。

まず，類型論は，訴訟要件との関係で意味を持つ。給付の訴えについては，現在の給付の訴えであるかぎりは訴えの利益を認められるのが原則であり，また，形成の訴えにおいても，明文規定で認められている以上は訴えの利益が問題になることは多くないが，確認の訴えにおいてはそうではない。確認の訴えにおいては，原理的にあらゆる事柄が確認の訴えの対象となり得るため，訴訟手続を利用する正当な利益を原告が有することが必要となるのである（訴えの利益については，⇨ **8-4**）。

また，類型論は訴訟物理論との関係でも意味を持ち得る。給付の訴えにおける原告の目的は給付内容の実現であり，その基礎となる請求権の主張はそのための手段にすぎない。それに対して，確認の訴えにおける原告の目的は，権利の存否を確定することによって，紛争を抜本的に，または予防的に解決することにある。一定の給付を受ける地位こそが訴訟物であり，かかる地位を基礎づける実体法上の請求権は法的観点にすぎないとする新訴訟物理論が給付の訴えにおいてとくに主張されたのは，かかる給付の訴えと確認の訴えとの機能の差異が認識されたことによる。形成の訴えにおいても，形成結果の実現こそが原告の目的であり，形成原因の主張はそのための手段と位置付けられるため，新

訴訟物理論の発想が流入しやすい（訴訟物については，⇨ **2-2**）。

　以上のように，訴えを3類型に分類することは，それぞれの訴えの機能の差異を明らかにし，かかる機能に即した取扱いを基礎づけ得るという利点を有する。ただし，これは，すべての訴えは必ず3類型のいずれかに当てはまらなければならないということを意味しない。執行法上の訴えの中には，複合的な性格を有すると考えた方が適切に説明できるというものもある。たとえば，債務名義に表示されている請求権の存在または内容について異議のある債務者は，その債務名義による強制執行の不許を求めるために，請求異議の訴えを提起することができるが（民執35条1項），この訴えについては，判決による執行力の排除を求めるという意味で形成の訴えと共通する側面を持つ一方で，債務名義に表示されている請求権の存否または内容を既判力により確定するという意味では確認の訴えと共通する側面を持つと理解する余地があり，このような理解に従うとすると，前記の3類型のいずれかに当てはめるのは難しいのである（形成訴訟だとすると，その存否が既判力により確定されるのは形成原因の存否であるが，請求異議訴訟における形成原因は，「債務名義の表示と実体関係の不一致」などとされ，債務名義に表示されている請求権の存否が既判力で確定されることはない）。3類型は，思考の便宜上設けられたものにすぎず，常にそれに拘束されるという性質のものではないと考えるべきである。

2-1-3　訴え提起の方式

2-1-3-1　訴状の提出と印紙の貼付

　訴えは訴状を裁判所に提出することによって行う（134条1項）。訴え提起の重要性に鑑み，口頭での訴え提起を許さない趣旨である。ただし，簡易裁判所における訴え提起については，簡素化の必要に鑑み，口頭での訴え提起が認められる（271条）。

　訴えを提起する際には，所定の手数料を裁判所に納付しなければならない（民訴費3条）。手数料の納付は，原則として訴状に収入印紙を貼付する方法によって行う（同8条）。

　手数料額は，訴訟の目的の価額に応じて定められる（民訴費別表第1）。訴訟の目的の価額は「**訴額**」とも呼ばれ，原告が訴えによって主張する利益によって算定される（民訴費4条1項，民訴8条1項）。原告が訴えによって主張する利

益とは，請求が全部認容され，その内容が実現された場合に原告にもたらされる直接の経済的利益を意味する。たとえば，200万円の貸金返還請求訴訟であれば，200万円が訴額となる。

1つの訴えで数個の請求をする場合には，その価額を合算したものが訴額となる（民訴費4条1項，民訴9条1項）。たとえば，100万円の売買代金支払請求と，50万円の貸金返還請求とを併合する場合には訴額は150万円になる。ただし，1つの訴えで数個の請求をする場合でも，主張する利益が各請求について共通である場合には，共通部分を合算しない（民訴費4条1項，民訴9条1項但書）。たとえば，2人の共同被告に対して連帯債務として100万円の支払を請求する場合には，訴額は200万円ではなく，100万円となる（他方，最決令和3・4・27判時2500号3頁は，特別区議会議員選挙に係る当選人甲の当選無効の決定の取消しを求める請求と，当選人乙の当選無効を求める請求とでは，訴えで主張する利益が共通であるとはいえない，とする）。なお，果実，損害賠償，違約金または費用の請求が訴訟の附帯の目的であるときは，その価額は，訴訟の目的の価額に算入しない（民訴費4条1項，民訴9条2項）。基準を簡明なものとする趣旨である（最決平成27・5・19民集69巻4号635頁）。

①財産権上の請求でない請求に係る訴え，および，②財産権上の請求に係る訴えであるが訴額を算定することがきわめて困難なものについては，手数料額算定の基礎となる訴額は160万円とみなされる（民訴費4条2項。なお，事物管轄の判断の基礎となる訴額については，⇨ **3-2-2-3**(2)）。①の例としては，離婚の訴え（民770条）や会社設立無効の訴え（会社828条1項1号）が挙げられる。また，②の例としては地方自治体の執行機関を被告として職員等に対する損害賠償の請求を求める住民訴訟（自治242条の2第1項4号）が挙げられる。この訴えは，損害賠償の請求を求めるものであるという意味で財産権上の請求に係る訴えに該当するが，原告が訴えによって主張する利益は，地方公共団体の損害が回復されることによって原告を含む住民全体の受けるべき利益であり，算定のきわめて困難なものと解されるからである（2002年の自治法改正前のものであるが最判昭和53・3・30民集32巻2号485頁を参照）。株主による取締役の違法行為の差止請求訴訟（会社360条）の場合についても，財産権上の訴えではあるが，原告が訴えによって主張する利益は，違法行為が差し止められることによって原告を含む全株主の受ける利益であると解されるから，②に当たる。

2-1-3-2　訴状の記載事項

訴状には，当事者および法定代理人と，請求の趣旨および原因を記載しなければならない（134条2項）。以上の記載の欠缺は訴状却下の原因になるため（137条），「**必要的記載事項**」と呼ばれる。

(1)　当事者および法定代理人

当事者の記載は，原告および被告が他の者から識別できる程度に特定したものでなければならない。当事者能力，訴訟能力，当事者適格，裁判官の除斥・忌避等，当事者を基準として判断される事項は多いからである。原告および被告は，個人の場合は，氏名および住所の記載によって，法人または団体の場合は，商号・名称と本店・主たる事務所の所在地により特定するのが通常であるが（規2条1項1号），芸名やペンネームによる特定も許される。なお，一定の職務上の資格に基づいて当事者となる場合には，Aの破産管財人B（破80条），○○丸船長C（商803条2項）のように，その職務上の資格を表示するべきである。

当事者が法定代理人によって代理される場合，法定代理人も訴状に記載しなければならない。実際の訴訟追行者を明らかにする趣旨である（訴訟無能力者に対する文書の送達は法定代理人に対してなされる〔102条1項〕）。法人または団体の代表者も訴状に記載する必要がある（37条）。訴訟代理人が選任されている場合は，訴訟代理人も訴状に記載すべきであるが（規2条1項1号），訴訟代理人の記載は，その欠缺が訴状却下の原因になるという意味での必要的記載事項ではない。

ところで，訴状は，被告に送達されるから（138条1項），原告の住所と氏名は被告に知られることになる。その結果，ドメスティック・バイオレンスや性犯罪の被害者が，自らの住所や氏名が加害者に知られることをおそれ，加害者に対して訴えを提起するのを躊躇することがあるとの指摘がなされた。そこで，令和4（2022）年民訴法改正により，申立て等をする者もしくはその法定代理人（秘匿対象者）の住所，居所その他その通常所在する場所（住所等）の全部もしくは一部または秘匿対象者の氏名その他当該者を特定するに足りる事項（氏名等）の全部もしくは一部が当事者に知られることによって秘匿対象者が社会生活を営むのに著しい支障を生ずるおそれがあることにつき疎明があった場合には，裁判所は，申立てにより，住所等または氏名等の全部または一部を秘匿

する旨の決定（秘匿決定）をすることができることとされた（133条1項）。ここでいう「申立て等をする者」には原告も含まれるから，原告は訴えを提起する際に秘匿決定を申し立てることができる。なお，秘匿決定には以下のような効果が伴う。①秘匿対象者の住所または氏名について秘匿決定がされる場合，当該秘匿決定において，これらに代替する事項が定められ，この事項を当該事件等に関する手続において記載したときは，実際の住所または氏名を記載したものとみなされる（同条5項）。したがって，原告は，訴状に，実際の住所や氏名ではなく，それらに代替する事項を記載すれば足りる。②秘匿決定の申立ての際には，秘匿対象者の住所等または氏名等（秘匿事項）を記載した書面を提出しなければならないところ（同条2項），この書面に係る訴訟記録の閲覧等の請求をすることができる者は秘匿対象者に限られる（133条の2第1項）。③裁判所は，申立てにより，決定で，訴訟記録中②の書面以外のものであって秘匿事項または秘匿事項を推知することができる事項が記載された部分に係る訴訟記録の閲覧等の請求をすることができる者を秘匿対象者に限ることができる（同条2項）。

(2) 請求の趣旨および原因

　請求の趣旨および原因の記載は，広義の請求すなわち，特定の権利主張とそれに基づいてなされる一定の内容および形式の判決の要求を明らかにするために求められる。

　請求の趣旨は，原告の要求する判決の内容および形式の表示を指す。たとえば，給付の訴えであれば，「被告は，原告に対して500万円を支払え」，確認の訴えであれば，「原告が，別紙物件目録記載の土地につき，所有権を有することを確認する」，形成の訴えであれば，「原告と被告とを離婚する」という判決を求める旨が請求の趣旨として記載される。

　請求の原因は，原告による権利主張を特定する事実を指す。たとえば，「被告は，原告に対して500万円を支払え」という判決を求める旨が請求の趣旨として記載されている場合，かかる要求を基礎づける権利主張は複数あり得るため，請求の原因における事実記載によって，原告の権利主張を明らかにする必要がある。そこで，たとえば，請求の原因において「原告は被告に対して，○年○月○日に，弁済期を△年△月△日と定めて，500万円を貸し付けた」と記載することで，特定の金銭消費貸借契約に基づく500万円の貸金返還請求権を

主張することが明らかにされる。

　訴状却下命令を回避するためには，請求を特定する事実が請求の原因として記載されていれば足り，請求を理由づけるために必要な事実のすべてが記載されている必要はない。しかし，被告に防御の対象を明らかにし，審理を円滑に進めるためには，請求を理由づけるために必要な事実が記載されていることが望ましい。そこで，民訴規53条1項は，請求を特定するのに必要な事実のほかに，請求を理由づける事実についても具体的に記載することを求めている。同項は，請求を理由づける事実に関連する事実（これを間接事実という。間接事実については，⇨ **7-1-2-1**）で重要なもの，および証拠を記載することも求めているが，その趣旨も同様である。ただし，請求を特定するのに必要な事実が記載されている限り，請求を理由づける事実，重要な間接事実または証拠の記載が欠けていたとしても，訴状却下の原因とはならない（訓示規定。詳細は，⇨ **1-1-4-3**）。

　なお，簡易裁判所においては，請求の原因に代えて，紛争の要点を明らかにすれば足りる（272条）。当事者の負担を軽減する趣旨である。

> **TERM ⑥　請 求 原 因**
> 　「請求原因」という言葉は多義的である。第1に，この言葉は請求を特定するのに必要な事実（134条2項2号，規53条1項）という意味で用いられる。第2に，請求原因という言葉は，請求を理由づける事実（規53条1項）という意味で用いられる。そこで，両者の区別を明確にするため前者を「狭義の請求原因」と呼び，後者を「広義の請求原因」と呼ぶことがある。また，第3に，請求原因という概念は，法文上，請求の原因および数額について争いがある場合，その原因について中間判決をすることができる，という形でも用いられている（245条）。ここでいう請求原因は，狭義の請求原因，広義の請求原因のいずれとも異なり，請求権の存否の問題と数額の問題のうち前者を指す言葉として用いられる。

2-1-3-3　請求の特定

(1)　請求の特定の意義

　請求の趣旨および請求の原因は，広義の請求を特定するために記載される。裁判所は，処分権主義により，原告が定立した請求についてしか判決をすることができないため（処分権主義。これについては，⇨ **2-3**），請求の特定は審理をするためには不可欠である。また，請求の特定は，被告にとって防御の対象を

明確にし，十分な訴訟追行をする機会を与えるためにも重要な意味を有する。

(2) 金銭の支払を求める給付の訴え

金銭の支払を求める給付の訴えにおいては，原告が求める数額を訴状に記載することが必要である。不法行為に基づく損害賠償請求訴訟などでは，損害額の算定が困難であることも多く，原告が「裁判所の認定する損害額の支払を求める」という形で訴えを提起することを欲することも考えられるが，判例は，このような訴状の記載は不適法であると解している（最判昭和27・12・25民集6巻12号1282頁）。多数説も，請求が全部認容された場合に被告が負うべき負担が明らかにならなければ，被告は自らの防御活動を決定し得ないことを理由として，判例と同様の見解に立つ。

(3) 金銭債務不存在確認訴訟

金銭債務不存在確認請求訴訟は被告による訴訟外での債権の主張を契機として提起されるものであり，被告は既に審判の対象となるべき債務の数額を知っているのが通常であるから，給付訴訟のように，債務額が訴状において明らかにならなければ，被告は自らの防御活動を決定し得ないということはなく，債務額の明示がない訴状も不適法であるとまではいえない。もっとも，債務額が明示されることは事物管轄の判断や手数料額の決定にとって便利であることを考えると，金銭債務不存在確認訴訟においても訴状において債務額が明示されるのが好ましい。

2-1-4 訴え提起後の手続

2-1-4-1 事件の分配と訴状審査

特定の官署としての裁判所に提出された訴状は，当該裁判所の裁判官会議の議を経て定められた事務分配の定め（下事規6条）に従って，当該官署としての裁判所に所属する特定の裁判機関としての裁判所に配付される（事件の分配）。

訴状の配付を受けた裁判機関としての裁判所の裁判長（単独体の場合は裁判官，以下同じ）は，訴状に必要的記載事項が適法に記載されていない場合，相当の期間を定めて，その期間内に不備を補正することを命じなければならない（137条1項前段）。訴え提起に関する所定の手数料の納付がない場合も同様である（同項後段）。定められた期間内に原告が不備を補正しない場合，裁判長は，訴状を却下しなければならない（137条2項）。却下命令に対して原告は即時抗

告を提起することができる（137条3項）。

訴状審査においては，請求の当否はもちろん，訴訟要件の有無も審理の対象とはならない（当事者適格が欠けている場合につき大決昭和7・9・10民集11巻2158頁）。これらは受訴裁判所が判断すべき事柄であり，裁判長かぎりで判断すべきではないからである。なお判例は，被告に裁判権が及ばないことが明らかな場合には訴状却下命令をすべきであるとするが（天皇を被告とする訴えについて最判平成元・11・20民集43巻10号1160頁），被告の記載がない場合と同視したものと解される。

> **すこし詳しく 2-1　却下という用語の多義性**
> ▶却下という用語は，訴状却下（137条2項），訴え却下（140条等），攻撃防御方法の却下（157条・157条の2）などさまざまな局面で用いられるが，その意義は同じではない。訴状却下命令は，訴状が適式ではないとしてこれを受理しないという趣旨であるのに対して，訴えを却下する旨の判決は，訴状を受理しつつも，訴えが不適法であるという理由により本案判決をせずに訴訟を完結させるという趣旨である（訴え却下判決については，⇨ 9-2-3）。また，時機に後れて提出された攻撃防御方法について却下決定がなされることがあるが，これはその攻撃防御方法の提出を許さないという趣旨である（時機に後れた攻撃防御方法の提出については，⇨ 6-2-5-2）。それが証拠の申出であれば，これに基づく証拠の取調べはなされず，それが主要事実の主張であれば，当該主張はなかったことになる結果，弁論主義の主張原則により，当該事実は判決の基礎にならないということになる。

2-1-4-2　訴状の送達

適式な訴状は，被告に送達しなければならない（138条1項。送達の詳細については，⇨ 5-3-2）。訴状の送達は原告から提出された副本によってする（規58条1項。副本については，⇨ 5-3-2-2 ❶11）。送達費用の未納または被告の住所の記載の誤り等の理由で送達ができない場合，裁判長は，相当の期間を定めて不備を補正することを命じることができ，定められた期間内に原告が不備を補正しない場合，訴状を却下しなければならない（138条2項）。

> **すこし詳しく 2-2　訴状送達前における訴えの却下**
> ▶判例は，訴状が適式であっても，訴えが不適法であることが明らかであり，当事者のその後の訴訟活動によって訴えを適法とすることが全く期待できないような場合，裁判所は，訴状を被告に送達せずに判決をもって訴えを却下することができるとする（最判平成8・5・28判時1569号48頁）。被告への訴状の送達がないにもかかわらず訴訟係属の発生を認め，判決をする点

で異例の措置ではあるが（訴訟係属については，⇨ **2-4-1-1**），適法とする余地がない訴えについては請求棄却判決を求める被告の利益や被告の防御の利益に配慮する必要はない反面，このような訴えについて訴状を送達しなければならないとすると，裁判所の事務負担が増加し，送達を受ける被告にも無用の負担を与えることから，上記のような措置が認められたものと考えられる。

2-1-4-3 口頭弁論期日の指定

適式な訴状が提出されたときは，裁判長は，速やかに口頭弁論期日を指定し，当事者を呼び出さなければならない（139条，規60条1項）。また，この期日は，特別の事由がある場合を除き，訴えが提起された日から30日以内の日に指定しなければならない（規60条2項）。訴え提起日から30日以内が原則とされているのは，早期審理開始に対する原告の利益を配慮したためであり，特別の事情がある場合に例外が認められているのは，答弁書の充実を要求する民訴規80条のもとでは被告に30日以上の準備期間を与える必要があることもあるからである。特別な事由の典型例としては，訴訟が複雑で準備に時間を要する場合が挙げられる。

なお，事件を弁論準備手続に付する場合または書面による準備手続に付する場合は，裁判長は，第1回口頭弁論期日を指定することを要しない（規60条1項但書）。これらの準備手続については，⇨ **6-2**。

2-2 訴訟物

2-2-1 訴訟物の意義

法文上の概念ではないが，訴訟物という概念がしばしば用いられる。訴訟物は訴訟上の請求と同義であると定義され，広義には原告による権利主張とそれに基づく一定の形式および内容の判決要求の双方を，狭義には，原告による権利主張を意味すると解されている。ただし，訴訟物概念は，原告によって主張される権利自体を意味するものとして用いられることもある。これは最狭義の訴訟物概念である。訴訟物概念は，以上3義の中でも最狭義の意味で用いられることが多く，本書でもとくに断らないかぎりは，最狭義の意味で訴訟物概念を用いる。

2-2-2 訴訟物の機能

　訴訟物は，これ以上分割することのできない審判対象の最小単位を指し，訴訟法上のさまざまな問題が訴訟物概念を基準として処理される。その中でも主要なものとして挙げられるのは，①客体的併合該当性（136条），②訴えの変更該当性（143条），③二重起訴該当性（142条），④既判力の客体的範囲（114条1項）という4つの問題である。たとえば，Y会社の運行する電車の事故によって乗客Xが重傷を負ったという場合，XはY会社に対して，不法行為に基づく損害賠償請求権（民709条）を主張することも，契約上の債務不履行に基づく損害賠償請求権（民415条）を主張することも可能であると考えられるが，この2つの請求権の主張は別々の訴訟物を構成すると仮定すると（後述する旧訴訟物理論である），上記①ないし④の処理はそれぞれ，①Xが双方の請求権を主張する場合，請求の客体的併合に当たる，②Xが一方の請求権のみを主張して訴えを提起し，同一訴訟手続内で他方の請求権を追加主張した場合，訴えの変更に当たる，③Xが一方の請求権を主張し訴えを提起し，訴訟係属中に，他方の請求権を主張し，別訴を提起することは二重起訴には当たらない，④一方の請求権を主張して提起された訴えについて請求棄却判決がなされ，確定した場合，その既判力は他方の請求権を主張して提起された訴えには及ばない，という帰結が導かれる。また，上記の事例では，Xは2つの請求権を主張できるとはいえ，実体法上二重に給付を受けることまで正当化できないことから，一定の給付を受ける地位が1個の訴訟物を構成し，これを不法行為に基づく損害賠償請求権と契約上の債務不履行に基づく損害賠償請求権に分断することはできないと考えることもできる（後述する新訴訟物理論である）。この理解によると，上記①ないし④の処理はそれぞれ，①Xが双方の請求権を主張した場合も請求の客体的併合には当たらない，②Xが一方の請求権のみを主張して訴えを提起し，同一訴訟内で他方の請求権を追加主張した場合，訴えの変更に当たらない，③Xが一方の請求権を主張して訴えを提起し，その訴訟係属中に他方の請求権を主張して別訴を提起することは二重起訴に当たる，④一方の請求権を主張して提起された訴えについて請求棄却判決がなされ，確定した場合，その既判力は他方の請求権を主張して提起された訴えにも及ぶ，という形で処理される。

以上のように訴訟物概念は，訴訟法上のさまざまな問題の処理のための基準になることから，これらの諸問題について妥当な結論を導くための訴訟物概念をめぐってさまざまな見解が主張されてきた。ただし，実際上，最も重要な論点として注目されたのは④である。④は1回の訴訟が担うべき紛争解決の範囲という司法制度の根本問題に直接かかわるからである。もっとも，近時は，訴訟物の範囲よりも既判力の範囲が小さくなる余地を認める見解や，前訴と後訴とで訴訟物の同一性，先決関係，矛盾関係のいずれも認められない場合であっても前訴判決に一定の拘束力を認める見解が現れており（⇨ **9-6-7-3**），訴訟物概念と④との関係は希薄となりつつある。その意味で訴訟物概念の重要性が低下傾向にあることは否めないが，多数説および実務は訴訟物の範囲と既判力の範囲を同一とみており，また，前訴と後訴とで訴訟物の同一性などが認められない場合における拘束力は既判力とは異質なものと理解されていることに鑑みると，④に関して訴訟物概念を論じる意義はなお残されているとみることができる。

2-2-3　訴訟物理論

2-2-3-1　実体法説と訴訟法説

　訴訟物をどのように定義するかについては，大きく実体法説と訴訟法説という考え方の対立があり，ドイツで盛んに議論された。

　実体法説は，実体法上の権利を訴訟物とする考え方である。この考え方によれば，訴訟物の単複異同は，実体法上の権利の単複異同を基準として判定されることになる。たとえば，前述の鉄道事故のような請求権競合事例においては，不法行為に基づく損害賠償請求権と契約上の債務不履行に基づく損害賠償請求権とでは，実体法上の権利として異なるものである以上，訴訟物としても異なるという帰結が導かれる。

　これに対して，訴訟法説は，実体法上の権利から距離を置いた形で訴訟物を定義する考え方である。これはさらに一分肢説と二分肢説に分かれる。

　一分肢説は，一定の裁判要求が訴訟物であるとする考え方である。これによれば，裁判要求の単複異同を基準として訴訟物の単複異同が判断されることになり，同一の裁判要求を基礎づける請求権が原告により複数主張されたとしても，これによって訴訟物が複数になるわけではないということになる。たとえ

ば，前述の鉄道事故のような請求権競合事例においては，訴訟物は，被告は原告に対して〇〇円支払えという裁判の要求であって，不法行為に基づく損害賠償請求権と契約上の債務不履行に基づく損害賠償請求権は，かかる裁判要求を基礎づける法的観点にすぎない，と位置付けられる。

　二分肢説は，裁判要求のみならず事実関係の同一性によっても訴訟物を枠づける考え方である。前述の鉄道事故のように，同一の事実関係から同一の裁判要求を基礎づける複数の請求権が発生するという場合，請求権ごとに別個の訴訟物を構成するわけではない，という点では一分肢説と結論を共有するが，異なる事実関係から同一の裁判要求を基礎づける複数の請求権が発生するという場合，一分肢説と二分肢説で結論が分かれる。売買代金支払請求権と，同じ代金の支払のために振り出された手形金支払請求権を例にとると，一分肢説ではこれらの請求権は同一の裁判要求を基礎づけるものであるから，請求権ごとに別個の訴訟物になるわけではない，と考えるのに対して，二分肢説では，売買代金支払請求権と手形金支払請求権とでは基礎となる事実関係が異なるので，請求権ごとに異なる訴訟物を構成すると考えることになる。なお，ドイツでは二分肢説が通説である。

2-2-3-2　わが国における訴訟物理論の展開

　わが国では，当初実体法説が支配的であったが，昭和30年代にはドイツの訴訟法説に多大な影響を受けた議論が提唱されることとなった。給付訴訟においては，個々の実体法上の請求権が訴訟物となるのではなく，複数の請求権によって基礎づけられ得る1回の給付を求める地位または受給権が訴訟物となり，形成訴訟においては，実体法が定める個々の形成原因が訴訟物になるのではなく，複数の形成原因によって基礎づけられ得る一定の法律関係の変動を求める地位が訴訟物になるという考え方が主張されたのである。これは「**新訴訟物理論**」と呼ばれる立場であって，このような立場が現れると，従来の実体法説は「**旧訴訟物理論**」と呼ばれることとなった。

　新訴訟物理論は訴訟法説の一種と位置付けられるが，ドイツの訴訟法説と比較した場合，以下の2点の特徴を有している。第1は，「紛争の一回的解決」が強調された点である。訴訟法説それ自体は当然に紛争の一回的解決に結び付くわけではなく，実際，事実関係によって実体法説以上に訴訟物を細分化するような説もドイツでは主張されていたが，わが国の新訴訟物理論は，目的論と

しての紛争解決説を背景として,「紛争の一回的解決」を可能とする議論として提唱されたのである。そのため,わが国では,ドイツと異なり,事実関係によって訴訟物を画する二分肢説的な発想は,新訴訟物理論の論者の中でも多数の支持を得られていない。

第2は,各訴訟類型の紛争解決機能の違いが強調された点である。すなわち,給付訴訟においては,実体法上の請求権の主張は一定の給付を得るための手段にすぎず,また形成訴訟においても形成原因の主張は,一定の形成結果を得るための手段にすぎないのに対して,確認訴訟においては,実体法上の権利の存否を既判力によって確定することを通じて紛争を解決することが目的とされるのであるから,このような機能の違いを訴訟物の理解にも反映させるべきである,ということが強く主張されたのである。

以上のような特徴を持つ新訴訟物理論は長く学説上の多数説の地位を占めていたが,実務が一貫して旧訴訟物理論を採用していることもあり,近時は旧訴訟物理論に対する支持も増えつつある。また,学説では,**2-2-2**で述べたような訴訟物概念と個別の問題との関係の希薄化に注目し,訴訟物理論の対立を論じる意義を疑う見解も主張されている。

2-2-3-3 給付訴訟の訴訟物

(1) 旧訴訟物理論とこれに対する批判

たとえば,前述の鉄道事故につき,XがYを被告として「YはXに対して500万円を支払え」という判決を求めて訴えを提起したとする。この場合,Xの権利主張としては,不法行為に基づく損害賠償請求権の主張と債務不履行に基づく損害賠償請求権の主張が考えられるが,旧訴訟物理論は,それぞれの請求権の主張がそれぞれ1個の訴訟物を構成すると説く。実体法上の請求権の単複異同を訴訟物の単複異同の判定基準とする帰結である。

もっとも,このような考え方に対しては新訴訟物理論から次のような問題点が指摘される。第1は,紛争の蒸返しである。Xがまず不法行為に基づく損害賠償請求権を主張して訴えを提起し,請求棄却判決が確定したとしても,それは当該請求権の不存在を既判力により確定したにとどまるから,Xが再度,債務不履行に基づく損害賠償請求権を主張して訴えを提起することは既判力をもっては妨げられない。これは,裁判所の審理負担という観点からも,被告の応訴負担という観点からも問題である。

第2は，二重の認容判決である。不法行為に基づく損害賠償請求権の主張と，債務不履行に基づく損害賠償請求権の主張とがそれぞれ別個の訴訟物を構成するならば，Xは「YはXに対して500万円支払え」という判決を理論上は2つ取得し得る。しかし，Yは実体法上500万円を払う義務しか負っていないことを考えると，このような処理は不自然であるのみならず，Yが二重に執行を受けるおそれを生じさせる可能性もある。たしかに，Yは請求異議の訴え（民執35条）を提起することによって二重の執行を阻止することができるが，Yにこのような負担を負わせることが当然に正当化されるかは疑わしい。

(2)　**新訴訟物理論とこれに対する批判**
　新訴訟物理論は，同一の事実関係から複数の請求権が発生する場合であっても（請求権競合），実体法秩序が1回の給付しか認めていないのであれば，この給付を受ける法的地位または受給権を1個の訴訟物と把握すべきであると論じる。
　この考え方に従った場合，前述の鉄道事故の例における蒸返しの問題は，以下のように処理される。Xは，500万円の支払を受ける法的地位の存否について審判を求めることしかできず，それを細分化し，不法行為に基づく損害賠償請求権と債務不履行に基づく損害賠償請求権のいずれか一方のみを審判対象にすることはできない。したがって，Xの請求が棄却されたということは，不法行為に基づく損害賠償請求権と債務不履行に基づく損害賠償請求権のいずれの観点からも500万円の支払を受ける地位は基礎づけられない，ということを意味し，請求棄却判決が確定した後に，Xが改めて前訴で主張していない請求権を主張して訴えを提起したとしても，既判力の作用によって請求は棄却される。
　また，二重の認容判決がなされるという問題は次のように処理される。不法行為に基づく損害賠償請求権と債務不履行に基づく損害賠償請求権は，500万円の給付を受ける法的地位を基礎づける法的観点にすぎず，双方が主張されていたとしても，複数の請求が併合審理に付されているわけではない。したがって，Xは，認容判決を二重に取得し得ない。
　以上のように，新訴訟物理論は，旧訴訟物理論の問題を一定程度解消するものであるが，新訴訟物理論に対しても批判はある。第1は，実務家を中心になされた，新訴訟物理論を採用した場合には裁判所の釈明義務が拡大するおそれ

があるという批判である。一定の給付を受ける地位を基礎づける法的観点として複数の請求権を想定し得ることがあるが，当事者がそのうちの一部についてしか注意を払っていない場合，裁判所としては残りの請求権およびその要件事実について釈明する義務を負うおそれがあるということである。とくに本人訴訟が多いわが国の現状では，かかる裁判所の負担は過大となる可能性がある。

　第2は，請求認容判決が確定したとしても，新訴訟物理論によると，そこで存在するとされる請求権の実体法上の法的性質が明らかにならない，という批判である。たとえば，前述の鉄道事故において請求認容判決が確定した場合，そこで確定された請求権が不法行為に基づく損害賠償請求権か債務不履行に基づく損害賠償請求権かは，これを受働債権とする相殺の許否につき民法509条2号のみが適用されるか，同条1号と2号の双方が適用されるかを左右することになるが，新訴訟物理論においては，存在することが確定された請求権の法的性質は既判力によって確定されないため，いずれの規律によるべきかが明らかにならないのである。これに対して，新訴訟物理論の論者は，相殺が許されるか否かは，被告が相殺を主張して請求異議の訴え（民執35条）を提起した際に改めて，前訴で認められた請求権の法的性質を吟味したうえで，判断すれば足りるという（これを「法的評価の再施」という）。しかし，新訴訟物理論によって紛争を一回的に解決し得るといっても限界があることは否定できない。

(3) 新訴訟物理論の批判に対する旧訴訟物理論からの応答

　新訴訟物理論から旧訴訟物理論について指摘されている問題点に対しては，旧訴訟物理論の論者から，旧訴訟物理論を採用したとしても選択的併合を認めることで一定程度対応可能であると主張される。選択的併合とは，数個の請求のうちいずれかが認容されることを解除条件として他の請求について審判を申し立てることをいう（選択的併合については，⇒ **11-2-2-3**）。たとえば，前述の鉄道事故の例におけるXの訴えを，不法行為に基づく損害賠償請求と債務不履行に基づく損害賠償請求の選択的併合と解することができれば，一方の請求が認容される場合，他の請求について判決はなされないから，Xが二重に認容判決を得るという問題が生じることはなく，また，Xの提示する請求が1つも認容されない場合，全請求について棄却判決がなされるため，紛争の蒸返しという問題も生じないのである。

　なお，旧訴訟物理論の論者の一部は，請求権競合のケースにおいては常に原

告の訴えを選択的競合と取り扱うことで紛争の蒸返しを回避しようとするが，競合する請求権は別個の訴訟物を構成すると考えながら，原告の意思にかかわらず，常に選択的併合と解するのは処分権主義に反する。したがって，選択的併合の形式で訴えを提起するか否かの決定は原告に委ねられると解するべきであるが，原告が選択的併合の形式で訴えを提起しない場合であっても，受訴裁判所が釈明をすれば，ほとんどの場合原告は訴えの変更によって選択的併合とすることになるから，結局のところ問題は顕在化しない。仮に原告が受訴裁判所の釈明に応じなかったとしても，請求棄却判決を受けた原告が前訴で主張しなかった請求権を主張して後訴を提起するという形で紛争を蒸し返した場合には後訴の提起を訴訟上の信義則に反するとして却下するという対応も残されている（2条。信義則による後訴の却下については，⇨ **9-6-7-3**）。

　また，旧訴訟物理論の論者が，訴訟物の把握の仕方において，紛争の一回的解決に対する配慮をおよそ欠いているというわけではないという点にも注意すべきである。たとえば，旧訴訟物理論においては，正当事由による解約申入れを前提とする賃貸借終了（借地借家27条・28条）に基づく家屋明渡請求権と合意解除による賃貸借終了に基づく同じ家屋の明渡請求権とでは異なる訴訟物を構成するとみることも可能であるが，実務は，賃貸借契約終了に基づく家屋明渡請求権の主張が1個の訴訟物を構成し，賃貸借終了の原因は攻撃方法にすぎない，と捉えている。また，同一事故により生じた同一の身体障害を理由とする財産上の損害の賠償請求権と精神上の損害の賠償請求権とでは，訴訟物を異にすると考えることも可能ではあるが，判例は，損害項目ごとに訴訟物が異なることになるわけではないとする（最判昭和48・4・5民集27巻3号419頁。なお，直接訴訟物について説示したものではないが，最判令和3・11・2民集75巻9号3643頁は，身体損害に基づく損害賠償請求権と物損に基づく損害賠償請求権は，請求権として別であるとする）。以上のように旧訴訟物理論を理解するかぎりは，新訴訟物理論との差異はそう大きいものではないと評価することも可能である。

2-2-3-4　確認訴訟の訴訟物

　確認訴訟においては，実体法上の権利の存否を確定することによって紛争を予防し，または，抜本的に解決することが目的とされる結果，新訴訟物理論と旧訴訟物理論のいずれを採用するかにかかわらず，実体法上の権利が1個の訴訟物を構成すると解されている。そのため，たとえばある土地の所有権と賃借

権とは，新訴訟物理論においても別個の訴訟物を構成することになる。たしかに，確認訴訟においても，その土地の利用権が1個の訴訟物であり，この利用権の基礎になるのが所有権か賃借権かは法的観点の違いにすぎないと考えることは可能であるが，新訴訟物理論の論者も，かかる利用権の基礎となるのが所有権なのか賃借権なのかが確定されてこそ紛争は解決されるというのが通常であり，確認訴訟においてその土地の利用権が1個の訴訟物であり，これ以上分割することはできないとするのは相当ではないと考えている。

ところで，確認訴訟においても，1個の訴訟物の範囲が問題になる局面がないわけではない。土地Aの所有権について，「売買を原因とする所有権」と「相続を原因とする所有権」とがそれぞれ1個の訴訟物を構成するという立場と，土地Aの所有権が1個の訴訟物を構成し，取得原因はその基礎となる法的観点にすぎないという立場が成立し得るからである。しかし，売買か相続かまで厳密に確定しなければ紛争の解決が図れない場面というのは通常想定し得ないのみならず，基礎となる事実関係が若干ずれたのみで，再度所有権の有無が争われるというのでは，訴訟の紛争解決機能を著しく阻害する。したがって，取得原因が何であるかにかかわらず，同一の土地の所有権であるかぎりは1個の訴訟物を構成する，と解するのが通説であり，判例でもある（最判平成9・3・14判時1600号89頁①）。

2-2-3-5 形成訴訟の訴訟物

形成訴訟では形成結果が関心の中心となり，形成原因は一定の形成結果をもたらすための手段にすぎないと位置付けられるのが通常である。そのため形成訴訟においても給付訴訟と同様，新訴訟物理論と旧訴訟物理論とで訴訟物の捉え方に差が生じる。旧訴訟物理論では形成原因が訴訟物であり，形成原因が異なれば，求める形成結果が同じでも別個の訴訟物を構成すると考えるのに対し，新訴訟物理論では一定の形成結果を求める法的地位が1個の訴訟物を構成し，かかる地位を基礎づける形成原因が異なる場合も訴訟物の同一性は失われないと考えるのである。

たとえば，離婚の訴えに関しては，新訴訟物理論の論者は離婚を求める地位が1つの訴訟物であり，民法770条1項の定める各離婚事由はこのような地位を基礎づける法的観点にすぎないと考えることになるのに対して，旧訴訟物理論の論者は離婚事由ごとに別個の訴訟物を構成すると考える傾向にある。もっ

とも，旧訴訟物理論においても，形成原因たる離婚原因は1つであり，民法770条1項所定の各事由は，この離婚原因を支える攻撃防御方法にすぎないと解する余地はあり，このように解するのであればいずれの見解でも差はないことになる。

ところで，人訴法25条1項は，「人事訴訟の判決……が確定した後は，原告は，当該人事訴訟において請求又は請求の原因を変更することにより主張することができた事実に基づいて同一の身分関係についての人事に関する訴えを提起することができない。」と定める。これは既判力とは異なる失権効であると解されているが，この規定によれば，訴訟物をどのように把握したとしても前訴とは別の離婚原因を主張しての再訴が許されないという帰結は常に導けることになる。したがって，離婚訴訟における訴訟物を論じる意義は必ずしも大きいとはいえない。

2-2-3-6 本書の立場

新旧訴訟物理論の対立が実際上大きな意味を持つのは主として給付訴訟においてであるが，既に述べたとおり，そこで旧訴訟物理論の問題点として指摘されている点は，選択的併合や訴訟上の信義則を利用することによって相当程度緩和可能である。また，新訴訟物理論によったとしても紛争の一回的解決を常に達成できるわけではなく，新訴訟物理論には，裁判所の釈明義務の負担を過剰なものにするおそれがあるという固有の問題もある。さらに，実務は旧訴訟物理論によって大きな問題もなく運用されており，このような状況で旧訴訟物理論から新訴訟物理論に転換する必要性が大きいともいい難い。以上のような理由から，本書は旧訴訟物理論を採用する。以下の記述も基本的には旧訴訟物理論が前提となる。

2-3 処分権主義

2-3-1 処分権主義の意義

2-3-1-1 訴訟物に関する処分権主義

「**処分権主義**」とは，①訴訟の開始，②審判の対象・範囲，③判決によらない訴訟の終了に関する決定を当事者に委ねる考え方をいう。このような考え方

が民事訴訟に妥当するのは，訴訟物たる権利ないし法律関係は私法の適用を受けるものである結果，私法の領域で妥当する私的自治の原則は民事訴訟においても妥当すると考えられるからである。なお，①の決定が当事者に委ねられるということは，原告による訴えの提起がないにもかかわらず，裁判所が職権で訴訟を開始することはできないということを意味するが，このことは，「訴えなければ裁判なし」あるいは「不告不理の原則」と表現される（②および③の詳細についてはそれぞれ，⇨ **9-5** および⇨ 第 **10** 章〔481 頁〕）。

> **すこし詳しく 2-3　私的自治の原則**
>
> ▶私法における「私的自治の原則」は，ときに「契約自由の原則」や「意思自治の原則」と同義であるとされることがあるが，民事訴訟法で処分権主義や弁論主義の根拠とされる「私的自治の原則」は，これとは若干異なる。私法における「私的自治の原則」は，私人は自らの意思によらなければ義務付けられないという形で，私人の私人に対する義務を根拠づける原理として用いられるが，処分権主義や弁論主義は，私人である当事者と国家権力の担い手である裁判所との関係を規律する原理であるからである。しかし，私法においても，私人と私人が自由意思のもとに法律関係を形成するための前提として，当事者の主体性を尊重して国家の介入を可及的に避けるべきであるという文脈で「私的自治の原則」が語られることがある。民事訴訟法において処分権主義や弁論主義の根拠とされる「私的自治の原則」もこうした意味のものである。

2-3-1-2　訴訟要件に関する処分権主義

訴訟要件とは，請求の当否についての判決（本案判決）をするために具備されていなければならない要件である（訴訟要件については，⇨ 第 **8** 章〔345 頁〕）。訴訟要件が欠ける場合，裁判所は，原則として本案判決をせずに，訴訟判決（訴え却下判決）をすることになる（訴訟判決については，⇨ **9-2-3**）。

訴訟要件と処分権主義とは，被告による訴え却下判決の申立てがない場合にかかる判決をすることが許されるか，という問題において接点を持ち得るが，これは積極に解されている。もっとも，これは，原告による訴えには，訴えの適法性についての審判を求めるという意思も含まれており，訴え却下判決をすることは当事者の求めていない判決をすることには当たらないと考えられるからであり，当事者による申立てのない判決を裁判所がなし得るということではない。

なお，仲裁合意の抗弁（仲裁 14 条）などのいわゆる抗弁事項は被告による主

張がないかぎり顧慮されない。このような扱いは当事者の意思を尊重するという意味では処分権主義と共通の基盤に立脚するものであるが，処分権主義そのものと位置付けるかどうかは処分権主義の定義に依存する（抗弁事項については，⇨ **7-1-3-1** ❶ 17 および **8-2-3**）。

2-3-2 処分権主義の機能

　訴えがない場合に判決をすることは処分権主義の観点から当然許されないが，訴えがある場合も，当事者が求めていない事項について判決をすることは許されない（246条）。たとえば，原告が1000万円の支払を求めて訴えを提起している場合，裁判所が原告の債権額は2000万円であるという心証に基づいて2000万円の支払を命ずる判決をすることは許されない。他方，同じ訴えに対して，裁判所が，原告主張の債権は500万円の限度で認められるという心証に基づいて，500万円の支払を命ずる判決をすることは一部認容判決として許される。この場合，全部棄却判決よりは一部認容判決を得るのを望むのが原告の意思だと考えられるからである（一部認容判決については，⇨ **9-5-3**）。

　以上の処理は，原告の意思を尊重するという意義を有するが，それと同時に，全部敗訴した場合の危険の限度を被告に予告し，それによって訴状送達を受けた段階で，被告がかかる危険を考慮したうえで訴訟追行の仕方を決めることを可能にする，という機能も認められる。

2-4　訴訟の開始の効果

　訴訟の開始はさまざまな効果を持つ。もっともこれらの効果は訴えの提起に結び付いている場合と，訴状の送達によって生じる訴訟係属の発生に結び付いている場合がある。したがって，以下では訴え提起の効果と訴訟係属の効果とを分けて説明する。

2-4-1 訴え提起の効果

2-4-1-1 訴訟係属の発生

　「訴訟係属」とは，特定の訴訟物が，特定の裁判所で審理判決される状態を指す。被告が訴え提起について了知する機会を与えられないまま，訴訟係属が

発生するというのは不適切であるから，訴訟係属は被告への訴状の送達によって生じる（例外については，⇨ **2-1-4-2** す 2-2）。

2-4-1-2 時効の完成猶予の効力

裁判上の請求があった場合には，時効は完成しない（民147条1項1号）。したがって，訴えの提起があった場合，時効は完成せず，この効果は，訴訟係属の発生を待たずに，訴状が提出された時点で生じる（147条）。訴え提起によって時効完成猶予の効力が発生する理由については，訴状の提出によって権利行使の態度が明確になるからであるとする説明（権利行使説）と，時効更新の効力（民147条2項）は本来的には判決の確定によって生じるところ，たまたま訴訟の進行が遅れたことにより訴訟中に時効が完成するのは相当でないことから，訴え提起時に時効完成猶予の効力を発生させたものであるとする説明（権利確定説）がある。

時効完成猶予の効力が訴訟物である権利について生じることについて争いはない。ある土地についての所有権確認請求訴訟の提起は，この土地に関する被告の取得時効の完成を猶予する効力を持ち，貸金返還請求訴訟は，当該貸金返還請求権の消滅時効の完成を猶予する効力を持つ。また，判例は，債務不存在確認請求訴訟において，被告が債権の存在を主張し，請求棄却判決を求めた場合は，被告が債権の存在を主張した時に訴訟物たる債権の消滅時効の完成は猶予されるとする（大判昭和16・2・24民集20巻106頁）。

他方，訴訟物たる権利の判断の前提となる権利について時効完成猶予の効力を認める余地があるかという点については議論がある。伝統的な権利確定説からは，訴訟物となっていない権利については時効完成猶予の効力は認められないと主張されるが，権利行使説の立場からは，訴訟物でない権利に関しても，明確な権利行使の態度が認められるかぎり，時効完成猶予の効力を認めることができると論じられる。また，権利確定説の論者からも，既判力が生じるわけではない債務者の承認が時効更新の効力を認められていること（民152条1項）との権衡上，判決理由中において判断されるにすぎない場合であっても，そのような判断を含む判決の確定により時効更新の効力を生ぜしめるとともに，訴え提起時に時効完成猶予の効力を認めてよい等と説かれることがある。なお，判例は，訴訟物たる権利または法律関係の判断の前提となる権利についても，時効完成猶予の効力が生じる余地を認める。たとえば，所有権に基づく土地明

渡請求訴訟の提起は，所有権の取得時効の完成を猶予する効力を持ち（大判昭和16・3・7判決全集8輯12号9頁），根抵当権設定登記抹消請求訴訟における被告による被担保債権の主張は，当該債権の消滅時効の完成を猶予する効力を持つ（最判昭和44・11・27民集23巻11号2251頁）。また，判例には，訴訟物たる請求権の判断の前提問題であるわけではないが，これと請求権競合の関係にある請求権について，前者の請求権に係る訴訟の係属中，民法150条の催告の効果が継続するとしたものがある（最判平成10・12・17判時1664号59頁）。金員着服を理由とする不法行為に基づく損害賠償請求訴訟の係属中，同じ理由に基づく不当利得返還請求を追加する訴えの変更がなされたという事案において，前者の請求権についての訴訟係属中は，後者の請求権についても催告（民150条）が継続しているとしたものである。

訴えの却下または訴えの取下げがあった場合も，訴えの提起による時効の完成猶予の効力は失われず，訴訟終了の時から6か月を経過するまで，時効は完成しない（民147条1項かっこ書）。

2-4-1-3　出訴期間遵守の効果

一定の訴訟類型については法が出訴期間を定めていることがある。占有の訴え（民201条），嫡出否認の訴え（民777条），株主総会決議取消しの訴え（会社831条1項）等がその例である。これらの場合における期間遵守の効力も，訴状提出時に発生する（147条）。訴えの取下げまたは訴えの却下があった場合，期間遵守の効力は，遡って失われる。

2-4-1-4　その他の実体法上の効果

ある物の占有者は，自らの占有を正当とする権原，すなわち本権が自らに帰属すると誤信する場合（善意の場合）には，当該占有物から生じる果実を取得することができる（民189条1項）。しかし，この占有者が，当該占有物について本権の訴えを提起され，敗訴したときは，この訴えの提起の時から，本権が自らに帰属しないことについて悪意の占有者とみなされる（民189条2項）。したがって，この占有者は，訴え提起後に収取した果実を返還し，または既に消費し，過失によって損傷し，もしくは収取を怠った果実の代価を償還する義務を負う（民190条1項）。なお，法文上は，訴え提起時に悪意が擬制されると表現されているが，占有者が本権の訴えが提起されたことについて知る機会を与えられていない段階で悪意が擬制されるのは相当ではなく，悪意が擬制される

のは本権の訴えの訴状が送達された時点と解すべきである。

すこし詳しく 2-4　私法上の意思表示

▶原告が，解除や取消しなどの意思表示を訴状に記載した場合，訴状が被告に送達された時に，これらの意思表示が実体法上されたことになる。もっとも，これは裁判外で書面による意思表示がされた場合と同じであるから，訴え提起の実体法上の効果と位置付けるのは相当ではない。なお，訴状の送達は原告が提出する副本によってすることとされているが（規58条1項），これは，以上のように訴状の送達によって私法上の意思表示をすることがあることから，はじめから原本と同一内容で同一の効力をもつ文書として作成された副本を用い，送達により意思表示の効力が生ずべき書類であることを明らかにするためである（副本については，⇨ **5-3-2-2** ❶ 11）。もっとも，準備書面の直送は写しの交付またはファクシミリによって行うとされているものの（規83条1項・47条1項），当該準備書面に私法上の意思表示が記載されており，かつ，当事者に直送によってかかる私法上の意思表示をする意思があるかぎりは，それによって有効に実体法上の意思表示をすることができるとされている。このことを考えると，訴状の送達を副本によってしなければ私法上の意思表示ができないというわけではなく，訴状は，それ自体重要であり，また，これによって私法上の意思表示がなされることが多いことから，明確性を確保するために副本によるという立法的な決断があったと解するのが相当である。

2-4-2　訴訟係属の効果

　訴訟係属が開始すると，前述のとおり，特定の裁判所が特定の訴訟物について審理判決をする義務を負うことになるが，訴訟係属は，そのほかにも，二重起訴の禁止（142条）の効果を生ぜしめる。また，訴訟係属は，当該訴訟における補助参加，独立当事者参加，共同訴訟参加，訴訟告知，訴訟引受け，訴えの変更，中間確認の訴え，反訴を可能にするという効果をもたらす。これらの諸効果の中でとくに重要なのは二重起訴の禁止であるが，これについては重複訴訟論と併せて **11-7** で詳論する。

第3章 裁判所

3-1 裁判所の概念
3-2 管　　轄
3-3 裁判官の除斥・忌避・回避

3-1 裁判所の概念

3-1-1 裁判所の意義

　民事訴訟や民事訴訟法との関係で現れる「**裁判所**」という言葉には2つの意味がある。

　1つは，裁判官その他の裁判所職員という人的組織，庁舎等の物的設備，予算や規則等の制度などで構成される「**官署としての裁判所**」である。「官署としての裁判所」は，「**国法上の意味の裁判所**」とも「**広義の裁判所**」ともいわれる。「官署としての裁判所」には，最高裁判所のほか，日本各地に設置されている高等裁判所，地方裁判所，家庭裁判所，簡易裁判所がある（憲76条1項，裁1条・2条等）。日本国憲法や裁判所法の規定にある「裁判所」は，多くの場合，この「官署としての裁判所」の意味である（ただし，憲82条2項，裁70条のように次の「訴訟法上の意味の裁判所」を意味する規定もある）。

　もう1つは，具体的な事件を審理し，裁判をする裁判機関を意味する「**裁判機関としての裁判所**」である。「**訴訟法上の意味の裁判所**」とも「**狭義の裁判所**」ともいわれる。「訴訟法上の意味の裁判所」は，民事訴訟手続（判決手続）を取り扱う場合には「**受訴裁判所**」ともいわれる（「受訴裁判所」という語は，条文上，

受命裁判官や受託裁判官と対比するために用いられている。92条の7・171条2項・206条等）。

具体的な訴えが「官署としての裁判所」に提起されると，その訴訟事件は，その内部規程に基づく司法行政上の措置として，裁判官，裁判所書記官等が所属する「部」に分配され（⇨ 2-1-4-1），その部の裁判官が「訴訟法上の意味の裁判所」（受訴裁判所）を構成して，その事件の審理と裁判をすることになる。そのため，民訴法に定められている「裁判所」は訴訟法上の意味の裁判所であることが比較的多い。しかし，訴えが「官署としての裁判所」に提起されることからして，管轄に関する規定の多くでは，「裁判所」は官署としての裁判所を意味し（4条〜7条・10条〜13条等。ただし，14条の裁判所は訴訟法上の意味である），また，移送を受ける裁判所も官署としての裁判所である（16条〜19条等）。他方，移送をするかどうかの判断は訴訟法上の意味の裁判所がする。

3-1-2 裁 判 体

3-1-2-1 合議制と単独制

「訴訟法上の意味の裁判所」は裁判機関として具体的な訴訟について審理し，裁判をする。このような裁判機関としての裁判所の構成を「**裁判体**」と呼ぶことがある。そして，この裁判所の構成には，裁判体を複数の裁判官で構成する「**合議制**」と1人の裁判官で構成する「**単独制**」（「1人制」ともいう）とがある。合議制の裁判体を「**合議体**」といい（25条1項・269条1項・310条の2等参照），単独制の裁判体を「**単独体**」という。

最高裁判所では合議制がとられ，15人の裁判官全員で構成される大法廷（定足数は9人）と，5人の裁判官で構成される小法廷（定足数は3人）とがある（裁9条，最事規2条・7条。事件を大法廷と小法廷のいずれで取り扱うかについては，裁10条，最事規9条に定めがある）。

高等裁判所でも合議制がとられ，裁判官の人数は原則として3人である（裁18条。なお，310条の2，独禁87条等，5人の場合がある）。

地方裁判所では，第1審の訴訟を取り扱う場合（裁24条1号参照）には，原則として単独制であるが（同26条1項），合議体で審理および裁判をする旨の決定（いわゆる合議決定）を合議体でした事件については3人の合議制で取り扱う（同条2項1号・3項）。地方裁判所に提起された訴えが部に分配されると

(⇨ *2-1-4-1*），原則として1人の裁判官が単独制で事件を担当するが，合議決定がされれば合議体を構成することになる3人の裁判官が，事件の複雑さなどを考慮して合議体で審理と裁判をするのが適当であると判断すれば，その3人の合議体で審理と裁判をする旨の合議決定をすることになる。単独制で審理を始めた後，審理の途中で合議決定がされることもある。さらに，以上の特例として，地方裁判所において，大規模訴訟（当事者が著しく多数で，かつ，尋問すべき証人または当事者本人が著しく多数である訴訟。268条参照）の第1審については，5人の裁判官の合議体で審理および裁判をする旨の決定をすることができる（269条1項）。ほかに，269条の2第1項も5人の合議体とできる場合を定める。これらの場合，その旨の決定がされれば合議体を構成することになる5人の裁判官がその決定をする。

地方裁判所でも，控訴審の訴訟や抗告審の事件を取り扱う場合（裁24条3号・4号参照）には，必ず3人の合議制による（同26条2項3号）。控訴審では大規模訴訟に関する269条の特則は適用されない（297条但書）。

家庭裁判所も人事訴訟など，民事関係の一定の訴訟について管轄権を有するが（裁31条の3第2号，人訴4条，裁31条の3第2項，民執33条2項1号・6号・34条3項・35条3項等参照），原則として単独制であり，合議体で審理および裁判をする旨の決定をした場合には3人の裁判官の合議制となる（裁31条の4第1項・2項1号・3項）。

簡易裁判所では，必ず単独制である（裁35条）。

3-1-2-2　合議体の構成，裁判長の権限等

合議体を構成する裁判官のうち1人が裁判長となる（裁9条3項・18条2項・26条3項・31条の4第3項）。それ以外の裁判官は陪席裁判官と呼ばれる（149条2項・4項・150条等）。

審理の過程において合議体の裁判長が行使すべき権限は，合議体の代表者（発言機関ともいわれる）としての権限と，裁判長が合議体から独立して行使する権限とに分けられる。

前者の権限には，口頭弁論における訴訟指揮権（148条），釈明権（149条），証人尋問等において尋問の順序を変更する等の権限（202条2項・203条の2第1項・203条の3第1項・2項・215条の2第3項）などがある。これらについては，当事者の異議に基づく合議体の裁判によって裁判長の行為の効果が覆されるこ

とがある（150条・202条3項・203条の2第3項・203条の3第3項・215条の2第4項参照）。

これに対して，後者の権限は，裁判長が，簡単な事項や緊急に処理すべき事項について合議体から独立して行使することができるとされているものである。これに当たるものとして，特別代理人の選任（35条1項），期日の指定（93条1項），外国における送達（108条），訴状の審査・補正命令と訴状却下命令（137条1項・2項）などがある。裁判長の独立の権限については，合議体がその効果を直接覆すことはできず，上級審の判断を受ける場合があるにとどまる（同条3項・283条・328条1項参照）。

単独制の場合は，以上のような裁判長の権限はいずれも当該1人の裁判官が行使する。単独制の場合，合議体の代表者としての裁判長の権限行使に対して当事者が合議体の判断を求めるための規定（150条・202条3項等）の適用はない。したがって，単独制の裁判官の訴訟指揮権の行使について当事者が異議を述べたとしても，それは，裁判官に訴訟指揮の内容を変更するように求める事実上の促しにとどまり，それに応じるかどうかは当該裁判官の訴訟指揮権の行使の一環として当該裁判官の職権で判断される（なお，120条は，訴訟指揮に関する決定および命令は，いつでも取り消すことができることを定めている）。

合議制の場合，裁判は，裁判官の評議に基づき，その過半数の意見によってされる（裁75条～77条）。評議は，裁判長が整理するが（同75条2項），評決権は裁判長も各陪席裁判官も1人1票で同等である。評議は公開されず（同条1項），下級裁判所では各裁判官の意見が秘密とされているが（同条2項），最高裁判所の裁判については，各裁判官が意見を述べる場合には，それが裁判書に表示される（同11条）。すなわち，最高裁判所では，合議体の全裁判官の意見が理由も結論も同じ場合には全員一致である旨が表示されるだけであるが，多数意見とは結論が異なる裁判官の「反対意見」，多数意見と結論は同じであるが理由づけには異論がある裁判官の「意見」，多数意見の結論と理由に賛成する裁判官がその理由を補足するなどの目的で自分の見解を述べる「補足意見」は，それぞれが個別に表示される。

3-1-2-3　受命裁判官，受託裁判官

合議制の場合，法定の事項の処理を構成員である一部の裁判官に委任することができ，委任を受けた裁判官を**受命裁判官**という（88条・89条1項・92条の

7・171条・176条1項・185条1項・195条・206条・210条・213条・214条2項・215条の4・233条・239条・264条・268条等参照)。当該事項を受命裁判官に委任するかどうかは受訴裁判所(合議体)が決するが,どの裁判官が受命裁判官となるかは裁判長が指定する(規31条1項)。受命裁判官は,1人でも複数でもよく,裁判長が受命裁判官になることもある。受命裁判官の証人尋問等の際の権限行使に対する異議については受訴裁判所(合議体)が裁判をする(206条但書・210条・215条の4但書)。また,受命裁判官の裁判で,受訴裁判所がしていれば抗告の対象となるものについては,受訴裁判所に異議を申し立てることができる(329条1項)。具体的には,証人に対する過料の裁判(206条本文・192条1項・200条・201条5項),鑑定人忌避申立ての却下の裁判(214条2項)等である。

　受訴裁判所は,裁判所間の共助(裁79条)に基づき,他の裁判所に法定の事項の処理を嘱託することができ,その処理を担当する裁判官を**受託裁判官**という(23条1項但書・89条1項・92条の7・185条・195条・206条・213条・215条の4・233条・264条・265条等参照)。受託裁判官は,合議体の構成員ではない。訴訟が係属する裁判所からは離れた場所で証人尋問を行う必要がある場合などに,この嘱託がされる。受託裁判官の権限行使についても,受命裁判官と同様に,当事者の異議と受訴裁判所の裁判の対象となる(206条但書・210条・215条の4但書・329条1項)。

3-1-3　裁判官の種類

　裁判官には,最高裁判所の裁判官として最高裁判所長官と最高裁判所判事とがあり(名称や任命方法につき,憲6条2項・79条,裁5条1項・3項・39条・41条参照),下級裁判所の裁判官として高等裁判所長官,判事,判事補,簡易裁判所判事がある(名称や任命方法につき,憲80条,裁5条2項・40条・42条~45条参照)。

　判事は,高等裁判所,地方裁判所または家庭裁判所に配属され(裁15条・23条・31条の2),**3-1-2-1**で述べたように,合議体を構成する裁判官または単独体の裁判官として訴訟事件の審理と裁判を担当する。

　判事補は,地方裁判所または家庭裁判所に配属されるが(裁23条・31条の2),原則として1人で裁判をすることができず,同時に2人以上合議体に加わり,または,裁判長になることができない(裁27条・31条の5)。もっとも,「判事

補の職権の特例等に関する法律（昭23法146）」1条により，5年以上の経験を有する判事補のうちで最高裁判所の指名を受けた者（いわゆる特例判事補）は，これらの制限を受けず，判事と同じ権限を有する。さらに，同法1条の2で，特例判事補は高等裁判所の判事の職務を代行することも可能とされているが，この場合，同時に2人以上合議体に加わることや裁判長になることはできない。また，判決以外の裁判は判事補が単独でできる（123条）。

簡易裁判所判事は，簡易裁判所で裁判官としての職務を行う（裁32条）。

3-1-4　裁判所書記官等

官署としての裁判所（⇨ **3-1-1**）における人的組織は，裁判官のほかに，裁判所調査官（裁57条），裁判所事務官（同58条），裁判所書記官（同60条），裁判所速記官（同60条の2），家庭裁判所調査官（同61条の2），執行官（同62条）等の裁判所職員から成っている。

裁判所書記官は，各裁判所に置かれ，裁判所の事件に関する記録その他の書類の作成および保管等の事務を行うほか，裁判官の命を受けて，裁判官の法令・判例等の調査を補助することもできる（裁60条）。民事訴訟において，送達に関する事務（98条2項），口頭弁論調書の作成（160条1項），訴訟費用の負担の額の確定（71条1項）などの固有の権限を有している。このような権限の行使は裁判の公正さに影響を及ぼし得るので，除斥・忌避・回避（裁判官について，⇨ **3-3**）の対象になる（27条，規13条）。

> **すこし詳しく 3-1　裁判所書記官の権限の拡大**
> ▶現行民訴法下での裁判所書記官の権限は，旧法下に比べて拡大した。具体的には，訴訟費用の負担の額の確定（⇨ **1-3-2-2**）について裁判所の権限から裁判所書記官の権限とする（71条1項・72条・73条1項・74条1項），公示送達（⇨ **5-3-2-5**(3)）についての裁判長の許可を不要とする（110条1項），裁判所（簡易裁判所の裁判官）が発していた支払命令の制度を裁判所書記官が発する支払督促（382条）の制度（⇨ **14-4**）に改めるといった改正がされている。

裁判所調査官は，最高裁判所，各高等裁判所および各地方裁判所に置かれるものとされている（裁57条）。最高裁判所には，下級裁判所の裁判官の中から任命されて法令解釈・判例等の調査を行う裁判所調査官が置かれており，民事，刑事，行政の各専門分野別に事件に関する調査を担当する。これとは異なり，

裁判官以外の専門家が任命されて常勤の裁判所職員として一部の高等裁判所や地方裁判所に配属されるものとして，知的財産関係と租税関係の裁判所調査官がある（裁57条2項参照）。その専門的知識が審理の充実や適正な裁判のために生かされる。民訴法には，知的財産関係事件における裁判所調査官の事務の内容について規定がある（92条の8）。知的財産関係事件に関しては，機械，電気，化学等の専門的知識を有する特許庁からの出向者などが任命されている。裁判所調査官は，裁判の公正さに影響を及ぼし得る存在であって，裁判所職員として中立性や公平性が要請されるので，除斥・忌避・回避（裁判官について，⇨ 3-3）の対象になる（92条の9，規34条の11）。

家庭裁判所調査官は，各家庭裁判所と各高等裁判所に置かれ（裁61条の2第1項），主として心理学，教育学，社会学等の専門的知識を有する。人事訴訟においては，子の監護等に関する附帯処分（人訴32条1項）と親権者指定の裁判（同条3項）に関し，専門的知識を生かした**事実の調査**を行う（裁61条の2第2項，人訴33条・34条参照）。

3-1-5 専門委員

裁判所は，争点や証拠の整理，訴訟手続の進行の協議，証拠調べ，または，和解勧試の際に，専門的な知見に基づく説明を聴くために**専門委員**を手続に関与させることができる（92条の2）。専門委員は，専門的な知見に基づく説明をするために必要な知識経験を有する者の中から最高裁判所が任命する非常勤の国家公務員である（92条の5第3項，専門委規1条）。専門委員の制度は，医事，建築，知的財産権，情報技術（IT）等，裁判官や弁護士が通常有しない自然科学等の専門分野における知識が関係することになる個々の訴訟事件（いわゆる専門訴訟）において，当該分野の専門知識を有する専門家を審理に関与させることにより，適正かつ迅速な審理と裁判をすることができるようにすることを目的として，司法制度改革審議会の意見を受けた2003年の民訴法改正（2004年施行）によって設けられたものである。

専門委員は，裁判所がその説明を聴く必要があると判断して職権で決定をすることにより，①争点証拠整理手続もしくは進行協議手続（92条の2第1項），②証拠調べ期日（同条2項），または，③和解期日（同条3項）において，手続に関与する。

①と②では，関与決定に先立って，当事者の意見を聴取する必要がある。②で関与した専門委員が証人等に対して直接発問をすることについては，当事者の同意と裁判長の許可が必要である。これは，専門委員の発問に対する証人等の供述が証拠資料となることで，専門委員の専門的知見が訴訟の勝敗を左右する可能性があるので，当事者の同意という厳格な要件を課したものと解される。また，③の和解期日での関与には，関与自体に当事者の同意が必要である。これは，当事者の和解に向けた意思形成に対する専門委員の説明の影響を考慮するとともに，和解手続が当事者の合意による解決方法であることから，その手続の進め方に当事者の意思を反映させようとしたものと解される。

　①から③までの各関与の決定は，同条各項の定める専門委員の関与の態様や要件の違いからして，それぞれ別個にされるべきものである。裁判所は，相当と認めるときは，専門委員の関与の決定を取り消すことができ，当事者双方が取消しを申し立てれば，関与決定を取り消さなければならない（92条の4）。

　専門訴訟において適正かつ迅速な審理および裁判をするためには，早期の段階で機動的に専門家の関与を得られるようにすることが有益であり，専門委員の関与は，①の争点証拠整理や進行協議の段階でとくに意義がある。この段階での専門委員の説明には，当事者の主張の内容を専門的見地から明瞭にしたり，弁論準備手続期日での文書の証拠調べ（170条2項）に際してカルテ，設計図面，専門書，私的鑑定書等の書証の意味内容を客観的に明らかにしたりするものなどが含まれる。

　専門委員の説明の内容は，証拠資料とはならない。専門的知見を証拠資料として用いるための方法は鑑定（212条以下。⇨ **7-5-4**）であり，この点が専門委員の説明と鑑定人の意見（215条参照）との明確な違いである。そして，専門委員に求められるのは，訴訟関係を明瞭にすることなどを目的とする「説明」といういわば外形的，客観的，類型的なものであり，訴訟の結論を左右するような一定の価値判断や事案の評価を含み得る「意見」ではないことに注意が必要である。

　専門委員は，裁判所の補助者としての立場で専門的知見を提供するもので，中立性や公平性を必要とすることから，除斥・忌避・回避（裁判官について，⇨ **3-3**）の対象となる（92条の6，規34条の9）。

> **すこし詳しく 3-2** 裁判所調査官の役割と専門委員の役割
>
> ▶知的財産関係事件においては，**3-1-4**で述べた裁判所調査官の役割と専門委員の役割に重なるところがあるが，裁判所調査官が常勤の裁判所職員であって人数も限られていることから，個々の事件で具体的に問題となる深い専門的知見の補充という意味では当該事項に精通した専門委員の活用が必要となるのに対し，裁判所調査官は日常的に裁判官と接しつつ，事件の理解に必要となる科学技術上の一般的な知見を提供するのに適している。また，裁判所調査官は，裁判所内部の機関であるので，当事者の意見聴取や同意を要せずに職権を行使できる（92条の8参照）のに対し，専門委員は非常勤の専門家であって，事件ごとに指定されることから（92条の5参照），関与について当事者の意向がより重視されている（92条の2参照）。

3-2 管　轄

3-2-1 管轄の意義

　具体的な事件を裁判の対象として取り扱うことができる国家権力のことを裁判権という。裁判権のうち，民事訴訟を処理するために行使される国家権力は民事裁判権と呼ばれ，わが国では司法権（憲76条1項）の一内容として裁判所の権限とされている（⇨**8-3-1**）。そして，**管轄**とは，特定の事件について，どの裁判所が裁判権を行使するかについての定めをいう。ある裁判所がある事件について裁判権を行使できる権能を管轄権という。

　日本の裁判所の民事訴訟に関する管轄は，ある訴訟について日本の裁判所が裁判権を有するかという観点から，外国の裁判権との間で問題となることがあり，これは国際裁判管轄の問題である（⇨**8-3-3**）。そして，日本の裁判所が裁判権を有するとした場合に，国内のどの裁判所（**3-1-1**で述べた「官署としての裁判所」）が管轄権を有するかの基準となるのが国内管轄の定め（4条〜13条・311条，裁7条・16条・24条・31条の3・33条）である（⇨**3-2-2**）。

　ある訴えにおける当事者や請求に日本の裁判所の裁判権が及ばない場合には，その訴えは不適法なものとして却下される（詳しくは，⇨**8-3**）。他方，日本の裁判所が裁判権を有する訴えが国内管轄の定めに反する裁判所に提起された場合，通常は，訴えが不適法となるのではなく，移送の対象とされることになる（⇨**3-2-5**）。

3-2-2 管轄の種類

　管轄は，特定の事件についてどの裁判所が裁判権を行使するかについての定めであり（⇨ *3-2-1*），以下に挙げる各規定は国内管轄，すなわち，国内のどの裁判所が管轄権を有するか（当事者がどの裁判所に訴えを提起すべきか，どの裁判所がその訴訟について審理，判決をすべきかなど）を決する基準となる。

　管轄は，いくつかの観点から分類される。まず，管轄の発生根拠によって，法定管轄，指定管轄，合意管轄，応訴管轄に分類される（⇨ *3-2-2-1*）。また，法定管轄は，当事者の意思や態度によって変更できるかどうかという拘束力の違いにより，専属管轄と任意管轄とに分けられる（⇨ *3-2-2-2*）。そして，法定管轄の定めは，管轄分配の指標（基準）の違いにより，職分管轄，事物管轄，土地管轄に分けられる（⇨ *3-2-2-3*）。

　なお，1つの事件について複数の裁判所が管轄権を有することが多い（競合管轄）。たとえば，福岡市に居住するＸが広島市に居住するＹの運転する自動車に高松市内ではねられて負傷したと主張してＹに不法行為に基づく200万円の損害賠償を請求する訴訟の第1審の土地管轄（⇨ *3-2-2-3*(3)）は，広島地方裁判所（4条1項・2項），福岡地方裁判所（5条1号），高松地方裁判所（5条9号）のいずれにも認められる。

3-2-2-1 管轄の発生根拠

　管轄の発生根拠には，法定管轄，指定管轄，合意管轄，応訴管轄という4種類がある。

(1) **法 定 管 轄**

　法定管轄は，法律の規定により，以下の指定，合意等によらず直ちに，特定の裁判所の管轄権が生じるものである。具体的には，裁判所法7条・16条・24条・31条の3・33条，民訴法4条～9条・311条・340条，人訴法4条等の規定が管轄を定めている。法定管轄については，*3-2-2-2*，*3-2-2-3* のようにさらに分類がされる。

(2) **指 定 管 轄**

　指定管轄は，10条に基づき，上級裁判所が決定で定めることによって発生する管轄である。この場合の上級裁判所の決定を「**管轄の指定**」という。

　管轄の指定がされるのは，①他の発生根拠によって定まる管轄裁判所が法律

上または事実上裁判権を行うことができないとき（10条1項），および，②裁判所の管轄区域が明確でないため管轄裁判所が定まらないとき（10条2項）である。①の例として，その裁判所の裁判官全員に除斥または忌避の原因があるとき，②の例として，県境近くの山林が係争土地であり，地図が明確でないため，その土地がどちらの地方裁判所の管轄区域に属するかが明らかでないときが挙げられる。

　管轄の指定をする上級裁判所は，①では直近上級の裁判所（たとえば，奈良地方裁判所については大阪高等裁判所）であり，②では関係のある裁判所に共通する直近上級の裁判所（宇都宮地方裁判所と前橋地方裁判所との間であれば東京高等裁判所，長野地方裁判所と岐阜地方裁判所との間であれば最高裁判所）である。

(3) **合意管轄**

　合意管轄は，当事者の合意によって生じる裁判所の管轄である。当事者は，第1審裁判所にかぎり，合意で管轄裁判所を決めることができる（11条1項）。ただし，法令に専属管轄の定めがある場合には，合意管轄は認められない（13条1項。なお，同条2項につき，⇨ **3-2-2-2** す 3-5）。

　合意管轄は，専属管轄以外の法定管轄（任意管轄）が当事者間の訴訟追行上の利害の調整や公平を主に考慮して定められているので，当事者双方が合意して法定管轄と異なる管轄を定める場合にはその意思に基づいて管轄を認めることが妥当であるし，それによって裁判所間の負担の均衡が不当に害されるなどの支障はないという考え方に基づいて認められる。これに対し，専属管轄（⇨ **3-2-2-2**）は，公益上の要請に基づいて定められているので，これを当事者の合意によって変更することはできない。管轄の合意は，訴訟に関する合意の一種である（⇨ **5-2-2-2**）。

　合意管轄が有効に生じるためには，法定の要件，すなわち，第1審の管轄裁判所を定めるものであること（11条1項），一定の法律関係に基づく訴えについてされること（11条2項），書面または電磁的記録ですること（11条2項・3項）をいずれも満たすことが必要である。これらのうち，第1審の管轄裁判所を定めることの意味については，事物管轄に関して，**3-2-2-3**(2)で述べる。一定の法律関係に基づく訴えに関する合意に限られるので，たとえば特定の契約や取引関係（特定の継続的取引関係を含む）に基づく訴えに関する合意は有効であるが，その当事者間の将来のすべての訴訟について管轄を合意するという定

めは，訴えを起こされる側（被告）の利益を著しく害し，無効である。書面または電磁的記録によってすることとされているのは，当事者の意思を明確にして，合意の有無について争いが生じないようにするためである。

なお，すべての裁判所に管轄を認める合意は，被告の利益を著しく損なうので無効であると解されている。他方，一切の裁判所の管轄を排除する合意は，本来の管轄の合意ではなく，不起訴の合意であると解するか，日本の裁判所に管轄を認めないという意味での国際裁判管轄についての合意と解するかのどちらかであるとされている。

> **すこし詳しく 3-3　付加的管轄合意と専属的管轄合意**
> ▶合意による管轄の定め方には，法定管轄のほかに管轄裁判所を追加する付加的管轄合意（競合的管轄合意）と，特定の裁判所のみに管轄を認め，その他の裁判所の管轄を排除する専属的管轄合意がある。旧民訴法下では，具体的な管轄の合意の解釈に関して，このいずれであるかが問題となる事例が多くみられた。それは，旧法下で，遅滞を避けるための移送の規定（旧民訴31条）によっては十分な対処ができなかったからである。現行法は，17条で当事者間の衡平を図るために必要があるときにも管轄裁判所への移送を認めるとともに，20条1項かっこ書で，当事者が専属的な管轄の合意をしても，17条の規定が適用されることを明らかにした（⇨ **3-2-5-2**）。したがって，現行法下では，管轄の合意の趣旨が専属的管轄合意と解釈されるとしても，17条によって，著しい遅滞を避けるため，または，当事者間の衡平を図るために，法定管轄のある裁判所への移送が可能となっている。現行法上，一般に，専属管轄（⇨ **3-2-2-2**）に関する規律は，法定管轄（⇨ **3-2-2-1**(1)）としての専属管轄のみに適用され，専属的管轄合意によって生じる管轄には適用されない（13条1項・16条2項但書のかっこ書・20条1項かっこ書・145条1項但書のかっこ書・146条1項1号かっこ書・299条1項但書のかっこ書・312条2項3号参照）。

(4) 応訴管轄

応訴管轄は，原告が訴えを提起した裁判所について，被告が管轄違いの抗弁を提出しないで本案について弁論をし，または，弁論準備手続での申述をした場合に，それを根拠として，その裁判所が管轄権を有することになるというものである（12条）。このような場合，被告がその裁判所に管轄を認めてもよいという意思を表明したとみなされるという意味で，(3)の管轄の合意があったのと同様に考えることができるということである。合意管轄と同様に，法定の専属管轄に反する場合には生じない（13条1項）。

被告が弁論または申述をする「本案」（⇨ **1-2-3-4** ❶ 4）とは，請求の理由の

有無（訴訟物の内容となっている権利または法律関係の有無）に関する事項をいう。訴訟要件がないとして訴えを却下するよう申し立てたり，裁判官の忌避を申し立てたりしただけでは，応訴管轄は生じない。

> **すこし詳しく 3-4　法定管轄のない裁判所への訴え提起と応訴管轄**
> ▶法定管轄のない裁判所に訴えが提起されても，専属管轄違反でない限り，応訴管轄が生じる可能性があるので，裁判所は，訴状を被告に送達すべきであり，直ちに職権で管轄違いによる移送（16条1項）をすることはできないと解される。法定管轄のない裁判所に原告が訴えを提起しようとした場合，実務では，専属管轄違反でなくても，裁判所の事件受付窓口での指導により，法定管轄裁判所に訴えを提起するように促される例があるとされる。しかし，原告がそれに任意に応じる場合には問題がないが，法定管轄裁判所ではないことを承知してあえてその裁判所に訴えを提起しているといった場合には，応訴管轄を管轄原因として認めた民訴法の趣旨からすると，裁判所は，訴状を受け付けて被告に送達する必要がある。この送達を受けた被告が本案前に管轄違いの抗弁を提出するなど，応訴管轄が生じないことが明らかになったときは，裁判所は管轄違いによる移送をすることになる。

3-2-2-2　専属管轄と任意管轄

法定管轄には，専属管轄と任意管轄とがある。専属管轄は，裁判の適正や迅速等の公益上の要請に基づいて，法律がとくにその裁判所のみが管轄権を有すると定めている法定管轄であって，当事者の意思や態度によって法律の定めと異なる管轄を生じさせることを許さない趣旨のものである。これに対し，**任意管轄**は，主として当事者間の訴訟追行上の利害の調整や公平を図るために定められた法定管轄であり，当事者がその意思や態度によってこれと異なる管轄を定めることができる。したがって，合意管轄や応訴管轄は，任意管轄について認められ，専属管轄については認められない（13条1項。⇨ **3-2-2-1**(3)(4)）。また，専属管轄の定めがある場合には，任意管轄に関する規定（4条1項・5条・6条2項・6条の2・7条）による管轄が別に生じることはない（13条1項）。

さらに，専属管轄の違反は，控訴の理由となり（299条1項但書），絶対的上告理由にもなる（312条2項3号）。控訴裁判所は，第1審判決が専属管轄に違反していた場合には，当事者の主張の有無にかかわらず，第1審判決を取り消して管轄裁判所に移送する必要がある（309条参照）。他方，第1審が任意管轄に違反していても，訴訟経済の要請から（最判昭和23・9・30民集2巻10号360頁参照），控訴裁判所はそれを理由に第1審を取り消せない（299条1項本文。当

事者が任意管轄違反を主張できないのみならず，職権での取消しの対象にもならない）。

　以上のような専属管轄に関する規律は，法定管轄としての専属管轄についてのみ妥当し，当事者の専属的合意によって生じる管轄には適用されない（⇨ **3-2-2-1** す 3-3）。

　3-2-2-3 で述べる管轄分配の指標のうち，職分管轄は，裁判権の作用をどの裁判所の役割とするかの定めであり，裁判制度全体を通じた公益的な考慮に基づくものであるので，専属管轄である。これに対して，事物管轄と土地管轄は，法律に専属管轄とするとの定め（たとえば，340条1項，人訴4条，会社835条1項・848条・856条，破6条）がある場合に限って専属管轄であり，それ以外の場合は任意管轄である。

　6条1項は，特許権等に関する訴訟の第1審の土地管轄について，4条・5条の規定によると，東日本の地方裁判所が管轄権を有すべき場合には東京地方裁判所が，西日本の地方裁判所が管轄権を有すべき場合には大阪地方裁判所が，それぞれ専属管轄権を有すると定めている。これは，特許権等に関する訴訟が技術的に高度な専門知識を必要とすることを考慮したものであり，知的財産関係事件の専門部があり，経験豊富な裁判官や裁判所調査官（⇨ **3-1-4**）が配置されるなどして，その専門領域での人的・物的体制が他の裁判所に比べて顕著に充実している東京地方裁判所と大阪地方裁判所に事件を集中し，迅速で充実した審理と判決がされるようにすることを目的としている。

　また，これと同様の趣旨で，特許権等に関する訴えについての第1審終局判決に対する控訴は，東京高等裁判所の専属管轄とされている（6条3項）。東京高等裁判所では，その特別の支部である知的財産高等裁判所が知的財産関係事件を取り扱う（知財高裁2条）。

　なお，特許権等に関する訴えで簡易裁判所が管轄権を有するもの（6条2項），および，意匠権等に関する訴え（6条の2）の第1審は，東京地方裁判所または大阪地方裁判所の専属管轄ではないが，両地裁の体制を当事者が活用できるように，両地裁のいずれかにも訴えを提起できることとされている。

> すこし詳しく **3-5**　**特許権等に関する訴訟の専属管轄の特色**
> ▶6条1項の特許権等に関する訴訟の専属管轄については，20条の2が，一定の場合には，6条1項の規定がなければ任意管轄が認められていた裁判所（4条・5条）や合意管轄のある裁判所（11条）等に事件を移送で

きると定めている。このように任意管轄に関する規律の働く余地を残す点で，6条1項に基づく専属管轄には，通常の意味での専属管轄とは異質なところがある。また，この専属管轄に関しては，東京と大阪の2つの地方裁判所では，知的財産関係の訴訟を扱うための人的・物的体制に相違がないことから，東京地方裁判所で審理されるべき事件が大阪地方裁判所で審理されたとしても（また，その逆であっても）公益に反することにはならないとの理由により，専属管轄に関する規律の例外として，東京地方裁判所と大阪地方裁判所の双方の管轄権を肯定する規定（13条2項）やその相互の移送を認める規定（20条2項）が置かれている（これらの規定の「第6条第1項各号に定める裁判所」というのは，同項各号下段にある東京地方裁判所と大阪地方裁判所のことである）。ほかにも，同様の考慮に基づく専属管轄の例外規定として，145条2項・146条2項・299条2項・312条2項3号かっこ書がある。

3-2-2-3　管轄分配の指標

法定管轄は，管轄を分配する指標の内容に基づいて，職分管轄，事物管轄，土地管轄の3種類に分けられる。

(1)　職　分　管　轄

職分管轄は，各種の事件に対する裁判権の作用をどの裁判所の役割とするかの定めである。訴訟事件（判決手続）について職分を有する裁判所を「判決裁判所」ということがあり，民事執行事件の職分を有する「執行裁判所」と対比される。

どの裁判所が第1審裁判所となり，これに対する上訴の管轄をどの裁判所が有するかについての管轄の定めを審級管轄というが，これも職分管轄の一種である。原則として簡易裁判所，地方裁判所または家庭裁判所が第1審事件の審級管轄を有する（裁33条1項1号・24条1号・31条の3第1項2号）。ただし，公選法204条，特許法178条1項等が定めるように，高等裁判所に第1審の審級管轄がある事件もある（従来は独禁法85条も第1審の管轄を東京高裁と定めていたが，2013年の改正〔2015年施行〕で東京地裁の専属管轄となった）。地方裁判所または家庭裁判所が第1審としてした終局判決についての控訴は高等裁判所に，上告は最高裁判所に審級管轄がある（裁16条1号・7条1号，民訴311条1項）。簡易裁判所が第1審としてした終局判決についての控訴は地方裁判所に，上告は高等裁判所に審級管轄がある（裁24条3号・16条3号，民訴311条1項）。

(2)　事　物　管　轄

事物管轄は，主に第1審裁判所を地方裁判所と簡易裁判所とのいずれにする

かの定めである。訴訟の目的の価額（訴額。8条・9条参照。⇨ *2-1-3-1*）が140万円を超える請求と不動産に関する訴訟は地方裁判所が，140万円以下の請求は簡易裁判所がそれぞれ管轄権を有する（裁24条1号・33条1項1号）。140万円以下の不動産に関する訴訟の第1審は，地方裁判所と簡易裁判所との双方が管轄権を有する（競合管轄。⇨ *3-2-2*）。8条2項は，訴額の算定ができないときやきわめて困難であるときは（⇨ *2-1-3-1*），その価額は140万円を超えるとみなすと定めているが，これは，そのようなときは地方裁判所に第1審の事物管轄を認めるのが相当であるとの考慮に基づいている。

通常の民事訴訟の第1審の職分管轄は地方裁判所と簡易裁判所にあり，職分管轄はそのいずれかでなければならないという意味で専属管轄であるので，これに反する合意（たとえば第1審裁判所を高等裁判所とするというもの）は効力を生じない。しかし，第1審について地方裁判所と簡易裁判所のどちらに管轄があるかという事物管轄は任意管轄であり，当事者の合意によって変更できる。

(3) 土 地 管 轄

(a) **土地管轄の意義と分類**　**土地管轄**とは，管轄地域が異なる同種の裁判所が同種の職分を分担するための定めである。最高裁判所は日本全国を管轄しており，他に同種の裁判所はないが，下級裁判所はそれぞれ同種の裁判所が全国各地に存在する。そして，下級裁判所の管轄区域（管轄権行使の地域的な範囲）は，「下級裁判所の設立及管轄区域に関する法律（昭22法63）」が定めている。

土地管轄は，事件の「**裁判籍**」の所在地を管轄区域内に持つ裁判所に生じる。裁判籍とは，事件の当事者または訴訟物と関連する特定の地点を指す概念である。被告の住所，訴訟物の内容となる義務の履行地，不法行為のあった場所などがその例である。裁判籍には普通裁判籍と特別裁判籍の区別があり，さらに，特別裁判籍は独立裁判籍と関連裁判籍に分けられる。

(b) **普通裁判籍**　まず，訴えは，被告の普通裁判籍の所在地を管轄する裁判所の土地管轄に属する（4条1項）。**普通裁判籍**とは，このように，事件の種類を問わずに一般的に土地管轄の根拠となる地点のことであり，被告の生活の拠点（住所，居所，事務所，営業所等）がこれに当たる（4条2項～5項）。これは，一般的にみると，訴えを起こされる側（被告）の生活の拠点に訴えを起こす側（原告）が出向くことが公平であるとの考慮に基づいている。

(c) **特別裁判籍**　普通裁判籍に対して，特定の種類の事件について法が認

めた裁判籍を**特別裁判籍**という。特別裁判籍には，他の事件との関連性に依拠せず，その事件について独立に認められる**独立裁判籍**と，他の事件との関連性に基づいて認められる**関連裁判籍**とがある。

　独立裁判籍については，5条，6条，6条の2が定めている（6条と6条の2については，⇨ **3-2-2-2**）。5条が定める独立裁判籍は，普通裁判籍と競合して認められるもので，任意管轄の原因となる。これらは，事件との関連性の強さに基づき，当事者の便宜を考慮して定められている。その中ではとくに，財産権上の訴えについての義務履行地（1号），不法行為に関する訴えについての不法行為地（9号），不動産に関する訴えについての不動産の所在地（12号）などが重要である。義務履行地に土地管轄が認められることは，実体法上の持参債務の定め（民484条1項，商516条）が広く適用されることと相まって，原告となる債権者の住所，営業所等の所在地で債務者を訴えることが多くの場合に可能になり，被告の普通裁判籍の所在地をもって一般的な土地管轄の根拠とした4条1項の趣旨が損なわれるのではないかという指摘がある。義務履行地の特別裁判籍を管轄原因として原告の住所地で訴えが起こされることは実際上も多いが，これによって被告に不利益が生じて当事者間の衡平を害する場合には，17条に基づく移送（⇨ **3-2-5-2**）によって対処されることとなる。

　次に，関連裁判籍として，7条の併合請求の裁判籍がある。併合請求の裁判籍は，1つの訴えで数個の請求をする場合に，そのうちの1つの請求について管轄権を有する裁判所に，他の請求も併せて管轄権が生じることとしたものである。原告が容易に併合請求をできるようにする趣旨であり，また，被告にとっても，どれか1つの請求について管轄権を有する裁判所であれば，そこで応訴せざるを得ないので，併合審理を受けた方がかえって便利であるとの考慮も働いている。このように同一の被告に対する複数の請求（請求の客体的併合の場合）であれば併合請求の裁判籍を認めても問題は少ない。

　これに対して，数人の被告に対する請求（被告側複数の主体的併合の場合）に関しては，原告の併合請求をする利益は客体的併合と同様に認められるが，被告のうちの1人について管轄があるというだけで，他の被告が住所地から遠く離れた裁判所に訴えられるのでは，その被告の利益を不当に害するのではないかという問題がある。そこで，その利害を調整する趣旨で，7条但書は，共同訴訟の要件が認められる場合（38条。⇨ **12-3-2**）のうち，請求相互の関連性が

比較的強い38条前段の場合（訴訟の目的である権利または義務が数人について共通であるとき，または，同一の事実上および法律上の原因に基づくとき）に限って併合請求の裁判籍を肯定することとし，請求相互の関連性がやや弱い38条後段の場合（訴訟の目的である権利または義務が同種であって事実上および法律上同種の原因に基づくとき）については，併合請求の裁判籍を否定している（旧法下の裁判例や多数説の立場を現行法で明文化したものである）。たとえば，債権者は，住所地が別の裁判所の管内にある主債務者と保証人とを，いずれかの住所地の裁判所で共同被告として訴えることができる。しかし，数通の約束手形の各振出人について，その住所地や支払地（5条2号参照）が別の裁判所の管内にあるときには，この併合請求の裁判籍を理由として併合して訴えることはできない。

なお，7条は，土地管轄に関する規定であって，事物管轄に関する規定ではないので，38条後段に該当する共同訴訟であって，いずれの共同訴訟人に係る部分も受訴裁判所が土地管轄権を有しているものについて，7条但書により9条（併合請求の場合の価額の算定）の適用が排除されることはない（最決平成23・5・18民集65巻4号1755頁，最決平成23・5・30判時2120号3頁参照）。

3-2-3 管轄の調査

管轄権の存在は訴訟要件の1つであり，職権調査事項（⇨ **8-2-3**）である。ただし，管轄違いの訴えは却下されるわけではなく，移送の対象となるにとどまる（16条1項）。管轄に関する事項については，職権で証拠調べをすることができる（14条）。もっとも，専属管轄に関する事項を判断するための調査資料は職権探知主義（⇨ **7-1-3**）が妥当するが，任意管轄に関する事項を判断するための調査資料については弁論主義（⇨ **7-1-1**）が妥当するとする考え方が多数説である。したがって，自白も成立し，審理排除効と判断拘束効が働く（⇨ **7-3-1** ❶ 18）。ただし，職権証拠調べができるので，弁論主義のうちの証拠原則（第3テーゼ）は妥当しない。

3-2-4 管轄の標準時

管轄の標準時は，訴えの提起の時である（15条）。すなわち，原告が裁判所に訴状を提出した時であり（134条1項参照），その後に被告が転居しても，訴え提起時に生じた普通裁判籍による管轄は失われない。このようにしても被告

の利益を不当に害するとはいえず，逆に被告の転居によって管轄違いになるのは不都合だからである。他方，訴え提起の時には存在しなかった管轄が，訴訟係属中に被告の転居等により発生するに至った場合には，管轄違いの瑕疵が治癒され，管轄が認められることになると解されている（訴訟要件の判断の基準時および欠缺の治癒について，⇨ **8-7-4**）。なお，15条の規定は，提訴時より後に応訴管轄（12条。⇨ **3-2-2-1**(4)）が生じるのを排除する趣旨ではない。これは応訴管轄の性質によるものであって，瑕疵の治癒と説明する必要はない。訴えの交換的変更の場合には，新訴の提起時が基準になると解される。

3-2-5 移　送

訴訟の**移送**とは，ある裁判所に訴えられた訴訟を，その裁判所の裁判によって，他の裁判所（官署としての裁判所）に移すことをいう。移送には，次の **3-2-5-1**〜**3-2-5-4** のような種類がある。

3-2-5-1 管轄違いの場合の移送（16条）

訴えが管轄権を有しない裁判所に提起された場合には，その裁判所は，申立てにより，または職権で管轄裁判所に移送しなければならない（16条1項）。訴えを却下するのではなく移送すべきこととされており，これによって，原告は，再度訴えを起こしたり，そのための手数料を支払ったりする必要がなく，また，時効の完成猶予や出訴期間遵守の効果（⇨ **2-4-1-2**，**2-4-1-3**）も維持されることになる。法定管轄のない裁判所に訴えが提起されても，専属管轄に反しない限り，応訴管轄が生じる余地があるので，直ちに移送をするわけではないことにつき，⇨ **3-2-2-1** す 3-4。

地方裁判所は，訴訟がその管轄区域内の簡易裁判所の管轄に属する場合であっても，それが専属管轄でない限り，相当と認めるときは，自ら審理，裁判をすることができる（16条2項）。これを自庁処理という。この規定は，簡易裁判所が少額軽微な民事訴訟について簡易な手続により迅速に紛争を解決することを特色とする裁判所であり，簡易裁判所判事の任命資格が判事のそれよりも緩やかであることなどを考慮して，地方裁判所において審理および裁判を受けるという当事者の利益を重視したものである（最決平成20・7・18民集62巻7号2013頁参照）。

3-2 管　轄

すこし詳しく 3-6　**地方裁判所から家庭裁判所への移送**

　家庭裁判所の専属管轄とされている家事審判事件が地方裁判所に申し立てられた場合には，家庭裁判所に移送することはできず，その申立て（訴え）は却下されるとするのが従来の判例であった（最判昭和 38・11・15 民集 17 巻 11 号 1364 頁，最判昭和 44・2・20 民集 23 巻 2 号 399 頁）。しかし，これに対しては，期間遵守（たとえば民 768 条 2 項但書）が認められなくなる申立人の不利益等を考慮し，移送を認めるべきであるとの考え方も強かった。2013 年に施行された家事事件手続法は，9 条 1 項本文で家事事件が管轄違いの場合に「裁判所」はこれを管轄裁判所に移送すると定めた。移送する側の「裁判所」には家庭裁判所のほか地方裁判所や簡易裁判所も含まれると解されるので，上記の判例とは異なり，移送が認められることになる。なお，訴訟事件について家庭裁判所から地方裁判所への移送を認めた判例として，最判平成 5・2・18 民集 47 巻 2 号 632 頁がある。

3-2-5-2　遅滞を避ける等のための移送（17 条）

　競合管轄（⇨ **3-2-2**）の場合に，原告は，そのうちの 1 つの裁判所を選んで訴えを提起できるが，その裁判所では，証拠の場所等からして訴訟が著しく遅延するおそれがあったり，被告にとって不利益が大きかったりすることがある。このような場合に対処するため，17 条は，申立てにより，または職権で，裁判所が裁量により，より適当な別の管轄裁判所に訴訟を移送することができるとしている。この移送は一般に「**裁量移送**」と呼ばれる（次の 18 条も裁量移送を定めるが，単に裁量移送というと 17 条を指すことが多い）。

　この移送の要件は，当事者の住所，証拠の所在地その他の事情を考慮して，訴訟の著しい遅滞を避け，または，当事者間の衡平を図るため必要があることである。法定の専属管轄の場合は適用されないが，当事者間の専属的管轄合意があっても適用される（20 条 1 項）。

3-2-5-3　簡易裁判所から地方裁判所への裁量移送（18 条）

　簡易裁判所は，その管轄に属する訴訟について，その専属管轄に属する場合を除き，相当と認めるときは，その所在地を管轄する地方裁判所に移送することができる（18 条）。16 条 2 項にも表れている地方裁判所と簡易裁判所との違い（⇨ **3-2-5-1**）を考慮して，複雑困難な事件等を地方裁判所で取り扱うことができるよう，簡易裁判所からの移送を認めたものである。

3-2-5-4　必要的移送（19 条）

　第 1 審裁判所は，当事者の申立てと相手方の同意があるときは，合意管轄や

応訴管轄が認められているのと同様の趣旨により，申立てに係る地方裁判所または簡易裁判所に移送しなければならない（19条1項本文）。ただし，移送によって著しく訴訟手続を遅滞させるときは，公益上問題があるので，移送が認められない（19条1項但書前半部分）。簡易裁判所からその所在地を管轄する地方裁判所への移送の場合は，18条（⇨ **3-2-5-3**）と同様の趣旨でこのような移送が広く認められるが，それ以外の場合には，被告が本案について弁論等をした後に当事者が申し立てても移送が認められない（19条1項但書後半部分）。簡易裁判所は，不動産に関する訴訟については，被告が本案について弁論をする前に申立てをすれば，地方裁判所に移送しなければならない（19条2項）。

3-2-5-5 移送の裁判

移送の裁判は，決定でされる。移送の決定および移送の申立てを却下した決定に対しては即時抗告をすることができる（21条）。

移送の裁判は，移送を受けた裁判所を拘束し（22条1項），再移送も禁止される（22条2項）。このような規律がないと，移送が繰り返されて，本案の審理に入るのが遅くなり，当事者の利益を害するおそれがあるからである。ただし，移送を受けた裁判所が，移送の理由となったものとは別の事由や決定確定後に生じた新たな事由に基づいて移送をすることはできると解するのが一般である。

なお，上告裁判所である高等裁判所が324条に基づいてした最高裁判所への移送決定（⇨ **13-3-3**）は，最高裁判所を拘束しないとされている（最決平成30・12・18民集72巻6号1151頁）。

3-3 裁判官の除斥・忌避・回避

3-3-1 除　斥

3-3-1-1 除斥の意義

民訴法は，公正な裁判を保障し，また，公正な裁判の外観（公正らしさ）を確保するために，当事者や事件（請求）と一定の関係があるなど公正な裁判を妨げるとみられる事由のある裁判官を，当該事件での職務の執行から排除する制度を設けている。それが，裁判官の「除斥」（23条），「忌避」（24条），「回

避」(規12条)の各制度である。これらは，裁判所書記官，専門委員，知的財産関係事件における裁判所調査官にも準用される（27条・92条の6・92条の9,規13条・34条の9・34条の11。⇨ **3-1-4**, **3-1-5**)。

このうち「**除斥**」とは，法定の原因がある場合に，裁判官が法律上当然に職務を執行できなくなることをいう。その法定の原因を「除斥原因」といい，23条1項各号が定める。この効果は，その裁判官や当事者が除斥原因を認識しているかどうかを問わず，当然に生じる。

除斥原因がある場合に裁判官を事件から排除することは裁判の公正に対する国民一般の信頼を確保するという意味を持つので，当事者による責問権の放棄や喪失（90条）の対象とならない。除斥原因のある裁判官が判決の内容の決定に関与した場合には，上告の理由（312条2項2号）や再審事由（338条1項2号）となる。ただし，判決の言渡しに関与しただけであれば，これらの規定にいう「判決に関与」したことにはならない（大判昭和5・12・18民集9巻1140頁）。

除斥原因のある裁判官は，自ら回避（規12条。⇨ **3-3-3**)するのが通常である。また，前審関与（23条1項6号）のように事件の受付段階で除斥原因が明白な場合には，受付事務の取扱いとして当該裁判官に当該事件を分配しないこともある。しかし，除斥原因の存否について解釈が分かれ得る場合や当事者の主張する除斥原因について当該裁判官が肯定しない場合には，当事者の申立てまたは職権により，除斥についての裁判がされることになる（23条2項・25条）。除斥についての裁判は，除斥を理由があるとする決定（「除斥の裁判」)，または，除斥を理由がないとする決定である。除斥についての裁判の手続（25条）については，忌避と併せて **3-3-2-3** で述べる。

3-3-1-2 除斥原因

除斥原因については23条1項各号が定めている。

同項1号は，裁判官またはその配偶者もしくは配偶者であった者が，事件の当事者であるとき，または事件について当事者と共同権利者，共同義務者もしくは償還義務者の関係にあるときを除斥原因としている。ここにいう「配偶者」とは，法律上の婚姻関係（民739条参照）にある者をいい，内縁関係にある者を含まない。裁判官と当事者とが内縁の夫婦関係にある（あった）ことは，忌避事由（24条）となろう。「共同権利者」とは，訴訟の目的である権利の共有者（民249条以下）などをいう。「共同義務者」とは，訴訟の目的である債務

について共同の責任を持つ関係にある者をいい，連帯債務者（民436条），主債務者と保証人（民446条）などである。「償還義務者」とは，当事者が敗訴した場合にその当事者から償還請求を受ける関係にある者をいい，手形の裏書人（手47条）などである。これらは，裁判官が訴訟の目的である請求との関係で利害関係人に当たることを考慮するものである。

　23条1項2号は，裁判官が当事者の4親等内の血族，3親等内の姻族もしくは同居の親族（以上につき，民725条～729条参照）であること，またはあったことを，また，23条1項3号は，裁判官が当事者の後見人（民8条・839条以下），後見監督人（民848条以下），保佐人（民12条・876条の2），保佐監督人（民876条の3），補助人（民16条・876条の7）または補助監督人（民876条の8）であることを除斥原因としている。

　23条1項4号によって裁判官がその事件について証人または鑑定人となったことが除斥原因となる理由は，裁判官が自分の証言や意見の採否ないし信用性を判断することになるので，判断者と判断資料の提供者とは異なるべきだという訴訟の基本的な構造にそぐわず，公正な裁判の外観が保てなくなるからであるとの説明がされている。

　23条1項5号は，裁判官が特定の事件について当事者の代理人または補佐人（60条）であること，またはあったことを除斥原因とするものであり，23条1項2号・3号が一般的に親族，後見人等であることを除斥原因とするのとは異なる。「代理人」には，法定代理人（28条，民824条・859条等），訴訟代理人（54条），特別代理人（35条），法人の代表者（37条）を含む。たとえば，いわゆる弁護士任官をした裁判官は，自分が訴訟代理人として関与した事件について除斥される。

　23条1項6号は，除斥原因として，裁判官が事件について仲裁判断に関与したときと不服を申し立てられた前審の裁判に関与したときとを挙げる。

　「不服を申し立てられた前審」とは，当該事件の直接または間接の下級審をいうと解されている（最判昭和30・3・29民集9巻3号395頁，最判昭和36・4・7民集15巻4号706頁）。上告審の裁判官がそこで直接に不服の対象となっている控訴審または間接に不服の対象となっている第1審の裁判に関与していた場合などがこれに当たる。同号でこれが除斥原因とされるのは，前審の裁判に関与した裁判官は予断を持って裁判をするおそれがあるし，上訴審では別の裁判官

によって判断させないと審級制度が無意味になるからであるが，前審裁判への関与に限られているので，審級制度の意味に重きを置く考え方が強いといえる。

前審の「裁判に関与した」とは，裁判の評決および裁判書の作成に関与したことを意味し，それまでの過程で行われた手続（口頭弁論手続，弁論準備手続，証拠調べ等）に関与しただけでは，これに当たらないと解するのが通説・判例（最判昭和33・2・28民集12巻2号363頁，最判昭和39・10・13民集18巻8号1619頁等）である。また，判決の言渡しに立ち会ったのみでは，これに当たらないと解されている。

23条1項6号の除斥原因のある裁判官も，他の裁判所からの嘱託で受託裁判官として職務を行うことは妨げられない（同項但書）。

すこし詳しく 3-7　判例上，「前審の裁判」に当たらないとされている例

▶A裁判官が関与した控訴審の判決が上告審で破棄され，控訴審に差し戻され，差戻し後の控訴審判決に上告がされた場合，A裁判官が2度目の上告審を担当しても，1度目の控訴審は前審の裁判ではないので，差し支えないとするのが大審院時代の判例である（大判昭和11・2・18新聞3959号11頁，大判昭和14・2・4法学8巻791頁）。ただし，この場合は，325条4項（この規定は，直接には，A裁判官が2度目の控訴審を担当できないとするものである）の趣旨との関係で関与が許されないとする見解が有力である。また，本案訴訟との関係で，民事保全手続での決定（民保20条・23条・32条・37条～39条等）に関与したことは除斥原因には当たらない（仮差押決定について，大判昭和12・7・2新聞4157号16頁参照）。再審訴訟との関係で，不服の対象となっている確定判決に関与したことも除斥原因にはならない（大判昭和18・6・22民集22巻551頁，最判昭和39・9・4集民75号175頁）。そのほか，手形判決（350条，規216条）は異議申立て（357条）の後の訴訟（361条）との関係で，労働審判（労審20条1項）は異議申立てによって移行した訴訟（同22条）との関係で（最判平成22・5・25判時2085号160頁），それぞれ「前審の裁判」には当たらない。

3-3-2　忌　避

3-3-2-1　忌避の意義

「忌避」とは，法定の除斥原因（23条1項）以外の事由により，裁判の公正を妨げるべき事情がある場合に，当事者の申立てに基づき，裁判によって裁判官を職務執行から排除することである。23条1項の定める除斥原因がない場合であっても，裁判官に裁判の公正を妨げる原因があるとみられても無理がない

という場合があり得る。そこで，このような場合に当事者の申立てにより裁判官を職務執行から排除する余地を認めたのが24条1項の定める忌避の制度である。

当事者が裁判官の面前で弁論等をしたときは，その裁判官を信頼して裁判を受けるとの態度を示すものとみられるので，忌避することができなくなる（24条2項本文。同項但書に例外が定められている）。

3-3-2-2　忌避の原因

忌避の原因（「忌避事由」ともいう）となるのは，「裁判の公正を妨げるべき事情」である。これは，当該裁判官と，当該事件または当事者との関係からみて，一方当事者が不公平な裁判がされるおそれがあると考えるのももっともだといえる客観的事情をいう。具体的にみてみると，裁判官と当事者とが内縁の夫婦関係にあることはこれに当たるであろう。裁判官がその訴訟で問題となっている取引で紹介の労をとったことから，訴訟の結果によっては裁判官自身が当事者から責任を問われるおそれがある場合（23条1項1号の償還義務にまでは至らないが，これに近い関係である）なども該当し得る。裁判官と当事者との客観的な人的関係に関する事由につき，控訴審の裁判長であった裁判官が，一方当事者の訴訟代理人の女婿であることは，忌避の原因とならないとした判例（最判昭和30・1・28民集9巻1号83頁）があるが，学説の批判が強く，現在でもこれが判例としての意義を有しているかは疑問である。このような場合には回避（規12条。⇨ 3-3-3）すべきであると考える裁判官が多いのではなかろうか。

これに対し，具体的な事件や当事者と直接関係のない，裁判官の行状，思想，法律上の意見などは忌避の原因に当たらない（東京高決昭和45・5・8判時590号18頁，最決昭和45・9・29判時610号47頁参照）。したがって，裁判官が，当該事件で問題となっているのと同種の問題について，雑誌等に掲載した論文や前職在職時に作成した書面等で法解釈に関する一定の見解を表明していたとしても，それだけでは忌避事由とはならない。一方，行政処分取消訴訟の担当裁判官について，その裁判官が，異動により当該事件を担当するようになる直前まで，主要な争点が同じで強い関連性を有する別件の同種処分の取消訴訟で被告の指定代理人として中心的に関与していたことから，公正で客観性のある裁判が期待できないとの懸念を抱かせるとして忌避の原因を肯定した裁判例（金沢地決平成28・3・31判時2299号143頁）がある。

なお，最決平成 3・2・25（民集 45 巻 2 号 117 頁）は，裁判所支部を廃止する最高裁判所規則の制定の取消しを求める訴訟において，当該規則の制定に関する裁判官会議に参加したことは最高裁判所裁判官に対する忌避の理由とはならないとしている。

忌避事由となるのは裁判官と事件や当事者との関係をめぐる客観的事情であるから，裁判官の訴訟指揮が不公平であるとか自分の主張が容れられそうにないとかの訴訟運営や訴訟の帰趨をめぐる不満は，多くの場合主観的な事情であって，忌避の原因には当たらないのが原則である。たとえば，申し出た証拠を採用しなかったこと，相手方に有利になるような釈明権行使をしたこと，弁論の続行を望んだのに弁論を終結したこと，弁論を再開しなかったこと，和解勧試の際に不利な心証を明らかにしたことなどである。これらの不服は，異議（90 条・150 条参照）や上訴（283 条参照）によって申し立てるべきものである。実務上，こういった訴訟指揮上の事項のみを主張する忌避申立ては多いが，理由がないとされるのが普通である。

> **すこし詳しく 3-8　裁判官の訴訟指揮が忌避事由となる場合**
>
> ▶訴訟指揮に関する事由が多くの場合に忌避の原因とならないといっても，裁判官の訴訟指揮等が客観的にみて不公平であるならば，忌避事由となると解すべきであるので，裁判官の訴訟上の行為を理由とする忌避がおよそ認められないとまではいえない。裁判例として，書面真否確認等請求事件において，裁判官が裁判所書記官に指示して，被告らに口頭弁論期日呼出状等を送達する際に，「原告の請求を棄却する。訴訟費用は原告の負担とする。との判決を求める。旨の答弁書を提出してください。右答弁書の提出があれば，出頭不要です。」と記載した事務連絡を同封したことは，不公平な裁判がされるであろうとの懸念を当事者に起こさせるに足りる客観的な事情であるとしたもの（横浜地小田原支決平成 3・8・6 自由と正義 43 巻 6 号 120 頁）がある。

3-3-2-3　除斥・忌避の裁判

除斥または忌避についての裁判は，合議体により，決定でされる（25 条 1 項・2 項）。

除斥または忌避の申立てをした当事者は，その原因について，申立てをした日から 3 日以内に，疎明しなければならない（規 10 条 3 項前段）。この「疎明」は，濫用を防ぐための申立ての適法要件であり，除斥・忌避に理由があるとの裁判がされるのは，その原因が「証明」された場合である。

除斥の裁判は，客観的に存在している除斥の原因の存在を確認するという意

味で確認的なものであるが，忌避の裁判は，その裁判によって裁判官を職務執行から排除するという意味で形成的なものである。除斥・忌避のいずれも，理由がないとする裁判は確認的なものである。

除斥または忌避の対象となっている裁判官は，その除斥・忌避についての裁判に関与することはできない（25条3項）。裁判の公正を期するためである。その裁判官は，申立てについて意見を述べることができる（規11条）。

ところで，除斥・忌避の申立てが，訴訟の遅延等の目的で濫用的にされることがある。刑事訴訟法24条は，訴訟遅延目的のみでされたことが明らかな忌避申立てについての，申し立てられた裁判官自身による却下（いわゆる簡易却下）を定めているが，民訴法にはそのような規定がない。しかし，民事訴訟でも，訴訟の遅延のみを目的としていることが明らかな除斥または忌避の申立てについて，25条2項や3項の規定の明文とは異なるが，申立ての対象となった裁判官が（すなわち，1人制の裁判官は当該裁判官が，合議制の場合は当該裁判官を構成員に含む合議体が），訴訟手続を停止（26条）することなく，申立てを却下することができるという考え方が有力であり，実務はこの考え方に立って簡易却下を実際に行っている。

除斥または忌避を理由があるとする決定に対しては，誰も（申立人の相手方も当該裁判官も）不服申立てをすることができない（25条4項）。職権による除斥の裁判についても同様である。除斥または忌避を理由がないとする決定に対しては，申立てをした当事者が，即時抗告（332条参照）をすることができる（25条5項）。相手方当事者は即時抗告権がないと解すべきである（もちろん，24条2項本文に該当しなければ，相手方は独立して除斥または忌避の申立てをすることができる）。

3-3-2-4 訴訟手続の停止

除斥または忌避の申立てがあった場合，裁判所が理由の有無について審理を行って判断をすることになるので，それには一定の期間が必要となる。そして，その審理の結果，除斥原因が認められた場合，当該裁判官が事件に関与できなかったことが確認されるので，それまでに当該裁判官がした訴訟行為は当然に効力を失うことになるし，忌避原因が認められた場合，その後当該裁判官は事件に関与できなくなり，それまでの訴訟行為の効力を肯定することも，忌避原因があったとされる以上，妥当でないことになる。そこで，除斥または忌避の

申立てがあった場合には，「急速を要する行為」を除いて，その申立てに対する裁判が確定するまで，当該裁判官が関与する訴訟手続を停止すべきこととなる（26条）。訴訟手続が停止されている期間は，当該裁判官はもとより，合議制の場合の当該裁判官を含む合議体としての受訴裁判所も，訴訟行為をすることができず，訴訟手続を進めることはできない。ただし，「急速を要する行為」については，そのような行為もできないとすると，当事者が回復できない損害を被るおそれがあるので，例外とされている。「急速を要する行為」の例としては，証拠保全，執行停止命令等があるとされている。判決の言渡しは，どのような場合でも「急速を要する行為」に当たらないとするのが通説・判例（大決昭和5・8・2民集9巻759頁参照）である。

3-3-3　回　避

　裁判官の**回避**（規12条）とは，裁判官が，除斥原因（23条1項）や忌避原因（24条1項）があると自ら判断する場合に，自発的に職務執行を避けることである。

　回避は，裁判所内部での事件の分配という司法行政上の措置である。回避には，司法行政上の監督権を有する官署としての裁判所による許可が要件となる（裁80条・12条・20条・29条・31条の5参照）。

第4章 当事者

4-1 当事者の概念とその意義
4-2 当事者の確定
4-3 当事者に関する能力
4-4 訴訟上の代理
4-5 第三者による訴訟担当

4-1 当事者の概念とその意義

4-1-1 当事者概念

　民事訴訟の「**当事者**」とは，自己の名において訴え，または訴えられることによって，判決の名宛人となる者をいう。第1審では原告および被告，控訴審では控訴人および被控訴人，上告審では上告人および被上告人と呼ばれる者が，当事者に該当する（控訴および上告については，⇨ **13-2**，**13-3**）。

　たとえば，XがYに金を貸したと主張してその支払を請求する給付訴訟を提起する場合，自己の名において訴える者，つまり原告はXであり，自己の名において訴えられる者，つまり被告はYである。これに対して，XまたはYの法定代理人や訴訟代理人として訴訟に関与する者は，自己の名において訴え，または訴えられる者ではないから，当事者ではなく，当事者の代理人にすぎない。また，訴訟の途中で，Xから金を借りたのは実はYではなくZだったことが明らかになったとしても，当事者が実はYではなくZだったということになるわけではない。したがって，この場合には，YからZへと当事

者を変更することが許されない限り（任意的当事者変更の問題となる。⇨ **4-2-2-2**），当事者はXとYのままであり，XのYに対する訴えは，Yが金を借りていない以上，請求原因事実が認められないものとして請求棄却となる。

　最後の例から明らかなように，当事者が誰か，という問題は，当該事件で争われる権利義務の主体が誰か，という事件の実体の問題とは，次元の異なる問題として捉えられる。このように，当事者というものを事件の実体の問題とは区別して捉える考え方を，「**形式的当事者概念**」と呼ぶ。冒頭に掲げた当事者の定義は，形式的当事者概念に従ったものである。

　これに対して，歴史上は，当事者の概念を事件の実体，つまり本案の問題と区別せず，訴訟物である権利義務関係の主体を当事者と捉える考え方が存在した。この考え方を，「**実体的当事者概念**」と呼ぶ。多くの給付訴訟においては，権利の主体が原告となり，義務の主体が被告とされるので，実体的当事者概念に従っても，大きな不都合は生じない。しかし，この考え方に従うと，たとえば，破産管財人が破産者のために訴訟を追行する場合のように，訴訟物である権利義務関係の主体以外の者が当事者となる事例（第三者による訴訟担当。⇨ **4-5**）があることや，XとYとの間で債権の帰属が争われ，Xが，自分が訴外Aに対する債権者であることの確認をYに求める場合など，確認訴訟において当事者以外の者が主体となっている権利関係の確認が求められる場合があることが，説明できないという不都合が生じる。19世紀末以降のドイツにおいてこうした不都合が強調された結果，現在では，形式的当事者概念が一般的な考え方となっている。

　形式的当事者概念は，訴訟の当事者が誰であるかについて，多くの場合に明快な説明を可能にするという利点を持つ（もっとも，当事者の確定に困難が生じる事例も存在する。⇨ **4-2-1**）。しかし他方で，当事者の概念を紛争の実体から切り離して把握するため，訴訟の背景に存在する紛争を適切に解決するために本来手続に関与させるべき者が誰であるか，また，判決効をはじめ，訴訟からもたらされる種々の効果を本来及ぼすべき者が誰であるか，といった問題については，何ら指示するところがない。そのため，形式的当事者概念を前提とする現在の通説においては，現に当事者となっている者が当該訴訟の当事者として真にふさわしい者であるかどうか，現に当事者となっていない者に対しても，手続との関係で生じる種々の効果を及ぼすべきでないか，といった問題について，

当事者概念とは別個に論じることが不可欠となる。当事者適格をめぐる諸問題（⇨ **8-5**）や，判決効の主体的範囲をめぐる諸問題（⇨ **9-6-9**）は，その例である。

> **すこし詳しく 4-1** 決定手続における「当事者」
> ▶決定手続（判決と決定の違いについては，⇨ **9-1-3**）においても，裁判の名宛人となるという意味における「当事者」が存在するのは当然である（87条2項参照）。たとえば，申立てによって開始される決定手続の場合，「申立人」とその「相手方」とが手続の当事者の地位にあるといえる。誰が決定手続の当事者となるかは，問題となる決定の内容によるから，必ずしも基本となる訴訟事件の原告と被告が当事者になるとは限らず，訴訟外の第三者が当事者となる場合もある。たとえば，文書提出命令の場合，「申立人」は基本事件の一方当事者であるが，訴訟外の第三者が所持する文書については，「相手方」はその第三者である。また，たとえば基本事件の被告が原告の所持する文書の提出を求める場合のように，基本事件の「原告」および「被告」と，決定手続における「申立人」および「相手方」の地位が入れ替わる場合もある。

4-1-2 二当事者対立構造

4-1-1 で述べた定義によれば，民事訴訟の当事者には，訴える側と訴えられる側とがあることになる。つまり，ある訴訟の当事者としては，少なくとも互いに対立する2人の当事者が存在すると考えられているわけである。このように，民事訴訟が互いに対立する2人の当事者から構成されるということを指して，民事訴訟の**二当事者対立構造**と呼ぶ。

一般に民事訴訟手続は，権利義務の存否を判定することによって対立する当事者間の争いに決着をつけるという機能を有している。民事訴訟を二当事者対立構造として理解することは，このような民事訴訟手続の特質に由来するものである。たとえば，給付訴訟を考えてみると，訴える側の当事者，つまり原告とは，当該訴訟の審判対象である権利義務関係の存在を主張する当事者であり，訴えられる側の当事者，つまり被告とは，当該権利義務関係の存在を争う当事者であるということになる。そして，もし，このような対立関係にある2人の当事者が存在しないのであれば，民事訴訟手続を利用して決着をつけるのにふさわしい争いは，そもそも存在しないということができる。このことから，一般に，ある事件について二当事者対立構造を構成し得るということが，民事訴訟手続を利用するために不可欠の条件であると理解されている。この理解を前提とすると，原告や被告のない訴訟，あるいは，原告が自分自身を被告として

訴える訴訟というものは，観念できないこととなる。したがって，たとえば，訴訟の係属中に相続や合併が生じたために一方当事者が他方当事者を承継した場合や，一方当事者が死亡して相続人がない場合など，当事者が1人になってしまう場合には，訴訟は当然に終了したものとして取り扱われる。

さらに，当事者が3人以上になる多数当事者訴訟も，通説によれば，基本単位となる二当事者対立構造を複数組み合わせたものとして理解される（多数当事者訴訟については，⇨**第12章**〔542頁〕）。これは，利害関係人が多数登場する場合であっても，民事訴訟の審判対象を構成する実体法上の権利義務関係は常に権利者と義務者という二当事者間の関係に還元可能であり，かつ，そのように捉えれば足りる，という理解に基づくものといえる。

すこし詳しく 4-2　二当事者対立構造と当事者の実在
▶本文で述べたように，訴訟係属中に一方当事者が死亡して承継する者がないような場合には，訴訟は当然に終了したものとして取り扱うとするのが通説であり，実務上もそのような扱いがされているが，その一方で，「当事者の実在」は訴訟要件であるといわれることも多い（⇨**8-2-1**）。当事者の実在が訴訟要件であるといわれる場合には，当事者が訴訟係属の当初から実在しない場合（訴訟係属時に既に死亡しているなど）が主として念頭に置かれている。しかし，訴訟要件の判断基準時は口頭弁論終結時であるから，当事者が当初から存在しない場合と訴訟係属中に消滅した場合とで取扱いを区別する理由はどこにあるのか，という疑問が生じる。もし，当事者が存在しないのに訴訟係属を観念することは困難であるとすれば，当事者が当初から不存在であった場合においても，訴え却下判決をするのではなく，訴訟は当初から係属しなかったものとして取り扱い，その点に争いが生じる場合には，訴訟終了宣言判決に類似した「訴訟不係属宣言判決」といった処理をするのが正当なはずである。もっとも，このように解すると，逆に，当事者能力の欠缺の場合や，訴訟能力が訴訟要件として機能する場合（⇨**4-3-3-5**）などにおいても，同様の取扱いとすべきではないか，との疑問が生じる。後者の諸事例においては，訴訟要件の問題として，訴え却下判決という処理に合理性があるということを前提とすれば，上記とは逆に，訴訟係属中に二当事者対立構造が消滅したような場合においても，訴訟の当然終了ではなく，訴え却下判決をするのが，本来は正当だということになろう。

4-1-3　当 事 者 権

民事訴訟の当事者の地位につくことは，さまざまな効果を伴う。とりわけ重要なのは，**4-1-1**に述べた定義にあるように，当事者は，判決の名宛人になる

ということである（115条1項1号・253条1項5号）。このことは，当事者は，その訴訟において判決が言い渡され，確定した場合には，それが自己に有利なものであるか不利なものであるかを問わず，その拘束力に服しなければならない，ということを意味する。

こうした判決の適正さを確保するとともに，判決に至る手続を公平かつ合理的なものとするために，民訴法は，一方で，当事者に対して種々の権能を保障するとともに，他方で，当事者に対して種々の義務や負担を課している。

これらのうち，当事者の地位にある者に対して訴訟手続上認められる諸権能を総称して，**当事者権**と呼ぶ。判決の有する拘束力を当事者に対して正当化するためには，当事者に対して攻撃防御の機会を十分に保障すること，言い換えれば，手続保障が不可欠であるが（手続保障については，⇨ *1-2-3-2*(3)），当事者権とは，そうした当事者の地位を，単に事実上のものとしてではなく，法律上保障された諸権能として把握する概念である。

当事者権には，各種の申立権のほか，訴訟代理人の選任権（54条），期日の呼出しを受ける権利（94条），責問権（90条）などさまざまな権能が含まれるが，とりわけ重要なものとして，**弁論権**がある。弁論権とは，裁判の基礎となる資料を提出する権利をいう（弁論権と弁論主義との関係については，⇨ *7-1-1-1* す 7-1）。弁論権そのものを正面から認める明文規定は存在しないが，87条が，当事者は，訴訟について，裁判所において口頭弁論をしなければならない，と定めているのは，当事者に弁論をする権能が認められることを当然の前提としたものと理解することができる。弁論権の保障は，当事者に対する手続保障の中核をなすものであり，他の当事者権の多くは，弁論権の保障を十全なものとするための手段として位置付けることができる。たとえば，期日の呼出しを受ける権利が保障されることによって，当事者は審理に立ち会う機会が保障されることになり，相手方の提出する攻撃防御方法を認識したうえで自らの主張・立証を尽くすことが可能になる。

これに対して，当事者の義務・負担の例としては，各種の期間の遵守（162条・285条等）や訴訟費用の負担（61条以下），当事者照会に対する回答義務（163条）や証拠調べに対する協力義務（207条以下・220条・224条）などがある。また，2条は，当事者は，信義に従い誠実に民事訴訟を追行しなければならない，と定めるが，これは，当事者の地位に伴う責務を一般的な命題の形で示し

たものである（訴訟上の信義則については，⇨ **1-2-3-2**(2)，**5-2-3**）。

4-2　当事者の確定

4-2-1　当事者確定の意義と基準

4-2-1-1　当事者の特定と当事者の確定

4-1 において述べたように，当事者の概念は，二当事者対立構造の有無や当事者権の保障など，手続上の種々の問題と関連している。そのため，具体的な事件において，誰がその当事者であるのかを判断することは，当該事件の処理にとって欠くことのできない問題である。

この問題に関しては，一般に，当事者の特定の問題と，当事者の確定の問題とが区別される。

「**当事者の特定**」とは，誰が誰に対して当該訴えを提起するのかを明らかにする原告の行為をいう。民事訴訟には処分権主義（⇨ **2-3**）が妥当するから，誰に対してどのような訴えを提起するかは，原告の自由に委ねられている。そこで，原告としては，訴えを提起するにあたって，これらの点を明らかにしておく必要があり，具体的には，訴状の当事者欄に原告および被告の住所氏名等を記載することによって，他の者との区別が可能な程度に当事者を特定しなければならない。当事者は訴状の必要的記載事項であるから（134条2項1号），当事者を特定するのに十分な事項を記載していない訴状は，補正がなされない限り，却下されることになる（137条2項）（訴状審査の手続については，⇨ **2-1-4-1**）。ただし，当事者の住所，氏名等の秘匿が認められる場合（133条1項）には，秘匿すべき住所，氏名等を裁判所への届出書面に記載し，訴状にはこれに代わる事項を記載すれば足りるものとされる（同条5項。訴状の記載事項および秘匿制度については，⇨ **2-1-3-2**）。

これに対して，「**当事者の確定**」とは，裁判所が特定の事件の当事者が誰であるかを判断する作業をいう。既に述べたように，当事者の地位には訴訟手続上種々の効果が結び付けられているから，誰が当該事件の当事者であるかは，とりわけ手続進行を司る受訴裁判所にとっては重大な問題である。そこで，受訴裁判所としては，手続進行上当事者が誰であるかについて疑義が生じた場合

には，この点について職権で判断し，当事者を確定しなければならない。

4-2-1-2 当事者確定の基準

4-1-1において述べた形式的当事者概念からは，具体的な事件において，誰が自己の名において訴え，または訴えられているのかを判断する基準は，当然には導かれない。そのため，当事者を確定するためにはどのような基準を採用することが適切か，という問題が議論される。

この問題については，伝統的に，意思説，行動説，表示説という3つの見解が存在してきた。

意思説とは，特定の者の意思を基準として当事者を確定すべきであるとする見解である。これに対しては，内心の意思を認定することは容易でない，特定の者として原告を考えるのであれば原告の確定には役立たない，といった批判がある。

行動説とは，訴訟手続上当事者らしく行動した者，または当事者として実際に取り扱われた者が当事者であるとする見解である。これに対しては，具体的にどのような行動に着目して当事者らしく行動したと評価するかが明確でない，との批判がある。

表示説とは，訴状の記載を基準として当事者を確定すべきであるとする見解である。もっとも，訴状の記載としてどのようなものを想定するかについては，いくつかの可能性が存在する。そのうち，最も狭い理解として，当事者の確定にあたって，訴状の当事者欄の記載のみを基準とすべきだとすることが考えられる。この考え方は，基準としては最も明確だといえる。しかし，これによると，原告の合理的意思や訴え提起後の手続経過などの周辺事情を当事者の確定にあたって考慮する可能性が，著しく制約されることになる。そのため，当事者欄の記載に限らず，請求の趣旨・原因その他の記載事項を含めて訴状の全体から総合的に当事者を確定すればよいとする見解（**実質的表示説**と呼ばれる）が提唱されており，現在の通説となっている。

もっとも，訴状の当事者欄の記載と，原告の意図する当事者，そして実際に当事者として行動する者は一致するのが通常であるから，ほとんどの事例においては，改めて当事者の確定基準が問題となることはない。しかし，たとえば，①AがXの名前を騙って原告として訴えを提起したり，BがYの名前を騙って被告として応訴する場合（氏名冒用訴訟）や，②当事者として訴状に表示さ

れている者が訴え提起時に既に死亡していた場合（死者を当事者とする訴訟），③あるいは，Xが「A株式会社」を被告にする意思でありながら誤って別会社である「株式会社A」を被告と表示して訴えを提起した場合などにおいては，真の当事者が誰であるかについて疑義が生じることとなる。①の場合には，意思説および表示説によれば，XおよびYが当事者，行動説によればAおよびBが当事者となり，②の場合には，同様に，意思説および表示説によれば，当事者として訴状に表示されている者が当事者となるが，行動説によれば，相続人が訴訟代理人を選任するなどして訴訟追行をしている場合には，相続人が当事者とされることになる。これに対して，③の場合には，意思説によれば「A株式会社」が被告となるが，表示説によれば「株式会社A」が被告となり，行動説によれば，実際にどちらが訴訟手続上被告として訴訟追行をするかによって異なってくることになる。

4-2-1-3　手続段階との関係

　当事者の確定という作業の持つ意味は，手続のどの段階において当事者に関する疑義が生じたかによって異なる。そのため，当事者確定の基準としてどの考え方が正当であるかについても，手続段階との関係を念頭に置いて考察する必要がある。

　第1に，原告から提出された訴状を受理した段階においては，当事者の確定は，もっぱら，誰を当事者としてこれからの手続を進めていくかという問題に関わる。たとえば，誰を被告として訴状を送達し，口頭弁論期日に呼び出すか，といった問題である。この段階では，表示説が最も適切であるといえる。すなわち，まず，この段階では，処分権主義の原則から，訴えを提起する原告の意思が尊重される必要があるが，原告の意思は訴状によって表示することが要求されているから，訴状の記載によって当事者を確定することが合理的である。他方で，裁判所および訴訟手続に巻き込まれる被告としては，訴状の記載以外に原告の意思を判断する資料がないことが通常であり，にもかかわらず訴状の記載以外の事情を当事者確定の判断資料とすることを認めると，被告の地位を不安定なものとするとともに，手続の遅延を招きかねないからである。

　第2に，手続がある程度進行した段階においては，当事者の確定は，誰を当事者としてこれからの手続を進めていくかという点に加えて，従前の手続の有効性という問題にも影響することになる。すなわち，当事者の確定の結果，そ

れまで当事者として手続に関与してきた者が実は当事者ではなかったということが判明した場合には，それまでの手続を真の当事者に対してやり直すか，それとも，それまで手続に関与してきた者を改めて当事者の地位につかせて従前の手続を維持するか（任意的当事者変更。⇨ **4-2-2-2**），という選択が必要になるからである。また，それまで手続に関与してきた者が当事者として確定される場合であっても，訴状等の記載がその者を指示するのに不適切であるような場合には，訴状等における当事者の記載を訂正する必要が生じる（表示の訂正。⇨ **4-2-2-1**）。

第3に，当該事件が終結し，判決が確定した後の段階においては，これからの手続の進行についてはもはや問題とならず，誰に対して当該判決の効力が及ぶのか，終結した事件の当事者とされる者に対して，再審の訴えなどの救済手段を用意するかどうか，といった事後的な処理がもっぱら問われることになる。

以上のように，第2，第3の局面においては，第1の局面とは異なって，従前の手続の効果を維持するかどうか，という問題が生じる。従前の手続を維持することは，一方で，訴訟経済に資するとともに，これまで当事者として手続を追行してきた者の地位を尊重する結果となるが，他方で，これまで関与してこなかった者に対してどのような救済を与えるかという問題を生じさせる。

もっとも，これらの問題点を，当事者確定基準を操作し，当事者概念の内容自体を柔軟なものにすることによって解決するのか，それとも，任意的当事者変更や判決効の拡張など別の手段を用いて，当事者概念に結び付けられる効果を調整することによって解決するのかについては，考え方が分かれている。前者に属する考え方として，**4-2-1-2** で挙げた行動説のほか，**規範分類説**と呼ばれる見解が主張される。この見解は，当事者確定基準に関して行為規範の側面と評価規範の側面を区別し，上記の第1の局面においてはもっぱら行為規範が問題となり，基準の明確性が重視されるべきであることから，表示説に従う一方で，第2，第3の局面では，従前の手続を維持するかどうかという評価規範の考慮が重視されることから，実際に訴訟手続に関与してきた者を当事者として評価するという行動説的な処理をするものである。これに対して，実質的表示説を採用する通説は，訴状の全体を考慮し得るとすることによって事後的な解釈の余地を一定程度確保するものではあるが，基本的には上記のうち後者の考え方に立つ。したがって，上記第2の局面では，任意的当事者変更の可否な

どが問題となり，第3の局面では，当事者として訴状に表示されながら手続関与の機会を与えられなかった者に対して再審の訴えなどの救済を認めるかどうかが問題となる。

4-2-1-4 裁判例

判例が当事者確定の基準についてどのような考え方に立っているのかは，必ずしも明らかではない。古い時期の判例には，表示説を否定して行動説を採用したとみられるものがあるが（氏名冒用訴訟において冒用者が原告だとする大判大正4・6・30民録21輯1165頁），近年の下級審裁判例には，通説である実質的表示説を明示的に採用するものが散見される（名古屋高金沢支判昭和61・11・5判時1239号60頁等）。これに対して，最高裁判例として当事者確定の基準を明示したものはみられないが，近年の事例として，訴状に原告として表示されている「中華民国」とは，かつて「中華民国」を国名とし，日本による中華人民共和国の承認後は「中華人民共和国」を国名とする中国国家を指すとしたものがある（最判平成19・3・27民集61巻2号711頁）。この判決は，当事者の確定に関する一般的な基準を明示したものではないが，訴状の記載である「中華民国」の解釈をもっぱら論じていることから，表示説を前提にしたものであるとの理解も可能である。

> **すこし詳しく 4-3　法人格否認の法理と当事者の確定**
>
> ▶たとえば，A会社に部屋を賃貸していたXが，「A」会社を被告として表示して未払賃料の支払を求めて訴えを提起したところ，A会社が，債務の免脱を目的として，訴え提起の直前に商号を「B」会社に変更したうえで，新たに，代表取締役等を同じくする新「A」会社を設立していたような場合，被告は「B」会社なのか，新「A」会社なのか，という問題が生じる。判例の中には，同様の事案で，当初被告側は新会社の設立を隠したまま賃貸借契約の成立などについて自白をして争わなかったが，控訴審の終結直前に新会社の設立を明らかにし，自白を真実に反するとして撤回したうえで，新会社が賃料支払義務を負う理由はないと主張した場合に，法人格否認の法理を適用して，自白の撤回が許されないとするとともに，新会社も旧会社と並んで未払賃料の支払について責任を負うとしたものがある（最判昭和48・10・26民集27巻9号1240頁）。実質的表示説からは，訴状における請求の趣旨，原因など当事者欄以外の記載をも考慮すれば，本件では，賃貸借契約の当事者が旧会社である以上，旧会社が当事者になると解されるが，この判決は，新会社を当事者として扱っている。もっとも，最高裁のように新会社が最終的な当事者であるとすると，Xとしては旧会社に対して強制執行をすることができないという

不都合があるとして（法人格否認の法理と判決効の関係については，⇨ 9-6-9-1 ☞ 9-21），旧会社と新会社を一体として当事者とみるべきだとする見解もある。この見解は，表示説等の当事者確定基準に加えて，法人格否認の法理を補充的な当事者確定の論理として用いるものといえる。

4-2-2 表示の訂正と任意的当事者変更

4-2-1-1 で述べたように，当事者の特定は原告が訴状の記載によって行うが，なかには，当初の当事者の表示を改める必要が生じる場合がある。訴状の記載が不十分なものであることが後に判明したり，訴状の記載に基づいて当事者と確定された者との間で訴訟を続行するのでは，当該訴訟の目的を達することができないことが判明した場合などである。このような場合に問題となるのが，表示の訂正と任意的当事者変更である。これらの概念は，いずれも訴状に当初表示された当事者の名前を変更する場合，たとえば，訴状にＡと記載されている当事者をＢという表示に変更する場合に関わるものであるが，それぞれの適用場面を異にする。

4-2-2-1 表示の訂正

「表示の訂正」とは，ＡとＢとが同一人格を表示している場合に，訴状等におけるＡという表示をＢと変更することをいう。たとえば，被告を「夏目漱石」と表示して訴えを提起した後に，その表示を「夏目漱石こと夏目金之助」に変更する場合，「夏目漱石」と「夏目漱石こと夏目金之助」とは同一の人格を示すものであるから，表示の訂正に当たる。

このように，表示の訂正は，単に訴状等の記載の修正にすぎないものであり，当事者の変更を伴うものではない。したがって，これを認めても裁判所や他の当事者を害することもないから，表示の訂正は，訴訟手続中いつでもすることができる。また，表示の訂正をしたからといって，従前の手続の有効性に影響が及ぶことはない。

もっとも，Ａという表示をＢという表示に変更することが，どのような場合に表示の訂正に該当するかは，当事者確定基準についてどのような考え方をとるかによって異なる。上記の説明は，表示説を前提としたものであるが，他の見解を採用した場合には，ＡとＢとが別人格を表示するものであったとしても，もともと当事者がＢであったと確定されることがあり得る。その場合

には，当事者の変更を伴わない以上，AからBへの表示の変更は，表示の訂正として認められることになろう。

4-2-2-2 任意的当事者変更

(1) 任意的当事者変更の意義

以上に対して，従来の当事者がAである場合に，当事者の表示をAとは別人格を表示するBに変更する場合には，訴状等の記載だけでなく，当事者そのものをAからBへと変更することになる。この場合に問題となるのが，「**任意的当事者変更**」である。法律上当事者の変更が認められる場合としては，ほかに，当事者に包括承継が生じた場合などに認められる当然承継（124条に定める訴訟手続の中断・受継，58条に定める訴訟代理権の不消滅は，これを前提としたものである）や，訴訟係属中に訴訟の目的である権利義務を第三者が特定承継した場合に認められる参加承継・引受承継（49条〜51条）がある（これらの訴訟承継については，⇨ 12-9）。これらに対して，任意的当事者変更とは，これらの要件に該当しない場合に，当事者の申立てによって当事者を変更することをいう。たとえば，「A商事株式会社」と「株式会社A商事」という2つの会社が実在する場合に，当事者の表示を前者から後者へと変更する場合には，表示説による限り，単なる表示の訂正ではなく任意的当事者変更の問題となる。

(2) 任意的当事者変更の許容性

任意的当事者変更については，その許容性，法律構成，効果に関して，いずれも争いがある。通説は，これを，①新当事者による，または新当事者に対する新たな訴えの提起と，②旧当事者による，または旧当事者に対する訴えの取下げが複合されたものと理解する。この考え方に従えば，新訴について，旧訴との共同訴訟の要件（38条）を満たすこととともに，旧被告による同意など，旧訴の取下げの要件（261条）を満たすことが要求される（共同訴訟および訴え取下げの要件については，それぞれ⇨ 12-3-2, 10-1-2-1）。また，新訴の提起を含むものであるから第1審係属中にのみ許されることになる。任意的当事者変更が認められた場合の効果については，従来の訴訟追行の結果が新当事者に対してどのように影響を及ぼすかが問題となる。従来の訴訟追行の結果が一切効力を持たないとすれば，訴訟経済上問題であり，このような当事者変更を認める実益が疑われることとなる。他方で，従来の訴訟追行の結果が当然に効力を及ぼすとすれば，新当事者に対する手続保障に欠けるという問題が生じる。上記の

通説に従えば，原則として，当事者を異にする事件の弁論が併合された場合に準じて，事実主張については承継されないが，証拠調べの結果については承継されることになろう（ただし，証人の再尋問の必要性につき，152条2項参照）。もっとも，新当事者が従来から手続に関与していた場合などには，例外的に従前の事実主張に拘束される場合があると解される（任意的当事者変更があったと認め得る事案において，新当事者による旧当事者の自白の撤回を信義則により否定したものとして，最判昭和48・10・26民集27巻9号1240頁がある）。

任意的当事者変更の許容性について明示的に述べた最高裁判例は見当たらないが，下級審裁判例の中には，これを認めるものがある（大阪高判昭和29・10・26下民集5巻10号1787頁等）。また，当事者確定基準に関する表示説を前提とすれば任意的当事者変更になると考えられる事案において，変更後の当事者が従来からの当事者であったものと確定して，表示の訂正として処理するものも少なくない（「A町長Y」から「A町」へと被告の表示を変更することを表示の訂正とした大阪高判昭和39・5・30判時380号76頁などがある）。こうした実務の運用は，任意的当事者変更に関する従来の通説が，実務上の要請に十分に応えるものではないことを示唆するものといえる。とりわけ，上記の通説に従う限り，上訴審においては任意的当事者変更が許されないこととなるが，その点については疑問の余地がある。新当事者が既に従前の手続に関与しているために，これに対して審級の利益を保障することが必須とはいえない場合も考えられるし，新当事者に対して審級の利益を保障すべき場合においても，当事者変更を認めたうえで事件を第1審に差し戻すことで足りるとも考えられるからである。このように，任意的当事者変更の法律構成について上記の通説に従うとしても，その規律についてはより柔軟なものと考えることが有益であろう。

4-3　当事者に関する能力

4-3-1　実体法との関係

民事訴訟の当事者には，訴訟の主体として，訴訟法上種々の権利義務が帰属する（⇨ **4-1-3**）。また，当事者は，訴訟代理人の選任や各種の申立てなどの訴訟行為を行いながら訴訟追行をすることになる。そこで，どのような資格を備

えた者がそうした主体となり得るのか，また，訴訟行為を行うことができるのか，ということが問題となる。これが，当事者に関連して訴訟法上要求される各種の能力の問題である。

　こうした訴訟法上の各種の能力は，基本的には，実体法上の各種の能力に準ずる形で規律される。これは，民事訴訟の審判の対象が原則として実体法上の権利義務の存否であることによるものである。もちろん，**4-1-1**で述べたように，当事者について形式的当事者概念が採用されていることからすれば，当事者の地位が常に実体法上の権利義務の主体の地位に直結するわけではない。しかし，民事訴訟の対象があくまで法律上の争訟であり（裁3条1項），実体法の適用によって解決されるべき問題であることを前提とすれば，およそ実体法上の権利義務の存否と無関係な問題が民事訴訟の対象となることは，考えられない（法律上の争訟性については，⇨**8-3-4-2**）。したがって，民事訴訟は，関係人の実体法上の権利義務に対して何らかの影響を与えることが予定された手続であるということができる。その意味で，実体法上の権利義務に関する能力の規律を訴訟法上の能力に関する基準とすることには，合理性が認められる。

　具体的には，実体法上の法律関係においては，権利義務の主体となり得る資格として権利能力が要求され，さらに，法律行為を自ら有効に行うための要件として，意思能力および行為能力が要求されており，訴訟法上も，基本的には同様の能力が要求される。もっとも，後に述べるように，訴訟手続には実体法上の法律関係とは異なる面もあることから，これらの能力の内容や効果については一定の修正が加えられ，訴訟法独自の能力概念が設けられている。当事者能力（⇨**4-3-2**）および訴訟能力（⇨**4-3-3**）がそれであり，それぞれ，実体法上の権利能力および行為能力に対応する。これに対して，意思能力については，実体法上私的自治の最低限の条件として要求されるものであり，訴訟法においても，これを欠く者による行為の効果をその者に帰属させることは許されないことから，訴訟法上も，これを欠く行為は無効とされる（⇨**4-3-7**）。

4-3-2　当事者能力

　「**当事者能力**」とは，民事訴訟の当事者として本案判決の名宛人となることのできる一般的な資格をいう。**4-3-1**で述べたように，当事者能力という概念は，基本的には実体法上の権利能力に対応する概念であるが，権利能力とは別

個の，訴訟法上の概念である。すなわち，権利能力が，実体法上の権利義務関係の主体となる資格であるのに対して，当事者能力は，民事訴訟の本案判決の名宛人となるための資格を意味する。したがって，ある当事者に当事者能力が認められない場合，その者を当事者とする訴えについて本案判決をすることはできず，訴えは不適法として却下される。このように，原告または被告が当事者能力を有することは，訴訟要件の1つである（訴訟要件の意義については，⇨*8-1*）。

　当事者能力は，単に本案判決の名宛人になり得る資格であるにすぎないから，実体法上権利能力のある者に当然に行為能力が認められるとは限らないのと同様に，ある者について当事者能力が認められるからといって，その者が自ら有効に訴訟行為を行うことができることになるわけではない。後者の問題は，**4-3-3**で述べる訴訟能力の概念によって，規律される。

　当事者能力の有無の判断は，基本的には実体法上の権利能力の有無の判断に準じて行われる（28条）。したがって，実体法上権利能力を認められる自然人および法人は，当然に当事者能力が認められることになる。たとえば，胎児は，民法上，損害賠償請求権等に関しては権利能力が認められるから（民721条），関連する訴訟について当事者能力を有するし，外国人も，原則として当事者能力を有する（民3条2項）。また，法人格の認められる団体であれば，民法上の法人に限らず，国（4条6項参照）や地方公共団体（自治2条1項）も，当事者能力が認められる。

　さらに，民訴法は，実体法上は権利能力を認められない者についても，一定の要件を満たすものについては，訴訟法独自の観点から当事者能力を認めている（29条）。その趣旨および範囲については，**8-6-2**において述べる。

4-3-3 訴訟能力

4-3-3-1 訴訟能力の意義

　「**訴訟能力**」とは，単独で有効に訴訟行為をし，または受けるために必要な能力をいう。たとえば，自ら訴えを提起したり，訴訟代理人を選任したりする，あるいは，相手方当事者の提起した訴えについて，訴状の送達を受けたり，口頭弁論期日において，相手方の事実主張を受ける，といったことのために要求される能力である。

訴訟能力の制度は，実体法上の行為能力に対応するものであり，行為能力と同様に，判断能力が十分でないために，自己の利益を十分に防御する能力のない者を保護することを趣旨とするものである。

4-3-3-2 訴訟能力が認められる者

訴訟能力についても，民訴法に特別の定めがある場合を除き，民法の規律に従う（28条）。したがって，民法上完全な行為能力が認められる者については，訴訟能力もまた認められる。実体法上自らの判断能力に従って権利を処分したり義務を負担したりすることができる者は，訴訟法上も，自らの判断により訴訟行為をすることを認めて差し支えないと考えられるからである。満18歳に達した自然人は，原則として，完全な行為能力が認められており（民4条参照），したがって，訴訟能力も認められることになる。

これに対して，民法上行為能力が制限される者（民13条1項10号参照）については，訴訟能力についても制限を受ける。そのうち，訴訟能力を有しないとされる者を，「**訴訟無能力者**」と呼ぶ。未成年者および成年被後見人は，訴訟無能力者である（31条本文）。また，被保佐人および訴訟行為を制限された被補助人は，自ら訴訟行為をすることはできるが，そのためには保佐人または補助人の同意が必要となる（民13条1項4号・17条1項）。そこで，これらの者を，「**制限的訴訟能力者**」または「**制限的訴訟無能力者**」と呼ぶ。これらについての詳細は，**4-3-4～4-3-6**で述べる。

4-3-3-3 訴訟能力が要求される行為の範囲

訴訟行為には，**4-3-3-1**に挙げた例のほかさまざまのものが含まれるが，そのすべてについて訴訟能力が要求されるというわけではない。たとえば証人として証言をする場合，あるいは，当事者尋問において当事者本人として陳述する場合には，訴訟能力は必要でない。これらの場合には，陳述の内容が裁判所による事実認定のための資料となるにすぎず，陳述という行為に何らかの訴訟法上の効果が直ちに結び付くわけではないため，当該行為の効力を否定することによって行為者を保護する必要に乏しいからである。したがって，仮に陳述者の判断能力に疑問があったとしても，それは，陳述の信用性の判断に影響を及ぼすにすぎず，陳述自体の無効をもたらすわけではない。

また，訴訟上の代理人のうち，任意代理人として他人のために訴訟行為をする場合にも，訴訟能力は要求されない。この場合には，訴訟行為の効果が帰属

するのはあくまで本人である訴訟当事者であり，訴訟代理人ではないため，その効果を否定することによって行為者を保護する必要はないし，そのような者を代理人として選任すること自体は原則として当事者の自由であり，あえて訴訟能力のない者を代理人として選任した当事者本人を保護する必要もないからである。この点は，民法上の代理の場合と同様である（民102条本文）。したがって，たとえば，簡易裁判所で裁判所の許可を得て訴訟代理人となる場合にも（54条1項但書），訴訟能力は必要とされない。なお，成年被後見人および被保佐人は弁護士資格の欠格事由とされてきたが（令和元年改正前弁護7条4号），現在ではそうした制限は撤廃されている（ただし，心身の故障により弁護士の職務を行わせることがその適正を欠くおそれがある場合には，弁護士登録が取り消される可能性があることにつき，弁護13条1項参照）。

これに対して，法定代理人として訴訟行為をする場合には，上記のような事情は当てはまらず，訴訟能力が必要である（民102条但書参照）。

なお，訴訟能力が要求されるのは必ずしも訴訟手続内の行為には限られず，たとえば，管轄の合意（11条）や訴訟代理人の選任など，訴訟外または訴訟前の行為についても，それが訴訟法上の効果をもたらすもの（「訴訟行為」と呼ばれる。⇨ *5-2-1-1*）であるかぎり，訴訟能力が要求される（⇨ *5-2-2-3*）。

4-3-3-4　訴訟能力欠缺の効果

実体法上の行為能力の場合には，行為能力を欠く者によってなされた法律行為も一応は有効であり，ただ，一定の要件のもとで，取り消し得るものとされるにすぎない。これに対して，訴訟能力を欠いた者のした訴訟行為は，はじめから無効とされる。これは，訴訟は，実体法上の取引と異なり，多くの訴訟行為が積み重なって進んでいくという性格を持つことから，実体法上の取引以上に法的安定性が重視されるということによる。すなわち，もし訴訟能力を欠く者によってなされた訴訟行為が一応有効であって取り消し得るものにとどまるとすると，実際に取消しがなされるまでは当該行為を前提として手続を続けざるを得ないことになる。しかし，その後に当該行為が取り消されると，結局，当該行為を前提としてなされたその後の行為はすべて無意味となってしまう。他方で，こうした危険を回避しようとすれば，実体法上も認められている相手方の催告権の行使（民20条）によって，取消しをするかどうかを確定させる必要が生じるが，この方法では，最終的に取消権が行使されるかどうかが確定さ

れるまでの間は事実上手続を進行できないこととなり，訴訟手続の円滑な進行を阻害することになる。このように，ある行為が有効ではあるが取消し可能であるという規律は，訴訟手続に適した規律とはいえない。そのため，訴訟能力欠缺の効果は，実体法上の行為能力の場合とは異なり，訴訟行為の当然無効とされているのである。

　もっとも，訴訟能力を欠く者による訴訟行為について，当該訴訟手続内においてすぐに不備を改めることが可能であるにもかかわらず，これを直ちに確定的に無効としてしまうと，当事者としては，はじめから訴えを提起しなおすことなどを余儀なくされ，時間と費用を無駄にすることになる。そこで民訴法は，訴訟能力の欠缺が発見された場合においても，その瑕疵を当事者に治癒させる余地を認めている。具体的には，裁判所は，もし訴訟能力の欠缺を発見した場合には，まず，一定の期間を定めて，その補正を命じなければならない（34条1項）。ここで補正とは，法定代理人など当事者のために有効に訴訟行為をすることができる者に出頭させ，それまでの手続についての**追認**を促すとともに，以後有効な訴訟行為がされるよう確保させることを意味する。もし，追認がなされれば，それまでの手続は遡って有効となる（34条2項）。これに対して，もし追認がなされない場合には，従前の訴訟行為の無効が確定的なものとなる。追認は，それまでの手続を不可分一体のものとしてするべきであり，訴訟無能力者に有利なもののみを追認し，不利なものの追認を拒むことは許されないと解されている（控訴審の終了後に，無権代理人による訴訟行為のうち控訴の提起のみを追認することは許されないものとした事例として，最判昭和55・9・26判時985号76頁がある）。追認権者の恣意的な判断によって相手方当事者の地位を害すべき理由はないからである。

　訴訟係属中に当事者が訴訟能力を喪失した場合には，手続はいったん中断し，法定代理人がこれを受継しなければならない（124条1項3号）。ただし，訴訟代理人がいる場合には，訴訟代理人に引き続き訴訟追行をさせることで本人の保護としては十分だと考えられるから，手続は中断しない（124条2項）（訴訟手続の中断については，⇨ **5-3-5-2**）。

4-3-3-5　訴訟要件としての訴訟能力

4-3-3-4で述べたように，訴訟能力は，第1次的には，個々の訴訟行為の有効要件として機能するが，訴えの提起や，訴状の送達の受領など，訴訟係属自

体を基礎づける訴訟行為について訴訟能力を欠く場合には，当該訴訟行為が無効となる結果，その訴え自体が不適法となることがある。この場合には，訴訟能力は，個々の訴訟行為の有効要件としてだけでなく，訴訟要件としても機能することになる（訴訟要件については，⇨第8章〔345頁〕）。また，被保佐人および被補助人を被告とする訴えに関しては，⇨4-3-6）。

なお，訴えが訴訟能力欠缺の結果として不適法とされる場合，不備が補正されないかぎり，その訴えは却下されることになるが，その却下判決については，訴訟無能力者または制限的訴訟能力者が自らの訴訟能力を主張して上訴することができると解されている。したがって，上訴審が原審と同様訴訟能力の欠缺を認める場合であっても，上訴の不適法却下ではなく，上訴棄却の判決をすべきことになる。これは，訴訟能力の有無について争う機会を本人に保障するためである。

また，訴えが訴訟能力の欠缺により不適法であることを看過して訴訟無能力者または制限的訴訟能力者敗訴の本案判決がされた場合においても，同様に，これらの者自身が上訴をし，または再審の訴え（338条1項3号）を提起して，当該判決の取消しを求めることができると考えられている。

4-3-4 未成年者

未成年者については，民法上行為能力が制限されており，それに対応して，訴訟能力も制限される。もっとも，4-3-3-4で述べたような訴訟手続の特質から，制限の内容は，民法の規律と若干異なっている。

民法上は，未成年者は，法定代理人の同意を得れば，自ら法律行為を行うことができ（民5条1項），同意がない行為は，取り消すことができる（民5条2項）。これに対して，訴訟能力に関しては，未成年者は原則として自ら訴訟行為をすることができず，法定代理人によらなければならない（31条本文）。これは，訴訟行為の効力を法定代理人による同意の有無に係らしめると手続の円滑な進行を阻害するおそれがあること，また，訴訟手続は実体法上の法律行為よりも専門性や技術性が高く，未成年者を保護する必要も大きいことから，民法上の規律とは異なって，訴訟法上は，未成年者を完全な訴訟無能力者とする趣旨である。したがって，未成年者が自らした訴訟行為は，訴訟無能力者のした行為として，未成年者が成年に達した後に自ら追認するか，法定代理人によ

る追認がされない限り（34条2項），無効である。

　法定代理人となるのは，親権者（28条，民824条）または未成年後見人（28条，民838条1号・839条〜841条・859条）である。法定代理人の権限等に関しては，⇨ **4-4-2-3**。

　以上に対して，自ら営業をすることを許可された未成年者など（民6条1項），民法上，未成年者が独立して法律行為をすることができるとされている場合には，未成年者に訴訟能力が認められる（31条但書）。

　また，婚姻や認知など，人の身分の変動をもたらす行為については，通常の財産関係と比較して，本人の意思を尊重する必要がより大きいことから，民法上，行為能力の制限は適用されないものとされている（民738条・780条など）。このことに対応して，離婚の訴えや認知の訴えなど，人事に関する訴え（人訴2条）については，民訴法31条の規定は適用されず（人訴13条1項），未成年者本人の訴訟能力が認められる。ただし，未成年者が意思能力を欠く場合には，自ら訴訟行為をすることはできず，法定代理人によるほかない。

4-3-5　成年被後見人

　成年被後見人も，未成年者と同様，訴訟法上は訴訟無能力者とされる（31条本文）。したがって，成年被後見人が自らした訴訟行為は，後見開始の審判が取り消された場合には本人により，そうでない場合には法定代理人によって追認がされない限り，無効である（34条2項）。

　法定代理人となるのは，民法に従い（28条），成年後見人である（民859条）。

　人事訴訟においては，未成年者の場合と同様に，民訴法31条の規定の適用が除外されていることから（人訴13条1項），成年被後見人自身に訴訟能力が認められることになる。もっとも，成年被後見人が自ら有効に訴訟行為をするためには意思能力を備えていることが必要となるが，成年被後見人が事理弁識能力を欠く常況にあることを前提とすれば（民7条），意思能力が肯定される場面はごく限られたものとなる。

4-3-6　被保佐人および被補助人

4-3-6-1　保佐人等の同意による訴訟行為

　民法は，被保佐人が訴訟行為をするには，保佐人の同意を得なければならな

い旨の明文規定を置いている（民13条1項4号）。また，被補助人に対しても，家庭裁判所は，訴訟行為をするには補助人の同意を得なければならない旨の審判をすることができる（民17条1項）。これらの点については，民訴法に特別の定めが置かれておらず，したがって，被保佐人および訴訟行為につき同意を必要とする審判を受けた被補助人（以下，この項目において「被保佐人等」と呼ぶ）は，保佐人または補助人（以下，この項目において「保佐人等」と呼ぶ）の同意を得ることを条件として，自ら訴訟行為をすることができることになる（28条）。このように，被保佐人等は，自ら訴訟行為をすることができない訴訟無能力者とは異なるが，同意が条件とされる点で，完全な訴訟能力者とも異なる。そのため，一般に，これらの者を**制限的訴訟能力者**または**制限的訴訟無能力者**と呼んでいる。こうした取扱いは，これらの者における事理弁識能力の障害が成年被後見人の場合ほど深刻なものではなく，したがってその保護の必要性も比較的小さいことに対応している。

なお，民法上は，同意を得なければならない行為であるのに同意を得ていない場合には，当該行為を取り消すことができるものとされるが（民13条4項・17条4項），訴訟行為の場合には，同意欠缺の効果は，既に述べた訴訟無能力の場合と同様に，当該行為の無効である。もっとも，訴訟無能力の場合と同様に，補正が可能であり，被保佐人等が訴訟追行について保佐人等の同意を得た後に従前の訴訟行為を追認する場合には，訴訟行為は遡って有効となる（保佐人等の同意は，34条1項・2項にいう「訴訟行為をするのに必要な授権」に含まれる）。

保佐人等による同意は，個々の訴訟行為に対するものではなく，少なくとも当該審級における手続の全体にわたる包括的なものでなければならない。個別の訴訟行為ごとにいちいち同意の有無を問題にしなければならないこととなると，訴訟手続の円滑な進行を阻害するからである。ただし，訴えの取下げや和解など，判決によらないで訴訟を終了させる行為や，上訴の取下げなど，被保佐人等に不利な判決を確定させる行為については，その結果が重大であり，被保佐人等を害する危険性が高いことから，上記の包括的な同意とは別に，特別の授権が必要とされる（32条2項。なお，類似の規律として，訴訟代理権の範囲に関する55条2項がある。⇨ **4-4-4-3**）。保佐人等による同意や授権の存在については，判断の明確性を確保するため，書面で証明しなければならない（規15条）。

4-3-6-2 同意が不要な場合

以上が被保佐人等の訴訟行為に関する原則的な規律であるが，例外として，被保佐人等が相手方の提起した訴えや上訴について訴訟行為をする場合には，保佐人等の同意は必要でない（32条1項）。これらの場合に同意を要求すると，敗訴の見込まれる事件については同意を与えないという訴訟戦術が可能となり，相手方当事者の裁判を受ける権利を不当に害する可能性が生じるからである。結果として，被保佐人等が被告となる場合には，保佐人等の同意を要することなく訴訟追行をすることができることになる。もっとも，被保佐人等が被告として反訴を提起することは，新たな訴えの提起を意味するから，保佐人等の同意が必要である。

4-3-7 意思無能力者

意思能力とは，自己の行為の法的な結果を認識・判断することができる能力をいい，こうした能力を欠いたままでされた法律行為は，もはや行為者の自由な意思決定によるものと評価することができず，私的自治の原則を適用するための前提を欠くことから，民法上，無効とされる（民3条の2）。同様の考慮は，訴訟行為についても妥当する。**4-3-1**でも述べたように，訴訟行為もまた実体法上の権利義務関係に影響を及ぼすものであるし，また，行為の効果が行為者に帰属するということが，当該行為が行為者の意思決定によってされたものであることによって正当化される点においては，実体法上の法律行為であれ訴訟行為であれ，異なるところはないからである。したがって，たとえ他の点では訴訟能力を備えた者によってなされた訴訟行為であっても，その者が行為の時点において意思能力を欠いていた場合には，無効とされることになる（意思無能力を理由に控訴取下げが無効とされた事例として，最判昭和29・6・11民集8巻6号1055頁がある）。

4-4　訴訟上の代理

4-4-1　訴訟上の代理の意義と種類

4-4-1-1　訴訟上の代理制度の意義

　実体法において代理の制度が存在するのと同様に，訴訟法においても代理の制度が存在する。これを「**訴訟上の代理**」と呼ぶ。

　訴訟上の代理という制度が認められるのは，次のような理由に基づく。第1に，当事者が訴訟無能力者である場合には，自分で訴訟行為をすることができないから，代理人に訴訟追行を委ねざるを得ない。また第2に，当事者が訴訟能力を有する場合であっても，訴訟追行は専門的な知識や経験を必要とすることから，そうした知識や経験を持つ他人にそれを委ねることには合理性がある。

　訴訟上の代理を行う権限を与えられた者を，**訴訟上の代理人**と呼ぶ。訴訟上の代理人は，当事者本人の名において，自己の意思に基づいて，訴訟行為を行い，または訴訟行為の相手方となる者である。当事者本人の名において，という点で，自己の名において訴訟追行を行う訴訟担当者とは区別される（訴訟担当については，⇨**4-5**）。また，自己の意思に基づいて，という点で，単に当事者本人の訴訟行為を伝達する使者とも区別される。

　訴訟上の代理の規律については，手続の円滑な進行や安定といった訴訟手続特有の要請から，民法上の代理に対するさまざまな特則が設けられている。とはいえ，当事者本人の利益を保護する必要があることは，民法上の代理と変わりがない。そこで，訴訟上の代理をめぐる諸問題においては，手続の安定などの要請と，個々の当事者本人の利益とをどう調整するかが，議論の軸となる。

4-4-1-2　訴訟上の代理権の効果

　訴訟上の代理人が当事者本人のためにした訴訟行為の効果は，当事者本人に帰属する。これに対して，代理権が存在しない場合には，当該行為の効果は当事者本人に帰属せず，無効となる。したがって，訴訟係属の基礎となる行為について代理権を欠いていた場合には，訴えは不適法となる。ただし，追認は可能であり，代理権の欠缺を発見した場合，裁判所としてはそれまでの手続について補正を命じなければならない（59条・34条1項）。

他方で，当事者本人は，訴訟代理人を選任したからといって，もともと有していた訴訟能力（⇨ **4-3-3**）や弁論能力（⇨ **4-4-4-1**(2)）を失うわけではない。したがって，本人は，依然として自ら訴訟行為をし，または受けることができる（たとえば，訴訟代理人がいる場合であっても，期日の呼出状等の訴訟書類を本人に送達することは適法である。⇨ **5-3-2-4**）。

また，訴訟代理人が事実に関して陳述をした場合，当事者本人は，その内容を取り消し，または訂正することができる（57条）。これを，当事者の**更正権**と呼ぶ。事実関係については，訴訟代理人よりもむしろ当事者本人の方がよく知っていると考えられることから，本人の陳述をより尊重することにしたものである。

4-4-1-3　訴訟上の代理人の種類

訴訟上の代理には，さまざまな種類のものがある。

まず，法定代理と任意代理の区別がある。「**法定代理**」とは，代理人の地位が当事者本人の意思に基づくことなく特定人に与えられる場合をいい，「**任意代理**」とは，逆に，代理人の地位が，特定人をその地位につける旨の当事者本人の意思に基づいて与えられる場合をいう。

法定代理人には，成年後見人などのように，実体法の規定によって代理人の地位が与えられる場合と，民訴法の規定に基づく裁判所の選任によって代理人の地位が与えられる場合とがある（⇨ **4-4-2**）。

これに対して，任意代理人には，訴訟追行のために包括的な代理権を授与された者と，個々の訴訟行為についてのみ代理権を授与された者とがあり，前者をとくに「訴訟代理人」と呼ぶ。個々の行為ごとに代理権の有無を確認しなければならないとすると訴訟手続の円滑な進行が妨げられるおそれがあるため，任意代理としては訴訟代理が原則とされ，個別の訴訟行為かぎりの代理は例外的に認められるにすぎない（例として，送達受取人がある。104条1項）。訴訟代理人はさらに，個別的な訴訟委任によって代理人たる地位が発生する**訴訟委任に基づく訴訟代理人**（⇨ **4-4-4**）と，商法上の支配人のように，本人の意思に基づいて一定の地位についた者について，当然に代理権が認められる**法令上の訴訟代理人**（⇨ **4-4-5**）とに区別される。

なお，法定代理ではないが，法定代理の規定が準用されるものとして，**法人等の代表者**がある（37条。⇨ **4-4-3**）。

4-4-1-4 補佐人

期日に出頭して当事者のために陳述をする点で訴訟代理人と類似するが，代理人とは異なるものとして，**補佐人**の制度がある。補佐人は，裁判所の許可を得て，当事者または訴訟代理人とともに期日に出頭し（60条1項），当事者等の陳述を補足することを任務とする。利用される例としては，当事者または訴訟代理人が十分な知識を有していない分野の専門家を補佐人とする場合が考えられる。なお，弁理士が特許等に関する事項について補佐人として出頭する場合など，一定の専門職資格者がその職務に関する事項について補佐人として出頭する場合には，裁判所の許可が不要とされる（弁理士5条1項，税理士2条の2，社労士2条の2）。

4-4-2 法定代理

4-4-2-1 実体法の規定に基づく法定代理人

4-4-1-3で述べたように，**法定代理**とは，代理人たる地位が当事者本人の意思に基づくことなく特定人に与えられる場合をいう。民法上，制限行為能力者に対して，後見人（民859条）などの法定代理人が付されることがある。制限行為能力者のうち，未成年者および成年被後見人は訴訟無能力者とされ，法定代理人によらなければ訴訟行為をすることができないが，民訴法28条は，訴訟無能力者の法定代理については，民訴法に特別の定めがある場合を除き，民法の規律に従うものとしている。したがって，民法上，未成年者および成年被後見人の法定代理人とされる者は，訴訟法上も，法定代理人として訴訟行為を行うことができる。これには，未成年者の親権者（民824条）や成年後見人（民859条1項）など，通常の法定代理人のほか，そうした法定代理人が本人と利益相反の関係に立つ場合に裁判所によって選任される特別代理人（民826条・860条）も含まれる。

なお，訴訟無能力者でない者について民法上法定代理が認められる場合として，不在者の財産管理人（民25条・28条）や，保佐人や補助人に対して代理権を付与する審判がされる場合（民876条の4・876条の9）がある。この場合には民訴法28条の適用はないものの，訴訟上も法定代理人として訴訟行為をすることができると解される（124条5項は，このことを前提とした規定である）。

これらに対して，遺言執行者については，民法上は相続人の代理人とみなす

ものと規定されていたが（平成30年改正前の民1015条），訴訟法上は，法定代理人ではなく訴訟担当者になると解されてきた（⇨ **4-5-2-1**。最判昭和31・9・18民集10巻9号1160頁。訴訟担当については，⇨ **4-5**）。

4-4-2-2　訴訟法上の特別代理人

実体法の規定に基づいて選任される法定代理人とは別に，訴訟法によってとくに法定代理人の地位が認められる場合がある。これを，「**訴訟法上の特別代理人**」と呼ぶ。訴訟法上の特別代理人は，民訴法の規定に従い，個々の訴訟のために裁判所が選任する代理人である。

訴訟法上の特別代理人の代表例は，訴訟無能力者のための特別代理人である（35条。他の例として，証拠保全の相手方のための特別代理人がある。236条）。

訴訟無能力者に法定代理人がいなかったり，法定代理人が利益相反などで代理権を行使することができない場合，そのままでは，相手方当事者は，訴訟無能力者に対して訴え提起その他の訴訟行為をすることができない。この場合，本来は家庭裁判所において民法上の法定代理人を選任すべきであるが，それでは，遅滞により相手方当事者に損害が生じることがあり得る。そこで，緊急の措置として，受訴裁判所の裁判長が特別代理人を選任することを認めたのがこの制度である。したがって，この場合に特別代理人の選任を求めるためには，遅滞のため損害を受けるおそれがあることを疎明しなければならない（35条1項）。

このように，訴訟無能力者のための特別代理人の制度は，無能力者に対して訴え提起その他の訴訟行為をしようとする相手方を保護するための制度であり，無能力者保護のための制度ではない。したがって，特別代理人選任の申立権が認められるのは，規定上は相手方当事者に限られている（35条1項）。しかし，遅滞による損害が発生することは，無能力者の側にもあり得ることから，無能力者の親族など，無能力者側からの申立ても認めて差し支えない（最判昭和41・7・28民集20巻6号1265頁）。

4-4-2-3　法定代理人の権限

(1) 法定代理人の権限

実体法上の法定代理人の権限については，原則として，民法などの実体法の定めに従う（28条）。ただし，訴訟法上，いくつかの特則が置かれている。まず，成年後見人について後見監督人が選任されている場合には，成年後見人は訴訟行為について後見監督人の同意を得なければならないが（民864条・13条1

項4号），相手方の提起する訴えや上訴を受けるには，後見監督人の同意を要しない（32条1項）。法定代理人の側に，同意のないことをいいことに相手方の訴えや上訴を阻止することのできる地位を与える理由は，ないからである。また，後見人が訴え取下げや和解などをする場合には，後見監督人の個別の授権を要する（32条2項）。

訴訟無能力者のための訴訟法上の特別代理人の権限も，実体法上の法定代理人と同様であり，訴え取下げや和解などをする場合には後見監督人の授権が必要である（35条3項・32条2項）。後見監督人のない場合には，選任権者である受訴裁判所の裁判長からの授権を要すると解される。

法定代理権や上記の授権の存在については，書面で証明しなければならない（規15条）。

(2) 代理権の消滅

実体法上の法定代理人の権限の消滅についても，消滅事由については民法などの実体法に従い，本人や代理人の死亡などが消滅事由とされる。これに対して，消滅の効果発生の時点については訴訟法上特則があり，法定代理権の消滅は，相手方に通知しなければ効力を生じない（36条1項。なお，規17条参照）。民法の表見代理規定（民112条）の特則であり，通知がなされるまでは，相手方の善意悪意を問わず代理人の行為を有効として，代理権の存否をめぐる派生的紛争を防止し，手続の安定を図る趣旨である。ただし，代理人自身の死亡などにより，通知をなし得る者が存在しない場合には，通知をしなくても代理権消滅の効果が生じる。

4-4-3 法人等の代表者

法人や，法人格はないが当事者能力が認められる団体（29条）の場合，団体自身は法律上の存在にすぎず，自ら訴訟行為を行うことはできない。そこで，これらの者が当事者となる場合には，その代表者が訴訟行為をすることになる。こうした法人等の代表者の地位は，団体の機関としての代表であって，代理とは区別されるが，実質的には当事者が訴訟無能力の場合の法定代理と類似することから，法定代理の規定が準用される（37条）。したがって，その権限等については，法定代理について以上に述べたことが当てはまる。

法人等の代表者についてとりわけ問題となるのは，表見法理適用の可否であ

る。すなわち，法人を被告として訴える場合，訴状に法人に加えてその代表者の名前を表示し（37条・134条2項1号），代表者に対して訴状を送達する必要があるが（37条・102条1項），原告としては，法人の代表者が誰であるかは，登記をみて判断せざるを得ない。ところが，登記簿上の代表者が真の代表者でなかった場合，訴え提起その他の訴訟行為は，補正または追認がなされないかぎりすべて不適法となるはずである。しかし，この帰結は，登記に表示された外観に対する原告の信頼を害するものである。たしかに，一般論としては，真の代表者を通じて訴訟追行をするという法人側の利益は保護に値するものであるが，法人側が真実に反する登記を放置していた場合にまで，相手方の犠牲においてそうした保護を貫徹すべきかどうかは疑わしい。そこで，この場合には，実体法上の表見法理を適用して，外観を信頼した相手方を保護すべきではないかが問題となるわけである。

従来の最高裁判所の判例は，表見法理の適用を否定してきた（最判昭和41・9・30民集20巻7号1523頁，最判昭和45・12・15民集24巻13号2072頁）。その理由としては，第1に，表見法理は取引安全の保護を目的とするもので，取引行為と異なる訴訟行為には適用がないこと，第2に，商法24条は，表見支配人について，支配人と同一の権限を認めて善意の相手方を保護しているが，裁判上の行為をその適用範囲から除外しており，訴訟行為については相手方の保護を否定していることが挙げられる。

しかし，学説では，これに対して批判が多い。すなわち，訴訟行為は取引行為と異なる，という点については，訴訟行為に表見法理を適用しない積極的な理由とは言い難いこと，また，少なくとも取引関係に関する訴訟においては，訴え提起を取引関係の延長として理解する余地もあることが指摘されるし，表見支配人に関する規定も，登記を信頼した者の保護まで否定するものと考える必然性はないことが主張される。また，**4-4-2-3**で述べた民訴法36条は，代理権の消滅時点について，代理権があるという外観を重視した規律であり，表見法理と趣旨を共通にするものであることも指摘される。

訴訟行為だからといって一律に相手方の保護を否定することに合理的な理由があるとは考えにくいことからすれば，表見法理の適用を肯定する多数説が支持される。

4-4-4 訴訟委任に基づく代理人

4-4-4-1 弁護士代理の原則

(1) 弁護士代理の原則の意義

訴訟委任に基づく訴訟代理人とは，特定の事件ごとに委任を受けて，訴訟追行のための包括的な代理権を付与された者をいう。単に「訴訟代理人」という場合には，訴訟委任に基づく訴訟代理人を指すことが多い。訴訟委任に基づく訴訟代理人は，地方裁判所以上の裁判所においては，弁護士でなければならない（54条）。これを，**弁護士代理の原則**と呼ぶ。劣悪な代理人によって当事者の利益が損なわれるのを防ぐとともに，手続の円滑な進行を図る趣旨である。

比較法的には，こうした趣旨を徹底するため，すべての当事者に対して原則として弁護士による代理を要求する法制もある（弁護士強制主義）。日本法の母法であるドイツ法において採用されている立場であるが，日本法では，弁護士の数が伝統的に少なかったなどの背景からこれを採用せず，弁護士代理の原則を採用するにとどめて現在に至っている。

(2) 弁論能力

期日において現実に弁論をするために必要な能力を，**弁論能力**と呼ぶ。弁論能力は，裁判所や他の当事者等が通常の努力で了解することが可能な程度に明瞭な陳述を行う能力であり，当事者本人のほか，代理人および補佐人に対して要求される（155条）。

弁護士強制主義を採用しない結果として，現行法上は，当事者本人が，自ら訴訟を追行することが可能であるが（本人訴訟），このことは，弁護士でなくても，訴訟能力を有する当事者である限り，原則として弁論能力を認められることを意味する。しかし，当事者の中には，事案の複雑さや不安定な精神状態などの理由により明瞭な陳述をすることができない者もあり得，そうした者による弁論を認めると，手続が遅延し，司法制度の円滑・適正を損なうおそれもある。そこで，その場合には，裁判所は，当事者等が弁論能力を欠くものとしてその陳述を禁じるとともに，必要があれば，弁護士の付添いを命じることができる（155条1項・2項）。

もっとも，弁護士の付添いを命じたとしても，当事者が現実に費用を負担して弁護士を依頼してくれなければ意味がないし，他方で，付添命令に至る前の

段階で裁判所が弁護士選任を事実上勧めることなどによって解決する場合もあることから，実際に陳述禁止や付添命令が発されることはごくまれであるといわれている。

(3) 弁護士代理の原則の例外

簡易裁判所においては，弁護士代理の原則の例外が認められており，裁判所の許可があれば，弁護士でない者を訴訟代理人とすることもできる（54条1項但書）。もっとも，弁護士以外の者は，業として訴訟事件の代理をすることを禁じられているが（弁護72条），2002年の司法書士法改正により，一定の研修および法務大臣の認定を要件として，司法書士が簡易裁判所における訴訟代理等を業として行うことができるものとされた（司書3条1項6号）。この要件を満たす司法書士は，簡易裁判所の許可を要することなく，訴訟代理人となることができる（司書3条6項）。

また，弁理士は，特許関係訴訟など弁理士の業務に関連する類型の訴訟において，訴訟代理人となることができる（弁理士6条）。特許関係訴訟の専門性から認められた弁護士代理原則の例外である。

4-4-4-2 弁護士代理原則違反の効果

弁護士代理原則違反の効果が問題となる場合としては，①全く弁護士資格のない者が訴訟代理人として訴訟追行をする場合のほか，②弁護士が懲戒処分を受けている場合，③弁護士の訴訟追行が弁護士法25条に違反する場合が問題となる。これらの場合には，それぞれ，以後の手続をどのように取り扱うか，また，従前の訴訟行為を有効とするかどうか，という問題が生じる。

(1) 弁護士資格のない者による訴訟追行

まず，弁護士資格のない者が代理人となっている場合には，弁護士代理の原則の帰結として，弁護士以外の者が訴訟代理人として訴訟追行をすることは違法であるから，裁判所は，以後の手続からその者を排除しなければならず，相手方も，その者の手続からの排除を求めることができると解される。

この者が既に行った訴訟行為の効力については，争いがある。①弁護士資格の有無は弁論能力の問題にすぎないから，排除されるまでに行われた訴訟行為は有効だとする説，また，②弁護士資格の存在は代理権の発生要件であるうえ，弁護士代理の原則は司法制度の根幹に関わるものであるとして，当該訴訟行為を無効とし，追認の余地も否定する説もあるが，③判例は，弁護士資格の存在

を訴訟代理人の地位の前提条件だとしつつ、当該訴訟行為は、本人の追認がないかぎり、本人に対して効力を生じないとする（最判昭和43・6・21民集22巻6号1297頁。ただし、追認が認められた事例ではないことから、追認の可否については傍論と解する余地がある）。これに対して、④依頼者である当事者本人が弁護士資格のないことを知っていたかどうかによって区別し、当事者本人が悪意であった場合には、本人も、相手方当事者も（善意悪意を問わない）、ともに無効を主張できないとする見解も主張される。

当事者本人は、弁護士資格者による代理を受けることに利益を有するから、従前の訴訟行為を無条件に有効とすべきではないが、反面、本人が追認している場合にまで当該訴訟行為を無効とする理由はない。したがって、基本的には判例の考え方が支持される。もっとも、④の見解が指摘するように、本人が悪意の場合には、結果的に訴訟追行がうまくいかなかったからといって無条件で無効主張を認めると、相手方当事者を害することになる。したがって、本人による無効主張を信義則上制限すべき場合、また逆に、追認を制限すべき場合もあろう。しかし、相手方の無効主張をあえて排除する必要はなく、本人が追認をしない場合には、原則どおり無効主張を認めてよいと解される。

(2) 弁護士会の懲戒処分

本来弁護士の資格を有する者を訴訟代理人として選任している場合であっても、弁護士会の懲戒処分によって、その活動が制限される場合がある。こうした懲戒処分に関しては、さらに2つの場合が区別される。

第1は、懲戒処分の結果弁護士登録を抹消され、弁護士資格を有しなくなった場合である。

この場合については、当初から弁護士資格のない者が代理人となっている場合と同様に考えることができる。すなわち、その者は以後の訴訟追行からは排除され、資格喪失後の訴訟行為については、当事者本人による追認がないかぎり、無効として取り扱われることとなる（前掲最判昭和43・6・21）。

第2は、弁護士が、弁護士資格自体は失っていないが、懲戒処分によって業務停止となった場合である。懲戒処分としてはより軽い類型といえる。

判例によれば、業務停止となった弁護士は、以後の訴訟追行については、訴訟手続から排除されるべきであるが、業務停止期間中に既に行った訴訟行為は、なお有効であるとされる（最大判昭和42・9・27民集21巻7号1955頁）。その理

由とされるのは，第1に，業務停止処分を無視した弁護士についてはさらに弁護士会で処分すれば足りること，第2に，業務停止は弁護士資格そのものを奪うものではないから，訴訟行為が直ちに非弁護士の訴訟行為になるわけではないこと，第3に，弁護士の懲戒手続は公開されているわけではないし，処分が一般に広く周知徹底されているわけではないことから，従前の訴訟行為を無効とすると，相手方に不測の損害を与えるし，訴訟経済に反する結果となることである。

しかし，こうした考え方に対しては，業務停止を受けるような弁護士の代理を受けることが当事者本人の利益を害する場合があるのではないか，という疑問がある。したがって，業務停止の事実を知って遅滞なく異議を述べるかぎり，無効主張を認めてよいと解される。

(3) **弁護士法 25 条違反**

次に，訴訟代理人弁護士の活動が，双方代理に類する場合などについて弁護士が職務を行ってはならない旨を定める弁護士法25条の制限に違反した場合が問題となる。たとえば，かつて相手方当事者の依頼を承諾した事件について受任した場合である（弁護25条1号）。非弁護士による代理などの場合と異なって，現在の依頼者である当事者本人の利益のみでなく，むしろ相手方当事者の利益が問題となる点に特色がある。このことから，既に述べた場合とは若干取扱いが異なることになる。

判例の立場は，一般に異議説と呼ばれるものである（最大判昭和38・10・30民集17巻9号1266頁）。それによれば，まず，以後の訴訟追行については，当該弁護士を訴訟追行から排除すべきこととなる。これに対して，従前の訴訟行為の効力については，次のように処理される。すなわち，相手方当事者は，弁護士法25条違反の事実を知った場合には異議を述べることができ，異議が述べられた場合には，当該行為は無効となる。具体的には，相手方当事者としては，同条違反の訴訟行為を排除する裁判を求める申立権が認められ，裁判所は，この申立てについて決定の形式で裁判する（最決平成29・10・5民集71巻8号1441頁）。また，訴訟行為を排除する決定に対しては，自らの訴訟代理人の訴訟行為を排除された当事者は，即時抗告を提起して争うことができる（民訴25条5項類推。なお，訴訟代理人本人には即時抗告権は認められない。前掲最決参照）。これに対して，相手方当事者が違反について知り，または知り得べきであった

のに，遅滞なく異議を述べなかった場合には，後で無効主張をすることは許されない。不利な結論になった場合に限って異議を主張して従前の手続を覆す，という訴訟戦術を防ぐ趣旨である。折衷的な立場であるが，弁護士法25条の趣旨に照らせば妥当な解決といえよう。

なお，以上とは異なり，当該弁護士の訴訟行為が日本弁護士連合会の会規である弁護士職務基本規程57条に違反するものにとどまる場合には，その違反は，当該行為の効力に影響を及ぼすものではないとされる（最決令和3・4・14民集75巻4号1001頁）。

4-4-4-3 訴訟代理権の範囲

民法上の代理権の範囲は，代理権授与行為の解釈により定められるが，訴訟代理権の範囲については，民訴法に明文の規定が置かれている。

それによれば，訴訟代理人は，委任を受けた事件について，反訴，参加，強制執行，仮差押えおよび仮処分に関する訴訟行為をし，かつ，弁済を受領することができる（55条1項）。この規定は例示列挙であるとして，訴訟代理人の権限は，当該事件において当事者を勝訴させるために必要な一切の行為を含むと解するのが通説である。また，弁護士である訴訟代理人については，代理権を制限することができない（55条3項）。

このように訴訟代理人の代理権が包括的なものとして法定されている趣旨としては，手続の安定の要請と，弁護士資格を有する者に対する信頼という2つの点が指摘される。すなわち，訴訟手続は継続的・連鎖的に行われるものであることから，個々の訴訟行為についていちいち代理権の有無を確認することとなれば，訴訟手続の円滑な進行を害することとなるし，後に当該行為の適法性について争いが起こる可能性も大きくなる。そこで代理権の範囲を一律に，しかもある程度包括的に法定すべきだといえる。他方で，弁護士は，第1に，法律専門家として訴訟追行に関して適切な処置を行うことが期待できること，また第2に，厳格な職業倫理に服する者として当事者に対して誠実に職務を行うことが期待できることから，そのように広範な代理権を与えても当事者に不利益を生じるおそれは小さいとされるのである。

以上に対して，反訴の提起，訴えの取下げ，和解，請求の放棄・認諾，控訴・上告の提起など一定の事項については，この包括的な代理権に含まれず，当事者本人による特別の授権が必要であるとされる（55条2項）。勝訴判決を

取得するという授権の通常の意思を逸脱するものであること，あるいは，当事者本人に重大な結果をもたらす事項であることを理由とするものである。これらの事項を，**特別授権事項**と呼ぶ。

これらの特別授権事項のうち，和解については，その内容が多様であるうえ，訴訟物以外の権利義務関係を対象とすることが少なくないことから，いかなる内容の和解に代理権の範囲が及ぶのかが議論される（和解については，⇨ **10-2**）。判例は，訴訟物以外の権利義務関係であっても，訴訟物と一定の関連性を有する事項であれば，訴訟代理人弁護士の和解権限が及ぶとする考え方に立っている。この考え方によると，貸金請求訴訟において，被告所有不動産に対して抵当権を設定することを内容とする和解や（最判昭和38・2・21民集17巻1号182頁），訴訟物とはなっていないが，同一当事者間における一連の紛争から生じた請求権を放棄する内容の和解をすることも，訴訟代理人弁護士の代理権に含まれるものとされる（最判平成12・3・24民集54巻3号1126頁）。判例がこのように代理権の範囲を広く理解する背景には，一方で，訴訟物の枠にとらわれない柔軟な解決という和解の利点を最大限に生かすとともに，他方で，いったん成立した和解の効力をできるかぎり維持して法的安定性を確保する，という考慮が存在すると考えられる。これに対しては，訴訟物の範囲を超える権利の処分や義務の設定が当然に許されるとすれば，当事者本人の利益が害される危険が大きいとして，代理権の範囲を訴訟物に限定する見解もあるが，判例のような考え方を支持する見解が多数説である。

4-4-4-4　訴訟代理権の発生・消滅

(1) 訴訟代理権の授与

訴訟代理権の授与は，本人による代理権授与の意思表示によって行われる。代理人となる者との委任契約を伴うのが通常であるが，次の点で，委任契約とは区別される。まず，代理権授与行為は，単独行為であり，その有効性に対する疑義を防ぐため，訴訟行為の一種として，行為能力ではなく訴訟能力の規律に服する。また，同様の見地から，意思表示の相手方についても，代理人に限らず，裁判所または相手方当事者でもよいとする見解が有力である。相手方の主観に左右される表見代理の規律（民109条）を排除するためである。

(2) 訴訟代理権の証明

訴訟代理権を行使するためには，代理権の存在および範囲を，書面で証明し

なければならない（規23条1項）。代理権の存否に関する審査を簡易迅速に行うためである。したがって、代理行為の時点で書面による証明がないと認める場合、裁判所はその行為を無効として扱うことになる。しかし、既になされた代理行為について事後的に代理権が争われる場合には、他の証拠方法によって代理権を認定することも差し支えない（最判昭和36・1・26民集15巻1号175頁）。

(3) 訴訟代理権の消滅

民法においては、代理権は、本人または代理人の死亡や、代理権の原因となっている委任契約の終了によって消滅するものとされる（民111条・651条・653条）。これに対して、民訴法は、訴訟代理権の消滅事由について明文規定を置かず、一定の事由による訴訟代理権の不消滅のみを定めている（58条）。このことから、訴訟代理権の消滅事由については、民訴法28条のように民法の定めによる旨の明文規定はないものの、原則として民法上の代理権消滅事由に準じ、ただ、民訴法58条でその例外を定めることによって、民法の定める消滅事由の範囲を限定しているものと理解される。このように、民訴法が代理権の消滅事由を民法よりも限定しているのは、代理権を維持することによる訴訟手続の迅速化の要請と、弁護士資格を持つ者に対する高い信頼とを理由とする。

たとえば、本人の死亡は、民法上は代理権の消滅事由となるが（民111条1項1号）、訴訟代理権の消滅事由とはならない（58条1項。なお、中断・受継につき124条1項・2項）。これに対して、訴訟代理権の消滅事由になるものとして、代理人の死亡、破産、後見開始（民111条1項2号。破産は、弁護士資格の喪失事由にもなる。弁護7条4号）、弁護士資格または司法書士資格の喪失による代理人資格の喪失（54条1項）のほか、委任契約の終了事由（民111条2項）である委任事件の終了、委任者たる本人の破産（同653条2号。なお破44条参照）および委任契約の解除（民651条）がある。

訴訟代理権の消滅は、相手方に通知をしなければ、効力を生じない（59条・36条1項。なお、規23条3項参照）。法定代理権の消滅の場合と同様、代理権の存否に関して画一的な判断を可能とし、手続の安定を図るためである。

4-4-5　法令上の訴訟代理人

法令上の訴訟代理人とは、本人の意思に基づいて一定の法的地位につく者に対して法令が訴訟代理権を認めている結果として、当然に訴訟代理権を取得す

る者をいう。訴訟代理権の取得は法令の規定に基づくが，その基礎となる地位への就任が本人の意思に基づくものである点で，法定代理人ではなく，任意代理人に分類される。民訴法54条1項にいう「法令により裁判上の行為をすることができる代理人」が，これに当たる。たとえば，支配人（商21条，会社11条）は，営業主たる商人または会社に代わって営業に関する一切の裁判上または裁判外の行為をする権限を有するとされ，当該営業の範囲内においては当然に訴訟代理権を授与される。

　法令上の訴訟代理人については，訴訟委任に基づく訴訟代理人と異なって，弁護士資格を要求されないため，弁護士代理原則，さらに，報酬目的の場合には弁護士法72条を潜脱する手段になり得るという問題がある（同様の問題は，任意的訴訟担当についても指摘される。⇨ **4-5-3**）。そこで，もっぱら弁護士でない者に訴訟代理をさせる目的で，名目的に支配人等を選任した場合に，その者による訴訟行為をどのように取り扱うかが議論される。下級審裁判例は，こうした訴訟行為を無効とし，当事者による追認も許されないとするものが多い（仙台高判昭和59・1・20下民集35巻1〜4号7頁等）。法の禁止の潜脱を図るという本人側の主観的悪性と，禁止規定の公益性とを重視するものといえる。しかし，当事者間の利害状況を考えれば，無効主張を無制限に認めることには問題がある。とりわけ，もともと弁護士資格がないことを知っていた本人がたまたま訴訟追行がうまくいかなかったからといって無効主張をすることを認めることは，相手方の地位を不当に害することになる。したがって，本人からの無効主張は，原則として信義則に反すると解すべきである。逆に，本人による追認も常に認められると解すべきではなく，追認を制限すべき場合があることについては，弁護士資格のない代理人の訴訟行為の効力一般の場合（⇨ **4-4-4-2**）と，同様である。これに対して，法の潜脱を意図する本人側の主観的悪性を考慮すれば，相手方からの無効主張については，広く認めるべきであろう。このように，この問題に関しては，具体的な利益状況のもとで無効主張や追認が各当事者に及ぼす影響を踏まえたうえで，従前の訴訟行為の効力の有無を検討する必要がある。

4-5 第三者による訴訟担当

4-5-1 訴訟担当の意義と分類

「**第三者による訴訟担当**」とは，訴訟物である権利義務の主体とはされていない第三者が，その訴訟物について当事者適格を認められ（当事者適格については，⇨**8-5**），その第三者の受けた判決の効力が実体法上の権利義務の主体とされている者に対しても及ぶ場合（115条1項2号。⇨**9-6-9-2**）をいう。この場合，訴訟の当事者となる者を「**担当者**」と呼び，権利義務の主体とされている者を「**被担当者**」と呼ぶ。

訴訟担当は，ある者のした訴訟追行の効果が他の者に帰属するという点では，訴訟上の代理と共通する側面がある。しかし，代理の場合には，あくまで本人が当事者であり，代理人は当事者ではないのに対して，訴訟担当の場合には，逆に，担当者が自ら当事者となっており，被担当者は訴訟外の第三者にとどまる点で，両者は異なる。この違いは，訴訟手続において当事者の地位に結び付けられている各種の規律（⇨**4-1-3**）を，誰を基準として判断するかという点で意味を持つ。もっとも，いかなる場合が代理人に該当し，いかなる場合が訴訟担当者に該当するのかについては，必ずしも明確でない場合もあり，具体的な事例のいずれが訴訟担当に該当するかについては，多くの議論が存在する。

上記の定義にも表れているように，訴訟担当が認められる場合には，担当者が受けた判決の効力が，被担当者に及ぶものとされる。これは，被担当者に判決効が及ぶのでなければ，権利義務の主体とされる者との関係で紛争の解決が図られないこととなり（担当者の相手方当事者としては，担当者を相手として勝訴しても，権利義務主体とされる者との間で再度の応訴を強いられる危険がある），担当者を名宛人として本案判決をしても意味が乏しいことによる。このことから，訴訟担当が認められるのは，こうした権利義務主体に対する判決効の拡張が何らかの理由によって正当化される場合に限られることになる。そうした場合としては，権利義務主体とされる者の意思によらず，法令の規定に基づいて訴訟担当が認められる場合と，権利義務主体とされる者の授権に基づいて訴訟担当が認められる場合とがある。前者を**法定訴訟担当**，後者を**任意的訴訟担当**と呼ぶ。

4-5-2 法定訴訟担当

4-5-2-1 法定訴訟担当の諸類型

法定訴訟担当は，①担当者が，自己固有の権利の実現または保全のために，義務者ないし義務者に準じる者の権利関係について，法律上訴訟追行権が認められる場合と，②担当者が，その法律上の職務として他人の財産関係について管理処分権を与えられ，それに伴って訴訟追行権が付与されたり，あるいは法律上訴訟追行権のみが付与される場合とに大別される。これらのうち，①は，主として担当者の利益のために訴訟担当が認められる場合であることから，**「担当者のための法定訴訟担当」**と呼ばれ，②は，**「権利義務の帰属主体のための法定訴訟担当」**または**「職務上の当事者」**と呼ばれる。

もっとも，これら両者の区別は便宜的なものであり，いずれに分類されるかによって直ちに規律に差異を生じるという性質のものではないし，破産管財人など，両者のいずれに分類するかが争われる中間的な例も存在する。とはいえ，①の場合には，担当者と被担当者との間の利害の対立が顕在化しやすく，**4-5-2-2** で述べる債権者代位訴訟の場合のように，被担当者の利益保護のための手段を講じる必要性が高いなど，こうした分類は，解釈論上の一定の目安としての意義を有する。

(1) **担当者のための法定訴訟担当**

担当者のための法定訴訟担当の具体例としては，債権者代位訴訟（民423条・423条の6），債権質権者による取立訴訟（同366条），差押債権者による取立訴訟（民執155条・157条），株主代表訴訟（会社847条）などが挙げられる。

もっとも，これらのうち，株主代表訴訟は，前3者と異なって，担当者である株主が直接自己に対する給付を請求できるわけではない点で，担当者の利益のためという性格はより希薄である。逆に，前3者は，いずれも，担当者がその固有の利益のために訴訟追行をするという性格が濃厚であるが，そのことに着目して，法定訴訟担当ではなく，代位債権者や取立債権者がその固有の利益に基づいて当事者適格を有するものとする見解もある（代位債権者の取扱いについては，⇨ **4-5-2-2**）。

(2) **職務上の当事者**

職務上の当事者は，さらに，①権利義務主体の財産についての管理処分権を

職務上与えられる結果，訴訟物である権利義務についての管理処分権を有する場合と，②そのような管理処分権はなく，もっぱら担当者としての訴訟追行のみを委ねられている場合とがある。

①の例としては，破産管財人など，倒産処理手続における管財人（破80条，民再67条1項，会更74条1項）や保全管理人（破96条1項，民再83条1項，会更34条1項），遺言執行者（民1012条1項）などがある。これらの者は，裁判所の決定や遺言における指定に基づいて選任され，その職務として，ある程度包括的な財産の管理処分権を与えられる結果として，その財産関係の訴えについて，訴訟担当者としての当事者適格が認められる者である。

これらの者は，自己固有の利益に基づいて訴訟担当者となるわけではない点で，担当者のための法定訴訟担当とは区別されるが，たとえば，破産管財人はもっぱら破産者本人の利益を代弁するわけではなく，むしろ第1次的には破産債権者の利益を代表する面があるように，訴訟担当者と被担当者との間に，利害対立の契機が全く存在しないというわけではない。そのため，これらの者を職務上の当事者には含めない見解もある。

また，これらの者が訴訟担当者であるのか代理人であるのかについても，伝統的に議論がある。たとえば，破産管財人の法的地位については，かつては破産者代理説，債権者代理説，破産財団代表説などもあり，これらの見解によれば，管財人は訴訟担当者ではないことになる。しかし，これらの見解には，破産者と管財人との間の訴訟を説明しにくいこと，破産財団に法人格を認める規定がないことなどの難点があり，現在では，管財人を訴訟担当者とする点に異論はない。同様に，遺言執行者についても，法定代理人ではなく，訴訟担当者として訴訟追行をすると解するのが通説・判例である（最判昭和31・9・18民集10巻9号1160頁，最判昭和43・5・31民集22巻5号1137頁）。これは，遺言執行者は必ずしも相続人の利益のために行動するものではないため，代理人とするよりも自ら当事者の地位につくと考える方が，その職務の性格に合致していることによる。これに対して，相続財産管理人（民897条の2など）や相続財産清算人（同936条1項・952条1項）の地位については，学説上議論があるが，民法936条1項の相続財産清算人については，相続人の法定代理人であるとするのが判例である（最判昭和47・11・9民集26巻9号1566頁）。

次に，②財産管理処分権を伴うことなく，もっぱら訴訟追行のみを委ねられ

ている例としては，人事訴訟において，成年被後見人に代わって当事者となる成年後見人または成年後見監督人（人訴14条），海難救助料の債務者である船主や荷主に代わって救助料支払請求訴訟の被告となる被救助船の船長（商803条2項）などがある。前者は，成年被後見人は自ら訴訟追行ができないものの，人事訴訟は代理になじまないものと考えられることから成年後見人等が当事者とされるものであり，後者は，船主や荷主が遠隔地に所在したり，所在不明であったりする可能性を考慮したものである。これらの例は，いずれも，担当者がもっぱら被担当者の利益のために訴訟追行をするものである点に特徴がある。

なお，人事訴訟において，本来の被告適格者である身分関係の主体が死亡している場合においてもなお訴訟を可能とするために，検察官が被告とされることがあり（人訴12条3項），これも職務上の当事者といわれる。もっとも，この場合には，本来の権利義務主体は既に死亡して存在しないため，典型的な訴訟担当とは異なる面もあるが，相続人等の関係者を実質的な被担当者とみることも可能である。

TERM ⑦ 職務上の当事者

職務上の当事者という用語は，元来ドイツ法の概念に由来するものである。ドイツ法においては，破産管財人などの財産管理人の有する管理処分権の法的性質について，代理説等の見解を克服していわゆる職務説が通説化したことに伴って，これらの財産管理人による訴訟追行を職務上の当事者と称し，法定訴訟担当の事例として位置付けるに至った。本文での用語法も，これに従ったものである。これに対して，日本においては，本文でも指摘したとおり，担当者と被担当者との間の利害関係の対立の有無に着目し，そうした対立が想定されない場合を職務上の当事者と呼ぶことが多いが，語の元来の意味からは，かなり離れた用語法ということになろう。

すこし詳しく 4-4　遺言執行者の当事者適格

▶遺言執行者は，遺言の内容を実現するため，相続財産の管理その他遺言の執行に必要な一切の行為をする権利義務を有する者とされる（民1012条1項）。しかし，そうした権限に基づいてどの範囲で当事者適格が認められるかについては，相続開始によって直ちに遺産に属する財産の所有権を取得する受遺者や相続させる旨の遺言における受益相続人の当事者適格などの問題と関連して，議論が多い。判例も錯綜した状況にあるが，遺産に属する財産の保全や回復のための訴えについては，遺言執行者と受遺者等とがいずれも原告適格を有するとされる（最判昭和30・5・10民集9巻6号657頁〔仮処分申立

て〕，最判昭和62・4・23民集41巻3号474頁〔第三者異議の訴え〕，最判平成11・12・16民集53巻9号1989頁〔真正な登記名義回復のための移転登記請求〕）。また，被告適格については，受遺者が遺贈の対象とされた不動産の移転登記請求を求める訴えの被告適格は登記名義人である相続人ではなく，遺言執行者のみにあり（最判昭和43・5・31民集22巻5号1137頁），遺言無効を理由として相続による共有持分権の確認を求める訴えについても，遺言執行者が被告適格を有するとされている（最判昭和31・9・18民集10巻9号1160頁）。

4-5-2-2　債権者代位訴訟の取扱い

前述のように，法定訴訟担当の中でも，担当者のための訴訟担当の場合には，担当者と被担当者との間の利害が本来対立する関係にあるから，担当者が被担当者の利害を十分に反映して訴訟追行をすることは必ずしも期待できない。そのため，この場合には，被担当者の利益をどのように保護するかという点が重要な問題となる。そうした事例の典型として，これまで盛んに議論されてきたのが，債権者代位訴訟の取扱いである。

すなわち，債権者代位訴訟は，代位債権者が，債権者代位権という実体法上の権能を基礎として，債務者の第三債務者に対する権利を訴訟物として，債務者に代わって訴訟追行をするものであり，法定訴訟担当の一種とされてきた。そして，伝統的な通説に従えば，法定訴訟担当である以上，担当者である代位債権者の受けた判決の効力は，有利・不利を問わず，被担当者である債務者に当然に及ぶものとされる。しかし，とりわけ代位債権者の請求を棄却する判決の効力が被担当者に及ぶことが十分に正当化できるかどうかについては，疑問が生じる。そこで，学説では，この点について，以下のような各種の見解が提唱されてきた。

第1の見解は，法定訴訟担当を，債権者代位訴訟のように，担当者と被担当者の利害が対立する対立型と，破産管財人のように，担当者が被担当者を含む利害関係人の利害を吸収する立場にある吸収型とに類型化し，吸収型の場合には，担当者の受けた判決の効力が有利にも不利にも被担当者に及ぶのに対して，対立型の場合には，担当者の受けた判決が有利な場合にのみ被担当者に判決効が及ぶとするものである。この見解によれば，債権者代位訴訟の場合，代位債権者の請求を棄却する判決の効力は被担当者である債務者には及ばないこととなるから，被担当者の利益が害されるという結果は生じないこととなる。反面，第三債務者の立場からみると，代位債権者に対して勝訴したとしても，再度債

務者からの提訴があれば，それに対する応訴が強いられるという点では，問題があるし，代位債権者に対して敗訴した場合には，債務者との関係でも不利益な判決効に拘束されるという点でも，公平に反するのではないかという疑問が生じる。

　第2の見解は，債権者代位訴訟における代位債権者は，もっぱら自己の固有の利益のために訴訟追行をするのであるから，これを訴訟担当とみることは適切でなく，むしろ，第三者の権利の確認訴訟などの場合と同様に，固有の当事者適格に基づいて訴訟追行をする者であるとする。この見解によれば，訴訟担当でない以上，代位債権者の受けた判決の効力が債務者に及ぶことはないことになり，債務者の利益は十分に保護されることになる。もっとも，この帰結については，第1の見解についてと同様に，第三債務者の二重応訴の負担という問題が生じる。そこで，この見解においては，さらに，第三債務者としては，債権者代位訴訟に債務者を引き込むことができるものとされる。そして，第三債務者が債務者を代位訴訟に引き込んだ場合には，債務者も訴訟当事者となるから，第三債務者勝訴の判決がされれば，債務者もそれに拘束されることとなり，第三債務者は二重応訴の負担を免れるとされるのである。

　これに対して第3の見解は，債権者代位訴訟が法定訴訟担当であること，代位債権者の受けた判決の効力が有利にも不利にも債務者に及ぶことを前提としつつ，代位債権者による訴訟担当が認められるための条件として，代位訴訟の提起について，債務者に告知することを要求するというものである。この見解によれば，債務者としては，告知を受けることによって代位訴訟の係属を知り，代位訴訟に参加して自己の利益を主張できることとなる。また，第2の見解と異なり，第三債務者としては，とくに債務者の引込みというような措置をとるという負担を課されることなく，二重応訴の危険を免れることになる。

　第2の見解と第3の見解は，いずれも，債務者の手続保障と第三債務者の二重応訴の危険の回避とを両立させようとするものといえる。しかし，第2の見解は，代位債権者の登場という第三債務者に何ら責めを帰すべき事情のない事態に対する対応の負担を第三債務者に負わせるという点で，問題がある。

　このように考えると，第3の見解が最も妥当である。平成29（2017）年民法改正により，代位訴訟を提起した債権者は債務者に対して遅滞なく訴訟告知をしなければならないものとされたのは（民423条の6），第3の見解に沿ったも

のである。なお，代位債権者による訴訟告知の懈怠の効果については議論があるが，こうした訴訟告知によって債務者に手続関与の機会が与えられることが債務者への判決効拡張を正当化すると考えられることからすれば，債務者への訴訟告知を欠く場合には，代位債権者の当事者適格は否定されると解すべきであろう。

4-5-3 任意的訴訟担当

4-5-3-1 任意的訴訟担当の意義

任意的訴訟担当とは，権利義務の帰属主体とされる者からの授権に基づいて，第三者に訴訟担当者としての当事者適格が認められる場合をいう。訴訟信託と呼ばれることもあるが，信託法上の信託とは異なるものであるから，適切な用語ではない。

民訴法が明文で任意的訴訟担当を認めている場合として，**4-5-4** で触れる選定当事者（30条）の場合がある。また，他の法律によって認められる場合として，区分所有建物の管理者の職務に関する訴え（建物区分26条4項），債権回収会社（サービサー）による債権の管理・回収に関する訴え（債権管理回収業に関する特別措置法11条1項）の場合などがある。

4-5-3-2 任意的訴訟担当の適法性

(1) 問題の所在

法令上明文で認められている場合には，その要件を満たす限り任意的訴訟担当が許されることに問題はない。これに対して，そのような明文規定のない場合に任意的訴訟担当が許されるか，許されるとして，どの範囲で許されるかについては，議論がある。

任意的訴訟担当は，権利義務の帰属主体とされる者が自ら他人に訴訟追行を委ねている場合であるから，この場合に担当者の受けた判決の効力を被担当者に及ぼすことについては，大きな問題はないと考えられてきた。このことを前提とすれば，本案判決の必要性・実効性からみる限り，授権を受けた第三者に当事者適格を認めても差し支えないはずである。

それにもかかわらず，任意的訴訟担当の適法性について議論が生じるのは，次のような事情による。第1に，これを無制限に認めると，弁護士代理の原則（54条1項本文。⇨ **4-4-4-1**）や信託法における訴訟信託の禁止（信託10条）のよ

うに，権利義務主体以外の第三者による訴訟追行を制限する規律が潜脱されるおそれがある。すなわち，これらの規律は，一方では，訴訟手続の円滑な進行という訴訟制度運営者や相手方当事者の利益に関わるとともに，他方では，いわゆる三百代言といった職業の発生を一般的に防止し，資格制限によって専門的能力と高い職業倫理が確保された弁護士による訴訟代理の基盤を保障するという点で，訴訟制度の他の利用者の利益にも関わるものであることから，権利義務主体による任意の処分を許さない強行法規と解されている。にもかかわらず，任意的訴訟担当を無制限に認めると，実質的にこうした立法趣旨に反する結果が生じると考えられるのである。

第2に，権利義務主体による授権があるだけで，担当者の受けた判決の効力を被担当者に及ぼしてよいか，という点も，実は自明とはいえない。**9-6-9** でも述べるように，判決効は，当事者として手続保障を与えられた者だけに及ぶのが原則であり，単に判決効を受けることに同意した第三者に対して当然に判決効が及ぶといったことは，想定されていない。そうだとすると，任意的訴訟担当の場合においても，単に授権があるというだけで当事者としての手続保障に代替し得るのかどうかについては疑問が生じるのである。こうした観点からは，授権があるだけでなく，授権の合理性を基礎づけるような事情の存在や，判決効の拡張によって被担当者が不当に害されることのないような条件の確保が問題になる。

第3に，相手方当事者としても，当事者が権利義務主体ではなく担当者だということになれば，訴訟費用の負担者などの点で，不利益を受ける可能性があり，この点からも，授権についての合理的な必要性が要求されることになる。もっとも，この点に関しては，ドイツ法のように弁護士費用を訴訟費用に含まない日本法のもとでは，致命的な問題ではないとか，被担当者を当事者に準じた地位にある者として扱うことによって，解釈上問題点を回避できるといった指摘もある。

以上のような事情から，任意的訴訟担当がどのような場合に許容されるのかについては，さまざまな議論がされてきたのである。

(2) 学　説

学説においては，伝統的には，権利義務主体がその管理処分権限を他人に授権することについて正当な業務上の必要があれば許されるとし，その例として

講の管理人や労働組合による組合員のための訴訟担当を挙げる見解（正当業務説）が通説であった。しかし，その後，通説を批判する見解として，いわゆる実質関係説が登場した。

　実質関係説は，担当者が代理人ではなく当事者として訴訟追行をすることの意義がどこにあるか，という問題関心から出発し，代理人は本人の利益を追求すべきであるのに対して，当事者としての訴訟追行は，必ずしもそうした制約を受けない，という点に着目したものである。その結果，この見解においては，正当業務説が主として権利義務主体の側の必要性に着目するのと異なって，担当者側の利益を正面から考慮することとなる。具体的には，①担当者自身が訴訟の結果について補助参加の利益と同様の利害関係を有している場合（主として，権利が移転過程にある場合における前主による訴訟担当が想定される），②担当者が権利関係の発生・管理に現実に密接に関与し，権利主体と同程度に権利関係について知識を有する場合，③緊急避難的な場合，に任意的訴訟担当が認められるとされる。この見解は，学説上一定の支持を得たものの，任意的訴訟担当を基礎づける担当者の利害関係と補助参加の利益が一致するといえるか，②の場合に代理人ではなく当事者としての訴訟追行が許されることを説明できるか，といった問題も指摘される。

　その後も，学説上は，基本的には後述する裁判例の一般論を前提として，その適用範囲の広狭について，種々の見解が提唱されている。こうした学説上の議論においては，①権利義務主体の側の必要性・要保護性，②訴訟物，言い換えれば権利義務主体の実体法上の地位と，担当者の実体法上の地位の関連性といった点に着目されることが多いが，とりわけ②の点については，担当者の実体法上の地位を重視するか，それとも，たとえば担当者が事実上事件に精通しているとか，相手方との交渉に中心となって関与してきたといった事情でも足りるとするかなどについて，立場が分かれている。こうした考え方の相違を背景として，学説は，結論としても，実質関係説のように比較的広く任意的訴訟担当を許容するものと，裁判例のようにより慎重な立場を支持するものとに分かれている。

(3) 裁 判 例

　裁判例は，かつては，民法上の組合の清算人による訴訟追行に関して，選定当事者の規定によらない限り任意的訴訟担当は認められないとするなど（最判

昭和37・7・13民集16巻8号1516頁)，任意的訴訟担当の許容性について厳格な立場を示すものがあったものの，現在では，①弁護士代理の原則および訴訟信託の禁止の規律を回避・潜脱するおそれがなく，②任意的訴訟担当を認める合理的必要がある場合には，許されるものとしている（最大判昭和45・11・11民集24巻12号1854頁。前掲最判昭和37・7・13を変更したものである）。

　判例の示す2要件はごく一般的なものにとどまり，その適用基準についてはさらなる具体化が必要であるが，前掲最判昭和45・11・11が，民法上の組合の業務執行組合員による任意的訴訟担当がこれらの要件を満たすとするにあたって，業務執行組合員が組合規約に基づいて実体上の財産管理権や対外的業務執行権を授与されていることを重視する一方，訴訟追行そのものについての授権については具体的に認定していないことに照らすと，判例は，任意的訴訟担当を許容するにあたって，担当者の実体法上の地位・権限を重視しているとみることが可能である。逆に，そうした実体法上の基礎が薄弱な者に対して訴訟追行のみを授権する場合には，上記2要件を満たすとは言いにくいことになろう。

　判例上，実際に任意的訴訟担当が認められてきた例としては，無尽講，頼母子講といった講の管理者（講元）が講の掛金等に関する訴訟において訴訟追行する場合（大判昭和11・1・14民集15巻1頁，最判昭和35・6・28民集14巻8号1558頁等），民法上の組合の業務執行組合員（前掲最大判昭和45・11・11）が挙げられる。このように，裁判例で任意的訴訟担当が認められた事例は，団体などの構成員の1人が担当者となった場合がほとんどであり，外部の者に対する授権については，慎重な態度がとられてきた（たとえば，区分所有者個人に帰属する不当利得返還請求権について，管理組合が訴訟追行をする合理的必要は認められないとする東京地判平成14・6・24判時1809号98頁など参照)。したがって，前述した実質関係説などの一部の学説と比較すると，任意的訴訟担当の許容に対して慎重な立場をとるのが従来の裁判例の傾向であった。もっとも，近時においては，被担当者と担当者の地位が明確に異なる事案において，任意的訴訟担当を許容する判例も出現しており（最判平成28・6・2民集70巻5号1157頁。外国国家の発行にかかる円建て債券の償還等請求訴訟について，債券管理会社による任意的訴訟担当が認められた事案)，授権の基礎となる法律関係の性質や担当者の属性によっては，外部者による任意的訴訟担当も許容される余地があることが示されている。

4-5-4 選定当事者

4-5-4-1 選定当事者制度の意義

「**選定当事者**」とは，共同の利益を有する多数の者が，その中から全員のために当事者となるべき者を選定し，その者に訴訟追行をさせることを認める制度である（30条）。この場合，選定する側を**選定者**，選定されて当事者となる者を**選定当事者**と呼ぶ。選定者の選定行為を基礎として，選定当事者が，選定者のための訴訟担当者として訴訟追行をするものであるから，任意的訴訟担当の一種である。共同の利益を有する多数の者がそのまま共同訴訟人として訴訟追行をするのでは，手続の進行が複雑かつ負担の重いものとなることから，当事者を少数の者に絞ることによって，訴訟手続の単純化を可能とした制度である。

4-5-4-2 選定の要件

選定をするためには，選定者と選定当事者とが，ともに共同の利益を有する多数者（2名以上で足りる）に属することが必要である（30条1項）。ここで，共同の利益を有するとは，38条の共同訴訟の要件を相互に満たす者であって，主要な攻撃防御の方法を共通にするものであれば足り（大判昭和15・4・9民集19巻695頁，最判昭和33・4・17民集12巻6号873頁），必要的共同訴訟の要件や，38条前段の要件を満たすことは必要ない。訴訟手続の単純化というメリットが認められるのは，後者のような場合に限られないからである。具体的には，共同所有者，同一事故の多数の被害者，主債務者とその保証人などが挙げられる。

もっとも，以上の例外として，共同の利益を有する多数者が29条にいう法人でない社団を構成する場合には，社団による訴訟追行が可能であることから，選定当事者制度の適用はないとされている（30条1項）。しかし，任意的訴訟担当の許容性が相当程度認められている今日においては，このような制限に合理性は乏しく，29条の社団に実体法上の権利能力が認められないことによる種々の不都合を考慮しても（⇨ **8-6-2**），この規律の当否には問題がある。

選定行為は，自己の（または自己に対する）請求についての訴訟追行を委ねる旨の選定者の選定当事者に対する意思表示（書面による証明を要する。規15条後段）であり，選定者による単独行為である。特定の訴訟について個別的にされ

る必要があり，任意的訴訟担当一般の場合と異なり，多数決による授権や包括的な授権では足りないと解されている（最判昭和37・7・13民集16巻8号1516頁参照）。選定は，原告側，被告側を問わず可能であり，また，訴訟係属の前後を問わず可能である。もっとも，訴訟係属後の選定の場合には，既にその訴訟の当事者となっている者を選定すべきであり，共同の利益を有するからといって，訴訟当事者となっていない者を選定することは許されないと解される。そのような選定は，上記の選定当事者制度の趣旨に反するからである（30条2項・3項も，既存当事者の選定のみを文言上想定しているものと解される）。なお，旧法下においては，訴訟係属後の選定は，既存の共同訴訟人によるもののみが定められていたが，現行法では，多数の関係人の存在する紛争の解決手段として選定当事者制度を活用することをねらって，訴訟外の第三者が係属中の訴訟の当事者を選定当事者として選定すること（**追加的選定**）を認めている（30条3項）。

4-5-4-3　選定後の手続

　訴訟係属前の選定は，通常は選定当事者が原告として訴訟追行することを想定したものであるが，その場合，選定当事者が選定者の請求についても当事者適格を取得し，自己の請求と選定者の請求とを併合して訴えを提起することになる。これに対して，被告としての訴訟追行を想定した選定の場合，選定者が被告適格を失うかどうかが問題となる。選定行為の趣旨，訴訟係属後の選定の場合の取扱い（選定者は訴訟から当然に脱退する）との均衡を考えると，選定者は被告適格を失うものと解される。しかし，相手方である原告の知らないうちに選定行為がされたことによって，選定者を被告とした訴えが不適法とされるのでは，原告の保護に欠ける結果となるから，36条2項を類推して，訴訟係属前に選定の通知をしない限り，選定の効果は生じないものと解すべきである（訴訟係属後の選定の場合には，共同訴訟人のみを選定できると解されるから，このような問題は生じない）。

　訴訟係属後の選定の場合には，既存当事者による選定であれば，選定者は当然に訴訟から脱退し（30条2項），以後，選定当事者のみが当事者として訴訟追行することになる。この場合，当事者の変動に合わせて請求の趣旨を訂正する必要がある。また，第三者による追加的選定の場合には，それまでの訴訟において第三者の請求は訴訟物となっていないから，選定当事者（または相手方

当事者）によって，選定者のための（または，選定者に対する）請求が追加される必要があり（144条1項・2項），選定行為だけで直ちに請求が追加されるわけではない。この請求の追加は，口頭弁論の終結時まで可能であるが，これによって著しく訴訟手続を遅滞させたり，不当と認められる場合には，認められない（144条3項・143条1項但書・4項）。控訴審における請求の追加には，相手方当事者の同意が必要である（300条3項）。

　選定当事者は，選定者の（または選定者に対する）請求について，一切の訴訟行為をすることができる。訴訟代理人の場合と異なり（55条2項参照），訴えの取下げや訴訟上の和解，請求の放棄・認諾等についても，特別の授権を受けることなく可能であるとともに，そうした権限を個別に制限しても，無効であると解されている（和解につき，最判昭和43・8・27判時534号48頁）。

　選定当事者の地位は，選定の取消しまたは選定当事者の死亡によって消滅するが，選定の取消しの効果は，相手方に対する通知によってはじめて生じる（36条2項）。なお，選定当事者の死亡の場合，選定当事者の相続人は，選定当事者固有の請求については当事者としての地位を承継するが，選定者のための訴訟担当者の地位を承継するわけではない。選定当事者がその資格を失った場合，他に選定当事者があればその者が訴訟を続行するが（30条5項），ない場合には，選定者は，自らの請求について当事者の地位に立ち，以後の訴訟を自ら追行することになる。

第5章
審理の原則

5-1 審理の方式
5-2 訴訟行為
5-3 審理手続の進行

5-1 審理の方式

5-1-1 民事訴訟における口頭弁論の意義

5-1-1-1 口頭弁論の概念

　民事訴訟における「口頭弁論」という語の定義や整理の仕方は論者によって異なるが，次のように，3つの異なる観点から用語法を整理するのが適当である。すなわち，①審理の方式としての口頭弁論，②手続の時間的・場所的空間としての口頭弁論，③当事者等の訴訟行為としての口頭弁論である。そして，②と③の各観点からは，「口頭弁論」という語に広狭いくつかの意味がある。ここでは，これらの3つの観点から，「口頭弁論」の概念について確認しておこう。

【観点①】　審理の方式としての口頭弁論

　民事訴訟の審理は，当事者が裁判所に裁判の基礎となる資料を提出し，裁判所がそれを調べる手続である。民事訴訟の審理の方式には，大きく分けて口頭審理と書面審理とがあり，法律に基づいて一定の基本原則（とくに，双方審尋主義，公開主義，口頭主義，直接主義）に従って行う口頭審理の方式を「口頭弁論」という。このように「口頭弁論」は，民事訴訟における一定の審理の方式を指

すものとして用いられている。これらの基本原則の内容については、**5-1-2** で説明する。

　民訴法87条1項本文は、民事訴訟で、判決をするためには、これら一定の基本原則が妥当する口頭弁論という方式で審理をしなければならないという「必要的口頭弁論の原則」を定めている。この規定は、表現上は③の観点である当事者の行為としての口頭弁論を定めるが、実質的には、口頭弁論という上記の基本原則に従った一定の方式による審理の必要性を定めるところに重要性がある（⇨ **5-1-1-2**）。160条3項は、口頭弁論には遵守すべき一定の方式があることを前提にしている。

【観点②】　手続の時間的・場所的空間としての口頭弁論

　次に、観点②は、民事訴訟の手続が実施される時間的・場所的な空間（場面）を表す用語法である。一定の期日（93条参照）が「口頭弁論期日」かどうか、また、その期日に裁判所と当事者が実施している手続が「口頭弁論」の手続かどうかという区別を主として念頭に置く。そして、この観点からの「口頭弁論」（当該期日やその期日の手続が「口頭弁論」に含まれるかどうか）の理解や法文上の用法には、広狭各種の意味がある。

　まず、観点②からの最広義の「口頭弁論」は、当事者および裁判所が、観点①の意味での一定の方式によって訴訟行為を行うすべての時間的・場所的空間（場面・手続）の意味で用いられ、当事者の訴訟行為である申立てや攻撃防御方法の提出をする場面のほか、証拠調べを実施する場面や判決言渡しをする場面もこの意味での口頭弁論に含まれる。条文では、87条の2第1項・148条1項・150条・154条1項・160条1項の「口頭弁論」がこの意味である（160条を受けた規66条・67条も同様。証人や当事者本人の尋問をする期日や判決言渡しをする期日の調書も「口頭弁論調書」であり、実務上そのように表示されている）。

　他方、弁論準備手続（168条以下）や書面による準備手続（175条以下）は、観点①のような一定の方式に則って行われるわけではないので、この最広義の「口頭弁論」に含まれず、裁判の基礎とするためには、その結果を口頭弁論で陳述するなどの手続が必要である（173条・177条参照）。

　次に、この最広義の口頭弁論から判決言渡しの実施される場面を除いた意味で「口頭弁論」という語が用いられることがあり（149条・151条・152条〔「判決の併合」という概念は「口頭弁論の併合」と区別される〕、153条・155条・158条・

251条1項・253条1項4号)，これを広義の口頭弁論という。また，憲法82条2項とこれを受けた裁判所法70条は「**対審**」のみを非公開にすることができ，「判決（の言渡し）」は必ず公開しなければならないという趣旨であるので，民訴法91条2項の「口頭弁論」は，この意味での「対審」に対応する広義の口頭弁論ということになる。証拠調べもこの（広義の）口頭弁論期日に行われるのが原則である。したがって，証拠調べ手続も公開が原則であり，これを前提として，その例外として，非公開手続を定めた人訴法22条，特許法105条の7，不正競争防止法13条等がある。ただし，裁判所外でする証拠調べ（185条），および，大規模訴訟における受命裁判官による証人等の尋問（268条）は，いずれも口頭弁論に特有の方式を備えていないので，最広義でも口頭弁論の手続には含まれない（前者は，公開の法廷で行われず，また，受命裁判官または受託裁判官によって行われる場合は受訴裁判所によって行われるものでもない。後者は，受訴裁判所によって行われるものではない)。

　広義の口頭弁論のうち争点および証拠の整理に機能を特化させた口頭弁論が準備的口頭弁論である（164条～167条。⇨ **6-2-2-2**)。準備的口頭弁論以外の通常の口頭弁論のことを本質的口頭弁論ともいう。

　広義の口頭弁論は，複数の期日にわたって実施されることが多いが，それらの期日に審理がされた結果が一体となって，判決の資料となる。これを「**口頭弁論の一体性**」という。

　さらに，広義の口頭弁論から，証拠調べの手続を行う時間的・場所的空間（場面）を除いた，当事者の申立てや攻撃防御方法の提出のみを行う場面を指して，「口頭弁論」ということがある。これが狭義の口頭弁論である。この狭義の口頭弁論を行う期日と区別して，証人尋問や当事者本人尋問を主として行う期日を実務上「証拠調べ期日」と称することがある。182条の定める集中証拠調べの原則（⇨ **5-1-3-2**，**7-5-1-1**）は，このような証拠調べ期日を1回，2回等の少ない回数に抑え，実効的かつ集中的に証人および当事者本人の尋問を行うべきことをいう（なお，そのほかに鑑定人質問を実施する期日も「証拠調べ期日」に含まれるが，182条の規定にいう集中証拠調べの原則の対象には含まれない)。

　なお，裁判所外においては，広狭いずれの意味でも口頭弁論をすることはできず，証拠調べのみをすることができる（184条・185条)。

【観点③】　当事者等の訴訟行為としての口頭弁論

「口頭弁論」という語は，当事者や裁判所の訴訟行為（⇨ **5-2**）という観点（観点③）からも用いられる。この観点から，口頭弁論は，観点②からの最広義，広義，狭義の各場面（期日）に行われるべき当事者と裁判所の訴訟行為を意味する。したがって，最広義では裁判所の判決言渡しが含まれ，広義では証拠調べが含まれるが，通常は，狭義の口頭弁論に対応して，当事者による申立ておよび攻撃防御方法の提出を意味するものとして用いられる。

「（当事者が）口頭弁論をする」または「弁論をする」という語は，当事者が一定の裁判を求める申立てをしたり，事実や法律上の主張をしたり，証拠の申出をしたりすることを意味するわけである。弁論主義のうちの主張原則（いわゆる第1テーゼ。⇨ **7-1-1-3**）について，裁判所は「**弁論**」に現れた事実でなければ裁判の基礎にしてはならないと表現されることがあるが，この場合の「弁論」は，ここでいう当事者の訴訟行為としての狭義の口頭弁論を意味する。当事者による証拠の申出もこの意味での「弁論」に含めて理解するのが通常であるが，証拠調べの実施までは含まないので，裁判の基礎にできるのは「弁論」（狭義の口頭弁論）に現れた事実に限られるという言い方ができるのである。

観点②からの広義の口頭弁論についての「口頭弁論の一体性」は，観点③からは，ある訴訟行為がどの期日においてされたかによってその訴訟行為の価値は影響を受けないという「**口頭弁論の等価値性**」を意味することになる。ただし，これは，当該訴訟行為が有効であることが前提である。遅い時期にされた訴訟行為が，時機に後れた攻撃防御方法の提出であるとして却下されることはあり得る（⇨ **6-2-5-2**）。

5-1-1-2　口頭弁論の必要性

(1)　必要的口頭弁論

87条1項本文は，当事者が訴訟について裁判所において口頭弁論をしなければならないと定める。当事者の行為という観点（**5-1-1-1**の観点③）からの定めとなっているが，当事者に口頭弁論をする義務があるわけではなく，裁判所が当事者に口頭弁論をする機会を与えなければならないということである。このことは，実質的には，民事訴訟においては，一定の基本原則（その内容は**5-1-2**のとおり）に基づく口頭弁論の方式（観点①からの口頭弁論）によって審理をしなければならないということを意味する。また，裁判所は，観点③のよう

な当事者の口頭弁論の機会を確保するために，観点②にいう狭義の口頭弁論の時間的・場所的空間を設定しなければならないという説明も可能である。

民事訴訟においては，一定の基本原則に従った方式である口頭弁論を経ることが，審理の手続的な公正さ（2条参照）や正統性を基礎づける。このような口頭弁論の方式をとることは，憲法32条，82条1項の要請でもある。判決は，それが確定すれば当事者間の実体的な権利義務や法律関係の存否に最終的な決着をつけることになるので（そのことについては，確定判決の効力に関する⇨ **9-4-3-3**，既判力に関する⇨ **9-6**），その基礎となる審理手続には一定の基本原則に基づく口頭弁論が必要的なものとされるのである。

このように判決手続において口頭弁論が必要とされること，または，そのことに基づいて実施される口頭弁論の手続を「**必要的口頭弁論**」という。実体的な権利義務や法律関係を対象とする本案判決について必要的口頭弁論が妥当するのみならず，訴訟要件を欠いて訴えが不適法であることを理由とする訴え却下判決（訴訟判決）をするにも，原則として口頭弁論は必要的である。それは，当事者が訴訟を利用できるかどうかについて裁判所が最終的な判断を示すからであると説明できるだろう（ただし，後述(3)のように，78条本文，140条等の一定の場合には口頭弁論を経ずに訴え却下判決が可能であるとされている）。

なお，必要的口頭弁論の対象となる判決手続でも，審理のすべてが口頭弁論の手続で行われなければならないわけではない。憲法82条1項の要請を満たすために審理の基本的部分は公開の法廷で口頭弁論の方式で行われなければならないが，争点および証拠の整理について弁論準備手続（168条以下）が用いられ，そこでは事実の主張や書証の取調べが可能である（170条参照。173条によりその結果が口頭弁論で陳述される）など，民訴法が口頭弁論以外の審理手続を定めている場合がある。もっとも，口頭弁論以外のこういった手続でも，当事者の手続保障を十分に図るために，口頭弁論における基本原則は，その性質に応じて遵守ないし尊重すべき要請が働く。

(2) **任意的口頭弁論**

これに対して，決定で完結すべき事件は，迅速な処理を要し，当事者間の実体的な権利義務や法律関係の確定をもたらすものでもないことから，簡易な手続でも足り，口頭弁論が任意的とされている（87条1項但書）。これを「**任意的口頭弁論**」といい，口頭弁論の方式による審理の手続（**5-1-1-1**の観点①の意味）

をとるかどうか，すなわち観点②の広義の口頭弁論期日を開くかどうかは，裁判所の裁量に委ねられている。

ここでいう決定で完結すべき事件には，移送（16 条〜20 条の 2），除斥（23 条），忌避（24 条），訴訟引受け（50 条・51 条），訴訟救助（82 条）の各申立てに係る事件等がある。決定で完結すべき事件のことを決定手続ということがある。他方，証拠の採否（181 条），時機に後れた攻撃防御方法の却下（157 条）等は，判決の内容を形成する判断の過程でそのような判断と密接な関係をもってされる決定であるので，口頭弁論の結果に基づいてされるものであって，ここでいう決定で完結すべき事件には当たらない。

なお，決定手続で口頭弁論をしない場合には，裁判所は当事者を審尋することができる（87 条 2 項）。「**審尋**」とは，当事者や利害関係人に対し，書面または口頭で，陳述をする機会を与えることをいう。審尋の手続には，口頭弁論に適用されるような基本原則の適用はない。一般的には，口頭審理，公開審理の必要がなく，当事者の一方のみを審尋することも適法とされることがある。実務上，決定で完結すべき事件で口頭弁論の手続が用いられることはまれであり，当事者等に陳述の機会を与える必要がある場合には，簡易な手続である審尋の方法によることが多い。この審尋を「口頭弁論に代わる審尋」と呼ぶことがある（335 条参照）。

(3) **必要的口頭弁論の例外**

必要的口頭弁論の原則については，法律で例外規定が置かれることがある（87 条 3 項参照。もちろん，そのような例外規定は，憲 32 条や同 82 条に反するものであってはならない）。そのような例外の定めとして，78 条，140 条，256 条，290 条，319 条，355 条，359 条がある。これらの規定は，いずれも，当事者に口頭弁論の機会を与える必要性が実質的に低いことなどを考慮したものである。

ところで，上告審においては，上告裁判所が，一定の要件があれば，口頭弁論を開かずに書面のみの審理に基づき，決定による上告の却下（317 条 1 項），決定による上告の棄却（最高裁判所に限る。高等裁判所ではできない。317 条 2 項），判決による上告の棄却（319 条）をすることができる（また，口頭弁論を経ない訴え却下判決をすることもできる。313 条・297 条が準用する 140 条）。他方，これら以外の裁判を判決によってする場合には，上告審についても他に特別な規定（87 条 3 項参照）はないので，87 条 1 項本文の原則に従う限り，口頭弁論を開く必

要があるということになる。近時の最高裁判所の裁判例では，以上の例外規定の要件に直接当てはまらない場合にも上告審で口頭弁論を経る必要がないとするものがあるが，その中には疑問があるものが含まれている（⇨ **13-3-7-2**）。

5-1-2 口頭弁論の諸原則

5-1-2-1 双方審尋主義

双方審尋主義は，当事者双方が，攻撃防御方法の提出（主張や立証）を十分に尽くす機会を平等に与えられることである。より具体的には，当事者が審理の場（そこには口頭弁論期日のみならず弁論準備手続等の口頭弁論以外の手続が行われる期日も含まれると解すべきである）に出席する機会を与えられ，かつ，出席した場合には攻撃防御方法を提出する権限を保障されるということを意味する。その趣旨は，当事者に十分な手続上の権限を保障し（手続保障），裁判の公正を実現し，訴訟の結果に対する当事者の満足・納得や，裁判制度に対する社会の信頼を確保することである。双方審尋主義によって裁判の正統性が認められるといってもよい。憲法上の権利でいうと，裁判を受ける権利（憲32条）の実質的保障を目的とする。民事訴訟における各種の審理原則の中で順序をつけるとすれば，最も重要な原則がこれであろう。

この双方審尋主義と同義で「**対審の原則**」という言葉がある。また，双方審尋主義は，「審尋請求権（審問請求権）」ないし「弁論権」（⇨ **1-2-3-2**(3)）を保障する手段である。

5-1-2-2 公 開 主 義

公開主義とは，訴訟の審理および判決の言渡しを一般公衆に公開すること，つまり，誰でもこれらの手続を傍聴できることをいう（一般公開主義）。憲法82条1項の要請である。公開主義違反は312条2項5号で絶対的上告理由とされる。

ただし，プライバシーや営業秘密の保護の観点から，一定の範囲で非公開審理手続が定められている（人訴22条，特許105条の7，不正競争13条等。憲82条2項本文に該当することから合憲であると解される）。また，訴訟記録（⇨ **5-3-1-6**）の閲覧については，秘密保護のための制限がされ得る（92条）。

これに対して，当事者公開主義は，当事者が攻撃防御を尽くすためには，相手方や裁判所の行為を含む審理の状況や訴訟資料の内容を認識する必要がある

ので，これらについて当事者が知り，手続に関与する機会を与えられなければならないということを意味する。双方審尋主義（⇨ **5-1-2-1**）を実質化するための原則である。そのため，一般公開主義の例外が認められる場合でも当事者公開主義の制限はできないことに注意が必要である（前述の非公開審理手続や 92 条の訴訟記録の閲覧等の制限も当事者には制限が及ばない）。当事者公開主義を制限せずに営業秘密等を保護するための方法として，秘密保持命令（特許 105 条の 4，不正競争 10 条等）の制度がある。また，当事者の保護のために，その当事者の住所，氏名等を相手方当事者が知ることができないようにする制度があり（133 条～133 条の 4。⇨ **2-1-3-2**(1)），この制度によって秘匿される事項については一般第三者も閲覧できない。

なお，文書提出義務の除外事由を判断するためのいわゆるインカメラ手続（223 条 6 項。⇨ **7-5-5-4**(5)(d)）では，当事者にも当該文書が開示されないが，これは，この手続が文書提出命令の当否のみに関わるもので，その手続に基づいて判決の内容となる判断がされるわけではないので，一般公開主義や当事者公開主義に直ちに反するものではないと解されている。

ところで，口頭弁論期日の手続は，裁判所が相当と認めるときは，当事者の意見を聴いて，当事者が現実に裁判所に出頭しなくても，映像と音声の送受信の方法（ウェブ会議システムを用いる方法）によって行うことができる（2024 年 3 月までに施行されると見込まれる改正による）。この場合も，手続は法廷で実施され，裁判官は法廷にいて，当事者の姿や陳述はモニターを通じて傍聴できるので，一般公開主義の要請を満たす。

5-1-2-3 口頭主義

口頭主義は，判決の基礎となる申立て，主張，証拠申出，証拠調べの結果は，裁判所に口頭で陳述ないし顕出されなければならないという原則である。反対概念として，書面主義がある。口頭主義は，**5-1-2-4** の直接主義と組み合わせられることで，裁判所が当事者の口頭での陳述を直接聴取することにより事件の内容（当事者の主張や争点）を明瞭に認識し，争いのある事実について新鮮な心証を形成することができるという長所を有している。その意味で，実体的真実に迫るのに優れた手続であるといえる。

ただし，口頭ですべてのことを行うことには，とくに複雑な事実関係に関する主張・説明や法律問題に関する精緻な議論のことを考えると，実際的に無理

があり，また，正確性や記録化の点で不都合なところもあるので，訴訟手続においては，書面が活用される場面が多く，とくに当事者の主張については準備書面（161条）が重要な機能を果たす。そして，口頭弁論の実情では，訴訟上の申立て，主張，証拠申出等は，期日において「訴状（または準備書面）に記載のとおり陳述する。」「証拠申出書に記載のとおり証拠を申し出る。」といった言葉のみでされる。これが「口頭主義の形骸化」をもたらす要因ともなっている（⇨ **6-1-1**）。現行民訴法では，その改正の際の議論等に照らすと，争点および証拠の整理のための準備的口頭弁論（164条以下）や弁論準備手続（168条以下）で，当事者や裁判所が口頭で活発にやりとりをすることが想定されているといえる。

　人証取調べとの関係では，証人や当事者本人は原則として書類に基づいて陳述することができないとされる（203条本文・210条）。他方，裁判所が相当と認める場合において当事者に異議がないときは，証人についていわゆる書面尋問の方式が可能とされている（205条。当事者本人については210条で準用されていない）。書面尋問が当事者に異議のない場合に限って許されるのは，反対尋問権（202条）に配慮したものである（なお，簡易裁判所においては278条で証人および当事者本人について，当事者の異議のないときという要件を必要とせずに，許容されている）。また，訴え提起後に当事者が係争事実に関して作成した文書もそれだけで証拠能力を否定されるものではないとするのが判例である（最判昭和24・2・1民集3巻2号21頁等）。いわゆる「陳述書」の活用については，ここに挙げたような条文との関係で適法性や妥当性が問題となる（陳述書については，⇨ **7-5-2-4**(7)）。

5-1-2-4　直 接 主 義

　直接主義とは，判決をする裁判官自身が直接，当事者の弁論を聴取し，証拠調べをするという原則をいう。その趣旨は，裁判官自身の認識を判決に直接反映できるようにすることで，事案の適切な把握や真実発見という意味で内容的に適正な判決がされるようにすることである。この効用は，前述（⇨ **5-1-2-3**）のように口頭主義と結び付くことでよりよく発揮されるとされている。「判決は，その基本となる口頭弁論に関与した裁判官がする。」との249条1項が直接主義を定めており，直接主義に違反して判決をしたことは，判決の手続の違法事由（306条）や絶対的上告理由（312条2項1号）となり（最判昭和33・11・4

民集12巻15号3247頁），再審事由（338条1項1号）にも当たる。

　もっとも，裁判官が交代した場合にすべての手続をやり直すことは予定されていない。民訴法は口頭弁論の更新により直接主義の建前を維持することとしており（249条2項。控訴審では296条2項），それは，実質的には間接主義に近い手続となる（しかも，実際の口頭弁論の更新手続では裁判所との間で当事者が「従前のとおり陳述する」ことを確認するのみである）。

　証人尋問については，249条3項が，一定数の裁判官が交代した場合に当事者の申出により再尋問をすべきことを定めている。

5-1-3　審理の効率化のための諸原則

　以上の **5-1-2** で挙げた4つが民事訴訟の審理における基本的な原則であり，これらを遵守しない場合には，手続が違法となることがある。

　ところで，このほかに，現行民訴法上，審理の効率化を図るための重要な原則（ただし，履践されなかったことが直ちに手続の違法をもたらすわけではない）として，適時提出主義（156条），集中証拠調べの原則（182条）および計画的進行主義（とくに2003年改正によって明文化された147条の2・147条の3）がある。

5-1-3-1　適時提出主義

　156条は，攻撃防御方法は訴訟の進行状況に応じ適切な時期に提出しなければならないとする「**適時提出主義**」を定める。旧民訴法では，攻撃防御方法の提出時期について，原則として口頭弁論の終結までいつでも提出することができるとする「随時提出主義」がとられていた（旧民訴137条。なお，随時提出主義に対立する原則として，攻撃防御方法をその種類に応じた一定の段階に提出しなければ提出できなくなるという「法定序列主義」ないし「同時提出主義」があり，かつてドイツでとられたことがある）。これに対し，現行法は，争点および証拠を整理したうえで真の争点について必要かつ適切な人証調べを集中的に実施することにより適正で充実した迅速な審理と裁判を実現することを目的として，当事者は攻撃防御方法を適切な時期に提出しなければならないとする適時提出主義をとることにしたのである。したがって，適時提出主義は，信義則（2条。⇨ **1-2-3-2(2)**，**5-2-3**），争点および証拠の整理手続（164条～178条。⇨ **6-2**），集中証拠調べの原則（182条。⇨ **5-1-3-2**，**7-5-1-1**）などと共通の目的に基づく。

　攻撃防御方法を提出すべき「適切な時期」がいつであるかは，具体的な事案

の「訴訟の進行状況に応じ」個々に定まるものである。一般論として述べるのは難しいが，たとえば，一方当事者の新たな主張に対する認否は当該期日または次の期日までにするのが適切であり，また，主張の変更は，その必要が生じた後，速やかにするのが適切であるということができよう。また，準備書面等の提出期間が162条によって定められた場合には，原則としてその期間が適切な時期ということになるが，裁判長による期間の定め自体も訴訟の進行状況に応じて適切なものであることがその前提となる。

ところで，口頭弁論は，期日が複数回にわたる場合であっても，一体ないし一連のものとして取り扱われるので（**5-1-1-1**の観点②で挙げた「口頭弁論の一体性」および**5-1-1-1**の観点③で挙げた「口頭弁論の等価値性」），判決の基礎になるかどうかという観点からは，訴訟行為がどの時期に行われたかは，原則として意味を持たない。もっとも，157条1項の「時機」については，156条の「適切な時期」と同じ判断基準によるべきであるので，156条にいう適時より後に提出された攻撃防御方法は，それが故意または重過失によるもので，訴訟の完結を遅延させるものであれば，157条1項によって却下されることになる（詳しくは，⇨ **6-2-5-2**）。

5-1-3-2 集中証拠調べの原則

182条の定める**集中証拠調べの原則**は，証人および当事者本人の尋問を，争点および証拠の整理が終了した後に集中して行うこととする原則である。争点および証拠が整理されたことを前提に，そこで浮かび上がった真の争点に関する事実の立証や反証に集中して，証人および当事者の尋問を1回または近接した数回の期日に，実効的かつ集中的に行うべきことをいう。集中証拠調べについて詳しくは，⇨ **7-5-1-1**。

なお，現行法上の集中証拠調べの原則とは違う意味で「集中審理主義」という言葉がある。これは，裁判所が複数の事件を審理する場合に，そのうちの特定の事件について数回にわたる期日を集中的に指定して審理を実施し，その終了後に他の事件の審理をするという方法をとる原則であり，継続審理主義ともいう。これに対して，裁判所が，特定の事件については期間を置いた期日を断続的に実施することで，複数の事件を併行して処理するという方法をとることを「併行審理主義」という。これらの区別に関しては，現行の民事訴訟の審理では併行審理主義がとられている。

5-1-3-3 計画的進行主義

　現行民訴法は，裁判所および当事者は，適正かつ迅速な審理の実現のため，訴訟手続の計画的な進行を図らなければならない（147条の2）と定めている。これは，2003年の民訴法改正（平15法108）により追加された条文であり，この改正では第2編第2章として「計画審理」という章が加えられ，同条と，「審理の計画」に関する147条の3が置かれた。147条の2が定めるように，適正かつ迅速な審理の実現のために計画的に訴訟手続を進行させるべきことを**「計画的進行主義」**と呼ぶことができる。もっとも，計画的に訴訟手続を進行させるべき要請は，2条の迅速の要請や信義誠実の原則等により，この改正の前から働いていたといえる。計画審理や計画的進行主義については，これらの条文を中心に，**6-3-2**で取り上げる。

5-2　訴訟行為

5-2-1　意義と種類

5-2-1-1　訴訟行為の意義

　「訴訟行為」とは，訴訟手続において訴訟の主体が行う行為であって，訴訟法上の効果を発生させるものをいう。

　訴訟行為は，当事者（ここでは，当事者のほか，補助参加人，法定代理人，訴訟代理人，補佐人を含む）によるものと裁判所（ここでは，受訴裁判所，裁判長，陪席裁判官，受命裁判官，受託裁判官，裁判所書記官等を含む）によるものとに大別される。

　以下の記述からも明らかなように，訴訟行為として意識的に問題となるのは当事者の行為である。当事者の訴訟行為は，実体法上の私法行為と対照的に位置付けられるが，訴訟行為への実体法規の適用も問題となる（⇨ **5-2-2-3**）。

　なお，裁判所による訴訟行為として，期日の指定等の訴訟指揮に係る行為（⇨ **5-3-1**），送達（⇨ **5-3-2**），裁判（⇨ **9-1-2**）等がある。

> **TERM ⑧ 攻撃防御方法**
> 「攻撃防御方法」（156条〜157条の2等参照）とは，当事者が自己の申立ての内容を理由づけるために提出する一切の訴訟資料（主張資料と証拠資料。⇨ **7-**

1-1-1, *7-1-1-3*, ❶15）および法律上の主張をいう。原告が提出するものを「攻撃方法」，被告が提出するものを「防御方法」という。146条1項は，反訴の要件のうち関連性については被告が提出する防御方法との間で認められればこれを満たすという趣旨である。

5-2-1-2　当事者の訴訟行為

当事者の訴訟行為は，まず，裁判等の裁判所の判断を求めることを目的とする行為と，裁判所の判断を要せずにそれ自体で訴訟法上の効果を発生させる行為とに分類される。

前者の裁判所の判断を求める行為には，訴えの提起（134条1項）をはじめとする各種の「**申立て**」（⇨ *5-3-4*）と「**主張**」（⇨ *7-2-1*）とがある。「**申立て**」は裁判その他の裁判所の訴訟行為を求めることを目的とする当事者の訴訟行為であり，「**主張**」は申立てを理由づけ，または，理由のないものとするために当事者が裁判所に判断資料を提出する訴訟行為である。申立てや主張も，それのみで裁判所の判断義務を生じさせるという効果を発生させるが，これらの本来の目的は裁判所の一定の判断を求めるものであり，裁判所の判断は，その行為の適法性の有無と，その内容の理由の有無についてされる。証拠の申出（180条）も「申立て」の一種であるが，訴えという申立てについての攻撃防御方法の提出という意味では「主張」と同様の意味を持つ。

他方，後者の裁判所の判断を要せずに効果を発生させる行為の例としては，訴えの取下げ（261条），訴訟上の和解（89条・267条参照），請求の放棄・認諾（266条），裁判上の自白（179条）等がある。これらも，その有効性が争われれば，効力の有無を確定させるために裁判所の判断が必要となる。その判断内容は，一定の効果が生じているかどうかの確認である。これらの行為のうちで，直接にその内容に沿った訴訟法上の効果を発生させることを目的とする意思表示を「**訴訟法律行為**」という。

> **TERM ⑨ 申　出**
> 民訴法上，当事者の訴訟行為である「**申出**」という言葉は，本文で挙げた「証拠の申出」のように，裁判所の判断を求める「申立て」と同じ意味に使われることがある。これに対し，「申出」には必ずしも裁判所の直接の判断を求めないものもあり，たとえば，同時審判の申出（41条1項・2項）がそれに当たる。補助参加の申出（43条）は，異議（44条1項）が出れば裁判所が参加の許否を判断する必要が生じるが，異議が出なければ裁判所の判断を要しないの

で,「申立て」とは異なるところがある。独立当事者参加の申出（47条2項）は，訴えと同じ性質を持ち，参加申出人の請求について裁判所の判断を求めるという意味で,「申立て」に当たるといってよい。文書の表示や趣旨を明らかにすることを求めるよう要求する申出（222条1項後段）は，裁判所の判断を要求するものではないが，一定の権限行使の契機となるものである。

5-2-2 訴訟行為と私法行為

5-2-2-1 訴訟行為と私法行為の区別

当事者の訴訟行為は，当事者が法的効果を発生させる行為であるという意味で，当事者（私法上の法主体）の行為であって実体法上の効果を発生させるもの（私法行為）と共通の性質を有する。これと同時に，訴訟法上の効果か実体法上の効果かという点では対照的である。

たとえば，訴えの提起は，これを受けた裁判所に原則として判決をもって応答すべき訴訟法上の義務を発生させる訴訟行為である。また，訴えの提起は，それらのみならず時効の完成猶予という実体法上の効果をも発生させる（147条，民147条1項1号。⇨ 2-4-1-2）。このように実体法上の効果を持つものであっても，本来的な効果が訴訟法上の効果であるものは訴訟行為であるとされている。訴訟外で私法上の契約（売買，貸金等）に伴って管轄の合意（11条）がされることもあるが，管轄の合意も本来的な効果は訴訟法上のそれであり，訴訟行為である。

訴訟行為か私法行為かの区別をする実益は，当事者の一定の行為について，私法行為を規律する実体法上の規定を適用すべきかどうかが問題になったときに，訴訟法的な特別の考慮をする必要があるかどうかを分けるところにある。訴訟法に当該行為の要件や効果を規律する直接の規定がある場合には，このような問題は発生しない。たとえば，訴訟行為は，私法行為とは異なり，書面によらなければ効果が生じないことも多いが，それは訴訟関係法規の定めにより規律されている。しかし，一定の行為の要件または効果について，訴訟法以外のルールに規律の基準を求めなければならなくなったとき，民法その他の実体法上のルールをそのまま適用してよいかどうかが問題となり得る。

5-2-2-2 訴訟に関する合意の効力

「**訴訟に関する合意**」とは，現在または将来の訴訟に関し，訴訟手続や訴訟

追行の方法等に関して当事者がする合意をいう。訴訟に関する合意について，当事者の合意の効果を訴訟法上どのようなものと取り扱うべきかという問題がある。

　民事訴訟は，国家によって運営され，大量の事件を全体として適正，公平，迅速，経済の要請（これらの基本理念につき，⇨ **1-2-3-2**(1)）を満たすように処理すべき制度である。たとえば，ある事件の手続に過度の時間を要するならば，これが他の事件の処理に影響し，現在または将来の訴訟当事者に不利益が及ぶ。したがって，訴訟手続は，民訴法等の訴訟法規の定めに従って統一的な方式で進められる必要があり，個々の事件において裁判所や当事者が任意に手続を定めることは，原則として許されない。これを「**任意訴訟の禁止の原則**」という。訴訟に関する合意の効力の有無は，この任意訴訟の禁止の原則との関係で問題となり，この原則のもとでは，たとえば訴訟手続の進行方法について当事者が合意しても，そのような契約は裁判所を拘束せず，その意味で当該合意は効力を有しない（このことについては，その例外も含めて，**5-3-1-1** と **5-3-4** でさらに説明する）。

　しかし，訴訟法上の当事者主義である処分権主義や弁論主義が妥当する事項については，当事者の意思を尊重しても，訴訟法規の趣旨や公益に反しない場合が考えられる。そこで，処分権主義や弁論主義の妥当する範囲内の事項については，その内容が合理的かつ明確なものであれば，ほかに無効事由がない限りは，当事者の合意が有効と認められることになる。ここで「有効である」ということの意味は，訴訟法上，裁判所を拘束したり裁判所の判断資料になったりすることを中心に考えるのが相当である。当事者間の効力，たとえば当事者間で合意違反による債務不履行責任が生じるかどうかは，訴訟法上の効果を考えるうえではあまり意味がない。

　このような観点から有効とされる「訴訟に関する合意」の具体例としては，明文で許容されているものを含め，不起訴の合意，仲裁合意（仲裁13条）（以上の2つは，訴え却下の理由としての抗弁事項となり得る。仲裁合意につき，仲裁法14条。⇨ **8-2-3**），管轄の合意（11条。⇨ **3-2-2-1**(3)），不控訴の合意（⇨ **13-2-7-1**），訴え取下げの合意（⇨ **10-1-3-3**），上訴取下げの合意，自白契約（ある事実の存在を認めて争わない旨の合意。裁判上の自白については，⇨ **7-3**），証拠制限契約（⇨ **7-4-2-4**）といったものである。

> **TERM** ⑩ 「訴訟に関する合意」と「訴訟契約」
>
> 「訴訟に関する合意」と同じ意味で「訴訟契約」という言葉が使われることもある。これは、広義で「訴訟契約」という語が用いられているものと理解できる。これに対し、狭義の**訴訟契約**は、実体法上の効果の発生を内容とする法律行為の一種としての実体法上の契約（私法契約）の対語であり、合意の内容に応じた訴訟法上の効果を直接発生させようとする行為のことをいう。したがって、本文で述べた「訴訟に関する合意」がすべて狭義の訴訟契約に当たるとは限らない。また、訴訟契約は、「契約」という語が使われていても、実体法上（民法上）の「契約」とは異なる。「訴訟に関する合意」が直接訴訟上の効果を発生させるもの（訴訟契約）かどうかは、個々の合意の性質に応じて検討する必要がある。たとえば、訴え取下げの合意は、**10-1-3-3**で述べるように訴訟行為（訴訟契約）なのか私法行為（私法契約）なのかに争いがあり、本書は私法行為であるとする趣旨の判例に従うが（その意味で、訴訟契約ではないと理解する）、訴訟手続に関して当事者がする合意であって、それが訴えの適法性に関する裁判所の判断資料となるという意味で「訴訟に関する合意」の一種であると理解する。なお、「訴訟上の合意」という語は、広義・狭義ともに「訴訟契約」と同じ意味で使われることがあり、広義の「訴訟上の合意」は「訴訟に関する合意」と同じ意味になる。

5-2-2-3 訴訟行為についての実体法規適用の有無

訴訟行為は、通常、他の訴訟行為を前提としたり後に予定したりしており、一連の訴訟手続の一環をなすので、手続の安定や明確性のために、実体法による規律とは別の考慮が必要となる。以下、実体法上の各種規定について概観する。

行為能力に関する民法の規定の適用については、たとえば、親権者の同意を得て未成年者がした管轄合意や不控訴合意の効力について、訴訟能力制度の規律（31条本文により無効。⇒**4-3-4**）によるか、民法上の行為能力制度の規律（民5条1項・2項の解釈により確定的に有効）によるかが問題になる。これについては、制限行為能力者にとって保護がより厚い訴訟能力制度によるべきであろう。

意思の欠缺・瑕疵に関する規定（民93条～96条）については、①訴訟手続内で行われ、一連の手続の起点または通過点となる行為の場合には、手続の安定を考慮して適用が認められないが、②他方、訴訟前または訴訟外でされる訴訟行為や訴訟を終了させる訴訟行為には、手続の安定等の要請が低いので、適用を認めるという考え方が強いとみられる。

公序良俗違反（民90条）については，法秩序一般に通ずるものとして訴訟行為にも適用されるべき場合があると解されている。

訴訟当事者である法人の代表者に関して表見代理の規定が適用されるかどうかについては，⇨ **4-4-3**。

5-2-3 訴訟行為と信義則

民訴法2条は，民事訴訟について公正迅速の原則と**信義誠実の原則**（**信義則**）とを定める。このうち信義則は，種々の法領域にわたって関係者間の法律関係を規律する一般原則であり，民事訴訟における法律関係も例外ではない（⇨ **1-2-3-2**(2)）。2条の明文の規定をまたずに，信義則は妥当するものである（このような明文の規定のなかった旧法下でも信義則の適用を認めた裁判例は多かった）。

一般条項である同条のほかにも，訴訟の種々の場面について信義則を具体化したものとみられる規定がある（たとえば，157条・157条の2・159条1項・3項・163条・167条・174条・178条・224条・230条・244条・263条・298条2項・301条2項・303条，規53条1項・79条～85条・102条）。また，民法では，信義則（民1条2項）と並んで権利の濫用の不許容（同1条3項）が定められているところ，訴訟行為が訴訟上の権限の濫用に当たるとして効果を制限される場合もある。

訴訟行為について信義則違反や訴訟上の権能の濫用の有無を判断した裁判例として，訴えの提起に関するものとしては，訴えが前訴の蒸返しというべきもので信義則に反するとしたもの（最判昭和51・9・30民集30巻8号799頁。⇨ **9-6-7-3**(4)），後訴の訴訟物は前訴で判断されておらず，後訴と前訴とでは訴訟によって実現される利益が異なるなどの理由を挙げて，訴えが信義則に反しないとしたもの（最判令和3・4・16判時2499号8頁），いわゆる明示の一部請求が棄却された後の残部請求の訴えの提起が信義則に反するとしたもの（最判平成10・6・12民集52巻4号1147頁。⇨ **9-6-8-2**(3)），訴えの提起が権利の濫用に当たり不法行為を構成するための要件について判示したもの（最判昭和63・1・26民集42巻1号1頁。当該事案ではその不法行為該当性を否定），旧経営者が有限会社の支配の回復を不当に図る意図で提起した社員総会決議不存在確認の訴えについて，認容判決の対世効も考慮して，訴権の濫用であって不適法であるとしたもの（最判昭和53・7・10民集32巻5号888頁）などがある。

また，主張の変更に関する裁判例として，いわゆる法人格否認の法理を用い

て，信義則上，自白が事実に反するものであるとして撤回することはできないとしたもの（最判昭和48・10・26民集27巻9号1240頁），ある事実に基づいて訴えを提起し，その事実の存在を主張・立証した者が，その後相手方からその事実の存在を前提とする別訴を提起されたときに一転してその事実を否認することは訴訟上の信義則に著しく反するとの一般論を述べつつ，当該事案については否認が信義則に反せず有効であるとしたもの（最判昭和48・7・20民集27巻7号890頁），前訴で消費貸借契約の成立を主張していた者が，貸金返還請求の後訴で被告となったときに，その契約を否認することが信義則に反しないとした原判決には違法があるとしたもの（最判令和元・7・5判時2437号21頁），被告側で訴訟承継をしたとして第1審と控訴審の訴訟手続を追行してきた者が，上告理由ではじめて訴状送達時には被告が死亡していたから訴訟承継は不適法であるとして訴訟行為の無効を主張することは，信義則上許されないとしたもの（最判昭和41・7・14民集20巻6号1173頁）などがある。

5-2-4 訴訟行為の撤回

訴訟行為のうち訴訟を終了させる行為（⇨第10章〔481頁〕）など，一定の効果が直ちに発生する場合には，その行為をした当事者が自由に撤回することはできない。法的安定性や相手方の信頼を保護する必要があるからである（意思表示に瑕疵があることを主張して訴訟行為の効力を争う余地はある。⇨ 5-2-2-3）。自白の撤回についても，相手方の信頼を考慮して，一定の許容要件がある場合以外はできない（⇨ 7-3-3-4）。

これに対して，申立てについては，裁判所が裁判や証拠調べによりこれに応答するまでは，その撤回が可能である（証拠申出の撤回については，⇨ 7-5-1-2 (4)）。訴えの取下げは，訴えという訴訟行為の撤回とみることができるところ，相手方（被告）が訴えに応じて一定の訴訟行為をした後は，その相手方の同意を得なければ効力を生じない（261条2項。⇨ 10-1-2-1）。

事実や法的事項に関する当事者の主張は，原則として撤回が自由であると解されているが，主張の撤回も攻撃防御方法の提出の1つの形態であることからすると，適時（156条）にされなければ時機に後れたもの（157条1項）に当たることになる（⇨ 6-2-5-2）。ただし，それによって訴訟の完結を遅延させるものでないとして主張の撤回が適法とされることが多いであろう。

5-2-5 訴訟行為と条件

　訴訟行為に条件や期限を付することについては，訴訟手続の安定および明確性の要請や，裁判所の判断を無用に拘束しないようにする必要があるとの配慮から，原則として，許されないと解されている。すなわち，付しても条件または期限が無効（無意味）になるか，当該訴訟行為自体が無効になる。したがって，複数の請求原因事実や複数の抗弁事実等の主張について，当事者が主位・予備という順位を付けていても，裁判所の判断順序を拘束するわけではない。たとえば，消滅時効の抗弁と弁済の抗弁とを被告が順位を付けて提出していても，裁判所は，請求を棄却する場合，どちらの抗弁を認めて請求を棄却してもよい。

　ただし，相殺の抗弁は，訴訟外の相殺の抗弁（訴訟外で相殺の意思表示をしたことを訴訟上主張すること）と訴訟上の相殺の抗弁（訴訟の口頭弁論期日や弁論準備手続期日に相殺の意思表示をすること）のいずれであっても，その予備的主張（主位的主張が認められることを解除条件とする主張）は有効であって，その条件づけに裁判所が拘束される。それは，相殺をもって対抗した額について自働債権の不存在に既判力が生じるため（114条2項。⇨ **9-6-7-2**），抗弁提出者にとって，他の抗弁が認められる場合には判断されないようにする合理的な必要性があり，また，当該訴訟手続内で条件成就の有無が確定的に明らかになるため弊害が小さいからである。そもそも相殺の抗弁は，当事者による明示の条件づけがなくても，上のような理由から，請求原因や他の抗弁との関係で原則として予備的主張と同様に扱われると解されている（⇨ **9-6-7-2**）。

5-2-6 実体法上の形成権の行使に関する主張とその却下の効果

　当事者が，訴訟手続内で，実体法上の形成権（取消権，解除権，相殺権，建物買取請求権等）を行使することがある（「**形成権の手続内行使**」または「**訴訟上の形成権行使**」といわれる）。たとえば，口頭弁論期日に「当該契約を解除する」とか「自己が相手方に対して有する一定の債権を自働債権とし，相手方の請求債権を受働債権として，対当額で相殺する」と述べたり，訴状や準備書面にその旨を記載してそれが相手方に送達されたりするような場合である。そのような形成権の行使の主張が時機に後れたものであるとして裁判所に却下された場合

(157条），裁判所にその主張の内容について判断させるという訴訟法上の効果は発生しないことになるが，このような場合に，形成権行使の実体法上の効果はどうなるかが問題となる（訴えの取下げによって訴訟係属が遡及的に消滅した場合〔262条1項。⇨ **10-1-3-1**〕も同様の問題が生じる）。たとえば，相殺の意思表示の場合，訴訟上相殺の主張は取り上げられなくなる（したがって，ほかに請求棄却を基礎づける事由がなければ相手方の受働債権に基づく請求は認容される）にもかかわらず，実体法上の効果が生じているとすると自働債権が対当額で消滅したことになり，相殺の意思表示をした当事者は，後にその自働債権に基づく請求をしようとしても，その消滅事由を相手方から主張されて請求が認められなくなるという不利益を被る。前訴で相殺の意思表示がされたことが前訴判決で法的に確定されるわけではないが，訴訟記録というかなり証拠力の高い証拠によって相殺の意思表示が証明されることになる。しかし，これでは，却下された主張をした当事者にとって不利益が大きすぎるという問題がある。

この問題に関しては，このような行為の性質をめぐる議論がある。諸説があるが，理論的には，実体法上の法律行為（意思表示）と，そのような法律行為がされたことを訴訟上主張する訴訟行為との2つの行為がされていると解するのが相当である（2つの行為が併存するということで「併存説」と呼ばれる）。そうすると，訴訟法上は効果がなくても実体法上の効果は残るということになり，形成権行使をした当事者にとって不利益が生じるという帰結になりそうである。しかし，ここでは，形成権を行使する当事者の合理的な効果意思がどのようなものかを考え，当該訴訟において主張の内容に関する裁判所の判断を受けなかった場合には実体法上の効果を残さないという条件付きでされた形成権行使であると解するのが妥当であり，このような考え方が近時は強くなっている（「新併存説」，「条件説」等と呼ばれる）。このように考えると，相殺や建物買取請求については，当該訴訟で判断の対象とならなかった場合には，実体法上の効力も存在しないことになる。

なお，最判平成10・4・30（民集52巻3号930頁）は，被告による訴訟上の相殺の抗弁に対し原告が訴訟上の相殺を再抗弁として主張することは不適法として許されないと判示しているが，その理由の中で，訴訟上の相殺の意思表示は，相殺の意思表示がされたことにより確定的にその効果を生じるものではなく，当該訴訟において裁判所により相殺の判断がされることを条件として実体法上

の相殺の効果が生じるものであるとしており，新併存説の立場に親和的である。

> **すこし詳しく 5-1** 形成権の訴訟外行使
> ▶本文で述べたのは，実体法上の形成権行使が訴訟手続内で訴訟行為（主張）と同時にされた場合のことであったが，「形成権の訴訟外行使」も問題となる。相殺を例にとると，訴訟上請求されている，または，請求される可能性のある相手方の受働債権について訴訟外で相殺の意思表示をし，その事実を訴訟で主張したが主張が却下された場合に，相殺の実体法上の効果がどうなるかという問題である。この場合には，実体法上の効果が確定的に生じると解するのが相当であろう（民506条1項後段参照）。本文で挙げた最判平成10・4・30も，訴訟外の相殺の意思表示は，相殺の要件を満たしている限り，これにより確定的に相殺の効果が生じるとしている。これに対して，訴訟外の相殺の意思表示であっても，訴訟での主張を当然に予定したものであれば，実体法的な効果は訴訟内行使の場合と同様に条件付意思表示としての効果にとどまると解する見解も示されているが，上記の民法の明文に反するので相当でない。

5-3　審理手続の進行

5-3-1　手続の進行に関する諸制度

5-3-1-1　職権進行主義と訴訟指揮権

　現行の民事訴訟においては，通常訴訟でも特別訴訟（人事訴訟，行政事件訴訟等）でも，訴訟手続の進行については，基本として，裁判所が権限と責任を持つ**職権進行主義**がとられている。外国の過去の立法例では，自由主義を強調して当事者進行主義がとられたことがあったが，訴訟遅延が深刻になったため職権進行主義に戻されたとされており，訴訟手続の進行については，比較法的にも職権進行主義が主流である。

　わが国の現行民訴法の定める職権進行主義は，具体的には，期日の指定および変更（93条・139条），各種期間の定め（34条1項・137条1項・162条等。95条2項参照），期間の伸縮・付加（96条），訴訟手続の続行（129条），訴訟手続の中止（131条），審理計画の定め（147条の3），口頭弁論における訴訟指揮（148条），争点および証拠の整理手続の選択（164条・168条・175条），和解の勧試（89条1項），口頭弁論の制限・分離・併合（152条。⇨ 11-6），口頭弁論の終結，口頭弁

論の再開(153条)等に表れている。

　裁判所または裁判官が，訴訟が適法で効率的に進行するようにこれらの行為を行うことを「**訴訟指揮**」といい，その権限を「**訴訟指揮権**」という。148条の定める口頭弁論における裁判長の訴訟指揮は，口頭弁論（**5-1-1-1**の観点②にいう手続の場面）が円滑に進行するように当事者や代理人らに発言を命じたり制限したりすることなどをいう（裁判長の権限について，⇨ **3-1-2-2**）。

　職権進行主義は，本来の意味では，訴訟手続の進行について裁判所が当事者の意思に拘束されないということである。もっとも，現行民訴法では，当事者にも，訴訟の進行について法律上一定の権限が認められており，この点については，**5-3-4**で取り上げる。

　なお，訴訟指揮に関する裁判は，いつでも取り消すことができる（120条）。訴訟指揮に関する裁判は，訴訟の進行に応じて手続を公正かつ効率的に進めるためにされるものであるので，いったんされたものであっても，これに絶対的に拘束されるとすると，かえって手続の適正または円滑を阻害することになるからである。

> すこし詳しく **5-2**　**手続裁量論**
>
> ▶職権進行主義を前提として，裁判官が手続上の措置を講じていく際に一定の手続裁量があるとしたうえ，そのような手続裁量について，対象事項に応じた考慮要素とその優劣を抽出し，ガイドラインないし行動準則を設定して，裁量を有効に機能させるとともに，裁量を制御していくことを目的とする「**手続裁量論**」という考え方が近時有力となっている。そこでは，裁判官は，裁判に求められる適正・公平・迅速・経済等の諸要請を満足させる審理を実現するため，事案の性質，争点の内容，証拠との関連性等を念頭に置き，加えて，手続の進行状況，当事者の意向，審理の便宜等を考慮し，手続保障にも配慮したうえで，当該場面に最もふさわしい合目的的かつ合理的な措置を講じることができるように，手続裁量を有するとされる。そして，これらの諸要素に基づいて裁判官の裁量に対しては一定の制御・統制が働き，その限界が観念される。そのため，手続裁量論は，基本的には行為規範を設定するものであるが，裁判官の措置が裁量の限界を超えれば違法の評価を受けるという意味で評価規範としても機能する（行為規範と評価規範については，⇨ **1-1-4**す **1-2**）。このような手続裁量とその規律は，本文で挙げた職権進行主義に関わる各種の裁判所の行為等において問題となる（たとえば，口頭弁論の分離・併合に関して，⇨ **11-6**）。

5-3-1-2　期　日

「期日」とは，裁判所，当事者等の訴訟関係人が会合して，訴訟に関する行為をするために定められる時間のことをいう。期日は，あらかじめ，場所，年月日と開始時刻を定めて指定される（これを「**期日の指定**」という。簡易裁判所での例外取扱いについて，273 条・275 条 2 項参照）。

期日は，申立てまたは職権により裁判長が指定する（93 条 1 項）。期日は，やむを得ない場合を除いては，日曜日その他の一般の休日には指定できない（93 条 2 項）。

期日が指定された場合，当事者その他の関係人に対して**期日の呼出し**がされる（94 条）。期日の呼出しは，当事者の手続保障という観点から重要な事項であり，呼出しを欠いて実施された期日は，その期日の実施が違法になる。ただし，当事者の責問権の喪失・放棄（90 条）によってその瑕疵は治癒される（⇨ **5-3-4-3**）。

指定された期日の具体的な実施については，その有無や内容との関係で，変更，延期，続行の区別をする必要がある。「**期日の変更**」は，期日が開始する前に，その指定を取り消し，新たな期日を指定することである（期日の変更の要件について，93 条 3 項・4 項，規 36 条・37 条・64 条参照）。「**期日の延期**」とは，期日を開始したうえで，予定の訴訟行為を全くしないで，次回以降の期日を指定することである。「**期日の続行**」とは，期日を実施し，訴訟行為をしたうえで，これを継続して行うために，次回以降の期日を指定することである。

審理を続ける場合，期日の続行をするのが通常の形態であるが，当事者や証人の都合がつかないことがあらかじめ判明することにより期日の変更がされることや，当事者の準備が十分にされなかったため，期日を開いたがとくに訴訟行為をせずに（しかし，いわゆる休止の状態〔⇨ **5-3-3-2**〕にはせずに）次回期日を指定することで期日の延期がされることがある。期日の延期と続行との実際上の違いとしては，第 1 回の口頭弁論期日が「延期」された場合は第 2 回の口頭弁論期日が実質的に最初にすべき口頭弁論期日に当たるので欠席当事者が提出していた訴状その他の準備書面の擬制陳述（158 条。⇨ **5-3-3-1**）が可能である（大判昭和 5・12・20 民集 9 巻 1181 頁参照）のに対し，第 1 回の口頭弁論期日が「続行」された場合には第 2 回期日に擬制陳述はできないことが挙げられる（簡易裁判所での例外について 277 条参照）。

> **すこし詳しく 5-3　期日指定についての当事者の申立権**
>
> ▶期日は「申立てにより又は職権で」裁判長が指定すると定められている（93条1項）。この規定に関し，職権進行主義が前提となっているので，原則として当事者には法律上の申立権まではなく（当事者の申立権一般について，⇨ 5-3-4-1），裁判長の職権行使を促す申立てができるにすぎないとの見解がある。しかし，手続進行についての大枠を定める原則である職権進行主義から直ちに当事者の申立権の否定にはつながらないし，「申立てにより」と明文の規定があるにもかかわらず，申立権がないと解するのは妥当でない。申立権を一般に肯定し，期日指定申立てがあれば裁判所の応答義務が生じると解すべきであり，期日指定の必要がないと考えれば裁判所が申立てを却下する裁判をすべきこととなろう。なお，上記のように原則として当事者に申立権がないと解する見解も，口頭弁論期日に当事者双方が出席しなかった場合にいわゆる休止満了による取下げ擬制（263条）を防ぐために当事者が期日指定申立てをするとき（⇨ 5-3-3-2）や，訴え取下げ（261条）や訴訟上の和解（267条参照）により訴訟が終了した場合に当事者がその無効等を主張して期日指定申立てをするとき（⇨ 10-1-3-1(1)，10-2-4-4）には，当事者に期日指定申立権があると解している。そのように解さないと，当事者が訴訟手続の終了を阻止したり争ったりする権利を有しないことになるからである。

5-3-1-3　期　　間

「**期間**」は，文字どおり一定の時の経過であり，たとえば控訴期間（285条。⇨ 13-2-4）など，期間が訴訟法上の意味を持つ場合がある。期間の計算については，民法（民139条～143条）の定めなどによる（95条。同条3項は休日には期間が満了しないことを定める）。

期間の種類に関しては，いくつかの観点からの分類方法があるが，「**法定期間**」（期間の長さが法律によって定められているもの。112条1項・2項・132条の2第1項・285条・342条1項等）と「**裁定期間**」（具体的な状況に応じて裁判によって定められるもの。34条1項・132条の6第1項・137条1項・156条の2・162条等）の区別が重要である。また，法定期間はさらに，「**不変期間**」（法律が不変期間と定めているもの。132条の4第2項・285条・342条1項等）とそれ以外の法定期間（通常期間）とに分かれる。

裁定期間と法定期間のうちの通常期間は裁判所が伸縮することができるが，不変期間は伸縮できない（96条1項）。ただし，不変期間については，遠隔地に住居を有する者のために付加期間を定めることができる（同条2項）。

裁判に対する不服申立期間は，不変期間とされている（285条・313条・332

条・342条1項・357条・393条等)。期間満了は，判決の確定 (116条1項参照) などの効果をもたらす。このように当事者に及ぼす効果が重大であるので，責めに帰することができない事由によって不変期間を遵守できなかった当事者の救済方法として，次に述べる訴訟行為の追完がある (97条)。

5-3-1-4 訴訟行為の追完

　当事者がその責めに帰することができない事由により不変期間を遵守できなかった場合には，その事由が消滅した後1週間以内に限り，不変期間内にすべき訴訟行為を追完することができる (97条1項)。これを「**訴訟行為の追完**」という。不変期間が満了した後にされた訴訟行為であっても，責めに帰することができない事由があったこと，および，その消滅後1週間以内にされたことという要件を満たせば有効と扱われるということである。裁判所はこの1週間の期間 (追完期間) を伸縮できない (97条2項)。訴訟行為の追完の典型例は，上訴期間満了後にされた上訴の提起を有効と扱う「**上訴の追完**」である。

　当事者の責めに帰することができない事由による不遵守としては，天災地変等によって期間内に書面の提出ができなかったことが挙げられる。客観的にみて当事者が予測できないような郵便の延着により裁判所への上訴状の配達が遅れた場合もこれに当たるとされている (最判昭和55・10・28判時984号68頁。なお，この判決を読む際には，95条3項に相当する旧民訴法の条文〔旧156条2項〕に年末年始の閉庁日が明記されたのが昭和63〔1988〕年の改正後であることに注意)。訴訟代理人に過失があったことは，当事者の責めに帰することができない事由があるとはいえないと解されている (最判昭和24・4・12民集3巻4号97頁参照)。送達の瑕疵との関係でも上訴の追完が問題となるが，これについては，⇨ **9-9-3-2**。

　なお，不変期間以外の期間 (たとえば規194条・199条2項の上告理由書や上告受理申立て理由書の提出期間) の不遵守については，訴訟行為の追完によるのではなく，事情に応じて期間の伸長 (96条1項本文) によって対応することが可能であろう。

5-3-1-5 口頭弁論における訴訟指揮

　原告が訴えを提起し (134条。⇨ **2-1-3**)，裁判長が口頭弁論期日を指定することにより (139条。⇨ **2-1-4-3**)，第1回口頭弁論期日が開かれる。その後，職権進行主義に基づいて，口頭弁論期日が続行されたり (⇨ **5-3-1-2**)，事件が弁

論準備手続に付されたり（168条。⇨ **6-2-2-3**），和解が勧試されたり（89条1項。⇨ **10-2-3-1**）することになる。そして，裁判所が終局判決をすることになる場合には，その前提として，審理を終了させるという意味で口頭弁論を終結する。

これらの過程で，口頭弁論の制限・分離・併合がされることがある（152条1項）。これらのうち，口頭弁論の分離・併合については，複数請求訴訟を解消し，または生成するものであるので，**11-6** で取り上げる。同じ152条1項に定めのある**口頭弁論の制限（弁論の制限）**は，弁論や証拠調べの対象となる事項が複数ある場合（複数の請求が併合されている場合，複数の攻撃防御方法がある場合，本案の問題以外に訴訟要件の具備が問題となる場合等）に，そのうちの一部についてのみ弁論を集中して行うよう当事者に命じ，その部分についてのみ審理をするという裁判所の決定である。請求の併合関係には変動を及ぼさないので，弁論の分離が禁止されている場合にも用いることができる。

また，**口頭弁論の終結（弁論の終結）**は，裁判所がその審級での審理を終えることである。裁判所は，審理を遂げ，終局判決ができる状態になったとき（243条1項は「訴訟が裁判をするのに熟したとき」と表現している。ただし，244条はその例外として位置付けられる）に口頭弁論を終結し，裁判長が判決言渡しのための口頭弁論期日（判決言渡期日）を指定する。事実審の口頭弁論終結時は，既判力の基準時となり（民執35条2項参照。⇨ **9-6-6-1**），口頭弁論終結の日は，判決書に記載される（253条1項4号）。

口頭弁論の終結後，判決の言渡しまでの間に，裁判所が，さらに審理が必要であると考えることにより，**口頭弁論の再開（弁論の再開）**をすることがある（153条）。

以上の訴訟指揮権の行使については裁判所の裁量がある。しかし，その裁量権行使には一定の限界があり（⇨ **5-3-1-1** す 5-2），判例（最判昭和56・9・24民集35巻6号1088頁）も，口頭弁論の再開は原則として裁判所の裁量によるが，事情によっては口頭弁論を再開することが裁判所の義務となるとしている。

5-3-1-6 訴訟記録

訴訟記録とは，各訴訟事件について，裁判所，当事者その他の関係人が作成または提出した書類の総体をいう。通常は，訴状，答弁書，準備書面，口頭弁論調書（160条参照），証拠申出書，書証の写し，証人・当事者尋問等の調書，鑑定書，訴訟委任状，送達報告書，関係する裁判書等が含まれ，これらが裁判

所の作成する表紙の後に一定の分類方法に従って編綴されている。

訴訟記録は裁判所書記官が保管の事務にあたっている（裁60条2項。⇨ **3-1-4**）。

訴訟記録の閲覧は，誰でも請求することができる（91条1項）。このような訴訟記録の一般公開は，憲法82条1項の定める一般公開主義（⇨ **5-1-2-2**）から当然に導かれるものではないが，その趣旨をより実質化するものといえる。ただし，公開を禁止した口頭弁論に関する訴訟記録は一般公開もされず（91条2項），また，秘密保護のために，当事者の申立てにより閲覧の制限がされることがある（92条1項）。92条1項各号の場合には，一般公開の確保よりも当事者の秘密保護の利益を優先する必要があるからである。

当事者および利害関係を疎明した第三者は，**訴訟記録の謄写**等を裁判所書記官に請求することができる（91条3項・4項。例外として同条5項）。当事者および利害関係人は，単に閲覧ができるというだけでは十分に訴訟追行等ができないので，謄写等の請求もできるとされているのである。ただし，当事者でない利害関係人は，利害関係人の利益よりも当事者の秘密保護の利益を確保する必要があることから，当事者の申立てにより，閲覧，謄写等を請求できないものとされることがある（92条1項）。

なお，当事者の住所，氏名等について，相手方当事者にも秘匿する制度が令和4（2022）年民事訴訟法改正で設けられている（⇨ **2-1-3-2**(1)，**5-1-2-2**）。

5-3-2　送　　達

5-3-2-1　送達の意義

送達とは，当事者その他の訴訟関係人に対して，訴訟上の書類の内容を知らせるために，法定の方式に従って書類を交付する，または，交付を受ける機会を与える裁判所の訴訟行為である。

送達は，これを受けるべき者に，訴えの提起をはじめとする相手方の訴訟行為や判決等の裁判所の訴訟行為の存在や内容を知る機会を与えるものであって，その手続保障のために重要な役割を果たす。そのため，送達の手続に不備（瑕疵）がある場合の効果が問題となる。この「送達の瑕疵」の問題については**9-9-3**で取り扱い，ここでは，送達の制度一般について概観する。

5-3-2-2 送達しなければならない書類

民訴法は，一定の書類について，送達しなければならないと定めている。具体的には，訴状（138条1項），期日の呼出状（94条1項。期日の呼出方法については，その例外も定められているが，確実に呼出しがされなければ期日の不出頭による不利益を負わされない。同条2項本文），反訴状（146条4項），判決書または判決に代わる調書（255条1項），上訴状（289条1項・313条等）などである。これらは，当事者にその存在や内容を知らせて対応の機会を与えることがとくに重要な意味を持つ書類であるので，厳格な方法や効力発生要件が法定され（98条～112条），送達に関する事項が報告書（109条）によって確実に証明できる送達が必要とされている。そして，そのことから，訴訟係属は被告への訴状の送達によって生じると解されているし（⇨ **2-4-1-1**），上訴期間は判決書等の送達日から2週間の不変期間とされている（285条本文・313条等）。

送達すべき書類は，特別の定めがある場合を除き，当該書類の謄本または副本である（規40条1項）。副本を送付すべき書類として，訴状（規58条1項），反訴状（規59条），上訴状（規179条・186条）等がある。正本を送達すべきものとされている書類として，判決書（255条2項），支払督促（規234条1項）等がある。判決に代わる調書の送達は原則として調書の謄本によるが（255条2項），正本によることもできる（規159条2項）。

存在や内容を相手方に知らせる必要はあるが，必ずしも送達までは要しない書類として，準備書面，証人尋問事項書，書証の写し等があり，それらについては，相手方に直送その他の「**送付**」がされる（規83条1項・107条3項・137条2項等参照）。「**直送**」は，当事者の相手方に対する直接の送付である（規47条1項かっこ書）。直送その他の送付をするための方法は，その書類の写しの交付またはファクシミリを利用しての送信である（規47条1項）。

> **TERM ⑪ 原本・副本・正本・謄本・抄本**
>
> 「**原本**」は，記載内容である思想の主体が最初に作成した確定的な文書である（判決書原本につき，252条参照）。原本は謄本，抄本，正本の作成の基礎となる。「**副本**」は，原本の一種であるが，原本を数通作成して送達のために用いるものをとくに副本と呼ぶ（規22条2項・40条1項・58条1項等参照。訴状の副本の送達について⇨ **2-4-1-4** す 2-4)。「**謄本**」は原本の内容を全部写した文書であり，原本の内容を証明するために作られる。謄本を公証権限のある公務員が職務上作成し，原本と相違ないと証明したものを「**認証謄本**」という。

「抄本」は原本の一部を写した文書であり，原本の内容の一部を証明するために作られる。「正本」は，権限のある者が原本に基づいて作成する文書で，法律によって原本と同じ効力を与えられているものである。たとえば，当事者に送達する判決書や和解調書は，裁判所に保存する原本と同じ効力を持たせるために，正本として作成される（255条2項参照。執行力が働く場面での債務名義の正本につき民執25条参照）。訴訟記録の正本，謄本，抄本の様式について民訴規33条に，交付請求について民訴法91条3項に規定がある。書証に関し，文書の提出または送付は原本，正本または認証謄本によることとされており（規143条1項），また，相手方当事者が争わない場合には認証のない謄本（これを「写し」という）の提出をもって書証の原本の提出に代えることもできる（大判昭和5・6・18民集9巻609頁参照）。

5-3-2-3　送達に関する機関

送達は，特別の定めがある場合を除き，職権でする（98条1項）。この**職権送達の原則**は，当事者の申立てを待たないで受訴裁判所が送達をするということである。例外となる特別の定めとして，当事者の申立てによる公示送達（110条1項）がある。

送達の主体は受訴裁判所であるが，送達に関する事務は裁判所書記官が取り扱う（98条2項）。「**送達に関する事務**」とは，送達すべき書類を作成または受領し，送達を受けるべき者（受送達者），送達実施機関，送達方法，送達場所を決定し，送達実施機関に送達を実施させ，送達実施後に送達報告書を受け取るなどの行為である。これらの事務を取り扱う裁判所書記官は「**送達事務取扱者**」である。裁判所書記官は，受訴裁判所の単なる手足というわけではなく，送達事務を取り扱う機関としての固有の権限を法律によって与えられている。

送達に関する事務と区別される行為に「送達の実施」がある。「**送達の実施**」とは，書類を現実に送達を受けるべき者が了知し得る状態に置く現業的行為のことをいう。送達を実施する機関を「**送達実施機関**」という。送達の実施は，特別の定めがある場合を除き，郵便または執行官によることとされており（99条1項），送達実施機関は，原則として，郵便の業務に従事する者または執行官である（99条1項・2項）。裁判所書記官も自ら送達実施機関となることができる場合があり，それは，その所属する裁判所の事件について出頭した者に対して送達する場合（100条），書留郵便等に付する送達をする場合（107条），公示送達をする場合（111条）である。

実際の送達の多くは郵便の業務に従事する者によって実施されているが，夜間の送達が必要となる場合や差置送達（⇨ **5-3-2-5**(1)(d)）が必要となる場合に執行官を送達実施機関とするのが適切であるといわれている。

送達実施機関は，送達をすれば，送達に関する事項（送達書類，受送達者の氏名，送達年月日，送達の場所，送達の方法等）を記載した「**送達報告書**」を裁判所に提出しなければならない（109条）。前述 **5-3-2-1** のように，訴訟手続上，送達には重要な意味があるので，送達の手続の適法性に疑義が生じないようにする必要があるからである。ただし，送達報告書を欠いても送達の効力には影響がなく，送達の実施について他の証拠方法によって立証することも可能であるとされている（大判昭和8・6・16民集12巻1519頁参照）。

5-3-2-4　受送達者

「送達を受けるべき者」（101条・103条・105条・106条・111条）のことを「**受送達者**」と呼ぶ。「送達名宛人」と呼ぶこともある。誰が受送達者であるかは，送達すべき書類の内容に応じて法が定める（138条1項・255条1項等）。

受送達者は，当事者その他の訴訟関係人本人であるのが原則である。ただし，本人が訴訟無能力者であるときは，その法定代理人が受送達者となり（102条1項），法人についてはその代表者が受送達者となる（37条・102条1項）。当事者に訴訟代理人がいる場合，訴訟代理人が受送達者となるのが通常であるが，本人に対する送達も適法である（最判昭和25・6・23民集4巻6号240頁参照）。ただし，実際に訴訟追行をするのは訴訟代理人であるから，運用上は訴訟代理人を受送達者とするのが望ましい。なお，父母が共同して親権を行使する場合（民818条3項）などのように数人が共同して代理権を行うべき場合には，送達はその1人にすれば足りる（102条2項）。刑事施設に収容されている者に対する送達は，刑事施設の長が受送達者となる（同条3項）。

5-3-2-5　送達の方法

(1) 交付送達

送達は，送達を受けるべき者（受送達者）に交付する方法で実施するのが原則である。これを**交付送達の原則**という（101条）。

そして，交付送達は，受送達者の生活や業務上の本拠である住所等において，直接手渡しをする方法で実施するのが原則である（103条1項本文）。ただし，法定代理人または法人の代表者に対する送達は，本人の営業所または事務所に

おいてもすることができる（同項但書・37条）。後者は，とくに法人の訴訟に関する書類は，受送達者の住所であれば代表者個人の自宅などになるが，それよりも法人の営業所または事務所で交付するのが合理的であることを想定した規律である。

ただし，交付送達の場所や方法については，次の(a)から(e)までの例外がある。

(a) **就業場所送達**　交付送達は，①上記の受送達者の住所等や法人の営業所等が知れないとき，②その場所で送達をするのに支障があるとき，または，③受送達者が就業場所で送達を受ける旨の申述をしたときは，受送達者が雇用，委任その他の法律上の行為に基づいて就業する他人の住所等（就業場所）ですることができる（103条2項）。受送達者の生活の状況などから，住所等では交付送達が困難であるが，就業場所であればそれが可能な場合があることを考慮した規定である。これを**就業場所送達**という。②の要件は，受送達者が昼間不在等であって，以下に挙げる補充送達や差置送達もできない場合に満たされることになる。

(b) **出会送達**　出会送達は，送達実施機関が受送達者と出会った場所で書類を交付する方法による送達である（105条）。これが認められるのは，受送達者（後述 **5-3-2-6** の送達場所等の届出をした者を除く）が日本国内に住所等を有することが明らかでない場合（同条前段），または，受送達者が送達を受けることを拒まない場合（同条後段）である。郵便の業務に従事する者が，受送達者が住所等に不在であったため，書類を郵便局に持ち帰ったところ，不在連絡票を見た受送達者が郵便局の窓口に来て受領するというのが後者の例である（104条3項2号参照）。

(c) **補充送達**　補充送達は，送達をすべき場所において受送達者に出会わないときには，使用人その他の従業者または同居者で，書類の受領について相当のわきまえのある者に対して，送達実施機関が書類を交付することができるというものである（106条1項前段・2項）。法が，送達の実施を円滑にするために，受送達者のために事務を処理する者，または，生活を共にする者に送達書類の受領権限を与え，就業場所以外の場所での従業者や同居者には受領義務を課したものである（就業場所での補充送達は，受領者が受領を拒まないときに限って可能であるので，受領義務まではない。106条2項）。これらの者は，送達受領に

ついての法定代理人としての性格を持ち，「代人（だいにん）」とも呼ばれる。送達の効力は，代人に対する書類の交付によって生じる。補充送達は，郵便の業務に従事する者が郵便局において代人に書類を交付する方法によっても実施できる（106条1項後段）。

　相当のわきまえのある者であることを否定した判例として，7歳9か月の女子についてのものがある（最判平成4・9・10民集46巻6号553頁）。

　受送達者の同居人であっても，受送達者の訴訟の相手方である場合には代人となり得ない。たとえば，離婚訴訟で，配偶者の一方が他方の代人として訴状や判決書を受領しても，適法な補充送達があったとはいえない。他方，受送達者と同居人とが対立当事者ではなく，実質的に利害関係が対立するにとどまる場合，判例は，同居人に対する訴状や期日呼出状の補充送達を適法とする。それは，Aの同居の義父であるBがAに無断でAをBの貸金債務の連帯保証人とする契約をしたところ，貸主のAに対する保証債務履行請求訴訟の訴状や期日呼出状をBが代人として受領したという事例である（最決平成19・3・20民集61巻2号586頁。ただし，再審事由該当性について，⇨ **9-9-3-3**）。

(d) **差置送達**　　受送達者，または，住所等で補充送達を受けるべき同居者等（106条1項前段の者）が正当な理由なく書類の受領を拒んだときは，送達実施機関は，送達をすべき場所に書類を差し置くことができる（106条3項）。これを**差置送達**といい，差置きがあればそれだけで送達の効力が発生する。これらの者に受領義務があることを前提としており，正当な理由のない受領拒絶によって送達の実施が妨げられるのを防止するための制度である。

(e) **裁判所書記官送達**　　裁判所書記官は，その所属する裁判所の事件について出頭した者に対しては，自ら送達をすることができる（100条）。別の事件について裁判所に出頭した場合でもよい。このような場合に，執行官または郵便の業務に従事する者に送達を実施させるのは迂遠であるので，裁判所書記官自身が送達実施機関となって送達をすることを認めたものである。「**裁判所書記官送達**」または「**簡易送達**」と呼ばれる。この場合には，差置送達（上記(d)）も可能である。

(2) **書留郵便等に付する送達（付郵便送達）**

　住所等は知れているが，住所等および就業場所において交付送達（補充送達，差置送達を含む）ができない場合，裁判所書記官は，住所等に対して書留郵便

等によって送達書類を発送する方法を用いることができる（107条1項1号）。これを「**書留郵便等に付する送達**」または「**付郵便送達**」という。その要件を満たす場合にこの方法によって送達がされると，発送によって直ちに送達の効力が生じ（107条3項），実際に受送達者が書類を受け取ったかどうかを問わないという特徴がある。受送達者が書類を受け取ろうとしない場合にも送達を可能とする方法である。

付郵便送達ができる場合の例としては，被告が住民票上の住所に居住していることは，普通の郵便物の配達や電気の使用等の状況から分かるが，郵便の業務に従事する者が送達を実施しようとしても不在であって不在連絡票を入れても連絡がないため，いわゆる「留置期間満了」で裁判所に書類が戻り，それが複数回繰り返され，また，夜間に執行官が送達を実施しようとしても呼出しベルに誰も応じず，かつ，就業場所も不明であるといった場合である。

なお，国家賠償請求の事案に関するものであるが，付郵便送達をした裁判所書記官の判断が裁量権の逸脱には当たらず，違法ではないとした判例（最判平成10・9・10判時1661号81頁①）がある（ただし，再審事由該当性について，⇨ **9-9-3-3**）。

(3) **公 示 送 達**

公示送達は，裁判所書記官が送達すべき書類を保管し，裁判所の掲示場において，受送達者に対していつでもこの書類を交付する旨掲示して行う送達の方法である（111条）。紛争の相手方が行方不明等であって交付送達も付郵便送達も不可能な場合でも，訴訟手続の利用ができないとすることは不都合であるので，それを可能とするために認められたものである。

この方法からも明らかなように，公示送達によって受送達者が現実に送達すべき書類の内容を知ることはきわめてまれであるので，それを考慮して，公示送達ができるための要件は厳格である。まず，当事者の住所，居所その他送達をすべき場所が知れない場合である（110条1項1号）。日本における住所のみならず，外国における住所等が知れないことも要求される（外国での住所等が知れていれば108条による送達が可能である）。次に，住所等に対する付郵便送達により送達をすることができない場合である（110条1項2号）。もっとも，住所等および就業場所が知れない場合には，110条1項1号の上記要件を満たすので，2号の要件が意味を持つのは，住所等は知れないが就業場所は知れており，

しかし就業場所での交付送達ができなかった場合である（就業場所に対する付郵便送達は認められていない）。そのほか，外国においてすべき送達については，110条1項3号・4号の要件がある。

公示送達は，原則として，当事者の申立てによって行う（110条1項）。ただし，裁判所が訴訟の遅滞を避けるために必要がある場合に職権で裁判所書記官に命じて行うこともあり（同条2項），また，同一の当事者に対する2回目以降の公示送達は，原則として，その都度の申立てを要せずに職権で行う（同条3項本文）。

公示送達の効力は，掲示から2週間を経過することによってその効力を生じる（112条1項本文）。この期間は短縮することができない（同条3項）。ただし，同一の当事者に対する2回目以降の公示送達の効力は掲示を始めた日の翌日に生じる（同条1項但書）。2回目以降の公示送達は，猶予期間を置いても効果がないのが通常であるので，それを省略して迅速化を図ったものである。

5-3-2-6 送達場所等の届出

当事者，法定代理人または訴訟代理人は，送達を受けるべき場所（日本国内に限る）を受訴裁判所に届け出なければならないとされている（104条1項前段）。この「**送達場所の届出**」があったときは，送達は，住所等や就業場所に関する103条の規定にかかわらず，その届出の場所でされる（104条2項）。送達を円滑に実施できるようにするため，当事者等は，受送達者またはその代人が所在する蓋然性の高い場所を送達場所として届け出るべきこととしたものである。送達場所の届出をしない者については，その者が一定の送達を受けたのと同じ場所等で送達をすることが定められている（104条3項）。

送達場所を届け出る際には，受送達者に代わって書類を受領する権限を有する者として送達受取人も届け出ることができる（104条1項後段）。送達受取人の届出があれば，その者に対する書類の交付をもって送達がされたことになる。

5-3-3 当事者欠席の場合の取扱い

当事者欠席の場合の取扱いについては，当事者の一方の欠席と当事者双方の欠席とに分けて考える必要がある。

5-3-3-1 当事者の一方の欠席

最初にすべき口頭弁論期日の場合，裁判所は，欠席当事者が提出していた訴

状，答弁書等に記載した事項を陳述したものとみなして（**擬制陳述**。⇨ **6-1-4**），出頭した相手方に弁論をさせることができる（158条）。出頭した当事者は，あらかじめ相手方が受領した準備書面に記載した事実であれば主張できるが，それ以外の事実は主張できない（161条3項。口頭弁論期日一般において同様）。

被告が欠席した場合で，その被告が擬制陳述の対象となるような答弁書等を提出していないときは，その被告が公示送達（110条）による呼出しを受けたものでない限り，あらかじめ送達された訴状に記載された事実を自白したものとみなされることがある（159条3項・1項。これを「**擬制自白**」という）。実務上は，最初の口頭弁論期日に被告が欠席した場合に，この擬制自白がされたことを前提に，原告の訴状に記載された事実から訴訟物の内容となる権利が発生することが認められるときには，これで裁判に熟するとされ（243条1項），その期日に口頭弁論を終結し，原告の請求を認容する判決をすることが多い（実務上，このような判決を「欠席判決」と呼ぶことがある。⇨ ❶ 12）。もっとも，第2回以降の口頭弁論期日（続行期日）に口頭弁論を終結する場合でも，被告が続けて欠席するなど，原告の主張を全く争おうとしないときには，最初の口頭弁論期日に口頭弁論を終結した場合と同様に，擬制自白（159条1項・3項）に基づいて原告請求認容判決をすることができる。

次に，口頭弁論の続行期日の一方当事者の欠席についてであるが，ここで続行期日とは，期日が延期されずに1回でも開かれた場合の，その後の期日をいう（⇨ **5-3-1-2**）。このような続行期日には擬制陳述はできない（158条参照。簡易裁判所での例外について277条）。

出頭した当事者の申出があれば，審理の現状および当事者の訴訟追行の状況を考慮した終局判決（**審理の現状に基づく判決**）が可能となる（244条。⇨ **5-3-3-2**）。また，出頭した当事者が弁論をせずに退廷した場合には，次の **5-3-3-2** の場合と同様に訴え取下げ擬制の問題となる（263条）。出頭した当事者は，さらに自らの主張・立証を尽くす方が有利であると判断すれば口頭弁論期日の続行を求め，この時点で終局判決を受けた方が有利であると判断すれば審理の現状による判決を申し出ることになり，その当事者が被告であり訴えが取り下げられた方が有利だと判断すれば弁論をせずに退廷して休止の状態になることを望むこととなろう。

第 5 章　審理の原則

> **TERM ⑫ 欠席判決**
> 　旧々民訴法では、当事者の一方が欠席した場合、出頭した相手方の申立てにより裁判所が「欠席判決」をするとの明文の規定があった。そして、欠席判決に対しては、欠席した当事者が一定期間内に「故障」という特別の申立てをすることができ、裁判所が故障を適法であると認めれば第 1 審の口頭弁論が欠席前の状態から続行された。ドイツの制度にならったものである。これは、終局判決とは異なる効果を持つ「欠席判決」の制度であったが、旧民訴法（大正15〔1926〕年改正）で廃止された。旧民訴法および現行法のもとでは、被告が口頭弁論期日に欠席した場合に擬制自白に基づいてされる請求認容判決も、その内容および効果に一般的な終局判決との違いはなく、したがって、これも対席判決であって、これに対する通常の不服申立て方法は控訴であり、「欠席判決」という法的な意味で特殊な類型の判決ではない。

5-3-3-2　当事者双方の欠席

　当事者双方が欠席した場合、証拠調べ（183 条）および判決の言渡し（251 条 2 項）はできるが、それ以外の行為はすることができない。

　当事者双方が不出頭の場合または弁論等をせずに退廷した場合に、1 か月以内に期日指定申立てをしないときは、訴えの取下げが擬制される（263 条前段。訴え取下げの効果について、⇨ **10-1-3**）。訴訟法上の用語ではないが、実務では双方不出頭の期日後に新期日が指定されない状態を「休止」と呼び、この訴え取下げ擬制のことを「休止満了」と呼ぶ。

　当事者双方が、連続して 2 回、不出頭の場合または弁論等をせずに退廷した場合も、訴えの取下げが擬制される（263 条後段）。

　また、裁判所は、その裁量的な判断で相当と認めるときは、審理の現状および当事者の訴訟追行の状況を考慮した終局判決ができる（244 条）。この「**審理の現状に基づく判決**」は、終局判決は訴訟が裁判に熟したときにされる（243 条 1 項）という原則の例外であり、通常どおりであれば裁判に熟したといえるほど訴訟資料が充実していない場合でも、当事者の不熱心な訴訟追行を要件として、審理の現状や当事者の訴訟追行の状況を考慮して終局判決ができることとしたものと解される。

　以上のような現行法の定めは、旧法に比べて不熱心な訴訟追行に対する対応を厳格にしており、休止満了のための期間が 3 か月から 1 か月に短縮され、2 回連続不出頭による訴え取下げ擬制（263 条後段）と審理の現状による判決

（244条）の各制度が設けられたのである。

5-3-4　申立権と責問権

5-3-1-1でみたように，訴訟手続の進行については職権進行主義がとられているが，手続の進行について，民訴法上，当事者に一定の権限が認められている。当事者は訴訟で審判の対象となる権利義務の主体であり，訴訟手続において強い利害関係を有する訴訟主体であるから，手続の進行についての権限を認め，その手続保障を図ろうとするものである。その主なものは当事者の申立権と責問権（異議権）である。

なお，これらに加えて，現行民訴法では，裁判所が，手続の進行について当事者の意見を聴くこととする規定が設けられており，具体的には，専門委員を手続に関与させることについての意見聴取（92条の2），弁論準備手続に付する場合等の当事者の意見聴取（168条・170条3項・175条）などであるが，これらの規定は，訴訟手続の進行について，裁判所が，当事者の意向を勘案しながら判断することを必要とし，または，可能とするものである（「協働的（協同的）訴訟進行」の表れと称されることもある）。もっとも，これらの意見聴取の定めによって裁判所が当事者の意見に従う義務を負うわけではない。また，こういった規定がない場合でも，裁判所が，当事者の意向を聴かずに手続を進めることが妥当性を欠く場合があり，実際上，裁判所は，当事者の意向を適宜取り入れながら，訴訟を進行している。

ただし，あくまで，訴訟の進行は裁判所の責任であるので，当事者の申立権が認められる場合を除き，当事者の申述は，裁判所の職権発動を促す意味を持つにとどまり，裁判所の応答義務はない。

5-3-4-1　申立権

申立権とは，当事者がその申立てについて裁判所に判断を求めることのできる権利である。当事者に裁判を求める申立権がある場合，裁判所は，申立てに応答して裁判をしなければならない。その点で，申立権に基づかずに，裁判所の職権発動を促す事実上の意味しかない申述とは区別される。また，申立権がある場合，必要的口頭弁論を経ずに訴訟手続に関する申立てを却下した決定または命令に対しては抗告をすることが可能となる（328条1項）。訴訟手続の進行に関する当事者の申立権の具体例をみると，次のようなものがある。

まず，当事者の合意ないし一致した申立てが裁判所の権限の行使を制約する場合として，最初の期日の変更（93条3項但書），専門委員の関与の決定の取消し（92条の4但書。また，専門委員の和解期日での関与については当事者の同意が必要。92条の2第3項），弁論準備手続に付する裁判の取消し（172条但書）がある。

また，当事者の申立権に関する規定として，受継申立て（124条・126条～128条），期日指定申立て（93条1項，263条前段。⇨ **5-3-1-2** す 5-3）などがある。

5-3-4-2　責問権（異議権）の意義

裁判所や当事者の訴訟行為は常に適法に行われるとは限らず，違法な訴訟行為が行われた場合には，職権進行主義（⇨ **5-3-1-1**）に基づいて適法に訴訟手続を進める責任を有する裁判所が，その無効であることを認め，これを正す権限と責任を有する。しかし，当事者も，訴訟物の内容である実体的な法律関係ないし権利義務の主体であり，訴訟手続の主体であることから，訴訟手続が適法に進行することについて，強い利害関係を有する。そこで，当事者は，裁判所または相手方当事者が違法な訴訟行為をするなど，訴訟手続に関する違法な行為があった場合には，自己の利益を守るため，これを指摘し，異議を述べる権利を有する。このような権利は，「**責問権**」または「**訴訟手続に関する異議権**」と呼ばれる（90条）。

責問権は，裁判所の訴訟行為が手続規定に違反した場合には双方の当事者が有し，一方当事者の訴訟行為が手続規定に違反した場合には相手方当事者が有する。違反行為をした当事者自身には責問権がないと解されている。責問権は，ある訴訟行為が手続規定に違反することを指摘して異議を述べることによって行使される。裁判所は，その異議に理由があると認めるときは，その訴訟行為を無効なものとして取り扱い，改めて手続規定に従って訴訟行為をし，または，当事者に訴訟行為をさせることになる。そのような取扱いは，必ずしも決定等の裁判の形式をとるとは限らないが，口頭弁論の指揮に関する裁判長の命令，裁判長または陪席裁判官の釈明権行使に対しては，異議についての裁判の規定が置かれている（150条。⇨ **3-1-2-2**）。

責問権の対象となる「訴訟手続に関する規定の違反」とは，訴訟の審理や訴訟の追行に関し，裁判所や当事者の訴訟行為の可否，方式，時期，順序，場所等が，訴訟法規（民訴法，民訴規その他の規定）に反する状態をいう。なお，責問権の対象となるのは，訴訟行為の無効をもたらす規定（効力規定）の違反で

あり，これとは別に，違反がそもそも訴訟行為の無効をもたらさない規定（訓示規定）が存在することに注意する必要がある（⇨ *1-1-4-3*）。

> **TERM** ⑬ **責 問 権**
> 90条の表題には「訴訟手続に関する異議権」という用語が用いられているが，これと同じ意味の講学上の用語である「責問権」という言葉が，判例を含めて伝統的に広く用いられている。そこで，本書でも，単に「責問権」ということにする。

5-3-4-3　責問権の放棄・喪失

(1)　**責問権の放棄・喪失の意義と趣旨**

　裁判所または当事者の訴訟行為が訴訟手続に関する規定に違反する場合，その訴訟行為は無効であるのが原則である（例外として，代理権等の欠缺が34条2項・3項・59条に定める追認により有効になる場合がある）。訴訟手続は，ある訴訟行為を基礎として別の訴訟行為が積み重なって進んでいくものであるが，ある訴訟行為が無効であれば，原則として，その訴訟行為を基礎とする別の訴訟行為も無効であるということにならざるを得ない。そのため，もし，訴訟行為の無効を当事者がいつまでも主張できるとすれば，手続が相当程度進んだ後にでも，その多くの部分が無効ということになって，それらの手続をやり直さなければならないという事態が生じるおそれがある。それでは，手続が不安定になって，訴訟経済に反することにもなるので，公益上望ましくないし（裁判所の二度手間を要することになって，他の多くの当事者の事件が遅延したり，司法制度を運用するための費用が増加したりすることになる），当該事件の両当事者にとっても，手続の遅延，労力や費用の増加等が生じて，実質的な利益が損なわれることになる。そして，ある訴訟行為が違反するとされる規定が当事者の訴訟手続上の利益を保護する趣旨で定められている場合（私益保護の意味の強い訴訟手続規定の違反の場合）には，その違反によって不利益が生じるおそれのある当事者がその訴訟行為に積極的に異議を述べないときに，その訴訟行為を有効と取り扱っても，その当事者の意思ないし責任によって利益が処分され，瑕疵が治癒されたものとみることが可能である。私益保護のための訴訟手続規定違反について，その違法を放置していた当事者が，後になって自分に不利益になるから違法であると主張して，積み重なった手続を覆すことができるというのは不当であるとも評価されよう。

そこで，90条本文は，そのような私益保護の意味の強い訴訟手続規定違反の場合に，これによって利益を保護されている当事者が，その違反を知り，または，知ることができたのに，遅滞なく異議を述べなかったときには，異議を述べる権利を失うこととして（これを，**責問権の喪失**ないし「異議権の喪失」という），訴訟行為をできるだけ有効として手続の安定化を図り，訴訟経済を害さないようにしている。これによって，「訴訟行為の瑕疵が治癒する」といわれる。

責問権は，当事者の裁判所に対する意思表示によって放棄することも可能である。これを「**責問権の放棄**」という。ただし，責問権の放棄は，違法となる訴訟行為が行われた後にすることを要し，あらかじめこれを放棄することはできない。事前放棄を認めると，訴訟手続を当事者が任意に作り出せることになってしまい，いわゆる任意訴訟の禁止の原則（⇨ **5-2-2-2**）に反する。責問権の放棄の効果は，責問権の喪失の効果と同様である。

(2) **責問権の放棄・喪失が認められない場合**

しかしながら，公益を保護する趣旨の規定に違反する訴訟行為については，当事者の異議が遅れたことを理由として，有効と取り扱うことはできないし，責問権の放棄もできない。そのような訴訟行為の瑕疵は，当事者の態度によって治癒するわけではなく，当事者の責問権の放棄の対象とならない。したがって，90条但書が定めるように，訴訟手続に関する規定の違反であって「放棄することができないもの」については，責問権の喪失および放棄の対象とならず，当事者はいつでもそのような訴訟行為が無効であると主張できる。そもそも，このような瑕疵は，裁判所がいつでも職権で考慮して，その行為を無効と取り扱うべきものであり，当事者の責問権の行使が無効の効果についての要件となるものではない。

このように，90条は，訴訟手続についての規定に，当事者の利益（私益）を保護する趣旨の規定（任意的規定。責問権の喪失・放棄の対象となる）と，公益を保護する趣旨の規定（公益的規定。責問権の喪失・放棄の対象とならない）との区別があることを前提としている。そして，裁判所や訴訟制度の信頼や効率性に関わる規定は，公益的な目的を有するものであることから，これに対する違反があった場合には，責問権の喪失・放棄の対象とならないとされている。たとえば，裁判所の構成（裁18条・26条等参照），専属管轄（13条参照），裁判官の

除斥（23条），公開主義（憲82条参照），直接主義（249条1項参照），判決の言渡し（252条），判決の確定（116条参照），既判力の存在（114条参照）などである。その他，具体的な手続規定の違反が責問権の喪失・放棄の対象となるかどうかについては，それぞれの手続に関する説明を参照されたい（期日の呼出しについて，⇨ **5-3-1-2**，訴訟手続の中断中の訴訟行為について，⇨ **5-3-5-1**，証拠調べの方式について，⇨ **7-5-1-4**(1)，訴えの変更の要件について，⇨ **11-3-3**，反訴の要件について，⇨ **11-4-2**(2)）。

5-3-5 訴訟手続の停止

5-3-5-1 訴訟手続の停止の意義と効果

訴訟係属中に，一定の事由の発生により，法律上，訴訟手続が進行しない状態になることを「**訴訟手続の停止**」という（124条〜132条）。訴訟手続の停止は，ある当事者または裁判所にとって訴訟行為をするのが不可能または困難とみられる法定の事由が発生したときに，法律によって訴訟手続の進行が止まり，どの当事者も裁判所も訴訟行為をしてはならない状態になるというものである。そのような事由があるのに訴訟手続を進めると，すべての当事者が攻撃防御方法の提出を十分に尽くす機会を平等に与えられる必要があるという双方審尋主義（⇨ **5-1-2-1**）の要請に反することになる。そのため，このような規律がされるのである。訴訟手続の停止には，訴訟手続の中断（⇨ **5-3-5-2**）と訴訟手続の中止（⇨ **5-3-5-3**）とがある。

停止期間中に裁判所や当事者がした行為は，受継の申立て・受継の裁判（124条・126条〜128条），続行命令（129条）（以上は，停止を解くための法定の行為である）と，判決の言渡し（132条1項。これは，裁判所のみの行為であってそれ自体は判決の内容に影響しない）を除いて，原則として無効である（132条1項の反対解釈）。期間（95条参照）の進行も停止する（132条2項）。ただし，訴訟手続の停止はもっぱら当事者の利益保護のための制度であり，公益的理由に基づくものではないので，停止によって利益を保護されたはずの当事者が責問権を喪失・放棄したとき（90条参照。⇨ **5-3-4-3**）は，無効の主張ができなくなり，その瑕疵が治癒される（大連判大正6・3・9民録23輯222頁，大判昭和14・9・14民集18巻1083頁参照）。

第 5 章　審理の原則

すこし詳しく 5-4　**手続の進行の事実上の停止等**

▶当事者間での訴訟外の話合い，他の事件（たとえば刑事事件や別件民事事件）の進行，当事者または裁判所の訴訟手続への準備等を待つためといった理由で，裁判所が次回期日について指定しない（期日を「追って指定」と宣言しておく）とか，何度も期日の延期（⇨ **5-3-1-2**）を繰り返すということがある。これは，法律上は訴訟手続を進められるのに事実として手続が進行しなくなっているという状態であるから，本文で述べた訴訟手続の停止とは異なる。また，除斥・忌避の申立てに伴う訴訟手続の停止（26条）は，急速を要する行為が可能である点や（26条但書），性質上，終局判決（243条）の後には生じる余地がない点で，ここで説明する訴訟手続の停止（中断と中止）とは異なる。

5-3-5-2　訴訟手続の中断

(1)　訴訟手続の中断の意義と要件

訴訟手続の中断（124条・125条）は，一方の当事者側の訴訟追行者（当事者または法定代理人）について，死亡，訴訟能力の喪失等，訴訟追行を他の者と交代すべき事由が生じた場合に，交代して訴訟追行をすべき者が訴訟に関与できるようになるまで訴訟手続が停止するものである。そのような事情が生じた側の当事者に手続に関与する機会を保障し，双方審尋主義を実現する必要性があることによる。同条1項は，そのような中断事由を定めるとともに，その場合には当然に訴訟手続の中断が生じ，一定の者が新追行者となって訴訟手続を受継すべきことを定める。

このような規律の前提として，当事者の地位の承継が法律上当然に生じる場合がある。これを訴訟の「当然承継」という（⇨ **12-9-2**）。当然承継は，当事者の死亡，法人の合併による消滅等の要件の発生によって法律上当然に効果が生じるものであり，当事者としての地位のこのような観念的な承継は，何らかの訴訟行為が要件となるわけではない。したがって，「訴訟の当然承継」（承継原因が生じたときに新当事者が当然に当事者の地位につくこと）と後述(2)の「訴訟手続の受継」（新当事者等の新追行者がその訴訟の手続を受け継いで追行すること）とは概念的に区別される。たとえば，124条1項1号は，当事者死亡の場合に相続人等が訴訟手続を受継すべきことを定めるが，その前提として訴訟の当然承継が生じていると理解するのである。

これに対し，当然承継等によって当事者等の訴訟追行者が交代する場合であっても，当事者に訴訟代理人がいるときには，手続の中断は生じない（124条2

項)。この場合は訴訟代理人によって当事者の攻撃防御が十分に尽くされることが期待でき，中断をさせる必要がないからである。同条1項各号に定めるような事由が生じた場合にも，58条により，訴訟代理権は消滅しないとされていることと対応している。これによって訴訟の進行が滞りなく行われ，公益上も望ましいということになる。

(2) **訴訟手続の受継**

訴訟承継等の訴訟追行者の観念的な交代は当事者の死亡等の法定の事由が生じれば当然に生じるが，中断していた訴訟手続を進行させるためには，新追行者に訴訟を受け継がせるための一定の訴訟行為が必要となる。それは，当事者の受継の申立て（124条・126条）と裁判所による受継の裁判（128条），または，裁判所による続行命令（129条）であり，これらにより新当事者等の新追行者が訴訟手続を受け継いで追行することを「**訴訟手続の受継**」という。

訴訟手続が中断したままになっていると，当事者の利益が害されることがあるので，当事者には受継の申立権が認められなければならない。新追行者のみが受継申立権を有するのでは，新追行者が客観的には受継し得る状態にあるにもかかわらず，中断事由が発生したことや自分が新追行者であることを知らないとか，これらを知っていても訴訟を進行させることに利益を感じないとかの理由により受継申立てをしないことがあり得るので，相手方にも申立権を認める必要がある。訴訟手続の受継の申立てがあった場合には，裁判所は，相手方に通知しなければならない（127条）。受継の申立てがあった場合には，裁判所は，職権で調査し，理由がないと認めるときは，決定で，その申立てを却下しなければならない（128条）。ここで裁判所が判断するのは，申立てで特定されている受継者が前訴訟追行者（当事者または法定代理人）との関係で124条1項各号の下段に掲げられた受継資格者に当たるかどうかである。

また，訴訟の進行については，職権進行主義が妥当し（⇨ **5-3-1-1**），裁判所の権限であり責任であることから，新当事者や新法定代理人の訴訟追行が可能になったにもかかわらず当事者双方ともに受継の申立て（126条）をしない場合への対応として，裁判所は，当事者の申立てがなくても，職権で訴訟手続の続行を命ずることができるとされている（129条）。

なお，当事者の死亡によって訴訟係属の前提となる二当事者対立構造が消滅した場合には当然に終了する（⇨ **9-1-1**）。

第5章　審理の原則

5-3-5-3　訴訟手続の中止

　訴訟手続の中止（130条・131条）は，裁判所または当事者に訴訟手続を続行できない障害事由が生じた場合に，訴訟手続が停止するものである。天災その他の事由によって裁判所が職務を行うことができない場合は当然に訴訟手続が中止し（130条），当事者が不定期間の故障により訴訟手続を続行できない場合には裁判所の決定があれば訴訟手続が中止する（131条1項）。中止は，中断と異なり，訴訟追行者（当事者や法定代理人）の交代に伴うものではない。

　なお，民訴法が定めるものとは性質が異なるが，訴訟と関連する他の手続の進行を待つのが適当な場合に，裁判所が裁量で訴訟手続の中止を命ずることができるという法令の定めもある（民調20条の3第1項，家事275条1項，特許168条2項，裁判外紛争解決26条等）。

第6章 審理の準備

6-1　準備書面
6-2　争点整理手続
6-3　審理の計画
6-4　情報収集制度

6-1　準 備 書 面

6-1-1　準備書面の意義

　「**準備書面**」とは，口頭弁論や弁論準備手続などの期日における当事者の陳述の内容を相手方に予告する書面である。口頭弁論については，簡易裁判所の手続を除き（276条1項），準備書面の提出が必要的である（161条1項）。争点整理手続においても，準備書面は活用されている。準備的口頭弁論は，口頭弁論の一種であるから，準備書面の提出が当然に要求される。弁論準備手続についても，裁判所は，当事者に準備書面を提出させることができるものとされており（170条1項），実際には，ほぼ例外なく期日ごとの準備書面の提出が行われている。書面による準備手続は，当事者が裁判所に出頭せず，準備書面の提出を通じて争点および証拠の整理を行う手続である。このように，準備書面は，口頭弁論および争点整理手続において日常的に利用される。

　準備書面の本来の機能は，当事者が次回期日に陳述する内容を事前に予告しておくことによって，相手方は，それに対する認否や反論を準備することができるし，裁判所も，事前に内容を理解して必要に応じて釈明を求めるなどの準

備ができるなど，迅速かつ充実した手続の進行に資するところにある。このように，準備書面は，あくまでも期日における口頭の陳述を準備するためのものであるので，準備書面に記載して裁判所に提出しただけでは訴訟資料とはならず，口頭による陳述を経てはじめて裁判の基礎資料となる。しかし，現実には，準備書面に記載した内容を朗読することは時間の無駄と考えられ，当事者の口頭による陳述は「準備書面記載のとおり」で済まされがちであり，相手方の応答も「追って準備書面を提出する」と述べるにとどまることが多く，口頭主義の形骸化をもたらす要因ともなっている。

6-1-2 準備書面の記載事項

準備書面に記載する事項は，①自らの攻撃防御方法（161条2項1号）と，②相手方の請求および攻撃防御方法に対する応答（同項2号）である。訴状や上訴状（控訴状・上告状・抗告状など）は準備書面ではないが，これらに必要的記載事項（134条2項・286条2項・313条・331条）以外の事項（攻撃防御方法）が記載されているときは，その部分は，原告や上訴人の最初の準備書面の性格を持つ（規53条3項）。被告が提出する最初の準備書面は，とくに「**答弁書**」と呼ばれる（規80条）。準備書面に期日指定の申立てや証拠の申出が記載されているときは，その部分は準備書面ではなく（陳述の予告ではないので），申立書としての効力を直ちに生ずる。

準備書面に記載すべき攻撃防御方法とは広義の意味であり，事実に関する主張，法律上の主張，証拠に関する主張など，広義の争点を明らかにするために必要なあらゆる事項を含む（広義の争点については，⇨ **6-2-1**）。事実に関する主張を記載する場合には，できる限り主要事実と間接事実を分けて記載しなければならず（規79条2項），相手方の主張する事実を否認する場合には，その理由を記載しなければならない（同条3項）。また，立証を要する事由ごとに，証拠を記載しなければならない（同条4項）。

6-1-3 準備書面の提出

準備書面は，相手方が記載事項に対応するための準備をするのに必要な期間をおいて，裁判所に提出しなければならない（規79条1項）。裁判長は，特定の事項に関する主張を記載した準備書面の提出をすべき期間を定めることがで

きる（162条）。準備書面は，原則として相手方に直送しなければならないが（規83条1項），直送が困難な事情等がある場合は，裁判所からの送達または送付を申し出ることができる（規47条4項）。直送を受けた相手方は，その受領書を直送で返送する。また，直送をした当事者による提出の場合を除き，裁判所に受領書を提出しなければならない（同条5項）。

6-1-4 準備書面の効果

　準備書面に記載のない事実は，相手方が期日に出席していれば主張することができるが，相手方が欠席しているときは，主張することができない（161条3項）。準備書面の記載によって予告されていない事実は，相手方に対応の機会が与えられていなかったのに，擬制自白などの不利益を課すのは（159条3項），不公平と考えられるからである。ここにいう「事実の主張」には，証拠の申出を含むとする見解が多数である。証拠調べに立ち会う機会やその結果に対する陳述の機会を奪うことも，同様に不公平であるからである。ただし，相手方が，出席当事者による事実の主張や証拠の申出を合理的に予測できた場合には，相手方に対して不公平とはいえないので，主張や証拠の申出を認めてよい（最判昭和27・6・17民集6巻6号595頁）。

　以上は，準備書面の不提出の効果であるが，これとは反対に，準備書面の提出によって生じる効果もある。第1に，準備書面を提出した当事者が最初の口頭弁論期日や弁論準備手続期日に欠席した場合，あるいは出席したが本案の弁論をしない場合においても，準備書面に記載しておけば，その事項は陳述したものとみなされる（158条・170条5項）。これを「**擬制陳述**」という。最初の期日に原告が欠席しても訴訟を進めることができるようにするためと，原告に陳述の擬制を認めるのであれば被告にも認めないと均衡を失することから，最初の期日に限って当事者の双方に陳述の擬制を認めることにしたものである（簡易裁判所の場合は続行期日でも擬制陳述が認められる。277条）。なお，最初にすべき口頭弁論期日とは，弁論が事実上なされる最初の期日という意味であるので，第1回口頭弁論期日が延期や変更になって第2回口頭弁論期日に最初の弁論がなされたときは，第2回口頭弁論期日がこれにあたる。第2に，被告が本案について準備書面を提出しておけば，原告は，被告の同意を得なければ訴えを取り下げることができない（261条2項本文）。

第6章　審理の準備

> **すこし詳しく 6-1　擬制陳述と弁論準備手続**
>
> 　弁論準備手続に関する170条5項が口頭弁論における擬制陳述の規定（158条）を準用していることの意味については議論がある。すなわち，弁論準備手続の最初の期日に当事者が欠席したが，それ以前に口頭弁論期日が開かれていた場合に，擬制陳述を認めてよいかどうかについて，①弁論準備手続としては最初の期日であるとして擬制陳述を肯定する見解，②手続全体としては最初の期日ではないとして擬制陳述を否定する見解，③弁論準備手続では口頭主義が後退するべきであるとして最初の期日のみならず続行期日でも擬制陳述を肯定する見解がみられる。このように見解が分かれているが，現行法が採用した争点中心型審理の理念は，争点整理段階における活発な討論や話合いを想定していることを考えると，③の見解とは反対に，弁論準備手続でこそ口頭主義が重視されるべきであるので，擬制陳述の余地を狭く解する②の見解が妥当である。なお，口頭弁論の最初の期日に当事者が欠席したが，それ以前に弁論準備手続が開かれていた場合については，口頭弁論の期日における擬制陳述を否定することに争いはない。そのように解さないと，170条5項が158条を準用する趣旨が没却されるからである。

6-2　争点整理手続

6-2-1　争点整理手続の意義

　旧法下における訴訟手続では，争点や証拠を訴訟の早期に整理するという思想に乏しく，計画性を持つことなく手続が進行することが多かった。そのため，審理の非効率と手続の遅延を招くことになり，その状況は海図なしに航海をするのと同様であるとして，やがて「漂流型審理」との批判がなされた。また，当事者間で活発な討論が行われることはほとんどなく，口頭弁論期日は準備書面や書証の交換をするだけの場と化していた。そのため，期日は，地域や時代によっても異なるが，1か月ないし3か月に1回程度しか開かれず，しかも，それぞれの期日では数分間の書面交換だけが行われたことから，「五月雨式審理」あるいは「三分間審理」とも揶揄された。こうした旧法下の実務に対する反省から生まれたのが，現行法が採用した「**争点中心型審理**」であり，その手段として導入されたのが3種類の「争点および証拠の整理手続」である。

　すなわち，訴訟開始後の早い段階で争点整理手続を実施し，裁判所と当事者の間で主要な争点と重要な証拠が何であるかを明確にし，そうして整理された

争点に的を絞った証人尋問等を集中的に行うことによって，適正かつ迅速な紛争解決を図ることにしたのである。ここにいう「**争点**」とは，実体法規の適用において意味のある事実であって，当事者間に争いのある事実を指す（狭義の争点）。当事者間に争いのない事実は，訴訟上の自白として証拠調べを経ることなく認定されるから，原則として争点とはならない。争点となり得る事実は，主要事実のみならず，間接事実や補助事実であることも珍しくない。この争点としての事実が証拠調べにおける証明主題となる。なお，条文の解釈や法規の事実への当てはめなど，法律上の争いも争点と呼ばれることがあり（法律上の争点），事実上の争点と併せて「広義の争点」ということができる。

　争点整理の目的は，争点の範囲を縮小するとともに争点の中味を深化させることである。「争点の範囲の縮小」とは，当初は複数存在するようにみえる争点を相手方の争い方（否認，不知，自白，沈黙など）や提出が可能な証拠との関係などを通して，真の争点に絞り込んでいく作業を意味し，「争点の中味の深化」とは，争点の対象を主要事実から間接事実や補助事実などへと展開していくことをいう。こうした争点整理を適切に行うことによって，その後の集中証拠調べが可能になる。この手続は，一般に「**争点整理手続**」と略称される。ただし，正式には「争点および証拠の整理手続」であり，その名称のとおり，その後の集中証拠調べで必要とされる証拠の整理を行うことも，この手続の重要な目的である。たとえば，主要事実について有力な証拠がない場合には，その主要事実を導く間接事実の存否こそが主要な争点となるなど，争点と証拠は相互に密接な関係にある。

　こうした争点整理を効率的に行うためには，当事者双方および裁判所が，争点整理手続の早い段階において事実関係を把握することが必要である。そこで，それをできるだけ可能にするためのサブシステムとしての規律が設けられている。まず，訴状には，請求の趣旨および請求の原因（請求を特定するのに必要な事実としての請求原因）のほか，請求を理由づける事実についても具体的に記載しなればならない。また，重要な間接事実および関連証拠も記載しなければならない（規53条1項）。さらに，訴状には，不動産に関する事件における登記事項証明書など，基本的な書証の写しを添付しなければならない（規55条）。また，答弁書にも，これと同様の規律が設けられている（規80条）。いずれも，早期の事実把握を容易にするための規律である。

6-2-2　争点整理手続

6-2-2-1　各種の手続とその選択

　争点整理手続としては，①「**準備的口頭弁論**」，②「**弁論準備手続**」，③「**書面による準備手続**」の３種が用意されている。裁判所は，事件の種類や紛争の内容に応じて，いずれの争点整理手続によるかを選択する。たとえば，準備的口頭弁論は，公開法廷で実施されるので，当事者や関係人が多数いる訴訟（公害訴訟など），政策形成を目的とする訴訟（環境訴訟など），多数の傍聴人が予想される訴訟（労働訴訟など）といった，公開の場で争点整理を行うことが望ましい事件に適している。他方，書面による準備手続は，当事者や代理人が裁判所に出頭する負担を軽減するために設けられた争点整理手続であるので，住居や事務所が遠隔の地にある事件などに適している。これら以外の一般的な事件では，弁論準備手続が広く用いられている。争点が客観的に明白でとくに争点整理の必要がないと考えられる事件については，これらの手続を経ることなくいきなり口頭弁論を行うことも可能である。争点整理手続が実施される場合には，実質的な口頭弁論の機能のかなりの部分は，争点整理手続に吸収されることになる。なぜなら，双方の言い分を十分につき合わせて争点と証拠を整理するためには，当事者が争点整理手続において実質的な攻撃防御の応酬を行う必要があり，主要な準備書面の交換や主要な証拠の申出も争点整理手続の中でなされることが多くなるからである。

6-2-2-2　準備的口頭弁論

　「**準備的口頭弁論**」は，争点および証拠の整理に機能を特化させた口頭弁論であり，あくまでも口頭弁論の一種である。準備的口頭弁論と対比して，通常の口頭弁論を「本質的口頭弁論」ということもある。準備的口頭弁論も口頭弁論であるから，本質的口頭弁論と同じく公開法廷で双方当事者の対席のもとに実施される。公開法廷といっても通常の法廷ではなく，話合いをしやすくするために，ラウンドテーブル法廷が使われることが普通である。口頭弁論の中に準備的口頭弁論という手続段階を設けるかどうかは，受訴裁判所の判断に委ねられる（164条）。

　準備的口頭弁論は，後述の弁論準備手続と異なり，あくまでも口頭弁論であるので，その実施について当事者の意見を聴くことは要求されていない。また，

争点および証拠の整理のために必要であれば，弁論準備手続では許されない証人尋問や当事者尋問も含めて，およそ口頭弁論において実施が認められているあらゆる行為を行うことができる。他方，弁論準備手続で認められている受命裁判官による主宰や電話会議やウェブ会議の方法による実施は許されない。

当事者が準備的口頭弁論の期日に出頭しない場合や，裁判長が定めた期間内に準備書面の提出または証拠の申出をしないときは，裁判所は準備的口頭弁論を終了することができる（166条）。準備的口頭弁論は争点整理手続であるから争点整理が完了した後に終了するのが本来であるが，当事者が準備的口頭弁論の手続に協力しないことにより，訴訟を引き延ばすことを防止するためである。

6-2-2-3　弁論準備手続

(1)　弁論準備手続の意義

「**弁論準備手続**」は，口頭弁論期日以外の期日において，受訴裁判所または受命裁判官が主宰して行う争点整理手続である。口頭弁論ではないので，公開主義や双方審尋主義などの諸原則が緩和されている。これにより，公開法廷ではない準備室や和解室などにおいて，法服を着用していない裁判官と両当事者がテーブルを囲み，インフォーマルな雰囲気の中で討論や話合いを行うことができる。また，受命裁判官に手続を主宰させることで（171条1項），機動的に争点整理を実施することができるのも，準備的口頭弁論とは異なるところである。裁判所が相当と認めるときは，当事者の意見を聴いて，電話会議またはウェブ会議の方法を利用して手続を実施することもできる（170条3項）。

(2)　弁論準備手続の実施

弁論準備手続を開始するには，準備的口頭弁論の場合とは異なって，裁判所は当事者の意見を聴かなければならない（168条）。弁論準備手続においてなし得る行為は準備的口頭弁論と比べて限定されているし，当事者の協力が得られなければ，弁論準備手続における円滑な争点整理は期待できないからである。また，裁判所は，相当と認めるときは，申立てまたは職権により，弁論準備手続に付する裁判を取り消すことができるし（172条本文），当事者双方の申立てがあるときは，必要的に取り消さなければならない（同条但書）。弁論準備手続の実施時期については，訴え提起後にまず第1回口頭弁論期日を開き，審理の進め方を決定したうえで事件を弁論準備手続に付することが一般であるが，当事者に異議がなければ，口頭弁論期日を経ることなく直ちに弁論準備手続に付す

ことも可能である（規60条1項但書）。

(3) **弁論準備手続でなし得る行為**

弁論準備手続において，当事者および裁判所がなし得る行為は，以下のとおりである。当事者は，準備書面の提出（170条1項），事実上の主張，法律上の主張，証拠の申出，訴えの取下げ（261条3項），訴訟上の和解，請求の放棄・認諾（266条1項）などの訴訟行為を行うことができる。また，裁判所は，釈明権の行使，釈明処分，弁論の制限・分離・併合，攻撃防御方法の却下，準備書面等の提出期間の裁定，和解の勧試（89条1項）などの訴訟行為を行うことができる（170条5項）。

証拠調べは原則として実施できないが，例外的に文書の証拠調べは行うことができる（170条2項の後半部分）。争点整理には書証の認否を経ることが不可欠であること，人証の必要性の判断には文書の取調べが必要であること，文書の取調べは裁判官が閲読して行うので公開法廷で行う意味が少ないことなどの理由による。

また，証拠の申出に関する裁判（文書提出命令の申立てに関する裁判，証拠調べの決定，証拠調べの申出を却下する決定など）や，その他の口頭弁論の期日外においてすることができる裁判（補助参加の申出に関する裁判，訴訟引受の決定，訴訟救助に関する裁判，訴えの変更の許否の裁判など）も行うことができる（170条2項の前半部分）。もともと口頭弁論の期日外でなし得る裁判であるし，これらの裁判は争点整理と密接に関係するからである。

(4) **公開主義との関係**

弁論準備手続は，口頭弁論ではないので，手続を一般公開する必要はない。しかし，弁論準備手続においても，可能な限り公開の精神を実現していくために，裁判所は相当と認める者の傍聴を許すことができるし，当事者からとくに傍聴の申出があった者については，支障のおそれがある場合を除き，原則として傍聴を許さなければならないものとされている（169条2項）。つまり，弁論準備手続には一般公開の原則は妥当しないが，他方で非公開原則が採用されているわけでもなく，一定の関係者には公開が認められる。そこで，これを「関係者公開」と呼ぶこともある。

(5) 双方審尋主義との関係

　弁論準備手続は，口頭弁論ではないとはいっても，当事者双方に攻撃防御の機会を保障する必要があることは疑いがない。そこで，当事者双方に期日における立会権があることを明確にするために，弁論準備手続は当事者双方が立ち会うことができる期日において行う旨が規定されている（169条1項）。したがって，一方の当事者だけを期日に呼び出して，弁論準備手続を開くことは許されない。

　それでは，当事者双方が期日に出頭した場合において，当事者の一方を退席させて，裁判所が他方のみと面接を行う「交互面接方式」は許されるであろうか。これについては，169条1項は交互面接を禁じていないことを理由として適法であるとする見解と，交互面接方式は原則として双方審尋主義に反して許されないが，弁論準備手続では当事者が同席面接を受ける権利を行使しないことはできるので，当事者が裁判所の要請に応じて任意に退席した場合は適法とする見解がある。双方審尋主義は，当事者の手続権を担保する重要な原理であり，口頭弁論のみならず，弁論準備手続においても，その趣旨は，手続の性質に応じて可能な限り及ぼされるべきであるので，後者の見解が妥当である（双方審尋主義については，⇨ *5-1-2-1*）。

6-2-2-4　書面による準備手続

　「書面による準備手続」は，当事者双方が裁判所へ出頭することなく，準備書面等の書面の提出および交換と，それを補完する電話会議またはウェブ会議のシステムの利用により，争点および証拠の整理をする手続である（175条・176条3項）。また，一般的には準備書面等の提出期間の裁定は任意的であるのに対し（162条），書面による準備手続では，裁判長等は，必ず提出期間等を定めなければならない（176条2項）。準備的口頭弁論や弁論準備手続とは異なり期日が開かれないので，裁定期間により進行管理を行う趣旨である。

　この手続を主宰するのは，原則として裁判長である（176条1項本文）。当事者の出頭なしに争点整理を適切に行うには，経験豊富な裁判官による必要があると考えられたからである。ただし，高等裁判所においては，陪席裁判官も経験を積んでいるので，陪席裁判官を受命裁判官とすることもできる（同項但書）。このように，期日が開かれることなく進行する書面による準備手続は，将来の口頭弁論期日で陳述予定の主張と提出予定の証拠を事前に整理する作業にすぎ

ないという位置付けであり，手続終了後の口頭弁論期日で，その整理のとおりに主張や証拠の申出がなされて，はじめて争点および証拠の整理が完成するものとされている。

6-2-3 争点整理手続の終結

　争点および証拠の整理が完了すれば争点整理手続は終了するが，そこで整理された結果について，当事者双方および裁判所の間で理解の食い違いが生じないようにする必要がある。そこで，そのための手続が用意されている。

　まず，準備的口頭弁論および弁論準備手続の終了に際しては，その後の証拠調べによって証明すべき事実が何であるかを，裁判所と当事者の間で確認すべきものとしている（165条1項・170条5項）。書面による準備手続の終了の場合は，争点および証拠の整理は完成していないので，その手続内において，その後の証拠調べによって証明すべき事実の確認をすることはできない。その代わり，書面による準備手続が終結した後に開かれる口頭弁論の最初の期日において，この確認作業を行うべきものとされている（177条）。

　また，すべての争点整理手続において，裁判長等は，当事者に争点整理手続の結果を要約した書面（要約書面）を提出させることができる（165条2項・170条5項・176条4項）。この要約書面に記載されるのは，争点および証拠の整理の手続それ自体の結果であるので，書面による準備手続の終了時でも提出を求めることができる。

　当事者が準備的口頭弁論および弁論準備手続の期日に出頭しない場合や，裁判長等が定めた期間内に準備書面の提出等をしないときは，裁判所は，これらの争点整理手続を終了することができる（166条・170条5項）。争点整理手続は，争点および証拠の整理が完了した後に終了するのが本来であるが，当事者が訴訟を引き延ばすことを防止するために，当事者の非協力的な態度を理由として裁判所が手続を終了することを認め，6-2-5-1で述べる説明義務（場合によっては157条1項による却下）を発生させることができるようにしたものである。ただし，書面による準備手続については，このような不利益を生じさせるべきではないと考えられたので，当事者の非協力的な態度を理由とする手続の終了はできず，書面による準備手続に付する裁判を取り消す（120条）ことができるにとどまる。

6-2-4 口頭弁論への移行

争点整理手続が終了すれば，そこで明らかにされた争点を訴訟資料によって解明するために，口頭弁論（本質的口頭弁論）の期日が開かれることになる。具体的には，以下のとおりである。準備的口頭弁論が行われた場合は本質的口頭弁論に移行するための格別の手続は必要ない。これに対し，弁論準備手続が行われた場合は，その結果を口頭弁論の期日において陳述しなければならない（173条）。これは，実務上，「口頭弁論への上程」と呼ばれる。判決手続における口頭弁論の原則の要請（87条1項本文）を満たすことにより，弁論準備手続で提出された資料を訴訟資料とするための措置である。なお，その際，その後の証拠調べにおいて証明すべき事実を明らかにしなければならない（規89条）。書面による準備手続が行われた場合は，裁判所は，口頭弁論において，その後の証拠調べによって証明すべき事実を当事者と確認しなければならない（177条）。これは，他の争点整理手続ではその終了時に行われるが，書面による準備手続は期日を開かないので，口頭弁論の期日において確認作業を行って，争点および証拠の整理を完成させることにしたものである。

6-2-5 攻撃防御方法の提出制限

6-2-5-1 争点整理手続後の攻撃防御方法の提出

仮に，当事者が争点整理の結果を無視して自由に攻撃防御方法を提出できるとすると，争点整理を行ったことは無意味になってしまう。また，争点整理手続が実施される以上，争点整理手続の中で提出すべき攻撃防御方法を終了後に提出することは，原則として適時提出主義（156条）の原則にも反することになる。

そこで，争点整理手続が終了した後は，攻撃防御方法の提出に何らかの制限を設けることが望ましいが，強力な効果を付与することに対する反対も強かったことから，現行法は「**説明義務**」という効果を付与することとした。すなわち，準備的口頭弁論および弁論準備手続の終了後に攻撃防御方法を提出した当事者は，相手方の求めがあれば，その理由を説明しなければならない（167条・174条）。また，書面による準備手続の終了後の口頭弁論において，要約書面の陳述や証明すべき事実の確認がなされた後に新たな攻撃防御方法が提出さ

れた場合も，同様の説明義務が課される（178条）。

　説明は，期日において口頭でする場合を除き，書面でしなければならない（規87条1項・90条・94条1項）。こうした説明義務は，訴訟上の信義則の具体的な発現と考えられている。義務の不履行に対する直接的な制裁はないが，当事者に争点整理の結果を尊重する心理的な圧力を与えるものとされる。また，時機に後れた攻撃防御方法の却下の規定（157条1項）の発動を容易にすると解されている。

6-2-5-2 時機に後れた攻撃防御方法の提出

　当事者の故意または重大な過失によって，時機に後れて提出された攻撃防御方法は，訴訟の完結を遅延させると認められる場合には，裁判所は，申立てまたは職権により却下することができる（157条1項）。これを「**時機に後れた攻撃防御方法の却下**」という。この規定の趣旨について，随時提出主義（口頭弁論の終結まではいつでも攻撃防御方法を提出することができるとする原則）が採用されていた旧法下では，随時提出主義に対する例外という理解が一般的であった。しかし，現行法下では，適時提出主義（156条）の理念を実現するための手段として理解されている（適時提出主義については，⇨ **5-1-3-1**）。

> **すこし詳しく 6-2　「適時」と「時機」の関係**
>
> ▶ 適時提出主義（156条）にいう「適時」と時機に後れた攻撃防御方法の却下（157条1項）にいう「時機」の関係については，「適時」を経過した後に提出された攻撃防御方法が直ちに「時機」に後れたことになるわけではなく，「適時」から相当程度後れて提出された攻撃防御方法が「時機」に後れたものとなるとする見解もある。しかし，157条1項が156条の理念を実現するための手段であるとすれば，両者の判断基準は同一であるべきである。すなわち，「適時」でなければ「時機」に後れたことになるものと解すべきである。ただし，「適時」を経過した後に提出された攻撃防御方法は，それだけで常に却下されるわけではないことに注意を要する。時機に後れた攻撃防御方法として却下するためには，後述の②および③の要件も満たす必要があるからである。

　時機に後れた攻撃防御方法の却下の規定は，口頭弁論の手続において適用されるのはもちろんであるが，弁論準備手続においても適用される（170条5項）。むしろ，弁論準備手続が実施される場合には，攻撃防御方法のうちの主張や書証の多くは弁論準備手続の段階で提出されるので，現行法下では弁論準備手続における役割がとくに大きい。ただし，攻撃防御方法の提出の責任を当事者が

負うことを前提とした規定であるので，職権探知主義が適用される人事訴訟では，この規定の適用は排除される（人訴19条1項）。他方，行訴法には本条の適用を排除する規定はなく，むしろ同法7条によって本条の適用が認められるものと解される。

　時機に後れた攻撃防御方法として裁判所が却下するための要件は，①時機に後れた提出であること，②当事者の故意または重過失に基づくこと，③それを審理することで訴訟の完結が遅延することである。

　①の「時機に後れた」とは，より早期の適切な時期に提出できたことを意味する。弁論準備手続などの争点整理手続が行われたときは，その終了後の提出は，特段の事情がない限り，時機に後れたものと解すべきである。控訴審での提出は，続審制がとられているので，控訴審の手続のみで判断するのではなく，第1審からの手続の経過を通じて判断すべきである（最判昭和30・4・5民集9巻4号439頁）。

　②の「故意または重過失」は，攻撃防御方法の種類を考慮して判断する必要がある。たとえば，相殺の抗弁のように実質的な敗訴を前提とした攻撃防御方法は，たとえ提出が遅れても，故意または重過失は認定されにくい。また，争点整理手続の終了後に攻撃防御方法が提出され，これについて説明義務が履行されないときは，重過失が推定されると解すべきである。

　③の「訴訟の完結の遅延」は，その攻撃防御方法を却下した場合に想定される訴訟完結時と，その攻撃防御方法の審理を続行した場合に想定される訴訟完結時を比較して判断する。既に弁論を終結している場合や，弁論終結の直前の場合には，この要件を満たしやすい。これに対し，その場ですぐに取調べが可能な証拠の申出などは，訴訟の完結を遅延させるとはいえない。

　なお，提出された攻撃防御方法の趣旨が不明瞭であり，裁判所が釈明権を行使して趣旨を明瞭にするよう促しても，これに対して当事者が必要な釈明をなさず，または釈明をなすべき期日に出頭しないときについても，裁判所は，その攻撃防御方法を却下することができる（157条2項）。

6-3 審理の計画

6-3-1 進行協議期日

「**進行協議期日**」とは，口頭弁論をスムーズに進行させるために，口頭弁論の期日外で，裁判所と双方の当事者が，訴訟の進行に関して必要な事項を協議するために，民訴規上に設けられた特別の期日である（規95条～98条）。たとえば，当事者や関係者が多数に上るために進行の整理についての協議が必要な大規模訴訟や，専門家を交えた説明会を開いて技術的な事項を理解して進行の打合せをする必要がある専門訴訟などでは，口頭弁論のスムーズな進行のために，進行協議期日を持つことが望ましい場合がある。

裁判所が相当と認めるときは，裁判所外でも進行協議期日を実施することができる（規97条）。事件の状況を現地で裁判所と当事者が確認しながら，訴訟の進行を打ち合わせる必要がある場合などを想定したものである。進行協議期日は，事件の内容に関する審理やその準備をする期日ではないので，訴訟資料の提出や取調べはなされない。ただし，当事者による訴訟終了行為である訴えの取下げ，請求の放棄・認諾は可能である（規95条2項）。

進行の協議のための期日といえども，当事者の手続権を保障する必要があることに変わりはないので，当事者双方が立ち会うことができる日時を指定しなければならない（規95条1項）。裁判所が相当と認めるときは，電話会議またはウェブ会議のシステムを利用することもできる（規96条1項）。

6-3-2 計画審理

6-3-2-1 計画的進行主義

民事訴訟の理念である適正かつ迅速な訴訟を行うためには，裁判所が事件の全体像と当事者の状況を早期の段階で把握したうえで，訴訟手続の計画的な進行を図ることが望ましい。とくに，集中証拠調べを実施するためには，弁論および書証の段階と人証の取調べの段階を区分して，立証計画を立てていく必要がある。こうした考え方を，「**計画的進行主義**」という。147条の2は，この計画的進行主義を定めた規定であり，すべての訴訟に等しく適用される規律であ

る。後述の審理計画に関する147条の3と異なり、一定の要件や効果を伴うものではないが、審理計画の策定義務がない事件においても、事件の内容に応じて計画的に審理を進めていくことが必要であり、事実上の審理スケジュールを立てるなどの工夫を試みる裁判体もある。

6-3-2-2 審理計画

計画的進行主義がすべての事件に適用される一般的な規律であるのに対し、**「審理計画」**は、とくに複雑な事件などについて、これを策定する義務が具体的に法定されているものである（147条の3）。すなわち、争点が多数または錯綜しているなどの複雑な事件や、その他の事情でとくに審理計画が必要と認められる事件については、裁判所は、当事者双方との協議結果を踏まえて、審理計画を策定しなければならない（同条1項）。当事者や関係者の数が多い公害訴訟、争点が専門的かつ複雑な医療訴訟、争点が多岐にわたる建築訴訟などが、審理計画の策定が必要な典型例とされる。

審理計画の策定においては、計画に盛り込むべき最低限の内容が法定されている。すなわち、①争点および証拠の整理を行う期間、②証人および当事者本人の尋問を行う期間、③口頭弁論の終結および判決の言渡しの予定時期は、必ず定めなければならない（同条2項）。これら以外にも、特定事項に関する攻撃防御方法の提出期間や、その他の審理の計画的な進行に必要な事項を任意的に定めることができる（同条3項）。攻撃防御方法の提出期間については、事後的に裁判長が定めることもできる（156条の2）。当初の審理計画と手続進行の現況が食い違った場合などにおいては、当事者双方と協議して、弾力的に計画を変更することもできる（147条の3第4項）。

特定事項に関する攻撃防御方法の提出期間が定められている場合（147条の3第3項・156条の2）において、当事者がその期間後に攻撃防御方法を提出したときは、これにより審理計画に従った訴訟の進行に著しい支障のおそれがあれば、裁判所は、申立てまたは職権により、その攻撃防御方法を却下することができる（157条の2本文）。審理計画が定められている場合には、一般の時機に後れた攻撃防御方法の却下よりも厳しい規律に親しむからである。ただし、当事者が攻撃防御方法の提出期間を徒過したことに相当の理由があることを疎明すれば、却下を免れることができる（同条但書）。

6-4　情報収集制度

6-4-1　情報収集制度の必要性

　民事訴訟の理念である適正かつ迅速な審理を実現するためには，当事者および裁判所が，訴訟開始後の早い段階で事件に関する情報を豊富に有していることが望ましい。訴訟の早期に実施される争点整理手続も，当事者および裁判所が事件の把握や証拠の所在に関する情報を共有していることで，より効果的に実施することができる。さらに，提訴予定者にとっては，訴え提起前の段階で事件に関する情報を入手することができれば，訴訟物の選択と構成，請求原因の組立て，立証の準備などを，効率的に行うことが可能になる。また，それによって，整序された形で訴えが提起されれば，相手方および裁判所との間で事件に関する認識の共有を早期に確立しやすくなり，審理の充実と促進を招くことにもつながる。

　そこで，民訴法は，提訴前または提訴後の早期の段階で，紛争の当事者が事件の情報を入手するための制度を設けている。また，民訴法以外の法律で，こうした情報の入手に役立つ制度もある。ここでは，①当事者照会，②提訴前の証拠収集処分等，③証拠保全，④弁護士会照会を取り上げる。これらのうち，①は訴訟係属後の制度，②は提訴前の制度，③と④は提訴前および訴訟係属後のいずれでも利用可能な制度である。また，①②③は民訴法上の制度であるが，④は弁護士法上の制度である。なお，②の一部と③は，提訴後に証拠となるべき資料の収集または確保の制度であるが，提訴前の段階では，同時に提訴を準備するための情報収集の意味を持つ。また，④の弁護士会照会は，訴訟のための情報収集に限られているわけではなく，交渉や調停などによる事件処理のためにも利用できる。

6-4-2　当事者照会

　「当事者照会」は，争点整理の前提となる主張や証拠の申出について準備するために，訴訟の係属後に，当事者が相手方に対して書面で照会し，書面で回答を求める制度である（163条）。アメリカのディスカバリにおける質問書（イ

ンタ―ロガトリーズ）の制度をモデルとして，平成 8（1996）年改正において導入されたものである。この制度に込められた理念は，裁判所の職権発動である釈明権の行使に頼るのではなく，当事者間で自治的に情報を交換して，争点整理や集中証拠調べを実現していく一助とすることにあった。しかし，アメリカの質問書と異なって，制度の実効性を確保するための仕組みや制裁が設けられなかったため，導入後の実務における利用は低調である。そこで，実効性を高めるために，裁判所の後見的な関与を認めることや，誠実に回答しない者に対する制裁を導入すべきとする改正案も唱えられている。

当事者照会は相手方に対する照会書の送付によって行われ，これに対する相手方の回答も回答書の送付によって行われる（規84条1項）。照会を受けた者は，信義則（2条）に基づく回答義務を負うものと解されるが，前述のように，回答拒絶等に対する制裁はない。また，163条1号～6号において，回答義務を負わない場合が明定されている。これらは，次の3つの類型に分けることができる。第1は，照会内容が不適切である場合である。具体的または個別的でない照会（1号），相手方を侮辱または困惑させる照会（2号），過去の照会と重複する照会（3号），意見を求める照会（4号）が，これに当たる。第2は，相手方に過度の負担をかける照会である（5号）。第3は，証言拒絶権で保護される事項の照会である（6号）。

6-4-3　提訴前の証拠収集処分等

これから訴えを提起しようとする者（提訴予定者）は，被告とすべき者（被告予定者）に対して提訴を予告する通知（予告通知）を行ったときは，①**「提訴前の照会」**の制度，および，②**「提訴前の証拠収集処分」**の制度を利用することができる（132条の2～132条の9）。予告通知は書面によることを要し，提起しようとする訴えの「請求の要旨」と「紛争の要点」を必ず記載しなければならず（132条の2第3項），また，訴えの提起の予定時期をできる限り記載しなければならない（規52条の2第3項）。予告通知を受けた者（被予告通知者）も，予告通知者に対して，答弁の要旨を記載した書面を送付して返答すれば，予告通知者と同様に，①と②の制度を利用することができる（132条の3）。

提訴前の照会の制度は，前述の当事者照会を提訴前に認めるものである。すなわち，予告通知者および答弁要旨を送付した被予告通知者（両者を併せて「予

告通知者等」という）は，通知をした日から4か月以内に限り，提訴後の主張または立証の準備に必要であることが明らかな事項について，相当の期間を定めて，書面による回答をするよう，書面で照会をすることができる（132条の2・132条の3，規52条の4）。照会を受けた者は回答義務を有するが，訴訟係属が生じる前の段階であるので，照会が制限される場合は当事者照会よりも広く明示されており，163条各号に該当する場合のほか，相手方または第三者の私生活上の秘密に関する事項や，相手方または第三者の営業秘密に関する事項についても，第三者が承諾した場合を除いて回答義務はない（132条の2第1項但書・2項）。しかし，この制度も，当事者照会と同様に実効性を確保するための仕組みや制裁がなく，実効的に利用することができないので，現実には，ほとんど利用されていない。

　提訴前の証拠収集処分の制度は，提訴後の立証に必要であることが明らかな証拠となるべきものについて，申立人が自ら収集することが困難であるときに，裁判所による証拠収集処分を申し立てることを認めるものである（132条の4第1項）。処分の種類は，①文書送付の嘱託（同項1号），②調査の嘱託（同項2号），③専門的知識経験を有する者に対する意見陳述の嘱託（同項3号），④執行官に対する現況調査命令（同項4号）である。このうち，①と②は，提訴後に認められている文書送付嘱託と調査嘱託を前倒しの形で認めたものである。また，③と④は，提訴後における鑑定と検証に対応するものであるが，訴訟係属前であることを考慮して，それらを簡易化したものである。訴訟係属が生じる前の段階であるので，いずれも文書提出命令のような証拠の所持者に強制力を及ぼす制度ではなく，任意の協力を得られる範囲において，予告通知者等の将来の証拠の収集に裁判所が手を貸す制度として設けられた。しかし，そのために実効性に乏しく，この制度も利用は低調である。

6-4-4 証拠保全

　「**証拠保全**」は，正規の証拠調べを待っていたのでは，その証拠の利用が困難となる事情があるときに，あらかじめ証拠調べを行い，その結果を保全しておくための手続である（234条〜242条）。訴えの提起前と提起後のいずれにも認められ，本来の訴訟手続とは別個に行われる付随手続である。証拠の利用が困難となる事情の例としては，近い将来の証人の死亡の可能性，文書の改ざん

のおそれ，瑕疵のある建築物を改築する計画が進んでいる場合などがある。証拠保全は，本来は証拠を保全して将来の証拠調べに備えるための手続であるが，相手方や第三者の所持する証拠に抜き打ち的にアクセスすることができるため，実務上は，とりわけ提訴前の証拠保全において，証拠や情報の収集手段として用いられている。

　証拠保全の要件は，「あらかじめ証拠調べをしておかなければその証拠を使用することが困難となる事情がある」ことである（234条）。証拠や情報の収集手段としての機能をどの程度認めるかは，この要件の解釈にかかる。たとえば，患者が病院や医師を訴える医療訴訟を提起するに先立って，改ざんのおそれを理由として，診療記録や看護記録の証拠保全を申し立てる事例がしばしばみられる。その際，とくに改ざんのおそれを疑わせる具体的な事情まで要求するか，医師側がこれらを排他的に所持していることにより，改ざんの誘惑の大きい状況にあるという抽象的なおそれで足りるかによって，証拠や情報の収集手段としての機能は大きく異なる。議論が対立しているが，証拠の偏在を是正する手段が完備されていない現状では，後者の立場によるべきであろう。

　証拠保全の管轄裁判所は，訴え提起後は，その証拠を使用すべき審級の裁判所であり（235条1項），訴え提起前は，証拠方法の所在地を管轄する地方裁判所または簡易裁判所である（同条2項）。急迫の事情があれば，訴え提起後であっても，後者の裁判所に証拠保全の申立てをすることができる（同条3項）。訴訟が係属した後は，職権による証拠保全の決定をすることもできる（237条）。証拠保全の申立てを却下する決定に対しては抗告ができるが（328条1項），証拠保全を認める決定に対しては不服を申し立てることはできない（238条）。

　証拠保全における証拠調べの種類は，証拠保全の目的に応じて決定される。たとえば，改ざんのおそれを理由とする文書の証拠保全は，文書の現状が確認・保存されればよいので，書証ではなく検証が行われることが多い。証拠保全の決定それ自体から，直ちに文書や検証物の提出命令の効果が生じるわけではないので，相手方の任意の協力が得られないときは，申立人は，検証物提示命令の申立てなどをする必要がある。この場合における検証物提示命令は，証拠保全と別の手続というわけではなく，証拠保全の手続の一部である。

　証拠保全における証拠調べの期日には，急速を要する場合を除き，申立人および相手方の双方が呼び出されなければならない（240条）。証拠調べが行われ

た場合は，その記録は，本案の裁判所の裁判所書記官に送付される（規154条）。この記録が本案の口頭弁論に提出されることにより，本案における証拠調べと同一の効力が生じる。すなわち，証拠保全で証人尋問が行われれば，本案でも証人尋問が行われたことになるのであり，証人尋問調書が書証として扱われるのではない。ただし，証拠保全で証人尋問が行われたときに，口頭弁論でなお尋問が可能であって，当事者から申出があれば，直接主義の要請を徹底させるために，裁判所は必ず尋問をしなおさなければならない（242条）。

6-4-5 弁護士会照会

　弁護士は，その受任している事件について，その所属する弁護士会（単位弁護士会）に対し，公務所または公私の団体に照会して必要な事項の報告を求めることを，申し出ることができる。申出を受けた弁護士会は，申出が適当でないと認めればこれを拒絶し，そうでなければ，それらの照会先に必要な事項の報告を求める（弁護23条の2）。弁護士が，受任している事件の処理のために必要な情報を収集するための手段として設けられた制度であり，訴訟事件に限った制度ではないが，訴え提起の準備や訴訟に必要な情報収集等のためにも広く利用されている。照会を行う主体は，照会によって秘密やプライバシー等の侵害につながる危険があることから，濫用を防止して慎重を期すために，申出をした弁護士本人ではなく，申出を受けた弁護士会とされている。照会先は，公務所または公私の団体であり，個人に対する照会はできない。

　照会を受けた公務所や団体は，正当な事由がない限り，照会事項について公法上の報告義務を負うものと解されている。ただし，報告義務の違反に対する制裁や直接的な強制手段は設けられていない。そこで，事実上の制裁的な機能を期待して，報告を拒絶した照会先に対して不法行為に基づく損害賠償請求訴訟が提起されることがある。こうした不法行為訴訟における原告としては，依頼者，弁護士，弁護士会が考えられるが，そのうち，依頼者や弁護士を原告とする訴訟については，不法行為の成立を肯定する裁判例と否定する裁判例とがあり，最高裁の判例や学説上の定説はいまだない状態である。他方，弁護士会を原告とする訴訟については，最高裁は，弁護士会は法律上保護される利益を有しないので不法行為は成立しないとした（最判平成28・10・18民集70巻7号1725頁）。

第7章 事案の解明

7-1 弁論主義
7-2 主張の規律
7-3 裁判上の自白
7-4 証明の規律
7-5 証拠調べ

7-1 弁論主義

7-1-1 弁論主義の意義

7-1-1-1 弁論主義の趣旨

「**弁論主義**」とは，裁判における事実の認定に必要な資料（これを「**裁判資料**」といい，そのうちの民事訴訟の裁判資料をとくに「**訴訟資料**」という）の収集および訴訟の場への提出が，当事者の「権能」でありかつ「責任」であるとする原則である。ここにいう「当事者の権能」とは，当事者による自治が裁判所による職権に優先することを意味する。また，「当事者の責任」とは，訴訟資料が不十分なときは当事者の自己責任として処理されることを意味する。

弁論主義は，処分権主義とならんで「当事者主義の原則」を体現する民事訴訟における重要な基本原理である。ただし，弁論主義は，当事者と裁判所の関係を規律する原理であり，当事者相互（原告と被告）の関係まで規律するものではないことに注意を要する。このように，弁論主義は，民事訴訟における最も重要な手続規範の1つであるが，民訴法の条文には，「弁論主義」という言

葉はなく，弁論主義を一般的に定めた規定もない。したがって，弁論主義の内容の詳細，弁論主義が及ぶ範囲，弁論主義から生じる効果などは，その多くが解釈に委ねられている。

　民事訴訟における基本原理といっても，すべての民事訴訟上の事件に弁論主義が適用されるわけではないことにも注意を要する。たとえば，人事訴訟については，弁論主義の対立概念とされる「**職権探知主義**」が採用されている（人訴19条1項・20条。もっとも，職権探知主義は，文字どおりの意味における弁論主義の「対立」概念ではない。詳しくは，⇨ *7-1-3-1*）。また，裁判権のような公益性の高い訴訟要件の審理についても，弁論主義ではなく職権探知主義が妥当すると解されている。さらに，民訴法が包括的に準用されている行政訴訟においても（行訴7条），職権探知主義の一部である職権証拠調べが採用されている（同24条・38条1項）。このように弁論主義は，民事訴訟上の訴訟資料に関する唯一の原則とはいえない。しかし，多くの事件類型では弁論主義が適用されるうえに，弁論主義は，弁論権の保障を実質的に担保する役割を果たす点で，重要な意味と機能を有する。

> **すこし詳しく 7-1**　「**弁論権**」と「**弁論主義**」
>
> ▶「**弁論権**」は，裁判の基礎となる資料を提出する当事者の権利であり，手続保障（あるいは，当事者権の保障）における中核を占める（手続保障，当事者権の保障，弁論権については，⇨ *1-2-3-2*(3)）。すなわち，弁論権は，憲法32条が保障する「裁判を受ける権利」の実質をなすものであるから，弁論主義であると職権探知主義であるとを問わず，また，訴訟手続であると非訟手続であるとを問わず（非訟手続では職権探知主義が適用される），等しく保障されるべきものである。ただし，弁論主義のもとでは，裁判の基礎となる資料の収集と提出は，当事者の権能と責任に委ねられるので，基本的に，裁判所が裁判（判断）の基礎とした資料について当事者が「不意打ち」を受けることはなく，その意味において弁論主義は弁論権の保障を実質的に担保する。これに対し，職権探知主義が適用される場合は，弁論権の保障が及ぶ点では同じであるが，裁判の基礎資料の収集と提出に裁判所の後見的な介入が働くので（詳しくは，⇨ *7-1-3*），当事者にとって「不意打ち」となる事態が起こり得る。しかし，裁判の基礎資料に関する「不意打ち」は当事者権の実質的な侵害につながるので，裁判所は，そうした事態が生じないように訴訟運営を行う義務を負う。以上が，弁論権と弁論主義の相互関係である。ちなみに，後述する法的観点指摘義務（⇨ *7-1-4-5*）や釈明義務（⇨ *7-1-4*）は，弁論主義と職権探知主義を通じて，こうした弁論権を保障すべき裁判所の一般的な義務を具体化したもので

ある。

7-1-1-2 弁論主義の根拠

　前述したように，弁論主義を正面から定めた規定はない。それにもかかわらず，わが国の民訴法が弁論主義を採用していることは，以下の理由により，学説および実務において異論の余地なく承認されている。まず，歴史的には，ドイツ普通法の時代から民事訴訟の基本原則とされてきたという経緯がある。また，形式的には，人訴法や行訴法などが職権探知主義の特則を規定していることから（人訴19条・20条，行訴24条参照），その反面として民事訴訟の本来の原則は弁論主義であることが推知できる。さらに，民訴法自体にも，部分的ではあるが，弁論主義に関する規定（159条・179条）があることなどを挙げることができる。しかし，裁判の基礎となる資料の収集と提出に関する基本原則は，訴訟の勝敗を左右する重要な問題であるから，こうした形式的な根拠だけで，その存在を認めるわけにはいかない。そこで，弁論主義の実質的な根拠をどこに求めるかが，さらに問題となる。

　通説は，民事訴訟の対象たる訴訟物は「私人間」の権利であり（ここにいう「権利」は，法律関係や法的利益などを広く含む。以下も，同様である），当事者の自由な処分を認める「私的自治の原則」が妥当するので，訴訟物の判断のための訴訟資料の収集と提出についても，同じく私的自治の原則が妥当することに弁論主義の実質的な根拠を求める（民事訴訟上の私的自治の原則については，⇨ **2-3-1-1** す 2-1）。このような見解は，弁論主義は，民事訴訟の本質から導かれるものと考えるので「本質説」と呼ばれる。ただし，本質説の背景に政策的な考慮が全くないというわけではない。私的自治の尊重という考え方も，それ自体が1つの政策的な考慮であるからである。したがって，本質説をとったとしても，そこにいう「本質」から個別的な問題の解決が演繹的または一義的に導かれるものではなく，個々の問題ごとに具体的に考察していく必要がある。したがって，弁論主義の実質的な根拠に関する議論は，かつて考えられていたほどには，法解釈上の結論を左右するものではない。

> **すこし詳しく 7-2　弁論主義の根拠に関する諸学説**
> ▶通常の民事訴訟において弁論主義がとられている根拠については，本文で述べた「本質説」以外にも諸説がある。たとえば，民事訴訟の結果に最も利害を持つのは当事者であり，当事者に訴訟資料の収集と提出に関す

る権限と責任を与えれば，有利な結果を得たいという当事者の利己心を通じて，最も効果的に事案の解明ができることに根拠を求める見解がある。この見解は，弁論主義は事案解明のための政策的な手段であるとするので，「手段説」と呼ばれる。しかし，職権探知主義においても，当事者は有利な結果を得ようとして全力を尽くすのが通常であり，さらに裁判所の後見が加わるので，職権探知主義の方こそが事案の解明に優れているのではないかという批判がある。また，弁論主義の根拠を当事者に対する不意打ちの防止に求める「不意打ち防止説」や，当事者に攻撃防御の機会を保障する原理であるとする「手続保障説」も唱えられている。さらに，これらすべてが弁論主義の根拠であると考える「多元説」もある。しかし，「本質説」以外の見解が説くところは，いずれも弁論主義の「機能」であって「根拠」とはいえない。弁論主義は，前述したように，当事者と裁判所の関係を規律する原理であり，私人間の事柄に対する国家の介入を禁ずる思想に基づくものであるので，その根拠は私的自治の尊重にあるものと考えるべきである。ただし，このことは，弁論主義を考察するうえで，その「機能」を軽視してよいということを意味しない。現実の訴訟において弁論主義が重要とされる主な理由は，その果たしている機能にあり，とくに不意打ち防止の機能が重要である。弁論主義のもとでは，当事者は，自己および相手方の主張と証拠に神経を集中していれば足りるからである。

7-1-1-3 弁論主義の内容

弁論主義の具体的な内容については，これを以下の3つの原則の集合体と理解するのが，現在の一般的な考え方である。

(1) 主張原則

「主張原則」（弁論主義の「第1テーゼ」とも呼ばれる）は，「裁判所は，当事者のいずれもが主張しない事実を，裁判の基礎にしてはならない」という原則である（人訴20条前段の前半部分参照）。これは，どのような事実を審理対象とするかについては，当事者が決定する権限を有することを意味する。これにより，証拠調べの範囲は当事者が口頭弁論で主張した事実に限定されることになる。したがって，主張原則は，訴訟上の争点を自治的に設定する権能を当事者に保障する原理として機能する。

主張原則により，裁判所は，たとえ証拠調べの結果からある事実の存否について心証を得たとしても，その事実が当事者のいずれかから口頭弁論で主張されていなければ，その事実を基礎として裁判をすることはできないことになる。これは，証拠調べによって得た訴訟資料（これを「**証拠資料**」という）と，当事者の主張によって得た訴訟資料（これを「**主張資料**」という）を厳格に区別する

ことを意味する（これを「**証拠資料と主張資料の峻別**」という）。したがって，当事者が主張していない事実（当事者が気づかなかった事実や意識的に主張しなかった事実）について，証人の証言や書証の記載などから，裁判所がそれを勝手に認定することは許されない。

　以上のことから分かるように，主張原則には，当事者にとって不意打ちとなる裁判を防ぐ機能がある（弁論主義の「不意打ち防止機能」）。弁論主義の固有の議論としては，この主張原則が中心となる。

(2) 自白原則

　「**自白原則**」（弁論主義の「第2テーゼ」とも呼ばれる）は，「裁判所は，当事者間で争いのない事実については，証拠調べなしに裁判の基礎にしなければならない」という原則である（159条・179条，人訴19条1項の後半部分参照）。当事者間において事実について争いのない状態を「**自白**」という。すなわち，自白原則は，口頭弁論において自白された事実（自白事実）は，その内容どおりに裁判所を拘束するという意味を持つ。

　このように，自白された事実は証拠調べの対象から除外されるから，自白は訴訟上の争点を絞り込む機能を有する（自白の争点縮小機能）。これを裏面からいえば，否認された事実（否認事実）のみが争点となる（否認の争点形成機能）。したがって，自白原則は，主張原則と同様に，訴訟上の争点を自治的に設定する権能を当事者に保障する原理として機能する。また，このようなことから，争点整理手続においては，自白事実と否認事実の振り分けが重要な作業となる。

　自白原則は，弁論主義の3つの原則のうちで，民訴法の中に関連する明文規定が置かれている唯一の原則である。自白には，後に詳しく述べるように特別な効果がいくつも付与されており（上記の裁判所を拘束する効果を含むが，それ以外の効果もある），また，争点の整理において重要な機能を営むものであり，その一部が明文規定となっているものである。このように，自白には特別な効果と機能があるうえに，その効果と機能の中には必ずしも弁論主義に由来するとは言えないものもあり，また，自白は主として立証との関係において問題となることなどから，講学上，主張原則とは別個に論じられることが多い。本書でも，**7-3**で説明する。

(3) 証拠原則

　「**証拠原則**」（弁論主義の「第3テーゼ」とも呼ばれる）は，「当事者間に争いの

ある事実について証拠調べをするときは，当事者の申し出た証拠によらなければならない」という原則である（人訴20条前段の後半部分，行訴24条参照）。これは，当事者に証拠方法を申し出る権能を保障するものであると同時に，裁判所が当事者の申出なく職権で証拠調べを行うことを禁止するものである（これを「**職権証拠調べの禁止**」という）。

しかし，前者については，当事者は，証拠方法を申し出る権能を保障されているといっても（180条参照），裁判所は，当事者の申し出た証拠方法を取り調べるかどうかの裁量権を有するので（181条参照），主張原則や自白原則のような裁判所を拘束する権能ではない。また，後者については，職権証拠調べの禁止は，証人尋問や書証などでは貫かれているが，当事者尋問（207条1項）や調査嘱託（186条）などでは職権証拠調べが許されているように，多くの例外が認められる。したがって，この点でも，さほど厳格な原則ではない。証拠原則において，当事者自治が徹底していないのは，証拠調べの段階に至った後では，当事者自治よりも事案解明の要請が高くなるものと立法者が考えたからであろう。

したがって，弁論主義における原則の1つとして取り扱うことが果たして妥当であるかどうかについて，疑問がないわけではない。また，弁論主義の一部であるとしても，主張原則と自白原則は主張に関する原理であるのに対し，証拠原則は証拠に関する原理であり，他の2つの原則とは適用される場面を異にする。このようなことから，証拠原則は，講学上，証拠調べの手続の中で簡単に言及されるだけのことが多い。本書では，***7-5-1***で触れることにする。

このように，証拠原則は，主張原則や自白原則と比較してやや異質な内容を持つが，証拠の申出の局面でも可能な限り当事者自治を尊重すべきことを強調するという意味では，弁論主義の1つに位置付けることにそれなりの意義を見出すことができよう。

> **TERM** ⑭ **弁論主義の諸原則に関する用語**
> 歴史的にみれば，18世紀のドイツにおいて，相互に関係なく生成してきた主張の法理や自白の法理などを包括するものとして，19世紀初頭に学者によって理念的に提唱された概念が「弁論主義」である。すなわち，もともと「弁論主義」という概念が先にあって，そこから各原則が派生したというわけではない。本書が，これらを「主張原則」，「自白原則」，「証拠原則」と呼び，「準則」や「派生」という言葉を使わないのは，そのためである。また，「第○テ

ーゼ」という最近では一般化した言葉も，次の理由により，本書では基本的に使用しない。第1に，各原則の間に第1，第2，第3といった論理的な順序があるわけではない。第2に，「自白原則」と「証拠原則」については，そもそも弁論主義に含めるべきかどうかについて議論の余地がある。第3に，「自白原則」と「証拠原則」を弁論主義に含めるとしても，主張に関する原則と証拠に関する原則は，ナンバリングで呼ぶような並列的な関係にはない。第4に，自白原則に伴う諸効果は，後述するように弁論主義だけで説明できるかどうかは疑わしい。第5に，「テーゼ」というのはドイツ語であるところ，そのドイツにおいては「第○テーゼ」というような呼び方はしない。

TERM ⑮ 「訴訟資料」という言葉の多義性

一般的な用語法では，当事者の主張から得られた裁判の資料を「訴訟資料」と呼び，証拠調べの結果から得られた裁判の資料を「証拠資料」と呼ぶ。しかし，こうした意味における「訴訟資料（狭義の訴訟資料）」と「証拠資料」の両方を含む意味で，「訴訟資料（広義の訴訟資料）」という概念が用いられることも多く，無用な混乱を生じる原因となっている。そこで，本書では，当事者の主張から得られた資料を「主張資料」といい，証拠調べの結果から得られた資料を「証拠資料」といい，両者を併せて「訴訟資料」ということにする。

7-1-1-4 主張責任

主張原則が適用される事実については（どのような事実に主張原則が適用されるかについては，⇨ **7-1-2-2**），当事者のいずれもがその事実を口頭弁論で主張しないときは，裁判所はその事実を認定することができない。したがって，その事実を法律要件とする法律効果を裁判で認めることもできない。そうすると，その法律効果が有利に働く側の当事者は，主張原則が適用される事実が口頭弁論に現れないことによって，裁判自体に敗訴したり，勝訴しても認容額が少なくなるなどの不利益を受けることになる。このように，当事者の一方にとって有利な事実が口頭弁論に現れないことによって，当事者の一方が裁判において不利益を受ける場合，その不利益を **主張責任** という。

特定の事実について，いずれの当事者が主張責任を負うかを **「主張責任の分配」** という。主張責任の分配は，証明責任の分配と同じく，実体法の構造を原則的な基準として，これに当事者の公平や負担を加味して決定する（法律要件分類説）。したがって，結果としては証明責任の分配と一致する。当事者の公平や負担は，主張責任よりも証明責任においてより深刻な問題となるため，学説や判例では証明責任の分配が中心的に議論される。一般に，主張責任の分配

は証明責任の分配に従うと説明されることが多いが，以上の説明から明らかなように，正確には，同一の分配基準が用いられるので両者の分配が結果として一致するということである。具体的な分配の基準は，証明責任の箇所で詳述する（証明責任の分配については，⇨ **7-4-5-4**）。

7-1-1-5　主張共通の原則

　主張原則は，当事者自治による裁判所に対する拘束を定めたものであり，当事者相互の関係を定めたものではない。すなわち，必ずしも主張責任を負う当事者が事実を主張する必要はなく，主張責任を負わない当事者によって主張された場合でも，ある事実が口頭弁論に現れていれば，裁判所はこれを裁判の基礎とすることができる。これを「**主張共通の原則**」という。

　主張責任は，口頭弁論の終結時にある事実がいずれの当事者からも主張されていないときに生じる一方当事者の不利益であるから「結果責任」であり，口頭弁論において主張責任を負う当事者が主張する義務や必要があるという意味での「行為責任」ではない。

　ただし，訴訟の勝敗に関わる事実が証明責任を負わない当事者から主張されることは実際にはまれであり，相手方から主張されない場合には，主張責任を負う当事者は不利益を避けたいと思えば，自ら主張する必要に迫られる。これを結果責任としての主張責任と区別する意味で「**主観的主張責任**」ということがある。主観的主張責任は，本来は結果責任である主張責任が，事実上，行為責任として機能する場面があることを意味するものである。これに対し，本来の結果責任としての主張責任は，主観的主張責任と対比する場合には「**客観的主張責任**」という。

7-1-2　弁論主義の対象

7-1-2-1　事実の種類

　主張原則および自白原則については，その適用対象となるべき「事実」が何であるかについて，かねてより議論がある。主張原則および自白原則は，ともに当事者の事実に関する主張について，裁判所に対する拘束を認めるものであるが，民事訴訟において当事者が主張する事実には，さまざまな種類のものがある。そのすべてについて厳格に拘束を認めると，裁判所の事実認定を必要以上に不自由にするおそれがある。しかし，他方において，拘束力が及ぶ対象を

過度に緩めると，私的な紛争に対する公権力の無用な介入となり，また，当事者にとっての不意打ちを招くおそれがある。そこで，弁論主義が適用される「事実」の範囲が問題となってくるのである。しかし，その議論をするためには，前提として，事実の種類に関する分類を明らかにしておく必要がある。訴訟において当事者によって主張される各種の事実は，次のように分類されるのが一般である。

　当事者が主張する権利または法律関係が最狭義の意味における訴訟物であるが（⇨ **2-2-1**），その発生・障害・消滅・阻止などを導く実体法上の抽象的な法律要件に当たる事実を「**要件事実**」という。たとえば，金銭の消費貸借契約に基づく返還請求権という訴訟物を例にとると，その要件事実は「返還約束」と「金銭の授受」である（民587条）。この抽象的な要件事実に該当する具体的な事実を「**主要事実**」という。たとえば，金銭の授受という要件事実に対応する主要事実としては，特定の日時において特定の者の間で行われた200万円の現金の受渡し（あるいは，銀行振出小切手の送付，相手方の銀行口座への振込みなど）といった具体的な事実がこれに当たる。

　「**間接事実**」は，主要事実の存否を経験則によって推認させる具体的な事実である。たとえば，200万円の現金の受渡しという主要事実を推認させる間接事実として，貸し手の銀行口座からの200万円の引落しの事実と，借り手の銀行口座への同金額の同時期における入金の事実などである。広義の間接事実に属する事実に補助事実がある。「**補助事実**」とは，証拠の評価に関わる事実，すなわち，証拠能力や証明力に影響を与える事実である（証拠能力，証明力については，⇨ **7-4-2-3**）。たとえば，消費貸借に基づく金銭返還請求訴訟において，貸し渡しの現場に立ち会ったと証言する証人が，原告の親しい友人あるいは親族であるという事実などは，その証言の証明力を低下させる方向に働く補助事実である。

　また，実務では「事情」という言葉もしばしば用いられる。事情とは，事件の由来や経過などの紛争の背後に存在する事実関係をいう。実務において，事情という言葉が使われる場合には間接事実を含むこともあるが，そのような場合を除けば，事情とは，要件事実と直接的な関係はないが，紛争の本質や背景をより理解しやすくするための事実である。事情は，訴訟上の和解を裁判所が勧試する際などには，とくに重要な役割を果たす。

| すこし詳しく 7-3 | **現実の訴訟における間接事実の役割** |

▶主要事実は，法律要件（要件事実）に該当する具体的な事実であり，訴訟の客体である訴訟物は，その法律要件に対応する法律効果であるから，訴訟において主要事実が重要な意味を持つことはいうまでもない。しかし，訴訟においては，間接事実が重要な役割を果たすことも，珍しくはない。たとえば，立証の場面では，主要事実を直接的に立証することが困難または不可能であるために，これを推認させる間接事実の立証こそが，勝敗を左右する天王山となることがある。また，主張の場面においても，事実関係の形成が相手方の支配領域内で行われた場合は，たとえ憶測で抽象的な事実を主張することはできるとしても，立証の対象となり得る具体的な事実を主張することが困難な事態が生じ得る。こうした場合，現実の訴訟は，むしろ間接事実を中心に展開していくことになる。

7-1-2-2　弁論主義が適用される事実

(1)　伝統的な見解

　弁論主義が適用される「事実」が前述のどの事実であるかは，主張原則と自白原則の両方で議論されるが，ここでは，もっぱら主張原則を念頭に置いて考察することにする（自白原則が適用される「事実」については，⇨ **7-3-2-2**）。伝統的な通説は，弁論主義が適用されるのは主要事実のみであるとする。したがって，間接事実や補助事実は，たとえ当事者の主張がなくても，裁判所は裁判の資料としてよいことになる（これを「主要事実と間接事実の区別の法理」という）。その理由としては，「間接事実と証拠の等質性」および「自由心証主義の制約の排除」が挙げられることが多い（自由心証主義については，⇨ **7-4-3-2**）。すなわち，間接事実と証拠は，ともに主要事実の存否を推認させるという点で同様の機能を営むから，間接事実も証拠と同じく当事者の主張の有無による制約を受けないと解すべきであり，反対に，間接事実にも弁論主義が及ぶものとすると，裁判所は既に証拠から判明している間接事実を用いることができなくなり，不自然で窮屈な判断を強いられることになるので，自由心証主義を認めた趣旨に反することになるとするのである。

(2)　弁論主義と間接事実

　しかし，こうした伝統的な見解を批判する学説も多い。現実の民事訴訟では間接事実が勝敗を決することもあるが，そのような事件では，通説の立場によると，当事者にとって不意打ちとなる裁判が，許されることになりかねないからである。通説を批判する学説は，大別して次の3種類に分かれる。第1は，

主要事実と間接事実の区別の基準は伝統的な考え方を維持しつつ，主要事実であれ間接事実であれ，訴訟の勝敗に影響する重要な事実には弁論主義が適用され，そうでない事実には弁論主義が適用されないとする見解である。第2は，主要事実には弁論主義が適用されるが間接事実には適用されないという図式は維持しつつ，主要事実と間接事実の区別の基準を実体法の構造に求めるのではなく，当事者の主張を必要とする事実を帰納的に主要事実と捉え，それ以外の事実を間接事実とする見解である。第3は，主要事実であると間接事実であるとを問わず弁論主義の適用があるが，当事者の主張する事実と裁判所の認定する事実とが細部に至るまで一致する必要はなく，当事者の事実に関する主張も明示的である必要はなく，むしろ黙示の主張の法理や弁論の全趣旨を活用して，柔軟に事実主張の有無を判断すべきであるとする見解である。

判例も，主要事実と間接事実の区別だけで，弁論主義の適用を常に決めているとはいえないようである。たとえば，古い時代の有名な判例として，次のようなものがある（大判大正5・12・23民録22輯2480頁参照）。Xは，家屋の所有権に基づいてYに対して登記抹消請求の訴えを提起した。Yは，Xの所有権の取得原因たる事実（主要事実）の不存在を推認させる事実として，当該家屋の固定資産税をYが払い続けてきたという事実（間接事実①）を主張した。これに対し，この事件の控訴審は，「固定資産税はYが支払う」という特約の存在（間接事実②）を認定して，Xの所有権を認めた。これに対し，大審院は，XとYの間における特約の存在（間接事実②）は，当事者の主張に基づかないから，このような認定は違法であるとした。たしかに，原審のような認定が許されるとすると，Yは不意打ちによって敗訴することになって不当である。本件は，大審院が，間接事実に弁論主義が適用される場合があり得ることを認めた例として，一般に理解されている。

間接事実に弁論主義が一切適用されないという伝統的な立場は，さすがに教条的にすぎるといえよう。主要事実と間接事実の区別の法理の母国であるドイツでも，現在では，このような考え方はとられていない。また，間接事実の重要性を強調する現在の民訴法の考え方にもそぐわない。すなわち，現行法が定める争点および証拠の整理手続にいう「争点」には，当然に重要な間接事実が含まれるし，民訴規53条1項は，訴状の記載につき，請求を理由づける事実に関連する事実で重要なものを記載しなければならないとしているが，これは

重要な間接事実の記載を要求する趣旨である。また，前述のように，事件によっては，間接事実こそが攻防の天王山となることも珍しくないことを考えると，通説を批判する有力説の立場が基本的に妥当である。そもそも，仮に伝統的な見解に立ったとしても，訴訟の結果を左右するような重要な間接事実を当事者の主張に基づかずにいきなり認定すれば，その手続は釈明義務違反に当たる可能性が高く（釈明義務については，⇨ 7-1-4），いずれにしても手続上の違法は免れないとすれば，正面から弁論主義の問題として捉える有力説をとるべきであろう。

　上記の有力説は，いずれも結論において大差ないが，それぞれ次のように評価することができる。まず，有力説の第2説は，主要事実と間接事実の区別に関する基準を帰納的に捉えるものであるが，「主要事実」概念が安定しないために当事者の予測可能性を害するので，適切ではない。また，第3説は，黙示の主張や弁論の全趣旨の解釈により，弁論主義の適用範囲が過度に広範になったり，過度に狭小になったりするおそれがあり，やはり適切ではない。これらに対し，第1説は，重要な争点の設定を当事者の自治に委ねた弁論主義の趣旨に沿い，また当事者に対する不意打ち防止の観点からも，おおむね妥当であると解される。しかし，主要事実か間接事実かを問わず重要な事実には弁論主義が適用され，そうでない事実には弁論主義が適用されないというのは，やはり基準として不明確であるように思われる。

　そこで，本書では，以下のような立場をとる。まず，主要事実については，およそ重要でない主要事実なるものは考えにくく，常に弁論主義が適用される。次に，間接事実については，重要な間接事実に限って，弁論主義が適用されると解すべきである。ここにいう**「重要な間接事実」**とは，主要事実の存否を推認する蓋然性の程度が高い事実であり，より端的にいえば，訴訟の勝敗を左右し得る事実，あるいは訴訟の勝敗に直結する事実である。このような意味での重要な間接事実は，本来であれば，争点整理手続において，重要な争点として整理すべきであった事実である。こうした重要な間接事実について，弁論主義の適用が実際に問題になるのは，争点整理手続では重要な間接事実として整理されなかったが，証拠調べの段階で，証人の証言などからはじめてその事実が明らかになった場合などであろう。このような場合，当事者がその間接事実の存在や意義に気づいていないときは，本書の立場では，裁判所がこの事実を用

いて裁判をすることは弁論主義に反するので許されない。しかし，両当事者と裁判所の間で重要な間接事実であるとの認識が共通に成立している場合は，当事者が不意打ちを受けることはないので，明示的な主張がないというだけで直ちに弁論主義違反になると考えるべきではなく，黙示の主張として処理することができる。ただし，両当事者と裁判所の間に共通認識があることが明白な場合に限られるのであり，黙示の主張の論理を安易に用いることは厳に慎むべきである。

(3) 弁論主義と補助事実

　主張原則は，訴訟上の争点を自治的に設定する権能を当事者に保障する原理であるが，補助事実は，証拠の証拠能力や証明力に対して影響を与える事実であり，基本的には争点が設定された後の段階で問題になる事実である。すなわち，補助事実は，争点の設定には関与しないことが普通であるし，証拠調べの段階では，むしろ裁判所の自由心証を尊重する必要があることを考えると，原則として，補助事実には主張原則は適用されないと解される。しかし，主張原則の不意打ち防止機能の重要性は補助事実にも等しく妥当するので，訴訟の勝敗に影響を与える重要な補助事実については，重要な間接事実に匹敵するものとして，主張原則の適用があると考えるべきである。

　たとえば，特許権侵害訴訟において，特許権の対象物の状態を記録した「事実実験公正証書」（公証人が直接見聞した事実を記載した公正証書）が，訴訟の勝敗に影響を与える決定的な証拠として提出されたときに，裁判所が，当事者のいずれもが弁論で主張していないにもかかわらず，事実実験の対象物が虚偽に作出されたという事実（公正証書の証明力を否定する補助事実）を認定するのは，主張原則に違反するものといえよう（公正証書自体については書証としての認否がなされるが，事実実験の対象物に対する認否がなされるわけではないので，自白原則の問題にはならない）。もちろん，このような場合は，裁判所の釈明義務違反も問題となり得るであろうが，より端的に弁論主義における主張原則を問題とすべきである。

すこし詳しく 7-4　「重要な間接事実」の意義
　▶民訴規53条1項にいう「重要な間接事実」と，弁論主義の適用対象たるべき「重要な間接事実」とは，必ずしも同じものではない。前者は，審理を迅速かつ効率的に進めるために，訴えの提起時に訴状に記載するこ

とが要求されるものである。また，同規定に違反しても直接的な制裁がなく，訓示的な規範である。したがって，その「重要」性は緩やかに解してよい。これに対し，後者は，争点整理などの手続を経て，審理がある程度進んだ段階で問題になるものである。さらに，弁論主義に違反した手続は違法であり，もちろん上訴の理由ともなる。したがって，その「重要」性は前者よりも厳格であるべきであり，訴訟の勝敗を左右するような事実に限られる。

> **すこし詳しく 7-5　弁論主義と自由心証主義の関係**
> ▶主張に関する弁論主義は，訴訟上の争点を自治的に設定する権能を当事者に保障する原理であり，証拠調べは，弁論主義に基づいて設定された争点を解明するために行われる。そして，自由心証主義は，弁論主義により設定された争点の枠内において，裁判所の心証形成の自由を保障する原理である。したがって，伝統的な見解が，「間接事実と証拠の等質性（いずれも経験則により主要事実を認定する機能を有する）」と「自由心証主義の制約の排除」を根拠に弁論主義の対象を主要事実に限定するのは，理論的には正当化することが困難である。すなわち，重要な間接事実に弁論主義が適用されるかどうかは争点の設定の段階の問題であるので，争点の設定後に問題となる証拠調べとは，いずれも経験則の作用が関わるとはいえ，次元が異なるからである。また，自由心証主義は，弁論主義の枠内で機能する原理であるので，自由心証主義が弁論主義の範囲を左右するというのは，論理の順序が逆だからである。結局，伝統的な見解が論拠とするところは，裁判所の事実認定を過度に不自由にすべきではないというスローガン以上の意味を持たない。もちろん，些末な間接事実と弁論主義の関係については，その趣旨は，十分に理解できる。しかし，弁論主義の最も重要な機能が「不意打ちの防止」にあることを考えると，訴訟の勝敗を左右するような重要な間接事実まで弁論主義の対象に含めないとするのは，本末転倒であろう。

7-1-2-3　規範的要件と弁論主義

(1) 規範的要件における主要事実

たとえば，「過失」，「正当事由」，「権利濫用」，「信義則」，「公序良俗違反」などの，いわゆる規範的要件（一般条項における不特定概念）については，何をもって主要事実と考えるべきかという問題がある。たとえば，交通事故を原因とする不法行為（民709条）における「過失」を例にとると，かつては要件事実と主要事実は明瞭に区別されず，過失それ自体が当然に主要事実であると扱われていた。しかし，そうすると，脇見運転や整備不良などの具体的な事実は，過失の存否を推認させる事実として間接事実ということになり，仮に当事者双方が脇見運転の有無のみについて攻防を展開していたとしても，主張原則の対

象は主要事実に限られるとの見解をとれば，裁判所は当事者が主張していない整備不良を認定してもよいことになって，当事者にとって不意打ちの危険が生じる。また，理論的にも，過失それ自体は事実とはいえず，過失それ自体を直接に証拠により証明することもできないので，過失を主要事実と考えることは不当である。そこで，現在では，過失のような規範的要件は事実ではなく，事実に対する法的な評価（法的評価概念）であって，評価の対象である脇見運転や整備不良などの事実こそが，主要事実であると解する立場が多数である。司法研修所では，こうした法的評価の根拠となる主要事実を，とくに評価根拠事実と呼んでいる。

(2) 公益性の高い規範的要件

規範的要件の中には，公序良俗違反のように，公益性の高いものがある。このような公益性の高い規範的要件については，弁論主義が適用されないとする見解が多数説である。すなわち，当事者の弁論において法的評価の対象である事実が主張されていなくても，裁判所は，証拠からその主要事実を認定し，判決において公序良俗違反を判断してよいとされる。弁論主義は，当事者の私的自治に根拠を有するものであるが，公序良俗違反のような公益性の高い規範的要件は，私的自治の範疇を超えるからである。ただし，いかなる規範的要件が，ここにいう高い公益性を有するかについては争いがある。学説の中には，権利濫用や信義則を含めるものがあるが，これらは公序良俗違反に比べて公益性の程度がやや低く，どちらかといえば当事者相互の関係を規律するものであるので，弁論主義の適用があると考えるべきである。また，公序良俗違反には弁論主義の適用がないといっても，それによって当事者に不意打ちを与えることが許されるわけではないことはいうまでもない。そこで，裁判所は，一定の事実が公序良俗違反と評価されることについて，法的観点指摘義務を負うものと解すべきである（法的観点指摘義務については，⇨ **7-1-4-5**）。

> **TERM** ⑯「準主要事実」という概念
> 　学説の中には，伝統的な考え方に従って規範的要件それ自体を主要事実としつつ，法的評価の対象である具体的な事実も間接事実ではなく，主要事実に準ずる事実，すなわち「準主要事実」として整理する見解もある。しかし，そもそも規範的要件は事実ではないのに主要「事実」とするのは理論的には不適切である。また，「準」という言葉は曖昧であり，どの点が主要事実と同じでどの点が異なるのかが明確ではない。したがって，「準主要事実」という概念は

| 用いるべきではない。

7-1-3　職権探知主義

7-1-3-1　職権探知主義の趣旨

「**職権探知主義**」とは，裁判に必要な訴訟資料の収集を当事者の権限と責任にのみ委ねるのではなく，裁判所が必要に応じて補完すべきであるとする原則である。一般に，弁論主義の反対概念として説かれるが，厳密な意味での反対概念ではない。職権探知主義のもとでも，訴訟資料の収集における主導的な役割は当事者が担っているのであり，人事訴訟や家事審判などの実務においても，弁論主義が適用される場合と大きく異なるところはないとされる。また，職権探知主義のもとでも結果責任としての主張責任や証明責任は存在する。すなわち，裁判所の職権探知のための資源や能力には限界があるので，重要な事実が争点とされない事態や，主要事実が真偽不明に終わる事態が生じ得る。そうした場合には，主張責任や証明責任によって事件は処理される。したがって，当事者の自主的な努力の重要性は，弁論主義のもとにおける場合と異なるものではない。

職権探知主義が適用されるのは，当事者による私的自治のみに委ねると，社会の公益や当事者以外の第三者などに対して，不当な影響が及ぶおそれがある場合である。具体的には，人事訴訟（人訴19条1項・20条），訴訟要件のうちの公益性の高いもの（⇨ **8-7-2**），行政訴訟（行訴24条・38条1項。ただし，職権証拠調べのみ），非訟事件（非訟49条1項，家事56条1項）などには，職権探知主義が適用される。これらの場合においては，裁判の対象が当事者の自由処分を許す法律関係ではないため，当事者自治の発現である弁論主義を適用することは相当ではないからである。また，こうしたものについては，真実発見の要請が優先されるため，裁判所の後見的な関与の可能性を確保しておく必要があることも，職権探知主義が適用される理由である。職権探知主義は，こうした要請を満たすために，裁判所に，当事者の主張および立証に対する補完の権限と責務を与えたものである。したがって，当事者の手続上の地位や権利の剥奪を意味するものではない。つまり，職権探知主義のもとでも，当事者には十分な手続保障が与えられなければならない。

> **TERM** ⑰ 職権探知事項
>
> 　判例は，「職権探知主義」が妥当する事項を「職権探知事項」と呼んだことがある（最判平成19・3・27民集61巻2号711頁。なお，下級審には数多くの用例がある）。これと対比すれば，「弁論主義」が妥当する事項は「弁論事項」（あるいは「当事者提出事項」）と呼ぶこともできよう。また，「職権探知事項」という概念が「職権探知主義」という原理を基礎とし，「弁論事項」という概念が「弁論主義」という原理を基礎とするのであれば，訴訟要件の説明でよく使われる「職権調査事項」の基礎となる原理を「職権調査主義」と呼ぶこともできよう。そうすると，職権調査事項の対立概念とされる「抗弁事項」の基礎となる考え方についても，たとえば「当事者申立主義」とでも呼ぶべき原理を観念することもできなくはない。ちなみに，上記のような意味で「職権調査主義」という概念を立てる見解の中で，その対立概念として「処分権主義」を挙げるものがある。たしかに，手続開始のイニシアティブが裁判所にあるのか当事者にあるのかという点では両者は対応するが，ひとくちに手続開始といっても「処分権主義」は訴訟自体の開始の局面であるのに対し，「職権調査主義」は訴訟開始後の手続内の局面であり，両者は次元を異にする。それに加えて，「処分権主義」には，訴訟物の特定や訴訟の終了など，手続開始以外の要素が含まれるが，「職権調査主義」にはこれに対応する要素が含まれない。したがって，「職権調査主義」と「処分権主義」は，概念として完全な対立関係にはない。「職権調査主義」の対立概念をあえて考えるとすれば「当事者申立主義」とでも呼ぶことになろうと述べたのは，こうした理由に基づく。いずれにせよ，これらの概念の中で，学説が一般に用いるのは，「職権調査事項」，「抗弁事項」，「職権探知主義」，「弁論主義」の4つにとどまり，前述の裁判例がときに用いる「職権探知事項」を加えたとしても5つである。すなわち，これら諸概念は，あくまでも慣用的なターミノロジーであり，必ずしも論理的に整理が尽くされているわけではない。

7-1-3-2　職権探知主義の内容

　職権探知主義のもとでは，弁論主義の3つの原則は，以下のように変容することになる。第1に，裁判所は，当事者のいずれもが主張しない事実であっても，裁判の基礎として採用することができる（人訴20条参照）。すなわち，主張資料と証拠資料を厳格に区別すべきとの要請は働かない。第2に，裁判所は，当事者間で争いのない事実であっても，裁判の基礎にしないことができる（人訴19条1項参照）。すなわち，裁判所は，自白された事実の真偽を確かめるために，証拠調べを実施することもできるし，自白に反する事実認定をしてもよい。第3に，裁判所は，当事者の申し出ていない証拠であっても，職権で取り

調べることができる(人訴20条,行訴24条・38条1項参照)。すなわち,職権証拠調べが許される。以上は,職権探知主義を裁判所の権能の面から捉えたものである。

さらに,こうした裁判所の権能のみならず,職権探知主義は,職権探知の義務をも内包するものと解される。職権探知主義の根拠は,社会の公益の確保や第三者の利益の保護の要請に由来するので,裁判所の自由な裁量で職権探知を行わないことは,原理的に許されないからである。すなわち,適正な裁判のために必要と認められる場合には,裁判所は,当事者が主張しない事実でも裁判の基礎としなければならず,当事者の自白があっても必要な証拠調べや自白に反する事実の認定をしなければならず,当事者の証拠申出がなくても職権で証拠調べを実施しなければならない。

ただし,このように裁判所に職権探知義務があるといっても,その義務は実務的に合理的な範囲にとどまる。裁判所としても,調査の端緒がなければ事実や証拠を収集することはできないし,通常は当事者こそが1次的な情報源であるので,職権探知主義のもとでも当事者の主張や立証を中心に手続を進めざるを得ない。また,裁判所が有する司法資源や調査手段には,おのずから一定の限界があるからである。現実の実務においても,裁判所の当事者に対する釈明や示唆などによって後見的な介入の目的が達せられることが多く,文字どおりの意味における職権探知が行われるのは例外的な場合である。

7-1-3-3　職権探知主義と弁論権

前述したように,職権探知主義が適用される場合には,主張および立証における当事者の自治的な活動に対して,裁判所は,後見的な見地からこれに干渉する権能と義務を有する。しかし,そのことは,職権探知主義のもとにおける当事者の弁論権の否定を意味するものでないことは当然である。弁論権は,訴訟において問題となる事項について,訴訟資料を提出する機会の保障を受ける権利であるが,これは憲法上の裁判を受ける権利に由来するものであって,弁論主義であると職権探知主義であるとを問わず,等しく妥当する。つまり,弁論主義や職権探知主義よりも,高次に位置する権利である。

したがって,裁判所が職権で収集した事実や証拠について,当事者に意見陳述の機会を与えずに不意打ち的に裁判の資料として利用することは,職権探知主義のもとでも許されない。こうした職権探知主義のもとにおける弁論権の保

障は，裁判所が職権探知を行った場合には，探知した事実や証拠調べの結果について，当事者の意見を聴いたうえでなければ訴訟資料としてはならないという形で立法にも反映されている（人訴20条後段，行訴24条但書）。裁判所が職権探知によって認識した事実が，当事者に意見陳述の機会が与えられないままに判決の資料とされた場合には，こうした意見聴取に関する明文規定の有無にかかわらず，上訴における取消しや破棄の事由となり得るものと解される。

7-1-4 釈明権および釈明義務

7-1-4-1 釈明権・釈明義務の意義

　裁判所は，当事者の主張や立証を正確に受領するためや，当事者にできるだけ十分な手続保障の機会を与えるために，当事者に対して事実上または法律上の事項について問いを発し，または立証を促すことができる。こうした裁判所の権能を「**釈明権**」という。他方において，当事者の主張や立証を正確に受領したり，当事者に必要な手続保障の機会を与えることは，単に裁判所の権能にとどまらず，適正かつ公平な裁判の実施を国民から付託された裁判所の義務でもある。したがって，明文規定はないが，裁判所は釈明権を有するとともに適切に釈明権を行使すべき義務，すなわち「**釈明義務**」を負う。釈明義務に違反した手続に基づく判決は違法となり，上訴の理由ともなる。

　こうした釈明権と釈明義務の関係については，①釈明権は事実審の権限行使の問題であるが，釈明義務は事実審の権限不行使に関する上告審の評価の問題であるから，両者の範囲はおのずから異なるとする見解もあれば，②釈明権と釈明義務は表裏の関係にあり，両者の範囲は一致するが，上告審での破棄事由となるのは釈明義務違反の一部にとどまるとする見解もある。事実審の行為規範としての釈明義務の範囲は釈明権と一致するが，上告審の評価規範としての釈明義務は行為規範としての釈明義務よりも狭くなるものと解すべきであるから，②の立場が妥当である。もっとも，いずれの見解をとろうと，具体的な結論に違いはなく，理念としての差異にとどまる。

　釈明権は，個々の裁判官ではなく「裁判所」に帰属する権能である。合議体においては，原則として裁判長が行使し（149条1項），陪席裁判官も裁判長に告げてこれを行使することができる（同条2項）。裁判長または陪席裁判官の処置に当事者が異議を述べたときは，合議体が決定で裁判する（150条）。当事者

第 7 章　事案の解明

は，裁判長に対して釈明権の行使を求めることができる。これを「求釈明権」または「求問権」という（149条3項）。

　裁判所による釈明権の行使は，口頭弁論期日や弁論準備手続期日においてなされるほか，期日外においてなすこともできる（149条1項・2項・170条5項）。これを「期日外釈明」という。期日外釈明は，裁判所書記官に命じて行わせることもできる（規63条1項）。期日外釈明は，電話やファクシミリを通じて行われることが多い。攻撃防御方法に重要な変更を生じ得る事項について期日外釈明をしたときは，その内容を相手方に通知しなければならない（149条4項）。相手方当事者の弁論権を保障する必要があるからである。こうした期日外釈明は，実務の要望を受けて，平成8（1996）年改正で導入されたものである。

　釈明権と同様に当事者の主張や立証を明瞭にするための裁判所の処置として，当事者の事務を処理する者や補助者に陳述をさせたり，当事者の所持する文書や物件を提出させたり，検証や鑑定を命じたりする制度もある（151条）。これを「釈明処分」という。

　裁判所から釈明を求められた当事者は，これに応じる義務があるわけではない。しかし，釈明に応じなかったことによって，結果として不利な判決を受けることはあり得る。また，攻撃防御方法の趣旨が不明瞭として釈明を求められたのに必要な釈明をしなかった場合や，釈明をすべき期日に欠席した場合には，その攻撃防御方法が却下される可能性がある（157条2項）。

7-1-4-2　釈明権と弁論主義の関係

　弁論主義のもとでは，訴訟資料の収集および提出は当事者の権能かつ責任であるから，裁判所が当事者に主張や立証を促すことを内容とする釈明権は，弁論主義と矛盾抵触するのではないかという疑問が生じる。これについては，釈明権は弁論主義と対立関係にはなく，むしろ弁論主義を補完するものであるという理解が一般的である。すなわち，弁論主義を形式的に適用すると当事者の不注意や力不足などによって不当な結果が生じ，適正かつ公平な裁判の実現が阻害されるおそれがある。そこで，そうした弁論主義に伴う不都合を補完するものとして，釈明権が設けられているとされる。

　こうした理解自体に誤りがあるわけではないが，釈明権は，職権探知主義のもとでも当然に認められる制度であるから，弁論主義とのみ結び付くものではないことを確認しておく必要がある。なお，判例は，訴えの変更を示唆する内

222

容の釈明権の行使を認めているが（最判昭和45・6・11民集24巻6号516頁），この場合には，弁論主義との関係というよりも，処分権主義との関係が問題となり，処分権主義を補完するものとの理解も可能である。このことからも，釈明権が弁論主義の補完に尽きるものでないことは明らかである。

以上を踏まえると，釈明権の趣旨は，主として次の2点にあるものと理解すべきである。第1に，当事者の真意が適切に訴訟手続に反映されることを確保することにより，当事者の弁論権ないし手続保障を実質化するものである。第2に，訴訟の結果に対する当事者の納得や受容を確保するために必要な制度という意味もある。もちろん，このように考えるとしても，釈明権が弁論主義と矛盾抵触するものではないという理解に変わりはない。

7-1-4-3　釈明権の範囲

釈明権の範囲という命題は，裁判所の行為規範として，釈明権の行使にどのような限界があるかという形で問題となる。釈明権は，その適切な行使を怠る場合には，次に述べる釈明義務違反の問題となるが，その行使が過度な場合にも問題が生じる。釈明権の行使が過度にわたる場合には，①裁判所に対する依存を助長するおそれ，②当事者間の公平を損なう危険，③真相を裁判所の意向に沿って曲げるおそれ，④判決による紛争解決の受容を妨げるおそれ，⑤司法の中立に対する社会の信頼を失わせる危険などがあるからである。いかなる場合に釈明権の行使が過度となるかは見解が分かれるが，それまでの審理経過や訴訟資料から合理的に予想できる範囲を超えて一方当事者に申立てや主張を促したり，実質的に職権証拠調べに当たるような形で証拠の提出を示唆するなどの釈明権の行使は，許されないであろう。

もっとも，裁判所の釈明権の行使が不当または違法であったときに，これに対して上級審がとり得る効果的な是正手段はない。既に不当または違法な釈明権の行使がなされ，それに応じて当事者が主張や立証を行った場合に，これを無効として処理すると，たまたま裁判所の不相当な釈明権の行使があったために，それがない場合よりも，かえってその当事者にとって不利になってしまうからである。それでも，違法な釈明権の行使が事案の真相と適合していなければ，経験則違反などを理由として，なお上級審による是正の余地がないではない。しかし，事案と適合している限りは，上級審が手続上の違法を理由として是正することはできない。結局，釈明権の範囲については，評価規範としての

違法はほとんど考えられず，基本的には裁判所の行為規範にとどまることになる。

7-1-4-4 釈明義務の範囲

他方，釈明義務については，裁判所の行為規範としてのみならず，評価規範として上級審による違法性審査の対象となり得る。ただし，上級審が控訴審である場合には，控訴審は続審としての事実審であるから（控訴審の続審構造については，⇨ 13-2-5-1），当事者が控訴審で自発的に申立てや主張を行ったり，控訴審が釈明権を適切に行使すれば，下級審における釈明義務違反の瑕疵は治癒されることになる。これに対し，上告審の場合は法律審であって事実審理を行えないから，釈明義務違反の結果として事実審理が不十分な場合には，必ず原判決を破棄して事件を差し戻すことになる。上告制限が図られた現行法のもとでは，かつてよりも釈明義務違反を理由として上告審の審理を受けることができる機会は限定されるが，上告審が高等裁判所の場合は法令違反として上告理由（312条3項）になり得るし，上告審が最高裁の場合は上告受理申立理由（318条1項）となり得る（最判平成17・7・14判時1911号102頁参照）。

いかなる場合に釈明義務違反の問題が生じるかを判断するうえでの有力な目安として，「消極的釈明」と「積極的釈明」の区別がある。「消極的釈明」とは，当事者の申立てや主張が不明瞭または矛盾している場合に，その趣旨を問いただす釈明権の行使である。これに対し，「積極的釈明」とは，当事者が申立てや主張をしていない場合に，これを積極的に示唆する釈明権の行使である。このうち，消極的釈明がなされない場合は，釈明義務違反が認められやすい。たとえば，原告による裁判所に対する申立ての趣旨が不明瞭な場合や，主張されている事実と証拠との関係が不明である場合などに，裁判所が適切に釈明権を行使しなければ，原則として釈明義務に違反するものと考えられる。

これに対し，積極的釈明は，一方当事者に対して裁判所が新たな武器を与えることにつながりやすく，中立性や公平性の観点から慎重な態度が要求されるので，釈明義務違反となる場合は限定的に解すべきである。具体的に，いかなる場合が積極的釈明における釈明義務違反となるかについては，事案ごとの多面的な利益衡量が要求されるので一概に論じることは困難であるが，考慮要素としては，判決における勝敗逆転の可能性，当事者による法的構成の当否，当事者自治の期待可能性，当事者間の実質的公平などが挙げられる。また，当事

者の本人訴訟か弁護士による代理訴訟かも，釈明権が当事者の手続保障を実質化する制度である以上，考慮要素となり得ることは否定できない。

7-1-4-5　法的観点指摘義務

「**法的観点指摘義務**」とは，裁判官が当該事案に関して採用を考えている法的観点について，そのことを当事者に示すべき義務をいう。当事者が，事実の主張や立証に際してある法的観点を前提としているときに，裁判所が別の法的構成の方が妥当であると考えた場合には，裁判所がこれを当事者に示すことによって，当事者に裁判所と議論する機会や再考の機会を与えるべきである。裁判所が，これをせずにいきなり判決で当事者とは異なる法的観点を採用すると，当事者は不意打ちを受けることになって手続保障の侵害が生じる。弁論主義との関係では，裁判所は，当事者が主張しない事実を判決の基礎にするわけではないので，弁論主義違反の問題は直接的には生じないが，弁論権との関係では，攻撃防御を行うのに必要な情報が与えられていないことになるので，裁判所が法的観点指摘義務を十分に果たさない場合には弁論権の侵害となる。すなわち，法的観点指摘義務は手続保障の中でも弁論権に関わるものであり，したがって職権探知主義のもとでも問題となり得る。

法的観点指摘義務という概念は，ドイツ法に沿革を有する。すなわち，ドイツ民事訴訟法は，1976年の改正において，当事者が看過していた法的観点や重要でないと考えた法的観点に基づいて判決を下す場合には，当事者に意見表明の機会を与えなければならないとする規定を設けた。これに対し，わが国の民訴法には，法的観点指摘義務に関する直接の規定はない。しかし，前述のように，当事者の弁論権を実質的に保障するためには，裁判所と当事者が法的観点を共有することが必要であるので，明文規定の有無にかかわらず，わが国の民訴法のもとでも認められるものと解される。現行規定との関係では，広義の釈明義務に位置付けることも可能であるので，釈明権を定めた規定（149条）に根拠を求めることもできないではない。また，争点整理後における証明主題の確認を義務付ける規定（165条1項・170条5項・177条）も，法的観点指摘義務が争点整理の段階で明文化されたものとして理解することができよう。

7-2 主張の規律

7-2-1 「事実上の主張」と「法律上の主張」

　民事訴訟における**主張**とは，立証と並んで，裁判所に判断資料を提出する当事者の行為である。主張という「行為」により提出された情報が訴訟資料となるが，この訴訟資料としての「情報」を主張と呼ぶこともある。情報としての主張は，まず準備書面に記載される。ただし，準備書面は，あくまでも口頭弁論を準備する手段であるから，改めて口頭弁論で陳述されてはじめて（準備書面を口頭で引用することでもよい），判決の基礎として使用可能な訴訟資料となる。また，弁論準備手続における口頭の主張も，さらにその結果が口頭弁論で陳述されなければ訴訟資料とはならない（173条）。訴訟上の主張には，大別して，「事実上の主張」と「法律上の主張」がある。

　事実上の主張とは，主要事実，間接事実，補助事実，事情などの存否および内容に関する主張である。当事者の事実上の主張に対する相手方当事者の応答の態度には，「否認」，「不知」，「自白」，「沈黙」の4つがあるが（⇨ **7-2-3**），沈黙以外の3つの応答も，やはり事実上の主張である。事実上の主張は，なるべく具体的にかつ早期に陳述する必要がある（規53条1項・80条1項・81条前段）。しかし，当事者間に争いがない事実は，争点ではないので，ある程度抽象的な主張であってもよい。また，構造的に情報が相手方に偏在している事案では，要求される具体性の程度は緩和されるべきである。相手方の主張に対する否認や不知の主張についても，なるべく具体的に行う必要がある（規79条3項・80条1項・81条前段参照）。主張が具体性を欠いても，これに対する直接的な制裁があるわけではないが，裁判所の自由心証（247条）において，真実性に疑いがあるとして不利に判断される可能性は否定できない。弁論主義のもとでは，主張と証拠は峻別されるので（弁論主義における「主張原則」。⇨ **7-1-1-3**(1)），当事者尋問における当事者の陳述はあくまでも証拠であって，事実上の主張ではない。

　法律上の主張には，広義と狭義がある。「狭義の法律上の主張」とは，実体法規に主要事実を当てはめた結果としての具体的な権利（権利の発生・変更・

消滅などの法律効果）の主張である。たとえば，「売買契約は虚偽表示により無効である」とか，「賃借権は解除により消滅した」などの主張である。争点整理の作業においては，狭義の法律上の主張は事実上の主張と同様に重要であり，車の両輪の役割を持つ。これに対し，「広義の法律上の主張」とは，外国法や慣習法を含む法規の存否・内容・解釈（具体的な当てはめではなく，一般的な解釈）に関する主張である。法規の発見や解釈は裁判所の責任に属するので，広義の法律上の主張は裁判所に対する直接的な効果はなく，事実上の参考となり得るにすぎない。しかし，裁判所と当事者が法的観点を共有する必要があるという見地からは，当事者による広義の法律上の主張が果たす役割は小さくない。実務的には，当事者による狭義および広義の法律上の主張と裁判所の法的観点指摘義務とが相まって，当事者と裁判所の間の法的観点の共有という目的が適切に達成されることになる（法的観点指摘義務について，⇨ **7-1-4-5**）。

7-2-2　主張の種類

　原告が主張責任を負う事実であって請求を直接的に理由づける事実を「**請求原因（事実）**」という。たとえば，XのYに対する貸金返還請求訴訟では，消費貸借契約の成立要件である「返還約束」と「金銭授受」に該当する具体的な事実が請求原因である。この場合，Yは，請求原因である返還約束や金銭授受を否認することもできるが，これらの事実を争わずに，「消費貸借契約時に虚偽表示があった」とか，「Xから返済について免除を受けた」などの主張をすることもできる。

　こうした「虚偽表示」や「免除」の事実については，Yが主張責任（および，証明責任）を負う（証明責任の分配については，⇨ **7-4-5-4**）。このように，被告が主張責任を負う事実であって，請求原因と両立しながら，請求原因によって生じる法律効果の発生の障害，消滅または阻止（障害，消滅，阻止の意味については，⇨ **7-4-5-4**）をもたらす事実を「**抗弁（事実）**」という。また，抗弁を主張する行為も，事実上の主張の態様の1つとして，やはり「抗弁」と呼ばれる。被告の抗弁に対し，原告は抗弁事実を否認することもできるが，抗弁と両立しながら，抗弁によって生じる法律効果の発生の障害，消滅または阻止をもたらす事実を主張することもできる。たとえば，「Xがした免除の意思表示はYの強迫によるので訴訟外で取り消した」などの主張がこれに当たる。これを「**再**

抗弁（事実）」といい，再抗弁を主張する行為も「再抗弁」という。以下，「再々抗弁（事実）」，「再々々抗弁（事実）」と交互に続く。

　主張は，確定的または単純に行うほかに，訴訟手続の安定を不合理に害さないかぎり，仮定的に行うことも許される。たとえば，原告が，所有権の取得原因として売買を主張し，それが認められないときに備えて，取得時効を併せて主張する場合などである。このような主張を「**仮定的主張**」という。こうした仮定的主張は，事実上の主張のみならず，法律上の主張についても行うことができる。たとえば，「仮に賃貸借が成立しないとしても使用貸借が成立する」と主張する場合などである。仮定的主張のうち，抗弁としてなされるものを「**仮定的抗弁**」という。たとえば，貸金返還請求訴訟において，被告が金銭の授受の事実を否認したうえで，「仮に授受の事実があったとしてもすでに弁済した」と主張する場合などである。

　仮定的主張や仮定的抗弁は，他の主張よりも後順位で判断を求める意思でなされることが普通であり，これを「**予備的主張**」，「**予備的抗弁**」という。裁判所は，こうした当事者が付した順位には原則として拘束されない。いずれの主張を認めるかは判決理由中の判断であるが，これには既判力が生じないので（114条1項），いずれを先に判断しても差異を生じないからである（判決理由中の判断と既判力の関係については，⇨ **9-6-7-1**）。ただし，相殺の抗弁が判断された場合には例外的に既判力が生じるので（114条1項・2項，⇨ **9-6-7-2**），相殺の抗弁が予備的に主張された場合には裁判所は当事者が付した順位に拘束され，他の防御方法が認められない場合にのみ判断することができる。

> **すこし詳しく 7-6**　**権利抗弁**
> ▶「**権利抗弁**」とは，法律効果発生の障害，消滅，阻止をもたらすためには，単にその主要事実を主張しただけでは足りず，その主要事実からもたらされる権利を行使する旨の意思表示も必要とされる抗弁をいう。たとえば，留置権の抗弁（民295条），催告の抗弁（民452条），検索の抗弁（民453条），同時履行の抗弁（民533条）などのいわゆる実体法上の抗弁権と呼ばれるものが，その典型例とされる（平成29〔2017〕年改正後の民法では，同法536条1項の債務者の危険負担もここにいう実体法上の抗弁権となった）。裁判所は，これらを基礎づける事実に加えて，権利者による権利行使の意思表示がないと，これらの抗弁を認定することはできない。これに対し，虚偽表示，弁済，免除などを主張する通常の抗弁の場合は，その主要事実の主張のみで判決の基礎とすることができるので，権利抗弁と区別して「事実抗弁」と呼ばれる。実体法

上の形成権（取消権，解除権，相殺権，建物買取請求権など）が訴訟上行使される場合も権利抗弁となる（訴訟外で行使済みの場合は事実抗弁である）。また，原告が対抗要件を具備するまで原告の所有権取得を認めないとする主張のように，いわゆる対抗要件に関する抗弁も権利抗弁とされる。こうした権利抗弁と事実抗弁の区別という考え方は，実務を中心に定着し（最判昭和 27・11・27 民集 6 巻 10 号 1062 頁がリーディングケース），現在では，学説においても受け入れられている。権利抗弁という考え方は，実体法が権利利益の享受を権利主体の意思にかからしめている場合に，訴訟法上もそれを尊重しようとするものであり，処分権主義と共通の原理に立脚する（処分権主義の定義として，その対象を訴訟物に限定しない立場をとる場合には，処分権主義の適用の一場面となる）。ところで，弁論主義との関係では，権利抗弁は必ず権利主体によって主張されなければならないので，主張共通の原則（⇨ **7-1-1-5**）が排除されると説明されることがある。しかし，権利抗弁とされるものは，権利行使の意思表示とその意思表示があったことの事実の主張が訴訟手続内で同時的になされているにすぎず，したがって，現象として主張共通の原則が適用される場面が考えにくいだけであり，理論的には主張共通の原則が排除されるわけではない。

7-2-3 相手方の事実上の主張に対する態度

相手方の事実上の主張に対する当事者の応答の態度としては，否認（その事実は存在しないとして争う），不知（その事実は知らない旨を述べる），自白（その事実を認める旨を述べる），沈黙（その事実の認否を明らかにしない）の 4 つがある。

7-2-3-1 否　認

「**否認**」は，相手方の主張を明白に争う応答である。否認された事実は，証拠に基づく証明がなされない限り（厳密にいえば，弁論の全趣旨〔247 条〕による事実の認定もあり得る），裁判所はこれを認定できない。これを「**証拠裁判主義**」といい，近代司法の大原則である。否認には，とくに理由を述べずに相手方の主張を否定する「**単純否認**」（消極否認または直接否認ともいう）と，相手方の主張する事実と両立しない事実を積極的に主張して行う「**理由付否認**」（積極否認または間接否認ともいう）とがある。民事訴訟では，一方の当事者の主張を他方の当事者が争うことで争点が生まれるので，否認は訴訟上の争点を発生させる機能（争点形成機能）を有する。

たとえば，X の Y に対する貸金返還請求訴訟において，X が現金の直接的な手渡しによる授受を主張したのに対し，Y がそのような金銭は受け取っていない旨を主張した場合は単純否認である。これに対し，その当時は出張で日

本にいなかったので受け取ることはできなかった旨を主張した場合は理由付否認である。Yがその金銭はXから贈与された旨の主張をした場合は，返還約束については理由付否認となるが，金銭の授受については自白となる。

　旧法下の実務では，単純否認が広く許されてきたが，それでは当事者間の争点は明らかにならず，審理の遅延を招く要因となっていた。そこで，現行の民訴規は，被告が答弁書で否認をする場合は具体的にすると同時に間接事実も記載しなければならないものとし（規80条1項），また，準備書面において相手方の主張する事実を否認する場合にはその理由を記載しなければならないものとして（規79条3項），理由付否認の励行を求めている。

すこし詳しく 7-7　否認事実と間接事実

　▶請求原因（事実）は，原告の請求（訴訟物）の成立を基礎づける実体法の要件事実に該当する具体的な事実であるので，事実の種類としては主要事実である。また，抗弁（事実）も，請求原因によって生じる法律効果の障害，消滅，阻止という新たな法律効果を発生させる実体法の要件事実に該当する具体的な事実であるので，やはり主要事実である。再抗弁（事実）以下も同様である。これに対し，請求原因，抗弁，再抗弁等の主要事実を否定する事実，すなわち否認（事実）は間接事実である。このことは，理由付否認では分かりやすい。たとえば，本文の事例を考えてみると，Xが現金の手渡しによる授受を主張したのに対し，Yが，理由付否認として，その当時は日本にいなかったとの事実を主張した場合，この事実は，人や物は同時に複数の場所に存在することはできないという経験則により，主要事実である現金の授受の不存在を推認させる事実であるので，明らかに間接事実である。他方，単純否認が間接事実であるという説明は，やや分かりにくい。しかし，同じ例で，Xが現金の授受を主張したのに対し，Yが，単純にその事実を否認した場合，XはA事実の存在を主張し，YはA事実の不存在を主張したことになり，A事実の存在と不存在は同時的には両立することができないという論理法則（論理法則も経験則の一種である）により，この単純否認も主要事実である現金の授受の不存在を推認させる事実であるといえるので，やはり間接事実である。このように，否認事実は間接事実であるので，Yの否認をXが認めた場合に自白が成立するか否かは，本書の立場では，その否認事実が「重要な」間接事実といえるかどうかによることになる（裁判上の自白と間接事実の関係については，⇨ **7-3-2-2**）。

7-2-3-2　自　白

　「自白」は，相手方の主張を明白に認める応答である。自白された事実については，証拠裁判主義が解除され，証拠による証明が不要となる（179条。これ

を自白の「証明不要効」という。詳しくは，⇨ **7-3-3-1**）。また，弁論主義のもとでは，自白は裁判所の事実認定権を拘束する（これを自白の「判断拘束効」という。詳しくは，⇨ **7-3-3-2**），自白された事実は証拠調べの対象から除外される（これを自白の「審理排除効」という。詳しくは，⇨ **7-3-3-3**）。また，訴訟行為は原則として自由に撤回できるが，自白は撤回が制限される（これを自白の「撤回制限効」という。詳しくは，⇨ **7-3-3-4**）。これらの効果を有することから，自白は訴訟上の争点を絞り込む機能（**争点縮小機能**）を有する。

　自白は，それ自体は相手方の主張を認める応答であるが，これに抗弁として別個の事実を付加することにより，全体としては相手方の主張から生ずる法的効果を争うという応答の態様もある。たとえば，XのYに対する貸金返還請求訴訟において，Xが返還約束と金銭の授受を主張したのに対し，Yが，いずれの事実も認めたうえで，「その借りた金は返した」という主張をする場合などである。これを「**制限付自白**」という。すなわち，返還約束と金銭の授受を認めた部分は自白が成立しているが，「その借りた金は返した」と主張した部分は抗弁であり，その事実についてはYが証明責任を負う。抗弁や再抗弁は，相手方の主張と両立する事実を主張するものであるので，単純に行えば制限付自白となるのが普通である。自白部分が生じることを避けようと思えば，仮定的抗弁などの仮定的主張（⇨ **7-2-2**）を行う必要がある。

7-2-3-3　不知・沈黙

　前述の否認および自白が明白な応答であるのに対し，不知および沈黙は，相手方の主張に対する明白な応答の態度ではなく，そのままでは訴訟法上の意味が不明瞭である。そこで，その効果について，民訴法は，以下のように，否認または自白に準ずるものと定めている。

　まず，相手方の主張した事実に対し，これを知らない旨の陳述は，一般に「**不知**」の陳述と呼ばれる。不知の陳述は，否認と推定される（159条2項）。ここにいう推定とは，否認の効果を認めるのが不合理な場合を除いて，否認として扱うという趣旨である。したがって，否認の効果が生じるのは，その事実が不知の陳述をした者に不利な場合に限られる。その者にとってその事実が有利に働く場合は，争わない態度として扱うべきである。不知の対象が当事者自身の行為であった場合をどのように扱うべきかについては，議論がある。一般的には，自分自身の行為を知らないという状態は考えにくいからである。しかし，

遠い昔の出来事や酩酊中の出来事のように，不知の陳述に合理的な理由が認められる場合は，否認の推定を認めてよいであろう。他方，そうした合理的な事情がない場合には，事情に応じて，無意味な陳述と評価するか，沈黙と同視すべきである。

次に，相手方が主張した事実を争うことを明らかにしない態度は，一般に「沈黙」と呼ばれる。相手方の主張する事実と関係ないことをいくら陳述しても，主張された事実に対して応答しなければ，その事実との関係では，ここにいう沈黙となる。沈黙は，弁論の全趣旨から争っていると認められる場合を除いて，自白とみなされる（159条1項）。また，当事者が口頭弁論期日に欠席したときも，自白したものとみなされる（159条3項）。このように，訴訟上の沈黙が自白とみなされる場合，これを「**擬制自白**」という。

7-2-3-4　擬制自白

「**擬制自白**」とは，口頭弁論または弁論準備手続において，当事者が相手方の主張した事実を明らかに争わず，弁論の全趣旨に照らしても争っていると認められないために，その事実について自白が成立したものとみなされる状態をいう。後述するように，「自白」という言葉には，「行為としての自白」と「状態としての自白」という2つの意味があるが，擬制自白については「行為としての自白」がないので，「状態としての自白」の意味に尽きる。したがって，擬制自白が成立する時点は，当事者の何らかの行為の時点ではなく，自白とみなし得る状態が確定した時点である。

それでは，自白とみなし得る状態が確定する時点はいつか。当事者がもはや相手方の主張を争うことができなくなれば，自白が成立したとみなしてよいから，その時点で擬制自白が成立すると解される。当事者は，原則として口頭弁論終結時に至るまで，相手方の主張を争う陳述をすることができるので，擬制自白は，原則として口頭弁論終結時に成立する。ただし，否認の主張は攻撃防御方法の1つであるところ，時機に後れた攻撃防御方法の要件を満たせばもはや否認の陳述をすることができなくなるので（157条1項），そのような場合は，その時点で擬制自白が成立する。また，審理計画（147条の3）が定められ，特定の事項についての攻撃防御方法の提出期間が定められている場合（147条の3第3項・156条の2）には，その期間の経過により失権効が発生するので（157条の2），その時点で擬制自白が成立する。

擬制自白は法によって自白とみなされるが（159条1項・3項），正確には，通常の自白と完全に同一ではない。通常の自白の効果としては，「証明不要効」，「審理排除効」，「判断拘束効」，「撤回制限効」が生じる（通常の自白の効果については，⇨ **7-3-3**）。これに対し，擬制自白の効果は，そのうちの「証明不要効」と「判断拘束効」のみである。「撤回制限効」については，擬制自白では，そもそも撤回すべき当事者の訴訟行為が存在しないので問題とならない。また，擬制自白が成立するのは原則として口頭弁論終結時であるところ，「審理排除効」は口頭弁論終結以前に問題となる効果であるので，「審理排除効」も観念することができない（擬制自白と審理排除効の関係については，⇨ **7-3-3-3**）。

すこし詳しく 7-8　擬制自白と準備書面
▶準備書面によって事前に予告していなかった事実は，相手方が欠席した口頭弁論では主張することができないので（161条3項），これについては欠席者の擬制自白は成立しない。また，最初にすべき口頭弁論期日に，欠席者が争う旨を記載した準備書面を事前に提出していたときは，その記載について擬制陳述が認められるので（158条。擬制陳述については，⇨ **6-1-4**），この場合も欠席者の擬制自白は成立しない。

7-2-4　相手方の法律上の主張に対する態度

相手方の「法律上の主張」に対する当事者の応答は，その法律上の主張を争うか，または認めるかである。認める場合も争う場合も，いずれもそれ自体が応答をした当事者による「法律上の主張」である。法律上の主張のうち，法規の存否に関する主張，法規の内容に関する主張，法規の解釈に関する主張などは，裁判所の専権に属する事項であるので，実際上の影響は別として，弁論主義が適用される「事実上の主張」のような裁判所に対する法的効果はない。

これに対し，「訴訟物の前提となる権利関係」に関する主張と相手方のそれを認める応答は，いわゆる「権利自白」の成否をめぐる問題となる。「権利自白」については，後述するように，その効果について議論がある（権利自白については，⇨ **7-3-4**）。

なお，相手方の法律上の主張に対する「不知」や「沈黙」という態度については，格別の法的効果はない（159条1項・2項は「事実」に関する主張の規定であることを明示しており，法律上の主張については同様の規定はない）。また，請求の放棄・認諾は，権利の存否に関する陳述という点では共通するが，訴訟を終了

233

させる行為であって判決のための判断資料の提出行為ではないので，ここにいう「法律上の主張」に対する当事者の応答の問題ではない。

7-2-5　有理性審査

　当事者の「事実上の主張」は，実体法に照らして理由があるものでなければならない。これを「**主張の有理性**」という。裁判所は，否認された事実の証拠調べに入る前に，当事者が主張する事実をすべて真実と仮定した場合に，その事実を法律要件とする請求や抗弁などが実体法上認められるかどうかを検討し，これが認められない場合には，証拠調べをすることなく，その主張に基づく法律効果の不発生を認定すべきである。これを「**有理性審査**」という。たとえば，賭博による債務を主張して金銭の支払を求める請求や，法律上認められていない物権を主張する抗弁などは，主張の有理性がない。

　このように，当事者の主張がそれ自体として有理性を欠く場合を「**主張自体失当**」という。前述の例で，前者の賭博債権の請求は，主張自体失当として証拠調べを経ることなく請求を棄却するべきである。また，後者の物権法定主義に反する抗弁は，主張自体失当としてその抗弁を却下すべきである。こうした有理性審査については，通常訴訟の場合には明文の規定がないが，支払督促には関連する規定がある（385条1項）。有理性審査は，無駄な証拠調べによる司法資源の浪費を防ぎ，相手方や裁判所が余計な負担を被ることを避ける意味がある。実務上も，主張自体失当を理由として請求棄却を判示する裁判例は時折みられる（最判昭和43・2・20民集22巻2号236頁，東京高判平成2・10・29判時1385号119頁等）。

7-3　裁判上の自白

7-3-1　自白の意義

　民事訴訟における「**自白**」とは，相手方の主張を争わない旨の当事者の陳述（「行為としての自白」），または，その結果として生じた当事者間に争いのない状態（「状態としての自白」）をいう。法律の条文では，「自白」という言葉は，民訴法159条・179条や人訴法19条1項などに現れるが，これらの規定におい

ては，「行為としての自白」の意味で使われている。行為としての自白の法的性質については，当事者による争わない「意思の表示」か，それとも事実を報告するだけの「観念の表示」か，という議論がある。自白の効果（とくに裁判所拘束力）の主要な根拠を弁論主義に求めるとすれば，弁論主義は私的自治の尊重に根拠を置くものであるので，自白における何らかの意思的要素は認めざるを得ない。したがって，「意思の表示」と考えるべきであろう。

　自白には，「**裁判外の自白**」と「**裁判上の自白**」がある。裁判外の自白は，裁判手続の外における過去の出来事であるから，他の事実一般と異なるところはない。したがって，事実認定の対象として自由心証に基づいて審理される。これに対し，裁判上の自白は，訴訟の口頭弁論または弁論準備手続の期日における弁論としての陳述であり，「事実上の主張」の1つの態様である（主張の態様と自白との関係については，⇨ **7-2-3**）。

　「裁判上の自白」と「裁判外の自白」を区別する必要があるのは，裁判上の自白には，後で詳しく検討するように，さまざまな法的効果が付与されるからである（自白の効果については，⇨ **7-3-3**）。具体的には，自白された事実は証拠による証明を要しないものとする効果（「**証明不要効**」），裁判所は自白された事実に関して審理を行ってはならないものとする効果（「**審理排除効**」），裁判所は自白された事実を必ず判断の基礎にしなければならないものとする効果（「**判断拘束効**」），当事者は自白の撤回ができなくなるものとする効果（「**撤回制限効**」）である。審理排除効と判断拘束効を併せて「**裁判所拘束力**」といい，これに対応する表現として，撤回制限効を「**当事者拘束力**」という。

　また，裁判上の自白は，争点整理との関係では，こうした法的効果を有することを背景として，事件の争点を否認された事実に絞り込むという争点整理にとって不可欠の機能（**争点縮小機能**）を営むことになる。そのため，争点整理手続では，自白事実と否認事実の振り分けが重要な作業となる。このように，民事訴訟手続において，裁判上の自白が有する意義はきわめて大きい。こうしたことから，民事訴訟において単に「自白」というときは，「裁判上の自白」を意味するのが通常である。本書でも，とくに断わらないかぎり，「自白」とは「裁判上の自白」の意味である。

> **TERM** ⑱ 「審理排除効」と「判断拘束効」
> 　一般的には，自白の効果として，「証明不要効」，「審判排除効」，「撤回制限効」の３つが挙げられることが多い。このうち，「審判排除効」は，裁判所の審理および判断を排除する効果であり，本書にいう「審理排除効」と「判断拘束効」の両者を含む意味で使われる。しかし，「審理排除効」は，審理途中で問題になる効果であるのに対し，「判断拘束効」は，審理終結後の判決作成の時点で問題になる効果であるので，両者はその機能する場面が異なる。また，擬制自白においては，「審理排除効」は観念できないが，「判断拘束効」は，通常の自白と同様に認められるという差異もある。そこで，本書では，議論の混乱や概念の矛盾を避けるために，「審判排除効」に代えて，「審理排除効」および「判断拘束効」の言葉を用いる。

7-3-2　自白の成立要件

　裁判上の自白には重大な法的効果が付与されるので，自白が成立するための要件は重要である（この場合の「自白」は「状態としての自白」である）。一般に，自白の成立要件とされているのは，第１に，口頭弁論または弁論準備手続における弁論としての陳述であること（「弁論としての陳述」），第２に，事実についての陳述であること（「事実の陳述」），第３に，相手方の主張との一致があること（「主張の一致」），第４に，自己に不利益な陳述であること（「不利益性」）である。しかし，こうした自白の成立要件をめぐっては，それぞれについてさまざまな議論がある。また，「不利益性」については，自白の成立要件と考えるべきかどうか自体について疑問がある。以下，それぞれについてみていこう。

7-3-2-1　「弁論としての陳述」

　自白は，口頭弁論または弁論準備手続の期日における事実上の主張としての陳述でなければならない。したがって，裁判外で相手方の主張を認めても自白にはならない。また，ある事件で裁判上の自白をしても，他の事件との関係では裁判外の自白である。さらに，口頭弁論における陳述であっても，当事者尋問の中での陳述は証拠資料になるだけであり，自白にはならない。また，準備書面に記載があっても書面提出だけでは自白は成立せず，口頭弁論または弁論準備手続の期日での陳述を要する。

　弁論準備手続における陳述でも自白は成立する。自白について定める179条は，自白は裁判所における行為であることを規定するのみであり，口頭弁論に

限定してはいない。また，実質的にも，弁論準備手続において自白の成立を認めないとすると，争点整理の過程で争点縮小機能が働かないことになって不都合である。ただし，争点整理手続中に自白がなされても，争点整理作業が完了するまでは，自白の撤回は，争点整理後よりも柔軟に認められるものと解すべきである。争点整理の段階では，当事者は，相手方の主張への戦略的な対応として自白をすることもあるが，争点整理の進展により状況が変化した場合には，それに応じて自白を撤回する必要が生じる。そして，このような場合には，当事者の合理的意思解釈として，当初の自白は，相手方の主張の変化や裁判所の暫定的な心証開示などを黙示の解除条件とするものと，考えることができるからである。

　書面による準備手続については，準備書面の提出のみでは自白が成立しないので，書面による準備手続の中では自白は成立せず，178条に定める事由が生じた時点で，自白が成立するものと解される。

　擬制自白についても，口頭弁論のみならず弁論準備手続においても認められる。弁論準備手続について定める170条5項は，擬制自白に関する159条を準用しているからである。ただし，擬制自白には撤回すべき陳述がないので撤回制限効は観念できず，審理排除効は，審理の最初または途中に自白が成立した場合に，以後の審理を排除する効果なので，審理終了時に生じる擬制自白とは相容れないものであり，判断拘束効は口頭弁論終結時に発生するので，弁論準備手続の終結時点ではいまだ発生しない。したがって，弁論準備手続の終結時点で効果の発生が観念し得るのは証明不要効のみである。

7-3-2-2　「事実の陳述」

　裁判上の自白の対象は「事実」である。これに対し，権利関係や法律効果について争わない旨の陳述や当事者間に争いのない状態は，事実に対する自白と区別して「権利自白」と呼ばれる。権利自白について，事実自白と同様の効果を認めるべきか否かという問題は，後に詳述する（⇨ **7-3-4**）。また，経験則や法的評価概念に関する自白も問題となるが，これらも事実自白以外の自白の問題として，権利自白の箇所で説明する。

(1)　**間接事実の自白**

　主張原則の場合と同様に，自白原則についても，対象となる事実が主要事実のみに限られるのか，それとも間接事実にも及ぶのかについて，学説上議論が

分かれている。既に論じたように（弁論主義が適用される事実一般については，⇨ **7-1-2-2**），現実の訴訟では，重要な間接事実が勝敗を左右することも珍しくないし，争点整理手続において，重要な間接事実は争点整理の対象となることを考えると，自白としての効果が生じる事実には，重要な間接事実を含むものと解すべきである。本書は，主張原則の対象についても重要な間接事実を含むものとする立場であるが，主張原則と比較してみても，主張原則は，当事者の不作為や無自覚な行為との関係が問題になることが多いのに対し，自白は，基本的に当事者の作為的かつ自覚的な行為であるから，より一層，当事者の私的自治としての色彩が濃い。したがって，裁判所拘束力および当事者拘束力をいずれも認めるべきである。なお，重要な間接事実の自白に証明不要効が認められることに異を唱える学説は見当たらないので，ここで問題になるのはその他の効果である。

判例は，自白の効果が生じるのは主要事実のみであり，間接事実の自白には裁判所拘束力はなく（最判昭和31・5・25民集10巻5号577頁），当事者拘束力もない（最判昭和41・9・22民集20巻7号1392頁）との立場であるとされる。ただし，最高裁が裁判所拘束力を否定した例として説かれる前者は，当事者が事後に自白の内容を訂正した場合において，裁判所はその訂正された自白の内容を判断の資料としても差し支えないとしたものであるが，これは，反真実の証明に基づく撤回が認められたとも評価し得る事案であり，厳密な意味での裁判所拘束力の問題であるかどうかには疑問が残る。また，後者は，原審において自白の撤回が争われた事案において，最高裁が，「間接事実についての自白は，裁判所を拘束しないのはもちろん，自白した当事者を拘束するものでもない」という一般的な判示をした事件である。すなわち，当事者拘束力を否定すると同時に裁判所拘束力も否定する旨の一般的説示をしたが，裁判所拘束力の点は，事案との関係では傍論である。つまり，いずれも裁判所拘束力の判例というには問題があることに注意を要する。なお，証明不要効については，判例も，当然に認めているものと解される。実務における重要な間接事実の認否も，証明不要効の存在を前提に行われている。

ところで，本書の立場のように，重要な間接事実に自白の成立を認めることに対しては，裁判官の自由な心証形成に対する不当な制約となって自由心証主義に抵触するとの批判がある。裁判官の自由な心証形成との関係が問題になり

得るのは，主要事実に対する認否は否認であるが，重要な間接事実に対する認否は自白という場合であろう（主要事実も自白している場合は，その主要事実に対する裁判所拘束力が働くので，間接事実に対する自白は問題とならない）。このような場合は，実際には，当事者に何らかの事実関係の錯誤があるか，あるいは裁判所と当事者とで経験則の理解が異なることなどが普通であると思われる。したがって，基本的には裁判所による適切な釈明権の行使や法的観点指摘義務の問題として対応すべきである。それがなされずに，判決でいきなり重要な間接事実の自白と異なる認定がされれば当事者に対する不意打ちとなり，仮に重要な間接事実に自白の成立を認めなくても，釈明義務や法的観点指摘義務の違反が問題となり得る。他方，こうした釈明権等の行使を経て，重要な間接事実について錯誤等がなく自白が成立していることが確認された場合には，間接事実とはいえ，訴訟の結果を左右し得る事実が自白されているのであるから（当事者にとっては，たとえ主要事実は否認しても，その間接事実は自白すべき理由があることになる），弁論主義の枠内でのみ機能することを認められている自由心証主義は，その限度で後退すべきである。

(2) 補助事実の自白

補助事実についても，自白の成立が認められるかどうかが問題となる。学説は，自白の効果を一切認めない見解もあれば，部分的に自白の効果を認める見解もあり，また，後者にもさまざまな見解があるので，通説や多数説があるとはいえない状況にある。判例は，かつては，文書の成立の真正（文書の形式的証拠力）には自白の成立を認めていたが（大判大正13・3・3民集3巻105頁，大判昭和2・11・5新聞2777号16頁，大判昭和15・7・22法学10巻91頁），その後，裁判所拘束力および当事者拘束力のいずれについても，否定するとみられる立場を判示した（最判昭和52・4・15民集31巻3号371頁。事案は当事者拘束力が問題になるものであったが，判示は裁判所拘束力の否定を述べる）。したがって，それ以外の補助事実を含めて，一般に自白の効果を認めない立場であると解される。なお，補助事実についても，証明不要効が認められることに争いはない。実務における文書の成立に関する当事者の認否も，補助事実の自白に証明不要効があることを当然の前提としている。

本書の立場であるが，補助事実は，証拠の証拠能力や証明力に影響を与える事実のことであるから，当事者による自治的な争点の設定の問題ではなく，基

本的には証拠の評価の問題であって，主として裁判所の自由心証が支配する領域である。したがって，基本的には，補助事実の自白について裁判所拘束力は認められない。具体的にも，たとえば証人が不正直な人物であるとの事実が自白され（証人の信用性に関わる補助事実），この補助自白に裁判所拘束力を認めたとしても，そうした一般的な人物評価とは別に，当該訴訟におけるその証人の特定の証言を裁判所が信用することは妨げられないので，裁判所拘束力の有無は実質的な意味を持たない。また，このような種類の補助事実は，原則として，争点および証拠の整理手続における主題ともならないので，当事者拘束力を認める必要もない。

　これに対し，補助事実の自白について問題が生じ得るのは，文書の成立の真正（文書の形式的証拠力）に関する自白である（文書の形式的証拠力については，⇨ **7-5-5-2**）。文書の成立の真正は，そもそも証拠として採用されるか否かが左右されるという点で，他の補助事実とはその位置付けが異なる。さらに，処分証書については，その真正な成立が認められれば，文書に記載された法律行為を作成者が行ったことが直接的に証明されることになり，さらに実質的証拠力を問題にする余地はほとんどない。したがって，ある処分証書が主要事実の直接証拠である場合には，その成立の真正の自白は実質的には主要事実の自白に匹敵する。したがって，主要事実の自白に準じるものとして，裁判所拘束力および当事者拘束力のいずれも，これを認めるべきである。これに対し，報告証書の形式的証拠力や，処分証書であると報告証書であるとを問わず実質的証拠力については，原則として自白の効果を否定してよいであろう（処分証書と報告証書の意義については，⇨ **7-5-5-1**(2)(b)）。ちなみに，裁判例において補助事実の自白が問題になった事例は，そのほとんどが処分証書の成立の真正に関わるものである。

(3) 公知の事実の自白

　自白の対象に「公知の事実」が含まれるかという議論もある（公知の事実については，⇨ **7-4-4-2**(2)(a)）。公知の事実に反する自白，すなわち一見して非常識と思われる自白がなされた場合において問題が顕在化するが，当事者に事実の誤認や何らかの勘違いがある場合には，裁判所の釈明義務の問題である。これに対し，当事者が，意図的に公知の事実に反する自白をしている場合は，当事者の私的自治の範囲内の問題として，自白の効果を認めるべきである。公知

の事実に反する自白を認めることは，司法への信頼を損なうので認めるべきではないとの議論もあるが，民事訴訟は，あくまでも当事者間の私的な紛争を処理するための手段であり，判決の効力も原則として当事者間にのみ及ぶものであることを考えると（判決効の相対性については，⇨ **9-6-9-1**），公知の事実に反する自白を前提とした裁判がなされても，司法一般に対する信頼が損なわれるとは思われない。

7-3-2-3　「主張の一致」

　自白が成立するためには，当事者双方の主張の一致が必要である。したがって，当事者の一方の主張と相手方の主張がそろった時点で自白が成立する。時間的順序としては，いずれの主張が先であってもよい。通常は，当事者の一方が自ら有利と考える事実を陳述し，相手方がそれを認める陳述をして自白が成立することが多い。これに対し，ある事実が不利に働く当事者が先行して陳述し，相手方がそれを援用することにより自白が成立することもある。この場合の先行する陳述は，一般に，「**先行自白**」と呼ばれる。たとえ先行自白がなされても，相手方が援用するまでは当事者双方の主張の一致がないので，自白の効果は生じない。したがって，先行自白を撤回することは，一般の攻撃防御方法の場合と同じく原則として自由である。換言すれば，単に先行自白が行われただけの段階では撤回制限効は生じていない。

　学説の中には，こうした先行自白という概念を否定する見解もある。先行陳述者は，自己の陳述が訴訟の中で持つ意味を十分に認識せずに陳述することが多いであろうから，相手方の援用によって直ちに自白が成立するのは不意打ちになるというのが，その理由である。この見解は，相手方が援用した場合でも，その直後であれば，なお自由な撤回を認める。しかし，ここで指摘されているのは，争点整理または口頭弁論の過程において，当事者の真意を確認しつつ手続を進めていくことの重要性の問題（弁論権の保障，釈明義務，法的観点指摘義務等にかかわる）であり，先行自白を否定する論拠にはならない。

7-3-2-4　「不利益性」

　自白は，伝統的に自白者にとって不利益な陳述でなければならないと説明される。いかなる陳述を「不利益」と考えるかについては，相手方が証明責任を負う事実を他方の当事者が認める場合とする立場（証明責任説）と，敗訴につながる可能性のある事実を他方の当事者が認める場合とする立場（敗訴可能性

説）とがある。判例は，一般論としては証明責任説を説く（大判昭和8・2・9民集12巻397頁，最判昭和54・7・31判時942号39頁等）。しかし，敗訴可能性説によらなければ説明できない判例もみられるので，実質的には敗訴可能性説であるとみる見解もある。これらに対し，そもそも不利益性を要件としない立場（不利益要件不要説）もある。証明責任説と敗訴可能性説は，どちらも不利益要件必要説であり，自白の撤回制限効は「不利益」な陳述をした一方当事者のみに生じるとする点では共通している。他方，不利益要件不要説は，撤回制限効の拘束を不利益な陳述をした者に限定しないので，両当事者に撤回制限効が生じることになる。

(1) **証明責任説**

証明責任説は，次のような見解である。たとえば，XがYを被告として提起した貸金返還請求訴訟において，Yが自ら証明責任を負う抗弁事実である弁済を主張し，Xがその事実を認めれば，Xは，以後はこの弁済の事実を争うことができなくなる。なぜなら，Xは，自白をしたことでYに証明責任からの解放という有利な期待的地位を与えたのであり，自白の撤回によって一方的にその期待的地位を奪うことは許されないからである。つまり，Xの自白により，Yは証明責任の負担を免れることになるが，この相手方の証明責任の負担からの解放が，Xにとっての「不利益」とされる。そして，このような意味での不利益な陳述をした当事者には，撤回制限効の拘束が生じるとするのである。他方，Yは，弁済の主張を撤回しても，本来の証明責任の負担を自ら引き受けるだけであるので，自由に撤回することができるとされる。すなわち，証明責任説では，ある事実の自白の撤回制限効は，その事実の証明責任を負う当事者には生じず，その相手方にのみ生じることになる。

(2) **敗訴可能性説**

これに対し，敗訴可能性説は，次のような見解である。たとえば，XがYを被告として提起した土地の所有権確認の訴えにおいて，Xが，当該土地は，AからXの先代であるBが購入し，その後にBからXが相続したと主張したのに対し，Yが，AからBへの売買は認めたうえで，Bの生前にYがBから買い受けたと主張した。これを受けて，Xが，前言を翻してAからBへの売買はなく（当該土地がBに帰属したことはなく），Aから直接Xが買い受けたと主張することは許されるか。前主（この例ではB）の所有権取得の原因事実は

原告が証明責任を負うので，Xは証明責任を負う当事者となるが，証明責任説では自ら証明責任を負う者には撤回制限効は生じないので，Xは，このような主張をすることが許されることになる。しかし，敗訴可能性説は，Yは，BからYへの売買という自己の主張の前提であるAからBへの売買という事実について自白が成立したことにより，Xの敗訴可能性という有利な期待的地位を得たのであるから，この場合にも自白の撤回を認めるべきではないという。すなわち，敗訴可能性説は，自白が相手方に与える期待的地位は，証明責任からの解放のみに限られるわけではないとするのである。

(3) 「要件」としての意義

このように，不利益性を要件とする立場の中で証明責任説と敗訴可能性説が対立するが，そもそも「不利益性」は，自白の「成立要件」の問題なのだろうか。これまでみてきたように，不利益性は，もっぱら撤回制限効が生じるかどうかに関して問題となる。そもそも，自白は，当事者双方の事実主張の一致によって成立するが，自白された事実は基本的にどちらかの当事者にとっては不利益であるので，自白の成立の段階では不利益性はほぼ当然に満たされることになる（とりわけ，証明責任説に立てば，当事者のいずれかは証明責任を負うので，その相手方にとって自白の成立は自動的に不利益となり，自白の成立要件としての「不利益性」が満たされない事態は生じ得ない）。したがって，これを「自白の成立要件」と解することにあまり意味はない。すなわち，仮に「不利益性」を何らかの要件として捉えるにしても，自白の成立要件ではなく，「撤回制限効の発生要件」の問題として考えるべきである。

(4) 不利益要件不要説

それでは，撤回制限効の発生要件として，「不利益性」は本当に必要であろうか。証明責任説と敗訴可能性説に共通するのは，両説とも相手方の期待的地位を保護することのみに関心が注がれており，争点整理手続における自白の争点縮小機能の重要性は，あまり意識されていないことである。争点整理手続の結果を尊重する観点からは，ひとたび両当事者の事実主張に一致があれば，いずれの当事者も，それをみだりに撤回することは許されないと解すべきである。したがって，不利益要件不要説が妥当である。

不利益要件不要説に対しては，自白の成立が容易に認められて，当事者にとって酷であるという批判がある。しかし，不利益要件は撤回制限効の発生要件

であるところ，既に述べたように，争点整理の途中段階における自白は緩やかに撤回を認め，撤回制限効が確定的に生じるのは争点整理手続が終了した時点であると解する立場をとれば（争点整理手続中の自白の撤回については，⇨ 7-3-2-1），当事者にとって酷ということにはならない。

7-3-3 自白の効果

裁判上の自白には，「証明不要効」，「判断拘束効」，「審理排除効」，「撤回制限効」が生じるものと解される。このうち，証明不要効は，179条が明文で規定しているものであり，当事者間に自白が成立している場合には，証拠裁判主義の必要がないことを理由とする。判断拘束効の根拠は，私的自治に由来する弁論主義に求めることができる。審理排除効は，判断拘束効から必然的に導かれる効果である。撤回制限効の根拠については，後述するように，かねてより考え方の対立がある。

なお，人訴法では民訴法179条のうちの自白に関する部分および擬制自白に関する159条1項の適用が排除されているが（人訴19条1項の後半部分），これは，職権探知主義が妥当する事件では，当事者間に自白があっても裁判所が疑いを抱けば，証拠調べを実施する必要や自白に反する事実を認定する必要が生じるので，上記の自白の効果は，いずれも認められない旨を明らかにしたものである。

7-3-3-1 証明不要効

近代以降の民訴法においては，裁判所による事実の認定は原則として証拠に基づくことを要する。これを「**証拠裁判主義**」という。この証拠裁判主義は，事実認定の過程における公正性や客観性を担保するための手段であるところ，当事者の間で事実に関する主張が一致している場合には，民事訴訟の対象が私的な紛争である以上，あえて費用や時間を要する証拠調べを行うことによって公正性や客観性を担保するまでの必要はない。そこで，179条は，裁判上の自白がある場合には，もはや証拠裁判主義の要請が働かなくなることを，顕著な事実と併せて明文で規定したものである。このようなことから，裁判上の自白には，「**証明不要効**」が認められる。

証明不要効は，裁判上の自白のみならず顕著な事実にも認められていることから分かるように，他の自白の効果とは異なる側面がある。たとえば，伝統的

な学説や判例は，自白の対象となる事実は主要事実のみであるとするが，そこで問題にしているのは，もっぱら裁判所拘束力や当事者拘束力である。これに対し，証明不要効については，間接事実や補助事実であれ，伝統的な見解といえども，これを肯定する。とくに，実務においては，書証における文書の真正な成立の認否が重要な役割を果たしているが，これは文書の形式的証拠力という補助事実の自白に対する証明不要効を前提としており，相手方が自白すれば文書の真正な成立の証明（228条1項）は省略される。

　証明不要効は，159条1項（同条3項本文で準用される場合を含む）が定める擬制自白の場合にも生じる。したがって，当事者の一方が主張した事実を相手方が争わずに口頭弁論が終結して擬制自白が成立した場合には，この事実を証拠によらずに認定しても，証拠裁判主義違反の問題は生じない。

7-3-3-2　判断拘束効

　自白が成立すると，単に証拠による証明が不要になるだけでなく，裁判所は自白された事実と異なる事実認定をすることは許されなくなると一般に解されている。このような自白の効果は，「**判断拘束効**」と呼ぶことができる（一般には，「審判排除効」と呼ばれる効果の一部として理解されている。⇨ **7-3-1** ❶ 18）。判断拘束効は，裁判所の事実認定権を制約する作用を営むので，裁判所に対する効果，すなわち「裁判所拘束力」である。

　自白に判断拘束効が生ずる理由としては，弁論主義に根拠を求める見解が一般的である。すなわち，弁論主義のもとでは訴訟資料の提出は当事者の権能であり，当事者双方が一致して主張した事実を尊重すべきであるので，裁判所は自白された事実に拘束されるものと考えられるからである。したがって，職権探知主義が妥当する事件では，当然のこととして，当事者間に事実関係の争いがない（自白がある）場合であっても，判断拘束効は生じない。

　判断拘束効は，擬制自白の場合にも生じる。すなわち，口頭弁論終結時までに当事者が相手方の主張を争わなかった場合には，その時点で擬制自白が成立する。そして，裁判所はその擬制自白に拘束されるので，当事者の一方が主張して相手方が争わなかった事実を判決の基礎にしなければならない。

7-3-3-3　審理排除効

　自白には判断拘束効が生じるのであるから，自白された事実について証拠調べなどの審理を続けても無駄であり，司法資源の浪費や当事者の負担を招くだ

けである。したがって，自白が成立すると，裁判所は，その事実に関する以後の審理を行うことが許されなくなる。このような自白の効果は，「**審理排除効**」と呼ぶことができる（一般には，「審判排除効」と呼ばれる効果の一部として理解されている。⇨ *7-3-1* ❶ 18）。この審理排除効も，裁判所拘束力である。

「証明不要効」と「審理排除効」の違いであるが，次の例を考えると分かりやすい。179条に規定されている「顕著な事実」には，明文で証明不要効が認められている。「顕著な事実」の1つとして「公知の事実」があるが，公知の事実を争う当事者は，その公知の事実の反対証明をすることが許される。たとえば，よく知られている歴史上の事実について，これを覆すような内容の古文書を証拠として提出するなどである。これは，証明不要効はあるが審理排除効はない場合の端的な例である。

擬制自白と審理排除効の関係は，次のように考えられる。審理排除効は審理がいまだ終結していない時点における裁判所に対する拘束力であるが，擬制自白は口頭弁論終結時に成立するものであるので，擬制自白には審理排除効は観念し難い。もちろん，実務においては，争点整理手続の終了時までに相手方が争わなかった事実については，裁判所は普通は証拠調べを実施しないであろうが，裁判所の審理が排除されているわけではないのである。

7-3-3-4　撤回制限効
(1) 撤回制限効の意義
さらに，自白の効果として，自白を構成する事実上の主張を当事者が事後に撤回することが制限される。これは，不可撤回効，撤回不能効，撤回禁止効などと呼ばれることもあるが，後述するように，例外として撤回が許される場合も少なくないので，本書では「**撤回制限効**」と呼ぶ。前述した判断拘束効や審理排除効が裁判所に対する効果であるのに対し，撤回制限効は，当事者に対する効果，すなわち「当事者拘束力」である。一般的な訴訟行為の撤回は原則として自由であるので，自白の撤回制限効はその例外である。

(2) 撤回制限効の根拠
なぜ，撤回制限効が認められるのかについては，考え方が分かれている。まず，当事者間に争いのない事実は真実に合致する高度の蓋然性があるので，自白者は自白事実が真実に反することを証明しない限り，撤回することはできないとする見解がある（真実擬制説）。しかし，当事者は，戦略上の理由から争点

を縮小するために，あるいは他の争点に攻防を集中させるために自白をすることもあるので，妥当ではない。また，訴訟においても禁反言の法理が働く結果であるとする見解がある（禁反言説）。これは，撤回制限効を自白に固有の効果とは考えず，一般法理である禁反言に根拠を求める考え方である。しかし，一般的な訴訟行為の撤回は原則として自由であるのに，どうして自白にのみ撤回制限効が認められるのかについて，禁反言説では説明が困難である。

そこで，次のように考えるべきである。自白は，その結果として審理排除効や判断拘束効が生じることから，相手方に審理の予定や証拠確保の不要性などに関する信頼をもたらすとともに，争点整理における効率的な審理という公益を生じさせる行為である。また，自白は，通常の訴訟行為のような一方的な行為ではなく，相手方との主張の一致を伴ううえに，多くの場合には裁判所を交えた3者間の争点整理の中でなされる意思表示であるから，審理上の契約に準じた意味を持つともいえる。このように，自白には通常の訴訟行為と異なる特別な効果や機能があるので，そうした効果や機能を保障するために，自由な撤回が制限されるものと解すべきである（自白機能保障説）。

なお，擬制自白には，撤回制限効は観念することができない。撤回の対象となる陳述が存在しないからである。

(3) 自白の撤回の要件

自白の撤回制限効は，相手方の信頼を保護することや争点整理の実効性の確保などが目的であるから，これらの目的と実質的に抵触しない場合や，撤回を認める必要性がより大きい場合には，自白を構成する事実上の主張の撤回を認めてよい。このようなことから，学説・判例ともに，一定の要件のもとに撤回を認めることに争いはない。そこで，自白の撤回をどのような要件のもとに認めるかが問題となるが，ドイツ法にならって，一般に，次の3つの場合に認められるものとされている。

第1は，相手方が自白の撤回に同意した場合である。撤回制限効の重要な目的は相手方の信頼保護であるし，争点整理の実効性の確保も両当事者の納得と協力が不可欠であるので，相手方が同意する以上は，それに従ってよいからである。相手方の同意は明示である必要はなく，撤回に異議を述べずに応答すれば，同意があったものとして扱われる（最判昭和34・9・17民集13巻11号1372頁）。

第2は，相手方または第三者の刑事上罰すべき行為によって自白をするに至った場合である。このような場合は再審事由に該当するものとされており（338条1項5号），適正手続の観点からも撤回を許容すべき場合に当たる。ただし，本来の再審の場合と異なり，確定判決の既判力を解除するものではないので，有罪判決の確定等（338条2項）は必要ない（最判昭和36・10・5民集15巻9号2271頁）。

　第3は，自白された事実が真実であるという誤信に基づいて自白がなされた場合である。ただし，この撤回要件の細部については議論が分かれている。判例は，反真実と錯誤の両方がともに要件であるが，反真実の証明があれば錯誤が推定されるとする（最判昭和25・7・11民集4巻7号316頁）。これに対し，学説には反真実のみを要件とする見解もある。たとえば，真実擬制説は，自白事実は真実に合致する可能性が高いことを撤回制限効の根拠とするので，それを覆す自白の撤回は反真実でなければならないとする。また，禁反言説は，禁反言の違反に対する制裁として反真実の立証負担を課すべきであるとする。他方，錯誤のみを要件とする見解も有力である。とくに，自白の法的性質を意思表示と考える立場は，意思表示の瑕疵の問題と捉えて錯誤のみを要件とする。自白機能保障説の立場からみても，当事者は争点縮小などのために戦略的に自白をする場合もあることを考えると，反真実を要件とすることは不当であり，他方で，自白に与えられた数々の機能は自白が当事者の真意に基づくことが前提であることを考えると，錯誤のみを要件とする立場が妥当である。ただし，錯誤が重過失に基づく場合には，原則として，撤回は許されない（民95条3項参照）。なお，錯誤のみを要件とするとしても，反真実を一種の間接事実として錯誤の証明をすることが許されることはいうまでもない。

(4)　**自白の撤回の効果**

　自白の撤回といっても，明示的に「撤回する」または「取り消す」という陳述によってなされることは珍しく，自白された事実と矛盾する事実を新たに主張したり，相手方の主張に対する認否を自白から否認に変更することなどによって，いわば黙示的になされることが普通である。自白の撤回の制限とは，こうした新たな主張や認否の変更を認めないことを意味する。他方，撤回の要件を満たしている場合には，従前の自白を構成する陳述は，新たな主張や変更された認否に置き換えられることになる。これが，自白の撤回が認められた場合

の効果である。ただし，過去に自白を行ったという訴訟上の事実が撤回によって消えてしまうわけではないので，弁論の全趣旨（247条）として不利にしん酌される可能性はある。

7-3-4　権利自白

　相手方の主張を争わないという当事者の応答には，相手方の「事実上の主張」を認める「事実自白」のほかに，相手方の「法律上の主張」を認めるという応答もある。もっとも，法律上の主張といっても多種多様である。具体的には，「法規の存否や内容」に関する主張，「法規の解釈」に関する主張，「訴訟物の前提となる権利関係（先決的権利関係）」に関する主張，「法的評価概念」（過失，因果関係，正当事由，権利濫用等）に関する主張などがある。これらのうち，「法規の存否や内容」および「法規の解釈」に関する相手方の主張について，これを認める陳述には，格別の法的効果はない。法規の探知や解釈は，裁判所に固有の職責であるからである。

　他方，「先決的権利関係」や「法的評価概念」に関する主張を認める応答については，自白としての効果を認めるべきかどうか，認めるとした場合に事実自白の効果との異同をどう考えるかをめぐって，古くからさまざまな議論が展開されている。これが，いわゆる「**権利自白**」の問題である。具体的には，次のような形で問題になる。たとえば，所有権に基づく妨害排除請求訴訟において，被告が訴訟物である妨害排除請求権の先決的権利関係である原告の所有権を認めた場合に，裁判所は，その権利自白に拘束されて所有権は存在しないという判断ができなくなるのか。あるいは，不法行為に基づく損害賠償請求訴訟において被告が自らの過失を認めた場合に，被告はその権利自白を原則として撤回することができなくなるのか。ただし，こうした権利自白があれば，その権利関係は，要件となる事実についての証拠による証明がなくとも認定できることに争いはないので，証明不要効は認められる。したがって，権利自白の問題とは，ここでも，もっぱら裁判所拘束力および当事者拘束力をめぐる議論である。

　議論は多岐に分かれている。大きく分ければ，法の適用に関する問題はすべて裁判所の専権事項であるとして権利自白に法的な効果を認めない見解（否定説）と，権利自白にも事実自白と同様の法的効果を認める見解（肯定説）とが

ある。ただし，肯定説の中には，権利自白の成立要件を厳格に設定する見解（たとえば，通常人が日常的に用いる程度の法概念の自白についてのみ，事実自白と同様の法的効果を認める見解）や，撤回要件を緩やかに認める見解（たとえば，反真実や錯誤の要件を満たさなくても権利自白は撤回ができるとする見解）など，実質的に否定説と肯定説の中間的な立場を指向する見解も少なくない。判例は，権利関係のみが主張されている場合の権利自白には自白の効果を認めるが，事実関係の陳述とともに権利自白がされている場合には自白の効果を認めないという立場であるといわれることもあるが，必ずしも判然としない。

　本書は，次のような立場をとる。事実自白といえども，その結果は最終的に法律効果の発生や不発生に結び付くことを考えると，事実自白と権利自白の間に本質的な差異を見出すべきではない。また，請求の認諾に法的効果が認められている以上，権利自白に法的効果を認めない理由は認め難い。たしかに，権利自白は，事実自白よりも当事者の誤解に基づいてなされる可能性が高いとはいえようが，それは裁判所が当事者の真意をいかに確認するかという次元の問題であり（手続保障義務，法的観点指摘義務，釈明義務とも関連する），権利自白の法的効果を否定する根拠にはならない。また，権利自白の撤回の要件についても，基本的に事実自白と同じであると解すべきであり，本書の立場では錯誤のみで撤回できるとする点も変わりはない。なお，強行法規に違反する権利自白（利息制限法違反の利率を認める権利自白や賭博に基づく金銭請求権を認める権利自白など）については，権利自白の基礎である私的自治の限界を逸脱するので認められない。

　権利自白の対象は，所有権や賃借権といった訴訟物の前提となる権利関係のほか，過失や正当事由などの法的評価概念も含まれる。当事者の「過失を認める」とか「正当事由がある」といった陳述は，主要事実に当たる具体的な事実が過失や正当事由に該当するという法的判断であり，本質的に先決的権利関係の自白と異なるところはないし，当事者の意思による処分が認められる私的自治の領域に属するからである。これに対し，経験則の存否や内容は，法規と同様に裁判所が職権で探知すべき職責を負うものであるので，権利自白の対象とはならない。もちろん，専門的な経験則や特殊な経験則について当事者間に争いがない場合に証明不要効を認めることは肯定してよい。

> **すこし詳しく 7-9** 日常的な法概念と権利自白
> ▶学説の中には，一般的には権利自白の法的効果を認めないが，通常人が日常的に用いる程度の法概念については，事実自白と同様に当事者が理解をして処分し得るので，事実自白と同様に法的効果を認めることができるとする見解がある。しかし，日常的な法概念が用いられていることは，事実自白と同様の理解が当事者に可能であることを必ずしも意味しない。たとえば，「所有権」は日常的な法概念であるが，所有権の有無や帰属は，事案によっては法律を熟知していなければ正しく判断できない。また，「売買」や「過失」なども通常人が日常的に用いる概念であるが，これらが訴訟で争われている事案では，同様にしばしば高度な判断を要求される。したがって，日常的な法概念であるかどうかを権利自白の成否に結び付けるという考え方は，相当とはいえない。

7-4　証明の規律

7-4-1　証明および証拠の基本理念

　民事訴訟は，訴訟物である実体法上の権利（ここでいう「権利」には，法律関係や法的利益を含む）について判断することを目的とするものであるが，その判断は，裁判所が認定した事実に法規を適用して行われる。その際，当事者間に争いのない事実，すなわち自白された事実は，そのまま判断の基礎にすることができるが（裁判上の自白については，⇨**7-3**），争いのある事実は，原則として証拠に基づく事実認定を必要とする（**証拠裁判主義**）。事実認定が原則として証拠による必要があるのは，訴訟における判断過程の公正性と客観性を担保するためである。仮に，裁判官が職務外で入手した知見（これを「私知」という）を利用して裁判を行うことや，その他の証拠に基づかない裁判が許されるとすると，上級審や第三者がその判断過程を追跡して判断の正しさを検証することができず，適正な裁判を担保することができない。そこで，双方の当事者の立会いのもとに，公開主義や直接主義などの審理の諸原則に従って証拠調べを行い（審理の諸原則については，⇨**5-1-2**），その結果を基礎として事実認定を行うことが，近代裁判の大原則となっているのである。その証拠調べにおいては，証明責任の分配が重要な指針となる（証明責任については，⇨**7-4-5**）。しかし，証明責任の適切な分配だけでは，証拠の構造的な偏在などの問題に対応できない。

そこで，証拠収集手段の拡充や（証拠収集制度の中核を占める文書提出命令については，⇨ **7-5-5-4**），その前提としての情報収集手段の充実が，適正な裁判を実現するための重要な課題となる（情報収集制度については，⇨ **6-4**）。

7-4-2　証明および証拠の諸概念

7-4-2-1　証明と疎明

　裁判官が裁判をするためには，法適用の前提となる事実の存否を認定する必要がある。その際に，裁判官の心証の程度が，いかなるレベルに達した場合に事実認定をすべきかについての基準を「**証明度**」といい，その基準に当てはめる裁判官の心証の程度を「**心証度**」という。そして，訴訟上の「**証明**」とは，裁判官の心証度が一定の証明度を超えた状態を意味する。裁判官は，心証度が一定の証明度を超えていないのに，事実認定をすることは許されない。したがって，証明度は，裁判官の事実認定を拘束する規範的な概念である。

　このように，証明度は，裁判官の心証形成の基準であるが，法律には証明度に関する規定はなく，解釈に委ねられている。判例は，民事訴訟の証明度は，要証事実が存在することについての「高度の蓋然性」であり，その判定は通常人が疑いを差し挟まない程度の「確信」を持ち得るものであることが必要であるとする（最判昭和50・10・24民集29巻9号1417頁，最判平成12・7・18判時1724号29頁）。つまり，判例によれば，裁判官が真実であると確信し得る程度の高度の蓋然性が，民事訴訟の証明度である。その場合における確信とは，裁判官個人の主観的確信ではなく，通常人を基準とするものでなければならない。

　通説も，おおむねこれと同様の立場であり，民事訴訟における証明度としては，「高度の蓋然性」が必要であるとする。しかし，一点の疑義も許されない論理的証明または自然科学における証明とは異なり，通常人がためらわない程度であればよいとされる。過去の事象の痕跡にすぎない証拠から，過去の事象そのものを知るには限界があるからである。このようなことから，訴訟上の証明は，「歴史的証明」であるといわれる。

　証明と対比される概念として疎明がある。「**疎明**」は，証拠による裏づけが証明の程度に至らない状態であっても，裁判官が一応確からしいとの心証に基づいて事実認定を行ってもよいとするもので，証明よりも緩和された事実認定の基準である。判決の基礎となる事実は証明を要するが，とくに迅速な処理が

要求される事項（民保13条2項等）や，派生的な手続事項（35条1項・44条1項・91条2項・3項・198条，規10条3項・24条2項・25条・30条・130条2項・153条3項等）については，疎明で足りる。疎明の性質については，証明よりも証明度が軽減されているものとして理解するのが伝統的な見解である。疎明は，即時に取り調べられる証拠によって，しなければならない（188条）。

> **すこし詳しく 7-10　証明度の意義**
> ▶証明度については，伝統的な通説・判例が高度の蓋然性を要求するのに対し，優越的蓋然性の程度で足りるとする見解も有力に唱えられている。ちなみに，アメリカにおいては，刑事訴訟では高度の蓋然性（合理的な疑いを超える証明）が必要とされるのに対比して，民事訴訟では優越的蓋然性（証拠の優越）で足りるとされる。刑事訴訟と異なり，民事訴訟においては原告と被告は対等であるので証明度も対等であるべきであり，一方の当事者に過大な負担を課すことになる高度の蓋然性は不当であるとの考え方に基づく。なお，実務の現場では，わが国でも，必ずしも常に高度の蓋然性に従って裁判がなされているとはいえず，しばしば優越的蓋然性が用いられているとの指摘もある。また，疎明と証明の関係については，疎明は，証明よりも証明度が軽減されているのではなく，解明度（証拠をどれだけ探り尽くしたかの程度）や信頼度（心証におけるゆらぎの程度）が軽減されているものとして理解すべきであるとする見解もある。これらの見解によれば，疎明は，証明度の点では証明と違いがなく（証明と同一の心証度が要求される），証明と異なるのは，解明度（証拠を探り尽くす度合いが低くてもよい）または信頼度（心証度のゆらぎの程度が大きくてもよい）であるとされる。

7-4-2-2　厳格な証明と自由な証明

「**厳格な証明**」とは，民訴法に規定された法定の手続（179条〜242条）に基づいて行われる証明をいう。これに対し，「**自由な証明**」とは，こうした法定の手続によらずに行われる証明をいう。ただし，自由な証明といえども，証明の程度（証明度）については通常の証明と異なるところはない。証拠調べに関する民訴法のさまざまな規定は，公平かつ適正な事実認定を確保するために，証拠資料の信憑性を獲得する手続や証拠調べの実施に立ち会う権利などを定めたものである。本案である訴訟物の判断をするための証明については，こうした手続や権利の保障が不可欠であり，厳格な証明によらなければならないことに，異論の余地はない。これに対し，裁判所の職権調査が許される事項については，これを例外なく厳格な証明によらなければならないとすると，迅速かつ柔軟な手続の進行を妨げるおそれがある。そこで，有力な見解は，職権調査事項（職

第 7 章　事案の解明

権調査事項については⇨ **7-1-3** ❶ 17, **8-2-3**）は，厳格な証明による必要はなく，自由な証明で足りるとする。具体的には，訴訟要件（ただし，抗弁事項を除く），決定手続で判断される事項，経験則などである。

　たしかに，本案以外のすべての判断について，厳格な証明を一律に要求する必要はないであろう。しかし，職権調査事項であるというだけで，全く法定手続の要請から自由であるとすることにも問題がある。そこで，次のように解すべきである。まず，厳格な証明において要求される法定の手続のうちで，当事者の手続保障に関わる規律とそうとはいえない技術的な規律とは，自ずから法定手続としての意義が異なるので，両者は分けて考える必要がある。たとえば，立会権（187条2項）や忌避権（214条）などの規律は，当事者の手続保障に関わるので，職権調査事項である事実の確定においても，原則として適用されると解すべきである。他方，尋問の順序（202条）や文書の成立（228条）などの技術的な規律は，必ずしも適用されないものと解してよい。また，職権調査事項といってもさまざまなものがあるので，その種類に応じて自由な証明で足りるかどうかを考えるべきである。たとえば，訴訟代理権（55条）の有無のように訴訟手続内で容易に判断することができる事項は，一定の自由な証明でも許されるものと解される。これに対し国際裁判管轄の有無などは，原則として厳格な証明によるべきであろう。

7-4-2-3　証拠の種類

　「証拠」とは，当事者間に争いがある事実の存否を確定するために，裁判所が判断資料として用いるための客観的な資料である。ただし，より厳密にいえば，「証拠」という言葉は，民事訴訟において多義的に用いられるので，文脈に応じてその意味を確認する必要がある。具体的には，取調べの対象としての意味（証拠方法），取調べの結果としての意味（証拠資料），裁判官の心証形成の原因としての意味（証拠原因）がある。わが国の民訴法は，証拠調べの種類を「証人尋問」，「当事者尋問」，「鑑定」，「書証」，「検証」の5種類に分類しているので，こうした各種の証拠概念についても，それぞれに応じて，次のように分類されることになる。

　「証拠方法」は，人間が感知できる証拠調べの対象となるものである。有形物であると無形物であるとを問わない。証拠方法の種類は，5種類の証拠調べに応じて，「証人」，「当事者」，「鑑定人」，「文書」，「検証物」である。前3者

は，いずれも人が証拠方法となっているので「**人証**」と呼ばれる。他方，後2者は，いずれも物が証拠方法となっているので「**物証**」と呼ばれる。人や物が証拠方法となり得る法律上の適性を「**証拠能力**」という。刑事訴訟と異なり，民事訴訟では証拠能力の制限は少ないが，例外的に証拠能力が制限される場合がいくつかある（証拠能力の制限については，⇨ **7-4-2-4**）。

「**証拠資料**」は，証拠方法の取調べによって得られた情報である。「証人の証言」，「当事者の供述」，「鑑定人の鑑定意見」，「文書の記載内容」，「検証の結果」が，これに当たる。証拠資料が要証事実の認定に役立つ程度を「**証明力**」（「**証拠力**」または「**証拠価値**」ともいう）と呼ぶ。自由心証主義のもとでは，証明力の判断は，原則として裁判官の自由な判断に委ねられている。しかし，自由心証主義の内在的制約として，経験則に反する判断はできない（自由心証の内在的制約については，⇨ **7-4-3-2**）。

証拠資料のうちで，要証事実の認定において裁判官の心証形成の原因となったものを「**証拠原因**」という。裁判官は，証拠調べの結果のほかに，弁論の全趣旨によっても心証を形成することができるので（247条），弁論の全趣旨も広義の証拠原因である。

7-4-2-4　証拠能力の制限

刑事訴訟では，伝聞証拠の排除（刑訴320条以下）など，証拠能力の制限が厳格に定められているのに対し，民事訴訟では，原則として証拠能力に制限はない。しかし，次のように若干の例外が存在する。

第1は，証拠能力を制限する明文規定がある場合である。具体的には，①疎明の証拠方法は，即時に取調べが可能なものに限られる（188条），②忌避された鑑定人は，鑑定能力を欠くことになるので，鑑定における証拠方法としての証拠能力を失う（214条1項），③手形訴訟・小切手訴訟では，文書以外の証拠方法には証拠能力がない（352条1項），④少額訴訟においては，証拠方法は，即時に取調べが可能なものに限られる（371条），などの規定がある。

第2は，証拠制限契約がある場合である。「証拠制限契約」とは，特定の証拠方法の提出を制限する旨の当事者間の合意である。訴訟上の効果の発生を目的として結ばれるので，訴訟契約の一種である。弁論主義のもとでは，いかなる証拠を提出するかは当事者の自由であるので（弁論主義における証拠原則），このような証拠制限契約も当然に有効である。ただし，既に取調べが終わった証

拠方法を事後的に提出されなかったものにする合意は、いったん形成された裁判所の自由心証を侵害するので許されないとされる。

　第3は、「違法収集証拠」である。わが国の民訴法には、違法収集証拠の証拠能力に関する規定はない。そこで、違法収集証拠といえども、もっぱら裁判官の自由心証の問題にとどめ、その証明力を低く評価することで対処すべきものとする見解もある。しかし、違法収集証拠を裁判所が事実認定の資料として用いることは、訴訟における公正の原則や訴訟上の信義則を損なうことになる。また、裁判所が違法行為を是認したとの誤解を与えかねず、ひいては違法行為を誘発するおそれも否定できない。そこで、下級審の裁判例では、証拠が著しく反社会的な手段を用いて人の人格権侵害を伴う方法によって収集されたものであるときは、その証拠能力を否定されることがあるとするものがある（東京高判昭和52・7・15判時867号60頁参照）。学説は、違法性の程度、証拠の価値、訴訟の性質などを総合考慮して、証拠能力の有無を判断すべきとする見解が有力である。本書の立場としては、収集手段が犯罪行為に当たる場合には無条件で証拠能力を否定すべきであるが、無断録音のような人格権侵害に当たる場合は総合考慮によるべきであると解する。

　証拠調べの対象として提出された証拠方法が証拠能力を欠くものと判断された場合には、その証拠は取調べをすることなく却下される。

7-4-2-5　証拠の機能

　主要事実を証明するための証拠を「**直接証拠**」といい、間接事実や補助事実を証明するための証拠を「**間接証拠**」という。民事訴訟では、最終的には主要事実の存否が裁判所による判断の対象になるので、適切な直接証拠があれば直接証拠による立証がなされる。しかし、適切な直接証拠がない場合や、その取得または提出が困難な場合には、攻撃防御の中心は、間接証拠による間接事実の立証に移ることになる。また、有力な直接証拠がある場合であっても、主要事実を推認させる適切な間接事実があれば、間接証拠は直接証拠を補強する役割を果たす。

　証拠調べは、原則として当事者による証拠の申出を受けて行われるが（証拠の申出については、⇨ **7-5-1-2**）、ひとたび証拠調べが行われれば、そこから得られた証拠資料は、証拠の申出をした当事者のために有利に利用されるだけではなく、相手方の有利に利用することもできる。つまり、既に取調べが行われた

証拠は，両当事者にとって共通の価値を持つ。こうした証拠の機能を「**証拠共通の原則**」という（共同訴訟人間の証拠共通とは別である。これについては，⇨ **12-3-3-3**）。弁論主義は，当事者（原告と被告の双方）と裁判所の間の役割分担に関する原則であり，裁判所は，いずれの当事者がその証拠を申し出たかに関係なく，証拠調べの結果に基づいて自由に心証を形成することができるからである（247条）。すなわち，証拠共通の原則は，弁論主義の証拠原則および **7-4-3-2** で述べる自由心証主義（とくに，そのうちの「証明力の自由評価」の原則）のコロラリーである。

> **TERM** ⑲ 「証拠共通」という概念の多義性
>
> 証拠共通という概念は多義的であり，2つの異なった場面で用いられる。1つは，本文で述べた「原告と被告の間の証拠共通（原被告間の証拠共通）」である。原被告間の証拠共通は，弁論主義が，当事者主義の原則を体現する原理であることと自由心証主義の原則から，必然的に導かれるものである。すなわち，弁論主義は，訴訟資料の収集および提出における当事者自治を保障するものであり，原告と被告の両者を含む当事者と裁判所の役割分担を規律する原理であって，原告と被告の役割分担を規律するものではない。したがって，裁判所は，たとえば原告が提出した証拠であっても，自由心証主義に従って，被告に有利な形で心証を形成することも可能である。こうした考え方には争いはないので，原被告間の証拠共通の場面は，弁論主義と自由心証主義のコロラリーとして証拠共通の「原則」とも呼ばれ，また，単に証拠共通というときは，こちらを指すことが普通である。他方，共同訴訟人間の証拠共通を認めるか否かについては，議論がある。たとえば，$X_1 \to Y$，$X_2 \to Y$ が併合された事件で，X_1 の提出した証拠を $X_2 \to Y$ との関係で用いると，X_2 も Y も提出していない証拠であるので，弁論主義の証拠原則に反する余地があるからである。したがって，共同訴訟人間の証拠共通を認める考え方は，弁論主義の証拠原則を相対化するとともに（証拠原則では，もともと当事者自治が徹底していないことにつき，⇨ **7-1-1-3**(3)），自由心証主義を重視することに立脚するものといえよう（共同訴訟人間の証拠共通をめぐる考え方については，⇨ **12-3-3-3**）。

7-4-3 事実認定の方法

7-4-3-1 事実認定の資料

裁判所は，判決の基礎となる事実を認定するにあたっては，証拠調べの結果および口頭弁論の全趣旨のすべてを資料とすることができると同時に，これらのみを資料として判断しなければならない（247条）。これに対し，裁判官が訴

訟手続外で入手した「私知」を用いることは，判断過程の客観性が担保されないことを意味し，ひいては当事者の手続保障を不当に害することになるので許されない。こうした「**私知利用の禁止**」は，弁論主義が適用される場合のみならず，職権探知主義が適用される場合にも妥当する。

247条にいう「**証拠調べの結果**」とは，当事者が申し出た証拠方法について裁判所と当事者によって法定の証拠調べを行った結果得られた証拠資料としての情報のことである。どのような証拠方法を証拠調べの対象とするかについては，原則として，当事者は伝聞証拠を含むあらゆる証拠方法を申し出ることができる（180条）。ただし，例外的に証拠能力が制限される場合もあることは，**7-4-2-4**で述べたとおりである。裁判所は，当事者が申し出た証拠であっても必要でないと認めるものは，取り調べなくともよい（181条1項）。

また，「**口頭弁論の全趣旨**」とは，証拠調べの結果を除く口頭弁論に現れた一切の資料である。当事者または代理人の陳述の内容，陳述の際の態度，攻撃防御方法の提出時期などがすべてしん酌されるが，陳述されない準備書面などは含まれない。口頭弁論の全趣旨のみによる事実認定が認められるかどうかについては，これを認める見解が多数であるが，反対説も有力である。口頭弁論の全趣旨のみによる認定では判断過程の客観性が担保されず，近代裁判の大原則である証拠裁判主義の趣旨を損なうことになるし，不利な事実を認定された当事者の手続保障も害されることなどを考えると，争われている事実が主要事実や重要な間接事実である場合には，口頭弁論の全趣旨のみによる事実認定は許されず，必ず証拠調べを経ることを要するものと解すべきである。

7-4-3-2 自由心証主義

「**自由心証主義**」とは，裁判における事実の認定において，証拠方法の採否と取り調べた証拠の証明力の評価を原則として裁判官の自由な心証に委ねる建前をいう。すなわち，「証拠方法の自由選択」と「証明力の自由評価」の2つの原則がその中核である。これに対し，あらかじめ一定の証拠法則を定めておいて，これに従って事実認定を行う建前のことを「法定証拠主義」という。法定証拠主義は，裁判官の独善的な事実認定の弊害に対抗するために，中世イタリア法やドイツ普通法などで用いられた。証拠方法の採否に関する法定証拠法則の例としては，「不動産売買契約の存在を証明する証拠方法は文書に限る（人証は認めない）」などがみられる。また，証明力の評価に関する法定証拠法

則の例としては,「3人以上の証人の証言が一致した場合はそれを真実と認定しなければならない」などがかつてあった。法定証拠主義は, 裁判官の素養が不十分かつ不揃いであるときには, それなりに妥当で均質な事実認定を可能にした。しかし, 社会が複雑化かつ多様化し, 裁判官の質も向上した社会では, かえって不適切な結果を導くことになる。そこで, 近代裁判では裁判官の識見を信頼して自由心証主義がとられるようになった（247条, 刑訴318条）。

自由心証主義は, 適切な事実認定を実現するための手段であって絶対の原理ではないので, 歴史的な経緯や公益の保護などの見地から, 一定の例外が認められている。また, 自由といっても恣意を許すものではないので, 内在的な制約を伴っている。まず,「証拠方法の自由選択」については, 証拠能力を制限する明文規定, 証拠制限契約, 違法収集証拠に関する法理などに基づく例外がある（⇨ **7-4-2-4**)。伝聞証拠については, 民訴法には刑事訴訟法のように伝聞証拠の証拠能力を排除する規定はないので, 証拠能力ではなく証明力の問題となる。次に,「証明力の自由評価」については, 合理的な事実認定を担保するための内在的な制約として経験則による拘束がある。

「**経験則**」とは, 経験から帰納された法則や知識である。一般的な常識に属する知識（一般的経験則), 職業上の専門知識（専門的経験則), 科学上の法則や論理法則, いずれもここにいう経験則である。経験則に従って行われる推論を「**事実上の推定**」という（法律上の推定については, ⇨ **7-4-5-6**)。たとえば, 契約書の紙質や字体から作成年代を推定したり, 自動車のスリップ痕から事故当時のスピードを推定するなどは, 経験則に基づく事実上の推定の典型例である。このように, 証明力の自由評価という際の「自由」は経験則に従った判断を意味する。したがって, 経験則に違反した事実認定は, 247条に違反するものとして上告理由（最高裁に上告する場合には上告受理申立理由。318条) となり得る（312条3項)。

7-4-3-3　損害額の認定

(1) 248条の意義

裁判所の心証形成に関係する特殊な規定として248条がある。本条は, 損害賠償請求訴訟における損害額の認定に関して定めるものである。損害賠償請求においては, 請求者が損害発生の事実のみならず損害額についても証明責任を負うので, たとえ損害発生については証明がなされていても, 損害額が証拠か

ら認定できなければ、損害賠償請求は認められないと解されてきた。しかし、被害者が損害を被っていることは明らかなのに、損害額の立証が困難であるために損害賠償自体が認められないとするのは不当であり、社会の納得を得ることもできない。そこで、このような不都合を回避し、被害者の権利実現を容易にするために、ドイツ民事訴訟法などを参考にして、平成8 (1996) 年改正時に248条が創設された。

(2) **248条の法的性質**

この248条が、いかなる意味を持つ規定であるかについては、立法直後から議論の対立がある。「証明度軽減説」は、損害額の認定は損害発生の認定と同様にあくまでも事実証明の問題であるという理解を前提として、事実認定のために一般的に必要とされる証明度を損害額の認定のためにとくに引き下げたものとして理解する。これに対し、「裁量評価説」は、損害額の認定はそもそも証拠による事実認定の問題ではなく、裁判所による法的評価であるという理解を前提として、当事者の公平等の見地から裁量評価であることを確認したもの、または裁量評価における自由度を規律したものとして理解する。両者を比較すると、証明度軽減説に比べて裁量評価説の方が、248条が適用される対象の範囲が広く、損害額の認定における柔軟性も高いものと考えられる。

(3) **248条の適用範囲**

248条が適用される範囲は、前述の法的性質の理解によって異なる。

(a) **慰謝料型** まず、慰謝料や無形損害の賠償を求める事案（慰謝料型）であるが、これらのように証拠による損害額の認定が理論的に不可能な場合については、実体法（民710条）が裁量評価を認めているものと考えられる。したがって、裁量評価説に従えば248条の適用があることは当然として、証明度軽減説による場合にも、やはり裁量評価によって損害額を認定すべきことになる（ただし、証明度軽減説の立場では、248条の適用ではなく、民法710条の解釈によるものとする）。

(b) **将来予測型** 次に、将来の不確実な予測に基づく損害算定の事案（将来予測型）に248条が適用されるかどうかが問題となる。たとえば、業者の誤った説明のために減税措置を受けることができなかった者が、その業者を相手に損害賠償を求めた事案において、現実には起きなかった減税措置が受けられた場合を予測して損害額を算定することは困難であるとして、248条を適用し

た裁判例がある（東京高判平成10・4・22判時1646号71頁）。こうした将来予測型の事案は，裁量評価説では当然に248条の適用対象となり得るが，証明度軽減説では難しい。将来予測型の事案では，損害額を認定するための最低限の資料すら存在せず，証明度を軽減しても意味がないことが多いからである。

(c) **滅失動産型**　居住家屋が焼失して家財道具が失われたような事案（滅失動産型）でも，248条の適用の可否が問題となる。仮に，焼失家財のリストや購入価格等の記録がある程度保存されていて，それらを証拠として用いることができれば，証明度軽減説を前提としても248条の適用対象となり得る。しかし，現実にはそうした証拠はほとんどなく，裁量評価説によらなければ248条の適用は困難である。裁判例には，爆発事故により，店舗で使用していた什器備品や食材等が使用不能になった事件において，個々の物品の購入時期や購入価格の立証は困難であるとして，248条の適用を認めた事例（東京地判平成15・7・1判タ1157号195頁）などがある。いずれの立場を採用しているかは明示されていないが，裁量評価説との親和性が高いといえよう。

(d) **実務の傾向**　実務は，将来予測型や滅失動産型を含む広範な事例において，積極的に248条を適用していく傾向にある。裁量評価説によれば，依拠し得る証拠がほとんどない場合でも248条を適用することができ，証明度軽減説よりも248条の適用範囲が広くなることを考えると，実務は，主として裁量評価説によっているものと思われる。

(4) **248条適用の結果**

248条が適用された場合の取扱いは，次のとおりである。証明度軽減説に立てば，248条が適用される場合であっても，証明度が軽減されている以外は通常の証明と異なるところはないので，一応の心証に達するだけの最低限の証拠は必要である。また，判決書においても，通常の場合と同程度に認定過程を記載する必要がある。これに対し，裁量評価説によれば，最低限の証拠すら存在しない場合であっても，損害額の算定が可能である。しかし，裁量評価といっても裁判官の恣意を許すものではないので，証拠資料，弁論の全趣旨，経験則，論理的整合性，公平の見地，一般常識などに照らして，相当かつ合理的なものでなければならないと解される。また，裁量評価説による場合であっても，可能な限り，判決書にも認定の根拠を記載すべきである。

7-4-4　証明の対象

7-4-4-1　証明の対象となる事項

(1) **事　実**

証明の主たる対象は事実である。ここにいう事実とは、主要事実のみに限られない。事件によっては、間接事実こそが、最も重要な証明の対象となることもある。また、証拠の信用性などを明らかにするために、補助事実を証明しなければならないこともある。証拠による認定が必要と判断される事実を「**要証事実**」という（181 条参照）。当事者間に争いのない事実には自白の審理排除効が発生するので（審理排除効については、⇨ **7-3-3-3**）、争いのない事実は要証事実とはならない。ただし、間接事実や補助事実には審理排除効が発生しないと考える立場をとる場合には、当事者間に争いのない事実であっても、証明の対象となり得ることになる（ただし、証明不要効は発生するので、必ず証明を要するわけではない）。裁判所に顕著な事実は、審理排除効があるわけではないが（179 条により証明不要効はある）、裁判所にとっては証拠による証明の必要がないので、要証事実となることはない。これらを除いた事実は、単に証明の対象となるというだけでなく、証拠による証明がなければ、原則として（弁論の全趣旨による認定が行われる場合を除き）、裁判の基礎とすることはできない。これは、証拠裁判主義の要請である（179 条の反対解釈）。

(2) **経　験　則**

経験則が証明の対象となるかどうかについては議論がある。最近では、「一般常識に属する経験則」と「専門的な経験則」を分けて論ずる見解が多数である。まず、一般常識に属する経験則については、証拠による証明なく利用しても裁判の客観性が害されることはなく、むしろ裁判官はこのような一般常識を備えていることが求められているものと考えられるので、証拠による証明は不要である。最判昭和 36・4・28（民集 15 巻 4 号 1115 頁）も、通常の経験則については鑑定等の証拠調べは不要であるとする。このように考える場合には、一般常識ということの意味が問題になるが、顕著な事実のうちの公知の事実（179 条）に準ずる程度の一般性が必要と考えられる。

これに対し、専門的な経験則や特殊な経験則については、証明を要するものと解すべきである。仮に、裁判官が個人的な研究や私的な経験でその経験則を

知っていたとしても，それだけでは追証が不可能であるために客観性が担保できない。また，専門的知見を提供する鑑定人とその意見の採否を決する裁判官が同一人であってはならないとする民訴法の規定（23条1項4号）の趣旨にも反する。ただし，裁判官が市販されている書籍やインターネット等の常識の範囲内で調査することができる場合は，何人も同様な方法による調査が可能であって，当事者としても裁判所がそのような調査を行うことを想定することができるし，必要に応じて当事者も自ら同様の調査を行うこともできるので，そのような場合は，ある程度専門的な経験則や特殊な経験則であっても必ず証拠調べを要するとまではいえない。

(3) **法　　規**

法規が証明の対象になるかどうかについては，以下のように考えられる。まず，国内の制定法については，裁判官は法律の専門家として任用されており，また法規を知ることは裁判官の職責でもあるので，たとえ特殊な法規であっても証明の必要はない。これに対し，外国法規や慣習法などは，裁判官が知っているとは限らず，また，裁判官の職責ともいえないので，証明の対象となる。しかし，証明の手続は厳格な証明までは要求されず，自由な証明で足りると解される。さらに，弁論主義の適用はなく，むしろ裁判所は職権探知の義務を負う。当事者による証明が成功せず，裁判所の職権探知にも限界があり，その結果，外国法等の存否や内容が不明に終わった場合でも，事実と異なり証明責任によって処理されるわけではない。裁判所は，外国法に代わる規範として条理等を適用しなければならない。

7-4-4-2　証明を要しない事項

民訴法において，明文により証明を要しない事項とされているのは，「当事者が自白した事実」と「裁判所に顕著な事実」である（179条）。

(1) **裁判上の自白**

当事者が自白した事実については，証拠による証明を必要としない（証明不要効）のみならず，裁判所は証拠調べを実施することができず（審理排除効），さらに判決をする際には自白の内容に拘束される（判断拘束効）（これらの自白の効果については，⇨ **7-3-3**）。これらの法的効果のうち，審理排除効および判断拘束効は，争点の形成に当事者自治を認める弁論主義の帰結であり，弁論主義における自白原則として一般に整理されている（弁論主義の中における位置付けに

ついては，⇨ **7-1-1-3**)。また，当事者が積極的に自白をした場合でなくても，相手方の主張を明らかに争わなければ，擬制自白として自白とみなされる（159条1項・3項）。擬制自白については，既に **7-2-3-4** で説明した。

(2) 顕著な事実

「**顕著な事実**」とは，証拠による証明なしに裁判の基礎として利用したとしても，当事者や一般人が疑念を抱かないような事実をいう。これには，一般的に知られているために何人にとっても明白である事実（これを「**公知の事実**」という）と，とくに裁判所にとってだけ明白な事実（これを「**職務上知り得た事実**」または「**職務上顕著な事実**」という）とがある。顕著な事実は，民訴法の明文上，証明不要効を有するものとされている（179条）。顕著な事実が証明不要効を有する理由は，証拠裁判主義は裁判の公正性と客観性を担保する手段であるところ，顕著な事実については証拠による証明がなくても，公正性と客観性の担保に支障がないからである。この場合における証明不要効が，主要事実のみならず間接事実や補助事実を含むあらゆる事実に及ぶことには異論がない。ただし，証明不要効を超えて当事者の反証を排除する効力までを有するかどうかは，後述のように議論がある。

顕著な事実と弁論主義との関係は，次のとおりである。まず，主張原則との関係であるが，顕著な事実に付与されている法的効果は証拠裁判主義の解除のみであり，主張の局面には何ら影響を及ぼさない。したがって，弁論主義が適用される事実（本書の立場では，主要事実および重要な間接事実）については，顕著な事実といえども，当事者からの主張がなければ裁判の基礎とすることはできない（大判明治36・6・17民録9輯742頁参照）。次に，自白原則との関係であるが，公知の事実に反する自白の効果をどのように考えるべきかをめぐっては，かねてより議論がある。しかし，前述したように，自白の効果を認めるべきである（公知の事実の自白について，⇨ **7-3-2-2**(3))。

(a) 公知の事実

「**公知の事実**」とは，一定の地域において不特定かつ多数の人々が信じて疑わない程度に認識されており（公知性），裁判官もそれを知っている事実である。たとえば，歴史上の著名な事件，有名人の肩書，天災や大事故などが典型例である。一地域においてのみ公知性がある場合（大判大正10・1・27民録27輯111頁）や，時の経過によって公知性がなくなる場合でもよい。ただし，たとえ公知性があっても裁判官が知らない場合は，証明を要する。

また，裁判官が知っていても公知性がなければ「私知」であるので，やはり証明を要する。

公知性に疑いがある場合に，当事者が公知性の有無についての立証をすることができるのか，それとも原則に立ち返って事実自体の証明が必要なのかについて，争いがある。しかし，公知性は，近代法の大原則である証拠裁判主義を解除するための例外的な要件であることや，公知性それ自体は証明の対象としての事実問題ではなく訴訟法上の要件であることを考えると，公知性に疑いがある場合には，事実自体の証明が必要であると解すべきである。なお，公知性の有無に関する裁判所の判断の誤りは，法律問題として上告理由または上告受理申立理由となる。

公知の事実は証明不要効を有するが，当事者の反証の権利まで奪われるのかどうかという問題がある。これが問題になるのは，裁判官が公知の事実であると判断したにもかかわらず，当事者が公知性や当該事実自体を争う場合であるが，裁判官の公知の事実であるとの認識に誤りがある可能性もあるので，反証の権利は保障されるべきである。この問題に関し，最判昭和25・7・14（民集4巻8号353頁）は，借家難の事実が存在しないことは顕著な事実であり，顕著な事実は証明を要しないとして，これと反対の事実を立証するための鑑定申請を採用しなかった原審の判断について，原審の措置は当然であるとしたが，疑問である。

(b) **職務上知り得た事実**　「職務上知り得た事実」とは，当該事件を担当する裁判官が職務の遂行過程において当然に知ることのできた事実であり，現在も明確な記憶が残っているものをいう。具体的には，当該事件の訴訟手続上の出来事（訴状の送達，期日における意思表示など），自分が構成員であった裁判所による裁判（訴訟手続上の出来事，判決結果など），裁判官として職務上注意すべき別の事件における手続上の事実（判決結果，破産開始，後見開始，訴訟代理権の喪失など）等である。合議体の場合は，構成員の過半数が知っていることが必要である（最判昭和31・7・20民集10巻8号947頁参照）。

これに対し，たとえ裁判に関する事実であっても，職務遂行と無関係に知り得た事実は「私知」であるので，職務上知り得た事実に当たらない。また，判決の結果は職務上知り得た事実となり得るが，判決理由中の認定は，職務上知り得た事実には当たらないと解すべきである。これを認めると，裁判の独立，

直接主義，当事者の手続保障などが害されるからである。

職務上知り得た事実というためには，裁判官がその事実を記憶していることが必要か，それとも記録等を調査すれば認識できるということで足りるかについて，議論がある。しかし，前述したように，現在も裁判官に明確な記憶が残っていなければならないと解される。証拠裁判主義の例外としてよいのは，あえて証拠によらなくても客観性が担保されるだけの明白性がある場合に限られるので，裁判官が現に認識していない事実まで含めるのは，顕著な事実の趣旨を逸脱するからである。また，記録を調査すれば知り得る事実までこれに含めると，厳格な概念であるべき職務上知り得た事実の外延が不明確になるうえに，裁判所の調査に要する負担が過重になるおそれもある。ただし，正確性を確保するために記録によって記憶を補充することは許される。また，証明不要効があるだけなので，公知の事実の場合と同様に，当事者には反証の権利がある。

7-4-5 証明責任

7-4-5-1 証明責任の概念

訴訟物である法律関係について裁判所が判断するためには，実体法規の要件である事実の存否が確定される必要がある。しかし，当事者と裁判所が最善の努力を尽くしても，ある事実の存否について，ついに裁判所が心証を形成できないこともある。より正確にいえば，訴訟上の証明は一点の疑義もない完全な証明までは要求されず，心証度が一定の証明度を超えた段階で証明があったものとされるが，このような事実認定システムのもとでも，存否いずれの心証度も証明度を超えないという事態は生じ得る。このような事態は，一般に「真偽不明（ノンリケット）」と呼ばれる。「**証明責任**」は，ある事実の証明が真偽不明に終わった場合に，これに対処するための手段である。民訴法には，証明責任やその分配を正面から定めた規定はないが，裁判において当然に必要な概念であることに異論はない。

証明責任に関する一般的な理解は次のとおりである。ある事実について真偽不明という状態が生じると，その事実を要件とする法規は適用できないことになるので，その法規によって有利な法律効果を得るはずの当事者は，結果として真偽不明によって生じる不利益を被ることになる。この当事者に生じる不利益が証明責任である。すなわち，証明責任は，事実の真偽不明の場合に必然的

に生じる法規不適用という結果の裏面を表す概念であるとされる。こうした考え方は、「法規不適用説」と呼ばれる。

これに対し、「証明責任規範説」と呼ばれる考え方がある。この見解は、法規不適用説を次のように批判する。法規不適用説は、実体法規に基づく法律効果は事実の証明があったときに初めて発生するという理解を前提にするものであるが、実体法規が法律効果の発生を結び付けているのは、事実の証明ではなく事実の存否それ自体である。そのように考えないと、訴訟上の証明を離れても権利は存在するという「権利実在の観念」と調和しない。こうした理解によれば、真偽不明の場合は権利の存否が不明であるので、法規を適用してよいかどうかの判断もつかないはずである。したがって、実体法規範とは別に証明責任規範が存在し、この証明責任規範が法規の適用または不適用を指示するものと考えるべきであるとする。

このように、証明責任の捉え方については見解が対立するが、両説の間で具体的な結論に差異はなく、つまるところは説明の問題にすぎない。証明責任規範説は、法規不適用説を批判して権利実在の観念と調和しないという。しかし、証明責任が問題になるのは常に裁判の場面であり、法規不適用説は、実体法規を裁判の場面における裁判規範としての機能から捉えているものであって、権利実在の観念と矛盾するものではない。また、証明責任規範説が前提とする証明責任規定は、明文規定としてはほとんど存在しないうえに、証明責任規範説は、明文の証明責任規定が存在しない場合には、真偽不明の事実は不存在として扱うという基本原則があるとするので、その点でも、実質的には法規不適用説と大差ない。したがって、説明の問題としても、証明責任規範を論ずる意義は希薄である。

7-4-5-2　証明責任の機能

証明責任は、ある事実が審理を尽くしても真偽不明に終わった場合に、結果的に当事者の一方が負うことになる不利益を指す概念であり、審理を終結した後の判決段階において機能するものである。したがって、証明責任の本質は「**結果責任**」である。歴史的には、当事者が事実を証明すべきものとする「行為責任」との混同がみられた時期もある。しかし、20世紀のドイツにおいて、行為責任とは別個の結果責任であるとする理解が確立した。こうした経緯もあり、結果責任であることをとくに明らかにする必要があるときは、「客観的証

明責任」という言葉が用いられる。また，結果責任としての位置付けを表す標語的な表現として，「自由心証主義の領土の尽きたところから証明責任の支配が始まる」といわれる。

　証明責任は，実体法規の要件となる事実が結果的に真偽不明の場合に問題となるから，証明責任の対象となる事実は，要件事実に該当する具体的な事実としての主要事実である。間接事実や補助事実については，後述する「証明の必要」の問題が生じることはあっても，「証明責任」は問題とはならない。仮にある間接事実が真偽不明であっても，その間接事実から推定される主要事実の証明責任を考えれば足りるからである。また，既に説明したように，経験則や法規などが証明の対象となることがあるが，やはり「証明の必要」が問題になることはあっても，「証明責任」の問題は生じない。以上から明らかなように，ある事項が証拠による証明の対象となるかどうかということと，証明が結果的に失敗に終わった場合に証明責任が発生するかどうかということは，全く別の問題である。

　証明責任は，実体法の構造を基準として当事者双方に分配される（証明責任の分配については，⇨ 7-4-5-4）。したがって，特定の訴訟における特定の事実について証明責任を負う者は，実体法の構造が訴訟の経過によって変化するわけではない以上，訴訟の最初から最後まで変わることはない（訴訟の経過によって変化するのは「証明の必要」である）。また，特定の事実については当事者の一方のみが証明責任を負うのであって，相手方が反対事実について同時に証明責任を負うことはあり得ない。このように，証明責任の所在は客観的に定まっているので，ある紛争が訴訟になったときにおける証明責任の所在は，事前に予測することが可能である。したがって，証明責任は，訴訟前または訴訟外であっても，関係者の行為や活動に影響を与える。また，訴訟が終結に至る前であっても，当事者の訴訟活動や裁判所の訴訟指揮の指標としての役割を果たす。これらは証明責任の派生的な機能であり，真偽不明の場合における本来的な機能とは異なるが，現実における重要性は本来的な機能に勝るとも劣らない。

> **TERM ⑳ 証 明 責 任**
> 　「証明責任」は，かつては「挙証責任」や「立証責任」と呼ばれることが多かった。しかし，こうした呼び方は，結果責任としての客観的証明責任の考え方が浸透する以前のものであり，行為責任をイメージさせるので，現在では

「証明責任」という言葉が用いられることが多い。ただし，実務では，今もなお挙証責任や立証責任と呼ばれることがある。なお，証明行為や証明活動を指す場合には，文字どおり当事者の行為を表現するものであるので，現在の学説においても「挙証」や「立証」という言葉がしばしば使われる。

7-4-5-3 「証明の必要」と「主観的証明責任」

たとえば，原告が証明責任を負う事実について，原告の側から有力な証拠が提出されたとすると，被告の側は，そのままでは敗訴する危険があるため，これに対抗する証拠を出す必要に迫られる。こうした事態は，実務では頻繁に起きる。しかし，これは証明責任が移動したわけではなく，被告にとって反対の証明活動をする事実上の負担が発生したにすぎない。仮に，原告の立証によって証明責任が移動したのであれば，被告はその事実の不存在を証明する必要があるはずであるが，証明責任は依然として原告が負っているために，被告はその事実を真偽不明に追い込みさえすれば足りる。このような現実の負担は，証明責任と区別して「**証明の必要**」と呼ばれる。こうした意味における証明の必要は，証明責任のように主要事実についてだけ問題になるのではなく，間接事実，補助事実，経験則，法規など，およそ証明の対象となり得るあらゆる事項について問題となり得る。

また，この証明の必要とは別に，「**主観的証明責任**」という概念もある。証明責任は，その本来的な機能は結果責任であるが，証明責任の派生的な機能として述べたように，証明責任の所在が客観的に定まっていること自体が，当事者の行動を規律する場合があることは否定できない。たとえば，原告が証明責任を負う事実については，その事実が真偽不明に終われば原告は敗訴という不利益を被るので，原告は，その事実の存在について証明度を超える立証をする必要がある。これは「**本証**」と呼ばれる。これに対し，被告はその事実について証明責任を負わないので，その事実の不存在について証明度を超える立証をする必要はなく，真偽不明に追い込めば十分である。これは「**反証**」と呼ばれる。このように，証明責任の派生的な機能である行為責任としての側面を捉えて，客観的証明責任と区別するために「主観的証明責任」と呼ぶことがある。

かつての民事訴訟法学は判決段階の理論が中心であったが，最近では審理段階の理論を重視する傾向にあるので，主観的証明責任の概念についても，これを積極的に評価する見解が増えている。この主観的証明責任であるが，しばし

ば客観的証明責任が弁論主義のプリズムを通して投影されたものとの説明がなされる。しかし，たとえば人事訴訟を例にとってみても，裁判所による職権探知がなされるのは例外的な事態であり，証明責任を負う当事者は実質的には一種の行為責任を負うので（職権探知主義については，⇨ **7-1-3**），主観的証明責任は職権探知主義のもとでも観念し得る。主観的証明責任は，審理の推移によって移動することはなく常に客観的証明責任と所在を共通にする点や，あくまでも主要事実についてだけ観念し得る点で，現実の負担を意味する「証明の必要」とは異なる。

7-4-5-4　証明責任の分配
(1)　法律要件分類説の考え方

証明責任をいかなる基準で当事者双方に分配するかについては，**法律要件分類説**が学説と実務の双方における支配的な見解である。その考え方は，次のとおりである。証明責任は，自己に有利な法律効果の発生が認められない不利益であるから，当事者は，自己に有利な法律効果の要件となる事実の証明責任を負うべきである。したがって，証明責任の分配は，ある当事者にとってある法規が有利かどうかで決まる。特定の当事者にとって特定の法規が有利かどうかの判断基準は，実体法規の相互の論理的関係に求めることができる。ここにいう実体法規の論理的関係とは，以下に述べるような意味である。

実体法規は，その法律効果に基づく機能によって，①権利根拠規定（権利の発生を定める規定），②権利障害規定（権利の発生を原始的に妨げる規定），③権利消滅規定（いったん発生した権利を消滅させる規定），④権利阻止規定（権利の行使を妨げる規定）に分類することができる。ここでいう権利とは，法律効果のことである。ある権利（法律効果）を主張する者にとっては，権利根拠規定が自己に有利な規定であり，その相手方にとっては，権利障害規定，権利消滅規定，権利阻止規定が自己に有利な規定である。したがって，ある権利を主張する者は，①の法律要件である「権利根拠事実」の証明責任を負い，その相手方は，②③④の法律要件である「権利障害事実」，「権利消滅事実」，「権利阻止事実」の証明責任を負うものと解される。

たとえば，売買契約に基づく代金請求訴訟では，売買の合意が代金請求権という権利の発生を基礎づける権利根拠事実（民555条）であるから，これについては原告が証明責任を負うことになる。主張の場面では，この事実は請求原

因である。これに対して、売買の意思表示における虚偽表示（民94条1項）は権利障害事実、代金債務の免除（民519条）は権利消滅事実、同時履行の抗弁権の行使（民533条）は権利阻止事実であり、いずれも被告が証明責任を負う。これらは、主張の場面では抗弁となる。さらに、②③④を障害または消滅させる規定もある。たとえば、虚偽表示における第三者の善意（民94条2項）は、虚偽表示による無効という法律効果の権利障害事実であるから（この場合は、権利障害事実によって発生する法律効果の権利障害事実）、被告の相手方である原告が証明責任を負う。これは、主張の場面では再抗弁となる。以下、同様に続く。このように、②③④の規定は、その法律効果を否認する規定との関係では権利根拠規定と同様に扱われ、階層的に証明責任が原告と被告に振り分けられていくことになる（主張との関係については、⇨ **7-2-2**）。

　このように、法律要件分類説は、法律要件を定めた実体法規をいくつかの種類に分類し、それぞれがいずれの当事者に有利に働くかによって、証明責任の分配を決しようとする見解である。そこで、重要な問題となるのが、実体法規を分類する基準である。法律要件分類説は、その規定が権利の発生に関わるのか、それとも発生の障害に関わるのか、あるいは発生した権利の消滅や阻止に関わるのかという、実体法規の相互の論理的関係こそが基準になるとする。しかし、研究が進むにつれて、実体法規の論理的関係だけで①②③④を分類することは、困難であることが明らかになってきた。とくに、権利根拠規定と権利障害規定の区別は論理的に不可能である。たとえば、未成年者の行為能力を例にとると、未成年者の行為は無効として権利障害事実とするか、それとも成年者の行為のみが有効として権利根拠事実とするかは、実体法の定め方という立法政策によっていずれも可能であり、論理的には区別できない。

　そこで、実体法規の論理的関係に頼るのではなく、実体法規の表現形式に基準を求める見解が説かれることになる。具体的には、実体法規の条文における文言や、本文と但書、1項と2項などの書き分けを基準とする。たとえば、本文や1項は、原則を定めているので①の権利根拠規定であり、但書や2項は、例外を定めているので②③④であるとする。このように、実体法規の表現形式をとくに重視する見解は、法律要件分類説の中の1学説として「**規範説**」と呼ばれる。規範説は、実体法規の立法者は証明責任の分配を意識して法文を書き分けており、このように法文の書き分け方を基準とすることで、法律要件の分

類は可能であるとするのである。

(2) 利益衡量説

こうした考え方に対しては，「利益衡量説」と呼ばれる立場から，厳しい批判が加えられた。利益衡量説は，わが国の立法者は実体法規の表現形式を考えるに際して常に証明責任の所在を考慮しているとはいえないし，実際にも法律要件分類説の基準に従った証明責任の分配では不都合が生じる場合があることを指摘する。そして，証明責任の分配は，当事者間の公平の観点から，証拠との距離（証拠を入手または利用しやすい側が証明責任を負う），立証の難易（立証が容易な事実を主張する側が証明責任を負う。たとえば，ある事実についての不存在の立証は困難なので存在を主張する側が証明責任を負う。ちなみに，不存在の立証は「悪魔の証明」と呼ばれる），事実の蓋然性（蓋然性の低い事実を主張する側が証明責任を負う）を基準として判断すべきであるとする。

たしかに，利益衡量説が指摘するとおり，実体法規の表現形式が常に妥当であるわけではないし，実体法規の解釈としても立法者意思を絶対的な基準とすべきではない。したがって，利益衡量説の指摘は正しいものを含んでいる。しかし，他方において，利益衡量説による場合には，事件ごとのアドホックな判断となるため，証明責任を指針として運営される実務に支障が生じることになるし，また，当事者の予測可能性を低下させるという不都合もある。そうしたことから，現在でも，法律要件分類説が学説および実務の両方における通説であり，利益衡量説をとる論者はほとんどいない。しかし，利益衡量説からの批判については応える必要がある。そこで，登場したのが，法律要件分類説の部分的な修正という考え方である。

(3) 法律要件分類説の修正

法律要件分類説の考え方を機械的に適用すると，当事者間の公平に照らして不都合が生じる場合がある。

従来，その典型例とされてきたのは，債務不履行（平成29〔2017〕年改正前民415条）における帰責事由である。法文の文言からすれば，債務不履行責任を追及する債権者（原告）に，帰責事由の存在の証明責任があると読むのが自然であったからである。しかし，「契約は守られるべし」との原則に照らせば，給付を義務付けられている債務者に帰責事由の不存在の証明責任を負わせる方が，当事者間の公平にかなう。そこで，通説および判例（最判昭和34・9・17民

集13巻11号1412頁）は，債務者（被告）が，帰責事由の不存在という事実の証明責任を負うものと解してきた。平成29（2017）年改正後の民法は，こうした通説および判例の考え方を受け，本文と但書の書き分けをすることにより，帰責事由の不存在について債務者の側が証明責任を負うことを法文上明らかにした（民415条1項）。

　もう1つの典型例とされてきたのは，準消費貸借（民588条）における旧債務の存在という要件である。これについても，法文の文言からいえば，債務の履行を求める債権者（原告）が証明責任を負担することになる。しかし，準消費貸借契約を結んでいる以上は，もともと旧債務が存在していた蓋然性が高いし，準消費貸借契約を結ぶ際には旧債務の証書を債務者に返還するのが通常なので，債権者に旧債務の存在について証明責任を負わせるのは不当である。そこで，通説および判例（最判昭和43・2・16民集22巻2号217頁）は，債務者（被告）が旧債務の不存在の事実について証明責任を負うものとする。

　ほかにも，法律要件分類説に従った場合の結論の妥当性について議論があるものとして，虚偽表示（民94条2項）における第三者の善意（最判昭和35・2・2民集14巻1号36頁），安全配慮義務違反における義務内容および義務違反該当事実（最判昭和56・2・16民集35巻1号56頁），賃貸借契約における解除権の制限事由としての背信行為と認めるに足りない特段の事情（最判昭和41・1・27民集20巻1号136頁）などがある。

　このように，法律要件分類説（規範説）には，実質的な考慮による修正が必要な場合があることは否定できない。また，慣習法，成文法の解釈，判例などにより，法文にはない要件事実が出てきた場合にも，必然的に実質的な考慮によらざるを得ない。こうした場合における考慮要素は，基本的に利益衡量説の説くところと一致する。他方，こうした修正を余儀なくされる場面は思いのほか少なく，ほとんどの場合において，法律要件分類説による証明責任の分配は，正当な結論を導き得るものと評価されている。このようなことから，基準の明確性と思考経済の観点から原則的には法律要件分類説によりつつ，これに実質的な考慮を加味して必要に応じて部分的な修正を加える立場が，現在の主流である。こうした立場は，ときに「修正法律要件分類説」と呼ばれる（債務不履行における帰責性については，前記のように平成29年民法改正により修正の必要はなくなった）。しかし，本来の法律要件分類説は，実体法規の解釈において実質的

な考慮が加味されることを当然に承認するものであるはずなので，このような考え方は法律要件分類説そのものであるとして，あえて「修正」という必要はないとする見解もある。いずれにせよ，現在の通説および判例の立場について，これを修正法律要件分類説というか，伝統的な法律要件分類説そのものであるというかは，単なる言葉の問題にすぎない。

7-4-5-5　証明責任の転換

(1)　証明責任の転換の意義

　一般的な実体法規における証明責任の分配を特別法によって変更し，反対事実について相手方に証明責任を負わせる立法作用を，**「証明責任の転換」**という。証明責任の転換は，特定の状況が類型的に存在する場合において，通常の証明責任の分配に従うことが不公平であるとの判断が，立法によって示されたものである。制定法の条文によって法律要件の新たな分類が表現されることになるので，証明責任の所在については，いうまでもなく法律要件分類説がそのまま妥当する。

　たとえば，不法行為に基づく損害賠償請求では，民法の一般規定（民709条）によれば，加害者の過失に当たる事実は権利根拠事実であり，損害賠償を請求する立場にある原告がその証明責任を負う。これに対し，特別の場合として，自動車事故による損害賠償請求に関しては，特別法である自動車損害賠償保障法（自賠法）の3条は，但書で加害者の過失の不存在に当たる事実を権利障害事実としているので，過失に関する事実の証明責任を被告が負うことになる。これは，被害者の救済のために，立法政策によって，証明責任を転換したものである。

　このように，証明責任の転換は立法によって行われ，訴訟の推移によって移動することはない。したがって，審理の経過によって移動することのある「証明の必要」とは異なる。

(2)　証明妨害と証明責任の転換

　証明妨害があった場合に，証明責任の転換により妥当な解決を図るべきであるとする見解がある。**「証明妨害」**とは，当事者の一方が，故意または過失により，相手方の立証を不可能または困難にすることをいう。典型的には，相手方に有利な証拠を故意に破棄したり，隠匿したりする行為などである。こうした場合に，妨害を受けた当事者に有利な調整を図ろうとする理論を**「証明妨害**

の法理」という。もともとはドイツの判例や学説における議論が，わが国でも展開されるようになったものである。こうした見解が主張する証明責任の転換は，立法によるのではなく，個別の事件において，当該事件限りの解釈として証明責任の転換と同様の結果を認めようとするものである。

　わが国の民訴法には，一定の場合に，証明責任の転換以外の方法により，証明妨害に対する調整を図っている規定がある。たとえば，224条は，文書提出命令を受けた当事者がこれに従わないときや，相手方の使用を妨げる目的で文書を毀損したときは，相手方の主張を真実と認めることができる旨を定めている。これは，証明妨害の法理を部分的に立法化したものと評価することができる。しかし，224条は，相手方の主張を真実と認めることができるとする規定であって，証明責任の転換を定めたものではない。このように，証明妨害の法理と証明責任の転換は，必然的に結び付くわけではない。しかし，学説の中には，故意による証明妨害に対する制裁として，証明責任の転換を説く見解があるのである。

　しかし，「証明妨害の法理」を認めるとしても，その法的効果を証明責任の転換とすることは適切ではない。証明妨害の程度や態様はさまざまであるところ，証明責任の転換は極端な方法であって柔軟性を欠くため，そうした程度や態様の差異を適切に反映させることができないからである。そこで，証明妨害の程度や対応に応じた柔軟な処理を可能にするために，証明妨害があったという事実を裁判官の心証形成に反映させる方法が有力に提唱されている。ただし，その場合にも，いくつかの異なる見解がある。1つの見解は，証明妨害の効果として証明度の軽減を考える。しかし，立証に必要な証拠が完全に破棄または隠匿された場合には，いくら証明度を軽減しても当事者は救済されない。また，自由心証の問題として処理しようとする見解もあるが，証明妨害が反対事実の存在を推定させるといえるまでの経験則がない場合には，自由心証によることでは対処できない。

　このように，ひとたび証明妨害がなされると，それを裁判官の心証形成に反映させようとしても，必要な証拠の利用が不可能または困難となるので，通常の意味での事実認定は難しい。そこで，故意または重過失による証明妨害があった場合には，裁判官による裁量評価によって，相手方の主張を真実と認めることが許されるものと解すべきである。なお，下級審の裁判例の中には，要証

事実の内容，妨害された証拠，他の証拠の確保の難易性，妨害された証拠の重要性，経験則などを総合的に考慮して，事案に応じて，事実上の推定，裁量的真実擬制，証明度の軽減，証明責任の転換などを決すべきであるとして，多元的な処理を説くものもあるが（東京高判平成3・1・30判時1381号49頁），本書の立場のように，端的に裁量評価を可能とすれば足りる。

> **すこし詳しく 7-11　裁量評価を伴う事実認定**
> ▶訴訟上の事実認定には，証拠調べの結果に基づく通常の事実認定のほかに，裁判官による一定の裁量評価を伴う事実認定がある。たとえば，慰謝料の認定を通常の事実認定と同様に行うことは不可能であり，裁判官の裁量評価が許されることは広く承認されている。また，208条・224条・229条4項などは，一般に「真実擬制」の規定であるとされるが，規定の要件を満たしている場合でも疑いを抱けば真実と認めないことも許されるので（いずれも「認めることができる」という裁量規定である），厳密な意味では真実擬制とはいえず，一種の裁量評価を認めた規定である。さらに，248条の法的性質については見解が分かれているが（248条の法的性質については，⇨ **7-4-3-3**(2)），有力な見解（裁量評価説）は裁量評価を認めた規定であるとする。このように，民事訴訟において裁量評価による事実認定は珍しいわけではない。また，裁量評価といっても，裁判官の恣意を許すものではなく，証拠資料，弁論の全趣旨，経験則，論理的整合性，公平の見地，一般常識などに照らして，相当かつ合理的なものでなければならないので，証拠裁判主義の思想と相反するわけではない。証明妨害の法的効果についても，こうした意味での裁量評価による処理が妥当であろう。

7-4-5-6　法律上の推定

(1)　法律上の推定の意義

民事訴訟において，「推定」という言葉は，大きく2つの場面で使われる。1つは，学理上の概念である「事実上の推定」である。事実上の推定とは，自由心証により経験則を用いてある事柄から他の事柄を推認する作用である（事実上の推定については，⇨ **7-4-3-2**）。もう1つは，法規上の概念である「**法律上の推定**」である。法律上の推定には，**事実推定**と**権利推定**がある。こうした法律上の推定は，「推定」という概念を用いて経験則を法規に高めたものである。ただし，法律上の推定を定めた規定が設けられる際には，経験則の存在に加えて政策的な判断も加えられることが多いので，経験則の単純な法規化に尽きるものではないことに注意を要する。また，法文上は「推定」という言葉が使われているが，本来の意味の推定とは関係がない規定もある。「**暫定真実**

（疑似的推定）」，「法定意思解釈」，「法定証拠法則」などの規定である。これらは，規定の見かけ上は「法律上の推定」と似ているが，その機能は全く別のものである。

(2) 法律上の事実推定

　「**法律上の事実推定**」は，「Xという法律効果の要件であるA事実とは別個のB事実があれば，A事実の存在が推定される」という形で規定される。B事実を「前提事実」といい，A事実を「推定事実」という。要件事実であるA事実（推定事実）の証明が困難な場合に，証明が容易なB事実（前提事実）の証明で足りるとすることにより，証明責任を負う者の立証負担を緩和する趣旨で設けられる。すなわち，法律上の事実推定は，証明主題の変更によって当事者間の立証負担の公平を図るものである。この場合，権利主張者はA事実に代えてB事実を証明主題として選択することができるが，要件事実であるA事実の証明責任を相手方が負うわけではなく，A事実の証明責任はあくまでも権利主張者が負う。したがって，厳密には証明責任の転換ではないが，B事実が証明されれば，相手方は推定を覆すためにA事実の不存在を証明する必要が生じるので，現実の効果としては証明責任の転換に近い。

　法律上の事実推定を定めた規定には，民法186条2項・619条1項・629条1項・772条1項，手形法20条2項，破産法15条2項・47条2項・51条・162条2項などがある。たとえば，民法186条2項により，前後両時の占有（前提事実）の証明があれば，その間の継続占有（推定事実）が推定される。したがって，権利主張者が前後両時の占有を証明すれば，相手方は，前提事実である前後両時の占有それ自体に対して反証するか，または推定事実である継続占有の不存在を証明する必要に迫られる。この継続占有の不存在の証明の程度は本証でなければならないと説く見解が多いが，前述のように証明責任が転換されているわけではないので，反証によって真偽不明に追い込めば足りるものと解すべきである。実質的にも，継続占有があったかどうかが疑われるのに不存在の証明がないから継続占有を認定せよというのは，裁判官の自由心証に対する不自然な制約であって不当であろう。

(3) 法律上の権利推定

　「**法律上の権利推定**」は，「Xの要件であるA事実とは別個のB事実があれば，Xという法律効果が推定される」という形で規定される。B事実を「前提

事実」といい，Xを「推定権利」という。要件事実であるA事実の証明が困難な場合に，証明が容易なB事実の証明で足りるとすることにより，証明責任を負う者の立証負担を緩和するものである。B事実からA事実を推定するのではなく，法律効果Xを直接的に推定する点で，法律上の事実推定とは異なる。法律上の権利推定も，法律上の事実推定と同じく，証明主題の変更によって当事者間の立証負担の公平を図るものであるが，事実から事実を推定するわけではなく，より証明しやすい要件事実を用意して，当事者に要件事実の選択を認めるものである。A事実の証明責任は依然として権利主張者が負担しているので，これも厳密には証明責任の転換ではないが，B事実が証明されれば相手方はA事実の不存在を証明する必要が生じるので，現実には証明責任の転換と同等の効果を有する。

　法律上の権利推定を定めた規定としては，民法 188 条・229 条・250 条・762 条 2 項などがある。たとえば，適法な占有の権利（所有権，地上権，賃借権，使用借権等）は，本来は，それぞれの権利の発生原因事実（A 事実）によって証明しなければならないが，民法 188 条による推定の結果，証明が容易な「占有」という事実（B 事実）が証明されれば，適法な占有の権利（法律効果 X）を直接的に認定し得ることになる。権利主張者が占有の事実を証明したときは，この推定を争う相手方は，前提事実である占有の事実を否定するか，または推定権利である占有権原そのものを否定する必要に迫られる。占有権原を否定するためには，その権原の発生原因の不存在または消滅原因の存在に関する事実を証明することが必要である。占有の事実を否定する場合は反証でよいが，これらの占有権原を否定する事実については本証を要する。これらの事実は，独立の証明主題であるからである。

> **すこし詳しく　7-12　民法 188 条による推定の覆滅**
> ▶民法 188 条に基づいて推定される権利は，適法な占有権原でありさえすればよいので，所有権，地上権，賃借権，使用借権など，考え得るあらゆる占有権原が推定されることになる。したがって，相手方が占有権原の発生原因の不存在を証明する場合には，論理的に可能なあらゆる発生原因に関する事実がすべて存在しないことを証明する必要がある。また，占有権原の消滅原因の存在を証明する場合も，その後の新たな権利発生の可能性をすべて潰す必要がある。結局，ひとたび同条に基づいて権利推定がなされると，その推定を覆滅することは，現実にはきわめて困難である。このように，法律上の権

利推定は，ときとして相手方に，事実上，不可能に近い反対証明を強いることになる。しかし，反対証明によって覆滅することが実質的に不可能ということになれば，それはもはや「推定」とはいえない。そこで，反対証明の過剰な負担を軽減するために，推定される権利状態と相容れない権利状態を導くのであれば，発生原因や消滅原因には限られず，どのような事実の証明であっても反対証明として認めてよいと解するのが通説である。

(4) **暫定真実**

一見すると法律上の事実推定にみえるが，性質を異にする規定がある。たとえば，民法 186 条 1 項である。仮に，この規定が法律上の事実推定であるとすると，前提事実が占有で，推定事実が所有の意思・善意・平穏・公然ということになる。しかし，たとえば取得時効（民 162 条）を考えてみると，占有は要件事実であり，所有の意思・善意・平穏・公然も要件事実であるので，この規定は，ある要件事実から他の要件事実を推定していることになる。これは，前提事実は要件事実とは別個の事実でなければならないという法律上の事実推定の本質に反し，もはや法律上の事実推定とはいえない。なぜなら，要件事実 A が要件事実 B を推定するということは，要件事実 A の証明責任を負う者は要件事実 B の証明責任を負わないということであり，結局，要件事実 B については証明責任そのものが相手方に移っていることを意味するからである。このことから明らかなように，民法 186 条 1 項は，法律上の事実推定を規定したものではなく，証明責任の転換を定めた規定である。

したがって，民法 186 条 1 項の作用により，同法 162 条に基づく権利主張がなされる場合には，所有の意思・善意・平穏・公然は権利根拠事実ではなく，所有の意思の不存在・悪意・強暴・隠秘が権利障害事実となる。このような性質の規定は「**暫定真実**」と呼ばれる。暫定真実は，ある法律効果に要件事実 A と要件事実 B が存在する場合に，要件事実 B の証明責任を相手方に転換したものであるから，要件事実 A を本文に規定し，要件事実 B の不存在を但書にして，規定することが可能である。つまり，本文と但書の関係として規定できるものを，あえて「推定」という概念を用いて規定したものにすぎない。こうした暫定真実の規定には，民法 32 条の 2・186 条 1 項，商法 503 条 2 項，手形法 29 条 1 項などがある。

> **TERM** ㉑ 「暫定真実」という言葉
>
> 「暫定真実」という言葉は，ドイツ語からの直訳である。しかし，事柄の実質を正しく反映しておらず，不適切であるとの批判が多い。本来の推定ではないということで，「擬似的推定」という呼び方もあるが，この用語の使用者は少ない。いずれにしても，本文で述べたように，呼び名はともかく，その実質は証明責任の転換規定である。

(5) 法定意思解釈

一定の意思表示について，その意思解釈を法定する趣旨で「推定」という語を用いている規定がある。たとえば，民法 136 条 1 項は，期限の合意という事実があれば，その期限は債務者の利益を図ることを目的として合意されたものと推定し，それ以外の意思解釈を排除している。したがって，期限の合意を結ぶ際に，その期限から利益を受ける者について格別の合意がなくても，債務者の利益のための期限として扱われることになる。この場合の推定は，推定事実が実体法規の要件事実ではないので法律上の推定とは異なるし，もちろん証明責任の転換でもない。この推定を覆滅するためには，債務者の利益のための合意の不存在を証明するだけでは足りず，この意思解釈規定の効果を排除する合意，すなわち債権者の利益のためとする特約の存在を積極的に証明する必要がある。

(6) 法定証拠法則

民訴法 228 条 2 項および 4 項は，一定の前提事実がある場合に，文書の真正な成立を推定する旨を定める。通説および実務の大勢は，これを法律上の事実推定ではなく，法定証拠法則の規定であると解している。「**法定証拠法則**」とは，裁判官の事実認定のあり方を法定するものであり，自由心証主義に対する例外の定めである（自由心証主義以前の時代における法定証拠法則については，⇨ **7-4-3-2**）。通説が，これらの規定を法定証拠法則とする理由であるが，法律上の事実推定は推定事実が実体法規の要件事実でなければならないところ，これらの規定は実体法規の要件事実ではない事実を推定するものであるからである。

これに対し，法律上の事実推定は実体法規の要件事実である必要はないとして，これらの規定は法律上の事実推定であるとする反対説もある。しかし，結局，両説の差異は法律上の事実推定の定義に帰着する。法律上の事実推定の本質は証明主題の選択を許すところにあるが，これらの規定は，証明主題の選択

とは無関係であることを考えると，通説のように法定証拠法則として理解する方が概念の整理としては有益である。

ところで，これらの規定による推定を覆滅する反対証明の程度について，法定証拠法則の立場をとる通説は反証でよいとするが，法律上の事実推定の立場をとる反対説は本証でなければならないとして，この点に見解の対立の実益を求める議論が，いずれの立場からもなされている。しかし，たとえ法律上の事実推定であるとしても，その推定の覆滅が論理的に必ず本証となるわけではないし，法定証拠法則であるから反証で足りるとする必然性もないので，このような議論は適切ではない。要は，実質的な考慮によるべきである。相手方の反証が成功して文書成立の真正が疑われるのに，その文書を真正文書として扱わなければならないとするのは，自由心証に対する過剰な制約といえる。したがって，通説および実務の大勢が唱えるように反証で足りると解すべきである。

(7) 各種の「推定」規定の意味

以上をまとめると，実体法規において「推定」という概念が使われている場合，そこにいう推定の意味するところは一様ではなく，法律上の事実推定，法律上の権利推定，暫定真実，法定意思解釈，法定証拠法則などが含まれる。これらの諸規定と証明責任の関係は，次のとおりである。暫定真実は証明責任の転換を定めたものである。法律上の事実推定と権利推定は証明責任の転換ではないが，実質的にそれに近い機能を営む。法定意思解釈と法定証拠法則は証明責任の転換とは関係がない。

他方，これらすべてに共通するのは，経験則の存在や政策的な考慮を背景として，一定の類型的な事情が存在する場合に，当事者の通常の立証負担の所在を変更または修正し，それによって実質的な公平と公正を実現しようとするものであるということである。その場合に，必ずしも証明責任の転換という手法が使われていないのは，証明責任の転換を行えば立証負担が一方の当事者から他方に極端に移動するので，より自由心証が機能し得る柔軟な手法で足りる場合には，その方が望ましいと考えられたからであろう。

7-4-5-7 主張・立証負担の軽減

(1) 一応の推定（表見証明）

「一応の推定」は，明治期の判例で登場した概念であり，わが国の裁判例において，主張・立証負担を軽減するための道具概念として用いられてきた。ま

た,「**表見証明**」は,ドイツの判例・学説において形成されてきた概念であり,実質的には,一応の推定とほぼ同様の考え方である。具体的には,いずれも,主として,不法行為における「過失」などの規範的要件を認定する場面で用いられるもので,たとえば,不法行為における損害賠償請求訴訟において,過失に該当する具体的な事実の立証が十分でなくても,一定の経験則を強く働かせることにより,要件事実の充足を認めて損害賠償請求を認容してよいとする法理である。もっとも,一応の推定(表見証明)についての学説の理解は一致しておらず,どのような事案をもって一応の推定(表見証明)が使われた事例と考えるのかも,論者ごとに異なっている。したがって,以下に述べるところは,1つの視点に立った整理である。

たとえば,開腹手術後にガーゼが腹腔内に遺留されていたのが発見された場合において,遺留の経緯や病院の過失に関する具体的な事実の主張・立証がない場合であっても,通常ではガーゼが腹腔内に遺留されることは起こり得ないとの経験則を重くみることによって,抽象的かつ不十分な主張・立証に基づいて病院の過失を認定する場合などが,一応の推定(表見証明)の典型例であるとされる。これによって,被害者である原告が具体的な経過を知ることのできない手術室内で起こった事実に関して,原告の主張・立証負担が緩和される。

もっとも,一応の推定(表見証明)が,一般的な通用性を有する主張・立証負担の軽減手段であるかどうかは疑問である。過失などの規範的要件は,法的評価概念であって主要事実ではなく,これらに該当する具体的な事実こそが主要事実である(規範的要件と主要事実の関係については,⇨ **7-1-2-3**(1))。そして,法的評価のための主要事実の具体性の程度は,訴訟法上の問題というよりも,規範的要件の解釈という実体法上の問題であるからである。すなわち,前述の例でいえば,過失に該当する主要事実として,執刀医や看護師のうちの特定の者が行った特定の行為という具体性の高い事実を設定するか,それとも手術に関与した病院関係者のいずれかの何らかの不注意な行為という抽象性の高い事実を設定するかは,規範的要件の解釈問題である。つまり,一応の推定(表見証明)は,規範的要件という特殊な法律要件に固有の問題であり,主張・立証負担の軽減手段の種類としては,実体法の解釈における証明主題の選択の問題として位置付けられよう。

(2) **択一的認定・概括的認定**

　医師による皮下注射により障害が生じたことを理由として原告が損害賠償を求めた事案において，皮下注射に用いた注射液が不良であったか，あるいは，注射器の消毒が不完全であったか，そのいずれかの過誤があったものとして過失を認定した原審の判断を是認した最高裁判例がある（最判昭和32・5・10民集11巻5号715頁）。すなわち，それぞれの事実については立証が十分とはいえないが，ともに診療行為の過失となすに足りるものであるから，いずれの過失であるかを特定せずに過失の認定をすることも許されるとしたものである。こうした主張・立証負担の軽減の手法は，「**択一的認定（選択的認定）**」と呼ばれる。

　また，頸椎の手術の直後に患者が四肢不全麻痺に陥った事例において，この症状悪化は，被告による手術中の何らかの過失による脊髄損傷に起因する旨を認定した裁判例がある（大阪地判平成元・10・30判時1354号126頁）。すなわち，手術中の具体的な個々の行為についての立証が不十分であっても，手術中の何らかの過失という概括的な事実の特定に基づいて過失の認定を行ったものである。こうした主張・立証負担の軽減の手法は，「**概括的認定**」と呼ばれる。択一的認定も，広い意味では概括的認定の一種である。

　こうした択一的認定や概括的認定であるが，その本質は，一応の推定と同じく規範的要件において主要事実をどのように捉えるかという実体法上の問題である（これらは，しばしば「一応の推定」の1つとして分類される）。すなわち，主要事実として，注射液の不良または注射器の消毒不完全という具体性の高い事実を設定するか，それとも両者の上位概念であるいずれかの不注意という抽象性の高い事実を設定するか，また，手術中の具体的な個々の行為という具体性の高い事実を設定するか，それとも個々の行為の上位概念である手術中の何らかの過失という抽象性の高い事実を設定するかなどは，いずれも過失という規範的要件の実体法上の解釈問題である。そして，立証の容易な事実を証明主題として選択することにより，作用としては主張・立証負担の軽減の手法として機能することになる。

(3) **疫学的証明**

　「**疫学的証明**」とは，原因と結果の間の因果経路が，病理学的なメカニズムとしては十分に解明されていなくても，集団的医学現象である疫学的なメカニズムとして一定の蓋然性があることが証明されれば，因果関係を肯定すること

ができるとする考え方である。因果関係は，過失と同じくやはり規範的要件であり，主要事実として，病理学的な事実を設定するか，疫学的な事実を設定するかは，因果関係という実体法上の規範的要件の解釈の問題である。すなわち，疫学的証明も，規範的要件の実体法上の解釈において，証明主題の選択を許すことにより，当事者の主張・立証負担を軽減するものとして位置付けることができよう。

(4) 事案解明義務の理論

「**事案解明義務の理論**」とは，証明責任を負う当事者が事案解明のための事実および証拠に接近する機会に乏しく，他方において相手方がその機会を持つ場合は，証明責任を負う当事者が自己の主張を裏づける具体的な手がかりを示しているなどの一定の要件を満たせば，証明責任を負わない相手方に事案解明義務が生じるという考え方である。主としてドイツにおける有力な学説に示唆を受けて展開された見解である。相手方が事案解明義務を果たさなかった場合の効果としては，証明責任を負う当事者の主張を真実と擬制することができるとする見解などが唱えられている。こうした考え方は，当事者間の実質的な武器平等を達成するための手段として一定の支持を得ているが，具体的な要件や効果を伴う概念を解釈として認めることには無理があり，基本的には立法によって解決すべき問題であろう。

もっとも，事案解明義務の理論に近い考え方をとったものと評価し得る判例も，わが国において既に現れている（最判平成4・10・29民集46巻7号1174頁）。これは，住民が行政庁に対して，原子炉設置許可処分の取消しを求めた事案である。最高裁は，原子炉施設の安全性の判断に関する合理性の主張・証明責任は原告が負うが，安全審査に関する資料をすべて被告である行政庁が保持している点などを考慮すると，まず被告の側において判断に不合理な点がないことを主張・立証する必要があり，被告がこれを尽くさない場合には，被告がした判断に不合理な点があることが事実上推認されるとした。すなわち，本判決は，実質的には一種の事案解明義務を肯定したうえで，その義務違反の効果として真実擬制のような強い効果を認めるのではなく，事実上の推定にとどめたものと理解することもできよう。

> **TERM ㉒ 「事案解明義務」概念の多義性**
> 「事案解明義務」という概念は，民訴法に存在する既存の規律を説明または正当化するために用いられることがある。たとえば，文書提出義務の規定（220条）や訴訟上の書面に詳細な記述を要求する規定（規53条1項・79条3項・80条1項）等は，証明責任を負わない当事者にも一定の範囲で事案解明への協力を求めるものであり，事案解明義務の具体化であると説明される。しかし，これは，ドイツや日本の学説が唱えるいわゆる「事案解明義務の理論」ではなく，一般的な理念としての「事案解明義務」である。これに対し，いわゆる「事案解明義務の理論」とは，これらの規定の有無や内容にかかわらず，一定の要件を満たした場合に一定の効果の発生を認めるべきことを提唱する解釈論または立法論のことである。

(5) 模索的証明

「**模索的証明**」とは，当事者が事実関係の情報を十分に有さず，主張および立証の対象とすべき具体的事実や効果的な立証手段がよく分からない場合に，新たな情報や証拠を得ることを目的として，証明主題を明確に特定することなく，一般的または抽象的な主張にとどめたままで，広く探りを入れるために網をかける形で行われる立証活動をいう。模索的証明の典型例としては，認知の訴えにおいて，被告である父とされる者が，具体的な根拠なくいわゆる多数関係者の抗弁（被告以外に原告の父となり得る関係者がいたとする主張）のための何らかの手がかりが得られることを期待して，原告の母やその周辺の者を証人として申請し，他の男性との性的関係を問いただす場合などが挙げられる。

模索的証明については，その適法性をめぐって議論がある。模索的証明は，相手方当事者や証人などが無用の労力と時間を費やすことにもなりかねないので，これを無条件で認めることは妥当ではない。しかし，他方において，挙証者が情報や証拠から隔絶された地位にある場合は，一定の模索的証明を認めないと，当事者間の実質的平等を達成することはできない。そこで，情報や証拠が相手方の支配領域内にある場合において，挙証者が自己の主張を裏づける一定の手がかりを示している場合には，当該状況で期待される限度の範囲内で模索的証明を認めるべきである。具体的には，証拠の申出における証明主題の特定（180条1項）の緩和，証人尋問の申出における尋問事項書の記載の具体性（規107条2項）の緩和，文書提出命令の申立てにおける文書の特定（221条1項）の緩和などによって，対応することが考えられる。判例では，文書提出命

令の申立てにおいて，個々の文書の表示や趣旨が明示されていなくても，文書の特定に欠けることはないとしたもの（最決平成13・2・22判時1742号89頁）がある（文書の特定については，⇨ **7-5-5-4**(5)）。これは，一定の限度で模索的証明を認めたものと評価することもできよう。

(6) 主張・立証負担軽減のあり方

主張・立証負担の軽減が問題になるのは，通常の証明責任の分配の基準に従うのみでは，当事者間の実質的な武器平等を明らかに侵害するほど，一方の主張・立証負担が過大になると考えられる場合である。そのような事態が生じる場合は多様であることを考えると，主張・立証負担軽減の手段も，多様かつ柔軟でなければならない。したがって，証明責任の転換を定めた規定や「推定」概念を用いた諸規定のほかに，前述した主張・立証負担軽減のためのさまざまな手段を，事案と場面に応じて適切に用いていくことが必要である。

主張・立証負担軽減の手段としては，大きく分けて，証明主題の変更（証明主題の選択を認める方法を含む）によるものと，証明手段の充実（証拠以外の情報の充実を含む）によるものとがある。一応の推定（表見証明），択一的認定，疫学的証明などは前者であり，事案解明義務，模索的証明などは後者につながるものである（事案解明義務や模索的証明を認めると，主張・立証責任を負わない当事者が有する情報や証拠が訴訟の場に出てきやすくなる）。証明主題の変更は事案解明の促進には必ずしも寄与しないのに対し，証明手段の充実は事案解明に基づく適正な裁判を導くものであるので，とりわけ後者の考え方に沿った立法や理論を発展させていくことが望ましいであろう（証明手段の充実に関する既存の諸規定については，⇨ **6-4**，**7-5**）。

7-5 証拠調べ

7-5-1 総　説

7-5-1-1 集中証拠調べ

弁論準備手続などの争点整理手続を経て，争点および証拠の整理が終了すれば，裁判所と当事者の間で証明すべき事実の確認を行い（165条・170条5項・177条，規89条），口頭弁論において人証を中心とした証拠調べを実施するのが，

通常の手続の流れである。証拠調べにあたっては，証人尋問および当事者尋問は，できる限り，争点および証拠の整理が終了した後に集中して行わなければならない（182条）。したがって，複数の証人や当事者を尋問する必要がある場合には，すべての証人および当事者の尋問を1回または近接した数回の期日で完了させる必要がある。これを「**集中証拠調べ**」と呼び，民訴法は，実施が困難である場合を別として，集中証拠調べを一般的に義務付けている。

　旧法下では，争点および証拠の整理を経ないまま，長い時間をかけて断続的に人証の取調べを実施する方式が一般的であった。尋問期日は，何回にも分けて細切れに少しずつ開かれたため（これを揶揄する言葉として「五月雨式審理」ともいわれた），裁判所や当事者が過去の尋問内容を詳しく記憶しておくことは難しく，いきおい尋問調書に頼ることになり，直接主義や口頭主義の要請からかけ離れた調書中心の裁判に堕しているとの批判も多かった。そこで，現行法は，こうした過去の実務における反省を踏まえて，充実した審理とこれに基づく迅速な裁判を目指して集中証拠調べの義務を明文で規定したものである。

　また，民訴規は，こうした集中証拠調べの理念を実現するために，以下のような規定を置いている。当事者は，証人尋問および当事者尋問の申出を，できる限り，一括して行わなければならない（規100条）。裁判所は，争点および証拠の整理手続の終了後における最初の口頭弁論の期日において，直ちに証拠調べをすることができるようにしなければならない（規101条）。証人尋問等において使用する予定の文書は，原則として，その尋問等を開始する時の相当期間前までに，提出しなければならない（規102条）。また，証人尋問の実施に関する手続においても，集中証拠調べを実現するための具体的な規定が設けられており（証人尋問の手続について，⇨ **7-5-2-4**），当事者尋問の手続も証人尋問の規定を準用している（210条）。

7-5-1-2　証拠の申出

(1) 証拠申出の意義

　「証拠の申出」は，裁判所に対して特定の証拠方法を取り調べることを求める当事者の申立てである。弁論主義のもとでは，原則として職権証拠調べが禁止されているので（旧民訴法261条は補充的に職権証拠調べを認めていたが，第2次大戦後の昭和23〔1948〕年改正において削除された），証拠調べは，基本的には，当事者が申し出た証拠について行われる。いわゆる弁論主義における「**証拠原**

則」である。

　ただし，この「証拠原則」には例外が多い（弁論主義との関係について，⇨ 7-1-1-3）。たとえば，主要な証拠調べの1つである当事者尋問（207条1項）をはじめとして，調査の嘱託（186条），鑑定の嘱託（218条），公文書の成立の真否に関する照会（228条3項），検証の際の鑑定（233条），訴訟係属中の証拠保全（237条）などは，裁判所の職権で行うことができる。また，商業帳簿の提出命令（商19条4項，会社434条）や会計帳簿の提出命令（一般法人122条）など，民訴法以外の法律によって職権証拠調べが認められる例もある。

　さらに，職権探知事項である管轄に関する事項（14条），職権探知主義が採用されている人事訴訟（人訴20条）および非訟事件手続（非訟49条1項），弁論主義が制約されている行政事件訴訟（行訴24条・38条1項・41条1項・43条1項）などの場合も，当然のこととして，職権証拠調べが認められる。したがってこれらの場合にも，当事者による証拠の申出は必ずしも必要ない。

(2) **証拠申出の時期**

　証拠の申出は，口頭弁論期日および弁論準備手続期日のほかに，これらの期日外でも行うことができる（180条2項）。期日外における証拠の申出を認めないと，証拠調べの準備のために期日を無駄に開くことになり，訴訟の迅速かつ効率的な進行を阻害するからである。証拠の申出に対しては，期日外の証拠申出の場合も含めて，相手方の防御権の保障の観点から，相手方に意見を述べる機会が与えられる（161条2項2号，規88条1項参照）。裁判長は，特定の事項に関する証拠の申出をすべき期間を定めることができる（162条）。

　証拠の申出は，攻撃防御方法の提出行為の1つであるので，適時に提出しなければならず（156条），時機に後れた提出は却下され得る（157条1項）。争点および証拠の整理のために，準備的口頭弁論，弁論準備手続または書面による準備手続が行われた場合には，手続の終了までに証拠の申出を完了しなければならない。これらの手続は，その後に直ちに集中証拠調べが行えるように（規101条），準備するものであるからである。争点および証拠の整理の整理手続が終了した後に，証拠の申出がなされる場合には，相手方の求めがあれば，証拠の申出をする当事者は説明義務を果たさなければならない（167条・174条・178条）。また，場合によっては，時機に後れた攻撃防御方法として却下されることになる。

(3) 証拠申出の方式

証拠の申出は，証明すべき事実を特定し（180条1項），これと証拠との関係を具体的に明示して（規99条1項），書面または口頭で（規1条1項），行わなければならない。また，証人尋問の申出における証人の指定および尋問に要する見込みの時間（規106条）や検証の申出における検証の目的の表示（規150条）など，証拠の種類に応じて，それぞれ特定の事項を表示しなければならない。証拠の申出を書面で行ったときは，その書面（証拠申出書）を相手方に対して直送しなければならない（規99条2項・83条）。

(4) 証拠申出の撤回

証拠の申出は，証拠調べが実際に行われるまでは，いつでも撤回することができる。証拠の申出をするかしないか，いかなる証拠を申し出るかなど，証拠の申出は，当事者の自由であるからである。しかし，証拠調べが開始された後は，証拠共通の原則が働く結果（証拠共通の原則については，⇨ 7-4-2-5），相手方に有利な結果を生ずる可能性があるので，相手方の同意がなければ撤回はできないとするのが通説である。これについては，証拠調べが開始されれば，申立てに対応する裁判所の行為が始まっているので，相手方の同意があっても撤回は許されないとする見解もあるが，弁論主義のもとで両当事者が一致してその証拠調べは不要であるとの認識に達した以上，撤回を認めるべきである。証拠調べが完了した後は，既に証拠の申出は目的を達しているし，裁判官の心証も形成されているので，もはや撤回は許されない（最判昭和32・6・25民集11巻6号1143頁，最判昭和58・5・26判時1088号74頁）。

7-5-1-3　証拠の採否

(1) 裁判所の裁量判断

証拠の申出に対して，裁判所は，その採否を裁量で決する（181条1項。最判昭和41・4・14民集20巻4号649頁）。証拠を取り調べる範囲，順序，時期についても，裁判所の裁量に委ねられている（最判昭和38・11・7民集17巻11号1330頁）。証拠の採否の判断が裁判所の裁量に属することから，証拠の申出を却下する場合にも，却下の理由は示さなくてもよいと解されている。また，文書提出命令の申立てを却下する場合も，文書提出義務がないことを理由とするのではなく，証拠調べの必要性を欠くことを理由とする場合は，証拠採否に関する受訴裁判所の裁量の問題なので，その必要性があることを理由として不服

申立てをすることはできない（最決平成12・3・10民集54巻3号1073頁）。

(2) 唯一の証拠の原則

　裁判所の裁量に委ねられているとはいっても，証拠の採否は，事実認定を左右して訴訟の勝敗に重大な影響を与えるので，適切な裁量が行われなければならない。この証拠採否に関する裁判所の裁量権の限界に関し，判例によって形成されてきた法理として，「唯一の証拠の原則」がある。これは，当事者が申し出た証拠が，争点ごとに審級全体を通じて唯一である場合には，その申出を却下することは原則として違法であるという考え方である（大判明治31・2・24民録4輯2巻48頁，大判大正15・12・6民集5巻781頁，最判昭和53・3・23判時885号118頁）。唯一の証拠の原則に対しては，「唯一」の基準が曖昧であることや基準として形式的であることを理由に，消極的に解する学説も少なくない。しかし，証拠の申出が当事者に委ねられている弁論主義のもとで，唯一の証拠申出を排斥して行う事実認定は合理的なものとはいえないとして，これを積極的に評価する見解もある。

　仮に，唯一の証拠の原則が例外を認めない絶対のものであれば，たしかに消極説がいうように基準として形式的にすぎる。しかし，判例は，数多くの例外を認める判断を積み重ねてきており，そうした一定の柔軟性を前提とするのであれば，当事者の攻撃防御権の保障に資する有益な基準として，積極的に支持してよいであろう。唯一の証拠の原則に対する例外としては，証拠申出が時機に後れたものである場合（最判昭和30・4・27民集9巻5号582頁），証拠方法が争点の判断に適切ではない場合（大判明治38・12・26民録11輯1860頁），申請者の怠慢のために適切に証拠調べができない場合（最判昭和29・11・5民集8巻11号2007頁，最判昭和35・4・26民集14巻6号1064頁，最判昭和39・4・3民集18巻4号513頁），証拠調べに不定期間の障害がある場合（最判昭和30・9・9民集9巻10号1242頁）などがある。

(3) 証拠決定

　当事者の証拠申出に対して，裁判所による証拠調べをするかどうかについての判断は，決定で行う。これを「証拠決定」という。この証拠決定には，証拠調べの決定と証拠申出の却下決定とがある。裁判所が証拠の採否を判断する場合，常に証拠決定を行う必要があるかについて，判例は，必ずしも証拠決定をする必要はないという立場であるとされる（最判昭和26・3・29民集5巻5号177

頁，最判昭和45・12・4判時618号35頁）。しかし，判例は，明示の決定をする必要はないとしているだけで，証拠決定が不要であるとまでは述べていないとの理解もあるし，実務上，証拠決定は必ず行うと記述している実務書もある。弁論主義のもとでは，当事者には証拠を申し出て裁判所の採否の判断を受ける権利がある以上，証拠決定は，採否にかかわらず，常に必要であると解すべきである。

　実務では，当事者の申し出た証拠について取り調べることなく口頭弁論を終結する例がしばしばみられる。これは暗黙に申出を却下した（黙示の決定）ものと理解すべきである（最判昭和30・12・22ジュリ101号68頁参照）。証拠決定は，相当と認める方法で告知すれば足りる（119条）から，こうした黙示の決定も違法ではないとする考え方が一般的である。しかし，証拠申出を却下する場合は，当事者のその後の立証活動に指針を与える必要があるので，なるべく早期に明示の却下をすることが望ましく，違法と解すべきであろう。なお，証拠調べをするだけの期日を定めたり，受命裁判官や受託裁判官による証拠調べを行う場合は，当然にその旨の明示の証拠決定をすることになる。

7-5-1-4 　証拠調べの実施
(1) 　証拠調べの種類

　民訴法は，当事者の申出に基づいて実施される証拠調べの方式として，「**証人尋問**」，「**当事者尋問**」，「**鑑定**」，「**書証**」，「**検証**」の5つを規定している（これら以外に，裁判所の職権に基づく特別な証拠調べとして，「**調査嘱託**」や「**鑑定嘱託**」などもある）。このように，証拠調べをいくつかの類型に分けているのは，証拠方法や証拠資料の性質が異なるため，当事者の手続保障や証拠方法の保護などを考慮して，それぞれに適した証拠調べの方式を規定するためである。証拠調べの方式の類型化の考え方は，理論的に一義的に決まるものではなく，また歴史的な経緯や政策的な考慮も加味されるため，国や法制度によって異なる（たとえば，アメリカのように，当事者尋問をとくに証人尋問と区別せず，一律に扱う法制度も存在する）。こうした類型ごとの手続に違背した証拠調べは違法であり，責問権の放棄や喪失によって治癒される場合を除き（責問権の放棄・喪失については，⇨ **5-3-4-3**），判決に用いることは許されない。ただし，自由な証明が許されると解される場合については，この限りではない（自由な証明については，⇨ **7-4-2-2**）。

(2) 直接主義・公開主義

　証拠調べは,「直接主義」と「公開主義」の要請から, 受訴裁判所が裁判所の法廷で行うのが原則である（直接主義・公開主義については, ⇨ **5-1-2**）。証拠調べを行う期日は広義の口頭弁論期日であり, 裁判所は, 同一の期日において証拠調べとは区別したうえで, 当事者に狭義の弁論（主張）を行わせることもできる。このように, 狭義の口頭弁論期日と証拠調べ期日を段階的に分離しない手続原則を「証拠結合主義」と呼び, 近代裁判では, 証拠結合主義がとられているのが一般である。もちろん, とくに証拠調べだけを行う口頭弁論期日（証拠調べ期日）を定めることもできる。争点整理手続を経ている場合には, 狭義の弁論は, 実質的にはそのほとんどが争点整理手続の中で行われるので, 口頭弁論（本質的口頭弁論）の期日は, 証拠調べ期日として指定されているか否かを問わず, 実質的には証拠調べ期日に近くなることが多い。

　こうした法廷における証拠調べの原則の例外として, とくに必要がある場合には, 受訴裁判所の法廷の外において証拠調べをすることができる（185条1項前段・195条）。たとえば, 土地の所有権の範囲を調べるためにその現場に赴いて検証を行う場合（実地検証）や, 証人が病気などの事情で法廷に出頭できないために病室で証人尋問を行う場合（臨床尋問）などである。これらの場合には, 法廷外で実施されるので, 結果的に非公開となるため, 併せて狭義の弁論を行うことはできない。こうした法廷外の証拠調べは, 受命裁判官または受託裁判官に行わせることができる（185条1項後段・2項）。

　なお, 書証については, 文書の記載内容を裁判官が閲読して行うという性格上, 公開主義の要請は必ずしも働かないので, 一般公開がなされない弁論準備手続でも行うことができる（170条2項）。

(3) 証拠調べにおける当事者の手続権

　証拠調べにおいては, 当事者の反論の機会やその他の当事者権を確保するために, 当事者が証拠調べに立ち会う機会を保障する必要がある。この権利を具体化するために, 裁判所は, 証拠調べが実施される期日と場所を当事者に告知して, 呼び出さなければならない（240条・94条, 規104条）。ただし, 呼出しを受けた当事者の一方または双方が期日に欠席した場合であっても, 裁判所は証拠調べを実施することができる（183条）。当事者の手続権の保障のためには証拠調べに立ち会う機会を与えれば足り, また出頭した証人等の迷惑を避ける

必要もあるからである。また，証拠調べが実施されたときは，当事者に証拠弁論の機会を与えることが必要である。「証拠弁論」とは，証拠調べの結果について，受訴裁判所の面前で意見を述べることであり，「立会権」と並んで証拠調べにおける当事者権として観念することができる。

7-5-2 証人尋問

7-5-2-1 証人尋問の意義

「証人尋問」は，証人に対して口頭で質問して口頭で証言を得るという方法で行われる証拠調べである。証人尋問においては，証拠方法は，「証人」であり，証拠資料は，「証言」である。

(1) **証人の概念**

「証人」とは，過去に自分が認識した経験事実を裁判所において報告することを求められる第三者である。ここにいう第三者とは，当事者本人およびその法定代理人以外の者をいう。証人の概念は，他の人証である当事者および鑑定人との識別を可能にするものでなければならない。それによって，証人尋問に関する規定によって証拠調べが行われるか，それとは別の当事者尋問や鑑定の規定が適用されるかが，決まるからである。証人と当事者の識別は，当事者が形式的当事者概念により定まるので，比較的容易である（形式的当事者概念については，⇨ *4-1-1*）。他方，証人と鑑定人の識別は，証人が自己の経験した過去の事実を報告する者であるのに対し，鑑定人は客観的な立場から意見や知識を報告する者である点に求められる。したがって，証人には代替性がないのに対し，鑑定人は他の者による代替が可能である。専門的な学識があることで得られた知見を報告する者は，「**鑑定証人**」と呼ばれる。鑑定証人は，過去に自分が認識した経験事実を報告する者であるので，その本質は証人であり，証人尋問に関する手続が適用される（217条，規135条）。

(2) **証人能力**

証人になり得る資格を「**証人能力**」という。証人能力の制限に関する規定はないので，原則として，誰でも証人能力を有する。ただし，当事者本人およびその法定代理人は当事者尋問という別の手続による証拠調べを受けるので，自らの訴訟に関しては証人能力を有しない。それ以外の者は，補助参加人（42条），共同訴訟的補助参加人，訴訟告知を受けた者（53条），訴訟代理人（54条），

第 7 章　事案の解明

補佐人（60条），判決の効力を受ける者（115条1項2号～4号）など，訴訟の結果について利害関係を有する者であっても，証人能力が認められる。受訴裁判所の裁判官や書記官も証人能力を有するが，その訴訟において証人として証言したときは，除斥原因（23条1項4号・27条）となるので，以後は裁判官や書記官として訴訟に関与することはできない。16歳未満の未成年者（児童や幼児を含む）や重度の精神障害者などでも，たとえ「宣誓能力」を欠くことはあっても（201条2項），証人能力は有する。ただし，その証言の証明力に影響することはいうまでもない。

7-5-2-2　証人義務

(1)　証人義務の意義

わが国の裁判権に服する者は，一般的に証人義務を負う（190条）。「**証人義務**」は，すべての者に等しく課せられた公法上の義務であり，裁判所によって求められたときは，証人として証言する必要がある。証人として出廷することになれば，ときとして生活や時間の犠牲が生じるし，精神的な負担や経済的な負担を伴うこともある。しかし，証人が法廷において正確な情報を提供することにより，真実に基づいた紛争解決の可能性が広がり，これによって司法権が適正に行使される結果となり，ひいては社会の法秩序の確立をもたらす。このような観点から，民事訴訟は私的紛争を対象とするものであるが，公法上の一般義務として証人義務が規定されているのである。

(2)　証人義務の内容

民訴法190条は，裁判権に服するすべての者が一般義務として証人義務を負う旨を定めるものであるが，この「一般的証人義務」は，証人尋問に関する訴訟法上の手続段階に応じて，「具体的証人義務」に転化する。具体的証人義務は，(a)「出頭義務」，(b)「宣誓義務」，(c)「証言義務」の3つである。これらの具体的証人義務には，それぞれ不応諾に対する制裁が用意されており，証人義務の実現を担保している。

(a)　出頭義務　「**出頭義務**」は，適法な呼出しに応じて，指定された日時に指定の場所に出頭し，退去を許されるまでとどまる義務である。出頭義務が具体化するのは，裁判所が特定の者を証人として尋問する旨を決定して（181条1項参照），適法な呼出し（94条1項，規108条）をしたときである。出頭には費用負担を生じることがあるが，証人は，旅費，日当，宿泊料等の経費を

請求することができる（民訴費18条1項）。これらは訴訟費用の一部となる（同2条2号・11条1項1号）。証人が、正当な理由なしに出頭しないことを防ぐために、費用の負担および10万円以下の過料の制裁（192条1項）、10万円以下の罰金または拘留の刑事罰（193条）、勾引という強制手段（194条、規111条）が用意されている。ただし、当事者が同行を約した証人については、通常は呼出しを行わないので、こうした制裁は発生しない。

(b) **宣誓義務**　「宣誓義務」は、証言に際して法定の方式に従って宣誓する義務である。宣誓をした証人が偽証すれば、刑法上の偽証罪が成立する（刑169条）。宣誓の時期は、尋問の前に行う「事前宣誓」が原則であるが、特別の事由がある場合は事後でもよい（規112条1項）。宣誓は、宣誓者がその意味を理解していることが前提であるので、16歳未満の者および知的能力が脆弱であるなどの理由で宣誓の趣旨を理解できない者は、「宣誓能力」がない。宣誓能力がない者に対して宣誓を行わせることは許されない（201条2項）。証人が、証言拒絶権（196条）を有する場合において、これを行使することなく供述を行う場合は、裁判所は宣誓をさせないことができる（201条3項）。また、証言拒絶権のある証人は、宣誓を拒むことができる（201条4項）。正当な理由なく宣誓を拒めば、費用負担、過料、罰金、拘留等の制裁が科される（201条5項・192条・193条）。

(c) **証言義務**　「証言義務」は、尋問に応じて真実を供述する義務である。ただし、あらかじめ書類その他の資料などを調査して尋問に臨み、それに基づいて供述する義務まで負うのか否かについては、議論がある。ドイツの判例は、証人が認識したことのない事実について、資料を調べて新たに認識を得たうえで供述する義務まで負うものではないが、かつて認識したことはあったがその記憶が薄れた事実については、資料によって記憶を喚起または強化したうえで、それに基づき供述する義務があるとの立場をとっている。司法に対する国民の協力義務と証人となる者の負担とのバランスを考えると、適切な考え方であろう。わが国の通説もこうしたドイツの議論を受けて同様の立場をとっている。したがって、証言義務は、一定の限度における「調査義務」を伴うことになる。なお、正当な理由がなく証言を拒めば、費用負担、過料、罰金、拘留等の制裁が科される（200条・192条・193条）。

7-5-2-3　証言拒絶権

(1) 証言拒絶権の意義

「証言拒絶権」は，一般的証人義務を負う者が証言を求められた場合に，一定の事項について証言を拒絶し得る公法上の権利である。一定の場合に証言拒絶の権利を認めることは，いうまでもなく訴訟における真実発見にとっては妨げとなる。それにもかかわらず証言拒絶権が認められているのは，公平かつ適正な司法を場合によっては犠牲にしても，守られるべき社会的価値があるとの理念に基づく。どのような社会的価値がそれに値するかは立法政策上の判断であるが，証言拒絶権は訴訟における真実発見と正面から緊張関係にあることを考えると，時代と社会の要請を反映した真に重要な価値でなければならない。

(2) 証言拒絶権の行使方法

証人は，証言拒絶権が認められる事項については証言義務を負わず，証言を求められても拒むことができる（196条・197条）。また，証人が，自己または196条各号に掲げる関係を有する者に著しい利害関係がある事項について尋問を受けるときは，宣誓を拒むことができる（201条4項）。証言拒絶または宣誓拒絶の権利の行使または不行使および行使の仕方は，証人の自由である。すなわち，「証言のみを拒む」，「宣誓のみを拒む」，「証言と宣誓の両方を拒む」，「両方とも拒まない」のいずれでもよい。もちろん，法律または契約による黙秘義務があれば証言を拒む義務があるが，これは当該黙秘義務の遵守の問題であって，訴訟法上の証言拒絶等の権利行使の自由の問題ではない。証言拒絶または宣誓拒絶の理由は，証人が疎明しなければならない（198条・201条5項）。証言拒絶等の当否は，裁判所が決定で裁判をする（199条1項・201条5項）。当事者および証人は，これらの裁判に対して即時抗告をすることができる（199条2項・201条5項）。

(3) 証言拒絶権の種類

現行法が定める証言拒絶権の類型は，(a)証人の自己負罪拒否権と名誉の保護を理由とする証言拒絶権（196条），(b)公務員の秘密保持義務を理由とする証言拒絶権（197条1項1号），(c)法定専門職の守秘義務を理由とする証言拒絶権（同項2号），(d)技術または職業の秘密を理由とする証言拒絶権（同項3号）の4つである。これらのうち，(b)と(c)は，いずれも証人が他者の秘密について法律や契約に基づく黙秘義務を負う場合に，その秘密主体の利益を保護する

ことが立法趣旨である。また，(d)は，技術や職業の社会的価値の保護が目的であるが，その技術や職業が他者の秘密を取り扱う場合には，その他者の秘密を保護することが技術や職業の保護につながるので，秘密主体の利益の保護を重視すべきことに変わりはない。そこで，(b), (c), (d)については，秘密主体または権限のある者が証人の黙秘義務を免除したときは，証言拒絶権は発生しないものとしている（197条2項）。

(a) **自己負罪拒否権・名誉**　証言をすることによって，①証人自身または証人と一定の親族等の関係にある者が刑事訴追または有罪判決を受けるおそれがある事項，および，②これらの者の名誉を害すべき事項に関わりが生じるときは，証人は，証言を拒むことができる（196条）。この場合の一定の親族等の関係とは，配偶者，4親等内の血族もしくは3親等内の姻族の関係にあり，またはあったこと（同条1号），および，後見人と被後見人の関係にあること（同条2号）である。

この証言拒絶権は，他の証言拒絶権のように証人の黙秘義務や秘密の社会的価値などを根拠とするものではなく，自己負罪供述拒否権（憲38条1項）およびプライバシー権（同13条）などの証人自身が有する基本的人権の保護を根拠とする。したがって，証人の基本的人権が実質的に危険にさらされるような場合でなければならない。

たとえば，①については，当該証言が犯罪の証拠になる場合のほかに，当該証言が端緒となって犯罪が発覚する可能性も含むが，その蓋然性が相当程度に高い場合でなければならない。また，②については，客観的にみて所定の者の人格的評価を低下させることが明らかであり，それによって社会的地位の保持が困難になる程度である必要がある。したがって，主観的に不名誉や羞恥心を感じるだけの場合は，これに該当しない。

(b) **公務員の秘密保持義務**　公務員または公務員であった者（以下，「公務員等」という）を証人として「職務上の秘密」について尋問する場合には，裁判所は，監督官庁（衆議院または参議院の議員はその院，国務大臣は内閣）の承認を受けなければならない（191条1項）。この承認がないときは，その公務員等は，証言を拒むことができる（197条1項1号）。公務員等が職務上の秘密を明かすことは，国家の利益や公共の福祉に反する可能性があるため，法律において秘密保持義務が課されており（国公100条1項，地公34条1項等），こうした

秘密保持義務を訴訟上も維持するためである。監督官庁の承認が要件となっているのは，監督官庁が公務員の守秘義務を解除する権限を有するからである（国公100条2項，地公34条2項等）。ただし，訴訟上の真実発見の要請との衡量上，監督官庁が証言拒絶についての承認を拒むことができるのは，「公共の利益を害し，又は公務の遂行に著しい支障を生ずるおそれがある場合」（公務遂行支障性）に限られる（191条2項）。

　裁判所は，当事者が提出した尋問事項書から「職務上の秘密」に該当すると判断したときは，事前に承認の手続をとらなければならない。公務員等を証人として採用した後に，その公務員等が「職務上の秘密」に関わるとして証言を拒絶したときは，その段階で尋問を中止して監督官庁に承認を求めることになる。ここにいう「職務上の『秘密』」の意味であるが，行政庁により秘密として取り扱われている（たとえば，「極秘」や「マル秘」の印があるなど）だけでは不十分であり，実質的に保護に値するものでなければならない。すなわち，「形式秘」では足りず，「実質秘」であることを要する。191条1項の「職務上の秘密」は，監督官庁に承認を求めるための要件であり，その判断権者は裁判所である。

　証人が証言拒絶をするときは，その理由を疎明しなければならない（198条）。この場合における公務員等による疎明の正当性を裁判所が判断する権限を有するかどうかについては，かねてより議論がある。否定説は，199条1項が197条1項1号を除外していることを理由として，職務上の秘密に当たるかどうかは監督官庁のみが判断権を有し，裁判所には判断権はないとする。これに対し，肯定説は，証人義務について裁判所が判断権限を有さないと解することは不当であるし，198条が証言拒絶の理由の疎明を求めている以上，それに対する応答として裁判所が疎明の正当性を判断するのは当然であるとする。「職務上の秘密」の概念自体について法解釈上の争いがあることや，証人義務の存否に関する判断は受訴裁判所の権限事項であることを考えると，裁判所の判断権を否定すべきではなく，肯定説が妥当である。すなわち，裁判所は，疎明が正当でないとして承認手続を行わないことも許される。

　監督官庁に承認を求めたところ，その承認が拒絶された場合に，裁判所がその判断の内容を審査して覆すことができるかどうかについても，かねてより議論がある。これを否定的に解する見解が通説である。監督官庁は，秘密の管理

について権限と義務を持ち，一定の裁量権を有するものと考えられるからである。法律上，文書提出命令における223条4項のような規定が証言拒絶権については設けられていないことも根拠である。したがって，191条2項が定める公務遂行支障性は，監督官庁が承認を拒むための要件であり，その判断権者は監督官庁である。しかし，監督官庁の裁量権といっても，もちろん無制限ではあり得ないので，裁量権の逸脱または濫用に関する審査を裁判所が行うことは，許されると解すべきである。なお，文書提出命令における223条4項のような規定が証言の場合にないことについては，その立法論的な当否に疑問がある（223条4項については，⇨ **7-5-5-4**(4)(b)）。

(c) **法定専門職の守秘義務**　医師，歯科医師，薬剤師，医薬品販売業者，助産師，弁護士（外国法事務弁護士を含む），弁理士，弁護人（刑訴31条2項），公証人，宗教，祈禱もしくは祭祀の職にある者またはこれらの職にあった者等の法定列挙された専門職が，職務上知り得た事実で黙秘すべきものについて尋問を受ける場合は，守秘義務が免除されたときを除いて，証言を拒むことができる（197条1項2号）。これらの専門職は，他人の秘密を打ち明けられることが予定されており，その秘密が開示されないという信頼によって成り立っているので，その信頼を保護するために，制定法や慣習法によって守秘義務が課せられている。法定専門職の守秘義務は，こうした他人の信頼を保護するためのものであり，これに基づく証言拒絶権も，秘密主体である患者や依頼者等の信頼を保護する趣旨である。つまり，法定専門職の職業自体を保護することが目的ではない（職業自体の保護は，197条1項3号の問題である。後述の(d)参照）。したがって，保護対象である秘密主体が守秘義務を免除した場合には，証言拒絶権は認められない（197条2項）。

197条1項2号は，医療，法律，宗教というヨーロッパにおける中世以来の知的専門3職をとくに列挙した立法趣旨に照らして，類推解釈を許さない制限列挙規定であるとされる。ただし，通説は，法令上の守秘義務がある専門職に限っては，例外的に，同号の拡張解釈を認める。具体的には，調停委員・参与員（民調38条，家事292条・293条），公認会計士（会計士27条），司法書士（司書24条），行政書士（行書12条），税務署員等（税通127条，地税22条），選挙管理委員会の委員等（公選227条）などである。これに対し，法令上の守秘義務の定めがない者については，たとえ契約上または慣習上の守秘義務を負う者（報

道機関の記者や金融機関の従業員など）であっても，同号の拡張解釈による証言拒絶権は認められないとされる（197条1項3号による保護の問題となる。報道機関の記者については，後述の(e)も参照）。

　法定専門職が職務において知り得た事実であっても，黙秘すべきものに当たらなければ証言拒絶権は発生しない（197条1項2号が明文で規定する）。「黙秘すべきもの」とは，一般に知られていない事実（秘密事項）のうち，それを隠すことについて秘密主体が利益を有し（主観的利益），公表されれば信用の失墜や経済的な損失が生ずる（客観的利益）ものをいうと解される。判例も，単に主観的利益があるだけでは足りず，客観的にみて保護に値する利益でなければならないとする（最決平成16・11・26民集58巻8号2393頁）。なお，197条1項2号は，あくまでも法定専門職が証人となった場合の規定であり，秘密主体が証人となった場合には，197条1項3号などで証言拒絶権を認められることはあり得ても，197条1項2号の適用はない。

　(d) **技術または職業の秘密**　　証人が，技術または職業の秘密について尋問を受けるときは，その証言を拒むことができる（197条1項3号）。証言によって，技術または職業の秘密が公開されることにより，その技術の有する社会的価値が毀損されることや職業の維持遂行が困難になることを防ぐことが，立法趣旨である。つまり，この証言拒絶権は，秘密主体が有する技術や従事する職業自体の社会的な価値の保護を目的とする。したがって，秘密主体により黙秘義務が免除されたときは，証言拒絶権は認められない（197条2項）。ただし，前述した2号については，証人（法定専門職）と秘密主体（患者，依頼者，信者等）が常に別人であるのに対して，この3号については，秘密主体自身が証人となることが通常であり，そもそも黙秘義務の免除の問題が生じないことも少なくない。

　このようなこともあって，3号が適用されるのは，秘密主体が証人になった場合に限られるとする見解がある。しかし，立法の沿革に照らしても，また理論的にも，証人自身が秘密主体である場合にあえて限定する理由はない。他方で，第三者がたまたま他人の技術または職業の秘密を知っているときに，その第三者に証言拒絶を認める必要もない。そこで，現在の通説は，証人自身が法律上の秘密主体でなくてもよいが，契約その他の法律関係に基づいて秘密主体に準ずる立場になければならないとする。たとえば，従業員は，秘密主体であ

る雇用主との法律関係において雇用主の秘密を守るべき立場にあるので，秘密主体に準じて証言拒絶権が認められる。秘密主体から秘密の管理を委ねられ，契約上の黙秘義務を負う者も同様である。これらの場合には，黙秘義務の免除の問題が生じ得る。

　ここにいう「秘密」の意味であるが，関係者が秘密として扱っているだけでは「秘密」とはいえない。すなわち，「形式秘」では足りず，「実質秘」であることを要する。具体的には，まず，「技術の秘密」とは，その秘密が公開されると技術の有する社会的価値が下落し，これによる活動が不可能または困難になるものをいう。例としては，新しい製造技術，工芸の秘伝，薬品の混合の割合，絵画や音楽の技法，運動技術の秘訣，ノウハウなどである。また，「職業の秘密」とは，その秘密が公開されるとその職業に深刻な影響を与え，以後の遂行が困難になるものをいう（最決平成12・3・10民集54巻3号1073頁，最決平成18・10・3民集60巻8号2647頁）。裁判例に現れたものとしては，製造や販売の原価（大阪高決昭和48・7・12下民集24巻5～8号455頁），希望退職慰留者の氏名などの人事管理に関する事項（東京地八王子支決昭和51・7・28判時847号76頁），銀行の取引先に対する分析評価情報（最決平成20・11・25民集62巻10号2507頁）などがある。不正競争防止法2条6項の「営業秘密」と重なるところも多いが，同一の概念というわけではない（92条1項2号・132条の2第1項3号・同条2項などにみられるように，民訴法は，「営業秘密」を「職業の秘密」とは別個の概念として規定している）。

　さらに，技術または職業の秘密としての「実質秘」に該当しても，そのすべてが197条1項3号に定める証言拒絶権の対象になるわけではない。通説および判例は，証言拒絶権の対象となるのは，技術または職業の秘密のうちで，とくに保護に値するものだけであり，保護に値するかどうかは，秘密の公表によって秘密主体が受ける不利益と証言拒絶によって犠牲になる真実発見および裁判の公正との比較衡量によって決定されるとする（前掲最決平成18・10・3）。比較衡量に際しては，秘密の重大性，代替証拠の有無，立証事項の証明責任の所在，当該事件の公共性の程度などがしん酌されるべきであるとされる。これに対しては，比較衡量論は秘密主体にとって予測可能性が失われるとして，秘密の客観的性質（実質秘か否か）のみで判断すべきであるとする批判もある。しかし，技術または職業の秘密も社会的な価値の1つである以上，他の社会的価

値との衡量の余地を排除することは妥当ではない。また，特定の秘密の優先を常態化することにすると，保護の対象となる秘密は限定的に解されざるを得ず，かえって秘密主体の保護の観点からも望ましくない。したがって，秘密該当性と要保護性は別個であるものとし，要保護性の判断は比較衡量論になじむと解する通説および判例の考え方が妥当である（197条1項3号が文書提出義務の除外事由に準用された場合における比較衡量論の問題については，⇨ **7-5-5-4**(4)(d)）。

(e) **報道機関の取材源の秘匿**　　報道機関の取材源が公開されると，報道機関と取材源との信頼関係が失われ，事後の取材活動に制約が生じ，ひいては国民の知る権利が害されるおそれがある。そこで，報道機関の取材源の秘匿も3号の職業の秘密として保護されることは，現在では一般に承認されている。そのうえで，国民の知る権利に奉仕するものであることを考慮して，他の職業の秘密よりも特別の考慮を要するかどうかが問題となる。

前述したように，判例（前掲最決平成18・10・3）は，197条1項3号によって保護されるためには，職業の秘密のうちでも保護に値する秘密であることを要し，保護に値するかどうかの判断は具体的な比較衡量によって決せられるとした。そして，同判例は，さらに，報道機関の取材源の秘匿の意義について，次のように判示した。報道機関の報道は，民主主義社会の基礎である国民の知る権利に奉仕するものであり，表現の自由を規定した憲法21条によって保障され，報道のための取材の自由も同条の精神に照らして尊重されるべきである。したがって，報道が公共の利益に関するものであって，取材の方法や手段が刑罰法令に触れるなどの事情がなく，社会的意義や影響のある重大な事件であって，公正な裁判を実現する必要がとくに高いとの事情が認められない場合には，取材源の秘匿は保護に値する。すなわち，判例は，比較衡量論を採用して報道機関の取材源の秘匿も絶対ではないとしつつ，取材源の秘匿の価値を原則として比較衡量に際して優位に置くものとしている。

7-5-2-4　**証人尋問の手続**

証人尋問の手続は，証拠総則の一般的な規律（民訴第2編第4章第1節）に従うほか，証人尋問に固有の規律（同章第2節，民訴規第2編第3章第2節）の適用を受ける。これらの規律の根底に横たわる基本的な理念は，証人尋問の効率的な実施，証人の負担の軽減，相手方の反対尋問権の保障などである。基本的な手続の流れは，当事者による証人尋問の申出，裁判所による証人の採否の決定，

証人の出頭，宣誓の実施，尋問（交互尋問）の実施という順序である。

(1) **証人尋問の申出**

証人尋問の申出は，証人を指定したうえで，尋問に要する見込みの時間を明示してする（規106条）。証人尋問の申出をするときには，同時に，尋問事項を記載した書面（尋問事項書）を提出しなければならない。ただし，やむを得ない事由があるときは，裁判長の定める期間内に提出すればよい（規107条1項）。尋問事項書は，できる限り，個別的かつ具体的に記載しなければならない（規107条2項）。尋問事項書は，相手方に直送しなければならない（規107条3項）。いずれも証人尋問を効率的に実施するための規定である。

(2) **証人の出頭**

予定された証拠調べの期日に証人が不出頭であると，当該期日の目的を達成することができないばかりか，ときには審理全体の遅延をもたらす。また，集中証拠調べは，同一の期日に証人全員が出頭することが前提である。したがって，証人の出頭確保は重要である。証人は，出頭確保の方法に応じて，「呼出証人」と「同行証人」に分けられる。「呼出証人」とは，裁判所からの呼出し（94条1項）を受けて出頭する証人である。呼出しは強制力を伴う手段であり，不出頭に対して制裁が科される（192条～194条。出頭義務に関しては，⇨ **7-5-2-2**）。しかし，実務では，同行証人を用いることが多い。「同行証人」とは，証人尋問を申し出た当事者が，期日に同行して出頭させることを約束した証人である。証人尋問の申出をした当事者は，その証人と接触しやすい立場にあることが多く，出頭の確保を図ることが期待できる。民訴規も，尋問の申出をした当事者に出頭確保の努力義務を課している（規109条）。

(3) **宣誓の実施**

尋問に先立って，宣誓を実施する（201条，規112条1項本文）。ただし，特別の事由がある場合は，尋問の後に宣誓させることもできる（規112条1項但書）。宣誓能力を有するかどうかが不明であったり，宣誓拒絶権の有無が不明である場合に，尋問が終わった後で，宣誓させるべきかどうかを判断することができるようにするためである。裁判長は，宣誓の前に，宣誓の趣旨を説明し，偽証の罰を告げる（同条5項）。裁判長は，証人に宣誓書を朗読させ，これに署名押印させる（同条3項）。宣誓書には，「良心に従って真実を述べ，何事も隠さず，何事も付け加えないことを誓う」旨を記載しなければならない（同条4項）。

(4) 交互尋問の実施

　尋問は，まず，尋問を申し出た当事者による「主尋問」，次いで，相手方当事者による「反対尋問」，さらに，申出当事者による「再主尋問」と続き，最後に，裁判長による「補充尋問」という順序で行う（202条1項，規113条1項）。こうした尋問の方式を「**交互尋問**」という。裁判長は，適当と認めるときは，当事者の意見を聴いて，この順序を変更することができる（202条2項）。当事者が，順序の変更について異議を述べたときは，裁判所は，決定でその異議について裁判する（202条3項）。ただし，これらの規定にかかわらず，裁判長は，必要と認めるときは，いつでも，自ら証人を尋問し（介入尋問），または当事者の尋問を許すことができる（規113条3項）。陪席裁判官は，裁判長に告げて，証人を尋問することができる（同条4項）。尋問の方法は，原則として，いわゆる「一問一答方式」である（規115条1項）。

　同一の期日において複数の証人を尋問するときは，ある証人の証言中は後に尋問する証人を法廷から退去させるという方式（隔離尋問）が原則であり，例外的な事情があるときは，後に尋問する証人の在廷を許すことができる（規120条）。これを「隔離尋問の原則」という。後の証人が，前の証人による証言に暗示を受けたり，迎合した証言をしたりすることがあるので，それを防ぐためである。しかし，後に尋問する証人を同席させる方式（同席尋問）にも，それなりの長所がある。後の証人は，前の証人の証言を聞くことによって彼我の相違点を認識することができるので，そこに焦点を絞った充実した尋問を行うことが可能になる。また，対立する証人が同席していることで，虚偽の証言が減少することもあり，真実発見の観点からも有益である。したがって，隔離尋問の原則を過度に厳格に解するべきではない。また，複数の証人を同席させたうえで，同時に同一の問いを発する方式や，一方の証言を他方に反駁させる方式の尋問も認められている。これを「対質尋問」という（規118条）。

(5) **公開主義・直接主義の原則とその例外**

　証人の証言は，公開主義および直接主義の要請に基づき，公開法廷において受訴裁判所の面前で行うのが原則である。しかし，法廷外で証人尋問を行うことが望ましい場合などもあるので，一定の例外が認められている。

　第1は，裁判所外における受命裁判官または受託裁判官による証人尋問である（195条）。証拠調べ一般については，裁判所が相当と認めるときは裁判所外

の証拠調べが認められているが（185条），証人尋問については公開主義および直接主義の要請がとくに強く働くので，裁判所外における証人尋問には，195条で，加重的な要件が定められている。具体的には，証人が受訴裁判所に出頭することが不可能または不相当なとき，検証現場において証人尋問をすることが必要であるとき，当事者に異議がないときに限り，裁判所外における受命裁判官または受託裁判官による証人尋問が認められる（195条1号〜4号）。

第2に，大規模訴訟について，当事者に異議がないときは，裁判所内において，受命裁判官に証人尋問を（当事者尋問も）させることができる（268条）。効率的な審理と迅速な救済の要請に応えるため，尋問すべき証人等が著しく多数である訴訟について，直接主義の要請を緩和したものである。

第3は，テレビ会議システムやビデオリンクを利用した証人尋問である（204条）。テレビ会議システムとは，映像と音声の送受信により相手の状態を相互に認識しながら通話する方式であり，証人が遠隔地に居住する場合において，健康上の理由などで受訴裁判所まで出かけることが困難な場合などに認められる（204条1号）。ビデオリンクとは，同じ裁判所内の別室にいる証人に対し，法廷内から，テレビモニターを用いてマイクを通じて尋問する方式で，後述のように証人保護のために認められる（204条2号）。

(6) 口頭陳述の原則

証人の陳述は口頭で行う。陳述に際して，書類に頼ることは原則として許されない（203条本文）。書類を見て自己の経験しない事実を陳述することを防ぐためである。ただし，次のような例外がある。

第1に，尋問を行う当事者またはその代理人は，裁判長の許可を得て，文書や図面等を利用して質問することができる（規116条1項）。計算や技術が絡む複雑な事実関係など，記録や図面などを見せながら尋問した方が望ましい場合があるからである。

第2に，証人も，裁判長の許可を受けたときは，メモや記録などを見ながら証言することができる（203条但書）。年月日や人名のように記憶だけで答えることが難しい事項や，複雑な事項などについて，この許可が与えられることがある。

第3に，聴覚等に障害がある証人については，当然の措置として，書面による質問や書面による回答などが許される（規122条）。

第4は，書面尋問が認められた場合である（205条，規124条）。書面尋問とは，証人が遠隔地に居住している場合や，病気などで出頭が困難な場合において，裁判所が相当と認めるときに，書面による質問と回答を許すものである。ただし，相手方による反対尋問ができないという問題があるので，「当事者に異議がないとき」という要件が課されている。

(7) 陳述書

　口頭陳述の原則との関係で問題になるものに「陳述書」がある。近時，裁判所が当事者に対して陳述書の提出を求めたり，当事者の側から積極的に陳述書を提出するなどの実務が定着してきている。陳述書は，第三者または当事者が見聞した事実に関する供述を記載した書面である。陳述書は，争点整理手続の段階において，準備書面として提出される場合には，格別の問題はない（陳述書の争点整理機能）。しかし，集中証拠調べに先立って，証人尋問（または当事者尋問）の一部を代替させるために，とりわけ，主尋問の相当部分に代替するものとして，書証の形で利用されることも多く（陳述書の主尋問代替機能），この場合には，口頭陳述の原則との抵触が問題となり得る。

　こうした人証尋問（証人尋問および当事者尋問）に代替することを意図した陳述書の許容性については，次のように考えるべきである。主尋問では，争いのある主要な争点を導くために，先行的に争いのない事項や事実の経過を尋問することがあるが，こうした部分については陳述書を利用することに格別の問題はなく，むしろ効果的に利用すべきである。それによって，尋問時間の節約や効率的な手続運営を図ることができるからである。また，こうした範囲での利用であれば，人証尋問の形骸化や口頭主義の違反との批判は当たらない。

　しかし，主尋問のすべてを陳述書で代替することは許されないと解すべきである。陳述書の作成過程には作為が入りやすいので，実質的に争いのある主要な争点については，供述者の態度やニュアンスをみることのできる口頭尋問によるべきである。また，相手方が陳述書による主尋問の一部代替に異議を述べたときは，その異議が合理性を欠く場合を除いて，人証尋問を実施すべきである。なお，陳述書による主尋問の一部の代替を認めた場合には，その部分に対する反対尋問権を保障する必要があることは当然である。

(8) 証人保護の措置

　証人が証言を行うに際して，著しい心理的な負担や精神的な圧迫を受ける場

合がある。また，証人が犯罪の被害者である場合などでは，こうした負担や圧迫が，2次的被害につながるおそれもある。そこで，証人をこうした問題から保護するために，「付添い」，「遮へい」，「ビデオリンク」，「傍聴人の退廷」などの措置が認められている。「付添い」は，証人が著しい不安や緊張を覚えるおそれがあると認められるときに，それを緩和するために，家族や医師などの適当な者を証人に付き添わせる措置である（203条の2，規122条の2）。「遮へい」は，証人が当事者本人やその法定代理人の面前で陳述すると圧迫を受けて精神の平穏を著しく害されるおそれがある場合に，その間についたてを置くなどして，相手の状態を見えなくする措置である（203条の3第1項，規122条の3）。傍聴人と証人の間に遮へいを設けることもできる（203条の3第2項）。また，このような場合には，「ビデオリンク」の方法をとることもできる（204条2号，規123条2項）。ビデオリンクは，法廷外の別室にいる証人にテレビモニターを通して証人尋問を行う方法である。ビデオリンクと遮へいを組み合わせることもできる（203条の3第1項かっこ書）。証人が特定の傍聴人の面前においては威圧されて十分な陳述をすることができないときは，裁判長は，当事者の意見を聴いて，その証人が陳述する間に限ってその傍聴人を「退廷」させることができる（規121条）。遮へいやビデオリンクに重ねて，こうした措置をとることもできる。

7-5-3 当事者尋問

7-5-3-1 当事者尋問の意義

「**当事者尋問**」とは，当事者に対して口頭で質問して口頭で陳述を得るという方法で行われる証拠調べである。当事者尋問においては，証拠方法は，「当事者」であり，証拠資料は，その「陳述」である。この場合の当事者は，過去に自分が認識した経験事実を述べる点で，証人尋問における証人と同一の性質を持つ。したがって，英米法系の諸国では，当事者尋問を証人尋問と同等に扱っている。これに対し，大陸法系の国々では，歴史的な沿革から証人尋問とは別個の証拠調べとされ，日本法もその系譜に連なる。

ここにいう「当事者」とは，当事者本人またはこれに準じる地位を有する法定代理人（211条）である。共同訴訟人は，共通の利害関係がある事項については，他の共同訴訟人に対する関係で当事者尋問の対象となる。訴訟の場にお

ける当事者の陳述には，主張としての弁論もあるが，これと当事者尋問における陳述とは峻別される。前者は，訴訟資料のうちの主張資料を提出する主体的な訴訟行為であり，後者は，証拠調べの客体である証拠方法として証拠資料を提供するものである（主張資料と証拠資料の峻別につき，⇨ *7-1-1-3*）。したがって，主張の場面では訴訟能力を要するのに対し，当事者尋問の場面では，たとえ訴訟能力を欠いていても当事者尋問の対象となることを妨げない（211 条但書参照）。

7-5-3-2 「補充性」原則の撤廃

平成 8（1996）年改正前は，当事者尋問は，他の証拠方法を取り調べても裁判所が心証を得ることができないときに限って，補充的に行うことができるものとされていた（旧 336 条）。これを「当事者尋問の補充性」の原則という。訴訟の結果に直接的な利害関係を持つ当事者からは，客観的で証明力の高い供述を得ることが困難であり，また，そのような当事者に制裁をもって供述を強いるのは酷であると考えられたからである。しかし，これに対しては，かねてより，事案の真相を最もよく把握しているのは当事者であることが多く，また，その供述が信用性に乏しいとは必ずしもいえないとの批判があった。従来の実務においても，補充性の原則が遵守されてきたとは言い難く，補充性の原則を撤廃すべきとの議論が有力に展開されていた。さらに，現行法の基本理念である充実した争点整理のためには，むしろ早期に当事者尋問を実施して事案の概要を把握する必要性が高いとも考えられる。

そこで，現行法は，当事者尋問の補充性の原則を廃止することとした。ただし，証拠調べの順序については，伝統的な立場を部分的に残している。すなわち，証人尋問を先に行うことを原則としつつ（「証人尋問先行の原則」の採用），裁判所が当事者尋問を先に実施することを適当と認めるときは，当事者の意見を聴いて，まず当事者尋問を行うことができるものとした（207 条 2 項）。当事者の意見を聴くことを必要的としたのは，証拠の提出順序について当事者の判断権を尊重する趣旨である。ただし，こうした証人尋問先行の原則は，少額訴訟ではとられていない（372 条 2 項）。少額訴訟では，事案を迅速に理解して心証を得るために，裁判所が相当と認める順序で行うことが妥当だからである。また，職権探知主義がとられる人事訴訟においても，第三者の利益の保護のために職権による真実の探求が要請され，そのために当事者に協力を求める必要性

も高いことから，補充性の原則がとられていないのはもちろんのこと，証人尋問の先行の原則も採用されていない（人訴19条1項による207条2項の適用除外）。

すこし詳しく 7-13 少額訴訟と証人尋問先行の原則
▶少額訴訟は，平成8（1996）年改正で導入された制度であるが，同改正の立案担当者は，372条2項を両当事者および裁判所の間の尋問順序を定めた202条・210条の特則とのみ説明している。これを受けて，学説においても，立案担当者と同様の理解を示す見解が少なくない。しかし，一部には，本文で述べたのと同じく，証人尋問先行の原則を定めた207条2項の特則でもあるとする学説もみられる。両説の差異は，次の点に生じる。まず，実務的には，前者の立場では，少額訴訟でも207条2項が適用されるので，当事者尋問を証人尋問に先行させるときは，必ず当事者の意見を聴く必要がある。次に，理念的には，前者の立場では，証人尋問先行の原則が少額訴訟でも原理的に妥当することになる。これに対し，後者の立場では，いずれも否定される。本書は，後者の立場をとるものである。証人尋問先行の原則は，補充性原則の維持を主張する意見との妥協で設けられたものであるが，補充性原則にも証人尋問先行の原則にも合理性はなく，また，少額訴訟ではこうした原則には縛られない弾力的な証拠調べの理念が原理的にふさわしいからである。

7-5-3-3 当事者尋問の手続

当事者尋問の手続には，基本的に証人尋問の手続に関する規定が準用されている（210条）。当事者尋問は，自ら経験した事実を口頭の質問に応じて口頭で答える人証の証拠調べであるという点で証人尋問と共通するので，証人尋問の規定を準用することが相当であると考えられたからである。当事者は，自己自身の尋問および相手方の尋問のいずれも申し立てることができる。ただし，証人尋問と異なり，当事者尋問は，当事者からの申立てによる場合のほか，裁判所の職権によって行うこともできる（207条1項）。これは，弁論主義の証拠原則（職権証拠調べの禁止）に対する例外の1つである。実務では，訴訟に不慣れな本人自身による訴訟（本人訴訟）の場合には裁判所が職権で当事者尋問をすることが多く，実際上の必要性も認められる。

当事者尋問を命じられた当事者は，証人と同様に，出頭義務および供述義務を負う。当事者に宣誓をさせるかどうかは，証人尋問と異なり，裁判所の裁量に委ねられている（207条1項後段）。しかし，宣誓が命じられたときは宣誓義務も負う。ただし，証拠方法が当事者であるという特質から，これらの義務に違反したときの制裁が証人尋問とは異なる。すなわち，過料等（192条・200

条・201 条 5 項），罰金等（193 条・200 条・201 条 5 項），勾引（194 条）などの制裁は課されない。他方，裁判所は，尋問事項に関する相手方の主張を真実であると擬制することができる（208 条）。証拠方法である文書を当事者自身が所持する場合における不提出の制裁（224 条参照）と同様の制裁を定めたものである。また，宣誓をしたうえで虚偽の陳述をしても偽証罪にはならないが，過料の制裁を受ける（209 条）。なお，人事訴訟では，真実発見の要請などから，当事者に対する出頭命令（人訴 21 条 1 項）および民訴法 192 条〜194 条の準用（同条 2 項）が定められている。

尋問の方法は，証人尋問と同じく，原則として，交互尋問の方法による。テレビ会議システムを利用することもできる。対質尋問は，当事者相互間だけでなく，当事者と証人の間でも認められる（規 126 条）。陳述書の利用については，証人尋問について述べたことが妥当する。陳述書は，証人尋問におけるよりも当事者尋問において利用が多く，やはり尋問制度の本旨を没却しない運用が必要である。

7-5-4 鑑　　定

7-5-4-1 鑑定の意義

「**鑑定**」は，裁判官の判断能力を補充するために，一定の分野の学識経験を有する第三者に，その専門知識または専門知識を具体的事実に適用して得た判断を報告させる証拠調べである。鑑定における証拠方法は「鑑定人」であり，証拠資料は「鑑定意見」である。裁判官に専門知識を提供する民訴法上の手段としては，鑑定のほかに，調査嘱託（186 条。⇨ 7-5-4-3 す 7-14），鑑定嘱託（218 条。⇨ 7-5-4-3 す 7-15），専門委員制度（92 条の 2〜92 条の 7），裁判所調査官制度（裁 57 条 2 項・92 条の 8・92 条の 9）などがある。これらと比較して，鑑定は，欠格事由（212 条 2 項）や当事者による忌避（214 条，規 130 条）が認められるなど，中立性や公正性を担保するための手続が整備されており，重要な争点について当事者間に専門知識に関する争いが生じた場合などに主として用いられる。実務でよく見られる鑑定の例としては，不動産鑑定（適正賃料額，不動産価格，建築瑕疵等），医学鑑定（親子関係の存否，精神状態，治療方法の正当性等），筆跡鑑定（文書の真否等）などがある。

鑑定人は，証人と同じく人証の 1 つであるが，証人が自己の経験した具体的

な事実を報告する者であるのに対し，鑑定人は意見または判断を報告する者である点で区別される。また，このことから，証人は特定の者でなければならないが，鑑定人は，同程度の学識を有する者であれば他の者でもよいので代替性を有する。負傷者を治療した医師から当時の負傷の状況の情報を得る場合のように，専門的な学識により知り得た具体的な知見を報告する者は「鑑定証人」であり，鑑定ではなく証人尋問の手続による（217条，規135条）。この場合に，さらに将来の後遺症の予測について意見を求めるときは，「鑑定証人」兼「鑑定人」となり，後者の尋問は鑑定の手続によらなければならない。

7-5-4-2　鑑定人

「**鑑定人**」は，学識経験を有する第三者の中から，裁判所によって鑑定人として指定された者である（212条1項・213条）。証人は，当事者が指定するのに対し（規106条），鑑定人は，受訴裁判所，受命裁判官または受託裁判官が指定する（213条）。当事者が鑑定人の人選に意見を述べたとしても，裁判所の判断資料としての意味しかない（したがって，当事者が自己に有利な専門家の意見を提出したいときは，**7-5-4-4**の私鑑定などによることになる）。鑑定人には中立性および公正性が要求される。また，前述したように，証人と異なって代替性がある。したがって，自己負罪等の証言拒絶権や宣誓拒絶権が与えられる地位にある者および宣誓無能力者は，鑑定人となることができない（212条2項）。また，誠実に鑑定をすることを妨げる事情があるときは，当事者は，鑑定人を忌避することができる（214条，規130条）。

鑑定に必要な学識経験のある者は鑑定義務を負う。これは，証人義務と同様に，公法上の義務である。しかし，証人義務が裁判権に服する者が等しく負う一般義務であるのとは異なり，鑑定に必要な学識経験を客観的に有する者のみがこの義務を負う。また，やはり証人義務と同じく，裁判所による鑑定実施の決定を経て具体的な義務となる。鑑定義務の具体的な内容は，これも証人義務と同様，出頭義務，宣誓義務，鑑定意見報告義務である。鑑定義務を正当な事由なく怠ると，過料等（216条・192条）または罰金等（216条・193条）の制裁がある。ただし，鑑定人には代替性があるので，勾引は認められない（216条による194条の不準用）。

鑑定人は，鑑定に必要な旅費・日当・宿泊料のほか，報酬として裁判所が定めた鑑定料を受ける（民訴費18条1項・26条）。これらの費用は訴訟費用の一部

となり，当事者はこれを予納しなければならない（同2条・11条・12条）。

7-5-4-3　鑑定の手続

　鑑定の開始は，当事者の申出による（180条1項）。鑑定は，裁判所の判断能力を補充するものであることから，裁判所の職権による鑑定（職権鑑定）が認められるとする議論もある。しかし，原則として職権証拠調べが禁じられていること（弁論主義の証拠原則）や，職権による特殊な鑑定を認める場合にはとくに明文規定があること（218条・233条）などから，通常の鑑定については職権鑑定を否定するのが通説である。鑑定の申出は，原則として，申出書のほかに，鑑定事項を記載した書面を提出して行う（規129条1項）。裁判所は，申出に対して採否を決定し，鑑定を採用するときは，鑑定事項を確定して鑑定人を指定する。鑑定事項の確定等に際して必要なときは，弁論準備手続等において，当事者および鑑定人と協議することができる（規129条の2）。

　鑑定人は，鑑定意見を作成するために必要があるときは，自ら審理に立ち会い，裁判長に証人または当事者に対する尋問を求めたり，あるいは，裁判長の許可を得て直接質問することができる（規133条）。鑑定意見の提出方法については，裁判長は，鑑定書の提出による書面陳述を求めることもできるし，口頭陳述を求めることもできる（215条1項）。いずれの場合にも，原則として鑑定人に宣誓をさせるが，鑑定人の負担を軽減するために，宣誓書の提出のみによって行うこともできる（規131条）。鑑定書が提出される場合，伝統的な通説は鑑定主文のみが鑑定意見であるとする。しかし，主文だけでは鑑定の意味をなさないので，鑑定理由も鑑定意見を構成するものと解すべきである。口頭による鑑定意見の陳述は，テレビ会議システムによることもできる（215条の3，規132条の5第1項）。複数の鑑定人がいる場合には，共同または各別に意見を述べさせることができる（規132条1項）。

　鑑定人に口頭で鑑定意見を述べさせる場合には，証人尋問とは異なって交互尋問の方法はとらず，裁判所は，まず，はじめに鑑定人に鑑定意見の陳述をさせる。そして，鑑定人による鑑定意見の陳述が終わった後に，鑑定人に対して質問をする（215条の2第1項）。質問は，まず裁判長，ついで鑑定申出当事者，それから他方の当事者の順序である（同条2項）。これを「鑑定人質問」という。裁判長は，適当と認めるときは，当事者の意見を聴いて，質問者の順序を変更することができる（同条3項）。この順序変更には，当事者の異議権が認められ

ている（同条4項）。

　鑑定人質問は，証人や当事者に対する「尋問」のような一問一答方式にはよらない（規132条の4第2項は，証人尋問に関する規115条1項と異なり，質問を「個別的」にすることを定めていない）。平成15（2003）年改正前は，証人尋問に準ずる方式がとられていたが，一問一答方式では専門意見を十分に述べることが難しいとの指摘や，糾問的な反対尋問によって鑑定人の人格が傷つけられるとの批判などがあった。また，これらのことを主たる理由として，鑑定人の引受け手が見つかりにくいという問題もあった。そこで，一問一答方式ではない質問の方式が導入されたものである。

すこし詳しく 7-14　調査嘱託

▶鑑定では，証拠調べの公正を確保するために，宣誓の制度や反対尋問権の保障などの規律が設けられている。しかし，報告者が主観を混ぜるおそれが考えにくい事項については，こうした厳格な規律は必ずしも必要がない。そこで，報告者の手元にある資料から容易に客観性の高い結果を得られる事項に関する簡易な証拠の収集方法として，大正15（1926）年改正（旧法）において創設され，現行法（186条）に維持された制度が「調査嘱託」である。このように，調査嘱託は，実質的には鑑定に代わる簡易な手続であるので，相当の調査または研究を要する事項や高度の意見または判断を求める事項に調査嘱託を用いることは許されない。また，調査嘱託の嘱託先は，官公署，学校，商工会議所，取引所，その他の団体に限られている。具体的には，気象台に対する気象情報，農水省に対する農作物の作柄，取引所に対する商品価格，医療機関に対する特定の伝染病の症状経過，外国の領事館に対する外国法の内容などが，適切な調査嘱託の例として挙げられる。調査嘱託は，裁判所が職権で行うことができるので，弁論主義の証拠原則に対する明文の例外である。調査嘱託では，嘱託先から書面（回答書）が提出されるという形で回答がなされることが多い。そこで，調査嘱託の法的性質について，独立の証拠調べではなく「書証」の準備行為であるとする見解がある。この見解によれば，嘱託先から提出された書面を証拠方法として，書証の規律に従って証拠調べをすべきことになる。これに対し，通説・判例（最判昭和45・3・26民集24巻3号165頁）は，調査嘱託は，それ自体が特殊な証拠調べの手続であり，嘱託に対する回答がそのまま直接に証拠資料となるとする。この立場によれば，当事者による新たな証拠の提出行為は不要となる。しかし，この立場による場合でも，当事者に証拠について争う機会を与える必要があるので，裁判所は，嘱託に対する回答を口頭弁論または弁論準備手続に顕出し，当事者に意見陳述の機会を与えなければならないと解されている。

第 7 章　事案の解明

すこし詳しく 7-15　**鑑定嘱託**

▶鑑定人は，伝統的に，個人を指定すべきものと考えられてきた。しかし，鑑定に必要な学識や経験を官公署や法人が保有する場合もあれば，官公署や法人の組織や設備を必要とする場合もある。そこで，官公署や法人に対して依頼する「鑑定嘱託」という制度が，大正 15（1926）年改正（旧法）において創設され，現行法（218条）でも維持された。ちなみに，現在では，官公署や法人も鑑定人の資格があると考えられている。しかし，実務においては，現在でも鑑定人は個人を指定するのが慣例である。そこで，官公署や法人に鑑定を依頼するときは，一般に鑑定嘱託が使われる。たとえば，親子関係の DNA 鑑定や工業製品の化学的性質を明らかにするために，専門業者に鑑定嘱託を行う例などがみられる。鑑定嘱託は，裁判所が職権で行うことができるので，弁論主義の証拠原則に対する明文の例外である。官公署や法人は，正当な事由がある場合を除き，嘱託に応じる公法上の義務を負うが，その義務に違反した場合の制裁はない。鑑定嘱託の手続は，宣誓に関する規定を除き，鑑定の規定が準用される（218条1項後段，規 136条）。裁判所は，必要があると認めるときは，官公署または法人が指定した者に，鑑定書の説明をさせることができる（218条2項）。

7-5-4-4　私鑑定

以上のような正規の証拠調べとしての鑑定ではなく，当事者が任意に学識経験ある第三者に専門的な知見の提供や専門家としての判断を依頼し，その報告書を書証のための文書として裁判所に提出することが広く行われている。このような実務は，慣行上，「私鑑定」と呼ばれる。こうした私鑑定の位置付けについては議論がある。一部の見解は，私鑑定には，正規の鑑定と異なり，裁判所による鑑定人の指定（213条），欠格事由（212条2項），当事者による忌避（214条），鑑定人質問（215条の2），虚偽鑑定に対する刑事処罰（刑 171条）等の手続の適切性を保障するための制度的な保障がないので，当事者の合意がなければ書証として扱うべきではなく，主張として扱うべきであるとする。しかし，これに対しては，民事訴訟では書証の対象となる文書の性質に制限はないことや，専門家の適格性や判断の内容については，必要があればその者に対する証人尋問によって確認することができることなどを挙げて，書証として取り扱うことに問題はないとする立場からの批判がある。後者が，学説および実務における見解の多数である。

7-5-5 書　証

7-5-5-1 書証の意義

「書証」とは，文書に記載されている作成者の意思や認識を閲読して読み取った内容を事実認定のための資料とする証拠調べである。すなわち，書証においては，証拠方法は「文書」であり，証拠資料はその「記載内容」である。同じく文書を証拠方法とする証拠調べであっても，文書の作成時期を明らかにするために紙質の劣化状態を調べる場合や，偽造文書かどうかを明らかにするために筆跡やインクの成分を調べる場合などは，記載内容を取り調べるわけではないので，書証ではなく検証である。書証では，基本的に文書の作成時における作成者の意思や認識が固定されており（人証の場合は，時間の経過による忘却や記憶の変容，質問に対する答え方の操作や巧拙などがあり得る），また，その取調べは時間をあまりかけずに容易に行うことができる。したがって，書証は，民事訴訟上の事案解明におけるきわめて重要な証拠調べの方法であり，訴訟の帰趨に対して大きな役割を果たすことが多い。

(1) **文書の概念**

「**文書**」とは，文字やその他の記号によって，作成者の思想（ここにいう思想には，意思，判断，感情，認識，記録，報告等を含む）を表現した有形物をいう。有形物は，媒体上に作成者の精神作用が表現されていれば，紙片に限られず，木片，布地，金属，皮革，合成樹脂など何でもよい。文字には，外国語や点字などを含み，記号は，暗号，電信，速記など，文字の代用として通用するものをいう。写真，地図，境界標などは，思想が表現されていないので文書ではないが，閲覧によって内容を認識することができるので，「**準文書**」（231条）として，書証の方法による取調べの対象となる。

(2) **文書の種類**

文書は，作成者の属性や記載内容などに応じて，次のような種類に分類することができる。

(a) **公文書・私文書**　これは，作成者の属性の相違を基準とした分類である。「**公文書**」は，公務員がその権限に基づいて，職務上，作成した文書である。そのうち，公証人や裁判所書記官のように公証権限を有する公務員が作成した文書を，とくに「公正証書」という。他方，「**私文書**」は，公文書以外の

文書である。両者を区別する主たる理由は，後述のように，成立の真正に関する推定について差異があるからである（228条）。

(b) **処分証書・報告証書**　これは，記載内容の相違を基準とした分類である。「**処分証書**」は，法律行為が記載された文書である。たとえば，手形，遺言書，契約書などである。「**報告証書**」は，それ以外の作成者の認識，経験，意見などを記載した文書である。登記簿，戸籍簿，商業帳簿，受取証，診断書，手紙，日記などは，すべて報告証書である。両者を区別する主たる理由は，証明力の作用するメカニズム（形式的証拠力と実質的証拠力の関係）が異なっているからである。処分証書は，作成者の法律行為を構成する意思そのものが記載されているので，形式的証拠力が認められると記載された法律行為が存在することが直ちに認定され，相手方が反証を挙げて争うことは困難になる。換言すれば，形式的証拠力から直ちに実質的証拠力が導かれる。これに対し，報告証書は，形式的証拠力が認められても，実質的証拠力が直接的に基礎づけられるわけではない（形式的証拠力および実質的証拠力については，⇨ **7-5-5-2**）。

(3) **新種証拠**

科学技術の発達によって，思想を記録する媒体として，録音テープ，ビデオテープ，磁気ディスク，光ディスク，フラッシュメモリーなどが，紙媒体に代わって広く用いられるようになった。これらの新種の媒体は，媒体そのものから視覚によって記録内容を認識することができず，一定の装置を介在させる必要がある点で，伝統的な媒体とは異なる。そこで，どのような証拠調べの方法によるべきかが，かねてより議論されてきた。民訴法の平成8（1996）年改正では，録音テープやビデオテープなどの音声や映像を中心とした媒体については，これを「準文書」として取り扱うこととし，書証の方法によるという立法的な解決をした（231条）。他方，これら以外の主としてコンピュータの作業の記録に用いられる磁気等による媒体については，正面から規定は置かず，依然として解釈に委ねることとした。

こうした各種の新種証拠であるが，その基本的な原理や技術の類似性とは別に，実際の使われ方は大きく2つに分けられる。録音テープやビデオテープなどは，再生装置から再現された音声や映像を直接的に認識するものであり，法廷で作動させることも容易である。他方，コンピュータ用の記録媒体に記録される内容は，基本的には文字情報であることが多く，現実の利用形態としては，

紙にプリントアウトして閲読することが一般的である。

　そこで，前者については，法廷において適切な装置を用いて再現すれば，文書と同じく裁判官が直接的に認識することができるので，「準文書」として書証による証拠調べをすることが適当である。231条が録音テープとビデオテープを例示している趣旨も，こうした点にあるものと思われる。

　これに対し，コンピュータ用の記録媒体は，プリントアウトされた印刷物の証拠調べを観念すれば十分であり，これは文字どおりの「文書」として，書証によることが適当である。磁気ディスクや光ディスクなどの媒体と，それからプリントアウトされた印刷物との同一性は，印刷物の実質的証拠力に影響する補助事実である。したがって，同一性などに疑いがある場合には，その点を要証事実として検証や鑑定を行うことで足りるものと解される。

> **TERM ㉓　書　証**
> 「書証」という言葉は，民訴法上は，文書を取り調べることによって行う「証拠調べ」を指すが，実務上は，書証における証拠方法である「文書」それ自体も，「書証」と呼ぶ慣行がある。これは，文書は，検証（文書の紙質や文字の筆跡などを取り調べる）の対象となる場合と，書証（文書に記載された意味内容を取り調べる）の対象となる場合とがあるので，検証の対象となる場合の文書と区別するために，書証の対象となる場合の文書を「書証」と呼ぶようになったものである。現在の実務では，このように証拠方法である文書自体を指す意味で「書証」という言葉が使われることが多く，本来の意味で使われることはむしろ少ない。なお，民訴規には，「文書の写し」を「書証の写し」と呼ぶことを定めた規定（規55条2項）があり，文書自体を指す意味で「書証」という言葉を使用している。

7-5-5-2　文書の証拠力

(1)　文書の証拠力の意義

　文書の証拠力（「証明力」や「証拠価値」と同じ意味であるが，この文脈では，伝統的に「証拠力」という言葉が用いられる）とは，文書が証拠として役に立つか否か，またはその程度をいう。証拠力には，「形式的証拠力」と「実質的証拠力」がある。前者の**「形式的証拠力」**は，その文書が作成名義人（ここにいう「作成名義人」とは，書証を申し出た者によってその文書の作成者であると主張されている者）の思想を真に表現していることを意味する。具体的には，文書の作成名義人が，自らの意思でその思想を反映して記述した文書は，作成名義人の思想を真に表

現しているといえるが（ただし，内容が真実であるとは限らない。内容の真実性は，実質的証拠力の問題である），他人によって偽造された文書は，作成名義人の思想を真に表現しているわけではない。これに対し，後者の「**実質的証拠力**」は，その記載された作成名義人の思想が，要証事実の認定に役立つ程度を意味する。具体的には，文書の記載内容が，どの程度真実であるかとか，要証事実とどのように関係するかなどである。

　このように書証において2種類の証拠力がとくに問題とされるのは，書証の固有の性質による。証人尋問の証拠資料である証言や検証の証拠資料である検証結果などは，証拠調べの時点で裁判所の現認のうえで生成されるので，生成の真正が疑われる事態は通常は生じない。これに対し，書証の証拠資料である記載内容は，証拠調べとは別の機会に別の場所で生成され，その内容が証拠調べの時点まで固定されるので，裁判所が生成の真正を現認しているわけではない。そこで，書証では，実質的証拠力とは別に形式的証拠力がとくに問題となるのである。したがって，たとえば証人尋問であっても，証人が他人になりすましていた場合などにおいては，例外的に形式的証拠力が問題になることがあり得る。

(2)　形式的証拠力

(a)　**形式的証拠力の意義**　　文書の形式的証拠力は，文書の記載内容が，作成名義人の思想を真に表現していると認められる場合に肯定される。法文上では，「文書の成立の真正」または「文書の成立の真否」という言葉で表現されている。たとえば，134条の2（ただし，同条は「文書」を「書面」という），228条，229条，230条などである。ここにいう「文書の成立の真正」とは，文書が作成名義人の意思に基づいて作成されたことである。真正な成立が認められない文書には形式的証拠力がなく，実質的証拠力を調べるまでもない。なぜなら，書証は，文書の記載内容を証拠資料とするものであるから，作成名義人とされる者の思想を正しく表現したものでなければ，その記載内容を論ずる前提が欠けるからである。したがって，たとえ作成名義人の意思で作成されたものであっても，習字の目的で作成されたようなときは，作成名義人の思想の表現ではないので形式的証拠力はない。

(b)　**形式的証拠力の認否**　　このように，形式的証拠力は，実質的証拠力の前提となるので，挙証者が文書を証拠として提出したときは，裁判所は，相手

方に文書の真正な成立を認めるかどうかを，まず確認するのが通例である。相手方が文書の真正な成立を認めれば，補助事実の自白として証明不要効が生じることに争いはない（補助事実の自白については，⇨ **7-3-2-2**(2)）。これに対し，相手方が相当な理由を明示（規 145 条）して争ったときは，証拠によって真正な成立を証明することが必要となる（228 条 1 項）。他方，理由を明示しない否認や合理的な理由のない不知の陳述のときは，弁論の全趣旨により真正な成立を認定してよい。また，故意または重過失により真実に反して真正な成立を争ったときは，過料の制裁が科される（230 条 1 項）。

(c) **形式的証拠力の証明**　証拠によって文書の成立における真正を証明する場合，その証拠方法や証拠調べの種類に特段の制限はないが，一般的には筆跡や印影を対照することにより行う（229 条 1 項）。この証拠調べの性質は検証である。また，形式的証拠力の重要性に配慮して，真正な成立の証明を援助するための規定が設けられている。具体的には，筆跡等の対照に用いるための文書等を挙証者が自ら所持していないときは，文書送付嘱託や文書提出命令を申し立てることができる（同条 2 項）。また，対照をするのに適当な相手方の筆跡がないときは，裁判所は，対照のための文字の筆記を相手方に命ずることができる（同条 3 項）。相手方が正当な理由なく筆記を拒絶したり，意図的に書体を変えて筆記したときは，文書の成立の真否に関する挙証者の主張を真実と擬制することができる（同条 4 項）。

(d) **形式的証拠力についての法定証拠法則**　さらに，挙証者の負担を軽減するために，文書の種類に応じて，法定証拠法則の規定が設けられている（法定証拠法則については，⇨ **7-4-5-6**(6)）。

まず，公文書については，その方式および趣旨から一見して公文書と認められるときは，その真正な成立が推定される（228 条 2 項）。公文書の多くは方式や趣旨が定まっており，私文書に比べて偽造が困難であることから，文書の方式および趣旨から一見して公文書と認められるものについては，その成立を争う側に証明の負担を負わせたものである。もちろん，あくまでも推定であるから，反証によって覆すことができる。また，裁判所は，疑いがあるときは，職権でその官公署に問い合わせることができる（同条 3 項）。

次に，私文書については，当該文書に本人（挙証者によって作成者と主張される者）または代理人の真正な署名または押印があるときは，その真正な成立が

推定される（同条4項）。すなわち，押印についていえば（わが国では署名よりも押印が普通である），文書上の押印が本人の意思に基づくことが証明されれば，文書自体が本人の意思に基づいて作成されたことが推定される。しかし，押印が本人の意思に基づくことの証明は必要であるところ，この証明は必ずしも容易ではない。そこで，判例（最判昭和39・5・12民集18巻4号597頁）は，文書上の印影が本人の印章によるものであることが証明されれば，本人の意思に基づく押印であるとの事実上の推定を受けるとする。これにより，挙証者にとっては，文書上の印影が本人の使用する印章と一致することを証明すれば，「判例法理による事実上の推定」と「法定証拠法則による推定」が重畳的になされ，文書の真正な成立の証明がなされたことになる。これは，「**二段の推定**」と呼ばれる。相手方は，いずれの推定に対しても，反証を行うことができる。

> すこし詳しく 7-16 **二段の推定の限界**
> ▶二段の推定における「前段」は，印影が本人の印章に基づくことが証明されれば，その印影の作成（押印）は本人の意思によるものである旨が推定されるという判例法理（事実上の推定）である。この推定は，「人は自分の印章をみだりに他人に使わせることはしない」との経験則を前提とする。しかし，この経験則は，さほど蓋然性の高いものではない。机の引出しなどに保管している印章が家族や従業員に盗用される例や，特定の目的で使用を委託した印章が他の目的に濫用される例は，決して少なくないからである。したがって，印章が家族で共用されていたこと（最判昭和50・6・12判時783号106頁），印章を第三者に預託していたこと（最判昭和47・10・12金法668号38頁），印章が紛失したこと（大阪高判昭和40・12・15金法434号8頁）などの事実が反証によって示されれば，「前段」の事実上の推定は，もはや働かないと解すべきである。また，二段の推定における「後段」は，「人は簡単には自分の判を文書に押さないものである」という経験則を法定証拠法則としたものである。したがって，文書の内容を十分に確認せずに簡単に押印をするという事態が起こりやすい状況があったことが反証によって示されれば，「後段」の推定は覆ると解すべきである。二段の推定は，民事訴訟における強力な立証ツールであるが，このような限界があることを認識すべきであり，二段の推定を過信することは危険である。

(3) 実質的証拠力

　文書が形式的証拠力を欠く場合には，さらに実質的証拠力を取り調べる意味はない。これに対し，形式的証拠力が認められた場合には，次のステップとして，実質的証拠力が問われることになる。この場合の実質的証拠力は，要証事

実との関係における文書の記載内容の価値の程度であり，通常の証拠における証明力の問題と変わるところはない。ただし，処分証書については，そこに記載されている法律行為に関する限り，形式的証拠力の存在が直ちに実質的証拠力を基礎づけることになる。

すこし詳しく 7-17　宣誓認証私署証書
▶アメリカなどでは，形式的証拠力と実質的証拠力の両方に高い信頼性を付与した文書として，宣誓供述書（affidavit）がしばしば利用される。宣誓供述書は，当事者や関係人の供述を記載した文書に宣誓が付され，真実性がその限度で担保されたものである。日本においても，これと類似したものとして，1998年1月1日から，「宣誓認証私署証書」の制度が導入された。宣誓認証私署証書は，私署証書の作成人が公証人の面前で記載内容が真実であることを宣誓した場合に，公証人がその旨を私署証書に記載して作成される（公証58条の2）。

7-5-5-3　書証の手続
(1) 書証の申出
書証の手続は，当事者が裁判所に書証を申し出ることによって始まるが，その方法は次の3種類である。

第1は，挙証者が自ら所持する文書を裁判所に提出する方法である（219条の前半部分）。この場合は，証拠調べの申出と証拠の提出を兼ねているので，原則として（185条，規142条の場合を除き），期日（口頭弁論期日または弁論準備手続期日）で行う必要がある（最判昭和37・9・21民集16巻9号2052頁）。なお，180条2項は，証拠調べの申出のみに関する規定である。

第2は，相手方または第三者が所持する文書について，その文書の所持者が提出義務を負う場合に，その者に対する文書提出命令の発令を裁判所に求める方法である（219条の後半部分）。文書提出命令の申立ては，証拠調べの申出のみであるので（証拠の提出を兼ねていない），期日外でもすることができる（180条2項）。文書提出命令については，**7-5-5-4**で詳しく述べる。

第3は，文書の所持者が任意に提出に協力する見込みがある場合に，文書送付嘱託の申立てを行う方法である（226条本文）。文書送付嘱託の申立ても証拠調べの申出のみであるので，期日外で行うことができる（180条2項）。

(2) 書証の実施
提出された文書の証拠調べは，裁判所が，口頭弁論期日または弁論準備手続

期日に，その文書を閲読することによって行われ，かつ完了する。証拠調べが終われば，裁判所は，原則として，原本を当事者に返還し，書証の申出に際して提出される写し（規137条1項）を記録に編綴する。しかし，原本の記載を再度確認しなければならないなど，必要があるときは，裁判所は，提出または送付された文書を留置することもできる（227条）。

> **すこし詳しく 7-18　書証における法律と実務の乖離**
> ▶民訴法は，すべての証拠調べについて一律に「期日」において実施するものとしているので，書証についても，口頭弁論期日または弁論準備手続期日において文書が提出されたときに裁判所による閲読がなされ，かつ，そこで完了するとの建前がとられている。しかし，分量の多い文書や複雑な文書などは期日で閲読して心証をとることは困難であり，実際には，事後に写しを読むことによって心証がとられることが多い。このように，書証の実施については，法律の規定における建前と現実の実務との間に乖離がみられる。

7-5-5-4　文書提出命令

(1) 文書提出命令の意義

近代以降の社会では，社会生活や経済生活で生起する現象は，文書として記録されることが少なくない。とくに，取引に関する約束や情報は，基本的に文書化される。したがって，民事訴訟において，文書は，事案を解明するための重要な証拠となる。そこで，自らが所持する文書のみならず，相手方または第三者が所持する文書についても，これを証拠として訴訟の場に提出するための手段として，「**文書提出命令**」の制度が設けられている。挙証者が自ら所持していない文書を証拠提出する手段には文書送付嘱託もあるが，文書送付嘱託は強制力を伴わない制度である。したがって，強制的に提出を命じることができる文書提出命令は，当事者の立場からみれば，証拠を収集するための強力なツールとして機能する。

文書提出命令は，「**文書提出義務**」を負う者に対して発令される。文書提出義務は，申立人と所持者の間の私法上の義務ではなく，裁判所に対する訴訟法上の義務である。その制度趣旨は，挙証者の私的な立証の便宜に尽きるものではなく，真実に合致した適正な裁判という公益も目的である。それゆえに，文書提出義務は，国家に対する公法上の義務としての位置付けがなされているのである。裁判制度における事案解明のための装置の充実は，司法に対する国民の信頼を支える根幹である。また，真実追求の努力が尽くされたうえでの裁判

は，訴訟の結果に対する当事者の納得を得やすい。したがって，無用な上訴の提起を誘発しないという効果もある。

(2) 文書提出義務の一般義務化

文書提出命令は，文書の所持者が提出義務を負う場合に発令される。この文書提出義務について，平成8（1996）年改正前の旧法では，現行法の220条1号から3号に規定する場合にのみ，文書の所持者に提出義務があるとしていた。すなわち，旧法下の文書提出義務は，証人義務のような一般義務ではなく限定義務であった。このように文書提出義務が限定義務とされたのは，文書に対する所持者の処分の自由を尊重する必要性や，文書の記載内容は不可分であることが多いので，裁判に関係のない部分までが公開させられることになる文書の所持者の不利益を考慮したことによるとされる。

しかし，証拠の偏在などによる当事者間の武器不平等の是正や，実体的真実の発見の理念を実現するために，文書提出義務の範囲を拡大するための解釈をとる裁判例や学説が重ねられていった。具体的には，3号に規定する「法律関係」や「利益」という概念を拡張的に解釈する見解が有力となり，実質的な一般義務化への傾斜が進んだ。こうした実務や学説の動きが背景となり，さらに，同じく平成8年改正で導入した争点整理手続において当事者が十分な訴訟準備ができるようにする必要があるとの要請もあり，平成8年改正において，除外事由が存在しないかぎり一般的に提出義務を認める4号を追加することにより，文書提出義務の一般義務化が不完全ながら達成された。

すこし詳しく 7-19　一般義務化の不徹底

▶現行法における文書提出義務の一般義務化は，証人義務などと比較すると徹底しているとはいえない。第1に，文書一般について提出義務を認める規定を設けた以上（220条4号），特定の場合にのみ提出義務を認める1号～3号は削除してもよかったが，これに付加する形で4号が設けられているために，限定義務規定と一般義務規定が併存する形となった。第2に，刑事関係文書（刑事訴訟記録や少年保護事件記録など）は，無条件で4号の対象から除外されている（220条4号ホ。そのため，後述のように，3号後段を利用する実務が発達している）。第3に，証人義務は，すべての者が等しく義務を負い，一定の事由がある場合に証言拒絶が認められるにすぎないのに対し（196条・197条参照），220条4号は，イ～ホの事由に該当しないときに，はじめて文書提出義務が発生する旨の定めである。つまり，イ～ホの事由があれば，最初から一般義務の対象にはならないので提出拒絶の問題も発生せず（したがって，「拒

絶事由」ではなく「除外事由」と呼ばれる），この点でも証人義務における一般
義務とは異なっている。

(3) 1号～3号の限定提出義務

220条1号～3号は，文書提出義務が限定義務であった旧法以来の規定であり，文書と挙証者の間に特別な関係がある場合や，特定の作成目的をもって作られた文書のみに，とくに文書提出義務を認めるものである。

(a) 引用文書 当事者が訴訟においてみずから引用した文書を所持するときは，その文書の提出義務を負う。当事者が自己の主張を基礎づけるために自己が所持する文書の存在または内容を引用した以上，相手方との関係では秘匿利益を放棄したものとして取り扱うことが，公平の観点に合致するからである。引用の方法としては，口頭弁論や弁論準備手続における主張のほか，提出されたが口頭弁論で陳述されていない準備書面における記載でもよく，さらに，書証として提出した当事者の陳述書や当事者尋問における陳述も含まれると解されている（大阪地決昭和 45・11・6 訟月 17 巻 1 号 131 頁，名古屋高決昭和 52・2・3 高民集 30 巻 1 号 1 頁等）。

(b) 権利文書 挙証者が，文書の所持者に対して引渡請求権または閲覧請求権を有する場合に，その所持者は文書提出義務を負う。所持者が挙証者に対して引渡義務または閲覧義務を負う以上，所持者は挙証者に文書の開示を拒む利益はない。また，引渡請求権が認められるときは，仮に文書提出義務が認められなくても，所持者から引渡しを受けて提出することができるが，それは迂遠であるからである。引渡請求権または閲覧請求権には，私法上の権利と公法上の権利がある。私法上の権利は，法令の規定によるものでも（民 262 条 4 項・487 条・503 条 1 項・646 条 1 項・673 条，会社 31 条 2 項・125 条 2 項・252 条 2 項・318 条 4 項・442 条 3 項等），契約によるものでもよい。これに対し，公法上の権利（91 条 1 項，不登 119 条～121 条・149 条，商登 10 条・11 条，戸 10 条・10 条の 2 等）については，訴訟外において正本や謄本の交付を受ければ足りるので，220 条 2 号は適用されないとする見解もある。しかし，私法上の権利と区別する理由はないとして，これを肯定する見解が多数である。

(c) 利益文書 文書が挙証者の利益のために作成されたときは，その所持者は文書提出義務を負う。ここにいう「挙証者の利益のため」とは，その文書が挙証者の地位や権利などを直接的に基礎づけるものであり，かつ，そのこ

とを目的として作成されたことを意味する。文書作成の目的が，挙証者の法的地位や権利義務を発生させるものであるときや，挙証者の法的地位や権利義務を証明するものであるときには，その文書を訴訟において証拠方法として利用することを認めるのが相当であるからである。ただし，挙証者に事実認定上の有利な結果が生じるというだけでは，利益文書には当たらない（広島地決昭和43・4・6訟月14巻6号620頁，大阪高決昭和54・3・15判タ387号73頁等）。挙証者が文書の提出を求めるときは，多かれ少なかれ事実認定上の有利な結果を期待しているので，「利益」をこのように捉えると，利益文書の範囲は無限定になるからである。利益文書の例としては，挙証者を受遺者とする遺言状，挙証者のためにする契約の契約書，挙証者の代理権を証明する委任状，挙証者を支払人とする領収書，挙証者に対して出された同意書，挙証者の身分を証明する身分証明書などがある。

(d) **法律関係文書** 文書が挙証者と所持者との間の法律関係について作成されたときは，その所持者は文書提出義務を負う。ここにいう「法律関係」とは，挙証者と所持者の間の具体的な法律関係およびこれと密接な関係を有する事項を意味する。挙証者と所持者の間において，文書に関する共同の法律関係が存在する場合には，たとえ挙証者が文書という物の共有権を有していないとしても，その記載内容に対しては一種の支配権を有するとする考え方に基づく。法律関係それ自体が記載されている文書の例としては，契約書，解除通知，家賃通帳などがあり，法律関係と密接な関連を有する事項を記載した文書の例としては，印鑑証明書，商業帳簿などがある。私法上の法律関係だけではなく，公法上の法律関係でもよい。公法上の法律関係の例としては，挙証者に対する捜索差押許可状および捜索差押令状請求書（最決平成17・7・22民集59巻6号1837頁），勾留状（最決平成19・12・12民集61巻9号3400頁）などがある。しかし，文書の所持者による内部使用のみが想定されている文書（旧法下においては「内部文書」または「自己使用文書」などと呼ばれた）は，法律関係文書に当たらない。法律関係文書は，作成者が法律関係またはそれと密接な関連を有する事項を対外的に明らかにする目的を持って作成した文書であることを要するが，内部使用のみを想定した文書はこの目的を欠くからである。こうした内部使用目的の有無を考慮する考え方は，220条4号ニに定める「自己利用文書」概念にもみられるところである（⇨ **7-5-5-4**(4)(e)）。

(e)　「1号～3号」と「4号」の関係　　220条「1号～3号」と「4号」の関係については，4号の創設による一般義務化の趣旨を重視して，1号～3号は，4号の例示にすぎないとする見解（例示説）もあるが，判例は，1号～3号は4号とは独立した規定であるとし（独立説），旧法下における1号～3号の解釈も，基本的に踏襲されるとする。したがって，判例の立場によれば，挙証者が1号～3号に基づいて文書提出命令を申し立てたときは，4号イ～ホの除外事由は適用されないことになる。

しかし，220条3号の後半部分の法律関係文書については，旧法下において，前述のように内部文書は法律関係文書ではないと解されてきたので，同様の概念である4号ニの自己利用文書に該当する場合には，法律関係文書性も否定されることになろう（最決平成12・3・10判時1711号55頁）。利益文書についても，旧法下では，内部文書に当たるときは，利益文書ではないとする見解が有力であった。また，証言拒絶事項が記載された文書も，利益文書性や法律関係文書性を否定する見解が，かねてより有力であった。したがって，4号のイ・ロ・ハ・ニに該当するときには，結論として，3号に基づく提出義務はほぼ否定されることになろう（最決平成16・2・20判時1862号154頁は，4号ロに該当するときは3号に基づく申立てには理由がないとする）。

このように，220条3号に基づく申立てについては，たとえ4号の除外事由は適用されないとしても，3号自体の解釈として実質的に4号に基づく場合とほぼ同じ結果となる。したがって，後述する刑事関係文書の場合を除いて，現行法下では3号に独立の存在意義はあまり認められない（刑事関係文書と3号の関係については，⇨ **7-5-5-4**(4)(f)）。1号と2号については，証言拒絶事由が記載されている場合に提出義務を認めるか否かで見解が分かれるが，特殊な原因に基づく提出義務であって実例は少ない。以上を総合すると，判例の立場を前提としても，例示説と大差はないといえよう。

> **すこし詳しく 7-20**　「利益文書」および「法律関係文書」の意味
> ▶伝統的な通説は，本文で述べたように，「利益文書」とは，挙証者の地位や権利などを「直接的」に基礎づけるものであって，かつ，そのことを「目的」として作成された文書をいうと解釈してきた。そこには，挙証者の利益における「直接性」と文書作成の目的における「主観性」を要件とすることにより，「利益文書」という抽象性の高い概念の外延を画す意図があった。また，「法律関係文書」も同様に抽象性の高い概念であるため，やはり本

文で述べたように，挙証者と所持者の間の「具体的」な法律関係またはこれと「密接」な関係を有する事項などに限定する見解が有力であった。これに対し，旧法下における限定義務構成の制約から生じる不都合に対処するために，昭和50年代頃から，「利益文書」や「法律関係文書」の拡大的な解釈を試みる裁判例がみられるようになった。すなわち，「利益文書」における「直接性」や「主観性」を不要としたり，「法律関係文書」における「具体性」や「密接性」を不要とすることにより，実質的に一般義務に近づける試みが行われたのである。こうした拡大的な解釈は，当時，学説においてもかなりの支持を得た。そこで，現行法下の220条3号についても，同様の解釈を維持すべきであるとする見解がある。しかし，たとえ旧法下では有力な考え方であったとしても，現行法下では，文書提出義務の一般義務化は4号で実現したのであるから，このような拡大的な解釈はとるべきではなく，伝統的な通説の立場に回帰すべきである。ただし，刑事関係文書については，後述するように，4号の一般提出義務の対象から包括的に除外されていることから，解釈・運用によって4号を迂回して刑事関係文書に対する提出命令を実現する目的で，3号の後半部分（法律関係文書）による対応が図られているため，刑事関係文書に限って拡大的な解釈を維持することは，例外的にダブルスタンダードとして認められるべきであろう。

(4) **4号の一般提出義務と除外事由**

220条4号は，文書一般について，イ～ホに掲げられた除外事由に該当しない限り，提出義務があるとする。したがって，1号～3号と異なり，文書と挙証者の間の特別な関係や特定の作成目的は必要なく，証拠としての必要性が認められるあらゆる文書につき，除外事由がある場合を除いて広く文書提出命令を得ることができる。除外事由の存否が不明の場合における証明責任は，220条4号の規定の構造（拒絶事由ではなく除外事由）からして，除外事由の不存在について申立人の側が負うことになると解されている。しかし，証言拒絶権と異なる規律に，どの程度の合理性があるかは疑わしい。

イ～ホの除外事由に該当する文書は，次の種類に分けることができる。すなわち，①証人尋問を受ければ証言拒絶権を行使することができる事項（証言拒絶事項）が記載されている文書（イ・ハ），②公務員の職務上の秘密に関する文書で，その提出により公共の利益が害されるおそれなどがあるもの（公務秘密文書）（ロ），③もっぱら文書の所持者の利用に供するための文書（ニ），④刑事事件または少年保護事件に関係する文書（ホ）である。また，これとは別の分類も可能である。たとえば，②は，後述のように，監督官庁の意見聴取手続が

あるなどの点では①と異なるが，①と同じく証言拒絶事項が記載された文書であるので，併せて同一の種類（証言拒絶事項が記載されている文書）と分類することもできる。

(a) **自己負罪拒否権・名誉に関する文書**　文書の所持者自身または所持者と一定の親族関係にある者が刑事訴追または有罪判決を受けるおそれがある事項や，これらの者の名誉を害すべき事項が記載されている文書は，一般提出義務から除外される（220条4号イ）。証人の証言義務と文書提出義務は，それによって自己負罪拒否権や名誉に関わる事実が公表されることになるという意味では同じであることから，文書提出義務の除外事由として196条が定める証言拒絶事項が準用されたものである。

(b) **公務秘密文書**　公務員の「職務上の秘密」に関する文書であって，「その提出により公共の利益を害し，又は公務の遂行に著しい支障を生ずるおそれがあるもの」（公務秘密文書）は，一般提出義務の対象とはならない（4号ロ）。公務員の守秘義務と訴訟上の真実発見との衡量を図る趣旨であり，証人尋問における公務秘密の証言拒絶権（197条1項1号・191条1項）に対応するものである。「職務上の秘密」と言い得るためには，公務員が職務上知り得た秘密であることに加えて，実質的にも秘密として保護するに値するもの，すなわち「実質秘」でなければならない。また，こうした公務秘密には，①公務員の所掌事務に属している秘密と，②公務員が職務遂行の過程で知り得た私人の秘密であって公にされると私人との信頼関係が損なわれ公務の公正かつ円滑な運営に支障を生じることとなるものがある（最決平成17・10・14民集59巻8号2265頁）。なお，ここにいう「公務員」は，いわゆるみなし公務員である国立大学法人の役職員を含む（最決平成25・12・19民集67巻9号1938頁）。その他のみなし公務員についても，公務員と同様の守秘義務を負う場合には，含まれるものと解される。

裁判所が公務秘密文書の該当性を判断する際の手続も，証人尋問の場合とある程度整合性をとっている。すなわち，裁判所は，証拠としての必要性が認められないなど，文書提出命令の申立てに理由がないことが明らかなときを除き，220条4号ロに該当する文書か否かについて，監督官庁の意見を聴かなければならない（223条3項前段。証人尋問に関する191条1項に対応する。ただし，223条3項の場合は最終的な判断権者は裁判所であるが，191条1項の場合は監督官庁が最終

的な判断権者である点が異なる)。ここにいう監督官庁は，文書の所持者（たとえば国や地方公共団体などの法主体）とは別であり，文書に記載された職務上の秘密に関する事項を所掌している所轄庁の長など（たとえば所轄庁が法務省であれば法務大臣。ただし，衆議院または参議院の議員の職務上の秘密に関する文書についてはその院，内閣総理大臣その他の国務大臣の職務上の秘密に関する文書については内閣。223条3項前段かっこ書参照）をいう。監督官庁からの意見聴取が義務的であるのは，監督官庁は公務員の守秘義務を解除する権限を有していること（国公100条2項，地公34条2項等），および文書に記載された事項が公務秘密に該当するか否かを最も知る立場にあることを理由とする。

　監督官庁が，文書が220条4号ロの公務秘密文書に該当する旨の意見を述べる場合には，その理由を示さなければならない（223条3項後段）。この理由は，具体的な根拠を示す必要がある。監督官庁が述べる意見は，裁判所の判断の資料となるからである。監督官庁の意見が，①国の安全が害されるおそれ，他国もしくは国際機関との信頼関係が損なわれるおそれ，他国もしくは国際機関との交渉上不利益を被るおそれ（223条4項1号），または，②犯罪の予防，鎮圧または捜査，公訴の維持，刑の執行その他の公共の安全と秩序の維持に支障を及ぼすおそれ（同項2号）を理由とするときは（高度公務秘密），裁判所が，その意見に「相当な理由」があるかどうかを審理し，相当の理由があると認めるに足りない場合に限って，文書提出命令を出すことができる（同項柱書）。これは，国家の安全等のとくに高度な公益については，直接の責任を負う監督官庁の判断をより一層尊重するために，裁判所の判断権を監督官庁の判断の「相当性」のみに限定する趣旨である。

　監督官庁が公務秘密について意見を求められた場合において，所持者以外の第三者の技術または職業の秘密に関する事項が記載されている文書について意見を述べようとするときは，220条4号ロに該当する旨の意見を述べようとするときを除き，あらかじめ当該第三者の意見を聴取しなければならない（223条5項）。公務秘密文書については，文書の所持者でない限り，技術または職業の秘密の主体であっても，文書提出命令の手続の中で，その秘密について主張する機会がない。そこで，監督官庁が，公務秘密に該当しない旨の意見を述べる場合に，それに先立って第三者からの意見聴取を監督官庁に義務付け，これによって監督官庁の意見の適正を確保するとともに，秘密主体である第三者

の利益の保護を図るものである。監督官庁が，220条4号ロに該当する旨の意見を述べようとするときは，これによって第三者の利益の保護は図られるので，第三者の意見を聴くまでもない。

> **TERM** ㉔ 「公務文書」・「公務秘密文書」・「公務員の職務上の秘密に関する文書」
>
> 　公務員または公務員であった者がその職務に関して保管または所持する文書を一般に，「公務文書」と呼ぶ。また，公務員が職務上知り得た秘密に関する文書であって，それを提出することにより公共の利益を害するなどのおそれがあるものは，一般に「公務秘密文書」と呼ばれる。公務秘密文書は，通常は公務員が保管しているので，多くの場合には公務文書でもある。しかし，私人が公務秘密文書を国や地方公共団体との法律関係に基づいて所持する場合もある。たとえば，自衛隊の艦船の建造を請け負った企業が，防衛省が作成した設計図を所持する場合などである。このような場合においても，公務秘密を保護する必要があることはいうまでもない。そこで，220条4号ロは，除外事由を公務文書に限定しておらず，私人が所持する文書であっても公務秘密文書に該当すれば提出義務は生じないものとする。さらに，民訴法の法文には「公務員の職務上の秘密に関する文書」という言葉が使われているものがあるが，これは，公務秘密文書の「可能性」がある文書をいう。たとえば，223条3項は，「公務員の職務上の秘密に関する文書」について監督官庁の意見を聴く必要がある旨を定めるが，意見を聴く段階では公務秘密文書か否かはいまだ「可能性」にとどまる。また，220条4号ロの「公務員の職務上の秘密に関する文書」も，公共の利益を害するおそれなどの判断を経る必要があるから，なお公務秘密文書の「可能性」にとどまる。

(c)　**法定専門職秘密文書**　医療，法律，宗教などの法定された専門職の地位にある者またはそれらの職にあった者が職務上知り得た事実で黙秘すべきもの（197条1項2号の準用）であって，かつ，黙秘の義務が免除されていないもの（197条2項に対応する）が記載されている文書は，一般提出義務から除外される（220条4号ハの前半部分）。197条1項2号に基づいて証人が証言拒絶権を行使することができるのは，同号に列挙する専門職が証人になった場合に限られるが，これが準用された220条4号ハによる文書提出義務の除外事由の適用においては，法定専門職が自ら文書を所持している場合には限られない。所持者が誰であれ，法定専門職を信頼して秘密を打ち明けた依頼者等の利益を保護する必要があるからである。

　ここにいう「黙秘すべきもの」とは，秘密主体が主観的に秘匿利益を有して

いるだけでは足りず，客観的にみて保護に値するような利益を有するものをいう。判例では，弁護士等を委員とする調査委員会が作成した破綻保険会社の調査報告書について，本件文書は法令上の根拠に基づいて作成されたものであることや，調査委員会に加わった弁護士は公益のために職務を行ったにすぎないことなどを理由として，客観的にみて保護に値するような利益とはいえないとしたものがある（最決平成 16・11・26 民集 58 巻 8 号 2393 頁）。

(d) **技術職業秘密文書** 技術または職業の秘密に関する事項（197 条 1 項 3 号の準用）であって，かつ，黙秘の義務が免除されていないもの（197 条 2 項に対応する）が記載されている文書も，一般提出義務の対象とはならない（220 条 4 号ハの後半部分）。ここにいう「技術または職業の秘密」とは，その事項が公開されると，当該技術の有する社会的価値が下落し，これによる活動が困難になるもの，または，当該職業に深刻な影響を与え，以後その遂行が困難になるものをいうと解されている（最決平成 12・3・10 民集 54 巻 3 号 1073 頁）。つまり，単なる主観的な秘密では足りず，実質的な損害が認められるようなものでなければならない。

このように，「技術または職業の秘密」は「実質秘」であることを要するが，判例は，このような意味における「技術または職業の秘密」に該当するだけでは除外事由とはならず，さらに「保護に値する秘密」という条文にはない要件を付加している（最決平成 20・11・25 民集 62 巻 10 号 2507 頁）。そして，「保護に値する秘密」であるかどうかは，当該情報の内容，性質，その情報が開示されることにより所持者に与える不利益の内容，程度等と，当該事件の内容，性質，当該事件の証拠として当該文書を必要とする程度などの諸事情を，比較衡量して決すべきであるとする。すなわち，「技術または職業の秘密」は絶対的な概念ではなく，証拠の必要性との比較衡量に親しむ（比較衡量説の採用）ものとしている（技術または職業の秘密に基づく証言拒絶権と比較衡量説との関係については，⇨ **7-5-2-3**(3)(d)）。

「職業の秘密」については，その秘密が第三者との間の守秘義務に由来する場合がある。たとえば，金融機関は，その保持する顧客の信用情報につき，商慣習上または契約上，その顧客との関係で守秘義務を負う。このような場合は，秘密情報の保持者と秘密情報の主体が分離することになるので，いずれの利益を基準としてその要保護性を判断すべきかが問題となる。この点につき，訴訟

外の第三者である金融機関に対して、顧客の取引履歴が記載された取引明細書の提出が求められた事件において、判例は、当該顧客自身が訴訟の当事者として開示義務を負う場合には、当該顧客は金融機関の守秘義務により保護されるべき正当な利益を有しないから、この文書に記載された情報は、職業の秘密として保護されないとした（最決平成19・12・11民集61巻9号3364頁、前掲最決平成20・11・25）。すなわち、秘密情報の保持者の利益ではなく、秘密情報の主体の利益を基準に判断すべきものとした。

(e) **自己利用文書**　もっぱら文書の所持者の利用に供するための文書（本書では、「自己利用文書」と呼ぶ）は、一般提出義務から除外される（220条4号ニ）。およそ外部への開示を予定していない文書を一般義務の対象にすると自由な活動が妨げられると懸念する経済界の声などを受け、旧法下における内部文書の考え方をもとにして、文書提出義務に固有の除外事由（証言拒絶権には対応するものがない）として設けられたものである。しかし、4号イ・ロ・ハに掲げる除外事由のように記載内容の秘密性や要保護性を直接的に問題とするわけではなく、文書の作成目的を主要な要素とするため、運用によっては一般提出義務の広範な例外を認めることにもつながりかねない。そこで、平成8（1996）年改正の直後から、学説や実務において、自己利用文書の範囲をめぐって議論が集中した。現在では、後述するように、自己利用文書の範囲を制限することを意図した判例準則が打ち立てられている。また、4号ニは削除すべきであるとする改正論も、有力に唱えられている。

220条4号ニの自己利用文書に該当するかどうかの基準であるが、最決平成11・11・12（民集53巻8号1787頁）が一般的な準則を定立しており、これ以後のすべての裁判例がその準則に従っている。すなわち、同決定は、自己利用文書の該当性は、①文書の作成目的、記載内容、所持に至る経緯、その他の事情から判断して、もっぱら内部の者の利用に供する目的で作成され、外部の者への開示が予定されていないこと（外部非開示性）、②開示されると個人のプライバシーが侵害されたり、個人ないし団体の自由な意思形成が阻害されたりするなど、開示によって所持者に看過し難い不利益が生ずるおそれがあること（不利益性）、③自己利用文書の該当性を否定する特段の事情がないこと（特段の事情の不存在）をすべて満たした場合にのみ、認められるとした。このうち、①は、220条4号ニの文言の言い換えに近いが、②は、同規定の解釈の域を超え

ており，実質的には，立法の不備を補正するための司法による準立法作用と評することができよう。③は，後述のように，独立の要件といえるかどうかについて，疑問がある。これらの要件は，具体的な事件において，以下のように適用されている。

　まず，①の「外部非開示性」要件である。これについては，破綻保険会社の調査委員会が作成した調査報告書について，当該文書が法令上の根拠を有する命令に基づいて作成されたものであることを主たる理由として，外部非開示性を否定した事件がある（前掲最決平成16・11・26）。また，銀行に対する監督官庁の資産査定の前提となる資料について，法令により義務付けられている資産査定の前提資料であることを主たる理由として，外部非開示性を否定した事件もある（最決平成19・11・30民集61巻8号3186頁）。このように，判例は，法令上の義務に基づいて作成された文書，および，文書の作成自体は法令で義務付けられていなくても，法令上の根拠を有する命令に基づく文書や法令上の義務行為の前提として作成された文書など，法令上の作成義務に準ずる理由で作成された文書は，内部のみで利用が完結することは想定されていないとして，外部非開示性の要件を満たさないとする。他方，法令上の作成義務がない場合については，それだけで直ちに外部非開示性が満たされるとはせず，判断の一要素にとどまるものとする。また，法令等により開示義務を負う相手方が守秘義務を負うために，相手方以外には開示されることはないとしても，そのことで外部非開示性が肯定されることはないとする（最決平成19・8・23判タ1252号163頁，前掲最決平成19・11・30）。

　次に，②の「不利益性」要件である。自己利用文書の該当要件に関する準則を確立した前掲最決平成11・11・12は，不利益性の例として「個人のプライバシーの侵害」と「団体の自由な意思形成の阻害」を挙げていたが，その後の裁判例も，これらを不利益性の主たる内容とする傾向にある。前者については，議員が政務調査費を用いて行った調査研究の内容等を記載した文書が開示されると，調査研究への協力が得られにくくなって以後の調査研究に支障が生じることに加えて，その第三者のプライバシーが侵害されるおそれがあるとして，不利益性を肯定した事件がある（最決平成17・11・10民集59巻9号2503頁）。後者については，法人や組織が所持する文書の提出が求められた事件では，団体の自由な意思形成の阻害を根拠として，不利益性が肯定された裁判例が数多く

みられる。しかし，会社内部で事務連絡等に用いられる社内通達文書については，法人内部の意思形成の過程で作成される文書ではなく，その開示により法人の自由な意思形成が阻害される性質のものではないとして，不利益性が否定されている（最決平成18・2・17民集60巻2号496頁）。

最後に，③の「特段の事情の不存在」である。最高裁の判例として，経営破綻した信用組合から整理回収機構が営業を譲り受けた場合において，その信用組合が作成した貸出稟議書の文書提出命令が申し立てられた事件がある（最決平成13・12・7民集55巻7号1411頁）。この判例は，信用組合は清算中であって将来において貸付業務を行うことはなく，また，整理回収機構は法律の規定に基づいて債権の回収にあたっているものであって，当該貸出稟議書の提出を命じられても自由な意思形成が阻害されるおそれはないことから，特段の事情の存在を肯定できるとした。この判例によって，「特段の事情」は，特殊な例外的状況を意味することが明らかになった。また，上記の事情は②の不利益性の問題として処理することもできるので，あえて特段の事情をもちだす必要はなかったともいえる。こうしたことや，その後の判例の傾向等を合わせて考えると，「特段の事情の不存在」については，独立の要件としての意義は希薄である。

> **すこし詳しく 7-21 公務組織利用文書と公務非組織利用文書**
> ▶220条4号ニのかっこ書は，国または地方公共団体が所持する文書にあっては，公務員が組織的に用いるものを除くものとしている。これは，公務員が組織的に利用するものとして保管している文書は，行政情報公開法による開示の対象となる文書なので（行政情報公開2条2項），たとえ外部への開示が予定されていなくても，自己利用文書として提出義務から除外することは認められないとする趣旨である。したがって，たとえば備忘録の一種などであっても，公務員が組織的に利用するものであれば自己利用文書には該当しない。これに対し，公務員が個人で使用するための備忘録などは，非組織的な文書であるので，自己利用文書に該当する余地がある。なお，判例（最決平成25・12・19民集67巻9号1938頁）は，220条4号ニのかっこ書は，国立大学法人の役員および職員にも類推適用されるとする。同規定の立法趣旨に照らすと，公務員と同様の情報公開制度を有する他のみなし公務員にも，類推適用されるものと解される。

> **すこし詳しく 7-22 「稟議書」の自己利用文書該当性**
> ▶会社や官庁などで，会議を開くほどに重要ではない事項につ

いて，担当者の案を文書にして上司等の関係者に回覧して，その承認を求めることを「稟議」といい，こうした稟議に用いられる文書を「稟議書」という。そして，「貸出稟議書」は，銀行などの金融機関において，融資の決済に際して作成される稟議書である。平成8（1996）年改正以降，金融機関の貸出稟議書が自己利用文書に該当するかどうかをめぐって，数多くの最高裁判例や下級審裁判例が出された。自己利用文書該当性の判断基準を定立した前掲最決平成11・11・12も，銀行の貸出稟議書に関する事件であった。貸出稟議書には，融資の相手方についての評価や意見も記載されるなど，開示されると金融機関の自由な意思形成が阻害されるおそれが高いため，自己利用文書該当性が認められやすく，判例は基本的に文書提出義務を否定する。しかし，貸出稟議書以外の稟議書は必ずしもそうとはいえず，ひとくちに稟議書といって片づけることはできない。たとえば，下級審裁判例には，金利スワップ取引契約に関する稟議書のうちの一部について，自己利用文書該当性を否定したものもある（大阪高決平成21・5・15金法1901号132頁）。

(f) **刑事関係文書**　刑事事件についての訴訟に関する書類，少年の保護事件の記録，および，これらの事件において押収されている文書（本書では，以上を総称して「刑事関係文書」という）は，その記載内容や作成の経過等を問わず，無条件で一般提出義務から除外されている（220条4号ホ）。これらの文書は，刑事訴訟法，刑事確定訴訟記録法，犯罪被害者等の権利利益の保護を図るための刑事手続に付随する措置に関する法律，少年法等により，開示による弊害と開示により得られる公益との調整を考慮して閲覧や交付に関して特別の手続が設けられていることを理由に，一般提出義務の対象から包括的に除外したものである。しかし，捜査や公判に対する支障の懸念については，223条3項および4項の手続などで手当てがされていることを考えると，他の公務文書と異なる取扱いを合理化することができるかどうかは疑問であり，有力な学説からは立法論的な批判もなされている。そうしたこともあって，実務は，220条1号〜3号は，4号とは独立した規定であるとする判例の立場を前提として，3号の後半部分（法律関係文書）に基づく申立てによって4号ホを迂回する方法で対応しているのが現状である。したがって，前述したように，現行法のもとでは，一般的には3号の存在意義はほとんどないが（現行法下における3号の意義については，⇨ **7-5-5-4**(3)(e)），刑事関係文書に関する限度では，なお独立の意義があるということになる。

　このように，3号の後半部分によって対応するとしても，その前提として，

そもそも刑事関係文書が法律関係文書といえるかどうかが問題となる。最高裁の判例は，捜索差押許可状および捜索差押令状請求書の提出命令が求められた事案において，許可状は，それによって被疑者が有する憲法35条1項の権利を制約して警察官に住居の捜索などの権限を付与し，相手方にこれを受忍させるという警察と被疑者との間の法律関係を生じさせる文書であり，また，請求書は，許可状の発付を求めるために法律上作成を要することとされている文書であるから，いずれも法律関係文書に該当するとした（最決平成17・7・22民集59巻6号1837頁）。さらに，被疑者の勾留請求の資料とされた告訴状等の提出命令が求められた事案でも，同様に，国と被疑者との間の法律関係の発生に関わる文書であるから，法律関係文書に該当するとした（最決平成19・12・12民集61巻9号3400頁）。

ただし，判例は，220条3号の後半部分に該当するだけで，直ちに文書提出命令を認めるわけではない。すなわち，その文書が，刑事訴訟法47条本文にいう「訴訟に関する書類」であるときは，220条3号の後半部分に該当することに加えて，刑事訴訟法47条但書が定める「相当と認められる場合」という要件を満たす必要があるとする。そして，「相当と認められる場合」か否かの判断は，「訴訟に関する書類」の保管者が，その書類を公にする目的，必要性の有無，程度，公にすることによる被告人等の名誉等の侵害，捜査や刑事裁判が不当な影響を受ける弊害など，諸般の事情を総合的に考慮して合理的な裁量権の行使によって行うべきであるが，その裁量権の範囲を逸脱または濫用するものと裁判所が認めるときには，文書提出命令を発令することができるとする（最決平成16・5・25民集58巻5号1135頁）。すなわち，220条3号の後半部分に基づく申立てを認めつつ，文書の保管者の裁量権の逸脱や濫用についてのみ，裁判所の判断権が及ぶとするのである。こうした基準のもとに，判例は，前述した事案における捜索差押許可状（前掲最決平成17・7・22）や告訴状（前掲最決平成19・12・12）などについて，裁量権の逸脱または濫用を認めて文書提出義務を肯定した。

(5) 文書提出命令の手続

(a) 文書提出命令の申立て　文書提出命令の申立ては，①「文書の表示」，②「文書の趣旨」，③「文書の所持者」，④「証明すべき事実」，⑤「提出義務の原因」を明らかにして，書面による申立てでしなければならない（221条1

項，規140条1項）。このうち，「文書の表示」は，表題，作成日時，作成者などの情報であり，「文書の趣旨」は，文書の内容の概略である。この両者が相まって，文書を特定する機能を果たす。提出義務の原因が，220条4号に基づく場合は，さらに，書証の申出を文書提出命令の申立てによってする必要があるとの要件が付加される（221条2項）。これは，220条4号の一般義務文書については，文書と当事者の間の特別な関係を要求していないので，挙証者がほかの方法で容易に入手できる文書（登記簿謄本，公刊されている文献，文書送付嘱託による入手が可能な文書など）については，あえて文書提出命令の申立てを認めるまでの必要はない，との考え方に基づいている。

(b) **申立てにおける文書の特定** 文書提出命令を申し立てる当事者にとって，相手方または第三者が所持する「文書の表示」や「文書の趣旨」を十分に把握するのは，必ずしも容易ではない。そこで，文書の特定を求める手続（文書特定手続）が設けられている（222条）。すなわち，申立人が，文書の表示または趣旨を明らかにすることが著しく困難であるときは，その申立ての時点においては，これらの事項に代えて，文書の所持者が文書を識別することができる事項を明らかにすれば足りる。そして，申立人は，これと同時に，裁判所に対し，文書の所持者に文書の表示または趣旨を明らかにすることを求めるように，書面による申出を行わなければならない（222条1項，規140条3項）。裁判所は，この申出があれば，文書提出命令の申立てに理由がないことが明らかな場合を除き，文書の所持者に対して，文書の表示または趣旨を明らかにすることを求めることができる（222条2項）。ただし，相手方がこの求めに応じないとしても，それに対する制裁の規定はないので実効性に乏しく，文書特定手続はほとんど利用されていない。

そこで，文書提出命令の申立て時における文書の特定自体を緩和する解釈が有力に主張されている。この見解は，文書の表示および趣旨の記載の程度は，個別の文書を具体的に特定できるものである必要は必ずしもなく，所持者の側において当該文書を識別することができる情報が記載されていれば，所持者の保護としては十分であるので，カテゴリーによる特定でもよいとする。この点に関する判例として，会社の監査調書の提出が求められた事案につき，特定の会計監査に関する監査調書というのみの概括的な記載であって，個々の文書の表示および趣旨が明示されていないとしても，文書提出命令の申立ての対象文

337

書の特定として不足するところはないとの判断をしたものがある（最決平成13・2・22 判時1742号89頁）。この事件において問題となった監査調書は，法令の規定によって文書の範囲がある程度明確になるという性質のものであったので，一般的にカテゴリーによる特定を認めたものとまではいえないが，特定の緩和を指向する判例といえよう。

(c) **文書提出命令の審理と裁判**　　文書提出命令は，訴訟手続内における付随的裁判の一種である。裁判所は，文書提出命令の申立てについて，証拠として取り調べる必要があるものと判断し（181条1項），かつ，220条の提出義務があると認めるときは，決定で，所持者に対してその文書の提出を命じる（223条1項前段）。他方，証拠としての必要性がないか，または提出義務がない場合は，決定で，申立てを却下する。文書の一部について，取調べの必要がないか，または提出の義務がない場合は，その部分を除いて提出を命じる（一部提出命令）こともできる（同項後段）。文書中の氏名や職業など，一部の記載にマスキングをして見えないようにする形での提出を命ずるのも，一部提出命令の一形態として認められる（前掲最決平成13・2・22）。

　文書提出命令の相手方は，文書の不所持や提出義務の不存在などを理由として，争うことができる。具体的には，相手方が当事者の場合は，口頭弁論または弁論準備手続の中で陳述の機会が与えられる。また，相手方が第三者であって提出を命じるときは，その第三者の手続保障を確保するために，必ずその第三者を審尋しなければならない（223条2項）。こうした審理の結果に基づいて，提出命令または申立却下の決定がなされるが，いずれの裁判に対しても，即時抗告による不服申立てができる（同条7項）。ただし，証拠調べの必要性がないこと（提出義務の不存在ではなく）を理由とする申立却下に対しては，一般に証拠調べの必要性の判断は受訴裁判所の裁量であることから（181条1項），即時抗告は認められないとされる（最決平成12・3・10民集54巻3号1073頁）。

　即時抗告権を有するのは，提出命令に対しては所持者であり，申立却下に対しては申立人である。これら以外の者は，たとえ本案事件の当事者であっても，即時抗告権はないとするのが判例の立場である（最決平成12・12・14民集54巻9号2743頁）。たとえば，第三者に対する文書提出命令が出されたときに，文書を所持していない当事者がそれに異議があったとしても，即時抗告は認められない。

(d) **インカメラ手続** 裁判所は，証言拒絶事項記載文書（220条4号イ・ロ・ハ）または自己利用文書（同号ニ）の該当性を判断するときは，必要があると認めれば，「**インカメラ手続**」を用いて文書を閲読することができる（223条6項）。すなわち，文書の所持者にその文書を提示させ，必要があれば一時保管して（規141条），裁判所のみがこれを閲読し，その除外事由の該当性を判断することができる。こうして提示された文書については，当事者やその代理人といえども，開示を求めることはできない。220条4号イ～ニで保護を図った秘密の漏洩を防止しつつ，文書の記載内容を裁判所が確認し，秘密の記載の有無や程度を的確に判断できるように，裁判所だけが文書を閲読することができる制度を設けたものである。

インカメラ審理は，220条4号イ～ニの除外事由の有無の判断に限っての手続であり，本案の証拠調べの手続ではないので，裁判所がインカメラ審理で本案の心証を得たとしても，その閲読の結果を本案の証拠資料とすることはできない。したがって，インカメラ審理の結果，提出義務が認められて文書提出命令が発令されれば，改めて書証の取調べが行われることになる。ただし，インカメラ審理の結果，証拠としての必要性がないことが判明したときは，文書提出命令の申立てを却下することができるものと解すべきである。たとえ文書提出命令を発令したとしても，結局はその文書を取り調べることはないのであるから，発令することに意味がないからである。

220条1号～3号の提出義務に基づく申立てにおいては，1号～3号と4号との関係に関する判例の立場を前提とする限りは，インカメラ手続を用いることはできない。また，4号ホの除外事由についても，インカメラ手続は223条6項の明文で排除されている。4号ホの刑事関係文書に該当するかどうかは，文書の記載内容ではなく外形的な基準で類型的に判断することが可能であるので，裁判所が文書を閲読して判断する必要はないと考えられたからである。また，判例によれば，インカメラ審理は，事実認定のための審理の一環として行われるものであるので法律審で行うことはできないとされる（最決平成20・11・25民集62巻10号2507頁）。

すこし詳しく 7-23 **インカメラ手続と当事者開示**
▶インカメラ手続は，アメリカの制度を参考にして作られた非公開審理の手続である。「in camera」とは，「裁判官室で」という意味のラテ

ン語である。民訴法が規定するインカメラ手続は、裁判所だけに文書を開示する手続である。これに対し、特別法上のインカメラ手続には、当事者や代理人等にも開示を認めるものがある。たとえば、特許権侵害訴訟において、侵害行為の立証や損害の計算のために必要な書類の提出を相手方が拒むときに、書類の提出を拒む正当な理由があるかどうかを判断するために、当事者や代理人等にその書類を開示して意見を聴くことが必要であるときは、それらの者に書類を開示する形態でのインカメラ審理を行うことができる（特許105条3項）。このような規定は、特許法以外の知的財産権法（新案30条、商標39条、意匠41条、著作114条の3第3項、不正競争7条3項）などにも設けられている。これらの法律が関係する事件においては、文書に記載された事項の専門性が高いため、裁判所にとって当事者の言い分や説明を聴かずに判断することが難しい場合が多いからである。こうした当事者等に対する開示が行われたときには、その書類に含まれる営業秘密の開示により、文書の所持者の事業活動に支障や不利益が生ずるおそれが出てくる。そこで、裁判所は、必要性が疎明されれば、当事者や代理人等に対して「秘密保持命令」を発令し、開示された秘密の目的外使用等の禁止を命ずることができる（特許105条の4、新案30条、商標39条、意匠41条、著作114条の6、不正競争10条）。この秘密保持命令の違反には、懲役または罰金等の罰則がある。

(6) 文書提出命令の効果

　文書提出義務は、申立人と所持者の間の私法上の義務ではなく、所持者の裁判所に対する訴訟法上の義務であるので、文書の所持者が提出命令に従わないときでも、その提出命令を債務名義として民執法に基づく強制執行を行うことはできない。そこで、民訴法上の間接的な強制手段としての制裁が設けられている。この不提出に対する制裁は、文書の所持者が当事者である場合と第三者である場合とで異なる。

　まず、文書の所持者が当事者であるときは、裁判所は、その「文書の記載」に関する申立人の主張を真実として擬制することができる（224条1項）。所持者が、申立人の使用を妨げる目的で提出義務がある文書を滅失させるなど、その使用ができないようにしたときも、同様である（同条2項）。ただし、申立人が文書の記載を知り得ない場合には、記載内容を具体的に主張すること自体が困難である。そこで、文書の記載に関して具体的な主張をすることも、要証事実を他の証拠によって証明することも、ともに著しく困難であるときは、文書の記載に代わって、「証明すべき事実（要証事実）」に関する申立人の主張を真実として擬制することができる（同条3項）。これらの規定は、法定証拠法則を

定めたものであり，文書提出命令に従わないことを一種の証明妨害とみて，敗訴に直結することもあり得る強い制裁を定めたものである。

次に，文書の所持者が第三者であるときは，裁判所は，20万円以下の過料を科すことができる（225条1項）。ただし，国や地方公共団体が第三者としての所持者であるときは，この制裁を科すことはできない。過料は，国や地方公共団体が，私人や私法人を相手方として，科すことが予定されている制度であるからである。

7-5-5-5　文書送付嘱託

「文書送付嘱託」は，当事者が裁判所に申し立て，裁判所が，文書の所持者に文書の送付を嘱託する方法によって行われる（226条本文）。文書の所持者は，当事者からの求めだけでは提出に応じなくても，裁判所の嘱託があれば任意に提出することも多い。また，文書の所持者が提出義務を負う場合であっても，裁判所が嘱託をすれば任意の提出が期待できるときには，あえて文書提出命令によるまでもない。このようなことから，文書送付嘱託は，挙証者が文書を入手するための簡易な手続として広く用いられている。

当事者が法令によって交付を求めることができる場合は，あえて送付嘱託の手続による必要がないので，文書送付嘱託の申立ては認められない（226条但書）。たとえば，不動産登記簿の登記事項証明書（不登119条1項），商業登記簿の登記事項証明書（商登10条1項），戸籍の謄本・抄本または記載事項に関する証明書（戸10条1項・10条の2第1項・3項〜5項），特許に関する書類の謄本・抄本等（特許186条），行政機関の保有する情報の公開に関する法律（行政情報公開法）や情報公開条例に定められた場合などが，これに当たる。文書提出命令における221条2項と同趣旨である。

実務において，文書送付嘱託が申し立てられる例としては，不動産登記に関する申請書・附属書類等（登記簿そのものとは異なり謄本等の交付請求が認められていない），病院が保有するカルテ・看護日誌等，銀行が保有する銀行口座の取引履歴等，電話会社が保有する通信履歴等，税務署が保有する税務申告書および添付書類，警察が保有する実況見分調書等，会社が保有する職員の出勤簿などを対象とするものがみられる。

裁判所から送付の嘱託を受けた所持者が，嘱託に応じる法律上の義務があるかどうかについては議論がある。相手方が官公庁や公務員の場合には，嘱託に

応じる国法上の共助義務があると一般に解されている。これに対し、一般の私人については、嘱託に応じる義務はないとする見解と、訴訟法上の協力義務を負うとする見解とがある。しかし、いずれにせよ、所持者が嘱託に応じなくても、それに対する制裁や強制手段はなく、改めて文書提出命令を申し立てるなどの対応をとる必要がある。

文書送付嘱託の申立てには221条1項1号〜4号が準用されるものと一般に解されているが、強制力を伴わないことから、実務では、文書の特定などについては、文書提出命令の場合よりも緩やかに運用されている。裁判所が、当事者の申立てを認めるときは、送付嘱託の決定をし、その決定に基づいて、裁判所書記官が名義人となって送付嘱託の手続をする（規31条2項）。この送付嘱託の決定および申立てを却下する決定に対しては、独立して不服を申し立てることができない。

7-5-6 検　証

7-5-6-1　検証の意義

「**検証**」は、裁判官が視覚や聴覚などの五感の作用（五感を補助または強化するために検査機器等を利用する場合を含む）を用いて、事物の形状・性質・現象などを感得し、その得た認識を証拠資料とする証拠調べである。他の証拠調べとの大きな相違は、裁判官が、他者の認識または判断を介在させることなく、直接的に証拠方法から自己の認識を獲得する点である（証人尋問、当事者尋問、鑑定では、それらの人証の認識または判断が介在し、書証では、文書の作成者の認識または判断が介在する）。検証の対象となるものを「検証物」という。また、五感の作用で感知できるものであればよく、有体物か無体物かを問わない。検証において、証拠方法は、「検証物」であり、証拠資料は、「検証結果」である。

検証の具体的な例には、次のようなものがある。最も多いのは視覚による検証である。土地境界確定事件における現地の状況、建築瑕疵事件における建物の状態、各種事故における事故発生の現場、商標権侵害事件における商標使用の状態などの検証は、実務でもよくみられる。聴覚や嗅覚によるものとしては、工場の操業差止めや損害賠償を求める事件で、騒音や排気を調べる場合などがある。触覚や味覚による例としては、特許権侵害事件において、布地の手触りを調べたり、食品や飲料の味を調べる場合などがある。放射線、不可視光線

(赤外線や紫外線など)，超音波，超微細振動のように，人が五感で直接的に感得できない事物については，検証は検査機器等を用いて行う。

検証の対象は，他の証拠調べの対象となり得るものであってもよい。したがって，同じく文書を証拠方法とした場合でも，記載内容を対象とする証拠調べは書証であるが，文書の形状や筆跡を対象とする証拠調べは検証である。また，当事者を証拠方法とする証拠調べでも，その認識を対象とする場合には当事者尋問によるが，身体の状態を対象とする場合には検証によることになる。ちなみに，筆跡等の対照による証明を規定した229条は，書証の節に規定があるが，その性質は検証である。

7-5-6-2 検証協力義務

検証の申出に際し，申出者が自ら検証物を所持または支配していないときは，検証には文書提出命令の規定が準用されているので（232条1項による223条の準用），「**検証物提示命令**」（検証物に可動性がないときは，「**検証受忍命令**」という）の申立てをすることができる。この場合において，検証物の所持者である相手方当事者または第三者が負う義務を「検証協力義務」という。検証協力義務には，「検証物提示義務」（所持者が検証物を裁判所に提出すべき義務）と「検証受忍義務」（検証物の所在場所で検証を忍容すべき義務）とがある。

こうした検証協力義務の範囲をどのように考えるかについては，文書提出義務の規定（現行法では220条）が準用されていないことから，旧法時代から争いがあった。一定の範囲の者のみが検証協力義務を負う（限定義務）とする見解もかつてはみられたが，文書提出義務が限定義務であった旧法下でも，通説は，証人義務と同様の一般義務と解する立場であった。検証物は，文書と異なって所持者の精神生活とは関係がないうえに，現行法は，文書提出義務についてすら一般義務化したのであるから，検証協力義務を限定義務と考えるべき理由はなく，一般義務と解すべきである。

検証協力義務に対する違反に対しては，文書提出義務の違反と同様の制裁が科される。すなわち，相手方当事者が違反したときは真実擬制の制裁が（232条1項による224条の準用），第三者が違反したときは過料の制裁がある（232条2項）。相手方当事者または第三者が検証協力を拒むことができる場合（検証協力拒絶事由）についての明文規定はない。しかし，検証協力義務違反に対しては制裁があるが，この制裁を科すには，相手方が正当な理由がないにもかかわ

らず検証物提示命令に従わなかったとの状況が必要であるから，一定の「正当な理由」があれば，検証協力を拒絶することができるものと解すべきである。どのような場合が，この「正当な理由」に該当するかについては，文書提出義務の除外事由の類推によるのが妥当であろう。このような立場をとるときは，拒絶事由としての「正当な理由」に該当するかどうかの判断のために必要なときは，インカメラ手続を使うこともできるものと解すべきである（232条1項による223条6項の準用）。

7-5-6-3　検証の手続

　検証の手続は，基本的に書証に準じる（232条1項）。検証を職権で行うことは許されず（弁論主義の証拠原則），当事者の申出によってのみ実施される（釈明処分としての検証は，職権でもできる。151条1項5号参照）。検証の申出の方法としては，書証の申出に準じて，①申出者が自ら所持する検証物を提示する方法（232条1項による219条の前半部分の準用），②検証物の送付嘱託を申し立てる方法（232条1項による226条の準用），③検証物提示命令（または検証受忍命令）を申し立てる方法（232条1項による219条の後半部分・223条の準用）がある。

　当事者から検証の申出があれば，裁判所は，検証の採否を決定する。検証の実施は，検証物が裁判所に提示または送付されたときは，裁判所で行う（法廷検証）。たとえば，商標の類似性を相互して対照する検証などである。それ以外の場合は，検証物の所在地において行う（現場検証）。たとえば，境界確定訴訟における境界の現状の検証や建築瑕疵訴訟における瑕疵の状態の検証などである。いずれの場合も，裁判官が，自ら直接に検査や観察などをする。検証物について，滅失や毀損などの防止のために必要なときは，これを裁判所に留置することができる（232条1項による227条の準用）。化学分析やX線照射などが必要な場合のように，事実判断に特別の専門知識を必要とするときは，裁判所は，検証にあたって鑑定を命ずることができる（233条）。

第 8 章
訴訟要件

8-1 訴訟要件の意義
8-2 訴訟要件の種類
8-3 民事裁判権
8-4 訴えの利益
8-5 当事者適格
8-6 当事者能力
8-7 訴訟要件の調査

8-1 訴訟要件の意義

「**訴訟要件**」とは，訴えについて本案判決をするために必要とされる要件をいう。ここで，本案とは，原告が訴えによって主張する権利義務，言い換えれば，訴訟物の存否の問題を指し（「本案」の概念については，⇨ **1-2-3-4** ❶ 4)，これについての判断を示すのが，本案判決である（本案判決と訴訟判決の区別については，⇨ **9-2-3**)。訴えを提起した原告としては，裁判所に対して，請求を認容する本案判決を求め，これに対して，被告としては，請求を棄却する本案判決を求めるのが通常であるから，裁判所としては，訴訟物の存否についての実質判断を示すのが一般的である。しかし，場合によっては，受訴裁判所がそうした実質判断をする必要がなく，かえって実質判断を示すことが不適切であると考えられることもあり得る。このような場合に，訴えが本案判決をするのに値するかどうかを振り分けるのが，訴訟要件の機能である。したがって，訴えが訴訟要件を欠く場合には，裁判所は，本案についての判断を示すことなく，原則として，訴えを却下することになる（管轄権の不存在の場合には，例外的に，

345

訴え却下ではなく，移送の裁判がされることになる。⇨ **3-2-5**）。

> **TERM ㉕ 訴訟要件という名称**
> 　本文で述べたように，訴訟要件は本案判決の要件であって，訴訟の成立そのものの要件というわけではない。にもかかわらずこのような用語が用いられてきたのは，訴訟要件概念が確立された19世紀後半のドイツにおいて，当初，訴訟そのものの成立要件としてこの概念が形成されたという歴史的な事情に基づくものである。しかし，現在の理解を前提とすれば，「訴訟要件」という用語はややミスリーディングであり，「本案判決要件」といった用語の方が，より事の実質に即したものといえよう。

すこし詳しく 8-1　訴訟要件と本案の審理
　▶歴史的には，訴訟要件の審理の手続と，本案の審理の手続とを段階的に区別し，訴訟要件の充足が認められた場合にはじめて本案の審理を行う，という手続構造が採用されたこともある。しかし，現在の民訴法は，そうした段階的な区別を採用せず，訴訟要件の審理と本案の審理とを同時並行的に進めることができるものとしている。このことから，訴訟要件の存在は，本案審理のための要件ではなく，あくまで本案判決のための要件であると解するのが通説である。したがって，審理の過程において訴訟要件の存在について疑いが生じた場合であっても，以後，もっぱら訴訟要件の存否に審理を集中するかどうかについては，裁判所の訴訟指揮に委ねられ，本案の審理を続行したからといってその手続が違法となるわけではない。もっとも，審理の過程において訴訟要件の欠缺が明らかになった場合には，それが治癒される見込みがある場合を除き，もはや本案判決をする可能性はなくなるのであるから，それ以上本案審理を続けることは無意味である。したがって，この場合，裁判所の行為規範としては，直ちに本案審理を打ち切って，訴え却下等の措置をとるべきである。

8-2　訴訟要件の種類

8-2-1　概　観

　訴訟要件の具体例としては，①日本の裁判所の裁判権がその事件に及ぶこと，②裁判所の審判権の対象となること，③事件が受訴裁判所の管轄に属すること，④訴え提起や訴状の送達の受領など，訴訟係属自体を基礎づける訴訟行為が訴訟能力を有する者によってされていること（⇨ **4-3-3-5**），⑤当事者が実在する

こと（ただし，これについては，⇨ **4-1-2** § 4-2 も参照），⑥当事者が，当事者能力を有すること，⑦当事者に，事件についての当事者適格が認められること，⑧訴えの利益が認められること，⑨同一事件について別訴が係属していないこと（二重起訴の禁止。142条），⑩事件について，不起訴の合意や仲裁合意が存在しないこと（仲裁14条1項），⑪訴訟費用の担保が必要とされる場合に担保提供がされていること（78条），などが挙げられる。内容的には，(ア)裁判所に関するもの（①〜③），(イ)訴え提起の手続に関するもの（④，⑪），(ウ)当事者に関するもの（⑤〜⑦），(エ)請求の内容に関するもの（⑧〜⑩）といった整理がされることが多いが，たとえば①や②が請求の内容にも関連するように，内容上，相互に排他的な分類が可能なわけではなく，こうした整理は一応の目安にとどまる。

　これらが訴訟要件とされる趣旨はさまざまであり，裁判権の限界のような制度的な制約や，司法資源の効率的な分配といった訴訟制度運営者ないし潜在的利用者の利益に由来するものもあれば，その事件の当事者，とりわけ応訴の負担を課される被告の利益を考慮したものもある。もっとも，もっぱら被告の利益のみを考慮したものと考えられる訴訟要件は，例外的なものにとどまり，一般には，訴訟要件の多くは，公益的な考慮，すなわち，訴訟制度運営者ないし潜在的利用者の側の一般的な利益を反映したものであるといえる。とはいえ，たとえば，訴えの利益においては，紛争解決の必要性の乏しい事件に費やされる裁判所側のコストと被告側の負担とが問題となり得ることにみられるように，訴訟要件の中には，単一の観点からのみ説明することが適切でないものも少なくないし，公益性の強弱についても，訴訟要件の種類によって違いがある。そうした違いに応じて，後にみる職権調査事項と抗弁事項の区別など，同じく訴訟要件といっても，その取扱いは一様ではなく，それぞれの訴訟要件の趣旨に応じた取扱いが要請されることになる。

8-2-2　積極的訴訟要件と消極的訴訟要件

　訴訟要件のうち，その存在が本案判決の要件となるものを，**積極的訴訟要件**と呼ぶ。たとえば，上記の例のうち，②の審判権や，③受訴裁判所の管轄権，⑤当事者の実在など，多くの訴訟要件は，積極的訴訟要件であるといわれる。
　これに対して，訴訟要件の中には，その不存在が本案判決の要件となるものもある。これを，**消極的訴訟要件**または**訴訟障害**と呼ぶ。上記の例でいえば，

⑨同一の事件について既に訴訟が係属していないこと，⑩不起訴の合意等の不存在については，それぞれ，同一の事件についての別訴の係属，不起訴の合意等の存在が，それぞれ消極的訴訟要件であると表現することもできる，ということになる。

8-2-3 職権調査事項と抗弁事項

8-2-1 で述べたように，ある事項が訴訟要件とされる趣旨にはさまざまなものがあるが，その中には，訴訟制度の運営者やその潜在的利用者の利益など，当事者かぎりで処分することのできない利益に関わるものが少なくない。そのため，そうした訴訟要件については，被告がその欠缺を主張しない場合であっても，訴訟要件の欠缺が判明した場合には，裁判所が職権でそのことを考慮し，訴え却下などの措置をとる必要があるし，裁判所としては，訴訟要件の存在につき疑いがある場合には，職権でその存否を調査すべきであると考えられる（調査の手続や判断資料の収集方法については，⇨ **8-7**）。このように，当事者の主張を待つことなく，裁判所が職権でその存否を調査すべき事項を，**職権調査事項**と呼ぶ（関連する用語との関係につき，⇨ **7-1-3-1** ❶ 17）。訴訟要件の多くは，職権調査事項に当たると解されている。たとえば，**8-2-1** で挙げた例のうち，①〜⑨は，いずれも，職権調査事項とされる。

これに対して，訴訟要件のうち，被告からの主張を待ってはじめてその存否を問題とすべき事項を，**抗弁事項**と呼ぶ。上記各例のうち，⑩で挙げた仲裁合意の存在については，抗弁事項とする趣旨の明文規定がある（仲裁 14 条 1 項本文）。不起訴の合意の存在についても，同様に，抗弁事項と解されている。また，⑪担保不提供についても，被告の申立てを待ってはじめて担保提供が命じられることから（75 条 1 項），抗弁事項と説明するのが一般的である。これらの事項が抗弁事項とされるのは，それが，もっぱら被告の利益保護のために訴訟要件とされていることによるものである。

なお，たとえば，上記⑨同一事件についての別訴の係属は，消極的訴訟要件ではあるが，抗弁事項だというわけではない。このように，消極的訴訟要件と抗弁事項とでは，その概念内容が異なることに注意が必要である。

> **TERM ㉖ 妨訴抗弁**
>
> 被告が本案の弁論を拒絶することができる事由を，妨訴抗弁と呼ぶ。たとえば，担保提供命令の申立てをした被告は，原告が担保を立てるまでの間，本案の弁論を拒絶することができるものとされるから（75条4項），担保提供命令の申立ては，妨訴抗弁を構成するといえる。また，仲裁合意については，75条4項のような明文規定はないが（仲裁法14条1項は，仲裁合意がある場合には，被告の申立てにより訴えを却下しなければならないとしている），被告が仲裁合意の存在を主張しているにもかかわらず，裁判所がこれを無視して本案審理を進めることには，仲裁合意の趣旨からみて問題があることから，やはり，本案の弁論を拒絶できるという意味における妨訴抗弁と解されている。また，同様の考慮は不起訴の合意についても妥当する。このように，妨訴抗弁は本案の弁論の可否を問題とし，訴訟要件は本案判決の可否を問題とする点で，両者は異なる観点に基づく概念である。

8-3 民事裁判権

8-3-1 民事裁判権の意義

　裁判手続を実施し，裁判手続上の各種の義務を当事者その他の者に課したり，それらの者を判決その他の裁判所の裁判の効果に服させるのは，わが国の国家権力の行使の一環である。このように，民事訴訟を処理するために行使される国家権力を，**民事裁判権**と呼ぶ。わが国の憲法上，民事裁判権は，司法権（憲76条1項）の一内容として，裁判所の権限とされている（裁3条1項）。事件の当事者および請求についてわが国の裁判所の民事裁判権が及ぶことは，有効な本案判決をして事件を解決するための大前提であるから，訴訟要件の1つとされる。したがって，ある事件についてわが国の民事裁判権が及ばないものとされる場合には，裁判所は訴えを却下しなければならない。

　わが国の裁判所の民事裁判権の範囲は，一方で，主として渉外的要素を含む事件において，他の主権国家との関係での制約を受けるとともに，他方で，権力分立などの憲法上の諸価値との関係で，制約を受ける。また，制約の内容という点では，主として被告が誰であるかという人的な側面に着目して裁判権の行使が制約される場合と，事件の内容という物的な側面に着目して裁判権の行使が制約される場合とがある。前者を，**民事裁判権の対人的制約**または**民事裁**

判権の免除，後者を**民事裁判権の対物的制約**と呼ぶ。また，対物的制約のうち，他の主権国家との関係における民事裁判権の限界を画するのが，**国際裁判管轄**であり，国内の憲法上の要請に基づくものが，一般に，**審判権の限界**と呼ばれる問題である。

民事裁判権は，わが国の裁判所が全体として有する権能を意味することから，抽象的管轄権と呼ばれることもある。これに対して，**3-2**で述べた管轄の問題は，わが国の裁判所が事件について民事裁判権を有することを前提とした場合に，具体的な裁判所のうちいずれがそれを行使する権限を有するか，という権限分配の問題であり，両者は，その性質を異にしている（国際裁判管轄と一般の管轄の違いについては，⇨ **8-3-3-1** ❶ 27）。

8-3-2 民事裁判権の対人的制約

8-3-2-1 民事裁判権の対人的範囲に関する原則

一般に，わが国の裁判所の民事裁判権は，日本国内にいるすべての人に及ぶのが原則であるとされる。これは，わが国の国家としての領域主権の帰結である。もっとも，このことは，原告または被告が外国に所在するからといって，直ちにそれらの者がわが国の民事訴訟における当事者になることができないということを意味するわけではない。ある者に対して判決をすることは，それ自体としては権利義務を観念的に確定するにとどまり，その限りでは，名宛人の現実の所在地を問題にする必要はないからである。名宛人の所在は，強制執行その他の現実的な実力行使の局面ではじめて問題となるにすぎない。したがって，事件について **8-3-3** で述べる国際裁判管轄が認められる限り，原告または被告の国籍や所在地は，民事裁判権の行使にとって妨げとはならない。その意味で，わが国の民訴法上当事者能力を認められる法主体であれば，原則としてすべての者がわが国の裁判所の民事裁判権の対象となるということができる。

もっとも，こうした原則に対しては，以下で述べるように，いくつかの例外が存在し，一定の者については，その人的な属性に基づいて，その者に対する裁判権の行使が制限される場合がある。これを，**民事裁判権の免除**と呼ぶ。従来，民事裁判権の免除が議論されてきた場合として，天皇，外国国家，外国元首，外交官等がある。

8-3-2-2 天　　皇

　天皇についても，民事裁判権が及ぶとする見解が学説上は有力であるが，判例は，その日本国および日本国民統合の象徴としての地位から，民事裁判権は及ばないとしている（最判平成元・11・20民集43巻10号1160頁）。たしかに，天皇を証人尋問や当事者尋問の対象とすることは，その憲法上の地位と相容れない面があろう。しかし，天皇も私法上の権利義務の主体になり得ることを前提とすれば，およそ当事者として判決の名宛人となることまで否定する必要はない。

8-3-2-3 外 国 国 家

　外国国家を被告とする訴訟において法廷地国がその裁判権を行使することができるかどうかについては，国際法上の原則として，伝統的に，外国国家は，その国家自身による同意がないかぎり，原則として裁判権に服しないものとする考え方（**絶対免除主義**）が説かれてきた（大決昭和3・12・28民集7巻1128頁参照）。しかし，近年では，国家の行為を主権的行為と私法的ないし業務管理的行為とに分類し，前者との関係では裁判権が免除されるが，後者との関係では免除されないとする考え方（**制限免除主義**）が国際的に有力となっていた。そうした中，2004年には，この考え方を基調とする「国及びその財産の裁判権からの免除に関する国際連合条約」が採択されるに至り，日本においても，判例が制限免除主義を採用したのに続いて（最判平成14・4・12民集56巻4号729頁，最判平成18・7・21民集60巻6号2542頁），2009年に，国連条約に依拠した「外国等に対する我が国の民事裁判権に関する法律」（外国裁判権法）が制定されたことにより，制限免除主義が立法として採用されている。

　したがって，現在では，主権免除の問題は，外国裁判権法の規定に従って処理されることになる。同法によれば，外国国家は，原則としてわが国の民事裁判権から免除されるが（外国裁判権4条），外国国家の同意等がある場合のほか（同5条～7条），外国国家のした商業的取引に関する訴訟（同8条）や，外国国家と個人との労働契約に関する訴訟（同9条）などにおいては，例外として，民事裁判権の免除を受けない場合がある。また，同法では，外国国家に対する送達の方法に関しても，規定が設けられている（同20条）。

　このように，現在では，被告が外国国家であるというだけで無条件に免除が認められるわけではなく，むしろ，請求の内容に照らして免除の可否が決せら

第8章　訴訟要件

れることとなる。その意味で，この問題は，後述する国際裁判管轄の問題と連続的なものになりつつあるともいえる。

8-3-2-4　外国元首，外交官等

　国際法上，外国元首や外交官，領事等について免除特権が認められることから，これらの者に対しても，民事裁判権の免除が認められる。これらの者に対する裁判権免除については，国際慣習法の規律に従うほか，外交官の免除については，「外交関係に関するウィーン条約」，領事の免除については，「領事関係に関するウィーン条約」によって，免除の主体，範囲等がそれぞれ規定されている。また，日米地位協定など，二国間条約が存在する場合には，その規律に従うこととなる。

8-3-3　国際裁判管轄

8-3-3-1　国際裁判管轄の意義

　当事者について **8-3-2** で述べたような裁判権免除が認められない場合であっても，事件がその内容に照らしてわが国と何の関連性も認められない場合には，その事件においてわが国の裁判所の民事裁判権を行使することは，正当化されない。したがって，民事裁判権の行使は，事件がわが国との間に一定の関連性を有する場合に限って認められる。こうした観点から，他の主権国家との関係においてわが国の裁判所の民事裁判権の限界を画するのが，**国際裁判管轄**である。国際裁判管轄の問題の理論的な位置付けについては議論があるが，基本的には，国際法上認められる国家管轄権の限界の範囲内で（憲98条2項参照），わが国の司法政策に基づく国内法上の問題として取り扱われるものである。

> **TERM ㉗　国際裁判管轄と一般の管轄**
> 　国際裁判管轄には，「管轄」という表現が用いられているが，**8-3-1** で述べたように，わが国の裁判所が総体として有する権限を問題とするものである点で，一般に「管轄」の問題として取り扱われる国内の裁判所の権限分配の問題とは，その性質を異にする。両者とも，訴訟要件の1つである点は共通するが，このような性質の違いに対応して，その取扱いには違いがある。たとえば，管轄権の欠缺が判明した場合の取扱いについては，国内の管轄違いの場合には移送による処理が予定されている（16条）のに対して，国際裁判管轄が否定される場合には，訴えが却下されることとなる（3条の9の規定による却下は，その一例である）。

8-3-3-2　国際裁判管轄に関する立法の経緯

国際裁判管轄の決定基準については，従来，明文の定めがなかったため，もっぱら判例法理に委ねられてきたが，財産関係事件については 2011 年の民訴法の改正により（3 条の 2〜3 条の 12 までの新設），また，身分関係事件については 2018 年の人訴法改正により（人訴 3 条の 2〜3 条の 5 の新設），立法的な解決が図られることになった。

従来の判例法理は，国際裁判管轄の有無は，当事者間の公平，裁判の適正・迅速を期するという理念により条理に従って決定すべきであるとしつつ，①民訴法の国内の土地管轄に関する規定に基づく裁判籍が日本国内に存在する場合には，わが国の国際裁判管轄が認められる，とするとともに（マレーシア航空事件。最判昭和 56・10・16 民集 35 巻 7 号 1224 頁），②その例外として，わが国で裁判を行うことが当事者間の公平，裁判の適正・迅速を期するという理念に反する特段の事情があると認められる場合には，わが国の国際裁判管轄が否定される（最判平成 9・11・11 民集 51 巻 10 号 4055 頁）とするものであった。こうした判断枠組みのもとでは，特段の事情の認定における実質的な利害の調整が大きな役割を果たすこととなるが，このことは，柔軟な処理を可能とする反面，判断に不安定さを残す部分も存在した。2011 年の民訴法改正は，こうした従来の判例の展開を踏まえつつ，判断基準の具体化・明確化を図ったものである。

これらの国際裁判管轄に関する規定は，国内管轄に関する規定と体裁，内容ともに共通する部分も多いが，事物管轄のように，もっぱら国内の裁判所間の事務分配に関係する規律が存在しないことに加えて，そもそもわが国の裁判所において裁判を受けることができるかどうかという問題に関わり，当事者に与える影響も，国内管轄よりも重大なものとなることなどを考慮して，国内管轄の場合と異なる規定も少なくない。以下では，国内管轄と共通の規律については **3-2** における説明に委ね，財産関係事件における国際裁判管轄に特有の規律のうち，主要なものを概観する。

8-3-3-3　管 轄 原 因

まず，管轄原因については，被告の住所等による一般的な管轄原因（3 条の 2。普通裁判籍に対応する）のほか，事件の内容に応じた特別の管轄原因（特別裁判籍に対応する）が設けられている（3 条の 3）のは，国内管轄と同様であるが，①国内管轄では財産権上の訴えについて一般的に認められる義務履行地の管轄

(5条1号参照)は，契約上の債務の履行地が日本国内にある場合に限って認められること（3条の3第1号），②不法行為地の管轄（5条9号参照）が，外国で行われた加害行為の結果が日本国内で発生することが通常予見できないものであった場合には排除されること（3条の3第8号かっこ書）などの違いがある。これらは，いずれも，当事者の予見可能性を国内管轄の場合よりも重視する必要があることによるものである。

　また，③3条の2または3条の3の規定による管轄が認められない場合であっても，消費者契約に関して消費者が事業者を訴える訴えや，労働関係に関して労働者が事業主を訴える訴えについては，消費者の住所地または労働者の労務の提供地が日本国内にあるときは，日本の裁判所の国際裁判管轄が認められる（3条の4）。消費者や労働者にとって，外国での訴え提起の負担が大きいのに対して，日本で事業を行う事業者や事業主にとっては，日本での応訴を求められても過大な負担を課すものとはいえないことによる。逆に，④事業者が消費者を訴える場合や，事業主が労働者を訴える場合には，3条の3に基づく特別管轄の規定の適用が除外される（3条の4第3項）。したがって，これらの訴えについては，消費者または労働者の住所等が日本国内にあるか（3条の2），合意管轄（3条の7第5項・6項）または応訴管轄（3条の8）が認められる場合に限り，日本の裁判所の国際裁判管轄が認められる。

　さらに，⑤国内管轄においては，併合請求による管轄が広く認められているのに対して（7条），国際裁判管轄の場合には，請求相互間に密接な関連がある場合に限って認められている（3条の6）。

8-3-3-4　その他の規律

　以上の管轄原因に関する規律のほか，⑥管轄合意の効果について国際裁判管轄独自の限定が課せられ（3条の7第4項），とりわけ，将来の消費者契約関係紛争や個別労働関係紛争に関する管轄合意の効果が一定の場合に限って認められること（同条5項・6項），⑦会社関係訴訟や知的財産関係訴訟に関して，一定の場合にはわが国の裁判所の専属的国際裁判管轄が規定されていること（3条の5），⑧国内管轄における裁量移送の規定（17条）に対応するが，日本の裁判所の国際裁判管轄の原因が認められる場合であっても，事案の性質や被告の応訴負担等の事情を考慮して，日本の裁判所が審理および裁判をすることが当事者間の衡平を害したり，適正・迅速な審理の妨げとなるような特別の事情が

あるときは，訴えを却下できるものとされていることも（3条の9），国際裁判管轄に特有の規律である。

8-3-4 審判権の限界

8-3-4-1 審判権の限界の意義

8-3-1で述べたように，わが国の裁判所の裁判権は，憲法上，司法権の内容として裁判所に与えられた権限の範囲によって限界づけられている。したがって，他の主権国家との関係でわが国の国家管轄権が認められる事件であったとしても，そのことから直ちにその事件に対する民事裁判権の行使が認められるわけではない。このように，他の主権国家との関係ではなく，わが国の憲法内在的な考慮に基づいて画された司法権の限界に由来する民事裁判権の限界を，**審判権の限界**と呼ぶ。

審判権の限界を画するにあたっては，まず，立法権や行政権との対比において，司法権とはどのような作用を内容とするものかを検討する必要がある。そのうえで，この点と相互に重なり合う部分もあるが，立法権や行政権との権力分立の観点からの制約や，信教の自由その他憲法上認められた諸価値の尊重からくる制約（**8-3-2-2**で述べた天皇に対する裁判権免除の可否の問題も，この文脈に位置付けることが可能である）など，さまざまな要素が考慮されることになる。

8-3-4-2 法律上の争訟性

(1) 概　観

司法権の内容については，一般に，具体的な争訟について，法を適用し，宣言することによって，これを裁定する国家の作用である，といった定義がされる。これには，民事訴訟（行政訴訟を含む），刑事訴訟の裁判をする権限が含まれ，裁判所法は，このことを，一切の**法律上の争訟**を裁判する権限と表現している（裁3条1項）。したがって，法律に別段の定めがないかぎり，法律上の争訟に該当しない事件については，裁判所の審判権は認められず，裁判所は，訴えを却下しなければならない。

判例によれば，法律上の争訟とは，①当事者間の具体的な権利義務ないし法律関係の存否に関する紛争であって，②法令の適用によって終局的に解決できるものでなければならない（最判昭和28・11・17行裁集4巻11号2760頁）。したがって，当事者間の具体的な権利義務ないし法律関係とは無関係に，抽象的に

355

法令の解釈や有効性について争うことは、①の要件を欠き、審判権の対象とならない（最大判昭和27・10・8民集6巻9号783頁）。また、単なる事実の存否や、学問上の見解の当否などについての争いは、②の要件を欠くことから、法律上の争訟に当たらないとされる。

(2) **宗教問題に関する紛争**

民事訴訟との関係で法律上の争訟性の有無がしばしば争われる場合として、宗教上の地位の存否や、ある宗教の教義の解釈が争われる事案がある。このような場合には、①宗教上の事項については、裁判所が当否を判断することが困難であって、法令の適用によって終局的な解決ができるとはいえず、法律上の争訟に該当しないのではないか、②仮に鑑定などの制度を利用することによって、宗教上の事項について一応の判断をすることが可能であるとしても、教義についての争いについて、国家機関である裁判所が紛争当事者の一方の解釈を正当なものと判断することは、憲法上保障される信教の自由（憲20条）との関係で、許されないのではないか、③宗教上の事項について、関係する宗教団体が一定の決定を行っている場合に、裁判所がその当否を審査するのは、その宗教団体の自律権を侵害することになるのではないか、といった問題があり、裁判所の審判権が及ぶかどうかについて、疑問が生じるのである。

この問題については、多くの裁判例が存在するが、その基本的な立場は、次のように整理することができる。すなわち、第1に、住職の地位の確認を求めるなど、宗教上の地位そのものを訴訟物とした訴えは、不適法とされる（最判昭和44・7・10民集23巻8号1423頁、最判昭和55・1・11民集34巻1号1頁）。宗教上の地位は法律上の地位ではなく、具体的な権利義務ないし法律関係に関する紛争とはいえないことから、確認の訴えの対象としての適格を欠くとされるのである（理論的には、法律上の争訟性を欠くと解される。⇨**8-4-4**）。第2に、訴訟物自体は具体的な権利義務ないし法律関係に関する紛争の形式をとっていても、その前提問題として教義、信仰の内容に立ち入った判断が不可欠となる場合には、教義、信仰の内容について裁判所は審判権を有しない以上、当該訴訟は、その実質において、裁判所が法令の適用によって終局的な解決をすることができないものとして、法律上の争訟性を欠くものとされる（最判平成元・9・8民集43巻8号889頁、最判平成5・9・7民集47巻7号4667頁等）。

しかし、こうした判例の立場、とりわけ、上記第2の場合における訴え却下

の取扱いの当否については，最高裁判所内部でも意見の対立が存在するほか（前掲最判平成5・9・7における反対意見参照），学説上も，有力な批判が存在する。そうした見解は，このような場合においても，具体的な権利義務ないし法律関係についての紛争についての解決が裁判所に委ねられている以上，裁判所としてはできる限り本案判決をして当事者の権利や法律上の地位を保護すべきであるとして，法律上の争訟性を肯定しようとするものである。

もっとも，具体的にどのような形で本案判決を行うかについては，見解が分かれている。現在有力な見解としては，①宗教上の事項について判断ができないために，ある要件事実の存否が判断できない場合には，その要件事実の存否が真偽不明であることに帰着するとして，主張・立証責任の分配に従った処理を行う，とする見解，②宗教上の事項そのものについての判断を裁判所がすることは許されないので，その事項について団体内部で自律的な決定がされている場合には，裁判所としてもそれを尊重するものとし，結果として，宗教上の事項そのものを証明主題とするのではなく，その事項に関する団体内部の自律的決定の有無を証明主題とすることによって本案判決を可能にする，といったものがある。

また，裁判例の内部においても，上記の基本的な立場を前提としながら，団体内部の紛争と対外的な紛争とを区別したり（最判平成11・9・28判タ1014号174頁など），宗教問題を争点化することを権利濫用ないし信義則違反として排除するといった方法（東京地判平成21・12・18判タ1322号259頁参照）によって，訴え却下となる場合を限定しようとする考え方の萌芽がみられる。

> **すこし詳しく 8-2　宗教紛争をめぐる理論的課題**
>
> ▶本文に述べたように，学説は，宗教上の事項が問題となる場合にも本案判決をする可能性を模索しているが，これらの見解についても，問題がないわけではない。まず，本文中の①の見解に対しては，証明責任を負う当事者を敗訴させるために宗教上の事項を争点化するという訴訟戦術を助長するのではないか，また，そのような結果を避けようとすれば，宗教の教義とは切り離した形での宗教団体の規約の設定や運営が必要となるが，それは，教義に従った形での宗教団体の活動をかえって阻害するのではないか，といった指摘がある。②の見解に対しても，団体内部で多数派と少数派とが対立している場合に，多数派を常に勝たせることは，少数派の側の信教の自由の観点からは正当化が難しいのではないか，また，団体自身が宗教上の教義に関連する形で代表者の資格や懲戒事由などを定めて運営しているのにもかかわらず，証明主

第8章 訴訟要件

題を団体内部の手続や構成員多数の認識などに変更することは，かえって団体の自律的決定を損なうことにはならないのか，といった問題が存在する。このように，いずれの見解についても問題がないわけではないが，この種の紛争においても本案判決の必要性が高いことを考えれば，相対的に問題の少ない②の見解を支持すべきであろう。

8-3-4-3 審判権に対するその他の制約

事件が **8-3-4-2** で挙げた法律上の争訟性の要件を形式的には満たすようにみえる場合であっても，さまざまな考慮から審判権に対する制約が議論される場合がある。

まず，①権力分立などの観点から，憲法上明文で裁判所以外の機関による裁判が定められている場合として，議員の資格争訟の裁判（憲55条）や，裁判官の弾劾裁判（同64条）が挙げられる。一般に，これらの事件については，裁判所に訴えを提起したとしても，審判権が及ばないものとして却下すべきであると解されている。

また，②明文の規定によるものではないが，判例は，法律上の係争がすべて法律上の争訟に含まれるわけではなく，地方議会における懲罰決議の有効性や，大学による単位認定の当否などについては，団体の自律権を尊重する観点から，司法審査の対象から除外されるとして，これらの確認を求める訴えを不適法とする（最大判昭和35・10・19民集14巻12号2633頁，最判昭和52・3・15民集31巻2号234頁）。これに対して，これらの団体の決定であっても，議員の除名処分や，大学の修了認定については，一般市民法秩序に関わる問題であるとして，司法審査の対象となるとされる（最大判昭和35・3・9民集14巻3号355頁，最判昭和52・3・15民集31巻2号280頁）。もっとも，いわゆる部分社会の法理と呼ばれるこうした判例の立場に対しては，団体ごとの性質の違いを捨象し，形式的に審判権の対象を限定するものとして，批判が多い。なお，判例は，政党の自律権の問題については，次に述べる③の場合と同様に，団体の自律的決定を尊重しつつ，本案判決をするという処理をしている（最判昭和63・12・20判時1307号113頁）。

さらに，類似の問題として，③判例は，たとえば安全保障条約の締結や，衆議院の解散など，きわめて政治性の高い国家行為に関しては，その合憲性や適法性は，裁判所の審査の対象とならないとする（いわゆる統治行為論。最大判昭

和 34・12・16 刑集 13 巻 13 号 3225 頁，最大判昭和 35・6・8 民集 14 巻 7 号 1206 頁）。もっとも，この場合には，事件そのものが法律上の争訟に当たらないとして訴え却下の処理がされるわけではなく，内閣や議会などの判断を尊重する形での本案判決がされるという点で，これまで述べてきた審判権の限界の問題の処理とは，異なっている。

8-4　訴えの利益

8-4-1　訴えの利益の意義

8-4-1-1　訴えの利益の必要性

　ある訴えが提起された場合，原告としては，その訴えに応じた請求認容判決を得ることについて，何らかの利益を感じているのが当然である。しかし，訴訟制度を利用して裁判所の判断を受けることは，その手続への関与を強いられる被告や，その事件のための司法資源の投入を余儀なくされる訴訟制度運営者や他の利用者の負担のうえに成り立つものである。したがって，その利益の内容が，そうした負担に見合うものとはいえないような場合にまで，その訴えについて本案判決をすることは，訴訟制度の利用のあり方として適切でない。そのため，ある訴えについて，実質判断をして本案判決をするためには，その訴えについて本案判決をすることが合理的にみて必要であるといえなければならない。このように，ある訴えについて，本案判決をすることの必要性ないし正当性が認められるかどうかを画する概念が，**訴えの利益**である。

　訴えの利益の内容の詳細については，以下で述べることになるが，総じていえば，請求の内容や原告の地位，被告の行動に照らして，本案判決をすることによって解決すべき紛争が現に存在する場合に，認められるということができる。訴えの利益が認められない場合，裁判所としては，本案判決をすることなく訴えを却下すべきである（なお，本案要件との審理順序の問題については，⇨ **8-7-3**）。したがって，訴えの利益は，訴訟要件の 1 つとして位置付けられる。

> **すこし詳しく 8-3**　訴えの利益概念の沿革
> ▶かつてのローマ法や英米のコモン・ロー訴訟においては，訴えによって主張できる請求が訴権という形であらかじめ具体的に特定され，限

定されており，それらに該当しない訴えは認められなかった。そうした制度のもとでは，訴えが内容的にみて適法かどうかは，その訴えがそれらの訴権に当てはまるかどうかによって個別に判断すれば足り，訴えの利益を一般的な訴訟要件として観念する必要はなかった（**8-4-5**で述べるように，今日でも，形成の訴えの利益に関しては，類似の事情が存在する）。訴えの利益という概念が形成されたのは，そうした制約が消失し，請求の内容が広く原告の自由に委ねられるようになったこと，とりわけ，19世紀後半のドイツにおいて，確認の訴えが訴訟類型として確立されたことに伴い，本案判決に値する訴えを選別する必要性が顕在化したことによる。

8-4-1-2 訴えの利益の概念

一般に，ある訴えについて本案判決の必要性が認められるかについては，その訴えによって定立された請求がどのようなものであるかという客体の面と，その訴えによって原告および被告とされている当事者がどのような地位にある者かという主体の面の両面から判断される。広義においては，これら両者を含めて訴えの利益と呼ぶが，狭義においては，前者の客体面の問題のみを訴えの利益と呼び，後者の主体面については，当事者適格と呼ぶ。当事者適格については，**8-5**で後述する。

狭義の訴えの利益については，伝統的に，請求の内容がそれ自体として訴えによって主張されるのに適したものかどうかという問題（**請求適格**ないし**権利保護の資格**）と，これが満たされることを前提としつつ，原告がその請求について判決を求める現実的な必要性が認められるかどうかという問題（**権利保護の利益または必要**）とが区別され，後者の問題が，**最狭義の訴えの利益**と呼ばれてきた。もっとも，これらのうち，権利保護の資格は，請求の内容そのものが裁判所による処理に適したものかどうかを問題にするものであるから，理論的には，**8-3-4**で述べた審判権の限界，言い換えれば，憲法上の司法権の限界として論ずべき問題である。したがって，狭義の訴えの利益としては，もっぱら権利保護の利益または必要が問題となる。

8-4-2 各種の訴えに共通する訴えの利益

訴えの利益は，あらゆる類型の訴えについて問題となるものであるが，問題の現れ方は，訴えの類型によって異なる。以下では，まず，各種の訴えに共通する訴えの利益について述べたうえで，給付，確認，形成の各訴え類型に特有

の問題について触れる。

　訴えの利益に関して，各種の訴えに共通して問題となる点としては，伝統的には，①請求が具体的な権利または法律関係に関するものであること，②訴え提起が禁止されている場合（142条・262条2項・345条3項，人訴25条等）に当たらないこと，③不起訴の合意や，提訴後にされた訴え取下げの合意がないこと，④仲裁合意がないこと（仲裁14条1項），⑤同一請求について，原告勝訴の確定判決がないことなどが挙げられてきた。

　しかし，これらのうち，①については，前述した法律上の争訟性の問題（⇨ **8-3-4-2**）として論じられるべき問題である。また，②については，端的に訴え提起を禁止する各規定の効果として，④についても，法律の規定または仲裁合意そのものの効果として説明すれば足り，あえて訴えの利益概念を介在させる必要はない。そのため，これらについては，訴えの利益とは別個の訴訟要件として説明する考え方が，近年では多数となっている。

　また，③については，これらの合意は，それ自体としては訴訟法上の効果を生じるものではないが，合意存在の結果として訴えの利益が消滅する，と解するのが判例および伝統的な通説の立場である。しかし，近年では，これらの合意に端的に訴訟法上の効果を認めるべきであるとの見解も有力であり（⇨ **10-1-3-3**），それに従えば，訴えの利益の問題ではないことになる。

　以上に対して，⑤については，既判力の効果を一事不再理と考える見解に立てば，訴えの利益の問題ではなく，既判力の効果として説明されることになるが，既判力を後訴裁判所に対する内容上の拘束力と考える通説的な理解に従えば（⇨ **9-6-2**），既に勝訴判決を得ている者が再度同一の訴えを提起することが妨げられるのは，再訴が訴えの利益を欠くことによって説明されることになる。もっとも，この点に関しては，例外的に再訴が認められる場合も存在するが，とりわけ給付の訴えに関して論じられることが多いため，それについては **8-4-3-1** で述べる。

8-4-3 給付の訴えの利益

8-4-3-1 現在給付の訴えの利益

(1) 原　　則

現在給付の訴えは，現在の給付請求権，すなわち，事実審の口頭弁論終結時

までに期限の到来した無条件の給付請求権を訴訟物として，給付判決を求める訴えである（⇨ **2-1-2-1**）。したがって，その請求の内容は，判決による確定に適したものといえるし，現に給付請求権があるにもかかわらずそれが履行されていないという状況は，それだけで訴訟によって解決すべき紛争の存在を示すものといえるから，原則として，訴えの利益が認められる。このことは，原告が訴え提起前に被告に義務履行の催告をしたかどうか，被告が給付義務の存在を争っているかどうか，被告に任意履行の意思があるかどうかといった点には関わらない。したがって，訴えを提起された被告が請求原因事実をすべて認めて抗弁事実を主張しない場合や，請求を認諾するような場合でも，訴えの利益が否定されることはない。

もっとも，現在給付の訴えであっても，訴えの利益の存否が議論される場面として，既に確定した給付判決がある場合や，強制執行が法律上または事実上不可能である場合が挙げられる。

(2) 確定した給付判決の存在

訴えによって主張された請求権について既に確定した給付判決が存在する場合には，原則として訴えの利益は否定される。既存の確定給付判決によって，請求権の存在は既に確定されているし，強制執行も可能であるため，再度給付判決を得る必要は認められないからである。また，原告が給付条項を含む和解調書（267条）や調停調書（民調16条，家事268条1項）を有する場合においても，訴訟上の和解や民事調停・家事調停の調書に既判力を肯定する見解に立つ場合には（⇨ **10-2-4**），同様の帰結となる。

これに対して，①判決原本が滅失して執行正本が得られず，その判決による強制執行が不可能な場合には，訴えの利益が認められる。また，②時効の完成猶予のために訴え提起が必要な場合にも，再度の給付の訴えの利益が認められるとするのが判例である（大判昭和6・11・24民集10巻1096頁）。もっとも，これらのうち，②の場合については，時効の完成猶予のためには確認判決を得れば十分であるし，再び給付判決をして債務名義を二重に取得させることには弊害もあることから，疑問がある。

また，類似の問題として，③原告が，執行証書（民執22条5号）のように既判力のない債務名義を有する場合についても，請求権の存在を既判力によって確定する利益があるから，現在給付の訴えの利益が肯定される。

(3) 強制執行の可能性

給付の訴えは、執行力のある給付判決を求める点に確認の訴えとの違いがあり、強制執行を可能にする点に特色がある。そのため、強制執行が法律上または事実上不可能である場合にも、給付の訴えの利益が認められるかどうかが議論される。

判例および通説は、現在給付の訴えの利益が認められるためには、現在の請求権が主張されていれば足り、強制執行による満足が可能であることは必要でないとする立場に立っている。具体的には、たとえば、①最終登記名義人に対する抹消登記手続請求が棄却されたため、前名義人に対する所有権移転登記の抹消登記の実行が不可能な場合のように、広義の執行が不可能な場合においても、訴えの利益は失われない（最判昭和41・3・18民集20巻3号464頁）。また、②請求権について不執行の合意があり、強制執行が許されないことが認定された場合でも、裁判所は、請求を認容したうえで、強制執行の不許を判決主文において明らかにすべきであるとされる（最判平成5・11・11民集47巻9号5255頁）。さらに、③訴訟物である請求権に対して仮差押えの執行がされていても、仮差押債務者は、その請求権について給付の訴えを提起し、無条件の給付判決を得ることができ（最判昭和48・3・13民集27巻2号344頁）、この趣旨は、差押えの場合にも及ぶものと解されている。

8-4-3-2　将来給付の訴えの利益

(1) 将来給付の訴えの利益の意義

将来給付の訴えは、事実審の口頭弁論終結時においてなお履行すべき状態にない請求権について、あらかじめ給付判決を求める訴えである（⇨ **2-1-2-1**）。将来給付の訴えは、あらかじめその請求をする必要がある場合に限り、提起することができる（135条）。このことは、将来給付の訴えの利益が、現時点であらかじめ請求をする必要があるという特別な事情がある場合に限って認められることを意味している。既に期限の到来した給付請求権が問題となり、その不履行をもって直ちに解決すべき紛争の存在を想定できる現在給付の訴えの場合と異なり、将来給付の訴えの場合には、現に履行すべき状態にはなく、現段階における給付義務の未履行そのものは当然の事態にすぎないから、現に解決すべき紛争が存在するといえるためには、上記のような付加的な事情が要求されるのである。

(2) 考慮要素

　将来給付の訴えの利益が認められるかどうかについては、大きくいって、①原告の主張する給付請求権の内容が現実化する蓋然性が十分に認められるか、②その請求権について、現時点で給付判決をしておくべき必要性が認められるか、という2つの観点からの検討が必要である。

　以上のうち、①のような観点が問題となるのは、給付請求権の現実化の可能性やその内容が将来の事情に依存して流動的であり、現時点においてはなお判断できないにもかかわらず給付判決をすることには、将来の流動的な事情の予測という点で困難があるし、将来事情変更があった場合に、債務者の側に請求異議の訴えの提起という負担を課すことになるが、それが正当化できるかどうかという問題があるからである。

　こうした観点からみた場合、請求権の内容が既に確定しており、期限の到来や条件の成就にかかっているにすぎないといった事情は、将来給付の訴えの利益を認める方向に作用するが、条件成就の可能性が著しく低いというような事情は、将来給付の訴えの利益を否定する方向に作用することになる。これらの点は、とりわけ将来の不法行為に基づく損害賠償請求の場合に問題となる。この場合には、不法行為そのものは将来にはじめて成立するものであり、その態様や損害の範囲、損害額などについてはその時点ではじめて確定するという点で、通常の期限付請求権や条件付請求権とは異なるためである（この問題に関する判例については、(3)を参照）。

　次に、②の観点については、将来給付判決をする必要性がとくに高い場合として、以下の3つが挙げられる。

　第1は、給付義務の性質上、義務が現実化したときに直ちに履行される必要がある場合である。具体的には、一定の日時に履行されることが債務の本質的な内容を構成する定期行為（民542条1項4号）の場合や、義務の履行遅滞により原告が著しい損害を被る場合が挙げられる。前者の例としては、ウエディングケーキの注文や、開催日時を決定・通知済みである株主総会の会場利用契約などが、後者の例としては、債権者の生活維持に必要な扶養料請求などがある。

　第2は、債務者が義務の存在や内容を現に争っているなどの事情から、原告の主張する時期における履行が期待できないことが明らかな場合である。たとえば、賃料の支払のような継続的または反復的な給付義務に関して、債務者が

現に履行期にある部分について義務を争ったり，履行をしていない場合には，将来の部分についても訴えの利益が認められる。

さらに，第3の類型として，現在の給付請求権が不履行であるなど，権利者の保護を必要とする事情が既に顕在化している場合に，本来の給付請求権から派生する将来の給付請求権について，判決を求める場合が考えられる。その典型例としては，物の引渡しなどの本来の給付の履行または執行の不能に備えて，本来の給付請求に併合（単純併合であることにつき，⇨ *11-2-2-1*）してそれに代わる損害賠償を求める場合（いわゆる代償請求）が挙げられる（民執法31条2項も，この種の訴えがあり得ることを前提とした規定である）。この場合には，本来の給付義務が不履行である以上，将来の不能時において債務者が速やかに代償請求に応じるものとは考えられないし（この点では第2と共通する），本来の給付義務が不履行である以上，代償請求権そのものは将来の請求権であるとしても，原告の法的地位を保護する必要性は既に顕在化していることから，現時点で将来給付判決をする必要性が認められる。なお，代償請求における訴えの利益に関しては，本来の給付請求との併合が訴えの利益を認める条件となるかどうか，といった問題も議論される。代償請求のみでの提訴が適法かどうかについて正面から判示した裁判例は見当たらないが，本来の給付請求権が既に確定されているか，代償請求と併合してその確定が求められている場合でなければ，代償請求権が認められる蓋然性（前述の考慮要素①参照）が高いとはいえず，訴えの利益は否定されることになろう。

すこし詳しく 8-4　代償請求
▶本文で述べたように，いわゆる代償請求について将来の給付の訴えの利益が認められることについては，現在では異論がない。しかし，その性質（債務不履行か不法行為か，前者の場合，履行不能か履行遅滞か，など）や要件（実体法上の履行不能を要するか，執行不能〔執行の不奏功〕で足りるか，など）は，具体的な事案（給付の対象物が特定物か不特定物か，本来の給付請求権が物権的なものか債権的なものか，など）によって異なる（たとえば，大連判昭和15・3・13民集19巻530頁は，売買契約に基づく代替物の引渡請求権の執行不能に備えて，履行遅滞に基づく塡補賠償の請求を認めた事例である）。

(3) 判例の立場

将来給付の訴えの利益の有無が判例上大きな問題となったのは，将来の不法行為に基づく損害賠償請求の事例においてである。この問題を契機として，判

例は，㋐請求権の基礎となるべき事実関係および法律関係が既に存在し，その継続が予測されるとともに，㋑請求権の成否およびその内容につき債務者に有利な影響を生ずるような将来における事情の変動があらかじめ明確に予測し得る事由に限られ，㋒これについて請求異議の訴えによりその発生を証明してのみ執行を阻止し得るという負担を債務者に課しても格別不当とはいえない場合に限って，将来の給付の訴えにおける請求権の適格を有する，との一般論を展開した（大阪国際空港事件。最大判昭和56・12・16民集35巻10号1369頁）。

　この立場に従えば，たとえば，不動産の不法占拠者に対する明渡完了までの賃料相当損害金の支払請求のような場合には，これらの要件を満たすとして将来給付の訴えが認められることになる。また，継続的不法行為の場合でなくても，たとえば，特許権を侵害する製品の生産準備が進行しており，近い将来の特許権侵害が予測され，その場合の損害額等も予測できるような場合には，上記の要件を満たすことがあり得よう。これに対して，空港の利用により生じる騒音を理由とする将来の損害賠償請求のような場合には，将来の侵害行為の違法性の程度や損害の有無・程度の判断が複雑かつ流動的であることなどから，上記㋑の要件を満たさず，訴えの利益は認められないこととなる（前掲最大判昭和56・12・16）。また，駐車場からの収益にかかる不当利得返還請求のうち，将来請求部分についても，請求権としての適格を欠くとされる場合がある（最判昭和63・3・31判時1277号122頁，最判平成24・12・21判時2175号20頁）。

　判例は，上記㋐〜㋒の要件を満たす場合に「将来の給付の訴えにおける請求権の適格を有する」としており，(2)で述べた考慮要素のうち①に対応する部分を「請求権の適格」として抽出したものとも考えられる。しかし，学説の中には，「請求権の適格」といった絞りをかけることは，将来給付の訴えの利益の判断を硬直化させる危険があり，あくまで①および②の諸事情の総合的な考量によって訴えの利益の有無を判断すべきだとするものもある。そうした立場からは，判例も，㋒において前述②のような要素を考慮する余地を残しており，全体として将来給付の訴えの利益の有無を判断する枠組みを採用している，との理解がとられることになる。また，判例による大阪国際空港事件のような事例の処理に関しては，こうした一般論を前提としても，現在と同様の損害が発生すると予測できる期間については，合理的に終期を設定することによって，その限度で訴えの利益を認めることは可能である，との批判が有力であ

る。もっとも、判例は、同種の事例においては、事実審の口頭弁論終結後判決言渡日まで、または、口頭弁論終結後約1年8か月といった短い期間についてであっても、将来給付の訴えは認められないものとする立場を維持している（前者につき、最判平成19・5・29判時1978号7頁〔横田基地事件〕、後者につき、最判平成28・12・8判時2325号37頁〔厚木基地事件〕）。

8-4-4 確認の訴えの利益

8-4-4-1 確認の利益の判断枠組み

確認の訴えは、法律関係の存否等を確認する判決を求める訴えであるが（⇨ **2-1-2-2**）、処分権主義の考え方を前提とすれば、どのような内容の確認を求めて訴えを提起するかについては、原告の選択に委ねられている。しかも、訴訟物が訴えの性質上実体法上の給付請求権に限られる給付の訴えの場合とは異なり、確認の訴えの場合には、確認の対象は論理的には無限定であって、本案判決をするのに適しない内容の訴えが提起されることも、十分に考えられる。こうした事情から、確認の訴えにおいては、訴えの利益の有無によって本案判決をするのに適切な訴えを選別する必要性が、とりわけ高いといえる。なお、確認の訴えの利益は、単に「**確認の利益**」と呼ばれることも多く、本書の以下の説明においても、この用語を用いる。

ごく一般的にいえば、確認の利益が認められるのは、原告の有する権利や法律上の地位に危険または不安が存在し、そうした危険や不安を除去するために確認判決を得ることが有効かつ適切な場合である（最判昭和30・12・26民集9巻14号2082頁参照）。そして、こうした場合に当たるかどうかの判断に際しては、一般に、①確認の訴えが手段として適切かどうか（方法選択の適切性）、②確認対象の選択が、適切かどうか（対象選択の適切性）、③確認判決をすべき必要性が現に認められるか（即時確定の必要性）、④被告とされている者が確認判決の名宛人として適切かどうか（被告選択の適切性）といった観点が考慮される。言い換えれば、確認の利益が認められるのは、これらいずれの観点からみても、原告の求める確認判決をすることが有効・適切といえる場合であり、これらのうち1つでも欠ける場合には、確認の利益は否定されることになる。

これらのうち、④の被告選択の適切性は、実質的には当事者適格の問題であることから（⇨ **8-5-2-4**）、以下では、①～③について述べることにする。

第8章　訴訟要件

すこし詳しく 8-5　紛争解決に対する確認判決の有効適切性

▶ある権利義務に関して当事者間に争いがあって原告の法的地位に不安が存在し，確認の訴えよりも適切な他の法的手段が存在しないという場合には，本文で述べた①〜④の観点からすれば，当該権利義務の存否について確認の利益が認められることになりそうである。しかし，当該権利義務の存在が既判力によって確定されたとしても，その不履行について損害賠償その他の制裁が発動される可能性がなく，もっぱら相手方の任意の履行を期待するほかないような場合には，確認判決をすることが紛争解決に資するといえるかどうかについて，疑問が生じる。最判平成30・12・21民集72巻6号1368頁は，そのような観点から，弁護士法23条の2第2項に基づく照会をした弁護士会が，その相手方に対し，当該照会に対する報告をする義務があることの確認を求める訴えは確認の利益を欠くとしたものである（ただし，原告である弁護士会にそもそも保護に値する法的地位が認められるかが問題となる事案であった点で，その射程については慎重な検討を要する）。もっとも，学説上は，関係者に対する事実上の影響なども考慮したうえで，より広く確認の利益を認める見解もある。

8-4-4-2　方法選択の適切性

原告の権利や法律上の地位に対する危険や不安を除去するために，確認の訴えよりも適切な他の法的手段が存在する場合には，確認の訴えが最も適切な方法とはいえないから，確認の利益は認められない。

たとえば，給付の訴えが可能な給付請求権の存在の確認を求める訴えは，確認の利益がない。この場合には，給付の訴えによる方が，執行力を伴う給付判決を得られる点で，紛争解決手段としてより適切と考えられるからである。これに対して，債務者の側が債務の不存在確認を求めることは，他の理由で確認の利益が否定されない限り認められるが，被告である債権者は給付請求の反訴を提起することができ，その場合には，債務不存在確認の本訴は確認の利益を失うとするのが判例である（最判平成16・3・25民集58巻3号753頁。なお，重複訴訟との関係については，⇨ **11-7-3**）。

同様に，形成の訴えが可能である場合に，形成原因の存在の確認を求めることも，認められないものと解される。

また，特定事件における手続問題であって，その事件の手続内で，判決の前提として判断されれば足りるものについても，確認の利益は認められない。たとえば，訴訟代理人の代理権の存否確認の訴えは，確認の利益がない（最判昭和28・12・24民集7巻13号1644頁，最判昭和30・5・20民集9巻6号718頁）。同様

に，訴え取下げの有効性や訴訟要件の存否についても，確認の利益は認められない（なお，訴訟上の和解の無効確認の訴えにつき，⇨ **10-2-4-4**）。

以上に対して，給付の訴えや家事審判手続などの他の手続における本案判断の前提問題となる事項であっても，それ自体が実体法上の権利関係であるなど，独自に確認判決の対象とすることが有効・適切といえる場合には，確認の利益が認められる。たとえば，所有権に基づく物権的請求権を主張して給付の訴えを提起することが可能であっても，所有権確認の利益は失われないし（最判昭和29・12・16民集8巻12号2158頁），遺産分割の調停や審判の前提問題となる遺言の有効性，財産の遺産帰属性などについても，確認の利益が認められることがある（最判昭和47・2・15民集26巻1号30頁，最判昭和61・3・13民集40巻2号389頁等）。

8-4-4-3 対象選択の適切性

確認の利益が認められるためには，原告の選んだ確認対象が，原告の権利や法律上の地位に対する危険や不安を除去するために有効・適切なものといえなければならない。これが，対象選択の適切性の問題である。この観点からは，およそ原告の法律上の地位とは関係しない事実の確認（たとえば，太陽系の惑星が8個であることの確認）が許されないことはもちろん，原告が保護を求める法律上の地位と関連する事項であっても，より適切な確認対象が考えられる場合には，確認の利益が否定されることになる。もっとも，前者の問題は，既に **8-3-4-2** で述べた法律上の争訟性の問題として検討されるべきものであるから，確認の利益の問題となるのは，もっぱら後者の問題である。しかし，後述するように，事実と法律問題の区別は常に容易だというわけではないので，以下では，必要に応じて前者についても言及する。

対象選択の適切性がとくに問題となるのは，たとえば，売買無効確認の訴えのように，原告が，保護を求める自己の地位そのもの（この場合には，たとえば代金債務を負わないという地位）を確認対象とするのではなく，その地位に関連する法律行為の有効性等（この場合には，売買契約が無効であること）を確認対象とする場合である。この例の場合，端的に代金債務の不存在確認を求めた方が，原告の地位の保護にとってより適切であると考えられるから，確認対象の選択が適切とはいえず，確認の利益は否定されることになる（判例については，⇨ (2)）。これに対して，たとえば原告が自己の所有権の確認を求める場合のよう

に，原告の権利そのものを確認対象とする場合には，他に確認対象が考えられないという意味で，確認対象の選択は適切である。もっとも，この場合でも，後述のように，その権利が現に保護を必要とするかという即時確定の利益の問題はなお存在するから，確認の利益が直ちに認められるわけではない。

確認対象の選択に関しては，伝統的に，確認の対象となり得るのは現在の法律関係であって，①事実の確認や，②過去の法律関係の確認は許されない，と考えられてきた。現在の紛争を解決するためには，現在の法律関係を確認することが最も直接的であって，適切であると考えられるからである（ただし，現在の法律関係の確認であっても，確認判決が紛争解決に資するものでない場合には，確認の利益が否定される可能性があることにつき，⇨ **8-4-4-1** す 8-5）。もっとも，かつては，この命題を厳格に理解するのが通説・判例であったといえるが（最判昭和31・10・4民集10巻10号1229頁参照），以下に述べるように，現在では，②については，一応の原則を示すものにすぎず，絶対的なものではないとの考え方が多数となっており，判例の中にも，そうした考え方に沿うものが現れている。

また，以上に加えて，③相手方の権利の不存在といった消極的な確認ではなく，自己の権利等の積極的な確認を求めるべきである，といわれることもあるが，これも，後に述べるように，絶対的な要請ではない。

(1) **事実の確認の可否**

前述のように，およそ原告の法律上の地位とは無関係な純然たる事実の確認が許されないのは当然である。また，たとえばある実体法上の権利の要件に該当する事実の存否などのように，原告の法律上の地位に関連する事実であっても，純然たる事実の存否自体の確認を求める訴えが法律上の争訟といえるかどうかについては疑問の余地があるうえ，通常は，その事実を前提とする法律関係そのものを確認した方がより直截である。したがって，事実の確認は，原則として許されない。

しかし，事実といっても，その内容にはさまざまなものがあるから，場合によっては，ある事実が特定の法律関係の前提となっており，その存否を確認することが紛争の抜本的な解決につながる場合も考えられる。**証書真否確認の訴え**（134条の2）は，このような理由から，民訴法が事実の確認を例外的に認めたものである。書面の成立の真正とは，その書面が作成者とされる者の意思に基づいて作成されたことを意味するから（⇨ **7-5-5-2**），事実の一種であるとい

えるが，遺言書や契約書のように，書面自体の内容から直接現在の法律関係の成否を証明できる書面については，その真否を確認することによって，その書面に基づく原告の法律上の地位を適切に保護することができることから，明文で許容することにしたのである。

> **すこし詳しく 8-6　事実と法律関係の区別**
> ▶たとえば，「○月○日，ある場所で雨が降った」といった事実であれば，純然たる事実の問題であって，法律関係ではないことが明らかである。しかし，たとえば，「原告が出生による日本の国籍を現に引続き有すること」は，事実のようにもみえるが，原告の国籍という法律上の地位の一属性であって，法律関係の一種であるともいえる（これについて確認の利益を認めた例として，最大判昭和32・7・20民集11巻7号1314頁がある）。同様に，法律行為の有効性についても，法律効果の発生要件をなす事実と考えることもできるが，裁判所による法的評価を前提とするものであって，法律上の争訟性との関係では，法律関係の一種といえないこともない（最判昭和41・4・12民集20巻4号560頁は，売買契約の無効について，「過去の法律関係（ないし事実）」とする）。このように，事実と法律関係の区別は一義的なものではない。

(2) 過去の法律関係の確認

また，過去の法律関係も，現在の法律関係の前提となるという点では，確認の意味がないわけではないが，一般的には，原告が保護を求める現在の法律関係を確認する方がより適切であるから，確認の利益は認められない。たとえば，土地がA，B，Cの順に譲渡されたところ，AがAB間の売買契約の無効を主張してCの所有権を争っている場合，Cとしては，BがBC間の売買契約当時土地所有権を有していたことの確認（過去の法律関係の確認）を求めることも考えられるが，そうした確認判決によっては，現在Cが土地所有者であることそのものが確定されるわけではない。したがって，Cとしては端的に現在Cが土地所有権を有することの確認を求めるべきであって，Bの過去の所有権等については，確認の利益がないとされるのである。同様に，特定財産が民法903条1項所定のみなし相続財産であることは，遺産分割等の前提となるものであり，過去の法律関係の一種とみることもできるが，それだけで遺産分割等の内容が定まるわけではないし，遺産分割等の手続においてその前提問題として判断されれば足りると解されることから，確認の利益は認められない（最判平成7・3・7民集49巻3号893頁。民法903条1項により算出される具体的相続分の価額についても同様である。最判平成12・2・24民集54巻2号523頁）。

もっとも，身分関係のような基本的な法律関係，また，遺言などの法律行為や，団体の決議のように，多くの派生的な法律関係の基礎となる行為については，現在の法律関係についていちいち確認の訴えを提起するのでは煩瑣であるし，関係人が多数存在する場合，その相互間で解決がまちまちとなり，かえって法律関係の混乱がもたらされるおそれもある。そのため，こうした場合には，むしろ，基本となっている法律関係や行為の存否・有効性を確認することが，関連紛争の抜本的な解決をもたらす場合がある。そこで，このような場合には，過去の法律行為の存否や有効性等についても，確認の利益が認められる。

法が，明文で株主総会決議の不存在または無効確認の訴え（会社830条），離婚の無効確認の訴え（人訴2条1号）などの訴えを認めているのは，このような事情によるものであり，明文の規定がない場合であっても，同様の事情が認められる場合には，確認の利益を認めて差し支えない。そうした例としては，子の死亡後における親子関係の存在確認の訴え（最大判昭和45・7・15民集24巻7号861頁），遺言者の死亡後における遺言の無効確認の訴え（最判昭和47・2・15民集26巻1号30頁）や，学校法人の理事会および評議員会決議の無効確認の訴え（最判昭和47・11・9民集26巻9号1513頁）などが挙げられる。また，借地借家法上の賃料増減請求権の行使によって増減された賃料額の確認を求める場合，賃料増減請求の効果が生じた時点における賃料額を確定すれば，賃料をめぐる紛争の直接かつ抜本的な解決が図られることから，そうした過去の一時点における賃料額を確認の対象とすることが許される（最判平成26・9・25民集68巻7号661頁参照）。これに対して，売買契約の無効確認の訴えについては，判例は，過去の法律関係ないし事実の確認を求めるものであるとして，確認の利益を否定するが，原告の主張に照らせば，現在の権利または法律関係の確認を求める趣旨がうかがえるとして，訴えを直ちに却下するのではなく，請求の趣旨について釈明したうえで，現在の法律関係の確認として確認の利益を肯定する余地を認めている（最判昭和41・4・12民集20巻4号560頁）。

すこし詳しく 8-7　将来の法律関係の確認
▶前掲最判昭和31・10・4は，確認の対象が現在の法律関係に限られることの反面として，過去の法律関係とともに，将来の法律関係も確認の対象となり得ないとしている。本文で述べたように，判例は，過去の法律関係の確認については許容した例があるが，将来の法律関係の確認を認めた最高裁判例はなく，ただ，現在の条件付きの権利または法律関係の確認として認め

たものがあるにとどまる（⇨ **8-4-4-4**）。たしかに，将来の法律関係そのものの確認を認める場合，その判決の既判力の内容をどのように解するかといった問題があるし，前掲最判も指摘するように，将来の法律関係の発生は未必的であるから，それについての争いを現時点で解決する必要があるかどうかについては，疑問の余地がある。もっとも，前者の問題は，将来給付の訴えの場合にも生じるものであって，この場合に特有のものではないし，後者の問題は，むしろ，即時確定の利益の問題である。そうだとすれば，確認対象が将来の法律関係であるというだけで一律に確認の利益を否定するのは，適当でなく，この問題は，確認の対象選択の問題というよりは，むしろ，原告の地位の要保護性という即時確定の利益の問題として位置付けるのが適当であろう。

(3) 消極的確認の許容性

確認対象の選択に関して，相手方の権利の不存在といった消極的な確認ではなく，自己の権利等の積極的な確認を求めるべきである，といわれることがある。たとえば，相手方の所有権の不存在の確認を求めるよりも，自己の所有権の確認を求める，というように，積極的確認の方が，原告の法律上の地位を保護するためにはより適切であるのが通常だからである。もっとも，この命題についても，例外が存在する。たとえば，債務不存在確認の訴えのように，原告が保護を求める法律上の地位が，特定の義務を負っていないことそのものである場合には，積極的確認はそもそも想定できないから，消極的確認が認められるのは当然である。また，たとえば，第2順位の抵当権者が第1順位の抵当権の存在を争い，第1順位抵当権者による抵当権実行を阻止したいと考えている場合，自己が第1順位の抵当権を有することの確認を求めたとしても，必ずしも抵当権実行を阻止できるわけではなく，むしろ第1順位抵当権者の抵当権の不存在確認を求めた方がより直截であるから，後者の確認の利益を認めてよいと解される（大判昭和8・11・7民集12巻2691頁は確認の利益を否定するが，上記の理由から，批判が多い）。

すこし詳しく 8-8　第三者との間の法律関係の確認

▶本文で挙げた第1順位抵当権不存在確認の例は，消極的確認であることのほか，被告である第1順位抵当権者と抵当目的不動産所有者という訴外第三者との間の法律関係に関わるという特徴がある。一般に，確認対象としては当事者間の法律関係が問題とされることが多いが，第三者との間の法律関係であるからといって，ただちに確認対象としての適切性が否定されるわけではない。例えば，債権の帰属を争う自称債権者間において，自己が第三者

に対する債権を有することの確認を求める訴えは、適法であると解されてきた（最判平成5・3・30民集47巻4号3334頁）。もっとも、第三者に対しては原則として判決の既判力が及ばないこと（⇨ **9-6-9-1**）とも関係して、そのような確認判決が紛争解決にとって有効適切といえるかについては、慎重な検討を要する。最判令和2・9・7民集74巻6号1599頁はこの点が問題となった事例であり、原告に損害が発生するかどうかが不確実であること、現実に損害が発生した場合には被告に対して損害賠償請求をすることが可能であることなどを理由として、特許権の通常実施権者Xが、特許権者Yに対し、特許権侵害を理由とするYの第三者に対する損害賠償請求権の不存在確認を求める訴えにつき、確認の利益を欠くとしたものである。

8-4-4-4　即時確定の利益

確認判決をすべき必要性が現に認められるか、という問題は、**即時確定の利益**または**即時確定の必要**とも呼ばれ、①原告が保護を求める法的地位が十分に具体化・現実化されているかどうか、②被告の態度や行為の態様が、そうした原告の地位に対して危険または不安を生じさせているといえるかどうか、という2つの観点から検討されることになる。これらの点がとりわけ問題になるのは、原告が、自己の将来の法的地位に不安を感じて確認の訴えを提起したり、紛争がなお顕在化していない時点で、予防的・先制攻撃的に訴えを提起しようとする場合のように、紛争が確認判決によって除去されるに値するほど成熟したものといえるかが問題となる場合である。そこで、即時確定の利益は、**紛争の成熟性**の要求などと呼ばれることもある。

なお、原告の法的地位に危険または不安が生じていたとしても、確認判決がそれを除去するために有効といえない場合には、確認の利益が否定されることがあることについては、⇨ **8-4-4-1** す 8-5。

(1) **原告の法的地位**

確認の利益が認められるためには、原告が保護を求める法的地位が十分に具体化・現実化されたものであることが必要である。したがって、原告が保護を求める法的地位が将来のものにすぎず、現時点ではそうした地位の発生に対する事実上の期待しか存在しない場合には、確認の利益は認められない。

たとえば、被相続人生存中の推定相続人の地位は、将来相続開始の際に被相続人の権利義務を包括的に承継するという事実上の期待にすぎないものであり、被相続人の所有する不動産の売買契約の無効確認の利益を基礎づけるものでは

ない（最判昭和30・12・26民集9巻14号2082頁）。このことは，遺言者の生存中に推定相続人が遺言の無効確認を求める場合でも，同様である（最判平成11・6・11家月52巻1号81頁。ただし，最高裁は，確認対象を「受遺者が遺言者の死亡により遺贈を受ける地位にないこと」であると構成したうえで，これが現在の権利または法律関係に当たらないとの理由で確認の利益を否定している）。また，生存中の遺言者本人も，現に遺贈に基づく義務を負担しているわけではないうえ，いつでも自らのした遺言を撤回できる地位にあるのであるから，遺言無効確認の利益は認められない（前掲最判昭和31・10・4）。

　これに対して，原告の法的地位が将来に具体化するものであったとしても，それが条件付権利といった形で現在の法的地位として保護に値すると評価できる場合には，確認の利益が認められるとするのが判例である。そのような例として，賃借人が建物賃貸借契約終了前の敷金返還請求権の確認を求める場合や（最判平成11・1・21民集53巻1号1頁），受遺者が遺留分の価額弁償義務を確定的に負う前に弁償額確認を求める場合が挙げられる（最判平成21・12・18民集63巻10号2900頁）。もっとも，将来の地位と現在の条件付権利とを明確に区別する基準を見出すことは困難であり，原告の地位が結論として保護に値すると考えられる場合に，条件付権利との評価がされるという面もあることに，注意が必要である。

(2) **原告の地位に対する危険・不安**

　原告について，保護に値する法的地位の存在が認められるとしても，それに対して何ら危険や不安が存在しない場合には，あえて確認判決をすべき必要性は存在しない。したがって，確認の利益が認められるためには，原告の地位について，確認判決によって除去されるべき危険・不安が生じていることが必要になる。

　こうした危険・不安が認められる典型的な場合は，被告が原告の地位を否認したり，原告の地位と抵触する地位を主張したりする場合である。たとえば，原告が所有権を主張している不動産について，被告が所有権を主張し，原告の所有権を争っている場合が，これに当たる。また，被告が原告の地位を争っていない場合であっても，たとえば，取得時効の完成猶予のために所有権確認の訴えを提起する必要がある場合や，戸籍の訂正のために身分関係の確認判決が必要な場合には，時効成立のおそれや誤った戸籍の存在といった形で原告の地

第8章 訴訟要件

位に対する不安が存在しており，それを除去するために確認判決が必要・適切であるから，確認の利益が認められる。

> **すこし詳しく 8-9　債務不存在確認の訴えの提訴強制機能と確認の利益**
> ▶債務不存在確認の訴えの訴訟物は被告が原告に対して有する債権であるが，その要件についての証明責任は，通常の債務履行請求訴訟の場合と同様である。したがって，被告とされた債権者としては，債権の発生原因事実についての主張・証明責任を負担し，その証明に失敗すれば，自己の債権の不存在が既判力によって確定されるという不利益を被ることになる。このことは，債務者側としては，たとえば交通事故被害者（不法行為債権者）の介護や通院に要する費用がなお流動的であるなど，被害者側の訴訟準備が整っていない段階で，いわば先制攻撃的に債務不存在確認の訴えを提起する動機ともなり得る。しかし，このような提訴を認めると，債権者の視点からみれば，本来自己の権利をどのような時期・方法で行使するかは債権者の自由に委ねられているにもかかわらず，債務者の意向によって実質的に提訴を強制されるのに等しい。そのため，この種の事例において債務不存在確認の利益を認めるための要件については議論がある。一般的には，損害額がなお流動的な状況においては，給付訴訟の提起によって債務者の地位に対する危険が現実化する可能性は低いのであるから，単に被告である債権者が原告に対する債権の存在を主張しているというだけでは，即時確定の利益を認めることはできないものと解される。

8-4-5　形成の訴えの利益

　ある訴えが形成の訴えであるとは，実体法等の法令が法律関係の変動をとくに形成判決の確定にかからしめていること，言い換えれば，形成判決が得られない限りその法律関係の変動を主張できないことを意味する。したがって，原告が形成要件の存在を主張し，形成判決を求めて訴えを提起している以上，訴えの利益が認められるのが原則である。

　もっとも，事情によっては，仮に形成要件の存在が認められるとしても，形成判決をして法律関係の変動を生じさせることが意味を持たないことがあり得る。そうした場合には，原告としても，もはや形成判決を求める利益は認められないと考えられるから，例外的に，訴えの利益が否定されることになる。たとえば，行政訴訟の事例であるが，メーデーのための皇居外苑使用の不許可処分に対する取消訴訟の係属中にメーデーの日が過ぎてしまった場合，不許可処分を取り消しても既にメーデーの日に皇居外苑を使用する余地はないことから，

訴えの利益は失われる（最判昭和28・12・23民集7巻13号1561頁）。また，判例は，取締役を選任する株主総会決議の取消訴訟係属中にその取締役の任期が満了した場合（最判昭和45・4・2民集24巻4号223頁）や，取消しの対象とされているのと同一内容の決議が再度された場合（最判平成4・10・29民集46巻7号2580頁）にも，先行決議の取消しによって後行決議にも瑕疵が生じる場合を除き（このような瑕疵の連鎖を理由として先行決議の取消しの訴えの利益を肯定した例として，最判令和2・9・3民集74巻6号1557頁参照），形成訴訟である決議取消しの訴えの利益が失われるものとしている。こうした判例の立場に対しては，決議取消しの訴えの制度は会社運営の適法性を確保することを目的として認められたものであるから，決議の違法性を主張する以上は訴えの利益は失われない，とする反対説も有力である。この問題は，最終的には，決議取消し等の会社の組織に関する訴えの制度趣旨をどのように理解するかに依存する問題である。しかし，訴えの利益の一般論からすれば，決議取消しが現在の法律関係に何ら影響を及ぼさないような場合には，訴えの利益を認めることはできない。

8-5 当事者適格

8-5-1 当事者適格の意義

「**当事者適格**」とは，特定の訴訟物について当事者として訴訟を追行し，本案判決を受けることができる資格をいう。ある訴えについて本案判決をするためには，本案判決が合理的にみて必要であると認められなければならない。そして，そうした必要性は，請求の内容が適切かという客体の面と，その訴えにおいて適切な者が当事者とされているかという主体の面から判断される（⇨ **8-4-1-2**）。後者が，当事者適格の問題である。当事者適格のうち，原告となる資格を**原告適格**，被告となる資格を**被告適格**と呼ぶ。また，当事者適格は，ある者の権能という側面に着目して，**訴訟追行権**と呼ばれることもある。当事者適格または訴訟追行権を有する当事者を，**正当な当事者**と呼ぶ。

8-5-2 以下で述べるように，当事者適格が認められるためには，訴訟物である権利または法律関係の主体であると主張している場合や，権利または法律関係の主体ではないが，法令の規定等によって問題となる訴訟物についてとくに

訴訟追行権が与えられている場合など，当事者となっている者と訴訟物との間に，本案判決の必要性を基礎づけるに足りる一定の関係が認められることが必要である。原告または被告と訴訟物との間にこのような関係が認められない場合，その訴えは，本案判決をするのに適切なものとはいえないから，却下される（ただし，本案要件との審理順序について，⇨ **8-7-3**）。このように，当事者適格は，訴訟要件の1つである。訴訟の主体の面に関わる訴訟要件としては，当事者適格のほか，当事者の実在や当事者能力（⇨ **8-6**）が挙げられる。これらのうち，当事者能力は，当事者の資格という点では当事者適格と共通する面があるが，当事者能力が，当事者とされる人や団体の属性に着目した一般的な資格であって，訴訟物が何であるかに関わらないものであるとされるのに対して，当事者適格は，個々の事件における訴訟物と当事者との関係を問うものである点で，両者は区別される。

　本来訴えを却下すべきであるにもかかわらず，当事者適格の不存在を看過して本案判決がされて確定したとしても，再審事由とはならず，当事者はその判決の既判力による拘束を免れることができない（既判力については，⇨ **9-6**）。しかし，当事者が訴訟担当者として本案判決を受けた場合には（訴訟担当については，⇨ **4-5**，**8-5-3**），訴訟担当者としての当事者適格が真に認められないかぎり，被担当者に対する判決効の拡張は認められない（⇨ **9-6-9-2**）。また，判決効が第三者一般に及ぶ場合には（対世効。⇨ **8-5-4**，**9-6-9-5**），当事者適格の不存在を看過した本案判決には，既判力は生じないものと解される（⇨ **9-9-1-3**）。

　なお，訴訟物の内容によっては，当事者適格が複数の者に認められ，かつ，それらの者が共同で当事者になるのでなければ当事者適格が認められない場合がある（固有必要的共同訴訟）。このような場合の取扱いについては，後に **12-4-2** において触れる。

> **すこし詳しく 8-10** **当事者の概念と当事者適格**
> ▶当事者適格の概念の成立は，当事者の概念と密接な関係を持つ。訴訟物である権利または法律関係の主体を当事者と捉える実体的当事者概念のもとでは，当事者の地位と当事者適格とが不可分に結び付いており，当事者適格の有無の問題は，当事者概念の中に吸収されていた。これに対して，現在採用されている形式的当事者概念のもとでは，当事者の地位と事件の実体とは切り離されているから，訴訟物である権利または法律関係との関係で必ずしも適切でない者が当事者とされることも十分に考えられることになる。そこで，

当事者の地位にある者が，真に当事者として本案判決を受けるのにふさわしい者か（「正当な当事者」といえるか）を，当事者適格の概念によって選別する必要性が顕在化したのである。なお，当事者の概念については，**4-1-1**を参照。

8-5-2 一般的な規律

8-5-2-1 当事者適格の一般的な判断基準

　訴えの利益の場合と同様に（⇨ **8-4-1-1**），当事者適格が認められるかどうかを判断するためには，その事件において当事者とされている者を名宛人として本案判決をすることについて，その手続への関与を強いられる被告や，その事件のために司法資源の投入を余儀なくされる訴訟制度運営者や他の訴訟制度利用者の負担に見合う合理性・必要性が認められるかどうかを考慮する必要がある（なお，当事者以外の者に判決効を及ぼす場合の考慮要素については，⇨ **8-5-4**）。

　ごく一般的にいえば，そうした必要性が認められるのは，訴訟物である権利または法律関係の存否の確定について，その事件で当事者とされている原告・被告間において，法律上の利害が対立する場合であると考えられる。その場合には，まさにその当事者間において本案判決をし，訴訟物の存否を確定することが必要かつ適切であるといえるからである。言い換えれば，訴訟物についての訴訟の結果（請求の認容または棄却判決）によってその法律上の地位が左右されるという意味において，訴訟の結果について法律上の利害関係を有する者が，当事者適格を有するということになる。もっとも，単に訴訟の結果についての法律上の利害関係といっただけでは，補助参加の利益（⇨ **12-6-2-2**）と変わりがないことになるが，当事者適格が認められるためには，単に補助参加人としての関与を基礎づける程度の利害関係にとどまるものではなく，自ら当事者として訴訟追行をさせ，その者を名宛人として本案判決をするに足るだけの，より直接的かつ重大な利害関係が必要である。有力な学説は，これを「**訴訟の結果にかかる重大な利益**」と呼んで当事者適格の判断基準としているが，それは，上記のような考え方に基づくものである。

　具体的にどのような場合に当事者適格が認められるかについては，訴えの利益の場合と同様，訴えの類型によって問題状況に違いがある。それらについては，**8-5-2-3**以下で説明する。

8-5-2-2 当事者適格と管理処分権

　当事者適格の基礎として，訴訟物である権利関係についての**管理権**ないし**管理処分権**が挙げられることがある（判例にも，このような考え方を示すものがみられる。たとえば，最大判昭和45・11・11民集24巻12号1854頁参照）。すなわち，訴訟物について管理処分権を有する者に当事者適格が認められる，とされるのである。その理由としては，訴訟追行は訴訟物である権利関係の管理の一環であるからとか，訴訟の結果敗訴判決を受けると，たとえ権利を有していたとしても（あるいは，義務を負っていなかったとしても），既判力によってそれを主張できないこととなり，財産を処分したのと同様の効果を生じるから，といった説明がされる。実際，たとえば，破産者は自己の財産に関する管理処分権を失う結果，それらに関する当事者適格をも失うものとされるから（破80条参照），訴訟物について当事者がどのような実体法上の権能を有するかが当事者適格の判断に影響を与えることは，間違いない。

　しかし，管理処分権と当事者適格とを直結させることについては，さまざまな理論上の問題点が指摘されている。第1に，たとえ敗訴判決が事実上処分と同様の効果をもたらすとしても，当事者間における既判力が問題となるかぎり，管理処分権がないとしてもとくに問題は生じない。実体法上の処分権があろうとなかろうと，当事者として自ら訴訟追行をした結果として受けた判決に拘束されるのは当然といえるからである。したがって，管理処分権が問題となるとしても，それは，本来，訴訟担当など，第三者への影響が問題となる場合に限られるはずである。第2に，訴訟担当の場合でも，たとえば株主代表訴訟における原告株主のように，訴訟物について実体法上の処分権が認められない場合もあるが，こうした場合の原告適格を，管理処分権を基礎として説明することは困難である。

　以上のように，字義どおりに理解するかぎり，管理処分権の所在のみによって当事者適格に一般的な説明を与えることは困難である。むしろ，正確には，次のように説明すべきであろう。①一般的には，訴訟物について直接的かつ重大な利害関係を有するのは，自分が権利者であると主張し，あるいは義務者であると主張される者であるから，これらの者に当事者適格が認められる（給付の訴えの場合につき，⇨ 8-5-2-3）。この場合には，これらの者が当該権利義務について管理処分権をも有するのが通常であるから，管理処分権によって当事者

適格を説明することも可能であるが，第三者への影響が問題とならない一般的な場合には，あえて管理処分権を問題にする必要は乏しい。②これに対して，実体法上訴訟物についての管理処分権が権利義務主体以外の者に付与される場合があるが，この場合には，管理処分権を取得する者に，その固有の利益や，管理処分権者によって代表される第三者（たとえば，破産管財人によりその利益を代表される債権者）の利益を基礎として，訴訟物についての直接的かつ重大な利害関係が認められる。したがって，この場合には，管理処分権を取得した者に当事者適格が認められる。また，管理処分権の第三者への付与とともに権利義務主体の管理処分権が失われるものとされる場合には，管理処分権者側の利害が権利義務主体の利害に優越することとなるから，本来の権利義務主体の当事者適格は失われることになる。破産者の当事者適格の喪失は，その例である。③もっとも，第三者による訴訟担当が認められるのは，第三者が文字どおりの管理処分権を取得する場合に限らず，第三者の実体法上の地位や公益的な職務を基礎として，法律上，権利義務主体以外の者に当事者適格が認められることがある。株主代表訴訟における原告株主や，**4-5-2-1**で挙げた②の場合は，その例である。

このように，管理処分権の概念は，主として権利義務主体以外の第三者の利害が問題となる場合に，**8-5-2-1**に述べた直接的かつ重大な法律上の利害関係の所在を指示する機能を有するものであるが，管理処分権の所在と当事者適格とが一致しない上記③のような場合は例外にとどまり，一般には，上記①や②の場合のように，管理処分権の所在と当事者適格とが一致することから，広く当事者適格の指標として用いられてきたものである。

なお，仮に管理処分権の概念と当事者適格を結び付けるとしても，それは，仮に訴訟物である権利関係が存在するとすれば，それについて管理処分権を持つであろう者に当事者適格が認められる，という意味においてである。したがって，仮に審理の結果訴訟物である権利関係が不存在とされ，それを対象とする管理処分権を実体法上は観念できないこととなっても，当事者適格そのものが否定されるわけではない。

> **TERM ㉘　管理権と管理処分権**
> 「管理権」の概念は多義的なものであり，狭義には，処分行為との対比における管理行為のみをする権能を指すが，広義には，処分行為をする権能をも含

む意味で用いられる。本文でみたように，当事者適格との関係で管理権に言及される場合には，敗訴判決が事実上実体法上の処分と同様の効果をもたらすことに着目される場合が多いことから，処分権限を含む意味であることを明示するために，「管理処分権」との用語が使われることが多い。

8-5-2-3 給付の訴えの場合

　給付の訴えの場合には，自らが訴訟物である給付請求権を有すると主張する者に原告適格があり（最判平成23・2・15判タ1345号129頁参照），原告によって給付義務者であると主張される者に被告適格がある（最判昭和61・7・10判時1213号83頁参照）。この場合には，訴訟物が原告・被告間の給付請求権である以上，その存否を確定する必要性があるとすれば（将来給付の訴えの場合には，特別な事情がないかぎり本案判決の必要性は認められないが，それは当事者適格の問題ではなく，訴えの利益の問題である。⇨ **8-4-3-2**），それは当該原告・被告間においてであるといえるからである。

　このように，給付の訴えにおける当事者適格の判断は，原告が，その訴えにおいて誰と誰との間の給付請求権を訴訟物として主張しているかによって決まるものであり，実際に原告・被告間にそのような給付請求権が存在するかどうかとは無関係である。したがって，審理の結果，実際には原告以外の者が権利者であるとか，被告以外の者が義務者であるといった事情が判明したとしても，そうした事情は当事者適格の有無を左右するものではなく，請求棄却の本案判決を導くにとどまる。また，たとえば，一般の私人を被告として国家賠償請求の訴えを提起した場合のように，原告の主張自体から被告が義務者でないことが明らかであるような場合については，被告適格が否定されるとする少数説もあるが，この場合でも，原告が被告を義務者と主張して訴えを提起している以上，被告適格を否定する理由はなく，主張自体失当として請求棄却の本案判決をすべきである。

8-5-2-4 確認の訴えの場合

　確認の訴えの場合には，給付の訴えの場合とは異なり，その対象が原告・被告間の給付請求権には限定されないことから，**8-4-4-1** で述べたように，本案判決をすることが有効・適切な訴えを選別する必要がとりわけ高い。もっとも，確認の利益が認められる場合とは，原告の権利や法律上の地位に危険または不安が存在し，確認対象の選択や即時確定の利益の点からみて，そうした危険や

不安を除去するために確認判決をすることが有効かつ適切であるといえるような場合であるから，そうした場合には，原告適格は問題なく認められるし，被告適格についても，即時確定の利益を基礎づけるような被告の行動が認められる以上，通常は問題が生じない。結果として，確認の訴えの場合には，給付の訴えの場合と異なり，確認の利益が認められる以上，原告・被告間の法律関係が主張される場合でなくても，当事者適格が認められる場合がある。たとえば，自称債権者間の争いにおいて，XがYを被告として，XがZに対して債権を有することの確認を求めたり，Z所有の不動産について第2順位の抵当権を有するXが，第1順位抵当権者であるYを被告として，Yの第1順位抵当権の不存在確認を求める場合がその例である（これらの場合に確認の利益が認められる場合があることにつき，⇨ **8-4-4-3** す 8-8)。

このように，確認の訴えにおける当事者適格の判断は，確認の利益の判断と重なり合う部分が大きい。もっとも，身分関係や団体に関する法律関係の確認のように，利害関係人が多数存在する場合には，誰を被告として本案判決をすることが適切か，という被告適格の問題が顕在化することがある。こうした事例においては，判決効が第三者に対して及ぶものとされている場合が多く（たとえば，身分関係の存否確認の訴えにつき，人訴24条1項，株主総会決議無効・不存在確認の訴えにつき，会社838条)，その場合の当事者適格については，**8-5-4** で述べる。

8-5-2-5　形成の訴えの場合

形成の訴えの場合においても，理論的には，問題となる法律関係の形成によって保護される原告の利益の有無や，その法律関係と被告との関係などを考慮して，当事者適格を決定すべきである。また，形成判決には，対世効を有するものが多いことから，**8-5-4** で述べるように，誰を当事者として訴訟追行をさせることが判決効の拡張を受ける第三者の利益保護の面から適切か，といった点も考慮すべき場合が多い。

もっとも，実際には，ある訴えが形成の訴えとされるのは，身分関係や団体関係など，多数の利害関係人が存在する場合が多く，その場合に当事者適格を解釈に委ねておくことは，混乱を招く危険が大きい。そこで，形成の訴えに関しては，原告または被告となるべき者が法定されている場合が多く，その場合には，それらの者に原告適格または被告適格が認められることになる（原告適

格につき，民744条・787条，会社828条2項・831条1項等。被告適格につき，人訴12条・42条1項，会社834条・855条等）。これに対して，当事者適格者が法定されていなかったり（たとえば，詐害行為取消しの訴え〔民424条〕の被告適格や，再審の訴え〔338条〕の原告適格および被告適格など），法定されていてもその定めが抽象的なものにとどまる場合（たとえば，行訴9条）には，上記のような観点から当事者適格の有無を判断する必要がある。

なお，形式的形成訴訟の1つに，境界確定の訴えがある（⇨ **2-1-2-4**）。境界確定の訴えは，隣接する土地の公法上の境界線（不登法上，「筆界」と呼ばれる）が不明な場合に，判決によって境界線を定めることを求める訴えである。この訴えについては，境界を挟んで相隣接する土地それぞれの所有者が当事者適格を有するものと解されている（最判平成7・3・7民集49巻3号919頁参照。土地が共有に属する場合については，⇨ **12-4-2-4** ☞ 12-6）。

8-5-3　訴訟担当

8-5-2-1 で述べたように，当事者適格は，訴訟物である権利関係について自己固有の利害関係を有する者，典型的には，訴訟物である権利の権利者であると主張し，義務者と主張される者に認められるのが通常である。逆にいえば，訴訟物である権利義務が当事者以外の第三者に帰属すると主張されている場合には，その当事者を名宛人として本案判決をしても，真の権利義務主体と主張されている者との関係で紛争が解決されるわけではないのが原則であるから（既判力の相対性については，⇨ **9-6-9-1**），当事者適格が認められないのが原則である。しかし，場合によっては，ある訴訟物について，その権利義務主体ではない者に，法令の規定や権利義務主体からの授権を基礎として訴訟追行権が与えられる結果として，権利義務主体に代わって，またはこれと並んで，当事者適格が認められることがある。**4-5** で述べた**第三者による訴訟担当**とは，このような場合を指すものである。

この場合，担当者が受けた判決の効力は，被担当者に及ぶものとされ（115条1項2号。⇨ **9-6-9-2**），それによって，権利義務主体との関係においても，紛争の解決が保障されることになる。

訴訟担当が認められる場合としては，**4-5** で述べたとおり，権利義務主体の意思によることなく法令の定めに基づいて認められる場合（**法定訴訟担当**）と，

実質的利益帰属主体の意思に基づいて認められる場合（**任意的訴訟担当**）とがある。したがって，これらの場合に誰が担当者として当事者適格を有するかは，訴訟担当の根拠となる法令の規定や権利義務主体からの授権によって定まることになる。

8-5-4 対世効との関係

　確定判決の効力は，当事者など，115条に規定された者にのみ及ぶのが原則であるが（⇨ **9-6-9-1**），法律上，それらの者に加えて，第三者一般に判決効が及ぶものとされている場合があり，これを**対世効**と呼ぶ（⇨ **9-6-9-5**）。その例としては，人事訴訟の判決（人訴24条1項）や，会社の組織に関する訴えにおける請求認容判決（会社838条）が挙げられる。こうした対世効は，多数の関係人間において法律関係を画一的に確定することを可能とするが，第三者に対する判決効の拡張を正当化するためには，それによって第三者が不当な損害を被ることがないよう，十分な措置が講じられる必要がある。その中でも最も重要と考えられるのが，訴訟物である法律関係について最も密接な利害関係を有する者を当事者として訴訟追行をさせることにより，適切かつ充実した訴訟追行を促すことである（ほかに考えられる各種の措置については，⇨ **9-6-9-5**）。このように，判決に対世効が認められるような場合には，判決効の拡張を受ける利害関係人との関係で，当事者適格者の選択が重大な意味を持つ。そのため，このような場合には，当事者適格者があらかじめ法定されていることが多いが（人訴12条・41条～43条，会社828条2項・834条等），当事者適格者が法定されていない場合には，解釈上，誰に当事者適格が認められるかを確定する必要がある。

　従来，この問題が最も盛んに議論されてきたのは，法人，とりわけ会社の内部紛争に関する訴訟においてである。具体的には，株主総会決議などの決議の効力を争う訴訟において，被告適格が誰に認められるかについて，考え方が対立した。この点について，伝統的な通説および判例は，決議は法人の意思決定であり，意思決定の主体が法人である以上，その効力を争う訴訟については，法人にのみ被告適格が認められるとしてきたが（最判昭和36・11・24民集15巻10号2583頁等），これに対しては，決議の効力を維持することについて利益を有する個人，たとえば，その決議によって選任された取締役などに被告適格を

認めるべきであるとする見解が有力に主張された。有力説は，法人は主として対外的な法律関係を処理するための法技術にすぎず，その内部紛争においては独自の存在意義を持たないとし，より実質的な利害対立の主体となっている者に当事者適格を認めるべきであり，それによってはじめて第三者への判決効拡張も正当化できるとするのである。

こうした問題提起を契機として，この問題については，学説上さまざまな見解が提唱されたが，現在では，会社法が会社の被告適格を新たに明文で規定したこともあり（会社834条16号・17号），会社以外の法人についても，法人の被告適格を認める見解が多数である。その実質的根拠としては，多数の利害関係人の利害を代弁する者としては，取締役や理事個人等よりも，法人そのものの方が適切であるといった点が説かれる。もっとも，法人と並んでこれらの個人に被告適格を認めるかどうかについては，なお議論があるが，これらの個人の手続保障は，共同訴訟的補助参加（⇨ **12-6-6**）などの手段によって図ることが可能であり，あえてこれらの個人に当事者適格を認める必要はない。

また，人事訴訟である身分関係の存否確認の訴えについては，原告適格について明文の規定がなく，とりわけ当該身分関係の主体以外の第三者にどの範囲で原告適格が認められるかが議論される。この点については，原告適格者は，自己の身分関係に関する地位に直接影響を受ける者に限られ，単に自己の財産上の権利義務に影響を受けるに過ぎない者は，他人間の身分関係の存否を対世的に確認することについての利害関係は認められない，とする判例がある（否定例として最判昭和63・3・1民集42巻3号157頁，最判平成31・3・5判タ1460号39頁，肯定例として最判令和4・6・24裁判所時報1794号51頁参照）。

8-5-5　拡散的利益と当事者適格

環境保護に関する利益や消費者一般の利益など，不特定多数の者に帰属する拡散的利益については，そうした利益の実体法上の帰属主体と主張する者，たとえば個々の周辺地域住民や消費者のみに当事者適格が認められるとすると，個々の原告適格者にとっては，それぞれ自己固有の少額の利益を主張できるにすぎないこととなり，訴訟追行などの負担を考えると実際上権利行使は困難であるし，逆に，多数の訴訟が実際に提起されれば，被告や裁判所の負担も大きいという問題がある。こうした問題に対処するため，比較法的には，本来の原

告適格者に代わって一定の団体が提訴できるものとする団体訴訟の制度や，一部の原告適格者が同種の者を代表して提訴できるとするクラスアクションの制度などがみられるところであるが，従来，日本法では，こうした問題に対処するための制度が整備されていなかった。

そこで，一部の学説は，こうした固有の原告適格者に限らず，訴え提起に先立って紛争解決のための活動に従事してきた環境団体や消費者団体について，実体法上の利益とは独自に**紛争管理権**というものを観念し，これを基礎として当事者適格を認めることができる，とする考え方を提唱した。しかし，この考え方は，実体法上の利益関係を中心として当事者適格を論じてきた伝統的な考え方からは大きく乖離するものであり，判例においては採用されなかった（最判昭和60・12・20判時1181号77頁）。その後，この見解は，紛争管理権を任意的訴訟担当の合理性を基礎づけるものと再構成し，実体法上の利益主体による授権を前提として訴訟追行を認めようとしている。

また，近年では，拡散的利益に対する立法的な対応が進められている。**4-5-4-2**で述べた追加的選定の制度の導入もその1つであるが，2006年には，消費者契約法の改正により，内閣総理大臣の適格認定を受けた消費者団体が，事業者等の違法行為の差止請求をすることができるという消費者団体訴訟制度が導入されている（消費契約12条）。もっとも，この制度は，消費者団体に固有の実体法上の差止請求権を付与するという構成をとるものであり，その点では，当事者適格に関する従来の考え方を変更するものではない。また，2013年には，多数の消費者の受けた被害の損害賠償による救済を実効化するために，多数の被害者と事業者との間で共通する責任原因について，適格消費者団体を原告とする確認訴訟（共通義務確認訴訟）を認め，適格消費者団体がこれに勝訴した場合には，第2段階の手続（簡易確定手続）において個々の消費者の請求権額を確定するという制度が設けられ（消費者の財産的被害の集団的な回復のための民事の裁判手続の特例に関する法律），2016年10月に施行された（共通義務確認が認められた事例として，東京地判令和2・3・6判時2520号39頁がある）。この制度については，より利用しやすい制度とする目的で，2022年に，対象範囲の拡大などを図る法改正がされている。

8-6　当事者能力

8-6-1　当事者能力の意義

4-3-2でも述べたように，「**当事者能力**」とは，民事訴訟の当事者として本案判決の名宛人となることのできる一般的な資格をいい，訴訟要件の1つである。ここで一般的な資格であるとは，当事者能力の有無が，事件の内容にかかわらず，一般的・抽象的に判断されることを意味する。したがって，当事者能力を欠く者は，いかなる事件においても，本案判決の名宛人となることはできず，その者を当事者とする訴えは，訴訟要件を欠くものとして却下されることになる。これに対して，事件の内容に照らしてある者が当事者として適切であるかどうかは，別途，**8-5**で述べた当事者適格の問題として判断される。したがって，ある者を当事者とする訴訟が本案判決をするのに適切なものであるかどうかについては，第1に，当該当事者が当事者能力を備えているかどうか，第2に，当事者能力が肯定される場合には，さらに，その者に当事者適格が認められるか，という2段階の判断を要することになる（もっとも，当事者能力と当事者適格の区別を相対化する見解もあることにつき，⇨ **8-6-2-2**す 8-11）。

当事者能力が認められるのは，原則として，①実体法上権利能力を認められる自然人および法人であるが（28条），②法人でない社団または財団であっても，代表者または管理人の定めがあるものについては，当事者能力が認められる（29条）。これらのうち，①についてはとくに大きな問題はないが（当事者能力が認められる者の例については，⇨ **4-3-2**），②については，その要件や効果の内容について，議論が多い。

8-6-2　法人格のない団体

8-6-2-1　法人格のない団体に当事者能力を認める趣旨

法人格のない社団または財団について，民法上権利能力が本来認められていないにもかかわらず当事者能力が認められるのは，法人格のない団体であっても，現実に社会生活上活動している以上，紛争に関係することがあり，その場合には，端的にこうした団体に当事者能力を認めることが，相手方にとっても，

また団体の側にとっても便宜であるという理由による。すなわち，もし法人格のない団体に当事者能力を認めないこととなると，個々の団体構成員が当事者として訴訟追行せざるを得ないこととなり，しかも，団体の財産関係について，通説・判例のいうように団体構成員の総有に属すると考える場合には（最判昭和39・10・15民集18巻8号1671頁等参照），構成員全員が当事者とならないかぎり当事者適格が認められない固有必要的共同訴訟（⇨ **12-4-2-4**）となってしまうことから，手続進行上，きわめて負担が大きい。これに対して，団体に当事者能力が認められれば，訴訟手続を簡明化し，訴訟追行に伴う負担を大幅に軽減できるものと考えられるのである。

　こうした考慮から，現行法は，法人格のない団体に，比較的広く当事者能力を認めている（母法であるドイツ法では，2009年の法改正によって法人格のない団体に原告側での当事者能力を認めるまでは，長年の間被告側でしか当事者能力を認めてこなかった）。

8-6-2-2　法人格のない団体に当事者能力を認める要件

　29条は，法人格のない団体で，代表者または管理人の定めがあるものに当事者能力が認められるとするが，判例および学説は，その適用について，より詳細な要件を形成してきた。

　すなわち，有力な学説によれば，団体に当事者能力を認めるかどうかの判断に際しては，次の諸点を検討する必要があるとされる。すなわち，①構成員が明確になっているか，入退会の手続が具備されているか，団体が構成員から独立しているか，構成員の脱退加入に関係なく団体の同一性が保持されているかといった点（**対内的独立性**），②団体に独自の財産があるか，独自の財政が維持されているかといった点（**財産的独立性**），③代表者についての定めがあるか，現実にその者が代表者として行動しているか，他の組織から独立しているかといった点（**対外的独立性**），④組織運営，財産管理などについて規約が定められているか，総会などの手段によって構成員の意思が団体の意思形成に反映されているかといった点（**内部組織性**）である。

　もっとも，以上のうち，②の財産的独立性に関しては，団体独自の財産の存在を当事者能力の要件として要求するかについて議論があり，(ｱ)対内的独立性や対外的独立性の指標としては重要な意味を持つが，他の事情によりこれらが肯定できれば，必ずしも必要ないとする見解，(ｲ)必要とする見解，(ｳ)団体が給

付訴訟の被告となる場合には，執行可能性確保の観点から必要とする見解などが主張された。これらの見解のうち，(ウ)説は，当事者能力の判断が請求の内容ごとに異なることとなり，一般的な資格としての当事者能力という伝統的な考え方に反すること，一般の法人や自然人が給付訴訟の被告となる場合にも，執行の現実的可能性は必ずしも必要とされていないことと整合しないことなどの問題点が指摘されるし，(イ)説のように，財産の現存を常に要求する必要性もないと考えられることからすれば，(ア)説を支持すべきであろう。

　以上に対して，判例においては，従来，実体法上の権利能力なき社団の要件として，団体としての組織を備え，多数決の原理が行われ，構成員の変更にかかわらず団体そのものが存続し，その組織において代表の方法，総会の運営，財産の管理等団体としての主要な点が確定していることが必要であるとされ（前掲最判昭和39・10・15），これらの要件を満たす場合には，当事者能力を認めるという処理がされてきた（最判昭和42・10・19民集21巻8号2078頁）。これらの要件は，基本的には前述の学説の考慮要素と重なり合うものといえるが，財産的独立性の位置付けについては，必ずしも明らかではなかった。近年になって，判例は，29条による当事者能力肯定の要件として前掲最判昭和39・10・15と同様の基準を採用することを一般論として明示したうえで，財産的側面に関しては，必ずしも固定資産ないし基本的財産を有することは不可欠でなく，そのような資産を有していなくても，団体として，内部的に運営され，対外的に活動するのに必要な収入を得る仕組みが確保され，かつ，その収支を管理する体制が備わっているなど，他の諸事情と併せ，総合的に観察して，当事者能力が認められる場合がある，としている（最判平成14・6・7民集56巻5号899頁）。この判例は，必ずしも明言はしていないものの，独自財産不要説を前提としたものとの評価が可能であろう。

すこし詳しく 8-11 当事者能力と当事者適格の相対化に関する議論

▶本文で述べたように，当事者能力は事件の内容に関わらない一般的な資格であるとされるが，学説の中には，当事者能力と当事者適格との区別は相対的なものであり，具体的な訴訟物との関係で当事者となるのにふさわしい者については，その事件限りで当事者能力を認めてよい，との考え方もある。この見解によれば，たとえば，法人格のない環境団体が環境保護のために開発業者と一定の協定を結び，その協定の履行を求める訴えを提起するような場合，この環境団体以外に原告適格者は想定しにくいことから，この事件限

りで当事者能力を認めてよいものとされる。しかし，当事者能力と当事者適格とは理論上は別個の問題であり，当事者能力を認めるための最低限の基準を満たさない団体について，他に当事者適格者がないというだけで当然に当事者能力を認めることはできない。実際には，上記のように社会生活上独自の活動をしている団体であれば，本文で述べた一般的基準によって当事者能力を認めるべき場合が多いと考えられ，その意味で，当事者能力を認める要件を過度に厳格に解釈することは適当でない。しかし，それは，一般的資格としての当事者能力の要件の解釈の問題であり，事件限りの当事者能力を認める理由とはならないと考えられる。

すこし詳しく 8-12　民法上の組合の当事者能力

▶民法上の組合について，29条の規定によって当事者能力が認められるかどうかについては，議論がある。学説には，社団と組合とを峻別する理解を前提として，組合には29条の適用はなく，当事者能力は認められないとする見解も存在したのに対して，判例は，伝統的に，民法上の組合で代表者または管理人の定めがあるものであれば，当事者能力が認められるとしてきた（大判昭和10・5・28民集14巻1191頁，最判昭和37・12・18民集16巻12号2422頁等）。本文で述べたような判例の展開を踏まえれば，今日では，民法上の組合かどうかによって当事者能力の有無が決まると考えることはできず，あくまでその団体が29条の一般的な要件を満たすかどうかによって当事者能力の有無を判断することになろう。

8-6-2-3　法人格のない団体に当事者能力を認めた場合の効果

法人格のない団体に当事者能力が認められると，その団体が訴訟上自己の名で当事者となり得ることはもちろんであるが，その場合に，訴訟物である実体法上の権利義務との関係で，団体がどのような地位に立つのかについては，議論がある。

この点について，伝統的な通説は，団体に当事者能力を認めることは，その団体に，事件限りでの権利能力を認めることを意味するとし，具体的には，団体を権利者または義務者として判決をすることが可能になる，と考えてきた。

これに対して，判例は，29条にそのような効果を認めず，法人格がない以上，その団体には実体法上の権利能力は認められない，との立場を貫徹する。したがって，29条の団体が原告となって，団体自身の所有権確認の訴えを提起した場合，権利能力を有しない団体自身が所有者となることは論理的にあり得ない以上，請求は主張自体失当として棄却すべきであるし（最判昭和55・2・8判時961号69頁。ただし，裁判所としては，原告の請求の趣旨がいずれであるのかに

ついて釈明権を行使すべき場合がある。最判令和4・4・12判タ1499号71頁），団体構成員の総有に属する不動産に関して，団体そのものが登記請求権を取得することも，あり得ないものとされる（最判昭和47・6・2民集26巻5号957頁）。

　このような判例の立場は，実体法と訴訟法の区別を徹底するものであるが，このような立場を前提とすると，団体の当事者適格の説明については，問題が生じることとなる。すなわち，伝統的な通説のような理解を前提とすると，団体は，訴訟物である権利義務の主体であると主張して訴訟追行することとなるから，その団体に当事者適格が認められるのは，当然といえる。これに対して，判例のような立場を前提とした場合には，団体としては，原告として勝訴判決を得ようとするなら，団体構成員の総有に属する権利を訴訟物として訴えを提起せざるを得ないこととなる。そうすると，団体としては，他人である団体構成員の権利について訴訟追行をすることとなり，その場合の当事者適格の根拠が問題となるのである。

　8-5で述べた当事者適格の考え方を前提とすれば，この場合には，団体が構成員のための訴訟担当者として訴訟追行をすることが考えられるところである。実際，判例は，入会団体が原告となって，入会地が原告団体の構成員全員の総有に属することの確認を求めた事件において，原告団体の当事者能力を認めたうえで，団体の当事者適格をも肯定し，総有権確認請求についての判決の効力は，構成員全員に対して及ぶものとしている（最判平成6・5・31民集48巻4号1065頁）。また，法人格のない社団は，その構成員全員の総有に属する不動産の社団代表者個人名義への所有権移転登記請求訴訟の原告適格を有し，その判決の効力も，構成員全員に及ぶとされる（最判平成26・2・27民集68巻2号192頁）。これらの判決は，団体の当事者適格が訴訟担当によるものかどうかを必ずしも明示していないが，権利帰属主体である構成員に判決効が及ぶという帰結は，訴訟担当という構成に親和的なものといえる。このことから，学説では，反対説もあるものの，判例は訴訟担当構成を採用しているとの理解が有力であり，この場合における訴訟担当の性質について，構成員の授権に基づく任意的訴訟担当とする見解，入会権などの共同所有の実体法上の性質から導かれる法定訴訟担当とする見解，29条の規定そのものが，同条が適用される場合における団体の当事者適格を認める趣旨を含むとして，同条を根拠とする法定訴訟担当とする見解などが主張されている。

これらの見解は，効果の面で差異をもたらすものではなく，説明の仕方の相違にとどまる部分もあるが，理論的には，実体法上団体構成員に帰属する権利義務について，構成員の意思に関わりなく当然に団体の当事者適格が認められるとすることには問題があり，その点を重視すれば，任意的訴訟担当の一種と解するのが素直である。その場合，任意的訴訟担当の要件である構成員の授権については，団体への加入や，団体の意思決定過程への関与から黙示的にされているものと評価できる。このように解すると，前述の内部組織性の要件を満たすものとして当事者能力が認められる団体であれば，実質的に団体に帰属する権利義務については，原則として当事者適格を認めてよいことになろう（ただし，代表者の代表権限の問題は別途存在する。⇨す 8-13）。

すこし詳しく 8-13　法人格のない団体の代表者の権限

▶団体に当事者能力と当事者適格が認められたとしても，実際に団体が当事者として適法に訴訟追行をするためには，団体の代表者に訴え提起や応訴についての権限が認められる必要がある。会社などの法人であれば，代表者の権限についての法令の定め（たとえば，会社 349 条 4 項，一般法人 77 条 4 項）に従って権限の有無が定まることになるが，法人格のない団体の場合にはそうした明文規定がないため，代表権の範囲をどのように考えるかが問題となる。この問題に関して，前述の最判平成 6・5・31 は，入会団体の代表者の有する代表権の範囲は，団体ごとに異なり，当然に一切の裁判上の行為に及ぶものではないとしたうえで，入会団体構成員全員の総有に属する不動産の総有権確認請求訴訟の場合，原告団体の代表者は，当該入会団体の規約等において当該不動産の処分に必要とされる総会の議決等の手続による授権を受ける必要があるとしている。その理由としては，敗訴判決が処分と事実上同様の効果を持つことが挙げられている。この考え方を一般化すれば，訴訟物となる権利関係の処分のために規約等で必要とされる授権があれば，代表者に訴訟追行の権限が認められるということになろう。逆に，必要な授権がない場合には，その訴え提起は，代表権を欠く者によるものとして，不適法とされることになる。以上は，団体が原告となる場合に関するものであるが，これに対して，団体が被告となる場合について正面から判示した判例はない。しかし，授権がないとの理由で自ら被告となるべき訴訟を回避できるという結果は相当でないことから，真実の代表者である限り，特別の授権がなくても訴訟追行できるとする見解が有力である。

8-7 訴訟要件の調査

8-7-1 調査の要否

　職権調査事項（⇨ **8-2-3**）に属する訴訟要件については，裁判所は，職権でその存在を確認する必要があり，その欠缺が判明した場合には，当事者による主張がなくても，訴え却下判決などの措置をとらなければならない。訴訟要件の欠缺が判明しているにもかかわらず本案判決をした場合には，その判決は違法であり，たとえば代理権のない者による訴えの提起が後に追認されるなど，事後的に訴訟要件の欠缺が治癒されない限り，上訴による取消しの理由となる。

　もっとも，次の **8-7-2** で述べるように，このことは，裁判所が訴訟要件の存在について疑いを抱いた場合に，その調査のための判断資料を裁判所が職権で収集すべきであるということを直ちに意味するわけではない。裁判所が訴訟要件の存否について調査しなければならないかどうか，また，調査の結果訴訟要件の欠缺が判明した場合にどのような措置をとるべきかと，調査に際して，そのための判断資料をどのように収集するかとは，別個の問題である。

　以上に対して，**抗弁事項**（⇨ **8-2-3**）とされる訴訟要件については，被告からの主張を待ってはじめてその存否を問題とすることが許され，裁判所が，何らかの事情により，その訴訟要件の欠缺についての心証を形成していたとしても，職権でその点を考慮して訴えを却下することは許されない。

　なお，訴訟要件の調査の順序は，とくに法定されていない。学説においては，抽象的一般的な訴訟要件から具体的事件に即した訴訟要件へと順次調査すべきであるなど，さまざまな見解が主張されているが，それらの順序に反したからといって判決が違法になるわけではなく，裁判所の行為規範としての意味を持つにとどまる。

8-7-2 判断資料の収集方法

　訴訟要件の存否を判断するための判断資料の収集の方式については，職権探知主義が妥当する場合と，弁論主義が妥当する場合とが区別される。

　第1に，職権調査事項に属する訴訟要件は，公益に関わるものといえるから，

原則として，判断資料の収集についても**職権探知主義**（⇨ **7-1-3**）が妥当する。したがって，裁判所は，当事者の主張しない事実を訴訟要件の判断の基礎とすることができるし，訴訟要件の基礎となる事実について当事者が自白をしても，判断拘束効，審理排除効および撤回制限効は生じない（自白の効力については，⇨ **7-3-3**）。また，裁判所は，職権で証拠調べをすることができる。この類型に属するものとしては，裁判権，専属管轄，当事者能力，二重起訴の禁止などが挙げられる。

　第2に，職権調査事項に属する訴訟要件であっても，公益的な側面が比較的弱いものについては，判断資料の収集について**弁論主義**（⇨ **7-1-1**）が採用されるといわれる。したがって，裁判所は，当事者の主張しない事実は考慮してはならず，当事者が自白をすれば，その効力はすべて発生する。また，職権で証拠調べをすることはできない。この類型に属するものとしては，任意管轄，訴えの利益，判決効の拡張がない場合の当事者適格が挙げられる。もっとも，これらのうち，任意管轄については，職権証拠調べが認められるという点で（14条），第1類型と第2類型の中間的な規律となっている（⇨ **3-2-3**）。

　第3に，抗弁事項に属する訴訟要件については，判断資料の収集についても，**弁論主義**が妥当する。これらの訴訟要件は，もっぱら被告の保護を図る趣旨のものであるから，当事者による処分を認めても差し支えないからである。

8-7-3　本案要件との審理順序

　訴訟要件は，本案判決のための要件であるから，裁判所が，訴訟要件の存否を確認するよりも先に，本案の当否についての心証を形成したとしても，訴訟要件の存在が確認できない以上は，本案判決をすることはできないはずである。

　もっとも，この点については，訴えの利益や当事者適格のように，被告の利益保護や無益な訴訟を排除することを主たる目的とする訴訟要件の存在が認定されるよりも先に，本案の理由のないことが判明した場合には，裁判所は，その訴訟要件の存在を確認するまでもなく，直ちに請求棄却の本案判決をしてよい，とする見解が有力に主張されている。すなわち，この場合には，無駄な審理の負担から被告や裁判所を免れさせるという点にそれらの訴訟要件を要求する根拠があるのであるから，被告勝訴の本案判決によって被告や裁判所をその負担から解放できるにもかかわらず，なお訴訟要件の審理のために手続を続け

るのは本末転倒であるとされるのである。

　しかし，一部の訴訟要件についてそうした取扱いを認める余地があるとしても，その範囲については慎重な限定を付する必要がある。すなわち，このような取扱いを広く認める見解は，上記の訴えの利益や当事者適格のほか，任意管轄違背，当事者能力や，抗弁事項に属する訴訟要件についても同様の取扱いを認める。しかし，当事者適格に関しては，請求棄却判決の効力が第三者の不利に拡張される場合には，そうした取扱いを認めるべきでない。当事者適格がない者の受けた本案判決の既判力は第三者には拡張されないと考えられるので，そのような判決をする意義に乏しいのが通常であるし，そのような判決の外観が生じると，第三者としては，既判力の拡張を否定するための負担を課されることにもなるからである。また，任意管轄違背の場合についても，請求棄却判決に原告が上訴した場合に，本来管轄違いの上訴裁判所での応訴を強いられることになる被告の不利益を考慮すると，こうした取扱いを認めるべきではない。当事者能力についても，原告団体に当事者能力が認められないにもかかわらず請求棄却判決をすると，本来独自に訴訟追行ができたはずの団体構成員に対する判決効の拡張の問題が生じ（⇨ **8-6-2**），適当でない。さらに，抗弁事項についても，仲裁合意および不起訴の合意については，本来裁判手続外における仲裁手続や交渉による紛争の処理が予定されているのであるから，たとえ請求棄却判決であっても，裁判所の本案判決によって権利関係を確定することは適当でないし，上訴によって裁判手続が続行される可能性を考えると，なおさら問題があろう。

　このように考えると，有力説の説くような取扱いが認められるとしても，それは，実際上は，訴えの利益が問題となる場合に限られることになる（理論的には，判決効の拡張のない事案における当事者適格の場合も考えられるが，実際に問題となる事例は考えにくい）。

8-7-4　判断の基準時

　訴訟要件の判断の基準時についても，原則は，本案要件の場合と同様，事実審の口頭弁論終結時であると考えられる（既判力の基準時については，⇨ **9-6-6-1**）。したがって，訴え提起時に訴訟要件を具備していても，事実審の口頭弁論終結時にそれが失われていれば，訴えは却下されるし，逆に，訴え提起時には

訴訟要件を具備していなくても，事実審の口頭弁論終結時にそれが具備されていれば，本案判決をすることになる。

　もっとも，この原則に対しては，管轄に関して，訴え提起時を基準とする旨の明文規定による例外が設けられているほか（15条。これについては，⇨ **3-2-4**），上告審係属中における事情の変更を考慮するかどうかについて，種々の例外が認められている。

　この問題については，①事実審口頭弁論終結時には訴訟要件が欠けていたが，その後に具備した場合と，逆に，②事実審口頭弁論終結時には訴訟要件を具備していたが，その後に欠けた場合とを分けて考える必要がある。

　このうち，①の場合であって，(ｱ)原判決が誤って本案判決をしていたが，その後にその誤りが治癒されたという場合には，新事情を考慮して上告を棄却し，原判決を維持するが（大判昭和16・5・3判決全集8輯18号617頁），(ｲ)原判決が正当に訴えを却下していた場合には，新事情を考慮せず，やはり上告を棄却して原判決を維持するのが（最判昭和42・6・30判時493号36頁等），判例の立場である。

　次に，②の場合については，(ｱ)原判決が正当に本案判決をしていたが，その後に訴訟要件が欠けたことにより，これが不当となった場合には，やはり新事情を考慮して，原判決を破棄し，訴えを却下するのが判例である（最判昭和29・10・7集民16号19頁）。これに対して，(ｲ)原判決が誤って訴えを却下していたが，その後に訴訟要件が現に欠けたことにより，これが正当なものとなった場合については，判例が見当たらない状況にある。

　以上をまとめると，判例は，①(ｲ)以外の場合には新事情を考慮する傾向にあるといえるが，有力な学説は，これをさらに押し進めて，①(ｲ)の場合を含めて，原則としてすべての場合に新事情を考慮すべきだとしている。①(ｲ)の場合には，判例のように新事情を考慮せず，訴え却下の原判決が確定したとしても，原告は再訴を提起して本案判決を受けることができるはずであるから，原告にとって致命的な不都合はないともいえる。しかし，破棄差戻しとしてその手続内で本案判決が得られた方が原告にとっては便宜であるし，職権調査事項に関しては，原判決の確定した事実が上告裁判所を拘束しないものとされていることからしても（322条），有力説の説くように，いずれの類型においても新事情の考慮を認めるのが適当と考えられる。

第 9 章
判　　決

9-1　裁判の意義と種類
9-2　終局判決
9-3　中間判決
9-4　判決の成立と確定
9-5　申立事項と判決事項
9-6　既 判 力
9-7　執 行 力
9-8　形 成 力
9-9　判決の無効

9-1　裁判の意義と種類

9-1-1　訴訟の終了

　原告の提起した訴えに基づいて訴訟係属が発生し，当事者双方による主張・立証が尽くされ，事件についての判断が可能になった場合には，裁判所は，判決を言い渡す。判決に対していずれの当事者も不服がない場合には，その判決は確定し（⇨ **9-4-2**），訴訟は終了する（これに対して，当事者が不服申立てをした場合には，訴訟は，上級審の裁判所において続行されることになる。⇨ **第 13 章**〔606頁〕）。
　このように，訴訟は，判決の確定によって終了するのが原則である。このことは，もともと原告の提起する訴えが，裁判所に対する特定内容の判決の要求をその内容としていることに対応する（⇨ **2-1-1-1**）。本章では，そうした訴訟

の終了の原則形態である判決について，説明する。

　もっとも，訴訟は，判決以外の原因によって終了する場合もある。

　第1に，当事者の一定の行為に基づいて訴訟が終了する場合がある。処分権主義の帰結である。原告が訴えの取下げまたは請求の放棄をした場合，被告が請求の認諾をした場合，当事者双方が訴訟上の和解をした場合がこれに当たる。これらについては，**第10章**（481頁）で述べる。なお，当事者が訴訟追行を怠っているために，訴えの取下げが擬制される場合（263条）にも，訴訟は終了する（⇨ **5-3-3-2**）。

　第2に，通説によれば，訴訟係属の前提となる二当事者対立構造（⇨ **4-1-2**）が消滅した場合にも，訴訟は当然に終了する。相続や合併によって両当事者の地位に混同が生じた場合や，当事者の一方が死亡したり当事者能力を喪失したが，その当事者を受継する者がいない場合などが，これに当たるが，この場合に関しては，訴え却下判決をするのが本来は正当と考えられる（⇨ **4-1-2** す 4-2 参照）。

　訴訟が終了したかどうかは，判決の場合には，その言渡しを口頭弁論調書に記載し（規67条1項8号），必要があれば裁判所書記官が判決確定証明書を交付することによって（規48条1項），明らかにされる。また，当事者の行為による訴訟終了の場合には，その行為を調書に記載することによって，明らかにされる（267条，規67条1項1号）。これに対して，二当事者対立構造の消滅によって訴訟が当然に終了した場合には，受訴裁判所がそのことを訴訟記録上で明らかにするにとどまり，特別の行為がされるわけではない。

　もっとも，いずれの場合においても，訴訟が終了したかどうかについて当事者間に争いが生じたときは（たとえば，訴訟上の和解の無効が主張される場合につき，⇨ **10-2-4-4**），その点を明らかにするため，裁判所が，訴訟が既に終了していることを宣言する旨の判決をすることがある。このような判決を，**訴訟終了宣言判決**と呼ぶ（訴訟終了宣言判決については，⇨ **9-2-3** す 9-1）。

9-1-2　裁判の意義

　「**裁判**」とは，裁判機関がその判断を法定の形式に従って表示することをいい，広い意味では行政機関が行う場合も含むが（憲76条2項参照），訴訟法上問題となるのは，司法権の属する裁判所または裁判官のする行為である。裁判に

は，判決のほかに，決定や命令の形式によるものがある（⇨ **9-1-3**）。

　これらの裁判は，訴訟事件それ自体（判決の場合）や，事件に付随して問題となる種々の事項について（決定，命令の場合），裁判機関である裁判所または裁判官がその内部で形成した判断を外部に示すものである。これに対して，単に当事者の弁論を聴いたり，証人に対して質問をする，というような事実行為は，裁判官のする行為であっても，裁判には当たらない。また，裁判所または裁判官のする行為であるから，たとえば裁判所書記官など，それ以外の主体がするものは，内容上裁判に類似するものであっても，裁判とは呼ばれず，**処分**と呼ばれる（121条参照）。処分の例としては，訴訟費用の負担額の確定（71条1項）などがある。

9-1-3　裁判の種類

9-1-3-1　判決，決定，命令

　裁判には，**判決**，**決定**，**命令**という3つの形式がある。これらの裁判形式の区別は，主として，①その裁判をする主体，すなわち裁判機関の種類の違い，②その裁判をするための手続およびその後の不服申立てなどの手続の違い，③裁判の対象となる事項の違いに基づくものである。

　これらの3つの形式のうち，最も重要であり，かつ厳格な手続によるのが判決であり，民訴法も，判決について詳細な規定を置くとともに，決定および命令については，その性質に反しない限り，判決に関する規定を準用するものとしている（122条）。

9-1-3-2　裁判機関の違い

　まず，裁判機関の面では，判決および決定は，単独の裁判官または合議体が，裁判所としての資格でする裁判である。これに対して，命令は，単独の裁判官が，裁判長，受命裁判官または受託裁判官の資格においてする裁判である。また，裁判官の職にある者であっても，判事補は，原則として単独で裁判をすることができないが（裁27条1項），決定および命令については，単独ですることができる（123条。なお，いわゆる特例判事補の権限については，⇨ **3-1-3**）。

　なお，文書提出命令（223条1項），債権の差押命令（民執143条）など，裁判所のする裁判であっても，法律上「命令」という名前が付けられている場合がある。しかし，これらの名称は，裁判の内容に基づくものであり，裁判形式の

区別を示すものではないから,「命令」という名前が付いていても,裁判所のする裁判である以上,形式上は,決定に分類される。

9-1-3-3 手続面の違い

裁判に至るまでの手続の面では,次のような違いがある。

まず,審理の方法に関しては,判決は,原則として口頭弁論による審理を経る必要があるが(87条1項。その例外については,⇨ 5-1-1-2),決定をするためには口頭弁論は必要でなく(87条1項但書),命令の場合も同様である。このことから,法律上,口頭弁論を経ないでする裁判という場合には,決定および命令を指す(たとえば,民執4条,民保3条)。

また,判決は,原則として,判決書を作成したうえで(252条),言渡しをすることによって効力を生じ(250条),当事者に対して判決書の正本を送達することが必要である(255条)(ただし,例外として調書判決が認められる場合があることにつき,⇨ 9-4-1-2(3), 9-4-1-4)。判決書には,裁判官が署名押印をしなければならない(規157条1項)。これに対して,決定および命令は,必ずしも書面による必要はなく(規67条1項7号参照),相当な方法で告知すれば足りるから(119条),必ずしも送達は必要でない。書面を作成する場合でも,裁判官の署名は必要でなく,記名押印で足りる(規50条1項)。記名の場合には,署名と異なって,氏名をパソコン等で入力したものを出力すれば足りるから,事件を大量に処理しなければならない裁判官にとって,両者の違いは無視できないものがある。

裁判に対する不服申立ての方法に関しても,判決に対しては,上訴が一般に認められているのに対して,決定および命令に対しては,上訴が認められる場合が限られている。また,上訴の方式も,判決に対する上訴は,控訴(281条)または上告(311条)であるのに対して,決定および命令に対する上訴は,より簡易な抗告(328条)または再抗告(330条)による(上訴については,⇨ 第13章〔606頁〕参照)。

9-1-3-4 裁判事項の違い

以上のように,判決は,裁判機関の面でも,手続の面でも,他の裁判形式よりも厳格な規律に服する。言い換えれば,判決は,決定および命令と比較して,より慎重な手続保障を前提とする裁判形式であるといえる。したがって,ある裁判が当事者の利益に対して重大な影響を及ぼす場合には,判決の形式がとら

れるし，逆に，手続の簡易・迅速が重視される場合には，決定または命令の形式が適していることになる。

このことに対応して，判決の対象となるのは，訴訟物である権利義務の存否など，当事者の権利義務に対する影響が大きい重要な事項であり，その効果も，**9-4-3** および **9-6** 以下でみるように，最も厳格である。これに対して，決定および命令が対象とするのは，各種の訴訟指揮の裁判など，本案に対して付随的な意味を持つ事項や，民事保全，民事執行など，狭義の訴訟手続以外の手続に関連する事項である。これらの場合には，権利義務の確定を直接にはもたらさないという意味で，手続を簡略化することが許容されると同時に，そのようにすることによって，柔軟かつ迅速な処理が期待されているのである。

9-1-3-5　その他の分類

裁判については，判決，決定，命令の区別のほかに，その審級における手続を終結させるかどうかに基づく**終局的裁判**と**中間的裁判**の区別や，裁判の効力に着目した**命令的裁判**，**確認的裁判**，**形成的裁判**といった分類をすることがある。

これらのうち，前者の区別は，主として判決について，終局判決と中間判決の区別として議論されるものであり，後者の区別も，判決の場合における給付判決，確認判決，形成判決の区別に対応するものである。そこで，これらについては，**9-2** 以下において，判決の場合に即して説明する。

9-2　終　局　判　決

9-2-1　終局判決の意義

判決には，終局判決と中間判決とがある。

「**終局判決**」とは，その審級における手続を終結させる効果を持つ判決をいう。終局判決には，さらに，**9-2-2** 以下で述べるようなさまざまな種類の判決がある。通常，単に「判決」といった場合に第一に想起されるのは，終局判決であり，**9-4** 以下の説明も，主として終局判決を想定したものである。

これに対して，「**中間判決**」とは，その審級における手続を終結させる効果を持たない判決をいう。審理の過程で問題となった当事者間の争いについて解

決するもので，終局判決を準備するという目的を持つ。中間判決の要件および効果については，**9-3**において説明する。

9-2-2 全部判決と一部判決

9-2-2-1 全部判決と一部判決の意義

「**全部判決**」とは，同一の訴訟手続において審判が求められている請求の全部についてされる終局判決をいい，「**一部判決**」とは，同一の訴訟手続において審判が求められている請求の一部のみについてされる終局判決をいう。一部判決がされた場合，残部の請求については，さらに審理を進めたうえで終局判決をすることになる。この判決を**残部判決**と呼ぶ。

一部判決をすれば，その部分については迅速に判断を示すことができるとともに，以後の審理を残部の請求に集中することができるという利点がある。しかし他方で，一部判決と残部判決とは別個独立の終局判決であり，それぞれ別個に上訴の提起や確定が生じることから，一部と残部とが内容上関連する場合には，手続の複雑化や判断の重複・混乱を招くおそれもある。そのため，一部判決の要件を満たす場合であっても，実際に一部判決をするかどうかについては，裁判所の裁量に委ねられている（243条2項参照）。

9-2-2-2 一部判決の許容性

一部判決をすることができるのは，①訴訟の一部が裁判をするのに熟したとき（243条2項），または，②弁論の併合や反訴の提起によって数個の請求が事後的に同一の訴訟手続において審判されることになったが，そのうち1つが裁判をするのに熟したとき（243条3項）である。もっとも，②の類型が比較的明確であるのに比べて，①の要件によって一部判決ができるのがどのような場合であるかについては，問題がある。

まず，請求の客体的併合や通常共同訴訟のように，本来個別の訴訟が可能な複数の請求について同一の訴訟手続における審判が求められている場合に，それらの請求の1つについて判決をすることができることについては，異論がない。たとえば，同一の被告に対して売買代金請求と貸金返還請求とが併合して提起されたところ，売買代金請求については裁判に熟したが，貸金返還請求についてはなお証拠調べが必要である場合が，これに当たる。

これに対して，同じく複数の請求が存在する場合であっても，必要的共同訴

訟の場合には，合一確定が要求されるから（40条1項参照），一部判決は許されないし，同時審判申出共同訴訟の場合にも，規定上一部判決は禁止されている（41条1項）。また，請求の客体的予備的併合の場合にも，明文の規定はないが，一部判決をすることは許されないと解される（⇨ **11-2-3-2**）。したがって，客体的予備的併合の場合に予備請求についての判断をすることなく主位的請求棄却の一部判決をすることは，許されない（最判昭和38・3・8民集17巻2号304頁）。

　以上に加えて，単一の請求の一部が裁判に熟した場合に，その部分について一部判決をすることができるかが議論される。たとえば，300万円の損害賠償請求訴訟において，損害額のうち200万円については争いがなく，残り100万円についてのみ争いがある場合に，200万円について請求を認容する一部判決をし，残り100万円部分を残部判決に委ねることができるか，という問題である。このような一部判決は，当初の300万円の請求を，200万円の一部請求と100万円の残部請求とに分割して処理することを意味するものであるが，処分権主義のもとでは，一部請求をするかどうかは原告の意思に委ねられていることからすると（一部請求については，⇨ **9-6-8**），このような処理は，処分権主義に反して許されないものと解される。

9-2-2-3　裁判の脱漏

　一部判決は，裁判所が残部判決を意識的に留保してするものであるが，これに対して，裁判所が全部判決としてした判決が，客観的には一部判決にすぎなかった場合を，**裁判の脱漏**と呼ぶ。裁判所が単純な過誤によって請求の一部についての判断をしなかった場合のほか，訴えの一部取下げを前提として残部について判決をしたところ，訴えの取下げが無効であることが明らかになった場合（訴えの取下げの無効については，⇨ **10-1-2-1**）などが，その例である。裁判の脱漏は，請求自体について判断が欠けている場合であるから，単に攻撃防御方法の一部について判断が欠けている場合である判断の遺脱（338条1項9号）とは，区別される（判断の遺脱については，⇨ **13-6-2**）。

　裁判に脱漏がある場合，その部分については，なお訴訟係属が存在するものとされる（258条1項）。したがって，裁判所は，この部分についてさらに判決をしなければならない。このような判決を，とくに**追加判決**と呼ぶ。追加判決は，一部判決に対する残部判決と同様に，当初の判決とは別個の判決であり，

独立に上訴の対象となる。

　裁判所は，裁判に脱漏があると認めた場合には，職権で追加判決をすることができる。これに対して，当事者が裁判の脱漏があるとして追加判決を求めたが，裁判所が脱漏はないと判断する場合には，訴訟終了宣言判決をすることになる（その例として，東京高判平成 16・8・31 判時 1903 号 21 頁）。

9-2-3　本案判決と訴訟判決

　「**本案判決**」とは，訴えによって定立された原告の請求の当否について判断する判決をいう（「本案」の概念については，⇨ *1-2-3-4* ❶ 4）。請求に理由があるとする**請求認容判決**と，理由がないとする**請求棄却判決**がある（請求の一部認容については，⇨ *9-5-3*）。

　「**訴訟判決**」とは，訴えが訴訟要件を欠いて不適法であること，または，上訴が上訴要件を欠いて不適法であることを理由として，訴えまたは上訴を却下する判決をいう。

　本案判決と訴訟判決とでは，その効力の内容に違いがあるほか（訴訟判決の既判力の内容については，⇨ *9-6-5-1*），後者が上級審において取り消される場合には，本案についての審級の利益を保障するため，差戻しが原則とされる（307 条本文）という点で（⇨ *13-6-2-3*(3)），取扱いの面でも違いがある。

> **TERM ㉙　棄却と却下**
> 　本文で述べたように，判決の場合には，本案において理由がない場合には「棄却」，訴えが訴訟要件を欠く場合には「却下」とする用語法が定着している。そして，理論的には，同様の区別は，決定や命令の場合においても，可能なはずである。しかし，実務上は，判決以外の裁判の場合には，申立てに理由がない場合と申立てが不適法な場合とを区別せず，いずれの場合についても申立てを「却下」する，とするのが慣用的な用語法である。また，法文上も，判決以外の裁判について「棄却」と「却下」とを区別する例もあるものの（317 条 1 項・2 項，民再 25 条など），両者を含む意味で「却下」の用語を用いていると解される場合も少なくない（328 条 1 項，民保 19 条 1 項，非訟 66 条 2 項など）。

> **すこし詳しく 9-1　訴訟終了宣言判決**
> ▶*9-1-1* で述べたように，訴訟が終了したかどうかについて争いが生じた場合に，訴訟が既に終了したことを宣言する判決を，訴訟終了宣言判決と呼ぶ。たとえば，「本件訴訟は，○月○日訴え取下げにより終了した」といった主文となる。訴訟終了宣言判決について定めた明文の規定はなく，実

務上の慣行として形成されたものである。訴訟終了宣言判決は，本案判決でないことはもちろん，訴訟係属が既に存在しないことを前提とするものである点で，一般の訴訟判決とも異なる。すなわち，一般の訴訟判決の場合には，訴え却下判決の確定によって訴訟が終了するが，訴訟終了宣言判決の場合には，訴訟は訴えの取下げなどにより既に終了しているから，訴訟終了宣言判決そのものには訴訟終了効（⇨ **9-4-3-3**）はない。その意味で，訴訟終了宣言判決は，訴訟の終了という効果を形成的に生じさせるものではなく，あくまで確認的なものにとどまる。もっとも，訴訟終了宣言判決が確定した場合には（訴訟終了宣言判決に対しても，訴訟の係属を主張する当事者は，上訴ができると解されている），もはや訴訟が終了したことを争えなくなると解される点で，訴訟判決と類似の機能を果たすといえる（判例は，訴訟が終了したことを既判力をもって確定する訴訟判決である，とする。最判昭和47・1・21集民105号13頁，最判平成27・11・30民集69巻7号2154頁参照）。

9-2-4　給付判決，確認判決，形成判決

　本案判決のうち，請求認容判決は，訴えによって求められる救済の内容に応じて（訴えの類型については，⇨ **2-1-2**），給付判決，確認判決，形成判決に分けられる。これに対して，請求棄却判決は，いずれも確認判決である。

　給付判決は，給付の訴えについて，請求を認容して被告の原告に対する給付を命じる判決である。給付判決が確定した場合，その内容上の効力として，既判力に加えて，執行力が生じる。

　確認判決には，確認の訴えを認容して訴訟物の存否を確認する判決のほか，訴えの種類を問わず，請求を棄却する判決がすべて含まれる。確認判決が確定した場合に生じる内容上の効力は，既判力のみである。

　形成判決は，形成の訴えについて，請求を認容して原告の求める法律関係の形成をもたらす判決である。形成判決が確定した場合，その内容上の効力として，既判力に加えて，形成力が生じる。

9-3　中間判決

9-3-1　中間判決の意義

　中間判決は，審理の過程で問題となった当事者間の争いについて終局判決に

先立って解決しておくことによって、以後その争点についての弁論を無用なものとし、終局判決を準備するものである。中間判決は、終局判決との関係では手段的な役割を有するにとどまるものである一方で、その後の審理に与える影響は大きい。そのため、中間判決をするかどうかについては、訴訟指揮の問題として、裁判所の裁量に委ねられており、当事者の申立権も認められていない。実務上も、中間判決がされることはまれであるといわれている。中間判決をする場合、判決書の作成、言渡しなどについては、終局判決の場合と同様の手続による。

9-3-2 中間判決の対象となる事項

中間判決も、裁判の形式としては判決であり、口頭弁論の必要性（87条1項本文）が妥当する（口頭弁論の必要性については、⇨ **5-1-1-2**）。したがって、中間判決の対象となり得るのは、訴訟手続の過程で生じる中間的な争いであって、かつ、当事者間の口頭弁論を基礎として判断をするべき事項である。しかし、民訴法は、こうした事項のすべてについて中間判決を認めているわけではなく、①独立した攻撃または防御の方法、②中間の争い、③請求の原因という3つの事項に限って、中間判決ができるものとしている（245条）。

9-3-2-1 独立した攻撃防御方法

独立した攻撃防御方法とは、本案に関する攻撃防御方法であって、他の攻撃防御方法とは独立して法律効果を基礎づけるもの、言い換えれば、その攻撃防御方法の存在または不存在のみによって、ある権利関係の発生・変更・消滅をもたらすものをいう。たとえば、売買の存在や取得時効の成立は、それだけで所有権の取得という法律効果を基礎づけるものであるから、独立した攻撃方法であるし、債権の消滅要件としての弁済や相殺などは、独立した防御方法である。

なお、独立した攻撃防御方法を判断した結果、直ちに終局判決が可能になる場合には、中間判決ではなく終局判決をしなければならない。たとえば、貸金請求事件において、訴求債権全額の弁済の事実が認められた場合には、直ちに請求棄却の終局判決をすることになる。したがって、中間判決の対象となるのは、その攻撃防御方法を判断してもなお終局判決が可能でない場合、たとえば、上記の例では、弁済の事実が認められないとの判断をする場合に限られる。

9-3-2-2 中間の争い

中間の争いとは，手続上の事項に関する争いであって，口頭弁論に基づいて判断すべきものをいう。たとえば，訴訟要件の存否や，訴えの取下げや訴訟上の和解による訴訟終了の有無に関する争いがこれに当たる。

もっとも，手続上の事項に関する争いであっても，決定で裁判をする旨の規定が置かれている場合には，中間判決の対象とはならない（たとえば，訴え変更の可否〔143条4項〕。⇨ *11-3-4*）。また，民訴法は，訴訟手続の過程で当事者と第三者との間で生じる争いについては，一般に，決定で裁判をすべきものとしている（たとえば，補助参加の許否〔44条1項〕や証言拒絶の当否〔199条1項〕。⇨ *12-6-3-2*, *7-5-2-3*(2)）。したがって，中間判決の対象は，もっぱら当事者間の争いに限られる。

なお，訴訟要件の不存在が認定される場合など，直ちに終局判決が可能になる場合には中間判決をする余地がないことについては，*9-3-2-1* の場合と同様である。

9-3-2-3 請求の原因

請求の原因および数額について争いがある場合には，**請求の原因**についても，中間判決をすることができる（245条後段）。請求の原因が否定される場合には，請求棄却の終局判決をすることになるから，ここでの中間判決は，請求の原因が存在することを内容とするものである。このような中間判決を，とくに**原因判決**と呼ぶ。ここで請求の原因とは，実体法上の請求権の存否に関する一切の事実から，請求権の具体的な金額を除いたものをいう。同じく「請求の原因」といっても，狭義・広義の請求原因のいずれとも異なる概念であり（⇨ *2-1-3-2*❶6），請求権の発生を妨げる事実や，請求権を消滅させる事実の存否をも考慮したうえで，請求権が存在することを意味するものである。

9-3-3 中間判決の効力

中間判決も，終局判決と同様に，**自己拘束力**（⇨ *9-4-3-1*）を有する。したがって，裁判所は，中間判決を自ら取り消したり，変更したりすることはできないし，終局判決をする際には，中間判決の主文で示した判断を基礎として，他の争点について判断をしなければならない。また，当事者も，中間判決の基礎となった口頭弁論の終結以前に発生していた攻撃防御方法によって，中間判決

の内容を争うことはできなくなる。もっとも，原因判決がなされた場合に，その判決前に既に相殺適状にあった自働債権によって，新たに相殺の抗弁を主張することができるかどうかについては，議論がある。古い裁判例には，相殺の主張は認められないとしたものがあるが（大判昭和8・7・4民集12巻1752頁），確定判決の既判力の場合と同様に（⇨ 9-6-7-2），認めてよいとするのが多数説である。

中間判決に対しては，独立に上訴することができない。終局判決に対して上訴をした場合には，上訴裁判所は中間判決の拘束力を受けないから，中間判決に含まれる原審の判断を争うこともできる。上訴裁判所としては，原判決を審査し，中間判決と終局判決がともに不当だと判断すれば，両者をともに取り消すことになるし，中間判決は相当であるが終局判決が不当だと判断するときは，終局判決のみを取り消すことになる。後者の場合において，上訴裁判所が事件を原裁判所に差し戻した場合には，原裁判所は，先にした中間判決になお拘束される。

このように，中間判決は，あくまでそれをした裁判所に対してのみ拘束力を持つものであり，仮に，その中間判決を前提とする終局判決が確定した場合にも，中間判決自体に既判力（⇨ 9-6）が生じるわけではない。

9-4 判決の成立と確定

9-4-1 成立の手続

判決をするにあたっては，①判決の内容を確定し，②その内容を記載した判決書を作成したうえで，③判決の言渡しをすることになる。④言渡しによって成立した判決については，当事者への送達がなされる。⑤なお，終局判決をする際には，あわせて，訴訟費用の負担についても処理する必要がある。

そこで，以下では，上記の順番に即して，判決の成立手続について説明する。

9-4-1-1 判決内容の確定

裁判所は，訴訟が裁判をするのに熟したと判断したときは（243条1項），口頭弁論を終結し，判決の内容を確定する。裁判をするのに熟したかどうかは，主として，①裁判官の心証形成の程度，②当事者に与えた手続保障の程度を考

慮して判断されるべき問題である。したがって，抽象的にいえば，口頭弁論をさらに続けても，それに見合うだけのさらなる心証形成がもはや期待できないし，また，当事者双方に対して既に必要十分な手続保障を与えた，といえる場合には，裁判をするのに熟したということができる。一般的には，争点および証拠の整理が的確にされている限り，予定されていた証拠の取調べを終えた段階で，事件が裁判に熟することが多いであろう。

　直接主義の要請が妥当する結果として，判決の内容を確定するのは，基本となる口頭弁論に関与した裁判官でなければならない（249条1項。直接主義については，⇨ **5-1-2-4**）。単独の裁判官によって裁判体が構成される場合には，その裁判官の判断に従って判決の内容を確定することになるが，合議体の場合には，合議体を構成する裁判官の間での評議および評決によって，内容を確定する。評議および評決の方法については，裁判一般の問題として，裁判所法に規定が置かれている（裁75条～78条）。

9-4-1-2　判　決　書
(1) 判決書の意義

　確定された内容に従って判決をするにあたっては，その内容を記載した書面を作成しなければならない。この書面を**判決書**と呼び，判決の言渡しは，原則として，判決書の原本に基づいてする（252条）。

　このように，判決の書面化が要求されるのは，何より，判決内容の理解がそれぞれの関係人によってまちまちとなることを防ぎ，その一義性を確保するためであるが，それとともに，書面を利用することによって，判決内容のすべてを口頭のみで伝達する場合と比べて，時間や労力が節約できること，また，書面の作成作業を通じて，裁判官が自己の判断内容を客観視し，反省の機会を与えられること，といった利点も挙げることができる。**9-4-1-3**で述べるように，判決の口頭による言渡しの主たる機能は，判決理由等の伝達そのものよりも，むしろ判決の成立という手続上の区切りを明らかにする点にあるため，実際には，判決内容の伝達は，もっぱら判決書の記載によって担われることになる。

　判決書の第1次的な読み手として想定されるのは，その事件の当事者である。当事者としては，判決書の記載により，その判決の内容，効力，理由づけなどを詳細に知り，判決に対して上訴をするかどうかなど，その後の対応を的確に判断することができることになる。また，判決書は，判決に対して上訴が提起

された場合の上訴裁判所や，その判決に基づく強制執行に関与する執行裁判所や執行官に対して判決内容を伝達する。さらに，判決書は，場合によっては，その判決の扱った問題に関心を有する法律家や一般国民に対する情報提供の機能をも有する。

(2) **判決書の記載事項**

判決書に記載すべき事項としては，①主文，②事実，③理由，④口頭弁論の終結の日，⑤当事者および法定代理人，⑥裁判所の名称があるほか（253条1項），⑦判決をした裁判官が署名押印しなければならない（規157条1項）。

これらのうち，判決の具体的な内容を示す意味でとくに重要であるのが，①主文，②事実および③理由である。

①の**主文**は，判決の結論を簡潔に表示するものであり，訴えまたは上訴に対する応答を内容とする。訴訟判決であれば，「本件訴えを却下する」となる。本案判決のうち，請求棄却判決の場合には，「原告の請求を棄却する」となり，請求認容判決の場合には，給付・確認・形成のうちどの判決となるかによって異なる（具体例については，⇨ **2-1-2**）。本案判決の主文は，理論上，訴訟物である請求権の存否についての判断に対応するものであるが，実際に訴訟物を特定するためには，当事者欄や事実の欄をも参照しなければならない場合が多い。

主文の欄には，以上の訴え等に対する応答のほか，訴訟費用の負担の裁判（67条。⇨ **1-3-2**）や，仮執行の宣言（259条。⇨ **9-7-2**）なども掲げられる。たとえば，「訴訟費用は被告の負担とする」，「この判決は仮に執行することができる」などである。

②の**事実**の記載は，当事者の申し立てた請求および当事者の主張した事実を示すものである。もっとも，当事者の主張事実のすべてを記載する必要はなく，主文が正当であることを示すのに必要な主張のみを示せばよい（253条2項）。通常は，主要事実の主張がこれに当たるが，それらの主要事実に関連する間接事実も含まれる。

③の**理由**においては，裁判所が主文の結論を導いた根拠が示される。法規適用の前提となる事実認定のほか，適用法規の解釈が争われた場合には，裁判所の採用した法解釈が示される。事実認定に関しては，認定事実の内容のほか，認定の根拠として考慮した証拠を適宜示すことになる。理由の記載に不備があったり，理由に食い違いのある判決は違法であり，上告理由にもなるが（312

条2項6号。⇨ **13-3-4-2**)，すべての証拠についてその採否の理由をいちいち明らかにする必要はないとされている（最判昭和32・6・11民集11巻6号1030頁）。

なお，簡易裁判所の手続においては，判決書の記載は，より簡略なもので足りる（280条）。

> **すこし詳しく 9-2　いわゆる「新様式判決」**
> ▶判決書における事実および理由の記載方法に関する実務には，歴史的な変遷がみられるが，現在の実務では，「新様式」と呼ばれる方法がとられることが多い。この方法によれば，事実と理由は「事実及び理由」という形で一括され，その中で，「請求」，「事案の概要」，「裁判所の判断」の順に整理して記載される。このうち，「事案の概要」はおおむね本文②の意味での事実に対応し，「裁判所の判断」は理由に対応するが，付随的な争点に関する理由は「事案の概要」の中で，「争いのない事実等」としてまとめて記載され，「裁判所の判断」においては，主要な争点に限って，争点ごとに理由が記載される。この方法は，原告・被告間の主張責任の分配に従って主張を網羅的に記載していたいわゆる旧様式（在来様式）の判決書が，当事者にとってかえって分かりにくいなどの批判があったことから，1990年代から工夫され，普及したものであり，充実した争点整理を前提とした争点中心の審理を重視する現行民訴法の理念にも，沿ったものといえる。

(3) 調書判決

以上に述べたように，判決をする際には，判決書を作成しなければならないのが原則であるが，民訴法は，その例外として，一定の場合には判決書を作成せずに判決の言渡しをすることを認めている。この場合には，裁判所は，判決書の作成に代えて，口頭弁論期日の調書に，当事者および法定代理人，主文，請求ならびに理由の要旨を記載した調書を，裁判所書記官に作成させる（254条2項）。そのため，このような判決を，一般に**調書判決**と呼ぶ。

調書判決が認められるのは，事件について当事者間に実質的に争いがない場合である。このような場合には，手間のかかる判決書作成の手続を省略することによって，迅速に判決を言い渡すことを可能にした方が，裁判所および当事者双方の利益にかなう，という考慮による。具体的には，①被告が請求原因事実について自白し，またはこれについて擬制自白が成立したが，抗弁事実の主張がない場合（254条1項1号）のほか，②被告が公示送達による呼出しを受けたが口頭弁論期日に出頭せず，答弁書等の準備書面の提出もない場合（同項2号）がこれに当たる。②の場合には，擬制自白は成立しないが（159条3項），

実質的には当事者間に争いがないことから，原告側の提出する事実および証拠のみに基づいて調書判決をすることを認めたものである。

なお，少額訴訟においては，調書判決が一般的な形で認められている（374条2項⇨ **14-3-2-2**）。

9-4-1-3　判決の言渡し

判決は，**言渡し**によって効力を生じる（250条）。判決書が作成されていたとしても，言渡しがなければ，法的に判決が成立していることにはならない。

言渡しは，公開法廷で開かれる言渡期日においてする（憲82条1項）。言渡期日は，原則として，口頭弁論終結日から2か月以内の日に指定されなければならない（251条1項本文）。もっとも，これに違反しても言渡しの効力には影響しない。言渡期日が指定された場合には，原則として，裁判所書記官が当事者にその日時を通知する（規156条本文）。言渡しは，言渡期日に当事者が在廷しない場合でもすることができ（251条2項），また，訴訟手続の中断中であっても，することができる（132条1項）。ただし，後者の場合，中断が続く限り，判決が当事者に送達されても，上訴の期間は進行しない（132条2項）。

言渡しは，原則として，判決書の原本に基づいてする（252条）。具体的には，裁判長が判決の主文を朗読するが（規155条1項），理由またはその要旨まで朗読するかどうかについては，裁判長の裁量に委ねられている（規155条2項）。これに対して，調書判決の場合には，判決書の原本は作成されず，言渡しは，判決の主文および理由の要旨を告げてする（規155条3項）。

判決言渡しの事実は，口頭弁論調書に記載されるとともに（規67条1項8号），判決書に付記されることによって（規158条），記録される。

9-4-1-4　判決の送達

言渡しによって成立した判決については，当事者に送達しなければならない（255条1項）。送達されるのは，通常の場合には判決書の正本である（255条2項）。これに対して，調書判決の場合には，判決書に代わる調書の謄本（255条2項）または正本（規159条2項）を送達するが，強制執行をするためには債務名義の正本が必要なため（民執25条本文），実務上は，後者の方が原則的な取扱いである（正本や謄本の概念については，⇨ **5-3-2-2 ❶ 11**）。送達は，裁判所書記官が判決書の交付を受けた日から2週間以内にしなければならない（規159条1項）。

判決の言渡しにおいては，判決の詳細な理由まで明らかにすることは予定されていないから，当事者としては，判決の詳細な内容は，判決書の送達によってはじめて知ることができる。そのため，判決に対する上訴の期間は，言渡しではなく，当事者が送達を受けた日から起算される（285条本文・313条）。

9-4-2　判決の確定

9-4-2-1　判決の確定の意義

判決が言い渡されても，それが上訴などの通常の不服申立て（⇨ 13-1-1）による取消しが可能な状態にある場合には，事件が最終的にその判決によって解決されることになるのかどうかは，なお未確定な状態にある。これに対して，通常の不服申立てによる取消しの余地が尽きた場合には，原則として，その判決が覆されることはない。このように，判決が通常の不服申立てによる取消しの可能性のない状態に至ることを，「**判決の確定**」と呼ぶ。また，このことを，判決の効力という視点から表現した場合には，その判決に**形式的確定力**が生じたともいう（形式的確定力については，⇨ **9-6-1**）。逆に，上訴などがなされた場合には，その判決は確定しない（116条2項）。上訴などに判決の確定を遮断する効力があるといわれるのは（⇨ **13-1-1**），このことを意味する。

9-4-3-3で述べるように，既判力など，判決の主要な効力の多くは判決の確定を条件として生じるものとされていることから，ある判決が確定しているかどうかは，訴訟法上重要な意味を持つ。

9-4-2-2　判決の確定時期

上訴などの通常の不服申立方法が許されない判決は，言渡しによって成立するとともに，直ちに確定する。たとえば，上告裁判所の判決や少額訴訟の判決に対する異議審の判決は，上訴をする余地がないから，言渡しと同時に確定することになる。また，言渡し前に不上訴の合意をすることができると解する場合には（⇨ **13-2-7-1**），そうした合意があるときにも，言渡しと同時に判決が確定する。

上訴などが許される判決の場合には，上訴が提起されないまま，上訴期間が満了した時，上訴の提起後，上訴期間満了後に，上訴の取下げがなされた時や，上訴の提起後，上訴の棄却または却下の裁判が確定した時に，それぞれ判決が確定することになる。

少額訴訟判決に対する異議（378条⇨ **14-3-2-2**）に関しても，これらと同様に考えればよい。

9-4-2-3　判決確定の証明

当事者等が確定判決の効力を主張して種々の行為を行うためには，その判決が確定していることを証明する必要が生じる。たとえば，確定した給付判決に基づいて強制執行の申立てをする場合や，登記手続を命じる確定判決に基づいて，登記申請をする場合などである（不登63条1項）。しかし，判決が確定しているかどうかは，判決の正本からは必ずしも明らかにはならない。そこで，判決確定の証明が必要な当事者および利害関係人は，原則として第1審裁判所の裁判所書記官に対して（例外につき規48条2項参照），判決確定についての証明書の交付を請求することができるものとされている（同条1項）。

> **すこし詳しく 9-3　強制執行の申立てと判決確定証明**
> ▶確定判決の効力が主張される典型例である強制執行の場合には，執行文の付与によって執行力の存在を明らかにするものとされていることから（民執25条・26条），執行文付与の段階で，判決の確定を確認する必要がある。そのため，原則として，執行文付与の申立ての添付書面として判決確定証明書を提出する必要がある（民執規16条2項）。しかし，第1審判決に対して控訴が提起されずに確定したり，上訴審判決が確定して事件記録が第1審裁判所に返送済みである場合など，執行文を付与する裁判所書記官（この場合は，第1審裁判所の書記官である。民執26条1項）にとって判決の確定が記録上明らかである場合には，改めて判決確定証明書を提出する必要はないものとされている（民執規16条2項）。

9-4-3　判決の効力

9-4-3-1　自己拘束力

(1) 自己拘束力の意義

判決は，言渡しによって有効に成立し，効力を生じるから（250条），いったん判決が言い渡されれば，受訴裁判所自身といえども，その判決を取り消し，あるいは変更することはできないのが原則である。このように，いったん成立した判決が受訴裁判所自身を拘束することを，判決の**自己拘束力**と呼ぶ。

(2) 判決の更正

もっとも，自己拘束力の例外として，判決に，計算間違い，誤記などの明白な誤りがあるときは，裁判所は，申立てまたは職権により，判決を訂正するこ

とができ，これを**判決の更正**と呼ぶ。判決の更正は，いつでもすることができ（257条1項），判決確定後でも可能である。決定の方式によって行われ（同項），この決定は，原則として，判決書の原本および正本に付記される（規160条1項）。更正決定に対しては，当事者は，即時抗告によって不服申立てをすることができる（257条2項）。これに対して，更正の申立てに理由がないとして却下する決定に対して即時抗告をすることができるかどうかについては争いがある。令和4（2022）年改正により新設された257条3項は，更正の申立てを不適法として却下した決定に対して即時抗告ができる旨を明文化したが，申立てに理由がないとして却下した決定についても，更正決定の可否について即時抗告による上級審裁判所の審査を認める以上，この場合にも上級審裁判所の審査の余地を認めてよく，同項を類推して即時抗告を認めるべきである（東京地決平成9・3・31判時1613号114頁参照）。

(3) 判決の変更

さらに，判決をした裁判所は，その判決に法令違反があることを発見したときは，判決の確定前であれば，その言渡し後1週間以内にかぎり，これを変更することができる（256条1項）。これを，**判決の変更**と呼ぶ。この制度は，ドイツ法系の各国には存在しない制度であり，アメリカ法を参考として昭和23（1948）年の改正によって導入されたものであるが，アメリカ法とも異なる日本独自の制度となっている。その趣旨は，判決裁判所が自ら法令違反を認める場合に，上訴によるまでもなくその是正を行うことを可能とし，当事者を簡易・迅速に救済するとともに上訴審の負担軽減を図ることにある。したがって，変更のために事件についてさらに弁論をする必要がある場合には，もはや簡易・迅速な救済は実現できないことから，変更は許されず（256条1項但書），本来の救済方法である上訴によることになる。

法令違反とは，その事件に適用すべき法令の解釈・適用を誤ることをいい，判決の結論に影響を及ぼすものに限ると解されている。したがって，内容的には高等裁判所に対する上告理由である法令違反（⇨ **13-3-4-3**）と同様である。たとえば，事件に適用すべき特別法の規定を見落としたために，反対の結論となってしまったような場合がこれに当たる。変更は，判決の形式でするものとされ，また，期間の制限がある点で，判決の更正と異なる。変更の判決が言い渡された場合には，原判決は，変更の限度で効力を失うことになる。

9-4-3-2　手続内拘束力

同一事件の手続内において，ある裁判所のした裁判が他の裁判所を拘束するものとされている場合がある。このような拘束力を，**手続内拘束力**と呼ぶ。

判決の手続内拘束力の例としては，①上訴裁判所が原判決を取り消しまたは破棄した場合に，取消しまたは破棄の理由が事件の差戻しまたは移送を受けた裁判所に対して有する拘束力（裁 4 条，民訴 325 条 3 項），②事実審裁判所の判決においてされた事実認定の上告裁判所に対する拘束力（321 条 1 項）が挙げられる。これらは，いずれも，審級制度の機能を確保するためのものである。また，決定が手続内拘束力を持つ場合として，確定した移送決定の受移送裁判所に対する拘束力が挙げられる（22 条 1 項。⇨ **3-2-5-5**）。

> **TERM** ㉚　手続内拘束力
>
> 　手続内拘束力は，伝統的に，「羈束力」と呼ばれてきた。これは，旧民訴法 407 条 2 項が，上告審判決の拘束力について「羈束」という言葉を使っていたことに対応するものである。しかし，現在では，条文上「羈束」に代えて「拘束」の語が用いられていることからも分かるように（裁 4 条，民訴 325 条 3 項参照），その意味は「拘束」と変わりがなく，あえて「羈束」という難解な用語を使う意義に乏しい。そこで，本書では，これを「手続内拘束力」と呼んでいる。

9-4-3-3　確定判決の効力

判決は，言渡しによって有効に成立し，効力を生じるものであるが（250 条），**9-4-2-1** で述べたように，判決の効力のうち，主要なものは，判決の確定を条件としてはじめて生じるものとされている。そうした確定判決の効力の代表的なものとして，**既判力**，**執行力**および**形成力**があり，これらを指して，とくに**判決の内容上の効力**または**本来的効力**と呼ぶこともある。これらの効力の内容については，それぞれ，**9-6**，**9-7**，**9-8** において説明する。**9-2-4** で述べたように，これらの 3 種の効力のうちどれが生じるかは，その判決が給付判決であるか，確認判決であるか，形成判決であるかによって異なるが，既判力は，これらすべての判決に生じる。また，終局判決が確定すれば，当該訴訟手続は終了することになるから，確定判決には，**訴訟終了効**があるといわれることもある。

これらの一般的な効力のほか，特別の法規定によって確定判決にその他の効果が生じることがある。①訴訟法の規定による場合として，訴訟に補助参加がなされた場合における参加的効力（45 条。⇨ **12-6-5**）や，人事訴訟の判決が確

定した場合における別訴禁止効(人訴25条),また,②実体法の規定による場合として,短期消滅時効期間の長期化(民169条1項)や,供託を有効とする判決の確定による供託物取戻請求権の消滅(民496条1項)などが挙げられる。②の類型は,確定判決の存在が実体法上の法律要件とされるものであることから,**判決の法律要件的効力**とも呼ばれる。

さらに,解釈上確定判決の効力として論じられるものとして,**争点効**,**反射効**などがある。これらについては,それぞれ,9-6-7-3および9-6-9-6で述べる。

> **すこし詳しく 9-4** 判決の確定と訴訟の終了の関係
> ▶本文で述べたように,確定判決には,訴訟終了効があるのが一般である。しかし,たとえば,上告裁判所による破棄差戻判決の場合には,同判決に対する上訴の余地はないから,同判決は言渡しとともに直ちに確定するが,その事件についての審判はなお続けられるため,訴訟終了効は生ぜず,手続内拘束力(⇨ 9-4-3-2)が生じるにとどまる。また,控訴裁判所による差戻判決が確定した場合においても,同様である。このように,差戻判決は,確定しても訴訟終了効が生じない点で,通常の確定判決とは異なっている。

> **すこし詳しく 9-5** 判決の証明効
> ▶判決の証明効とは,前訴判決における事実認定が後訴裁判所による事実認定に対して与える事実上の影響力をいう。学説の中には,後訴において当該認定事実を争う当事者が積極的な立証活動をしない場合などにおいては,後訴裁判所は前訴判決を証拠として当該事実を認定できる,と主張するものもある。しかし,証拠裁判主義や,後訴当事者の手続保障の観点からは,こうした影響力を認めることはできない。

9-5 申立事項と判決事項

9-5-1 申立事項と判決事項の関係

裁判所は,当事者が申し立てていない事項について,判決をすることができない(246条)。言い換えれば,裁判所による審判の対象,すなわち**判決事項**は,当事者の**申立事項**と一致しなければならない。申立事項に含まれない事項についてされた判決は,違法であり,上訴による取消しの対象となる。これは,民事訴訟においては,裁判所による審判を求めるかどうか,求めるとして,その対象および範囲の決定は,当事者に委ねられること(**処分権主義**。⇨ 2-3)によ

るものであるが，当事者，とりわけ被告に対して攻撃防御の対象を明示し，不意打ちを防止するという機能をも有する。

　申立事項は，①審判の対象となるべき権利義務関係（狭義の訴訟物）と，②それについての審判の形式を含み，訴えによって特定される。また，③複数の請求が併合されている場合に，各請求の審判順序の指定が裁判所を拘束する場合（⇨ **11-2-2**）には，そうした順序の指定も申立事項に含まれる。

すこし詳しく 9-6　246条と弁論主義の関係
　▶本文で述べたように，246条にいう申立事項の拘束は，処分権主義に基づくものであり，基本的に訴訟物のレベルで問題となるものである。これに対して，訴訟物の存否を基礎づける攻撃防御方法については，弁論主義が妥当する。したがって，たとえば，当事者の主張しない事実を判決の基礎とすることは，弁論主義違反であって，246条違反の問題ではない。もっとも，両者は，ともに裁判所が当事者の申立てないし主張に拘束されるという点では共通していることから，古い裁判例の中には，両者を混同し，弁論主義の問題を246条の申立事項の問題として論じるものもみられる（たとえば，最判昭和25・11・10民集4巻11号551頁参照）。

すこし詳しく 9-7　審判手続の指定
　▶通常訴訟の手続と少額訴訟や手形訴訟の手続など，簡易な手続との選択が認められる場合に，いずれの手続を選択するかという点も，246条にいう申立事項の内容に含まれるとの説明がされることがある。しかし，246条にいう申立事項とは，判決の対象および内容に関するものであって，判決に至る手続の選択の問題とは区別すべきである。手続選択に関する当事者の意思をどの程度尊重するかは，その手続の規律によって決まるものであり，原告の意思が当然に裁判所を拘束するわけではないし（たとえば，373条3項4号は，裁判所の職権による少額訴訟の通常訴訟への移行を認めている），そうした規律に反する手続が実施された場合には，端的にその点をもって違法とすれば足り，246条違反の問題とするまでもないからである。

9-5-2　246条違反が問題となる判決の例

　9-5-1で述べた申立事項の内容に対応して，判決が246条に違反して違法となる場合としては，次のようなものがある。

　①申し立てられている訴訟物を超えて判決をした場合。これには，申立てのある訴訟物とは別個の請求について判決をした場合と，1000万円の支払を求める訴えに対して，1500万円の支払を命じるというように，申立ての上限を

超える救済を命じる場合とがある。

　前者に関しては，とりわけ給付訴訟の場合，訴訟物についてどのような理解を採用するかによって，246条違反となるかどうかに差が生じる。たとえば，不法行為に基づく損害賠償請求に対して，債務不履行に基づく損害賠償請求権が認められるとして請求を認容することは，新訴訟物理論によれば処分権主義に反しないが，旧訴訟物理論によれば，訴えの選択的併合がされていない限り，処分権主義に違反することになる（最判昭和53・6・23判時897号59頁参照）。また，交通事故により身体傷害を負った被害者が治療費300万円，逸失利益1000万円，慰謝料700万円の合計2000万円を請求した場合に，治療費を300万円，逸失利益を1500万円，慰謝料を200万円とそれぞれ認定して合計2000万円の支払を命じることは，各損害項目を別個の訴訟物と考えれば，申立てを超えて逸失利益を認容している点で処分権主義に違反するが，同一事故による身体傷害を理由とする全損害を1個の訴訟物と考える場合には，総額で請求額を超過していない以上，処分権主義に違反しないことになる（最判昭和48・4・5民集27巻3号419頁。損害の費目と訴訟物の関係については，⇨ 2-2-3-3 (3)）。なお，一時金賠償請求に対して定期金賠償を命じることの可否については議論がある。旧民訴法下の判例は，許されないものとしていたが（最判昭和62・2・6判時1232号100頁），近年は，これを認める下級審裁判例もみられる（東京高判平成25・3・14判タ1392号203頁など。定期金賠償については，⇨す 9-10）。

　また，確認訴訟の場合には，訴訟物理論による対立は顕在化しないが（⇨ 2-2-3-4），原告が何を確認対象として申し立てているのかの解釈が問題となることがあり，原告の申し立てていない事項について確認することは，246条違反となる。たとえば，原告が土地賃借権を有することの確認のみを求め，地代額の確認まで求めたとはいえない場合に，判決主文において地代額を確認した場合（最判平成24・1・31集民239号659頁）や，当事者が和解無効を主張して続行期日の指定を求めているが，和解無効の確認までは求めていないにもかかわらず，判決主文において和解無効を確認した場合（最判平成27・11・30民集69巻7号2154頁）が，これに当たる。

　②申立てによって求められている給付，確認または形成の審判形式と異なる形式の判決による救済を命じる場合。たとえば，ある請求権の確認の訴えに対して給付判決をすることは，処分権主義に違反する。また，原告が停止条件付

きの給付請求権を主張して将来給付の訴えを提起している場合に、その請求権はもともと無条件であったとして現在給付判決をすることも、許されない。もっとも、事実審の口頭弁論終結前に原告が訴えにおいて主張していた期限が到来したり、停止条件が成就した場合には、その訴えは現在給付の訴えに当たることになるから（現在給付の訴えと将来給付の訴えの区別については、⇨ **2-1-2-1**）、現在給付判決をしても、処分権主義に違反しない（最大判昭和56・12・16民集35巻10号1369頁参照）。また、給付の訴えや形成の訴えに対して、請求棄却判決（常に確認判決となることにつき、⇨ **9-2-5**）をすることは、原告の申立てを超えた救済を与えるものではないから、処分権主義に違反しない。

最後に、③複数の請求間の審判の順序についての原告の指定に反して判決をすることも、処分権主義に違反する。たとえば、請求の予備的併合がされているにもかかわらず、主位的請求についての判断をすることなく予備的請求を認容する場合である（⇨ **11-2-3-2**）。

> すこし詳しく **9-8** **給付の訴えに対して確認判決をすることの可否**
> ▶給付の訴えに対して請求権の存在の確認判決をすることは、一般に、処分権主義に違反すると解されている（大判大正8・2・6民録25輯276頁）。しかし、このような判決は、原告の求める救済の一部（執行力以外の部分）を認めるものであるので、後述する一部認容判決の一種として認める余地もあろう。たとえば、既に給付判決を得ている原告が時効の完成猶予のためとして再度給付の訴えを提起した場合に、給付の訴えの利益は認められないが、確認の利益は認められるとして（⇨ **8-4-3-1**）、確認判決をする場合や、敷金返還請求訴訟において、建物賃貸借契約はなお終了していないとして、同請求権を確認する判決（確認の利益につき、最判平成11・1・21民集53巻1号1頁。⇨ **8-4-4-4**）をする場合が考えられる。

> すこし詳しく **9-9** **現在給付の訴えに対して将来給付判決をすることの可否**
> ▶現在の給付の訴えに対して、期限の未到来または停止条件の未成就を理由として将来給付判決をすることができるかどうかについては、争いがある。原告としては、現在給付の訴えが認められないならば、請求棄却判決よりは将来給付判決を得たいと考えるのが通常であろうし、それによって被告に不測の不利益を課すとも考えられないことから、将来給付の訴えの利益（135条。⇨ **8-4-3-2**）が認められる限り、後述する一部認容判決の一種として認められるとするのが近時の多数説である。たとえば、即時の金銭支払を求める請求に対して、期限到来時の支払を命じる判決をする場合などが考えられる。なお、否定説に立つ場合や、肯定説に立っても将来給付の訴えの利益が認めら

れない場合には，請求棄却判決をすることになるが，その場合の既判力の内容については，⇨ **9-6-6-1** ☞ 9-16。

すこし詳しく 9-10 　**定期金賠償**
▶たとえば，事故による身体傷害のために将来の介護費用に相当する損害が発生した場合，現実にそうした損害が顕在化するのは，将来の時点である。そこで，このような場合には，即時に損害の全額の賠償を命じる一時金賠償の方法によるのではなく，たとえば，「原告（被害者）の死亡に至るまで，1か月○○円の割合による金員を，毎月末日かぎり支払え」というように，履行期が定期的に到来する反復的給付を内容とする賠償を命じることが考えられる。このような賠償の方法を，定期金賠償と呼ぶ。定期金賠償について明文で規定した民法の規定はないが，民訴法117条（⇨ **9-6-6-3**）は，定期金賠償の方式が認められることを前提とした規定である。

9-5-3 　一部認容判決

9-5-3-1 　一部認容判決の意義

以上に述べたように，当事者の申し立てていない事項について判決をしたり，当事者の申立てを超える救済を与えることは処分権主義に反するものとされるが，これに対して，当事者の申立ての全部を認容することはできない場合に，当事者の申立ての範囲内で，請求の一部を認容することは，処分権主義に反するものではなく，適法である。このような場合には，請求を全部棄却するよりも，その一部であっても認容する方が原告の合理的意思に合致するし，そのことによって被告に不測の不利益を課すことにもならないからである。このような判決を，**請求の一部認容判決**と呼ぶ。

なお，一部認容判決をすることができる場合に，全部棄却判決をすることは，原則として違法であると解される。請求の全部棄却判決の場合には，訴訟物たる権利義務関係全部の不存在が既判力により確定されることになり，実体法の適用結果とかえって齟齬する事態をもたらすことになるからである。

9-5-3-2 　一部認容判決が認められる場合

ある判決が請求の一部認容判決として認められるかどうかは，判決の内容が申立てに示された当事者の合理的意思の範囲に含まれるかどうか，また，そのような判決をすることが被告に不測の不利益を課すことにならないか，という観点から判断される。一部認容判決として認められる例としては，次のような

ものが挙げられる。

　①金銭など数量的に可分な不特定物の給付請求に対して，原告の申立てを下回る数量の給付を命じる場合。たとえば，1000万円の貸金返還請求に対して，100万円の一部弁済を認定して，900万円の支払を命じる場合がこれに当たる。

　②無条件の給付請求に対して，引換給付や条件付きの給付を命じる場合。同時履行や留置権の抗弁が認められた場合がこれに当たる（前者につき大判明治44・12・11民録17輯772頁，後者につき最判昭和47・11・16民集26巻9号1619頁等）。また，家屋明渡請求訴訟において，一定金額の立退料の支払と引換えでの，またはこれを条件とする明渡しが請求されたのに対して，賃貸人による立退料支払の申出の趣旨に反しない限度で立退料を増額して引換給付を命じる場合（最判昭和46・11・25民集25巻8号1343頁）のように，原告の主張する条件よりも不利な条件での給付を認めることも，同様に認められる。

　③債務不存在確認請求訴訟において，原告である債務者が訴えにおいて自認する金額を超える債務の存在を確認する場合。たとえば，原告が100万円の債務全部が不存在であることの確認を求めたのに対して，裁判所が，債務のうち20万円はなお存在すると認める場合には，債務は20万円を超えては存在しないことを確認し，その余の請求を棄却することになる。この場合に，債務の残額を明らかにすることなく単に請求を棄却することは，許されない（最判昭和40・9・17民集19巻6号1533頁）。また，原告が10万円を超える債務の不存在の確認を求めたのに対して，債務が20万円を超えては存在しないことを確認することも，一部認容判決として認められる。逆に，原告が10万円を超える債務の不存在の確認を求めたのに対して，債務が5万円を超えては存在しないことを確認するのは，原告の申立てより有利な判決をすることになるから，処分権主義に違反する。したがって，この場合には，債務が10万円を超えては存在しないことを確認することになる。

　④給付請求権の存在は認められるが，限定承認や不執行の合意などの効果として責任が限定される場合に，その旨を判決主文で明示する場合。限定承認の場合には，「被告は，原告に対し，Aから相続した財産の限度において，1000万円を支払え。」（最判昭和49・4・26民集28巻3号503頁参照），不執行の合意の場合には，「1　被告は，原告に対し，1000万円を支払え。2　前項については強制執行をすることができない。」（最判平成5・11・11民集47巻9号5255頁参照）

といった主文となる。これらの場合は，請求自体は全部認容であり，「その余の請求を棄却する」とされるわけではないから，通常の一部認容判決とは異なるが，こうした留保のない申立てに対してこれらのような判決をしても処分権主義に反しないという点で，一部認容判決の一種といえる。

> **すこし詳しく 9-11　立退料の取扱い**
> ▶本文で述べたのと異なり，原告が無条件で家屋の明渡しを求めている場合に，一定金額の立退料との引換給付判決をすることができるかどうかについては，争いがある。否定説は，無条件での明渡請求と立退料との引換給付請求とでは訴訟物の同一性を欠くとするが，一般に無条件での給付請求に対して引換給付判決が認められる以上，この場合に限って否定する理由は乏しい。もっとも，借地借家法は，正当事由の基礎事情として賃貸人が立退料支払の「申出」をしたことを要求しているから（借地借家28条等），このような判決をするためには，弁論主義の関係で，裁判所が相当と認める金額の立退料の支払の「申出」があったとの事実が主張される必要がある。なお，賃貸人による一定額の「申出」が認定される場合には，その金額と格段に相違のない一定の範囲内で裁判所の決定する金額を支払う意思の表明があったものと認定できる，とするのが判例の取扱いである（前掲最判昭和46・11・25）。

9-6　既判力

9-6-1　既判力の意義

いったん判決が確定すると，もはやその判決を上訴等の通常の不服申立方法によって覆すことができなくなる（**形式的確定力**）のはもちろん，新たな訴えを提起するなどの方法によってその判断内容を争うことも許されないものとされる。このように，確定判決は，その事件を決着済みのものとし，判決の内容を以後の当事者間の関係を規律する基準として通用させる効力を有する。確定判決の持つこうした通有性ないし拘束力を，**既判力**と呼ぶ。既判力は，手続を形式的に終結させる**形式的確定力**との対比において，**実体的確定力**または**実質的確定力**と呼ばれることもある。

9-6-7で述べるように，既判力の対象となるのは，原則として，判決における訴訟物の存否に対する判断である。したがって，判決に既判力が生じると，裁判所は，同一あるいは関連する訴訟物に関する後訴において，当該権利関係

の存否について前訴判決と異なる判断をすることができなくなるし，当事者もまた，その点について前訴判決に反する主張をすることができないことになる（⇨ 9-6-4-1）。そして，このことは，後訴裁判所の目からみて，前訴判決の判断が正しいと評価されるかどうかには関わらない。したがって，後訴裁判所としては，仮に前訴判決の判断が誤っていると判断する場合でも，やはり前訴判決の既判力に拘束されることになる。既判力の機能は，このようにして，確定判決の判断内容が正当であるかどうかについての争いそのものを封じるという点にあるといえる。

9-6-2　既判力の性質

　既判力の作用をどのような法律構成によって説明するかについては，古くから**既判力の本質論**として議論されており，実体法説と訴訟法説との対立が存在する。**実体法説**は，確定判決は実体法上の法律要件の一種であって，あたかも当事者間の和解契約と同様に実体法上の権利関係をその内容どおりに形成・変更する効果を持つとし，その結果として，後訴裁判所が前訴判決に反する判断をすることができなくなる，と説明する。これに対して，**訴訟法説**は，既判力は訴訟外の実体法上の権利関係を変更するものではなく，後訴裁判所に対して生じる純粋に訴訟法上の効力として，後訴裁判所が確定判決と矛盾する判断をしてはならないとするものである，と説明する。実体法説は，既判力が原則として第三者に及ばないことや（⇨ 9-6-9-1），実体法上の権利関係の存否について判断するものではない訴訟判決にも既判力が生じるとされていることの説明に窮するという難点があることから，現在では訴訟法説が通説となっている。

9-6-3　拘束力の根拠

　既判力は，仮に前訴判決の判断が誤っているとしても，それを争うことを封じるという強力な拘束力を意味するが，こうした拘束力の根拠については，その必要性および正当化根拠という2つの角度から説明することができる。
　すなわち，民事訴訟制度の機能である権利保護あるいは紛争解決の実効性を確保するためには，いったん判決の確定により終結した事件については，もはや争う余地がないものとし，紛争の蒸し返しを防ぐことが望ましい。というのも，もしそうした効果を認めないとすれば，当事者としては，論理的には際限

なく同一事件についての訴訟を繰り返すことができることとなり，前述のような機能を果たすことは困難になってしまうからである。そうした意味で，民事訴訟制度を設ける以上は，確定判決について既判力の形で拘束力を認めることが必要である，とされる。こうした必要性は，民事訴訟制度の設営者の側の利害という公益的な視点から基礎づけられるものであるとともに，個別訴訟における勝訴当事者の利益の保護，両当事者間の公平という観点からも導かれるものである。

　もっとも，既判力を認めることが，このように制度として合理性を持つとしても，他方で，それによって実際に不利益を受ける当事者との関係では，そうした不利益を正当化するための根拠ないし条件が問われなければならない。当事者は，本来であれば，自己の事件について裁判を受ける権利を保障されているはずだからである。この点に関しては，以下の点を指摘することができる。第1に，判決に至る手続が，正しい事実認定に依拠した正当な法の解釈適用を実現するに足りる質を備えたものとして整備されていることが必要である。前述のように，既判力は，前訴判決が仮に誤っているとしても後訴裁判所を拘束するものであるが，そのことは，前訴裁判所が正しい事実認定と正当な法の解釈適用を目指さなければならない，ということを否定するものではもちろんない。民訴法の諸規定は，まさにそうした手続を実現するという目的に奉仕するものである。第2に，既判力による拘束を受ける者が，前訴において，自ら当事者として上記のような手続への関与を保障されることが必要である（手続保障については，⇨ **1-2-3-2**(3)）。私人は，それぞれ独立の法主体として自己の利益を裁判上主張する機会を保障される必要があり，そうした機会の保障なく不利益を受ける理由はないからである。以上をまとめれば，既判力による拘束は，正しい事実認定に依拠した正当な法の解釈適用を実現するに足る手続を，その当事者に対する十分な手続保障のもとで遂行した結果であると認められる限りで，正当化されるということができる。

9-6-4　既判力の作用

9-6-4-1　積極的作用と消極的作用

　9-6-2で述べた訴訟法説の説明からも示唆されるように，既判力が現実に作用するのは，既に確定判決の存在する事件に関連して後訴が提起された場合で

ある。この場合の作用の形態としては，積極的作用と消極的作用とがあるといわれる。

積極的作用とは，後訴裁判所は，既判力の生じた前訴判決の訴訟物についての判断を前提として判断をしなければならないことを指す。たとえば，甲土地の所有権がXにあることを確認するXY間の前訴判決がある場合，XがYに対して甲土地の移転登記手続を求める後訴においては，Xが甲土地の所有者であることを前提として審理判断しなければならない。これに対して，**消極的作用**とは，当事者は，後訴において，既判力の生じた前訴判決の判断に反する主張・立証をすることが許されず，裁判所もまたそうした主張・立証を取り上げることができないことを指す。たとえば，XのYに対する売買代金支払請求訴訟において請求認容判決が確定した後に，Yがその執行力を争って請求異議の後訴を提起した場合，売買契約は無権代理により無効であるとか，問題となっている契約は売買ではなく贈与であったから代金支払債務は存在しないといった主張は，既判力によって遮断されることになる。

これらのうち，後者の消極的作用は，**遮断効**または**失権効**と呼ばれることもある。しかし，既判力とは独立にそのような効力が認められるわけではなく，消極的作用とは，既判力の攻撃防御方法のレベルにおける作用を表現したものである。

9-6-4-2　既判力の作用する局面

既判力が生じるのは，原則として訴訟物の存否についての判断であることから（⇨ 9-6-7），それが実際に後訴において作用するのは，後訴の訴訟物と前訴の訴訟物とが次のような関係にある場合である。

第1は，後訴の訴訟物が前訴の訴訟物と同一の場合である。この場合に関しては，後訴を提起するのが①前訴で敗訴した当事者か，②勝訴した当事者かによって，具体的な取扱いが異なる。①の場合，たとえば，ある土地の所有権確認請求訴訟において敗訴した原告が，再び同一土地の所有権確認請求訴訟を提起した場合，前訴の時点において原告に所有権がないことが既判力によって確定されているから，原告が前訴の基準時，すなわち前訴の事実審口頭弁論終結時以後（⇨ 9-6-6）に新たに所有権を取得したなどの新事情が認められない限り，後訴でも請求が棄却されることになる。また，貸金返還請求訴訟において敗訴した被告が，当該貸金債務の不存在確認訴訟を提起した場合にも，同様に，

弁済などの新事情が認められない限り，請求が棄却されることになる。これに対して，②の場合，たとえば，貸金返還請求訴訟において勝訴した原告が再度同一の貸金について返還請求訴訟を提起することは，前訴判決の既判力に反する主張をするものではないから，それ自体としては，既判力の拘束力は問題とならない。しかし，既に給付判決を得ている原告が同一の訴訟物について再度給付判決を得る利益は通常は存在しないから，このような訴えは，原則として訴えの利益を欠くものとして却下されることになる。もっとも，例外として再訴の利益が肯定される場合には（⇨ **8-4-3-1**），後訴において，前訴の既判力は被告の不利に作用することとなる。

　第2は，前訴の訴訟物が後訴の訴訟物の先決問題となっている場合である。この場合には，後訴裁判所は，当該先決問題に関する前訴判決の判断に拘束され，これを前提としながらその他の争点を審理したうえで，本案判決をすることになる。たとえば，ある建物の所有権確認請求訴訟において勝訴した原告が，同一の被告に対して，所有権に基づいて当該建物の明渡請求の後訴を提起した場合，後訴裁判所としては，前訴の基準時において当該建物の所有権が原告に属することを前提として明渡請求の当否を判断することになる。したがって，後訴において被告は，原告の所有権取得の事実等を争うことはできず，基準時後の所有権の喪失や，自己の占有の有無等を争うことができるにとどまる。

　なお，同様の拘束力は，建物所有権確認の前訴で勝訴したXに対して，Yが土地所有権を主張して，建物収去土地明渡請求の後訴を提起した場合にも作用する。この場合には，Xは，後訴において，自分が前訴の口頭弁論基準時において建物所有者であったことを否認することは許されない。このように，既判力による拘束は，通常は前訴の勝訴当事者の有利に働くが，場合によっては前訴の勝訴当事者に対してかえって不利に働くこともある。このことを指して，**既判力の双面性**と呼ぶ。

　第3は，前訴の訴訟物と後訴の訴訟物とが矛盾関係に立つ場合である。この場合に該当する例としては，ある土地がXの所有であることを確認する前訴判決の確定後に，前訴の被告であったYが同一土地についてのYの所有権の確認を求めて後訴を提起する場合がある。この場合には，前訴の訴訟物はXの土地所有権であるのに対し，後訴の訴訟物はYの土地所有権であり，訴訟物は異なるし，一方が他方の先決問題であるというわけでもない。しかし，実

体法上の一物一権主義を前提とすれば、同一の土地についてXとY双方の単独所有権が認められることはあり得ない。したがって、後訴裁判所としては、前訴の基準時において土地所有権がXに帰属していたことを前提としつつ、基準時後にYが所有権を取得したかどうかについて審理・判断することになる。

　以上のように、既判力の作用は、後訴裁判所の判断に対する内容上の拘束力であり、既判力そのものの効果として後訴が不適法になるわけではない。訴えが却下されることがあるのは（第1の②の場合）、あくまで訴えの利益が欠けることによるものである。

すこし詳しく 9-12　既判力の作用場面を論じる意義
　▶例えば、売買契約による所有権取得を主張して甲土地の明渡請求をしたが、売買契約は無権代理により無効であるとして敗訴したXが、後訴で同じ売買契約の有効性を主張することは、後訴が前訴と同じ甲土地明渡請求である場合には、既判力の作用により、許されない。これに対し、後訴が甲土地の所有権確認である場合には、訴訟物同一、先決関係、矛盾関係のいずれにもあたらないから、既判力が作用することはなく、信義則違反とされる可能性は別として、そのような主張も既判力によって遮断されることはない。これは、前訴判決の既判力によって確定されているのはあくまで（所有権に基づく）明渡請求権の不存在であり、判決理由中の判断である所有権の存否や売買契約の有効性ではないことに基づくものである。このように、既判力の作用場面を論じることは、同じ主張であっても後訴の訴訟物次第では既判力によって遮断されることもあれば遮断されないこともあることを明確に示すという意義がある。もっとも、具体的にどのような事案がこれらの場面に該当するかについては、とりわけ矛盾関係の理解と関連して議論があるため、実際には当てはめが容易でない場合があることに注意が必要である。

9-6-4-3　既判力の調査

　既判力の以上のような作用は、現実には、後訴裁判所が前訴確定判決の存在を認識し、その既判力を考慮した場合にはじめて具体化するものである。そこで、既判力の有無についてどのような調査方法を採用するかが問題となるが、**9-6-3**で述べたように、既判力が紛争解決等の実効性確保という民事訴訟制度の根幹に関わる制度であることを考慮すると、この点について当事者の自由な処分に委ねることは、適当でないと考えられる。そこで、一般に、既判力の有無は**職権調査事項**であり、かつ、その審理に関しては、**職権探知主義**が妥当すると解されている（職権調査事項については、⇨**8-2-3**、職権探知主義については、

429

⇨ **7-1-3**)。

後訴裁判所が前訴判決の既判力を看過して，これと矛盾する判決をした場合には，違法な判決として上訴によって取消しを求めることができるほか，後訴判決の確定後であっても，再審事由となる（338条1項10号。⇨ **13-6-2**)。しかし，再審の訴えによって取り消されるまでは，後訴判決は有効である。この場合，一般論としては，同一事件について複数の判決が存在する場合には，新たな基準時により最新の法律状態を反映したものとして，後訴判決が前訴判決に優先するものとされる。もっとも，後訴判決に再審事由がある場合についても同様に考えてよいかどうかについては，議論の対立があるが，後訴判決が有効である以上，同様に扱うものとするのが多数説である。実際には，このような事例において，第2訴訟において当事者が第1訴訟判決の存在を主張できなかった場合を想定することは困難であり，再審の補充性（338条1項但書。⇨ **13-6-3-4**）によって第2訴訟判決の瑕疵が治癒されることが多いであろう。

9-6-5 既判力を有する裁判

9-6-5-1 確定した終局判決

114条1項は，「確定判決は，主文に包含するものに限り，既判力を有する」と規定する。ここで「確定判決」とは，確定した終局判決を指す。**9-2** で述べたように，終局判決には，本案判決と訴訟判決とがあり，そのうち前者についてはさらに，給付・確認・形成判決があるが，これらのいずれについても既判力が生じるとするのが通説である。

これに対して，中間判決は，訴訟手続の過程で生じる中間的な争いについて解決することによって，終局判決を準備するためのものにすぎないから，自己拘束力のみを生じ，既判力を生じることはない（⇨ **9-3-3**）。

(1) **本案判決**

本案の終局判決が確定した場合には，訴訟物たる権利義務関係の存否についての判断に，既判力が生じる。たとえば，給付の訴えに対する請求認容判決（給付判決）の場合には，訴訟物たる請求権の存在が，逆に，請求棄却判決（確認判決）の場合には，その不存在が，既判力によって確定される。既判力制度がその中心的な機能を果たすのは，本案の終局判決の場面であり，**9-6-7** で述べる既判力の客体的範囲に関する議論が想定しているのも，主としてこの場面

である。

> **すこし詳しく 9-13** 形成判決の既判力
> ▶本文で述べたように，給付・確認・形成の種別を問わず，確定した本案の終局判決には既判力が生じるとするのが現在の通説であるが，形成判決については，かつて，既判力を否定する見解が存在した。この見解は，形成訴訟の訴訟物は形成権であるとしたうえで，形成判決が確定すると，訴訟物である形成権は，形成の効果が生じるとともにその目的を果たして消滅するので，再度その存否が訴訟で問題となる余地はないし，形成力のみが生じれば紛争解決の機能としては十分である，という。これに対して通説は，形成訴訟の訴訟物は形成原因であるとしたうえで，たとえば，形成原因がないのに違法に形成判決がされたことを理由とする損害賠償請求を封じるためには，基準時における形成原因の存在について既判力を認める必要がある，とする。形成判決においても訴訟物である形成原因の存否についての審判は観念できる以上，ことさらに既判力を否定する理由はなく，通説が妥当である。

(2) 訴訟判決

訴訟判決は，本案判決と異なって，訴訟物の存否についての判断を示すものではないから，その点について既判力が生じる余地はない。しかし，訴訟要件の存否をめぐる争いを封じる必要は存在することから，訴えの利益・当事者適格の欠缺や，仲裁合意の存在など，却下の理由となった個々の訴訟要件の不存在について既判力が生じる，と解されている（最判平成22・7・16民集64巻5号1450頁参照）。このように，訴訟要件一般の不存在にではなく，個々の訴訟要件の不存在について既判力が生じるとされるのは，個々の訴訟要件の存否が，いわば本案における訴訟物に対応するものとして捉えられていることを意味し，必ずしも判決理由中の判断に既判力が生じることを意味するものではない。

(3) 外国裁判所の確定判決

外国裁判所の確定判決も，118条に定める承認の要件を具備する場合には，既判力が認められる。もっとも，そこでの既判力の内容が，日本法の定めによるか，判決国の法令の定めによるかについては争いがある。判例は，外国裁判所の判決の効力を認めるということは，その判決が当該外国において有する効果を認めることであるとしており（最判平成9・7・11民集51巻6号2530頁参照），それを前提とすれば，日本の公序に反しないかぎり，判決国の法令によって認められた効力が日本においても認められることになろう。したがって，たとえば，判決理由中の判断についても争点排除効が認められるアメリカ合衆国の判

決が承認される場合には、日本における後訴においても、争点排除効を考慮することになる。

9-6-5-2　確定判決と同一の効力がある調書等

当事者の意思を基礎とする裁判上の解決や、それに類する一部の裁判等については、裁判上の和解、請求の放棄・認諾（267条）、家事調停（家事268条1項）の調書や、仲裁判断（仲裁45条1項）のように、確定判決ではないが、法律上、確定判決と同一の効力を有する旨の定めが置かれているものや、和解に代わる決定（275条の2第5項）、民事調停の調書（民調16条）など、裁判上の和解と同一の効力を有する旨の定めがあり、結果として同様の規律が定められているものがある。これらの調書等については、そこでいう「確定判決と同一の効力」に既判力が含まれるかどうかについて、議論がある。これらのうち、仲裁判断については、既判力があるとするのが多数説であるが、和解調書等については、既判力肯定説、制限的既判力説、既判力否定説などが対立している（訴訟上の和解につき、⇨ **10-2-4**、請求の放棄・認諾につき、⇨ **10-3-3**）。

9-6-5-3　決　　定

決定は、判決と異なり、審理の方法や不服申立ての手続がより簡易・柔軟なものとされており、判決におけるほど慎重な手続保障を前提とするものではないことから（⇨ **9-1-3**）、原則として既判力を生じないと考えられる。しかし、決定の中でも、当事者間に争いのある事項を終局的に解決することを目的とするものについては、それが確定すれば既判力を認めてよいとするのが通説である。その例としては、訴訟費用に関する決定（69条1項・71条6項）や文書提出命令（223条1項）が挙げられる。

> **すこし詳しく 9-14　決定の既判力**
>
> ▶本文のような見解は、母法国であるドイツにおける通説であり、日本でも、戦前以来支持されてきたものである。もっとも、日本では、戦後に創設された憲法82条との関係で、「裁判所が当事者の意思いかんにかかわらず終局的に事実を確定し当事者の主張する実体的権利義務の存否を確定することを目的とする純然たる訴訟事件」については、対審および判決の公開を保障しなければならないとする判例法理が確立されたため（最大決昭和45・6・24民集24巻6号610頁等）、これに従うかぎり、実体的な権利義務に関する決定については、公開の口頭弁論を経ることが必ずしも予定されていない以上（87条1項但書参照）、既判力を認めることができないことになる。もっとも、こうした判例法理については、とくに憲法32条との関係で批判がある（⇨ **1-2-**

1-4)。

9-6-6 既判力の時的限界

9-6-6-1 既判力の時的限界の意義

既判力の対象となるのは，判決における訴訟物の存否に対する判断など（⇨ **9-6-7-1**。訴訟判決の場合につき，⇨ **9-6-5-1**(2)）であるが，訴訟物となる実体法上の権利関係等は，時の経過によって発生・変更・消滅といった変化を被るのが通常である。そこで，既判力によって確定されるのは，どの時点における権利関係の存否であるのかが問題となる。これが，**既判力の時的限界**（時的範囲）または**基準時**（標準時）と呼ばれる問題である。

一般に，既判力の基準時は，**事実審の口頭弁論終結時**であるとされる。言い換えれば，既判力によって確定されるのは，事実審の口頭弁論終結時における権利義務関係の存否である。これは，当事者が判決の基礎となる攻撃防御方法を提出することができるのが，事実審の口頭弁論終結の時点までであることによる。すなわち，判決が現在の紛争を解決するためには，できる限り最新の権利関係を確定しておく必要があるが，判決の基礎として考慮することができる事実は，事実審の口頭弁論終結時までに発生した事実であるから，この時点を既判力の基準時とするのが合理的である。そして，この帰結は，事実審の口頭弁論終結時までに発生していた事実については，当事者に主張の機会があったという意味で，手続保障の観点からも正当化することができる（既判力の正当化根拠については，⇨ **9-6-3**）。これに対して，事実審の口頭弁論終結時以前の権利関係を確定するのは，通常は，現在の紛争を解決するために不可欠とはいえないし，逆に，この時点以後の権利関係を確定することは，口頭弁論終結時以後の事実関係の変動について，当事者から攻撃防御の機会を奪うこととなり，手続保障の観点から正当化できないのである。

したがって，たとえば，給付訴訟における請求認容判決によって確定されるのは，事実審の口頭弁論終結時における給付請求権の存在であり，その請求権がそれ以前から存在していたことや，それ以後にも存在し続けているといったことについては，既判力によって確定されるわけではない。また，同じく給付訴訟の請求棄却判決の場合にも，既判力によって確定されるのは，事実審の口頭弁論終結時における給付請求権の不存在だけであり，その請求権がそれ以前

に存在していたかどうか，それ以後に発生することがあるかどうかなどは，確定されない。

　このように，事実審の口頭弁論終結時が既判力の基準時とされる結果として，前訴判決の既判力が作用する後訴において，当事者は，基準時前に既に存在していた事実を主張して，既判力によって確定された基準時における権利関係を争うことができないことになる。既に述べた既判力の消極的作用ないし遮断効とは，このことを意味する（⇨ 9-6-4-1）。これに対して，基準時後に新たに発生した事実を主張することは，前訴判決の既判力に矛盾するものではなく，遮断されない。したがって，たとえば，貸金返還請求訴訟における請求認容判決後に，基準時後にされた弁済によって訴訟物たる貸金返還請求権が消滅したことを主張することや，所有権に基づく土地明渡請求訴訟における請求棄却判決後に，基準時後に新たに土地所有権を取得したことを主張して再度訴えを提起することは，既判力によって妨げられない。給付判決の執行力の排除を求める請求異議の訴えに関して，異議の事由は口頭弁論の終結後に生じたものに限るとされているのも（民執35条2項），このような考え方に基づくものである。

> **すこし詳しく 9-15** 期待可能性の不存在による既判力の縮小
> ▶本文に述べた基準時の趣旨からすると，基準時前の事実であっても，当事者にとっておよそ主張の期待可能性がなかった事実については，既判力による遮断が正当化されないのではないか，という疑問が生じる。そこで，一部の学説は，このような事実については，既判力によってその主張が遮断されることはない，とする。この見解は，既判力の正当化根拠としての手続保障の観点を既判力の具体的な範囲との関係で貫徹しようとするものである。しかし，これに対しては，338条1項5号が，前訴で提出できなかった攻撃防御方法を主張するための再審を刑事上罰すべき他人の行為による場合に限って認めていること，当事者の知・不知のような主観的事情によって既判力を緩和することを認めると，後訴裁判所ではその点に関する煩雑な審理を余儀なくされることとなり，法的安定性の確保という既判力制度の趣旨を害することなどの問題点が指摘される。これらの問題点を考慮すると，基準時前の第三者弁済など，明らかに基準時前に生じていた事由について，既判力の縮小を認めるのは相当でない。もっとも，たとえば，一時金賠償を命じる判決の確定後に著しい事情変更が生じて損害額が不相当となった場合のように，実質的に基準時後の事由と同視すべきものについては，117条を類推するなどの構成によってその主張を認めてよい（117条の訴えについては，⇨ 9-6-6-3）。判例は，この種の事例において，前訴を一部請求と評価して残額請求を許容し（最判昭和42・

7・18民集21巻6号1559頁，最判昭和61・7・17民集40巻5号941頁），あるいは，権利濫用などを理由として請求異議の訴えによる執行力の縮減を認める（最判昭和37・5・24民集16巻5号1157頁）。理論的には，こうした基準時前の事情変動についても，基準時後の事由と同視できる限度でその主張を認めることが相当である。

> **すこし詳しく 9-16** 期限未到来を理由とする棄却判決の既判力
> ▶貸金返還請求訴訟などにおいて，期限未到来を理由として請求棄却判決がされた場合（もっとも，本書の立場では，この場合には原則として将来給付の一部認容判決をすべきである。⇨ **9-5-2** す 9-9），原告としては，その後に期限が到来すれば，同一の貸金返還請求権について後訴を提起し，請求認容判決を得ることができるはずである。通説は，この帰結を，期限の到来が基準時後の新事由に当たるとして，既判力の時的限界から説明する。しかし，このように考えると，後訴で請求認容判決を得るためには，原告債権者としては，期限の到来だけでなく，債権の成立についても主張・立証しなければならないはずであるが，これは基準時前の事由であるから，本来，既判力によって遮断されるのではないか，という疑問が生じる。現に，もし前訴判決が一般的な請求棄却判決であれば，原告が再度訴えを提起して債権の成立を主張することは，基準時前の事由として，既判力によって遮断されるはずである。そのため，期限未到来を理由とする請求棄却判決における既判力の内容は，一般の請求棄却判決とは異なる，とする見解が提唱されている。すなわち，同じ請求棄却判決であっても，債権の不成立や弁済による消滅を理由とする一般の請求棄却判決が訴訟物たる請求権の不存在自体を確定するのに対して，期限未到来を理由とする棄却判決の場合には，基準時において現在の給付を命じるべき請求権が存在しないことを確定するにとどまる，とするのである。このような特殊性に着目して，この場合の棄却判決を，「一時的棄却」または「差し当たり棄却」判決などと呼ぶことがある。

9-6-6-2　基準時後の形成権行使と遮断効

(1) 学説と裁判例の状況

取消権，相殺権などの実体法上の形成権に関しては，形成原因が基準時前に存在していた場合でも，形成権行使の意思表示が基準時後にされれば，その効果を基準時後の新事由として後訴で主張できるのか，それとも，基準時前に形成権の行使が可能であった以上，その主張が既判力によって遮断されるのかが，学説・判例上問題とされる。

学説では，①すべての形成権について遮断を否定する見解，逆に，②すべての形成権について遮断を肯定する見解も存在するが，多くの見解は，③形成権

435

ごとに異なった結論を認めている。③の見解においてどのような判断基準を採用するかについても，学説は多岐に分かれているが，個々の形成権の実体法上の立法趣旨，効果の内容，当事者の利害状況などを考慮して，どの程度前訴における形成権の行使が期待できるかによって結論を導く見解が比較的多数である。もっとも，このような考察方法に対しては，画一的・形式的な判断が重視される既判力論の伝統的な枠組みとは整合しないのではないか，との疑問も提起されており，そうした問題関心からは，一方で，既判力の枠内で，各形成権の要件事実の性質や構造といったより形式的な基準による処理が模索されるとともに，他方では，既判力論としては一律に遮断を否定する①の見解を前提としつつ，信義則を根拠として一定の場合には遮断を認めるべきとする見解も主張される。

　①説も指摘するように，形成権の基準時後の行使による効果は，基準時後にはじめて発生するものであって，基準時における権利関係に矛盾するものではなく，そもそも既判力の問題とはならないようにもみえる。しかし，そもそも事実審の口頭弁論終結時が既判力の基準時とされる根拠は，その時点までは事実主張が可能であったという点に求められ，その背景には，主張可能な事実は当然に前訴において主張すべきである，との考え方がある。その意味では，形成権についても，その主張が可能であり，かつ主張すべきであったと評価できる場合には，遮断を認めても，既判力の対象を基準時における権利関係とした趣旨に反するものではない。もっとも，形成権においては，基準時前に法律効果が発生している一般の攻撃防御方法と異なって，行使の意思表示がない限り法律効果は発生しないから，遮断を正当化するためには，形成権が基準時前に発生していた以上，意思表示をして法律効果を発生させておくべきであったと評価できることが必要となる。そして，どのような場合にそうした意思表示が要求されるかについては，その法律効果の発生について形成権者の意思表示をわざわざ要求することとした法の趣旨を勘案しつつ，当事者間の利害状況に即して決定する必要がある。この意味で，多数説である③の見解が支持される。

　判例も，詐欺による取消権（最判昭和 55・10・23 民集 34 巻 5 号 747 頁。なお，書面によらない贈与の撤回につき最判昭和 36・12・12 民集 15 巻 11 号 2778 頁参照）については遮断を肯定する一方，相殺権（最判昭和 40・4・2 民集 19 巻 3 号 539 頁）および建物買取請求権（最判平成 7・12・15 民集 49 巻 10 号 3051 頁）については

遮断を否定しており，各形成権ごとに遮断の可否を決する立場に立っている。

(2) 各形成権の取扱い

判例および多数説を前提とした場合，各形成権ごとに，遮断の可否を検討する必要があることになる。また，一律に遮断を否定する①説を前提としても，信義則によってある程度定型的に遮断が認められるとする場合には，同様の検討が必要となる。

まず，(ア)取消権については，遮断を肯定するのが判例・多数説である。その理由としては，平成29（2017）年改正前の民法では，錯誤は無効事由とされており，その主張は基準時前の事由として当然に遮断されるものであったのに対して，詐欺に基づく取消権の主張が遮断されないのは均衡を失すると考えられたこと，訴訟物たる権利の発生原因に内在する瑕疵に基づく形成権であることから，これが行使されると，訴訟物たる権利ははじめから発生しなかったものとされ，前訴の勝訴当事者の地位が無に帰し，前訴の争点の1つである権利の成立に関する事実関係についての争いが蒸し返されることなどが挙げられる。これに対して，上記①説からは，(1)で挙げた論拠に加えて，前訴の勝訴当事者の地位が無に帰する点については，信義則による対応も考えられる，遮断を肯定すると民法126条が保障する5年間の行使期間が奪われることとなり，実体法の規定に反する，といった批判がされる。最後の点は，実体法の解釈問題であるが，多数説の立場からは，この規定は権利関係を安定させるために期間経過後の取消権行使を禁じたものにすぎず，期間内の取消権の行使を積極的に保障したものではない，と解することになる。

なお，平成29年改正後の民法は，錯誤も取消事由としている（民95条）。したがって，判例および多数説の立場を前提とすれば，他の形成権の場合と同様，その主張が既判力によって遮断されるかどうかが問題となる。また，こうした法改正の結果，取消権の遮断に関して多数説が依拠していた錯誤との均衡という根拠は，もはや当てはまらないこととなる。

以上とは逆に，(イ)相殺権については，遮断を否定するのが判例・多数説である。その理由としては，相殺は，相殺権者の側でも自働債権の消滅という形で出捐をする弁済方法の一種ともいえ，その行使の有無や時期については相殺権者の自由を尊重すべきであること，訴訟物たる権利に内在する瑕疵に基づくものではないし，これが行使されたからといって前訴の勝訴当事者の地位が無

第9章 判　決

に帰するわけではなく，むしろ相殺権者の実質敗訴を前提とするものであること，後訴の中心的な争点も，自働債権の存否であって，前訴における争点の蒸返しとはいえないことなどが挙げられる。

　また，(ウ)建物買取請求権についても，相殺権の場合と同様に，訴訟物たる権利の発生原因に内在する瑕疵に基づくものではなく，形成権者としても建物所有権喪失といった不利益を受けるという点で前訴の勝訴当事者の地位を無に帰せしめるものではないこと，また，建物に借家人がいる場合には遮断を認める実益に乏しいと考えられることなどから，遮断を否定するのが判例・多数説となっている。

　以上に対して，(エ)解除権についてはなお最高裁判例がなく，学説も分かれている状況にあるが，遮断を肯定するのが多数説といえる。具体的に既判力による遮断が問題となるのは，(ⅰ)契約の不成立・無効等を主張して物の返還を請求して敗訴した原告が，基準時以前から発生していた解除権を行使して，改めて同一の物の返還を請求する場合や，(ⅱ)原告の請求に対して契約の不成立・無効等を主張して争った被告が敗訴した後，同じく基準時前から発生していた解除権を行使して請求異議の訴えを提起する場合などである。これらの場合には，権利の発生原因に内在する瑕疵に基づく形成権ではないという点では取消権と異なるが，前訴で勝訴した当事者の地位を無に帰する点ではこれと変わりがなく，遮断を認めてよいと考えられる。もっとも，前訴の基準時後も解除原因たる債務不履行等が継続している場合に，それを根拠として解除権を行使することは，基準時後の事由を主張するものであり，既判力によって遮断されることはない。実際には，そのような事例の方が一般的であろう。

9-6-6-3　確定判決変更の訴え

(1)　確定判決変更の訴えの意義

　事故による身体傷害など，口頭弁論終結前に生じた損害について定期金賠償が命じられた場合（定期金賠償については，⇨ **9-5-2** ☞ 9-10），実際に賠償金を支払う将来の時点においては，判決の口頭弁論終結後の事情の変動によって，賃金水準や治療に要する費用が増減するなど，判決における損害額の認定が実態と乖離したものとなることがあり得る。このような場合には，賠償金額を実態に即したものに修正することが望ましいと考えられるが，損害賠償請求権の存在およびその内容が，定期金賠償を命じた判決の既判力によって確定されてい

ることを前提とすると，賠償金の増額または減額の請求は，前訴判決の既判力によって封じられることになるはずである。

確定判決の変更を求める訴え（117条）は，こうした不都合を解消するための制度として現行法によって導入されたものである（同条の趣旨については，最判令和2・7・9民集74巻4号1204頁参照）。この訴えは，前訴判決の既判力の持つ拘束力を解除し，賠償額の修正を可能とする訴えであることから，訴訟法上の形成の訴えの性質を持つと解されている。

(2) **要件および効果**

確定判決の変更を求める訴えが認められるのは，①口頭弁論終結前に生じた損害につき，②定期金賠償を命じた確定判決について，③口頭弁論終結後に損害額算定の基礎となった事情に著しい変更が生じた場合である（117条1項）。

この訴えは，①口頭弁論終結前に生じた損害を対象とするものであるから，たとえば，土地の不法占拠者に対して定期的に賃料相当の損害金の賠償を命じる判決のように，不法行為自体が将来に成立し，したがって損害もまた口頭弁論終結後に発生する場合には，適用がないし，②定期金賠償を命じた確定判決を対象とするものであるから，一時金賠償を命じる判決にも，適用がない（もっとも，その類推の可能性につき，⇨ **9-6-6-1** す 9-15）。

また，この訴えが認められるのは，③口頭弁論終結後に損害額算定の基礎となった事情に著しい変更が生じた場合であるから，事情の変更があったとしても，それが軽微なものにとどまる限りは，この訴えを利用することはできない。軽微な変更にすぎない場合にまで変更の訴えを認めると，当事者の地位が過度に不安定なものとなるからである。どの程度の変更であれば「著しい」といえるかについては，明確な基準がないが，損害額に3割程度以上の変更が生じる場合にはこれに当たるとする見解が多い。なお，当事者が既に前訴で主張したが判決においてその可能性がないものと認定された事情変更や，前訴の口頭弁論終結前に予測が可能であったのに主張されなかった事情変更については，既に前訴においてこれらを折り込んだ攻撃防御の機会が与えられていたことを理由として，117条1項の適用がないとする見解がある。しかし，そもそもこの訴えは既判力の拘束自体を破るものであると解されていること，また，117条がそうした限定を課していないことからすれば，変更の程度が著しいものであるといえる限り，この訴えを認めて差し支えないと解される。

この訴えが認容される場合には，賠償金額の増減が命じられることになるが，確定判決の存在に対する相手方の信頼に対する配慮から，変更の対象となるのは，変更の訴えの提起の日以後に支払期限が到来する定期金の部分に限られる（117条1項但書）。

9-6-7 既判力の客体的範囲

9-6-7-1 既判力の客体的範囲に関する原則

9-6-1で述べたように，既判力は確定判決における裁判所の判断について生じる拘束力であるが，判決に示された裁判所の判断のすべてについてそのような拘束力が生じるわけではない。むしろ，114条1項によれば，既判力は，「主文に包含するもの」に限って生じるものとされる。本案判決の場合，「主文に包含するもの」とは，訴訟物たる権利義務関係の存否についての判断を意味する（訴訟判決の場合については，⇨ 9-6-5-1 (2)）。これに対して，判決理由中の判断，言い換えれば，訴訟物たる権利義務関係の存否の前提となる先決的法律関係や攻撃防御方法についての判断については，原則として既判力は生じない。したがって，たとえば，所有権に基づく家屋明渡請求訴訟における請求認容判決の既判力は，原告が被告に対して当該家屋明渡請求権を有することを確定するにとどまり，原告がその家屋の所有権を有することについてまで確定するわけではない。また，貸金返還請求訴訟において，無権代理を理由として請求が棄却された場合，その判決の既判力は，原告の被告に対する貸金返還請求権の不存在を確定するにとどまり，代理人にその権限がなかったことについてまで確定するわけではない。

このように，判決理由中の判断については既判力が生じないとされるのは，次のような考慮に基づく。まず，判決理由中の判断に既判力を及ぼさないことにより，弾力的で迅速な審理が可能になると考えられる。すなわち，もし判決理由中の判断についても拘束力が生じるものとすれば，どのような理由で請求の当否を決するかが重要な問題となるから，裁判所としては，実体法の論理的な順序に従って審理・判断をすることとならざるを得ない。たとえば，貸金返還請求訴訟において，契約の成立を争うとともに，予備的に消滅時効を主張する場合，契約の成否についてまず審理判断したうえで，契約の成立が認められる場合に限って消滅時効の成否についての審理判断に進まなければならないこ

とになる。これに対して，判決理由中の判断については拘束力が生じないものとすれば，どのような理由で結論を出そうとも，判決効の面では差異が生じないことになるから，消滅時効の成立が明らかであれば，契約の成否について審理するまでもなく，請求を棄却することが可能となるし，当事者としても，特定の攻撃防御方法に過度にこだわることなく，柔軟に争点を絞り込むことが可能になる。また，上訴の局面においても，判決理由中の判断に拘束力を認めるとすれば，結論において勝訴している当事者に対しても，その理由が不利だという点で上訴の利益を認める必要が生じるが，拘束力がないとすれば，そうした上訴による手続の遅延を避けることが可能となるという利点がある。

加えて，訴訟物は，訴状によって訴訟手続の当初から明確に特定されるべきものであるから，これを既判力の範囲の基準とすることは，当事者にとって明確かつ安定した基準を提供することになり，手続保障の観点からも利点がある。また，訴訟物たる権利義務関係の存否についての争いの蒸返しを防ぐことは，その判決による紛争解決の実効性を確保するために必要不可欠であるが，理由中の判断は，いわば手段的な意味を有するにとどまるのが通常であり，拘束力を認める必要性は，相対的に低いといえる。

なお，たとえば，所有権に基づく家屋明渡請求訴訟における所有権の存否のように，訴訟物の前提となる権利義務関係について，当事者が既判力による確定を希望する場合には，中間確認の訴え（145条）を利用することによって，目的を達成することが可能である（中間確認の訴えについては，⇨ **11-5**）。

> **すこし詳しく 9-17** **強制執行の態様等に関する主文の記載と既判力**
> ▶本文で述べたように，「主文に包含するもの」とは訴訟物の存否についての判断を意味するが，判決主文には，訴訟物の存否そのものに加えて，その請求権の強制執行の態様等に関する記載がされることがある。たとえば，①限定承認が認められた場合に，「相続財産の限度において」支払え，と命じる部分，②不執行の合意が認められた場合に，「前項については強制執行をすることができない」とする部分である（これらの場合の主文の例については，⇨ **9-5-3-2**）。これらの記載は，訴訟物の存否それ自体についての判断ではないが，こうした判断がされているにもかかわらず，それと矛盾する請求を後訴ですることを認めるべき合理的な理由はないから，この点についても拘束力を認めてよいと考えられる。そこで，①については，「既判力に準ずる効力」がある，とするのが判例である（最判昭和49・4・26民集28巻3号503頁）。したがって，当事者としては，同一の訴訟物についての後訴において，限定承認

の効力を争うことは許されないことになる。また，②についても，判例は，訴訟物の内容に含まれるものではないが，当事者からの主張があった場合には訴訟物に準ずるものとして審判の対象になる，としており（最判平成5・11・11民集47巻9号5255頁），①と同様に，既判力に準ずる効力を認める立場と推測される。

9-6-7-2 相殺の抗弁

9-6-7-1 に述べた原則の例外として，114条2項は，判決理由中の判断である相殺の抗弁に対する判断について既判力が生じることを定めている。たとえば，XのYに対する800万円の貸金の返還請求訴訟において，Yが600万円の自働債権による相殺の抗弁を主張した事例で，①訴求債権および反対債権の双方ともに全額の成立が認められ，相殺を理由として200万円の支払を命じる判決が確定した場合，基準時において反対債権600万円が存在しないとの判断に既判力が生じ，②訴求債権全額の成立が認定される一方，反対債権の不成立が認定され，800万円の支払を命じる判決が確定した場合にも，やはり，基準時において反対債権600万円が存在しないとの判断に既判力が生じる。なお，114条2項の文言によれば，反対債権の「成立又は不成立の判断」に既判力が生じるものとされているが，実際には，上記の各例のように，既判力が生じるのは，基準時における反対債権の不存在についてである。

このように相殺の抗弁についての判断に既判力が認められるのは，反対債権についての争いの蒸返しを防ぐためである。すなわち，上記の①の例の場合，もし反対債権の不存在について既判力が生じないとすれば，Yが反対債権を訴訟物としてXに対する後訴を提起した場合に，Yが勝訴する可能性が生じるが，これは，同一の債権によって二重の利益を得るものであって不当である。また，②の場合には，やはりYが反対債権を訴訟物として後訴を提起し，既に前訴において審理判断を経ている反対債権の存否についての争いを蒸し返すことが可能となるという不都合が生じる。そこで，いずれの場合にも，相殺に供された反対債権の不存在との判断に既判力を認める必要があると考えられるのである。相殺の抗弁には，訴訟外の相殺の抗弁と訴訟上の相殺の抗弁とがあるが（⇨ **5-2-5**），以上の趣旨は，これらの双方に妥当するものであるから，いずれについても114条2項の適用がある。

反対債権についての争いの蒸返しを防ぐ必要性が生じるのは，反対債権の存

否について裁判所の判断が必要となり，現になされた場合に限られる。したがって，相殺の抗弁が時機に後れた防御方法として却下されたり，相殺適状の欠缺など，自働債権の不存在以外の理由で排斥された場合には，既判力は生じないし，そもそも訴求債権が存在しないとの理由で請求が棄却された場合にも，既判力は生じない。また，既判力が生じるのは，「相殺をもって対抗した額」の限度であり，訴求債権よりも反対債権の方が大きい場合には，訴求債権を超過する部分については，既判力は生じない。たとえば，800万円の訴求債権に対して1000万円の反対債権が主張され，相殺の抗弁が認められて請求棄却となった場合，反対債権のうち「相殺をもって対抗した」800万円の不存在についてのみ既判力が生じ，残部200万円については，既判力は生じないことになる。この場合，裁判所としては反対債権の額が800万円を下らないことを認定すれば足り，超過部分がいくら存在するかを判断する必要はないからである。

このように，相殺の抗弁についての判断に既判力が生じる結果として，相殺の抗弁には，通常の攻撃防御方法とは異なる取扱いが妥当する。まず，被告が，主位的に訴求債権の不成立や弁済による消滅を主張し，予備的に相殺の抗弁を主張する場合には，裁判所としては，はじめに訴求債権の成否や弁済の有無について審理をし，訴求債権の存在が認められた場合にはじめて相殺の抗弁について判断すべきであり，訴求債権の存在を明らかにすることなく相殺の抗弁を理由として請求棄却判決をすることは許されない。また，相殺の抗弁を理由とする請求棄却判決に対して，被告が，他の理由による請求の棄却を求めて上訴する場合には，上訴の利益が肯定される（⇨ **13-2-1**）。

すこし詳しく 9-18 **一部請求における相殺の抗弁と既判力**

▶明示的一部請求に対して相殺の抗弁が主張される場合について，判例は，いわゆる外側説を採用している（⇨ **9-6-8-3**）。判例によれば，この場合，反対債権について既判力の対象となるのは，反対債権を訴求債権の総額から控除した際に，一部請求部分に対応すべき部分のみである（最判平成6・11・22民集48巻7号1355頁）。たとえば，総額800万円の債権のうち400万円が請求され，600万円の反対債権による相殺の抗弁が主張された事例において，①訴求債権800万円全額の存在が認められたが，反対債権は不存在であるとして400万円の請求が認容された場合，また，②訴求債権800万円全額および反対債権600万円双方の存在が認定され，相殺の抗弁が認められて，200万円の請求が認容された場合には，いずれも，反対債権のうち，一部請求部分に対応する200万円の不存在についてのみ既判力が生じ，訴求債権の残部に対

応する400万円部分の不存在については，既判力は生じない。原告の訴求債権の残額部分については既判力が生じないという前提に立つ以上，当該部分に対応する被告の反対債権の不存在にのみ既判力が生じるとするのは，被告に一方的に不利益を課すことになるから，このような処理には合理性が認められる。

9-6-7-3 争点効論と信義則論
(1) 議論の必要性
前述したように（⇨ **9-5-7-1**），既判力は，訴訟物たる権利義務関係の存否についての判断のみに生じ，判決理由中の判断については生じないのが原則である。既判力が後訴において作用する局面が，①前訴と後訴とで訴訟物が同一の場合，②前訴の訴訟物が後訴の訴訟物の前提問題である場合，③前訴と後訴の訴訟物が矛盾関係にある場合の3つに限定されるのも（⇨ **9-6-4-2**），このことに由来するものである。

このように，既判力の作用する範囲が訴訟物に限定されていることは，当事者および裁判所にとって明確な基準を提供し，予測可能性を保障するという利点を持つが，その反面，この原則を厳格に貫くと，前訴で敗訴した当事者が上記の①〜③のいずれにも該当しない訴訟物を設定して後訴を提起することによって，実質的には前訴の既判力を潜脱して，社会生活上は密接に関連する紛争を蒸し返そうとする場合も考えられる。とりわけ，訴訟物の理解として旧訴訟物理論を前提とすると，社会生活上同一の利益を主張する場合であっても，異なる実体法上の権利としての法律構成が可能な限り，別個の訴訟物を構成できることとなるから，このような危険は無視できないものがある。そこで，このような場合においても，一定の条件のもとで，後訴による紛争の蒸返しを防ぐことができないかが論じられる。具体的には，判決理由中の判断についても拘束力を認めることによって，後訴における判断内容を拘束する考え方（争点効）や，訴訟物の実質的な同一性などに着目して，後訴の提起を封じる考え方（信義則による遮断）などが議論される。

これらの議論は，いずれも，訴訟物の範囲との厳格な一致が要求される既判力の機能を補完し，より柔軟な形で判決による紛争解決の実効性を確保しようとするものである。もっとも，そうした柔軟な規律は，その反面で，既判力概念の長所である基準の明確性，予測可能性を損ない，当事者に対する不意打ちや，広範な遮断を予期した当事者による非効率な訴訟追行を招く危険をはらむ。

そのため、訴訟物の枠を超えた遮断を一定の場合には認めるとしても、その法律構成や具体的な要件については、考え方が分かれている。

(2) 争点効

「争点効」とは、前訴で主要な争点として争われた点についての裁判所の判断に生じる拘束力として学説上提唱されたものである。具体的には、①前訴および後訴の主要な争点について、②当事者が前訴において自白などをすることなく実際に争い、③裁判所が実質的な判断を示した場合には、④前訴と後訴の係争利益がほぼ同等である限り、争点効が生じ、⑤当事者がこれを援用することにより、後訴裁判所は前訴判決の判断に拘束される。ただし、⑥ある争点の判断について不服を有する当事者が、結論としては勝訴しているため上訴の利益（⇨ *13-2-1*）が認められず、その点を上訴で争えなかった場合には、拘束力は生じないとされる。こうした拘束力は、ある争点について現に攻撃防御を尽くした当事者に課される結果責任に基礎を置くものであり、その理論的根拠は、信義則ないし当事者間の公平の観点に求められる。

このような効力を認めることができるかについては、見解が分かれている。問題点としては、民訴法に明文の根拠がないことのほか、理論的には、①判決理由中の判断について既判力が生じないとされていることと矛盾するのではないか、②中間確認の訴えの制度（145条）は、このような効力が認められないことを前提としているのではないか、③争点の主要性、係争利益の同等性といった要件は、十分に明確なものとはいえないのではないか、といった点が指摘される。しかし、これらに対しては、それぞれ、①争点効が認められるのは、当事者が実際に争った場合に限られるので、審理の弾力性や当事者の争点処分の自由を確保するという既判力限定の趣旨に必ずしも矛盾しない、②中間確認の訴えの対象となるのは、「争いとなっている法律関係」に限定されるのに対して、争点効は事実の存否など他の争点についても生じ得る点で、両者は適用対象を異にする、③要件をあまりに画一化することは、逆に弾力性を損なうし、一般条項である信義則と比較すれば、争点効の方が要件が明確である、といった反論がある。

(3) 信義則による拘束力

これに対して、前訴と訴訟物を異にし、前訴判決の既判力が作用しない後訴においても、一定の場合には、前訴判決理由中の判断に反する主張が訴訟上の

信義則（2条参照）に反して許されなくなるとする考え方も，有力である。一般条項であるという信義則の性質上，その適用範囲を明確に画することは困難であるが，代表的な学説によれば，信義則が機能する場面として，①禁反言ないし矛盾挙動禁止の原則が適用される場合と，②権利失効の原則が適用される場合とが挙げられる。

それによれば，①の禁反言ないし矛盾挙動禁止の原則が適用されるのは，前訴における主張が認められて勝訴した当事者が，それと矛盾する主張をして，前訴で得たのと両立しない利益を得ようとする場合である。たとえば，前訴で売買契約の無効を主張して買主からの目的物引渡請求の棄却判決を得た売主が，代金請求の後訴を提起して，売買契約が有効であると主張することは，この理由によって許されないとされる。

これに対して，②の権利失効の原則が適用されるのは，前訴においてある主張をしたにもかかわらずそれが認められずに敗訴した当事者が，前訴と社会関係上同一の紛争関係に関する後訴において，同一の主張を繰り返そうとする場合である。たとえば，売買契約に基づく建物の移転登記手続請求訴訟において，契約の錯誤による取消しを主張したが認められずに敗訴した被告が，建物引渡請求の後訴において再び錯誤による取消しを主張することは，この理由によって許されないとされる。

こうした考え方は，判決理由中の判断に拘束力を認めるという点では，争点効と共通し，その適用範囲についても，前述②の拘束力は，争点効の適用範囲と重なるものである。しかし，①の拘束力に関しては，信義則による拘束力の方が，適用範囲が広いといえる。①の拘束力は，問題となる主張が前訴において主要な争点となった場合に限られず，自白や擬制自白の結果として認められた場合でも認められるし，その争点について上訴で争う機会がなかった場合でも，認められるからである。もっとも，信義則による拘束を主張する見解もさまざまであり，信義則を適用すれば必ずこのような帰結が導かれるというわけではない。

(4) 判例の立場

判例は，争点効については，とくに理由を示すことなく否定する判断を示したが（最判昭和44・6・24判時569号48頁），その後，前訴と訴訟物を異にし，前訴判決の既判力が作用しない後訴の提起について，実質的に前訴の蒸返しであ

って，信義則に反するとして排斥するものが登場した。具体的には，XがY に対して，主位的に，Yからの買受けを理由として土地所有権移転登記手続を請求するとともに，売買契約が認められなかった場合に備えて，予備的に，既払い売買代金の返還を請求し，予備的請求を認容する判決が確定してYから代金の返還を受けた後に，同土地はXの先代に対する買収処分とYの先代に対する売渡処分によってYら名義の登記が経由されるに至ったものであるが，これらの処分はいずれも無効であると主張して，所有権に基づく土地所有権移転登記手続請求の本訴を提起した場合，①前訴と本訴とでは訴訟物は異なるが，いずれも同土地の買収処分の無効を前提としてその取戻しを目的としており，本訴は実質的には前訴の蒸返しであること，②前訴において本訴の請求をすることに支障がなかったこと，③本訴提起時には買収処分から20年も経過していることから，本訴の提起は信義則に反して許されないものとされている（最判昭和51・9・30民集30巻8号799頁）。また，**9-6-8-2**で述べるように，明示的一部請求訴訟の全部または一部棄却後の残部請求についても，特段の事情がない限り，信義則に反して許されないものとされている。

判例における信義則論は，一部請求後の残部請求の例のように，定型的に後訴の遮断を認めるものも含まれるものの，基本的には個別の事案に応じて形成されてきたものであり，その適用範囲を明確に画することは困難である。総じていえば，①前訴と後訴の訴訟物がいずれも社会生活上同一の紛争に起因するものであって，内容上高い関連性が認められること，②後訴の請求ないし主張を前訴で提出することが期待できたこと，③前訴の勝訴当事者の紛争解決に対する信頼を保護すべきであることなどの具体的な事情を総合的に考慮して，信義則による遮断の可否が判断されているものと考えられる。

学説上の争点効と比較すると，判例の信義則論は，前掲最判昭和51・9・30の事例が示すように，前訴で争点として判断された事項を再び争う場合に限られないという点では，より広い射程を有する。また，学説上の信義則による拘束力との関係では，判例の事案はおおむね権利失効の原則が適用されるべき場面に対応するが，前訴においてされなかった主張が結果的に否定されている点で，やはりより広い射程を有する。また，効果として，主張そのものの排斥ではなく，後訴の却下が想定されている点で（裁判例の中には，信義則を理由として特定の主張を排斥するものもあるが〔たとえば，最判平成18・3・23判時1932号85頁

等〕，前訴の蒸返しが問題となったものではない），特色がある。その反面，判例においては，問題となる事案における個別的な事情を総合判断したうえで，後訴が真に信義則に反するといえるごく例外的な場合にこれを却下するものとされる点で，争点効や一部の学説の説く信義則論よりも後訴の遮断に慎重な面もあるといえる。

　このように，判例の信義則論は，細部においては既存の学説と一致しない部分もあるものの，判例としては定着している。その結果として，判例においては，①要件効果のはっきりした制度的効力としては，訴訟物と結び付いた既判力のみを認め，訴訟物の範囲についても伝統的な旧訴訟物理論を維持することにより，その適用範囲について謙抑的な立場をとる一方，②それによっては対応できない紛争の蒸返しについては，信義則による比較的柔軟な処理の余地を認める，という2段階の規律が形成されている。学説においても，こうした判例の展開を踏まえて，後訴における適切な遮断の範囲についての理論化が模索されている状況にある。

9-6-8　一部請求

9-6-8-1　一部請求の意義

　「一部請求」とは，たとえば，1000万円の債権のうち100万円の支払を求める訴えを提起する，というように，1個の債権の数量的な一部のみを訴訟上請求することをいう。広い意味では，請求が客観的にみて1個の債権の一部と評価される場合であれば，原告が残部の存在を認識しているかどうかにかかわらず，この定義に当てはまることとなり，たとえば，不法行為に基づく損害賠償請求訴訟の勝訴判決を得た原告が，その後に判明した後遺症に基づく損害賠償を請求する場合にも，前訴を一部請求と評価することが可能である（この問題に関する判例については，⇨ 9-6-6-1 す 9-15）。しかし，このような事例と，原告が訴訟提起時に残部の存在を認識しつつ，その一部を請求する場合とでは，考慮すべき利害状況が大きく異なる。一部請求論として主として議論されるのは，広い意味における一部請求のうち，後者の，原告が訴訟の当時に残部の存在を認識していた場合である。

　原告が一部請求をする動機には，勝訴の可能性が不明であるため，とりあえず債権の一部のみについて裁判所の判断を求めようとする場合（いわゆる試験

訴訟）や，損害の総額が不明であるためにとりあえず算定可能な部分について請求する場合，相殺や過失相殺による減額を予期してあらかじめその部分を控除して請求する場合，被告の資力に応じた金額を請求する場合など，さまざまなものがある。これらの背景としては，提訴手数料や弁護士費用が訴額に応じて定められているため，請求額を低く設定した方が，原告にとって費用の面で有利であるとの事情が指摘されることが多い。しかし，現実には，そうした動機は試験訴訟や被告の資力を考慮した一部請求などに当てはまるにすぎず，多くの場合には，むしろ立証の困難や，不合理な請求であるとの外観を回避したいといった動機の方が重要な要因となっている。

　一部請求訴訟に関して中心的な問題となるのは，一部請求訴訟の判決確定後の残部請求の可否であるが，この問題は，一部請求訴訟の判決に生じる既判力の内容と密接に関わる。一部請求についてこの箇所で取り上げるのは，そのためである。

9-6-8-2　一部請求後の残部請求の可否

(1) 問題状況

　民事訴訟においては処分権主義が妥当するから，実体法上，自己の権利の全部の履行を求めるか，その一部の履行を求めるかが権利者の自由に委ねられていることを前提とする限り，訴訟法上も，原告は，自己の権利を訴訟上請求するかどうか，するとして，どの範囲で請求するかを自由に決めることができるはずである。したがって，一部請求訴訟が，それ自体として適法であることについては，現在では異論がない。もっとも，一部請求訴訟の判決確定後に，残部についての請求をすることができるかどうかについては，見解が対立している。こうした議論においては，実質的には，同一債権を複数回に分けて訴求することについての原告の利益と，同一の債権について複数回の応訴や審理を迫られる被告や裁判所の負担とをどのように調整するかが問題となるが，理論構成としては，一部請求訴訟における訴訟物をどのように構成するか，という点が検討の出発点となる。

(2) **一部請求訴訟の訴訟物**

　一部請求訴訟における判決の既判力の内容は，一部請求訴訟の訴訟物をどのように理解するかによって決まる。この問題に関する考え方は多岐に分かれているが，大別すれば，①常に，訴求されている一部のみが訴訟物になるとする

見解，②常に，残部を含む債権の全体が訴訟物になるとする見解，③一部請求である旨を明示した場合には，訴求されている一部のみが訴訟物になるが，明示がない場合には，債権全体が訴訟物になるとする見解に分けることができる。

(a) **訴求されている一部のみが訴訟物となるとする見解** ①の見解は，債権の一部を行使するか，全部を行使するかは実体法上債権者の自由であることや，一部であるとの明示の有無にかかわらず，残部については判決の対象とされないことなどの理由から，現に訴求されている部分のみが訴訟物となる，とするものである。

この見解によれば，一部請求訴訟の判決の既判力は，訴求された一部の存在または不存在のみについて生じるから，一部請求の認容・棄却を問わず，残部請求が既判力によって妨げられることはないことになる。

結果として，①の見解からは，㈠残部請求は常に適法であり，裁判所としては残部の存否について実質審理をしたうえで，認められれば請求を認容できるとの結論を導くことができることになる。もっとも，そのような帰結は，被告の応訴や裁判所の審理の負担の点で問題がある。そこで，①の見解の中には，㈡人訴法25条，民執法34条2項といった併合提訴強制規定の趣旨を類推して，一部請求の認容・棄却を問わず，残部請求が不適法になるとするものや，㈢一部請求が認容された場合には，一部であるとの明示がある限り，残部請求は妨げられないが，明示のない一部請求認容後の残部請求や，明示の有無にかかわらず，一部請求棄却後の残部請求については，信義則に反するものとして不適法とされる，とするものもある。

(b) **債権全体が訴訟物となるとする見解** ②の見解は，実体法上一部と残部とが別個の債権として存在するわけではなく，あくまで一個の債権が存在するにすぎないこと，原告が訴求額を一部に限定している場合でも，そうした限定は，給付命令の上限を画する効果を持つにすぎないと解することができることなどを理由として，一部請求との明示がない場合はもちろん，明示がある場合であっても，債権全体が訴訟物となるとするものである。

この見解によれば，一部請求訴訟の判決の既判力は，残部を含めた債権の全体について生じることになる。もっとも，残部についての既判力がどのような形で生じるのかについては，さらに，㈠一部請求部分の認容・棄却を問わず，常に残部の債権の不存在について既判力が生じるとする見解，㈡一部との明

示があった場合には，裁判所の認定に従い，残部が存在すると判断された場合には残部の存在に，残部が存在しないと判断された場合には残部の不存在に既判力が生じるが，明示がなかった場合には，常に残部の不存在について既判力が生じるとする見解などに分かれる。これらのうち，(ア) の見解によれば，残部請求は，一部請求の認容・棄却を問わず，常に既判力によって遮断され，棄却されることになる。これに対して，(イ) の見解による場合には，残部についての既判力の内容によって残部請求の処理が異なることとなり，残部が存在することについて既判力が生じている場合には，訴えの利益が認められる限り，残部請求が認容されることになる。

　これらのうち，(ア) の見解に対しては，残部が不存在との判断はされていない場合であっても常に不存在との既判力が生じるのはなぜか，また，(イ) の見解に対しては，訴訟物が同一であるにもかかわらず，明示の有無によって既判力の内容が異なるのはなぜか，といった疑問があり得る。

　(c)　**一部請求である旨の明示がある場合には一部が訴訟物となるとする見解**
③の見解は，一部請求訴訟において一部である旨の明示があった場合には，債権のうち訴求された一部のみが訴訟物となるが，明示がなかった場合には，債権全体が訴訟物となるとする見解である（「明示」の意義については，⇨ す 9-19）。その根拠は，明示があれば，訴訟物をその一部に限定する原告の意思が表示されているといえること，また，被告としても，残部請求の可能性を認識して，必要があれば残部の債務不存在確認の反訴を提起するなど，再度の応訴の負担を免れるための対応が可能であることに求められる。

　この見解によれば，一部請求訴訟の判決の既判力は，明示があれば一部のみについて生じ，明示がなければ債権全体について生じる。後者の場合，(b)(ア)(イ) の両説と同様に，残部についてはその不存在について既判力が生じることになる。その結果，明示一部請求後の残部請求は，一部請求の認容・棄却を問わず，既判力によって妨げられないが，明示のない一部請求後の残部請求は，一部請求の認容・棄却を問わず，既判力によって遮断され，棄却されることになる。もっとも，この見解を前提としても，明示一部請求棄却後の残部請求については，(a)(ウ) 説と同様に，信義則によって不適法とされると解する余地がある。

　この見解に対しては，明示の有無によって訴訟物の範囲そのものが変わると

第9章 判　決

いう帰結を説明できるか，といった疑問が提起されている。

(3) 判例の立場

判例は，明示の有無によって訴訟物の範囲を区別する構成を採用しており，(2)(c)の立場に立つ。具体的には，まず，一部であることの明示がない事案においては，残部請求は既判力に抵触して許されず（最判昭和32・6・7民集11巻6号948頁），また，訴え提起による時効の完成猶予の効果は，債権全部に及ぶものとされる（最判昭和45・7・24民集24巻7号1177頁。平成29〔2017〕年民法改正前の時効中断に関する事案）。逆に，明示があった事案においては，訴訟物は明示された一部に限定される（最判昭和34・2・20民集13巻2号209頁。平成29年民法改正前の時効中断に関する事案。ただし，催告の効果は，残部についても生じる。最判平成25・6・6民集67巻5号1208頁）。その結果，一部請求訴訟の判決の既判力は残部には及ばないこととなり，一部請求勝訴後の残部請求が認められる（最判昭和37・8・10民集16巻8号1720頁）。

もっとも，判例が明示一部請求棄却後の残部請求について，信義則を適用する立場であるかどうかは明らかでなかったが，その後判例は，一部請求棄却後の残部請求については，特段の事情がない限り，信義則に反して許されないとの立場を示すに至った（最判平成10・6・12民集52巻4号1147頁。信義則による後訴の排斥については，**9-6-7-3**も参照）。こうした立場の背景には，判例が過失相殺または相殺の抗弁の取扱いに関して，**9-6-8-3**で述べる外側説を採用した結果，これらが問題となる場合には，一部請求訴訟においても債権全体についての審理判断が必要になったという事情がある。

一部請求後の残部請求を一律に否定する理由はない一方，一部請求敗訴後の残部請求を認めるべき強い理由は見当たらないことからすれば，こうした判例の立場は基本的には妥当と考えられる。もっとも，判例が依拠する(2)(c)の理論構成については前述の問題点があることに照らすと，結論としてはほぼ同様であるが，理論構成としては，(2)(a)(ウ)の立場が適当である。

> **TERM ㉛**　「明示」（的）一部請求と「黙示」（的）一部請求
> 　一部であることの明示がある一部請求は，一般に「明示（的）一部請求」と呼ばれることが多いが，これとの対比において，「明示」のない一部請求について，「黙示」（的）一部請求という用語が用いられることがある。もっとも，「黙示」とは，本来，「明示」ではないものの表示自体はあると評価される場合

を指すが，ここでの「黙示」の一部請求とは，「明示」のない一部請求と同義であって，一部である旨の表示がおよそない場合，つまり，「黙示」の表示すらない場合を含む。その意味で，「黙示」の一部請求との用語には問題があり，むしろ「非明示（的）一部請求」といった用語の方が適切であろう。

> **すこし詳しく 9-19** 一部であることの「明示」
> ▶一部請求であることの「明示」は，訴状における請求原因の記載の末尾に「よって，本件事故によって生じた損害○○円の内○○円の支払を求める」といった形でされるのが通常である。しかし，近年では，訴状にこのような記載がない場合であっても，請求原因を含む訴状全体の記載を基礎としつつ，前訴当時の状況をも考慮して「明示」があったことを認めてよいとする裁判例が出現し（最判平成20・7・10判時2020号71頁），文字どおりの「明示」ではなくてもよい場合があることが，明らかになっている。この判例は，前述の❶31で述べた本来の意味での「黙示」（的）一部請求を認めるものともいえよう。

9-6-8-3 相殺・過失相殺の取扱い

明示的一部請求に対して過失相殺や相殺の抗弁が主張される場合，それによって債権全体が不存在となる場合には，請求を全部棄却すればよいが，債権の一部のみが不存在となる場合の取扱いについては，議論がある。考え方としては，①まず訴求債権の総額を確定し，その額から過失相殺または相殺による減額をしたうえで，残存額が請求額以上である場合には請求を全部認容し，残存額が請求額を下回る場合には残存額の限度で請求を一部認容すべきであるとする見解（**外側説**）のほか，②減額部分を訴求されている一部から控除するものとする見解（**内側説**），③訴求されている一部と残部とで案分して控除するものとする見解（**案分説**）とがあり得る。

これらのうち，案分説については，一般的には，原告または被告いずれの意思に照らしても処理として不徹底であるし，実体法，訴訟法いずれからみても，根拠に乏しい（ただし，例外的に案分説によるべき場面が存在することについては，⇨す9-20）。また，内側説については，当該訴訟において請求されている部分のみが審判対象であるとの前提と合致するし，相殺等を防御方法として主張する被告の意思には適う面もある。しかし，実体法上は，訴求部分と残部とで2個の債権があるわけではなく，あくまで全体として1個の債権しか存在しないということと整合しないし，原告が的確な請求の拡張をしない限り，残部につ

いて何らの紛争解決基準をももたらさないという問題がある。これに対して，外側説は，相殺等の減額事由をも考慮しつつ，債権のうち存在する一部を訴求するとの原告の一般的な意図に合致するし，この立場を前提とすれば，**9-6-8-2** で述べたように，一部請求が一部または全部棄却に終わった場合における残部請求について，実質的に残部の存否についての紛争を蒸し返すものとして信義則により遮断する可能性が開かれることとなり，紛争の一回的解決の要請にも適うといえる。判例も，外側説を採用している（最判昭和48・4・5民集27巻3号419頁，最判平成6・11・22民集48巻7号1355頁）。

> **すこし詳しく 9-20** 案分説を適用すべき場合
> ▶本文で述べたように，一般的には外側説が相当と考えられるが，たとえば，損害の総額が不明のため，金額が明らかである特定費目の損害に絞って一部請求として損害賠償請求をした事案において，過失相殺が問題となる場合には，損害総額が算定できない以上，総額からの控除額を特定することができず，外側説も内側説も適用することができない。そのため，この種の事例においては，案分説によらなければ認容額を特定できないし，過失相殺はすべての費目を通じて行われるべきものであるから，案分説による処理が実体法の規律に合致したものといえる。したがって，この種の事例においては，案分説を適用すべきである。

9-6-9 既判力の主体的範囲

9-6-9-1 相対的解決の原則

既判力は，その拘束を受ける者にとっては，既判力の生じた確定判決の内容をもはや訴訟上で争うことができないという不利益を意味するが，**9-6-3** で述べたように，そうした不利益が正当化されるためには，その者が前訴の判断内容を争う機会を十分に保障されていたことが必要である。したがって，そのような地位を前訴において保障されていた者，すなわち前訴の当事者は，既判力による拘束を受けるが（115条1項1号），それ以外の者は，そうした地位を保障されていなかった以上，既判力による不利益な拘束を受けないのが原則である。たとえば，XがYを被告として甲土地についてのXの所有権確認の訴えを提起し，請求認容判決が確定した場合，Yは，Xに対して，Xの甲土地所有権を争うことができなくなるが，前訴の当事者でなかったXの隣人Zは，この判決の既判力に拘束されず，Xの甲土地所有権を争うことが許される。

また，逆に，既判力によって得られた有利な地位を主張できるのも，前訴の当事者であった者に限られるのが原則である。前訴の敗訴当事者としては，あくまでも相手方当事者との間の訴訟において手続保障を与えられたのにとどまるから，それ以外の者との関係でまで既判力による拘束に服する理由はないからである。たとえば，上記の例で，Xの請求を認容する判決が確定した場合，Xの甲土地所有権の存在が既判力によって確定されるから，Yは，前訴当事者であったXに対してXの甲土地所有権を争うことはできなくなる。しかし，Yが前訴の当事者でなかった隣人Zに対してYの甲土地所有権の確認の訴えを提起した場合には，Zは，X勝訴判決の既判力を援用することはできない。このように，確定判決の既判力は，前訴の両当事者の間でのみ拘束力を有するのが原則であり，これを，**判決の相対効**または民事訴訟における**相対的解決の原則**と呼ぶ。

もっとも，一般には，現実に訴訟の当事者となった者のみの間で既判力を認めれば，民事訴訟制度の機能である権利保護あるいは紛争解決の実効性を確保するために必要十分であるとしても，場合によっては，当事者以外の第三者との関係でも既判力を認めなければ，勝訴当事者に対する保護が不十分なものとなったり，関連する紛争について矛盾した判断がされ，社会生活上容認し難い混乱が生じるなど，確定判決の機能が十分に果たし得ないことも考えられる。また，第三者に対して既判力を及ぼすことについて，当事者としての手続保障を代替し得る十分な正当化根拠が認められる場合もある。そこで，一定の場合には，当事者以外の者についても既判力が及ぶことが法律上明文で規定されている（115条1項2号～4号，人訴24条1項，会社838条等）ほか，解釈上，第三者に対して既判力ないしそれに類似する効力（**反射効**）が認められないかどうかが議論される。

> **すこし詳しく 9-21　法人格否認の法理による既判力の拡張**
> ▶既判力の対象となる当事者の同一性は，法人格を基準として判断されるから，たとえばA法人が受けた判決の既判力は，たとえA法人と密接な関係にあるとしても，その経営者や株主である自然人Bや，別人格であるC法人などには及ばない。しかし，A法人の法人格が形骸的なものにすぎなかったり，もっぱらA法人の債務を免脱するためにC法人が設立された場合のように，いわゆる法人格否認の法理の適用が認められるような事例においては，背後者であるBまたはCは，A法人が自己とは別人格であるとの主

第9章 判　決

張が許されないものとされる（当事者確定との関係につき，⇨ **4-2-1** す **4-3**）。そこで，このような場合，BまたはCは，訴訟法上も，既判力など，A法人が受けた確定判決の効力に服するのではないか，という問題が生じる。この問題について判例は，実体法上法人格否認の法理が適用される場合であっても，手続の明確，安定を重んずる訴訟手続においては，その手続の性格上，判決の既判力の拡張を認めることはできない，としている（最判昭和53・9・14判時906号88頁。ただし，執行力の拡張が問題となった事案である）。しかし，この場合に上記BまたはCに判決の効力が及ぶことが，どのような意味で手続の明確性や安定性を害するのかについては明らかではなく，判例の立場に対しては批判が多い。

9-6-9-2 被担当者に対する拡張

115条1項2号は，当事者が他人のために原告または被告となった場合には，確定判決は，その他人に対しても効力を有するものと定める。これは，**4-5** で述べた訴訟担当が行われる場合に，担当者が訴訟当事者として受けた判決の効力が，利益帰属主体である被担当者に対しても及ぶことを定めたものである。

この場合に既判力の拡張が認められる根拠は，一方で，もし被担当者に既判力が及ばないとすると，相手方当事者としては，担当者に対して勝訴しても，なお被担当者による争いの蒸返しを封じることができず，再度の応訴を強いられることになるから，既判力拡張の必要があること，他方で，担当者は，法定訴訟担当の場合には法律の規定により，任意的訴訟担当の場合には被担当者の授権により，被担当者に代わって訴訟追行をする権能を認められているのであるから，担当者に対して手続保障を与えておけば，被担当者との関係でも既判力による拘束を正当化できることに求められる。

このように，被担当者に対する既判力の拡張は，前訴当事者が訴訟担当者として正当に当事者適格を有していたことに基礎づけられるものであるから，後訴において前訴当事者が当事者適格を有していたことが認められない場合には，既判力が拡張されることはない。したがって，たとえば，債権者Aが債務者Bに代位して第三債務者Cに対して債権者代位訴訟を提起したが敗訴し，BのCに対する債権の不存在が既判力によって確定された場合であっても，BのCに対する履行請求の後訴において，AのBに対する債権の存在が認められないとされた場合には，前訴判決の既判力のBに対する拡張はなく，裁判所は，BのCに対する債権の存否について，再度実体審理をしなければなら

456

ないことになる。もっとも，この事例に関しては，Aに当事者適格を認める前提としてBへの提訴の告知が要求されること（民423条の6。⇨ **4-5-2-2**）を前提とすれば，告知を受けたにもかかわらずAの当事者適格を争わなかったBは，事情によっては，信義則上，後訴においてAの当事者適格を争うことができなくなる，といった解釈論もあり得るところである。

9-6-9-3　承継人に対する拡張

115条1項3号は，当事者または訴訟担当における被担当者の**口頭弁論終結後の承継人**に対してもまた，既判力が及ぶものと定めている。ここでの承継人には，一般承継人と特定承継人の双方が含まれるが，これらのうち，一般承継人については，もともと既判力が及んでいる当事者または被担当者の法的地位を包括的に承継する者であるから，既判力が及ぶのは当然といえるし，承継人の受ける既判力の内容についても，とくに問題は生じない。これに対して，特定承継人の場合には，既判力拡張の根拠，拡張を受ける承継人の範囲，既判力拡張の内容などについて，さまざまな問題がある。そこで，以下では，特定承継の場合を念頭に置いて，これらの点について説明する。

(1) 既判力拡張の根拠

口頭弁論終結後の承継人に対して既判力が拡張される根拠は，次のように説明される。すなわち，まず，①既判力拡張を認めなければ，判決によって得られた勝訴当事者の地位が容易に損なわれることになるため，権利の保護ないし紛争解決という確定判決の機能を十分に果たすためには，拡張の必要が認められる。たとえば，XのYに対する甲土地所有権確認の訴えにおいてXの請求を認容する判決が確定し，Xの甲土地所有権が既判力によって確定されても，Yは口頭弁論終結後にXから甲土地所有権の譲渡を受けたZに対して，Xが所有権者であった事実を再び争えるということになると，実際上甲土地の譲渡は困難となり，勝訴したXの地位が害されることになる。逆に，この訴訟で請求棄却判決が確定し，Xの甲土地所有権の不存在が既判力によって確定されたにもかかわらず，承継人ZがYに対して再び前主たるXから土地所有権を承継したとして自己の土地所有権を主張できるということになると，勝訴したYの地位が害されることになる。他方で，②承継人は，自らは前訴において当事者として手続保障を与えられた者ではないが，実体法上，元来前主のした処分の結果を承継すべき地位にあることから（これを，実体法上の依存関係と

呼ぶ），前主の受けた確定判決による不利益を甘受させられてもやむを得ないともいえるし，③承継が口頭弁論終結後にされている以上，相手方当事者としては，承継人に対する手続保障を講じるための手段は前訴当時存在しなかったことを考えると，この場合にあくまで承継人自身に対する手続保障を要求するのは，相当でないと考えられるのである。

　このように，口頭弁論終結後の承継人に対する既判力の拡張は，前訴の勝訴当事者の地位の安定という要請と，承継人に対する手続保障の要請との対立を立法的に調整したものともいえ，現行法の規律が，想定できる唯一の解決というわけではない。たとえば，日本法の母法であるドイツ法は，口頭弁論終結前の承継人であっても，訴訟係属後の承継人に対しては原則として既判力を及ぼすものとして（**当事者恒定主義**。⇨ **12-9-4**），日本法よりもいっそう勝訴当事者の保護に傾斜しているなど，立法政策としては多様な解決があり得るところである。

(2) 承継の対象

　前訴当事者から何を承継した場合に既判力の拡張を受ける承継人となるかについては，議論がある。訴訟物である権利義務関係そのものを承継した者がここでの承継人に該当することについては，異論がないが，承継人の範囲をこの場合のみに限定すると，(1)で述べた既判力拡張の趣旨が十分に果たされない場合も考えられる。たとえば，XのYに対する所有権確認請求訴訟の口頭弁論終結後に係争物をYから譲り受けたZや，XのYに対する建物収去土地明渡請求訴訟の口頭弁論終結後にYから家屋を譲り受けたり，賃借したZは，訴訟物である権利義務関係そのものを承継した者とはいえないが，これらの場合にZに対する既判力の拡張を認めないとすると，Xが勝訴判決を得たとしても，その結果は容易に潜脱し得ることになってしまう。そこで，判例および多数説は，訴訟物である権利義務の承継人に限らず，これらの者についても，承継人として既判力の拡張を認めている（最判昭和26・4・13民集5巻5号242頁等）。もっとも，承継の対象を訴訟物そのものから拡大した場合に，その範囲をどのように画するかについては，さまざまな説明が試みられている。その中で代表的な見解としては，①当事者適格の承継とするもの，②紛争の主体たる地位の承継とするもの，③訴訟物に関連する実体法上の地位の承継とするものが挙げられる。

このうち，①については，当事者適格の有無は，主張される訴訟物の内容にしたがって定まるものであるから（当事者適格の判断基準については，⇨ **8-5**)，前訴と後訴とでは訴訟物が異なる以上，当事者適格そのものの承継は考えられないとの批判が妥当する。また，②は，訴訟承継の場面において判例でも用いられる概念であり（最判昭和41・3・22民集20巻3号484頁。⇨ **12-9-3-1**)，その実質的に意図するところは③と異ならないものと考えられるが，紛争の主体たる地位という概念の内容は不明確であり，どのような場合にその移転が認められるのかが明らかでないという問題がある。むしろ，(1)で述べたように，承継人に対する既判力の拡張が，承継人が前主に対して実体法上依存する地位に立つことによって基礎づけられることを考えると，承継の対象としては，③訴訟物に関連する実体法上の地位，言い換えれば，その訴訟物について原告または被告となることを適切なものとするような実体法上の地位と説明するのが最も適切であろう。

このように考えると，訴訟物である実体法上の権利義務の主体たる地位の承継人，たとえば給付請求の訴訟物である債権の譲受人（ただし，当該債権にかかる債務の引受人については，平成29年民法改正によって新設された民470条〜472条の4の理解とも関係して，議論がある）のほか，所有権確認請求訴訟の被告から所有権を譲り受けた者，所有権に基づく引渡請求訴訟の原告から所有権を譲り受けた者，同訴訟の被告から伝来的に占有を取得した者（前掲最判昭和26・4・13参照）などは，その訴訟物について原告または被告となることを基礎づける実体法上の地位を承継した者であり，実体法上前主に依存する地位にあるといえることから，既判力の拡張を受けることになる。

以上に対して，たとえば，所有権に基づく引渡請求の被告の占有を実力で奪って占有を取得した者などは，前訴当事者から実体法上の地位を承継したわけではなく，実体法上の依存関係が認められないから，既判力の拡張を受けることはない。

(3) 承継の時期

承継の時期については，事実審の口頭弁論終結後の承継人に限られる。上告審がなお係属中の場合であっても，事実審の口頭弁論が終結している以上は，ここでの承継人に含まれる。これに対して，事実審の口頭弁論終結前の承継人については，訴訟係属前の承継人であれば，訴え提起の段階からその者を当事

者として訴訟をするべきであるし，訴訟係属後の承継人については，訴訟承継の手段によって，承継以後はその者を訴訟当事者として手続保障を講じる必要があるとするのが現行法の立場である（**訴訟承継主義**。⇨ **12-9-4**）。

すこし詳しく 9-22　不動産譲渡の場合における承継の時期

▶土地所有者であるXの地上建物所有者Yに対する建物収去土地明渡請求訴訟の口頭弁論終結前にYと建物売買契約を結び，口頭弁論終結後に建物所有権移転登記を経由したZは，承継人に当たるか。売買契約そのものが口頭弁論終結前であっても，代金支払等による所有権の移転が口頭弁論終結後であれば，承継人に当たることに問題はない（最判昭和52・12・23判時881号105頁）。これに対して，所有権の移転が口頭弁論終結前の場合には，登記が口頭弁論終結後であっても，承継人として既判力の拡張を受けることはないとする裁判例がある（最判昭和49・10・24判時760号56頁）。しかし，この判決には，原告による真の所有者探究の困難などを理由とする反対意見が付されている。また，その後，前主がその登記を自らの意思に基づいて経由していた場合には，第三者に建物を譲渡したとしても，当該登記名義を引き続き保有する限り，土地所有者に対する建物収去・土地明渡しの義務を免れない，とする判例が出現しており（最判平成6・2・8民集48巻2号373頁），建物収去土地明渡しの義務を負うのは登記名義にかかわらず真の所有者である，という昭和49年判決が前提としていた実体法上の判例理論には，動揺がみられる。そのため，昭和49年判決の立場が今後も維持されるかについては，疑問が生じている。

(4) 承継人の範囲

これまでに述べた承継の対象および時期についての要件を満たす者は，すべて承継人として既判力の拡張を受ける。承継に際して，前訴判決について善意であったか悪意であったかを問わない。立法論としては，前訴判決の存在について善意無過失の承継人については既判力の拡張を否定するといった選択肢もあり得ないわけではないが，現行法はそのような例外を設けておらず，承継人の主観にかかわらず，前訴の勝訴当事者の地位を広く保護しようとするものといえる。

また，かつては，訴訟物である権利が物権的なものである場合に限って承継人に対する既判力の拡張を認める見解も存在した。しかし，この見解は，その権利を実体法上第三者に対して主張できるかどうかという問題と，権利の存否を確定する既判力が誰に及ぶかという問題とを混同したものであり，今日では，訴訟物である権利が物権的なものであるか，債権的なものであるかを問わず，

既判力の拡張があると解されている。

これに対して，実体法上，善意者保護規定や対抗要件主義の結果として固有の攻撃防御方法を主張できる第三者に対する既判力の拡張については，次のように考えられる。たとえば，Xが，Yへの甲土地所有権移転登記が通謀虚偽表示であるとして，Yを被告としてXへの移転登記手続請求訴訟を提起し，勝訴判決が確定した場合，その口頭弁論終結後にYから甲土地を譲り受けたZは，(2)，(3)で述べた基準からすれば，口頭弁論終結後の承継人に当たることになるが，実体法上は，民法94条2項にいう善意の第三者としての保護を主張できるはずである。この場合には，Zは承継人として既判力の拡張を受けるが，その内容は，XのYに対する移転登記手続請求権が前訴の基準時において存在することを争えないというものであり，善意の第三者としてのZが保護されるとの主張は，これと矛盾するものではないから，前訴判決の既判力が拡張されたとしても，このようなZ固有の攻撃防御方法の主張は妨げられないことになる。

すこし詳しく 9-23　実質説と形式説
▶固有の攻撃防御方法を有する第三者の取扱いについては，いわゆる実質説と形式説との対立があるとする見解がある。この見解によれば，実質説とは，このような第三者は承継人から除外され，既判力の拡張を受けないものとする見解であるとされる。しかし，実質説とされる論者がこの場合の既判力の作用をどのように理解していたのかは明確でないし，固有の攻撃防御方法を主張できる承継人であるからといって，前訴判決が確定した前主の権利義務それ自体まで争えるとする理由はないことからすれば，このような見解をとることはできない。そこで，このような第三者であっても，(2)および(3)で述べた要件を満たす限り承継人に当たる，とする見解が形式説と呼ばれる。もっとも，このような議論に対しては，承継人の範囲と既判力の作用の問題とを混同するものであって，実質説と形式説という対立を想定すること自体に疑問があるとの批判も有力である。

(5) 承継人に対する既判力拡張の内容

既に述べたように，既判力は，原則として訴訟物たる権利義務関係の存否についての判断についてのみ生じ（⇨ **9-6-7-1**），結果として，前訴と後訴の訴訟物が同一であるか，先決関係または矛盾関係にある場合に限って作用するものとされる（⇨ **9-6-4-2**）。したがって，口頭弁論終結後の承継人に対して既判力が拡張される場合にも，前訴当事者間における訴訟物たる権利義務関係の存否

のみが既判力によって確定されており，承継人を当事者とする後訴においては，当事者が異なる以上訴訟物が同一であることはあり得ないから，本来であれば，前訴の訴訟物が後訴の訴訟物の先決問題となる限度で，既判力が作用することになるはずである。

　実際，訴訟物たる権利義務関係それ自体が承継される場合を考えると，このような説明でとくに問題は生じない。たとえば，XのYに対する甲土地所有権確認請求訴訟の口頭弁論終結後にZがXから甲土地所有権を譲り受けたという場合，ZのYに対する甲土地所有権確認請求の後訴においては，Zは自己の所有権を基礎づけるためには，Xによる所有権の取得とそのZに対する譲渡を主張する必要があるから，前訴の訴訟物は後訴の訴訟物の先決問題となる。したがって，前訴でXが勝訴した場合には，Yとしては，Zとの後訴においてもXの所有権を争うことはできず，口頭弁論終結後のXの所有権喪失や，XZ間の売買の無効等を主張できるにとどまることになるし，逆に，前訴でXが敗訴した場合には，Zとしては，Yに対する後訴において，基準時にXが甲土地所有者であったことは主張できないことになる。このように，訴訟物たる権利義務自体の承継の事例においては，前訴の訴訟物は，承継人を当事者とする後訴の訴訟物の先決問題となるから，前訴判決の既判力の拡張が有効に機能し，前訴の勝訴当事者の地位を承継人との関係でも保障するという趣旨がよく実現されることになる。

　これに対して，(2)で述べたように，承継の対象を訴訟物たる権利義務そのものよりも拡張する場合には，既判力拡張の内容を考えるうえで難しい問題が生じる。たとえば，土地所有者Xの地上建物所有者Yに対する建物収去土地明渡請求訴訟の口頭弁論終結後にZがYから建物所有権を譲り受けた場合に，X勝訴判決の既判力がXZ間の後訴においてどのように機能するかを考えると，この場合，ZはYの建物収去土地明渡義務そのものを承継しているわけではなく，ZがXに対して建物収去土地明渡義務を負うとすれば，それは，Zが土地の占有を取得したことにより，Xに対する義務が原始的に発生することによるものである。したがって，Xとしては，Zに対する建物収去土地明渡請求権の存在を主張するためには，前訴判決の既判力によって確定されているYに対する建物収去土地明渡請求権の存在を主張しても無意味であり，むしろ，改めて自己の土地所有権およびZの土地占有の事実を主張・立証する必

要がある。このように，この場合には，そもそも前訴の訴訟物は後訴の訴訟物にとって先決関係にはないため，XのYに対する建物収去土地明渡請求権の存在についてZが争えなくなるといったところで，後訴との関係では，本来無意味なはずである。しかし，それでは，この場合に既判力の拡張を認める意味について疑問が生じる。そのため，多くの見解は，この場合，Zとしては，XのYに対する建物収去土地明渡請求それ自体だけでなく，Xの土地所有権についても争えなくなるものと解してきた。もっとも，Xの土地所有権の存否は，前訴における判決理由中の判断であるから，こうした帰結を導くためには，この種の事例において争点効や信義則による拘束力を認めるか，あるいは，XY間の訴訟物とXZ間の訴訟物との違いを捨象して，Zの受ける既判力拡張の内容を，XY間における訴訟物同一の後訴においてYが受ける既判力の遮断効と同様に理解する，といった構成が必要になる。そのため，そうした帰結が維持できるかどうか，また，維持するとすればどのような理論構成によるべきかについては，議論がある。

9-6-9-4　所持者に対する拡張

115条1項4号は，当事者，訴訟担当の被担当者またはこれらの者の口頭弁論終結後の承継人のために請求の目的物を所持する者に対しても，既判力が及ぶ旨を定める。ここでの請求の目的物とは，物権的請求権であるか債権的請求権であるかを問わず，特定物の引渡請求権が訴訟物となっている場合の当該特定物を意味する。また，当事者等のために所持するとは，目的物の所持について自己固有の利益が認められないことを意味し，その例としては，受寄者，管理人，家族，同居者などが挙げられる。承継人の場合とは異なり，所持を開始した時期を問わない。これに対して，賃借人や質権者のように，自己固有の利益のために目的物を所持する者，また，逆に，法人の機関，雇人，法定代理人など，当事者等のための所持の機関にすぎず，およそ独自の所持を有しない者は，ここでいう所持者には含まれない。

こうした所持者に対して判決効を拡張する実益は，主として，本人が特定物の引渡請求の被告となって敗訴した場合に，権利者が所持者に対する強制執行を迅速に行うことを可能にする点にある。単なる所持の機関については判決効の拡張が認められないのは，これらの者との関係では，執行力を拡張するまでもなく，本人を執行債務者として強制執行を実施することができることと関係

する。したがって，既判力拡張の主たる意義は，所持者による請求異議の主張を封じるという点に見出されることになる。こうした拡張が正当化されるのは，所持者が目的物について固有の利益を有していない以上，当事者等とは別に独立の手続保障を与える必要がないためである。

すこし詳しく 9-24　所持者の概念の拡張
▶請求目的物の所持者に対する既判力拡張の正当化根拠は，所持者には手続保障を要求するに足りるほどの固有の利益が存在しない点に求められる。そこで，請求目的物の所持者に直接該当しない場合であっても，同様に，固有の利益を全く有しない者については，所持者への既判力拡張を類推して，既判力を及ぼすべきであるとの見解が有力である。たとえば，土地所有権移転登記手続請求訴訟の被告から，もっぱら強制執行を免れる目的で形式上土地所有権移転登記を受けた者に対しては，移転登記手続を命じる確定判決の既判力が及ぶものとされる（大阪高判昭和46・4・8判時633号73頁）。

9-6-9-5　対 世 効

(1)　対世効の意義

民訴法115条の規定により既判力が及ぶものとされる当事者等に加えて，法律上，第三者に判決効が及ぶ旨の明文規定が設けられている場合がある。それらの中には，判決効を受ける第三者の範囲が規定上特定されている場合もあるが（たとえば，民執157条3項，破131条1項等），法律上，範囲を特定することなく，第三者一般について判決効が及ぶものとされている場合もある。後者のような場合における第三者一般に対する判決の効力を，**対世効**と呼ぶ。

対世効が認められるのは，多数の関係人の間で法律関係を画一的に確定する必要があり，かつ，既判力の拡張を受けるべき第三者の範囲を一律に画定することが難しい場合である。その代表例としては，身分関係や，会社その他の団体の組織関係が挙げられる。すなわち，婚姻関係や親子関係といった身分関係は，社会の基本的な構成原理をなすものであって，多数の関係人の利害や社会一般の公益に関わり，その存否が関係者ごとに異なることになると，社会生活上多大な不都合を生じる。そのため，人事訴訟における確定判決には，対世効が認められる（人訴24条1項）。また，会社その他の団体の設立や総会決議の有効性など，団体の組織に関する法律関係も，団体をめぐる種々の派生的な法律関係の基礎をなすものであり，利害関係人も多数に上る。そこで，団体の組織関係訴訟における確定判決にも，対世効が認められる。もっとも，人事訴訟

の場合と異なり，団体関係訴訟の場合には，請求認容判決の場合に限って対世効が認められている（会社838条，一般法人273条）。

(2) 対世効を受ける第三者の利益保護

このように，対世効は，多数の関係人間において法律関係を画一的に確定する必要がある場合に認められるものであるが，このことは，第三者の視点からみれば，自らが当事者として関与していない訴訟の結果に基づいて，不利益な拘束力を受ける可能性があることを意味する。こうした不利益を正当化するためには，そうした拘束力によって第三者が不当な損害を被ることがないよう，十分な手段が講じられる必要がある。そうした手段としては，①訴訟物たる法律関係について最も密接な利害関係を有する者を当事者とすることにより適切な訴訟追行を促すこと，②審理の方式について，弁論主義ではなく職権探知主義を採用することによって，当事者による恣意的な訴訟資料の操作を防ぎ，判決内容の実体的適正を確保すること，③第三者に訴訟手続の係属を知らせ，参加の機会を与えること，④詐害的な判決がされた場合に，第三者に再審による事後的な救済の機会を与えることなどが考えられる。実際，人事訴訟においては，これらのうち，①（人訴12条・41条～43条等），②（同19条・20条等），③（同28条）が採用されている。また，団体関係訴訟においては，対世効を片面的なものとすることによって第三者の地位の保護を図っているほか，人事訴訟の場合と同様，明文規定（会社828条2項・834条等）または解釈により当事者適格者が限定されている（①）。もっとも，②については明文の規定がなく，議論が分かれており，③についても，平成16年改正前の商法においては，訴え提起についての公告の制度が存在したが，現在はそうした制度は存在しておらず，第三者の手続保障の面では，課題が残されている。

> **すこし詳しく 9-25　第三者再審・詐害再審**
>
> ▶本文④で挙げた再審に関しては，行政事件訴訟に第三者再審の制度があるほか（行訴34条），対世効の場面ではないが，会社役員の責任追及訴訟の判決の効力を受ける第三者について詐害再審の制度が設けられているものの（会社853条），人事訴訟，団体の組織関係訴訟については，明文の規定がない。判決に当事者自身との関係で再審事由が存在する場合には，第三者が補助参加したうえで再審の訴えを提起する余地があるが（45条1項・43条2項），第三者自身がその地位を害されたことを理由として再審の訴えを提起できるかどうかについては，議論がある。判例は，最近，前訴当事者の訴訟活動

が著しく信義に反し，第三者に確定判決の効力を及ぼすことが手続保障の観点から看過できない場合には，その判決に338条1項3号の再審事由を認める余地があるとし，第三者が独立当事者参加とともに再審の訴えを提起することを認めるに至った（最判平成25・11・21民集67巻8号1686頁）。もっとも，この判例については，解釈論の域を超えるものとする批判もあり，立法による解決が望まれる。

9-6-9-6　反射効

(1)　反射効の意義

　法律の規定によって既判力の拡張が認められる以上のような場合のほか，判決が，当事者に実体法上依存または従属する地位にある第三者との関係で，反射的に有利または不利な効果（**反射効**。反射的効果ないし反射的効力ともいう）を及ぼすことがある，という議論がある。たとえば，主債務と保証債務との間には，実体法上付従性が認められており（民448条1項），主債務が消滅した場合には，保証債務も消滅する，という関係が存在する。そこで，反射効を認める場合には，債権者と主債務者の間において主債務を不存在とする判決が確定した場合には，その訴訟の当事者ではない保証人も，債権者に対して，判決の効果を援用して主債務の不存在を主張できる，とされるのである。

　反射効は，実体法上関連する紛争について，解決がまちまちに分かれるという事態を防ぎ，関係人間において実体法上整合性のある処理を図るという意義を有する。たとえば，反射効を認めない場合には，主債務者に敗訴した債権者が後に保証人に対して保証債務の履行請求訴訟を提起し，保証人との関係では主債務が存在するとの判断を得て勝訴し，保証債務を履行した保証人がさらに主債務者に対して求償請求を行う，といった事態が生じ得ることとなるが，反射効を認めれば，こうした錯綜した事態の発生を防ぐことができるのである。

　もっとも，実体法上の依存関係の存在を根拠としてそうした効力を導くことができるかについては，既判力の法的性質に関する理解とも関連して，①反射効肯定説，②既判力拡張説，③否定説が対立している。

> **TERM** ㉜　「反射効」概念の多義性
>
> 　判例の中には，訴訟担当の場面において，訴訟担当者の1人が受けた判決の効力が被担当者に及ぶと（115条1項2号），他の訴訟担当者もその効力を争えなくなる旨を述べるものがあり（最判昭和58・4・1民集37巻3号201頁，最判平成12・7・7民集54巻6号1767頁），この場合における他の訴訟担当者に対す

る効果が，反射的効果ないし効力と呼ばれることがある。しかし，これは本文に述べた意味での反射効とは異なり，訴訟担当の局面に特有の既判力の作用と理解すべきものである。このように，反射効や反射的効果という語は，多義的に用いられることから，本文に述べた伝統的な意味での反射効を狭義の反射効，既判力拡張や前述の訴訟担当に関するものなどを含むものを広義の反射効とする整理も考えられよう。

すこし詳しく 9-26 **反射効が議論されるその他の場合**
▶本文で例示したように，反射効が最も盛んに議論されるのは保証の事例であるが，そのほかにも，①連帯債務者の1人の受けた判決の他の連帯債務者に対する反射効，②合名会社等の持分会社の受けた判決のその無限責任社員に対する反射効，などが議論される。①は，たとえば，連帯債務者の1人が債務履行請求訴訟において相殺の抗弁を主張し，これが認められて請求棄却判決を得た場合には，相殺の絶対効（民439条1項）を根拠として，他の連帯債務者も，自己を被告とする債務履行請求訴訟において，この判決を援用できる，とするものである。また，②は，持分会社に対する債務の履行請求訴訟における請求認容判決の効果は，無限責任社員に対する責任追及訴訟（会社580条参照）において社員の不利に及び，請求棄却判決の効果は，社員の有利に及ぶ（会社581条参照），とするものである。しかし，①については，否定する判例がある（最判昭和53・3・23判時886号35頁）。また，③賃借人に対する土地明渡請求訴訟の請求認容判決の効果が転借人に対する土地明渡請求訴訟において転借人の不利に及ぶことについても，否定する判例があるが（最判昭和31・7・20民集10巻8号965頁），転借人は実体法上賃借人に依存する地位にはないと解されることから（賃貸人と賃借人との間で賃貸借を合意解約したとしても，転借権を消滅させることはできない。大判昭和9・3・7民集13巻278頁参照），この帰結は，他の場合には反射効を肯定する見解からも，当然のものである。

(2) **反射効をめぐる諸見解**

①の伝統的な反射効肯定説は，反射効を既判力とは異なる実体法的な効果として把握し，その結果として，効果面でも，職権調査事項ではなく，当事者による援用を要するとか，前訴が馴合い訴訟であったとの理由で反射効を排斥することができる，といった独自の内容を認めてきた。しかし，既判力の性質に関する訴訟法説（⇨ 9-6-2）を前提とすれば，単に実体法上依存関係があるとするだけでは，既判力の及ばない第三者との関係で前訴判決の内容が拘束力を及ぼすことは考えられない。②の既判力拡張説は，こうした理解を前提として，解釈によって認められる既判力の拡張として反射効を説明する見解であり，③否定説は，従来反射効が論じられてきた場面においては，反射効または既判力

の拡張を認めることはできないとする見解である。②説および③説の対立点は，手続保障の観点から，既判力の拡張によって不利益を受ける者に対して，そうした不利益を正当化できるかどうか，という点に帰着する。この点について，既判力拡張説は，既判力が第三者の有利に及ぶ場合には，それによって不利益を受ける前訴の当事者は，前訴の相手方当事者との関係で既に争う機会が与えられていたのであるから，その結果を依存的地位にある第三者の有利に援用されてもやむを得ないとする。たとえば，前述の保証人の事例においては，債権者は，主債務の存否については主債務者との間で争う機会を与えられていたのであるから，手続保障としてはそれで十分であり，保証人との間で新たに主債務の存在を主張する機会を与えないとしても，不当とはいえず，むしろ債権者としてはそのことを覚悟して訴訟追行すべきであるとするのである。これに対して，③否定説は，法律上，依存関係の存在を理由として既判力の拡張が認められるのは，口頭弁論終結後の承継人の場合に限られていること，法律上既判力の拡張が認められていない以上は，訴訟物ごとに十全な手続保障を与えなければならないとするのが現行法上の原則であること，第三者の有利にのみ既判力を拡張することは，敗訴当事者の敗訴の負担を一方的に増大させるものであり，公平に反することなどを理由として，これらの場合における既判力の拡張を否定する。

　否定説の指摘する問題に加えて，同一の法律関係が異なる当事者間では異なって判断されること自体は，相対的解決の原則のもとでは当然あり得ることであり，従来反射効が論じられてきた事例においても，それが致命的な不都合をもたらすとまでは考えられないこと（たとえば，保証人の事例でも，求償が永久に循環するという事態は，実体法の解釈によって防止する余地もある）などを考えると，反射効，既判力拡張のいずれについても，否定すべきであろう。

　判例には，反射効または既判力拡張を明示的に認めたものはない一方（⇨ **す** 9-26），保証人の事例に関して，主債務者勝訴の判決確定前に保証人敗訴の判決が確定していた場合には，主債務者勝訴判決を援用して請求異議事由とすることはできないとしたものがある（最判昭和51・10・21民集30巻9号903頁）。

すこし詳しく 9-27 **最判昭和51・10・21の事案**
　▶本文で挙げた昭和51年最判の事案では，債権者が主債務者と連帯保証人を共同被告として債務の履行を求めたが，主債務者がこれを争っ

たのに対して，連帯保証人は請求原因をすべて認めた。そこで，弁論が分離され，連帯保証人に対する請求認容判決が確定したが，主債務者に関しては訴訟が続行され，無権代理を理由とする請求棄却判決が確定した。その後，債権者が連帯保証人に対して強制執行の申立てをしたため，連帯保証人が，請求異議の訴えを提起し，主債務者勝訴判決を自己の有利に援用したのである。このように，上記最判の事案は，主債務者勝訴判決に先立って保証人敗訴判決が既に確定していたという点で，反射効肯定説が典型例として想定する場合とは異なっている。そのため，上記最判が，保証人事例における反射効を一般に否定するものといえるかどうかについては，議論がある。

9-7 執行力

9-7-1 執行力の意義

判決によって一定の法律関係が確認・形成されたり，一定の給付が命じられたとしても，それだけではその法律関係や給付命令は観念的なものにとどまり，その実現のためには，何らかの行動や措置が実際に行われる必要がある。このように判決内容の実現のために必要な措置をとることを可能にする効力を，**執行力**と呼ぶ。狭い意味においては，執行力とは，給付判決等によって命じられた給付義務を強制執行手続によって実現する効力をいい，これを「**狭義の執行力**」と呼ぶ。狭義の執行力の基礎となる文書が債務名義である（民執22条）。債務名義の例としては，確定した給付判決のほか，確定判決と同一の効力を有する和解調書等の文書で給付条項を含むものなどが挙げられるが，確認判決や形成判決には，狭義の執行力は認められない（狭義の執行力と対比される「**広義の執行力**」については，⇨❶33）。執行力の主体的範囲については，民執法23条に定めがある。

> **TERM** ㉝ **狭義の執行力と広義の執行力**
> 　本文で述べたように，狭義の執行力とは，給付判決等によって命じられた給付義務を強制執行手続によって実現する効力をいう。これに対して，広義の執行力は，強制執行以外の方法で判決内容を実現する効力を含む。たとえば，確定判決をもって登記申請をすることができるのは（不登63条1項），広義の執行力に基づくものである（登記手続を命じる判決は，被告の意思表示を命じる判決であるが，判決確定によって意思表示が擬制され〔民執177条1項〕，狭義の執

第9章 判　決

行は終了する)。狭義の執行力と異なり，広義の執行力は，給付判決だけでなく，確認判決や形成判決にも生じることがある。たとえば，所有権確認の確定判決によって所有権保存の登記を申請することができることや(不登74条1項2号)，形成判決の一種である請求異議の訴えの認容判決に基づいて強制執行の停止を求めることができること(民執39条1項1号)などは，これに該当する。

9-7-2 仮執行宣言

　狭義の執行力は，確定判決に認められるのが原則であり(民執22条1号)，広義の執行力についても同様に解される。したがって，判決に対して上訴が提起され，その確定が遮断された場合には(116条2項)，なお執行力は生じないのが原則である。

　しかし，これでは，勝訴した権利者にとっては，その権利の実現が遅延させられるという不利益が課されるとともに，敗訴者に対してもっぱら執行を免れるための濫用的な上訴のインセンティブを与えるおそれもある。この問題に対応するための制度として設けられているのが，**仮執行宣言**の制度である。すなわち，裁判所は，財産権上の請求に関する判決について，必要があると認めるときは，申立てによりまたは職権で，仮執行宣言をすることができる(259条1項)。財産権上の請求に限られるのは，この場合には，後に判決が変更されたとしても原状回復が比較的容易であると考えられるためである。これらの要件が認められる場合には，裁判所は，その判決の主文において仮執行宣言をし(同条4項)，勝訴当事者は，原判決の確定を待つことなく，原判決に基づいて強制執行をすることができるようになる(民執22条2号)。なお，手形金請求の認容判決(259条2項)や，少額訴訟の請求認容判決(376条1項)など(これらの略式手続については，⇨ **14-2**, **14-3**)，判決内容の迅速な実現がとくに要請される場合には，仮執行宣言を職権でしなければならないものとされている。

　仮執行宣言に基づく強制執行は，判決によって認められた権利の最終的な実現にまで進むものであるが，判決または仮執行宣言の取消しを解除条件としたものである点で，暫定的なものである(260条1項)。とくに，判決そのものが変更された場合には，仮執行により満足を受けた原告は，被告の申立てにより，給付を受けた物の返還と被告の受けた損害の賠償をしなければならない(同条2項)。この損害賠償義務は，無過失責任と解されている。

仮執行宣言を受けた敗訴当事者は，判決に対して上訴をしたうえで，仮執行宣言付判決に基づく強制執行の一時停止等を申し立てることができる（403条1項）。申立てが認められる場合には，裁判所の決定により，強制執行が一時停止されることになる（民執39条1項7号）。この決定に対しては，不服申立てをすることができない（403条2項）。ただし，この執行停止については，従来，安易に認められているとの指摘があったことから，現行民訴法制定の際に，勝訴判決を得た原告の救済を迅速化する観点から，要件を厳格化する方向で改正がなされた。具体的には，仮執行宣言付きの第1審判決に対して控訴が提起された場合については，原判決の取消しもしくは変更の原因となるべき事情がないとはいえないこと，または，執行により著しい損害を生ずるおそれがあることについての疎明が必要である（403条1項3号）。また，仮執行宣言付きの控訴審判決に対して上告の提起または上告受理申立てがあった場合については，さらに厳しく，原判決の破棄の原因となるべき事情および執行により償うことができない損害を生ずるおそれがあることについての疎明が必要である（403条1項2号）。なお，仮執行宣言に際して，裁判所が，担保を立てて仮執行を免れることができることを宣言した場合には（仮執行免脱宣言。259条3項），被告は，その担保を提供することにより，仮執行を免れることが可能である。

9-8　形成力

　判決において一定の法律関係の形成が宣言された場合に，それに従った法律関係の変更を生じさせる効力を，**形成力**という。形成力は，確定した形成判決に認められる効力である。たとえば，離婚判決の確定により離婚の効果が生じたり，株主総会決議の取消判決によって総会決議の効力が失われるのは，形成力によるものである。

　形成力の具体的な内容は，個別の形成の訴えに関する実体法等の法令の規定によって定まる。形成力の主体的範囲についても同様である。したがって，当該法令が法律関係の絶対的な変更を定める場合には，第三者に対してもその効果が及ぶことになる。離婚の訴えや株主総会決議取消しの訴えなど，多くの形成訴訟は，この場合に当たる。

第9章 判　決

> **すこし詳しく 9-28　形成力と形成結果の不可争性**
> ▶形成判決によって形成された法律関係（以下では「形成結果」と呼ぶ）の不可争性がどのような形で確保されるかについては，議論がある。伝統的な通説は，いったん形成判決が確定すれば，その判決が再審の訴えなどによって取り消されない限り，もはや何人も形成原因の不存在を主張して形成結果そのものを争うことはできない，と解してきた。したがって，この見解によれば，形成結果の不可争性は既判力にかかわらず当然に確保され，形成判決に既判力を認めるのは（形成判決の既判力については，⇨ 9-6-5-1 す 9-13），もっぱら，形成原因なく違法な形成がされたことを理由とする損害賠償請求等を封じるためにすぎないことになる。これに対して，有力説は，たとえ確定形成判決が存在したとしても，既判力の及ばない第三者は，形成原因の不存在を主張して形成結果を争うことができる，とする。これは，実体法上の形成権行使の場合には形成権行使の意思表示があっても形成原因が存在しなければ形成の効果が認められないのと同様に，形成判決の場合でも，確定形成判決の存在だけでなく，形成原因の存在があわせて認められない限り，形成結果は生じない，と理解するものである。この見解によれば，形成結果の不可争性は，既判力およびその拡張によって形成原因不存在の主張を封じることにより，初めて確保されることになる。もっとも，実際には多くの形成判決には対世効を定める規定があり，既判力の第三者に対する拡張が認められるから，そうした規定が存在しない会社役員解任判決（会社854条参照）などの事例を除き，両説の対立は顕在化しない。

9-9　判決の無効

9-9-1　判決の無効の意義

9-9-1-1　非判決と無効の判決の区別

　受訴裁判所が法廷で言い渡した判決は，たとえ判決に至る審理手続等に瑕疵がある場合であっても，上訴などの手段によって取り消されない限りは有効なものとして取り扱われる。したがって，何らかの瑕疵のある判決であっても，いったん確定すれば，既判力等の効力を生じ，再審事由が存在する場合を除けば（再審については，⇨ 13-6），その成立過程に存在する瑕疵については，もはや争うことができなくなるのが原則である。

　しかし，判決の外観が存在していても，それが判決成立のための基本的な要件を欠いているため，そもそも法的な意味で判決が成立したとはいえない場合

があり得る。このような場合を，一般に，**判決の不存在（不成立）**または**非判決**と呼ぶ。また，判決としては一応有効に成立しており，確定すれば訴訟終了効を生じるものの，既判力，執行力，形成力のような確定判決の内容上の効力の発生を妨げるような事情が存在するために，それらの内容上の効力の全部または一部が生じない場合があるといわれ，そうした場合を，**判決の無効**と呼ぶ。判決の不存在ないし非判決の場合には，判決の存在が法的に認められない以上，判決としての効力が一切認められないのに対して，判決の無効の場合には，判決は一応成立しており，確定すれば少なくとも訴訟終了効は生じるという点で，両者は異なる。

もっとも，非判決や判決の無効というものを承認するかどうか，承認するとして，どのような場合がこれらのそれぞれに該当するのか，非判決と判決の無効をどのように区別するのか，といった問題については，民訴法は規定を置いておらず，解釈に委ねられている。これらの問題は，判決というものの本質的な要素をどのようなものと理解するか，既判力や再審制度との関係をどのように考えるか，といった理論上の問題と関連するとともに，後述するように，確定判決の騙取や送達に瑕疵がある事例の具体的な処理方法とも関連する困難な問題である。

> **TERM ㉞ 無効の判決**
> 「無効の判決」というと，字義どおりには，判決としての効力を一切生じないかのように思われるが，本文で述べたように，実際には，非判決とは異なり，無効の判決であっても，その審級における審理を終了させる効力はあり，確定すれば訴訟終了効が生じると解されている。その意味で，「無効」との表現には，必ずしも適切でない面があり，むしろ，「既判力を欠く判決」，「執行力を欠く判決」，「形成力を欠く判決」といった表現の方が，事の実質に即しているといえよう。

9-9-1-2 非判決

何が判決成立のための基本的な要件であるかは，解釈に委ねられた問題であり，必ずしも細部について見解の一致が存在するわけではないが，非判決の例としては，裁判官でない者の作成した判決，司法修習生の教材用に作成した判決，言渡しを経ていない判決などが挙げられることが多い。これらの例からも示唆されるように，そこで問題とされているのは，主として，①誰が判決をしたか，という主体の問題，②対象となる事件との対応関係という客体の問題，

そして、③判決として外部に適式に表示されたかどうか、という手続の問題であるといえる。すなわち、裁判官でない者の作成した判決は、①の観点から、司法修習生の教材用に作成した判決は、現に存在する特定事件の解決のために作成されたものではないという点で、②の観点から、また、言渡しを経ていない判決は、③の観点から、それぞれ判決の要件を満たさない非判決であるとされるわけである。

　もっとも、しばしば挙げられるこれらの事例についても、なお問題は残されている。まず、①の主体の点に関しては、338条1項1号の再審事由との関係をどのように理解するか、あるいは、たとえば裁判所事務官が判決書を作成したとしても、それを裁判官が言い渡した場合はどうか、といった問題があるし、②の点についても、たとえば、教材用の判決を誤って特定事件の判決として言い渡した場合に、なお非判決といえるか、といった問題がある。また、③の点についても、判決原本や正本が作成されて当事者に送達された場合に、言渡しがないというだけで、なお非判決といえるか、といった問題がある（この場合に上訴による取消しを認めた事例として、大阪高判昭和33・12・9下民集9巻12号2412頁参照）。もちろん、全くの架空の事件について裁判所と無関係な一私人が判決書と題した書面を作成した、というような場合に判決が不存在とされることには問題はないが、特定事件の当事者との関係で判決として何らかの形で表示され、裁判所においても判決として扱われている、というようなより現実的な事例において、そうした外観にもかかわらず、なお非判決として一切の効力を否定すべき場合があるかどうかについては、なお検討の余地が残されている。

　いずれにせよ、非判決とされる場合には、判決が法的な意味でそもそも存在しないから、判決の外観があったとしても、それが判決としての効力を生じることはあり得ない。したがって、裁判所としては、係属中の事件があれば、それについて改めて判決をする必要があるし、仮に、非判決について判決としての効力の存在が主張されたとしても、それを争う者としては、上訴その他の判決に対する不服申立方法による必要はなく、任意の方法でその効力の不存在を主張することができる。もっとも、判決正本が作成されて当事者に送達された場合のように、強制執行の危険が認められる場合には、これを仮に非判決と評価するとしても、上訴による取消しを認めるべきであるとの見解が有力である。

本来，非判決である以上論理的には上訴はあり得ないはずであるが，判決の外観が存在することから，上訴制度のいわば転用を認めるものである。

9-9-1-3 無効の判決

これに対して，無効の判決の例としては，①実在しない当事者に対する判決，②裁判権の及ばない者に対する判決，③判決に対世効が認められる場合に当事者適格を欠く者に対してされた判決，④判決主文が不明確であるため既判力の範囲を特定できない判決，⑤既に離婚の成立している当事者間における離婚判決のように不可能な事項を認める判決，⑥殺人を命じる判決のように内容が公序良俗に反し，現行法上認める余地のない権利関係を認める判決などが挙げられる。また，⑦当事者が手続関与の機会を奪われたなど，再審事由が問題となるような重大な手続上の瑕疵が存在する場合について，判決の無効を認めることができるとする見解も存在するが，このような見解に対しては，後述のように異論がある。

前述のように，無効の判決とは，判決の内容上の効力，すなわち，既判力，執行力，形成力の全部または一部を生じないということを意味する（たとえば，上記のうち，⑤は，形成力が生じ得ない例である）。その中で最も問題が大きいのは，有効に成立しながら既判力を欠く判決というものを認めるかどうかであるが，確定判決には既判力が生じ，再審の訴えや確定判決変更の訴えによって認められる限度でのみその内容を覆すことができる，という原則からすれば，安易にこれを認めることは適当でない。そのような観点からみた場合，上記の例のうち，⑦については，基本的に，再審の訴えによる救済を求めるべきであり，判決の無効を認めるべきではないことになろう。とはいえ，少なくとも②や④については，既判力の不存在を認めざるを得ない。

無効の判決の取扱いについては，非判決とは異なり，判決としては有効に成立しており，確定すれば訴訟終了効も生じることから，当事者は，上訴を提起してその取消しを求めることができる（最判昭和32・7・30民集11巻7号1424頁）。また，既判力が不存在とされる場合には，判決確定後も，再審の訴えの方法によることなく，その内容を争うことができることになる。

9-9-2 確定判決の騙取

当事者の一方が，①偽証などの違法行為によって虚偽の訴訟資料を作出した

り，②被告の住所を不明と偽って公示送達をさせるなどの方法で裁判所を欺いて相手方当事者の手続関与の機会を奪うなどして，自己に有利な虚偽の確定判決を取得することを，**確定判決の騙取（詐取）**または不正取得などと呼び，この場合に，判決の無効を認めるかどうか，また，確定判決の騙取を不法行為と評価して損害賠償請求をすることを認めるかどうかが議論されてきた。

　伝統的な通説は，このような判決の効力を否定するためには，再審の訴え（338条1項3号・5号～7号）や上訴の追完（97条）によるべきであり，既判力の発生そのものを否定したり，判決の取消しを得ることなく不法行為に基づく損害賠償請求をすることは許されない，としてきた。

　判例も，請求異議の訴えなどの方法によって確定判決の効力そのものを争うことについては，伝統的な通説と同様に，慎重な立場をとる（最判昭和40・12・21民集19巻9号2270頁。ただし，当事者が第三者を害するために馴合い訴訟をして確定判決を作出した事案である）。もっとも，判例の中には，原告と通謀した第三者が被告の氏名を冒用し，被告の関与のないまま被告敗訴判決を確定させたうえ，被告の知らないうちに被告所有の不動産について強制執行を行い買受人に所有権を移転させたという事案において，債務名義の効力は被告に及ばないとして，競売の効力を否定したものもある（最判昭和43・2・27民集22巻2号316頁。ただし，既判力を生じるものとされていた旧法下の支払命令に関する事案）。しかし，この事案は，執行債務者の知らないうちに強制執行手続の終了に至ったものであり，債務名義の無効ではなく，端的に強制執行手続の無効を論じることも考えられた事案であった。

　これらに対して，判例は，不法行為による損害賠償請求については，これを認めると，既判力による法的安定を著しく害する結果になるとしながらも，①当事者の一方が，相手方の権利を害する意図のもとに，②作為または不作為によって相手方が訴訟手続に関与することを妨げ，あるいは虚偽の事実を主張して裁判所を欺罔するなどの不正な行為を行い，③その結果本来あってはならない内容の確定判決を取得し，かつ，これを執行したなど，④その行為が著しく正義に反し，確定判決の既判力による法的安定の要請を考慮してもなお容認し得ないような特別の事情がある場合には，許されるものとしている（最判昭和44・7・8民集23巻8号1407頁，最判平成10・9・10判時1661号81頁②，最判平成22・4・13集民234号31頁。ただし，後2者は，結論としては，当該事案では上記要件

を満たさないとした)。判例が損害賠償請求を認める余地があるとしたのは、裁判外の和解が成立し、和解金が支払われたにもかかわらず、合意に反して訴えの取下げがされなかったために、請求認容判決がされ、これが確定して強制執行が実施されたという事案であるが(前掲最判昭和44・7・8。このほか、請求が認められた近年の事例として、東京高判平成31・4・24金判1577号18頁がある)、この場合には、再審の訴えや上訴の追完で前訴判決の取消しを求めただけでは損害の回復を図ることができず、迂遠であることから、判例の結論を支持する見解も有力である。

不法行為に基づく損害賠償請求を認めることは、前訴判決によって認められた請求権が本来存在しない虚偽のものであることを認めることを意味し、これは、既判力に反する判断と言わざるを得ない。したがって、前掲判例は、この場合に判決無効を認めたものと解する余地もある。しかし、請求異議訴訟の場合と不法行為訴訟の場合とで取扱いを異にしていることから示唆されるように、判例は、この場合に一般的に判決無効を認めたわけではなく、前述のように限定された要件のもとで、例外的に損害賠償による救済手続を認めたものにすぎないとする見解もある。既判力が生じないという意味での判決無効は安易に認めるべきでないが、例外的に悪質な場合には損害賠償による救済を認めざるを得ないことを考えると、この見解のように理解するのが妥当である。

9-9-3　送達の瑕疵

9-9-3-1　救済の必要性

当事者に対して訴状等の送達 (⇨ 5-3-2) によって訴訟係属の事実を知らせ、訴訟手続への関与の機会を保障することは、当事者に対する手続保障の中核をなすものであり、これを欠く場合には、その当事者を既判力によって拘束することの正当性について、疑問が生じることになる(既判力の正当化根拠については、⇨ 9-6-3)。

外形上送達とみられる行為が存在したとしても、それが名宛人や方式に関する民訴法の規定に反する場合には、その送達は原則として無効になると解されている。したがって、終局判決の言渡し前に訴状等の送達の無効が判明した場合には、訴状等の送達をやり直すべきことになるし、判決言渡し後、その判決の送達が無効であることが受訴裁判所に判明したような場合にも、同様である。

また，後者の場合，理論上，無効な送達によって上訴期間が進行することはないから，当事者としては，上訴を提起して救済を求めることができることになる。

これに対して，より問題が大きいのは，訴状等の送達に問題があるにもかかわらず，判決の送達は一応有効になされており，結果として判決が確定してしまっている場合である。このような事態が生じるのは，送達の中には，補充送達，付郵便送達，公示送達のように，当事者に直接送達書類が交付されることを要件としていないものが存在するためである。この種の事例のうち，一方当事者の故意によってそうした状況が作出された場合には，9-9-2 で述べた確定判決の騙取が問題となるが，そうでない場合であっても，当事者の手続保障の観点からは，なお一定の救済が講じられる必要がある。そうした救済手段として，上訴の追完と再審の訴えとが議論される。

9-9-3-2 上訴の追完

当事者がその責めに帰することができない事由により不変期間を遵守できなかった場合，その事由が消滅した後1週間以内に限り，その行為を追完することができる（97条1項。⇨ **5-3-1-4**）。そこで，判決書の送達があったにもかかわらず，当事者が帰責事由なく判決の言渡しを知り得なかった場合に，この規定により上訴の追完をすることができないかが問題となる。

この問題がとりわけ議論されるのは，判決書が公示送達（110条〜112条。⇨ **5-3-2-5**(3)）によって送達された場合である。もっとも，公示送達は，その性質上，当事者が送達があったことを知ることができない場合が現実に多く生じることが予想されている制度であるから，公示送達がされたこと自体が当事者の責めに帰することができない事由に当たると解すると，制度自体が成り立たなくなってしまう。そこで，公示送達がされることが受送達者である当事者の合理的な期待に反する場合に限ってこの要件が満たされる，とする見解が有力である。この見解によれば，公示送達の申立人が受送達者の住居所を知っていたことや，過失によって知らなかったという事情があれば，受送達者の合理的な期待に反することが推認できるものとされる。

判例上も，被告が住民票記載の住所に居住していることを原告が知っていたにもかかわらず公示送達の申立てをした事例や（最判昭和42・2・24民集21巻1号209頁），原告が被告の転居先を知っていたにもかかわらず転居先不明として公示送達の申立てをした事例で（最判平成4・4・28判時1455号92頁），上訴の追

完が認められている。これに対して，被告が訴え提起を知っており，不利な判決の言渡しを予想できたにもかかわらず住所を明らかにしなかったために公示送達がされた事例では，上訴の追完が否定されている（最判昭和54・7・31判時944号53頁）。こうした判例の立場は，前述の有力説に沿った処理であり，妥当なものといえる。

　もっとも，上訴の追完による処理は，判決書の送達そのものは有効であることを前提としたものである。しかし，申立てによる公示送達を裁判所書記官の権限とした現行法（110条1項）のもとでは，旧法下と異なって，判例が上訴の追完を認めたような事例においては，公示送達の効力自体を否定すべきであるとする見解も有力である。この見解を前提とすれば，この種の事例では，上訴の追完ではなく，本来の上訴が可能であることになる。

9-9-3-3　再審の訴え

　上訴の追完は，上訴の提起ができなかったという点に着目して当事者の救済を講じるものであるが，判決言渡しだけでなく訴訟係属そのものを知らされなかったことによって手続関与の機会が奪われたという場合には，判決が有効に確定したことを前提としたとしても，再審の訴えによる救済が認められないかが問題となる。現行法の定める再審事由には，このような事例を正面から想定したものはないが，訴訟代理人として訴訟追行をした者に代理権がなかった場合などについての再審事由を定める338条1項3号は，当事者に手続関与の機会がなかったことを根拠とするものであり，その趣旨はこのような事例にも及ぶものと考えられる。

　判例も，訴状等が補充送達（106条）された事例において，有効に訴状等の送達がされないために，被告に訴訟関与の機会が与えられないままに判決が確定したとき（最判平成4・9・10民集46巻6号553頁），また，送達が法的には有効であっても，補充送達を受領した同居者が，その訴訟に関して当事者と事実上の利害対立があったために送達書類が交付されなかった場合（最決平成19・3・20民集61巻2号586頁）には，同号による再審の訴えを認めている。また，原告が被告の住所等を知りながら訴状等について公示送達の申立てをし，被告が手続に関与する機会のないまま原告勝訴判決が確定した場合にも，再審の訴えを認めてよい。この場合については，再審事由に当たらないとする判例もあるが（最判昭和57・5・27判時1052号66頁），正当でない。また，就業場所にお

ける送達の可否についての調査が不十分なままに訴状等の付郵便送達が実施され，判決が確定した事例について，判例は，付郵便送達は適法であり，前訴訴訟手続および判決には何ら瑕疵はないとする（最判平成10・9・10判時1661号81頁①）。しかし，この事案は再審ではなく，国家賠償請求等が問題となったものである。たしかに，担当書記官が相当な調査をしても要件欠缺が明らかにできなかった場合には，国家賠償法上の違法は否定せざるを得ない。しかし，客観的にみて付郵便送達の要件が満たされておらず，そのことにつき受送達者の側の責めに帰すべき事情がない以上，この場合にも再審の訴えは認めてよいと解される。

　以上に対して，送達が適切に機能しなかったことにより手続関与の機会を奪われ，判決確定に至った場合には，再審の訴えによる救済だけでなく，判決の無効を認めるべきである，とする見解もある。しかし，このような考え方は，確定判決には既判力が生じ，再審の訴えや確定判決変更の訴えによって認められる限度でのみその内容を覆すことができる，という伝統的な考え方からの乖離が大きい。また，338条1項3号の再審については，再審期間の制限もないなど，比較的広く救済が認められることも考えると，この場合にあえて判決の無効を認める必要はない。

第 10 章
当事者の意思による終了

10-1 訴えの取下げ
10-2 訴訟上の和解
10-3 請求の放棄・認諾

10-1 訴えの取下げ

10-1-1 訴えの取下げの意義

訴えの取下げとは，原告が訴えを撤回する訴訟行為である。訴えは原告が請求について裁判所の審理と判決を求める申立てであり（⇨ **2-1-1-1**），訴えの取下げは，そのような申立てを取り下げる原告の裁判所に対する意思表示であって，訴訟行為の一種である（訴訟行為の意義について，⇨ **5-2-1-1**）。取り下げられた訴えについての訴訟係属は遡及的に（訴え提起の時に遡って）消滅する（262条1項）。

処分権主義（⇨ **2-3-1**）には，訴えを提起するかどうかのみならず，訴えの取下げにより訴訟係属を遡及的に消滅させる権限が原告にあることを含む。ただし，被告の保護のために被告の同意を要する場合がある（261条2項本文）。

訴えの取下げは，実際には，訴訟係属後に被告が任意に履行をした，訴訟外で原告と被告との和解ができた，訴えの提起が誤解に基づくものであることに原告が気付いたといった動機によることが多いであろうが，何らかの理由があることが原告が訴えを有効に取り下げるための要件となるわけではない。

訴えの取下げと請求の放棄（⇨ **10-3-1**）とは，原告の訴訟上の意思表示によ

る訴訟終了原因であるという意味で共通点がある。しかし，請求の放棄は請求に理由がないことを認める意思表示であるのに対し，訴えの取下げは，請求の理由の有無とは無関係に，裁判所の審理と判断を求めない意思表示であるという点で異なる。このことが，請求の放棄には被告の同意が常に不要であるのに対し，訴えの取下げには被告の同意を要する場合があるという違いにつながる。

訴えの取下げには，係属している訴えの全部を取り下げる「訴えの全部取下げ」と一部のみを取り下げる「訴えの一部取下げ」とがある。後者は，請求金額を減額したり（いわゆる請求の減縮。最判昭和 27・12・25 民集 6 巻 12 号 1255 頁参照。訴えの変更との関係につき，⇨ **11-3-1**），併合提起した複数の請求のうちの一部に係る訴えを取り下げたりすることである。

なお，訴えの取下げと上訴の取下げ（292 条・313 条。⇨ **13-2-7-3**）とは異なるものであり，上訴の取下げがあると，その時点で上訴期間が満了していれば，上訴の対象となっていた判決が確定することになる。

10-1-2 訴えの取下げの要件と手続

10-1-2-1 訴えの取下げの要件

訴えの取下げは，訴えの提起後，判決が確定するまでの間に原告がすることができる（261 条 1 項）。第 1 審または控訴審の終局判決後も，判決が確定するまでの間はできる（262 条 2 項による再訴禁止効につき，⇨ **10-1-3-2**）。

被告が本案（原告の請求の理由の有無。**1-2-3-4** ❶ 4 の後者の意味）について，準備書面の提出，弁論準備手続での申述，または口頭弁論のいずれかの行為をした後は，被告の同意を得なければ，訴えの取下げはその効力を生じない（261 条 2 項本文）。これらの行為は，被告が本案の権利義務の有無や法律関係に関してこの訴訟で防御を行い，解決を求める意思を示すものであり，その後は，被告にも本案判決を求める利益が生じているといえるので，被告のそのような利益を保護するために，被告の同意なしに訴え取下げの効力が生じないようにしたのである。

ただし，本訴の取下げがあった場合における反訴（146 条 1 項）の取下げは，反訴被告（本訴原告）の同意を要しない（261 条 2 項但書）。反訴は，本訴の提起を契機として，その手続を利用して提起されたものであるので，本訴原告が本訴を取り下げておきながら反訴の取下げに同意をしないのは当事者間の公平に

反するというのがその趣旨である。

　被告が本案についての前述の行為をした後に原告が訴えの取下げをした場合には，そのことが書面の送達等により被告に知らされることになっており（261条4項），被告が一定の期間内に訴えの取下げに異議を述べないときには，被告の同意が擬制される（261条5項）。

　訴訟行為一般について有効要件となる訴訟能力または代理権は訴え取下げにおいても要件となる。原告の後見人や原告の訴訟代理人が訴えを取り下げるためには特別の授権が必要である（32条2項1号・55条2項2号）。⇨ **4-4-2-3**(1)，**4-4-4-3**）。

　訴え取下げの意思表示に瑕疵がある場合には，**5-2-2-3** で述べた訴訟法律行為への実体私法法規適用の有無に関する一般論でいうと，訴訟の終了事由であって，それ以上訴訟行為が積み重なっていない場合に当たるので，民法の規定を類推適用することが可能である。判例は，訴えの取下げは訴訟行為であるから一般に行為者の意思の瑕疵が直ちにその効力を左右するものではないとしつつ，詐欺・脅迫など明らかに刑事上罰すべき他人の行為により訴えの取下げがされたときは，338条1項5号（再審事由）の法意に照らし，その取下げは無効と解すべきであるとする（最判昭和46・6・25民集25巻4号640頁）。しかし，端的に民法の規定の類推適用を認める余地があるであろう。

10-1-2-2　訴えの取下げの手続

　訴えの取下げは，原告が裁判所に対して訴えを取り下げる旨の意思表示をすることによって行う。この意思表示は，書面によってするか，口頭弁論期日，弁論準備手続期日，和解期日または進行協議期日に口頭ですることが必要であり（261条3項，規95条2項），一種の要式行為である。

　なお，当事者双方が口頭弁論期日に出頭しない場合等には，訴え取下げが擬制されることがある（263条。⇨ **5-3-3-2**）。

10-1-3　訴えの取下げの効果

10-1-3-1　訴訟係属の遡及的消滅

(1) **訴訟法上の効果**

　訴えの取下げにより，訴訟は，はじめから係属していなかったものとみなされる（262条1項）。それまでの訴訟手続で提出されていた攻撃防御方法も提出

されなかったことになる。

ところで，このように訴訟係属が遡及的に消滅したとされた訴訟について，当事者が「訴えの取下げが無効であるので訴訟はまだ係属している」と主張する場合，その手続は，次のようなものとなる。すなわち，その当事者は，受訴裁判所に口頭弁論期日の指定を申し立てて，従前の期日の続行を求める。これを受けた裁判所は，訴えの取下げの有効性を審理するための口頭弁論を開き，その有効性を判断する必要がある。そして，裁判所は，これが有効であると判断すれば，「本件訴訟は，○年○月○日，訴え取下げにより終了した。」という終局判決をする（訴訟終了宣言判決。⇨ **9-2-3** す 9-1）。他方，無効であると判断すれば，訴え取下げ前の状態から訴訟手続を続行することとし，次回の口頭弁論期日を指定する。訴えの取下げが無効であるので訴訟手続を続行する旨の中間判決（245 条）をすることもできる。

(2) 実体法上の効果

次に，訴え取下げの実体法上の効果として，訴え提起によって生じていた時効の完成猶予の効果（147 条，民 147 条 1 項 1 号。⇨ **2-4-1-2**, **5-2-2-1**）が消滅することになる。これによって，時効期間は，訴え提起がなかった場合と同様に訴訟係属中も進行していたものと扱われることになるが，訴えの取下げによる訴訟終了の時から 6 か月を経過するまでの間は時効が完成しない（同項かっこ書）。なお，訴えの変更と時効の完成猶予の関係については，⇨ **11-3-4**。

また，攻撃防御方法が提出されなかったこととなることから，実体法上の形成権の行使の効果がどうなるかも問題となる（⇨ **5-2-6**）。

10-1-3-2 再訴禁止効

本案について終局判決があった後に訴えを取り下げた者は，同一の訴えを提起することができない（262 条 2 項）。これを「**再訴禁止効**」という。終局判決の後に訴えが取り下げられた場合，訴訟係属の遡及的消滅（⇨ **10-1-3-1**）により終局判決の効力もなくなるが，その後は，訴えを取り下げた原告が再び同一の訴えを提起することが禁じられる。敗訴判決を受けた原告が判決確定前に訴えを取り下げる場合が典型例であり，このような取下げ自体は禁止されないものの，その後原告は再び同じ訴えを起こせなくなる。これに反して提起された訴えは，不適法なものとして却下される。

その制度趣旨について，判例（最判昭和 52・7・19 民集 31 巻 4 号 693 頁）は，

「終局判決を得た後に訴を取下げることにより裁判を徒労に帰せしめたことに対する制裁的趣旨の規定であり，同一紛争をむし返して訴訟制度をもてあそぶような不当な事態の生起を防止する目的に出たもの」であるとしている。

そして，そのような制度趣旨を踏まえ，ここでいう「同一の訴え」とは，単に当事者および訴訟物が同じであるだけでなく，訴えの必要性に関する事情についても同一性のある訴えを意味すると解されている。したがって，新訴と旧訴の訴訟物が同じ場合であっても，原告が再訴を提起するための正当な理由となる新たな必要性が存するときは，再訴が禁止されない（前掲最判昭和52・7・19参照）。たとえば，控訴審係属中に裁判外で和解をしたため訴えを取り下げたが，被告がその和解契約上の債務を履行しなかったため，原告が和解契約を解除して再度同じ訴えを提起する必要が生じたという事例がこれに当たるであろう。

なお，第1審の本案判決が控訴審で取り消されて第1審に差し戻され，差戻し後の第1審での本案判決がされていない時点で訴えの取下げがあった場合には，終局判決後の取下げに該当せず，再訴禁止効は働かない（最判昭和38・10・1民集17巻9号1128頁参照）。

10-1-3-3 訴訟外の訴え取下げ合意の効果

原告と被告の間で「原告が訴えを取り下げ，被告がこれに同意する」との合意が訴訟外でされた場合の効果については議論がある。主な議論の対象は，その法的性質が私法行為か訴訟行為か，そして，そのような合意の存在を裁判所が認めた場合にどのような効果が生じるかである。

私法行為であるとする見解（私法行為説・私法契約説）は，このような合意の効果として，原告は訴えを取り下げる実体法上の義務を負い，その違反は損害賠償義務を生じさせるが，この合意から直接的に生じるのはこのような実体法上の効果のみであって，訴訟上の効果は，それによって権利保護の利益（訴えの利益）を失わせるという形で間接的に発生するにすぎないとする。他方，訴訟行為であるとする見解（訴訟行為説・訴訟契約説）は，この合意は訴えの取下げという訴訟法上の効果を直接発生させるものであって，当事者から裁判所にこの合意の存在が主張され，それが認められたときには裁判所は訴えが取り下げられたものとして扱う必要があり，それが争われれば裁判所は終局判決で訴訟終了宣言（⇨ **10-1-3-1**(1)）をすべきであるとする。

判例（最判昭和44・10・17民集23巻10号1825頁）は，訴えの取下げに関する合意が成立した場合には，原告が権利保護の利益を喪失したものとみることができるから，訴えを却下すべきであるとする。これは，私法行為説の考え方と同旨であると解されている。

これらの対立は，終局判決後にこのような合意がされた場合に再訴禁止効（262条2項）まで認めるかどうかにとくに違いが表れる。終局判決後の上訴審で訴え却下判決がされても再訴禁止の効果が生じないが，訴えの取下げがあったと扱われると再訴禁止効が生じ得るということになる。しかし，訴え却下判決についても当該訴訟要件の欠如という判断に既判力が生じると考えれば（⇨ **9-6-5-1**(2)），それほど差異は生じないということになる。

このように実質に差異は生じないとみられるところ，訴えの利益という既存の概念によって説明をするのが便宜であるので，本書では判例の考え方に従うこととしたい。

10-2　訴訟上の和解

10-2-1　訴訟上の和解の意義

10-2-1-1　和解の意義と種類

「**和解**」とは，当事者が，一定の法律関係に関して，互いに譲歩をして（これを「**互譲**」という），合意によってその間に存する争いをやめることをいう。

和解の種類として，まず，大きく分けて，「**裁判外の和解**」（民695条・696条が定める契約であり，「民法上の和解」ともいう）と「**裁判上の和解**」とがある。そして，裁判上の和解には，訴え提起後，訴訟手続内で行われる「**訴訟上の和解**」（「起訴後の和解」ともいう）と簡易裁判所での手続であって訴訟係属を前提としない「**即決和解**」（275条。同条にいう「**訴え提起前の和解**」。「起訴前の和解」ともいう）とがある。民訴法上の和解に関する規定のうち89条のほか264条と265条は訴訟上の和解のみに適用される規定であり（275条4項参照），和解調書の効力（⇨ **10-2-4**）に関する267条は訴訟上の和解と即決和解の双方に適用される規定である（和解費用に関する68条と72条も双方に適用される）。

訴訟上の和解とは，訴訟係属中に受訴裁判所または受命裁判官もしくは受託

裁判官が関与して行われる，当事者の合意による事件の解決を目的とした手続，または，その結果当事者間に成立した合意をいう。89条1項は，裁判所がこのような解決を当事者に勧め，和解を試みることができると定めている。このように裁判所の和解勧試権限が定められているのは，紛争当事者間でいったん訴訟が係属しても，終局判決に至ることなく，当事者が話合いをして和解ができるのであれば，それはそれで1つの望ましい道であり，当事者にその機会が与えられるのが妥当だからである。和解によって訴訟を終了させて紛争を解決することには，判決にはない利点があるとされ，訴訟上の和解は実務上も重要な役割を果たしている。

すこし詳しく 10-1　即決和解
▶即決和解（275条）は，実情としては，当事者が裁判外で一定の合意をした場合に，双方が簡易裁判所に出頭してその合意を内容とする和解調書（267条）を作成してもらうという段取りで行われている。このような利用の仕方がされるのは，和解調書が作成されればその記載が債務名義となって執行力を有する（267条，民執22条7号。⇨ 9-7-1, 10-2-4-2）からである。すなわち，即決和解は，実務上，裁判外の和解を債務名義化する手段として用いられており，「即決和解」という呼称もこのような実情を反映したものである。

10-2-1-2　積極的和解論と謙抑的和解論

戦前や戦後の早い時期は，訴えが起こされたからには裁判官は判断を示すために判決をすべきであるという考え方が強く，「和解判事となるなかれ」といわれた時期もあった。しかし近時，裁判官は一般的に訴訟上の和解を勧めることに積極的である。その背景にある積極的和解論の挙げる和解の長所としては，当事者間の権利義務の存否について裁判所が黒白をつけ，いわばオール・オア・ナッシングの解決をする判決とは異なり，場合によっては訴訟物以外の事項を織り込んだり第三者の参加を得たりして，自由かつ柔軟に，紛争の実情に即した公正・妥当かつ実効的な解決を早期に図ることができるし，当事者間の関係を悪化させずに，将来に向けた双方に有益な（いわば，ウィン・ウィンの）良好な関係を築くことも可能であることなどが挙げられる。また，判決に比べて和解の方が義務の任意の履行を期待しやすいともいわれている。

これに対して，訴訟上の和解について次のような短所や留意すべき問題点も指摘されている。まず，紛争が訴訟の場に持ち込まれた以上，あくまで，裁判

所がきちんと事実を認定して法律を適用し，判決で黒白をつけるのが原則であり，和解では，当事者の正当な権利主張が貫徹されないし，裁判所または一方当事者が和解による解決にこだわるあまり，訴訟手続が無駄に遅延することがある。また，受訴裁判所の裁判官が和解手続を主宰するので，和解手続の中で裁判官が得た情報がその事実認定上の心証に影響するおそれがある（⇨ **す** 10-2）。さらに，訴訟上の和解は，裁判官や訴訟代理人の強い説得を受けた当事者が十分に納得しないまま仕方なく妥協をした結果成立している場合が少なからずあるとの批判もある。

　以上のような議論をどうみるかであるが，まず，和解に多くの長所があることは広く認識されているところであって，紛争解決に果たすその役割の重要性を否定すべきではない。しかし，問題点の指摘にも理由があるので，和解の勧試および和解手続の進行は，事案の性質，当事者の真の意思や利益等に十分に配慮して実施される必要があるし，和解に向けた協議に際して，裁判官や訴訟代理人は，当事者が正確な情報を共有して，自由な意思に基づく話合いができるように和解手続を進めなければならない。

> **すこし詳しく　10-2　訴訟上の和解と事実認定**
>
> ▶訴訟上の和解の勧試は，受訴裁判所を構成する裁判官（単独体の裁判官または合議体の裁判官全員もしくは受命裁判官）によって実施されるのが通常である（受託裁判官による和解手続は多くない）ので，和解勧試をする裁判官が和解不成立の場合は判決に関与することとなる。そのことから，訴訟上の和解と事実認定との関係については，①裁判所のその段階での事実認定（心証）が和解勧試のタイミングや和解案の内容に対して与える影響，および，②和解手続において裁判所が得る情報が事実認定（心証）に与える影響という2つの方向から問題を設定することができる。まず，①に関し，裁判官は，事実認定上の心証や請求についての判断を踏まえて，和解勧試のタイミングを考えたり，和解案を示すなどして当事者の合意に関する調整をしたりすることが多い。裁判官は，それらの心証や判断を当事者に明らかにすることもあればしないこともあるが，それらと大きく食い違う方向に結論を誘導することはあまりないことが一応想定できる。しかし，当事者側からしてみると，裁判官の心証や判断がよく分からないままに和解勧試を受けると，和解に応じることに合理性があるかどうかの判断に困難を来すとか，手続の公正さに疑念を抱くといった問題がある。この点を踏まえ，裁判官が和解案を提示して和解を勧める場合には，当事者は裁判官に心証の開示を求めることができ，裁判官はそれに応じて心証を開示すべきであるとの見解が示されており，このような見解は基本

10-2 訴訟上の和解

的に正当なものということができる。また、②に関しては、和解手続で当事者やその代理人が述べたことは、証拠調べの結果や弁論の全趣旨（247条）に当たらないことから判決における事実認定の資料にすることはできないはずであるところ、当事者等が和解手続のみで述べたことが実際上裁判官の心証に影響することがあるのではないかと指摘されることがあり、これが本文で述べたような消極的評価の理由の1つとなっている。とりわけ、和解の手続が交互面接方式（双方当事者の同席のもとで話合いが行われるのではなく、裁判官が一方当事者側と話をし、次に他方当事者側と話をするという方法を繰り返す方式）で行われることが多いので、情報の共有という当事者の手続保障が図られないなどの懸念を生むこともある。実際の和解手続では、交互面接方式に必要性や合理性があることも多いので、交互面接方式が可能であることを前提にしつつも、当事者間の正確な情報共有が図られるよう、裁判官は十分な配慮をしなければならない。

10-2-1-3 訴訟上の和解の法的性質

訴訟上の和解の法的性質については従来から議論がある。そこでは、和解に無権代理や重要な錯誤等の意思表示の瑕疵、すなわち私法上（実体法上）の無効原因がある場合（取消しにより無効〔民121条〕となる場合を含む）に、和解の訴訟法上の効力がどのような影響を受けるかという問題を主に念頭に置いて、次のような諸説が主張されてきた。

①訴訟行為説：訴訟上の和解は当事者間でされた和解を裁判所に示す訴訟行為であるとする。そこで、私法上の無効原因によって和解は無効とならないとされる。

②私法行為説：訴訟上の和解も当事者間の合意としての和解契約（実体法上の行為、すなわち私法行為）がその本質であり、訴訟の終了は和解によって紛争が消滅したことに伴う当然の結果であって、裁判所の調書も和解内容を公証するものにすぎないとする。この説の論者は、私法上の無効原因があれば私法上の和解としては無効となるが、それは裁判所の公証行為に影響を及ぼすものではなく、訴訟終了効はなくならないとする。

③併存説：伝統的な併存説は、訴訟上の和解には訴訟を終了させる訴訟行為と私法上の和解契約とが併存しているとする。訴訟行為と私法上の契約の各効果を別個に判断し、私法上の無効原因があれば私法行為としては無効であるが、訴訟行為としては有効であり、訴訟終了効を有するとする。また、訴訟行為としての無効原因があったとしても、当然には実体法上の効果が否定されない。

もっとも，近年では，併存説からも，私法上の和解が訴訟上の和解の原因となっているので，私法上の無効原因があれば連動して訴訟上の和解も無効となるという考え方がとられるようになっている（新併存説と呼ばれる）。

④両性説：訴訟上の和解には訴訟行為と私法上の和解契約との両面があるとする。訴訟行為として無効であれば私法上も無効であり，私法上の無効原因があれば訴訟行為としても無効であるとする。判例は，大審院時代（たとえば，大決昭和 6・4・22 民集 10 巻 380 頁，大判昭和 14・8・12 民集 18 巻 903 頁）から，両性説をとるものと理解されている。

しかし，近時は，これらの一般論から具体的な問題の解決に直ちに結び付くものではないとの見方が有力である。①説でも訴訟行為に私法上の意思表示の瑕疵に関する規定が適用されると説明する余地があり（⇨ **5-2-2-3**），②説で実体法上の和解無効の場合には紛争が未解決となるので訴訟終了効が生じないとすることもできる。③説から 2 通りの帰結が導き得ることは前述のとおりであるし，④説に対しても私法行為と訴訟行為とが連動する理由の説明が不十分であるとの指摘があり得る。そのため，各説の分かれ方は説明の仕方の違いにすぎないというところがある。そして，学説上も実務の取扱いも，結論としては，訴訟上の和解に私法上の無効原因がある場合には，私法上も訴訟法上も和解は無効となるという結論でほぼ固まっているといってよい。

10-2-2 訴訟上の和解の要件

訴訟上の和解は，受訴裁判所または受命裁判官もしくは受託裁判官（受命裁判官と受託裁判官については，⇨ **3-1-2-3**）の面前で行われる必要がある（当事者の後見人や訴訟代理人の和解権限について，32 条 2 項 1 号・55 条 2 項 2 号参照。⇨ **4-4-2-3**(1)，**4-4-4-3**）。

「和解」とは，当事者が，一定の法律関係に関して，互いに譲歩をして合意によってその間に存する争いをやめることをいう（民 695 条参照）。訴訟上の和解も，訴訟物の存否に関して当事者間に互譲のあることが典型であるが，訴訟物についていずれかの当事者が一方的に譲歩しても（その意味では，請求の認諾または放棄と同じであるが），訴訟費用について一方的な負担としない合意がある場合や，訴訟物以外の事項（それは，必ずしも法的な権利義務ないし法律関係に係るものに限らない）を含めれば互恵的な合意があると評価できる場合なども，

訴訟上の和解としての意味を持つ。

なお，実質的には請求の認諾または放棄と変わらない内容であっても，当事者間で合意をして訴訟を終了させるものであれば訴訟上の和解として取り扱ってよいとの考え方（互譲不要説）も有力である。

和解による合意の対象は，当事者が実体法上の処分権限を有する事項であることを要する。合意内容が公序良俗に反する場合には無効となる。

訴訟上の和解の要件として，訴えが訴訟要件を具備していることを要するかという問題があり，見解は分かれているが，必ずしも必要でないとするのが多数説であるとみられる。不要とする説は，訴訟要件は本案判決の要件であること（⇨ **8-1**），訴訟要件の具備に関する当事者間の見解の相違をとりあえず捨象して訴訟上の和解をすることも想定してよいこと，訴訟係属を前提としない即決和解（275条）にも和解調書の効力（267条）が認められること（⇨ **10-2-1-1**）などを根拠とする。他方，請求の放棄および認諾については，それぞれ請求棄却や請求認容の本案判決と同様の効果を有することから訴訟要件の具備を要すると解するのが従来の多数説・判例である。本書は，訴訟要件の具備の要否について，訴訟上の和解と請求の放棄・認諾とを同様に考え，原則として訴訟要件の具備が要件となると考える。このことについては，請求の放棄・認諾に関する部分で述べる（⇨ **10-3-2** す 10-4）。

なお，人事訴訟においては，訴訟上の和解や請求の認諾・放棄が認められないのが原則であり（人訴19条2項による民訴266条・267条の適用除外），これは，対象事件が当事者の任意処分を許さない性質を持つことに由来する。ただし，現行人訴法では，当事者の任意処分性が肯定できる離婚・離縁訴訟（実際上これらは人事訴訟の多くを占める）では，離婚をする和解や離縁をする和解はできるとされている（人訴37条1項・44条。なお，これらについても後述 **10-2-3-2** の264条・265条による和解はできない。人訴37条2項・44条）。

株主代表訴訟（会社847条3項参照）においては，会社が和解の当事者でない場合には，会社の承認がないかぎり，訴訟上の和解ができない（会社850条1項）。ただし，裁判所が会社に和解の内容の通知と異議の催告をして，会社が異議を述べなかったときは，和解を承認したものとみなされるので（同条2項・3項），この方法によって会社を当事者としない和解が可能である。

10-2-3 訴訟上の和解の手続

10-2-3-1 和解勧試と和解の成立

 和解勧試（和解の試み）は，89条1項が定めるように，訴訟係属中であれば，審理のどの段階でも（第1回口頭弁論期日前でも，口頭弁論終結後でも）可能である。上告審での和解勧試も可能である。第1回口頭弁論期日またはその直後に「事件の振り分け」という意味で裁判所が当事者に和解の意向の有無を尋ねることも多いが，裁判所が事件の帰趨についての一定の見通しを持って和解勧試をするのは，争点証拠整理手続の途中または争点証拠整理手続終了後・人証取調べ開始前の段階か，人証取調べ終了後であろう。

 和解の勧試は，口頭弁論期日，準備的口頭弁論期日，弁論準備手続期日にもできるし，これらの期日にではなく，和解期日として一定の期日を指定してすることもできる（89条2項・3項参照）。和解手続自体は，憲法82条の対審に当たらず，公開の要請は働かない。口頭弁論終結後に和解期日を指定するために弁論を再開する必要はない。和解期日の手続は，裁判所が相当と認めるときは，当事者の意見を聴いて，電話会議またはウェブ会議の方法で実施することができる（89条2項）。

 裁判所または受命裁判官もしくは受託裁判官は，和解のため，当事者本人またはその法定代理人の出頭を命ずることができる（規32条1項）。また，相当と認めるときは裁判所外で和解をすることもできる（規32条2項）。たとえば，建築物の瑕疵をめぐる事件や賃貸借の対象建物の修繕をめぐる事件において，その建物の現場で当事者の言い分を聴きながら裁判所が和解を試みるといったことがあり，これを実務上「現地和解」と呼んでいる。

 和解勧試や和解手続の打切りにおける裁判所の裁量権行使のあり方は実務上重要な問題である。そこでは，当事者の意思，合意成立の見込み，事件の類型，個別事件の特徴，審理の段階（時期），裁判所の心証ないし判決内容に関する見込み，ほかに和解内容に取り込まれ得る事情，当事者間の訴訟前後を通じた関係，義務履行の可能性など，さまざまな要素が考慮されることになる。いわゆる手続裁量論（⇨ 5-3-1-1 す 5-2）の働く場面の1つである。

 以上のように和解の勧試ができる手続においては，和解を成立させることができる。和解が成立した場合には裁判所書記官が和解の内容を記載した調書

（いわゆる和解調書）を作成する（267条，規67条1項1号参照）。

当事者の合意の内容が強行法規に反するなど実体法上違法な場合には，裁判所は和解が成立したものと扱うべきではなく，和解調書も作成されるべきでない。ちなみに，民調法には，合意が不相当な場合の調停不成立についての定めがある（民調14条）。また，訴訟要件の具備を要することを前提にすると（⇨ **10-2-2**, **10-3-2** す **10-4**），裁判所は，その存在を確認しないと和解が成立したものと扱うことができない。

和解手続に第三者が参加し，その者が和解に利害関係人として加わることも可能である。たとえば，和解で合意された被告の債務について第三者が原告に対して保証する契約をして，その旨和解調書に記載するといったことが実務上行われている。理論的には，簡易裁判所以外の裁判所での手続を含め，その者との間では275条の類推適用による即決和解がされていると理解することができる。

10-2-3-2 和解条項案の書面による受諾等
(1) 和解条項案の書面による受諾

訴訟上の和解は，当事者双方が期日に出頭して，受訴裁判所または受命裁判官もしくは受託裁判官の面前で合意をすることによって成立するのが原則である。

しかし，一方の当事者が遠隔地に居住している，病気であるなどの理由で期日に出頭することが困難である場合があり，このような場合であっても，次のような手続で和解を成立させることができる（264条）。すなわち，①受訴裁判所等が出頭困難な当事者に和解条項案を提示し，②その当事者がこれを受諾する旨の書面を提出し，③他方の当事者が期日に出頭してその和解条項案を受諾すると，当事者間に和解が調ったものとみなされる。この一連の手続を「**和解条項案の書面による受諾**」という。当事者双方が出頭しなければならないという要件を緩和し，一方当事者が出頭困難であることによって訴訟上の和解が成立しないという事態を避けるもので，それだけ訴訟上の和解が成立しやすくなるという利点がある。両当事者のいずれもが期日に出頭しない場合には和解を成立させることはできない。

(2) 裁判所が定める和解条項

訴訟手続の過程で当事者双方がその事件の解決のために一定の内容の合意を

するのが訴訟上の和解であり，解決の内容について当事者が合意に至らない場合には和解が成立しないのが原則である。

しかし，そのような場合であっても，双方当事者が共同で，受訴裁判所または受命裁判官または受託裁判官に対して，事件の解決のために適当な和解条項を定めるように求める申立てをし，その申立ての中で，双方当事者が定められた和解条項に服する旨を表明している場合には，それらの双方当事者の意思を基礎として，受訴裁判所等が定める和解条項のとおりに当事者間に和解が成立したものと認めることができる。これが265条に規定されている「**裁判所等が定める和解条項**」の制度である。この方法は実質的に裁判官による仲裁（⇨ **1-1-2-2**）とみることが可能である。

双方当事者の意思が明確であることを要するので，この申立ては書面ですることを要する（265条2項）。裁判所等は，この申立てを受けた場合には和解条項を定めることになるが（同条1項），その前に当事者の意見を聴かなければならない（規164条1項）。実際上，受訴裁判所等が和解条項を定める前に，双方当事者と裁判所との間で，条項の内容が，ある程度の幅を持ちながらも定まってきていて，その範囲内で裁判所が具体的な条項を定めるのが通常である。和解条項の定めは当事者に告知され（265条3項），当事者双方に告知がされたときは，当事者間に和解が調ったものとみなされる（同条5項）。申立ての後に当事者の意思が変わることもあり得るので，当事者は，告知前に限り，その一方のみの意思で申立てを取り下げることができる（同条4項）。

> **すこし詳しく 10-3** **簡易裁判所での和解に代わる決定**
> ▶簡易裁判所では，金銭支払請求訴訟において，被告が原告の主張した事実を争わず，何らの防御方法をも提出しない場合には，原告の意見を聴いて，期限の猶予や不履行の場合の期限の利益の喪失等を内容とする「**和解に代わる決定**」をすることができる（275条の2第1項・2項）。これに対して，原告も被告も決定の告知を受けた後2週間以内に異議を申し立てることができ，異議申立てがあればその決定は効力を失うが，異議申立てがないときはその決定は裁判上の和解と同一の効力を有する（同条3項～5項）。金銭支払請求訴訟の被告が支払義務の存在自体は争わないものの，支払能力が十分でないため直ちに支払をすることができず，分割払いによる和解ができればそれに従って支払をすることは可能であるが遠隔地に居住している，費用の負担を避けたいなどの理由で期日に出頭しないという事例が実務上は多くみられる。この場合，前述(1)の和解条項案の書面による受諾や(2)の裁判所等が定める和解条項の方

法を用いることも可能であるが，これらの手続は，被告から書面の提出が必ずしもスムーズに得られるとは限らず，(1)の方法については被告の真意の確認（規163条2項）にも手間がかかるということで，実務上はあまり実施されなかった。実際には，受訴裁判所が職権で事件を調停に付し（民調20条1項），「調停に代わる決定」（民調17条。いわゆる「17条決定」）をし，それに異議が出なければその決定が裁判上の和解と同じ効力を持つ（民調18条5項）という方法がとくに簡易裁判所で頻繁に用いられていた。そこで，平成15年改正で，簡易裁判所での訴訟手続に限って「和解に代わる決定」という制度が設けられた。簡易裁判所での手続に限定されたのは，従来の経緯のほか，少額訴訟での「判決による支払の猶予」の制度（375条）との類似性などが考慮されたものと解される。

10-2-4　訴訟上の和解の効果

10-2-4-1　訴訟終了効

訴訟上の和解が成立し，それが調書に記載されたときには，その記載が確定判決と同一の効力を有するので（267条），訴訟が終了する。

10-2-4-2　執行力・形成力

訴訟上の和解が調書に記載されたときは，確定判決と同一の効力を有する（267条）。

一定の給付をするという和解条項（例として「被告は，原告に対し，〇年〇月〇日までに200万円を支払う。」）は，執行力を有する。このように，267条の「確定判決と同一の効力」に執行力（⇨ **9-7**）が含まれることに争いはなく，和解調書が民執法22条7号により債務名義となって，これに基づく強制執行や配当要求が可能となる（民執25条・26条・51条1項参照）。このように，合意の対象となった当事者の権利の強制的実現が担保され，紛争解決の実効性が図られている。訴訟上の和解は，それにより任意の履行を促す実際上の効果があるといわれ，それも肯定すべきであるが，判決によらなくても訴訟上の和解を用いることで十分であるとすることの動機としては，和解調書に確定判決と同様の執行力が認められていることが大きいであろう。

執行力は，和解をした当事者（民執23条1項1号）のみならず，当事者が他人のために当事者となった場合のその他人（同項2号），和解調書成立後の当事者からの承継人（同項3号），これらの者のために目的物を所持する者（同条3項）にも及ぶ。

また，形成訴訟における形成判決と同じ内容の和解条項は形成力を有すると解することができる。たとえば，離婚訴訟で離婚をする和解が成立した場合（人訴37条1項参照）である。

10-2-4-3　既判力の有無

(1)　学説および判例の状況

訴訟上の和解が，既判力（⇨ **9-6**）を有するかどうかについては議論がある。主な学説として，①既判力肯定説（既判力全面的肯定説），②制限的既判力説，③既判力否定説の3説がある。

①既判力肯定説（既判力全面的肯定説）は，訴訟上の和解にも確定判決と同じ既判力を肯定する。この説からは，訴訟上の和解に再審事由（338条1項各号。⇨ **13-6-2**）と同じ事由がある場合に限り，再審の訴えによる取消しが認められるが，これによる取消しがされるまでは，訴訟上の和解で定められた内容については既判力と同様の拘束力が存在するということになる。既判力肯定説は，267条の文言を根拠とするほか，訴訟上の和解を終局判決の代用手段であると解して，確定判決と同じ紛争解決機能を肯定するものである。

②制限的既判力説は，訴訟上の和解には既判力が生じるが，その和解に無権代理や重要な錯誤等の意思表示の瑕疵，すなわち私法上（実体法上）の無効原因がある場合（ここには取消原因があって取り消された場合を含む）には，和解の効力が否定されるので（⇨ **10-2-1-3**），既判力も認められなくなるとする。したがって，当事者が訴訟上の和解の既判力を争うために私法上の無効原因があると主張することは許容され，その無効原因が認められれば，既判力の拘束を受けないということになる。既判力を肯定する理由については既判力肯定説と同様であるが，当事者の意思表示の合致によって成立する訴訟上の和解の性質上，そこに瑕疵がある場合に無効となることは認めるべきであるとする。

③既判力否定説は，訴訟上の和解の既判力を否定する。したがって，訴訟上の和解は後の訴訟において既判力と同様の訴訟法上の効果は及ぼさないが，和解の内容として実体法上の合意が存在するので，後訴において当事者がその実体法上の効果（民696条）を主張できることになり，それで紛争解決機能としては十分であるとする。この説は，訴訟上の和解は当事者の意思によるものであるので，裁判所の判断である判決と同じ効力を有すると解することはできないこと，267条の文言は必ずしも既判力を肯定するための決め手にはならない

こと，和解条項には訴訟物以外の事項も含まれるところ，既判力を認めるとするとどの部分に既判力を認めることになるのか明確でないことなどを理由とする。

判例は，裁判上の和解に既判力がある旨を述べているが（いずれも「裁判上の和解と同一の効力を有する」旨規定されている特別法上の裁判に関するものであるが，最大判昭和33・3・5民集12巻3号381頁，最大決昭和35・7・6民集14巻9号1657頁），他方で裁判上の和解に係る意思表示に瑕疵がある場合にはそれが無効になることを認めている（最判昭和31・3・30民集10巻3号242頁，最判昭和33・6・14民集12巻9号1492頁）。そこで，判例理論を制限的既判力説と同様のものと位置付ける見方が強い。

(2) 本書の考え方

条文の解釈として267条の「確定判決と同一の効力を有する」という文言が決め手にならないことは既判力否定説の説くとおりである。たとえば396条は支払督促について「確定判決と同一の効力を有する」と定めるが，支払督促には執行力があるが既判力はないことが明らかだからである（⇨ **14-4-2-2**(5)）。

そこで，どのように考えるかであるが，まず，既判力を肯定するか否定するかで結論が分かれる事柄としてどのようなものがあるかを確認しておく必要がある。和解の当事者間の拘束力に関しては，既判力を否定する見解も合意の実体法上の拘束力は肯定するので，既判力を肯定する見解との間で実際上それほどの違いは生じない。しかし，第三者に対する拘束力，とくに和解成立後の承継人に対する拘束力（115条1項3号の適用）に関しては，既判力を肯定すればこれを肯定できるのに対して，既判力を否定すれば，実体法上の契約が第三者を直ちに拘束するとはいえないので，否定すべきこととなる。そうすると，第三者に対する拘束力に関しては，既判力を肯定するか否定するかで結論に違いが生じる。また，既判力を肯定するならば，和解の拘束力は職権調査事項であるということになる。

そして，本書の結論は，制限的既判力説に立つのが妥当であると考える。和解の紛争解決機能の充実，すなわち，第三者への拘束力も含めた法的安定性を図るためには既判力を肯定する必要があるというべきである。また，当事者が裁判所の手続において終局判決ではなく和解を選択する際には，そこに判決に代わる機能を期待し，またこれを覚悟しているとみることもできるように思わ

れ、当事者に判決を得たのと同様の効果を得させ、同様の拘束力を受けさせるのが相当だからである。他方、訴訟上の和解が実体法上の合意という性質も有することからすると、意思表示の瑕疵による無効を認めず、再審事由がないかぎり既判力を覆すことができないとするのは行き過ぎである。制限的既判力説に対しては、和解が有効であれば既判力を肯定し、無効であれば否定するというのは本来的な既判力の概念と矛盾するとの批判があるが、これに対しては、制限的既判力説から、拘束力そのものと拘束力が覆されるべき事由とは別の問題であって概念矛盾との批判は当たらないとの反論がされている。

(3) 既判力の範囲

ところで、既判力を肯定する場合、さらなる問題として、和解条項のうち訴訟物に関する条項に限って既判力が生じるのか、他の条項についても既判力が生じるのかという問題がある。和解をする当事者の認識としては訴訟物であるか否かによってその重要度に違いがあるわけではなく、和解条項を全体として安定したものとする必要性があると解されるので、訴訟物に関する条項のみならず他の条項についても既判力が生じるというべきであろう。たとえば、所有権に基づく土地明渡請求訴訟で、①被告が原告の土地所有権を認め、②被告が原告に土地を明け渡し、③解決金として原告が被告に一定額の金銭を支払うという和解が成立した場合には、これらのすべての条項について既判力が生じると解すべきであろう。執行力は②と③の条項に生じる。

和解に利害関係人として第三者が参加した場合（⇨ **10-2-3-1**）、その者はいわば「和解当事者」として、115条1項1号による既判力を受けることになる。

(4) 既判力が生じる裁判上の和解の種類

また、「裁判上の和解」のうち「訴訟上の和解」にのみ既判力が生じるのかという問題も指摘し得るが、即決和解や民事保全手続の過程で成立した和解（民保7条により民訴89条・267条が準用される）も含め、裁判上の和解には上記のような意味での既判力があると解すべきである。訴訟上の和解も訴訟の初期の段階で成立することがあり得るところ、上記のように訴訟物に限らず既判力が生じることに加え、簡易裁判所の手続では訴訟でも訴え提起の段階では訴訟物の特定が必ずしも厳密には要求されない（272条参照）のに対して、即決和解では請求の趣旨と原因と争いの実情が表示されることになっており（275条1項）、民事保全手続でも申立てにおいて被保全権利と保全の必要性が主張され

ることになっている（民保13条1項）ので，訴訟上の和解のみをとくに厳密な手続を経て成立するものと解することはできないからである。前述のように判例も「裁判上の和解」について既判力を肯定する方向の判示をしている。下級審裁判例で，仮処分命令申立て事件の審尋期日に成立した裁判上の和解について制限的既判力説と同旨を述べ，当事者の和解成立後の特定承継人に対する既判力の拡張も認めたものがある（東京地判平成15・1・21判時1828号59頁）。

10-2-4-4 和解の無効原因の主張方法

和解の無効原因を主張する方法に関しては，前述 **10-2-4-3** の既判力に関する議論において既判力肯定説（既判力全面的肯定説）をとった場合は，再審の訴えによる取消しによることとなる。当然無効を前提に裁判所が前訴の新期日を指定することはできないし，後訴で前訴の和解の既判力に反する当事者の主張や裁判所の判断は許されない。

これに対して，制限的既判力説と既判力否定説に立つ場合には，意思表示の瑕疵を主張するなどして和解の無効を主張することが許されることになる。

訴訟上の和解に無効原因がある場合には，訴訟終了原因も存在しないことになるので，当事者は訴訟が係属中であることを前提として，口頭弁論期日指定の申立てができると解されている（大決昭和6・4・22民集10巻380頁）。当事者が口頭弁論期日指定の申立てをした場合，裁判所は，口頭弁論期日を開いて和解無効原因の有無について審理をし，和解無効原因が認められれば，続行期日を指定するなどして訴訟物についての審理を進めることになり，和解無効原因が認められなければ，判決で訴訟終了宣言（⇨ **9-2-3 す** 9-1）をすることになる（訴えの取下げの効果が争われた場合に関する **10-1-3-1**(1)と同様である）。

また，和解の効力を争う者が和解無効確認の訴えで和解無効の主張をしたり（大判大正14・4・24民集4巻195頁），和解調書によって強制執行をされるおそれのある債務者が請求異議の訴え（民執35条）を提起したり（大判昭和14・8・12民集18巻903頁）することもできるとするのが判例・実務の取扱いである。すなわち，判例・実務は，当該訴訟について期日指定の申立てをする方法，和解無効確認の訴えを提起する方法，和解が無効であることを前提とする請求異議の訴えを提起する方法の3通りのいずれも肯定しているということになる。

学説上は，期日指定の申立ての方法が認められるべきであるとすることには多くの説が賛同しており，理論的には，期日指定申立てを本来の方法とする考

え方が正当である。和解が無効である以上，旧訴訟が続行されるのが手続的に自然であり，従来の訴訟資料の活用もできる。

ただし，その方法に限られるべきで，他の訴えは訴えの利益を欠くか重複訴訟となると考えるか，あるいは，他の訴えも当事者の選択に応じて認めるべきかは問題である。和解無効確認の訴えについては，これを認めることを前提とする明文規定もあること（民執39条1項2号）から，その適法性を否定することには困難が伴う。もっとも，一般に期日指定申立てによるべきであるので訴えの利益を欠くが（方法選択の適切性を欠くことにつき，⇨**8-4-4-2**），これは何らかの事由（たとえば当事者以外の者が主体として加わった和解）で期日指定申立てによることができないため訴えの利益が認められる場合を前提にした規定であるとして，和解無効確認の訴えが適法な場合を限定する解釈は可能である。また，請求異議の訴えは和解条項において給付義務を負う者のみが原告となるが，そのような者にとっては，強制執行の不許を求めるとともに強制執行の停止を認める明文の規定があることから（民執36条1項），有効な方法であることは否定し難い。

そこで，上記のように期日指定申立てが理論的に正当なものであるので，本則としてはこれによるべきであるが，それで十分にまかなえない場合には，他の方法を否定するものではないと考える。なお，期日指定申立てや，和解無効確認の訴え（その確定判決については民執39条1項2号・40条1項で執行停止・取消しの理由となる）についても，そのような申立てや訴えの提起がされた時点で民執法36条1項の類推適用によって執行停止を認めるべきである。

10-2-4-5 和解の解除

和解において合意された義務についてその後に不履行があった場合に，和解の解除ができるか，これができるとすると訴訟終了効もなくなるのかという問題がある。前者の債務不履行を理由とする解除ができることにあまり異論はないが，後者の訴訟終了効の消滅（訴訟の復活）の有無については議論がある。

判例は，和解の解除によっても訴訟終了効はなくならないとしており（最判昭和43・2・15民集22巻2号184頁），多数説もこれに賛成している。解除事由は和解の後に発生するものであって和解自体に内在した瑕疵ではないこと，民法の解除制度の趣旨からして訴訟終了効の消滅まで含むとは解されないことから，判例の立場を支持したい。

解除の主張方法は，仮に訴訟終了効がなくなるとすると期日指定の申立てによることになるが，訴訟終了効はなくならないと解するので，和解無効確認の訴えや請求異議の訴えなどの新訴の提起によることになる。

10-3 請求の放棄・認諾

10-3-1 請求の放棄・認諾の意義

請求の放棄とは，原告が，訴訟係属後，期日において，その請求について，その理由がないことを認めて訴訟を終了させようとする訴訟行為である。

請求の認諾とは，被告が，訴訟係属後，期日において，原告の請求について，その理由があることを認めて訴訟を終了させようとする訴訟行為である。

たとえば，原告が被告に対して，ある物の売買代金500万円の支払を請求する訴えを提起し，これが係属した後，原告がそのような売買代金請求権がないことを認めて訴訟を終了させようとする訴訟行為が請求の放棄であり，被告がそのような売買代金請求権（自己の債務）があることを認めて訴訟を終了させようとする訴訟行為が請求の認諾である。

いずれも，当事者の一方的な意思表示により判決によらずに訴訟を終了させるものであり，処分権主義（⇨ **2-3-1**）の表れの1つである。相手方当事者の同意は不要である。請求の放棄と訴えの取下げとの違いについては，⇨ **10-1-1**。

10-3-2 請求の放棄・認諾の要件と手続

請求の放棄は原告が，請求の認諾は被告が，それぞれ口頭弁論等の期日においてする（266条1項）。「口頭弁論等の期日」とは，口頭弁論（そこには準備的口頭弁論も含まれる），弁論準備手続または和解の期日であり（261条3項参照），進行協議期日においても可能である（規95条2項）。請求の放棄または認諾をする旨の書面を提出した当事者が口頭弁論等の期日に出頭しないときは，受訴裁判所または受命裁判官もしくは受託裁判官は，その当事者がその旨の陳述をしたものとみなすことができる（266条2項）。

請求の放棄や認諾は，どの審級でもできる。

請求の放棄や認諾は訴訟物について当事者が処分する行為であるから，当事

者が訴訟物について実体法上の処分権限を有する場合に限って効力を有する。公序良俗その他の実体法上の強行法規に反する請求について被告が認諾しても，その効力は生じない。このような請求について認諾の意思表示があっても裁判所が認諾成立と扱うべきではないし，認諾調書も作成されるべきではない（訴訟上の和解について，⇨ **10-2-3-1**）。

人事訴訟においては，一般的には請求の認諾および放棄ができないが（人訴19条2項。訴訟上の和解に関する **10-2-2** も参照），離婚訴訟や離縁訴訟では，請求の放棄が認められ，請求の認諾も，離婚訴訟で附帯処分等が必要な場合を除いて，できる（人訴37条1項・44条）。

すこし詳しく 10-4　請求の放棄・認諾や裁判上の和解と訴訟要件の具備

▶訴訟要件（⇨ **第8章**〔345頁〕）の具備は，請求の放棄および認諾の要件であると解するのが判例であり（最判昭和28・10・15民集7巻10号1083頁，最判昭和30・9・30民集9巻10号1491頁），従来の多数説でもある。他方，近時では，当事者の意思に基づく行為であることなどを強調して，原則として訴訟要件の具備は不要であるとの見解や，訴訟要件の種類によって区別する見解も示されている。本書は，請求の放棄・認諾が，その意思表示に無効原因がないかぎり既判力を有し，裁判所が確定判決で本案の理由について実体判断をしたのと同様の効力を持つ（認諾は執行力も有する）ことから（⇨ **10-3-3**），その要件として訴訟要件の具備が原則として必要であると考える。まず，請求の放棄・認諾の時点でのその認諾や放棄の意思表示をする当事者の実在や当事者能力，訴訟能力，法定代理人や訴訟代理人の代理権の各存在は，その意思表示自体の要件となる。訴え提起や訴状の送達の受領などの訴訟係属自体を基礎づける訴訟行為が訴訟能力を有する者によってされていること，意思表示の相手方となる当事者の実在や当事者能力は，いずれも訴訟要件として請求の放棄・認諾の要件となる。また，日本の裁判所の裁判権がその事件に及ぶこと，司法裁判所の審判権の対象となること，事件が受訴裁判所の専属管轄に属することや双方当事者の当事者適格も要件である。以上のように訴訟要件は原則として要件となると解すべきであるが，例外として，任意管轄（⇨ **3-2-2-2**），訴えの利益のうち即時確定の利益（⇨ **8-4-4-4**）については，もっぱら被告保護のための訴訟要件であり，しかも次に述べる請求の放棄と抗弁事項との関係で問題となるような意味では被告の意思を考慮する必要がないので，請求の放棄・認諾の要件とならないと解される。抗弁事項（⇨ **8-2-3**）は，これらと同様の理由から請求の認諾との関係では問題にしなくてよいが，請求の放棄は，裁判所で判断がされたのと同じ効力は発生させたくない被告の意思を尊重する必要上，被告が抗弁事項の主張をした場合には効力を生じない。また，二重起訴の禁止に反する訴え（⇨ **11-7-1**）では，通常，先に係属した訴えの取下げま

たは取下げ合意と併せてされるであろうが，それらがない場合でも，放棄・認諾によって以後の審理が不要となる以上，審理の重複が生じるおそれはもはや存在しないことや，請求の放棄・認諾後はその既判力によって当事者間の法律関係を規律すればよいことから，請求の放棄・認諾ができると解してよいであろう。そして，以上のことは，訴訟上の和解や即決和解についても同様に当てはまる。これら裁判上の和解についても制限的既判力や執行力を肯定すべきであるので（⇨ **10-2-4-2**，**10-2-4-3**），請求の放棄・認諾と区別するのは相当でない（⇨ **10-2-2**）。なお，抗弁事項については，和解をするかどうかを被告が決められるので，請求の認諾と同様である。即決和解でも，裁判権が及ぶことは要件となり（275条1項で「民事上の争い」を対象としている），また，申立て時に当事者の訴訟能力等が必要なこともちろんである。そのほか，申立てに係る請求の趣旨・原因と争いの実情（同項）に即した訴えを想定した場合の訴訟要件が和解の有効性を基礎づけるというべきであろう。

10-3-3　請求の放棄・認諾の効果

　請求の放棄・認諾には訴訟を終了させる効力がある（267条）。給付訴訟における請求の認諾が調書に記載されたときは（160条1項，規67条1項1号参照），執行力を有する（267条，民執22条7号）。形成訴訟における請求の認諾（離婚訴訟で被告が請求を認諾する場合など）は，形成力を有する。以上については，訴訟上の和解に関する **10-2-4-1**，**10-2-4-2** と同様である。

　請求の放棄または認諾が調書に記載されたときに確定判決と同一の効力を有するとされていることから（267条），そこに既判力が含まれるかどうかについては議論がある。

　訴訟上の和解に関する議論（⇨ **10-2-4-3**）と同様に，①既判力肯定説（請求の放棄は請求棄却判決と，請求の認諾は請求認容判決と，それぞれ同じ作用の既判力を有する），②制限的既判力説，③既判力否定説が示されている。

　本書では訴訟上の和解について述べたのと同様に制限的既判力説に立つのが妥当であると考える。請求の放棄や認諾の場合は，一方当事者のみの意思により，裁判所が判決をする余地をなくすものであり，訴訟手続の過程で敗訴判決を受けると予測した当事者が請求を放棄したり認諾したりして判決の効果を免れることもあり得るし，極端な場合は，敗訴の終局判決を受けた当事者が既判力を免れるために上訴をして請求の放棄・認諾をすることも考えられるので，既判力を肯定する必要性が訴訟上の和解よりもさらに高いというべきである。

意思表示の瑕疵による無効は認めるべきであるが，そうでないかぎり既判力を認めるべきである。

　請求の放棄または認諾の無効原因の主張方法（その効果を争う方法）についても，訴訟上の和解について **10-2-4-4** で述べたところと同様に考えることになる。

第11章
複数請求訴訟

11-1　総　　説
11-2　請求の客体的併合
11-3　訴えの変更
11-4　反　　訴
11-5　中間確認の訴え
11-6　弁論の分離・併合
11-7　重複訴訟の処理

11-1 総　説

11-1-1 複数請求訴訟の存在意義

　1つの訴訟手続で複数の請求が審理と判決の対象となる場合がある。そのうち，同一当事者間で複数の請求が審理と判決の対象となる訴訟を「**複数請求訴訟**」という。また，複数の原告もしくは複数の被告またはそれ以外の第三者が関与する訴訟を「**多数当事者訴訟**」という。これらは併せて「**複雑訴訟**」などと呼ばれる。複雑訴訟のうち，本章では複数請求訴訟を扱い，多数当事者訴訟については**第12章**（542頁）で取り扱う。

　これらの訴訟が可能とされているのは，現実の社会において発生する紛争が1人対1人の間での1つの権利または法律関係をめぐるものとは限らず，複数の権利や法律関係が問題となる紛争や，多数の者が関与する紛争が存在するため，訴訟においてもその状態を反映させられるようにするのが適切だからである。

複数請求訴訟の例としては，次のようなものが挙げられる。

①原告が被告に対して，金銭消費貸借契約に基づく100万円の返済と自動車売買契約に基づく代金200万円の弁済との合計300万円の支払を請求する訴えを提起した場合，100万円の貸金返還請求と200万円の売買代金請求との2つの請求が1つの訴訟で併合されている（請求の客体的併合のうち単純併合の例）。

②土地の売買契約の有効性をめぐって紛争が生じ，土地を買ったと主張する原告が売買契約に基づき所有権移転登記手続を請求する訴えを売主である被告に対して提起したのに対し，被告（反訴原告）が原告（反訴被告）に対して，売買契約は無効であるから被告が所有権を有すると主張して，その土地の所有権確認の訴えを反訴（146条）として提起することがある。この「反訴」も複数請求訴訟の一種である。

これらの例で，複数請求訴訟の場合と，これらの各請求が別々の訴訟で審理され，判決がされる場合とを比べると，別々の訴訟とされた方が，個々の訴訟の審理と判決は単純であって，複数請求訴訟とするよりも迅速に決着がつくことが想定できる。しかしながら，紛争全体をみると，これらの紛争を別々の訴訟で取り扱った場合，複数請求訴訟であったら一度で済む口頭弁論や証拠調べを別々に実施しなければならず，各当事者が訴訟追行をしたり，裁判所が審理と判断をしたりするための負担の総合計はより重くなり，訴訟経済に反する事態が生じ得る。①のような単純併合の事件でも，同じ当事者間の争いであるのだから同じ日時に口頭弁論期日を開くのが効率的であるが，併合されずに審理されると，担当する裁判官が異なることもあるので，期日は別々になり得る。また，とくに②のような例を考えると，複数請求訴訟で一度に審理・判決をする方が，判断の内容が矛盾する危険性は低くなる。こういった趣旨で，同一の訴訟手続において複数の請求を併合して審理と判決をすることを法が認めたのが複数請求訴訟である。

11-1-2 複数請求訴訟の種類・発生原因

複数請求訴訟にはいくつかの種類がある。

訴訟の当初から複数の請求について審判が開始する場合を「**請求の原始的複数**」といい，ある請求の審理の途中の段階で他の請求についての審判が開始または合流する場合を「**請求の後発的複数**」という（「**独立の訴え**」と「**訴訟中の訴**

え」について，⇨ *2-1-1-3*)。

　これらのうち「請求の原始的複数」は，当初から原告が複数の請求を1つの訴えで提起する場合であり，これを「**請求の客体的併合**」と呼ぶ。請求の原始的複数は，訴えの際の原告の意思に基づいて生じる。「請求の原始的複数」について，民訴法136条は，「請求の併合」と題して，「数個の請求は，同種の訴訟手続による場合に限り，一の訴えですることができる。」と定めている。同条は，「請求」とは審判の対象（訴訟物）を意味し，「訴え」は，原告が「請求」を提示して裁判所に審判を求める訴訟行為を意味することを前提としている。「訴え」と「請求」についてのこのような区別は，**請求の併合**とは1つの訴えで複数の請求を提示することであることを表している（⇨ *2-1-1-1*，*2-1-1-2*）。他方，「訴えの客観的併合」という語も，「請求の併合」や「請求の客観的併合」（本書では「請求の客体的併合」）と同じ意味で広く用いられるが，複数の「訴え」が併合されていることを意味するようにみえるので，あまり適切な用語とはいえない（用いるにしても，併合されているのは「訴え」ではなく「請求」であることを意識する必要がある）。そこで，本書では，主に「請求の併合」または「請求の客体的併合」という語を用いる。

　また，「請求の併合」という語も，広義では，請求の後発的複数の場合も含めて用いられることがある。136条の「同種の訴訟手続による場合に限り」という要件は，後発的複数の場合にも適用されるので，このような用語法は意味がないわけではない。そこで，原始的複数の場合をとくに「固有の意味での請求の併合」，「訴えの固有の客体的併合」などと呼んで後発的複数の場合と区別することもある。

　次に，「請求の後発的複数」は，当事者の訴訟行為に基づいて生じる場合と裁判所の訴訟指揮に基づいて生じる場合とに分けられる。請求の後発的複数を生じさせる当事者の訴訟行為として，訴えの変更（143条。⇨ *11-3*），反訴（146条。⇨ *11-4*），これらの特別な場合としての中間確認の訴え（145条。⇨ *11-5*）があり，これらは新たな訴え提起の実質を持つ。これらの条文の定める要件は，その申立てをする当事者の利益，相手方の負担と利益，それまでの審理の利用可能性，迅速な審理の要請などを考慮して定められている。他方，裁判所の訴訟指揮に基づいて請求の後発的複数が生じる場合として，弁論の併合（152条。⇨ *11-6*）がある。

ところで，原始的複数と後発的複数とを問わず，また，複数請求訴訟が当事者の訴訟行為によって生じたか弁論の併合によって生じたかを問わず，裁判所が訴訟指揮権の行使として複数請求の状態を解消することができる。これを弁論の分離（152条1項。⇨ **11-6**）という。また，併合して審理されてきた複数の請求のうち一部の請求についてのみ裁判所が判決することもできる。これを一部判決（243条2項・3項。⇨ **9-2-2**）という。当事者は，**11-2** から **11-5** まででみるように，一定の要件があるときには，上で挙げた請求の併合，訴えの変更，反訴または中間確認の訴えという方法により，複数請求訴訟の状態を作り出す権能を有するのであるが，その状態は裁判所が弁論の分離をすれば解消するので，複数請求訴訟の状態での審判を裁判所に義務付けるという意味での当事者の権利が存在するわけでは必ずしもない（ただし，一定の場合には口頭弁論の分離が禁止される。⇨ **11-6**）。

なお，複数の請求を1つの訴訟で審判をすることを求めるかどうかは当事者の意思に委ねられ，また，弁論を併合するかどうかも裁判所の裁量による。ただし，ある請求についての判決確定後に別訴で一定の請求をすることが法律で禁じられている場合には，当事者が1つの訴訟手続でこれらの複数の請求をしておかなければ請求ができなくなるという不利益を受けるという意味で（それは，複数の請求をすることが法的に義務付けられるということではないが），当事者の自由な意思が制約されている（その例として，人訴25条。これを考慮して人訴18条は訴えの変更と反訴の要件を緩和している。⇨ **11-3-3**，**11-4-3**）。また，新たな請求に係る訴えを提起することが既に係属している訴訟との関係で重複訴訟に当たる場合には，当事者が既に係属している訴訟手続の中で訴えの変更や反訴によりその新たな請求をする必要が生じ，他方，当事者がそのようにせずに別々の訴訟として係属したときにも，裁判所が弁論の併合をする義務を負うことがあると解される（⇨ **11-7**）。

11-2 請求の客体的併合

11-2-1 請求の客体的併合の意義と要件

「**請求の客体的併合**」とは，同一の原告が同一の被告に対し1つの訴えをも

って複数の請求をすることをいう。これは、136条の定める「請求の併合」であり、固有の意味で「請求の併合」といわれるものである。また、一般的には「請求の客観的併合」と呼ばれている。

具体的な例は、**11-1-1** で挙げた①の貸金返還請求と売買代金請求との併合のほか、③建物賃貸借契約の賃料不払による解除を貸主（原告）が主張して、借主（被告）に対して賃貸借契約終了に基づく建物の明渡しを請求するとともに、未払賃料および解除後の占有を理由とする債務不履行（明渡義務の不履行）に基づく損害賠償を請求して訴えを提起する事例、④貸金返還請求に利息請求や遅延損害金（債務不履行に基づく損害賠償）請求を併合して訴えを提起する事例などがある（いずれも請求の客体的併合のうちの単純併合の例である）。

請求の客体的併合の要件としては、まず、136条の定める「同種の訴訟手続による場合」が挙げられる。

民事裁判手続は、大きく、訴訟手続と非訟事件手続とに分けられ（⇨ **1-2-1**）、そのうち訴訟手続には、民訴法第1編から第4編までによって規律される通常訴訟のほかに、手続について特別の規律がされるものとして手形訴訟および小切手訴訟（第5編）、少額訴訟（第6編）、人事訴訟（人訴法）、ならびに、行政事件訴訟（行訴法）がある。これらは、すべて「異種の手続」であり、その相互間では136条にいう「同種の訴訟手続」の要件を満たさない。たとえば、通常訴訟では、民訴法第2編第4章の規定に基づいて証拠調べが実施されるのに対し、手形訴訟では証拠調べが制限されており（352条）、その各手続によるべき2つの請求が併合されたのでは、どちらの規律に従うべきかについて問題が生じる。そこで、原則として、同種の訴訟手続によるべき場合に限って、請求の併合が認められるのである。そして、この併合要件は、その趣旨からして、固有の意味での請求の客体的併合（原始的複数）の場合だけではなく、当事者または裁判所の行為による請求の後発的複数（⇨ **11-1-2**）の場合にも適用される。

請求の客体的併合についての他の要件として、他の裁判所の法定専属管轄に属しないことが挙げられる。請求の客体的併合に係る訴えは、1つの請求について管轄権を有する裁判所に提起することができるが（7条）、法定の専属管轄の定めがある請求については、これに反して併合提起することができないとされている（13条1項による7条の適用除外）からである。

また、以上のほか、併合要件について法律上の特段の定めがあれば、それに

従う必要がある。そのような定めとして，行訴法16条1項（⇨す 11-1）があり，同種の訴訟手続による行政事件訴訟の間でも，関連請求でなければ併合ができないとしている。

以上の併合要件は，通常の訴訟要件と同様に，職権調査事項である（⇨ **8-7**）。

単純併合の場合，併合要件が認められないときには，それのみを理由として訴えを却下するのは相当でなく，裁判所は各請求の弁論を分離し，管轄がない場合は管轄裁判所に移送して，独立の適法な訴えとして審理・裁判を行うべきである（最判昭和59・3・29判時1122号110頁参照）。しかし，予備的併合や選択的併合の場合は，弁論の分離が許されないのが原則なので，どのようにすべきかが問題となる。判例（前掲最判昭和59・3・29，最判平成5・7・20民集47巻7号4627頁）は，請求の併合が同一の訴訟手続内で審判されることを前提とし，もっぱらそのような併合審判を受けることを目的としてされたものと認められる場合には，不適法として却下すべきであるとしており，そのような観点から訴えを却下すべきかどうかが分けられることとなろう。

すこし詳しく 11-1 異種の訴訟手続によるべき請求の客体的併合が適法とされる場合

▶本文で述べたことの例外として，異種の訴訟手続によるべき請求の客体的併合が適法とされる場合がある。そのような例外を認める明文の定めとして，人訴法17条（例として，離婚請求と慰謝料請求との併合），行訴法16条1項（行政処分取消訴訟への関連請求の併合。関連請求の例として，当該行政処分によって生じた損害の賠償請求。その前提としての移送につき同13条参照）がある。また，明文の規定がない場合であるが，判例（前掲最判平成5・7・20）は，憲法29条3項の規定に基づく損失補償請求（行政事件訴訟）と国家賠償請求（民事訴訟）との間に発生原因等において密接な関連性があるときには併合が可能であるとする。さらに，人事訴訟に非訟事件である家事事件を併合できるとする規定として，人訴法32条（例として，離婚の訴えで財産分与や子の監護者の指定の申立てをする）がある。これらは，いずれも，訴訟手続の規律の違いは併合審理を全く不可能とするわけではないことを前提にして，請求や申立ての間の関連性等から同時に審判することに合理性があることを考慮して，併合が適法とされているのである（行訴7条，人訴1条は特別の規定がないかぎり民訴法が適用されるとする趣旨である。また非訟法や家事法も民訴法の一部の規定を準用している。ただし，これらの併合訴訟でどのような手続がとられるかについては議論がある）。

11-2-2 併合の態様

請求の客体的併合には，単純併合，予備的併合，選択的併合の3種類の態様がある。

なお，固有の意味での客体的併合（原始的併合）の場合のみならず，後発的に生じる併合においても，同様に3種類の態様がある。

11-2-2-1 単純併合

単純併合は，並列的併合ともいい，複数の請求のすべてについて無条件に審理および判決を求める併合形態である。実務上も頻繁にみられ，具体例として，**11-1-1**の①貸金返還請求と売買代金請求との併合，**11-2-1**の③賃貸借契約終了に基づく建物の明渡請求と賃料請求と債務不履行に基づく損害賠償請求の併合，④貸金返還請求と利息請求と債務不履行に基づく損害賠償請求の併合などがある。物の給付の請求と，その給付について強制執行の目的を達することができない場合にこれに代えてその価額に相当する金銭の請求（いわゆる代償請求。民執31条2項参照）との併合も，現在の給付請求と将来の損害賠償請求（⇨ **8-4-3-2**(2)）である代償請求との単純併合である。

11-2-2-2 予備的併合

予備的併合は，複数の請求に順位を付け，第1次請求（「**主位的請求**」という）が認容されることを解除条件として，第2次請求（「**予備的請求**」，「**副位的請求**」等という）について審理および判決を求める併合形態である。たとえば，売買契約に基づいて目的物を引き渡した売主である原告が，主位的に売買契約が有効であることを前提にして売買代金を請求するとともに，被告（買主）が売買契約の無効を主張してそれが裁判所によって認められる場合に備えて，予備的に目的物の引渡（返還）請求をするような場合である。順位を付けた請求が3つ以上ある場合も同様である。「主位的請求が認容されないときは予備的請求について認容判決を求める」併合形態であると表現されることがあるが，主位的請求の審理中も予備的請求についての訴訟係属は生じており，予備的請求の審理もされているので，法律的には，主位的請求の棄却を停止条件として予備的請求の審理と判決を求めるのではなく，主位的請求の認容を解除条件として予備的請求の審理と判決を求めるものである（より厳密には，予備的請求に係る訴えは審級ごとに主位的請求の認容判決がされることを解除条件としているが，その解

除条件を付ける原告の意思表示に対して上訴がさらなる解除条件となっており，全審級を通じると，予備的請求に係る訴えは，主位的請求認容判決の確定を解除条件としていることになる。 ⇨ **11-2-3-2**）。

　予備的併合は，法律上または事実上論理的に両立しない複数の請求について許される併合形態である（法律上両立しない場合に限られているとの考え方もある）。予備的併合における予備的請求は，「訴訟行為に条件を付けることができない」という原則（⇨ **5-2-5**）の例外となるものであり，このような原告の順位づけ・条件づけに裁判所が拘束されることとなるので，それを許容すべき理由がある場合に限って適法とされるのである。そして，両請求が論理的に両立せず，かつ，原告の受けられる利益に何らかの差異がある場合には，主位・予備の関係で併合する必要性と合理性があること，主位的請求が認容されて予備的請求について判決がされなくても，主位的請求の満足を得た原告がその後被告に予備的請求に係る請求権を行使する可能性は事実上小さいこと，および，条件の成就の有無がその手続内で判断できるので訴訟手続の明確性や安定の要請を損なう度合いが小さいことがその理由となっている。それは，予備的請求に関して既判力のある判断はされないものの，原告が主位的請求認容判決確定後に予備的請求と同じ請求をする訴えを提起しても，訴訟上の禁反言ないし信義則により訴え却下または請求棄却の判決がされるべきであるし，被告は，このような後訴が心配であれば，前訴の段階で予備的請求に係る請求権の不存在確認の反訴を提起して，請求権不存在について既判力を得ることができるからである。

すこし詳しく 11-2　**請求相互の関係において予備的併合が許容される範囲**
　▶「法律上または事実上論理的に両立しない複数の請求」という要件を満たさない場合であっても予備的併合が許容されるかという問題がある。次に述べる選択的併合が認められるような同一の目的に向けた複数の請求については，このような予備的併合を認める考え方が有力である（そのような予備的併合が適法であることを前提とする判例として，手形債権と原因債権に関する最判昭和39・4・7民集18巻4号520頁がある）。さらに，両立可能で単純併合する方が自然とみられる請求であっても原告の意思によって予備的併合が許され，処分権主義（⇨ **2-3-1**）に基づき裁判所は原告の順位づけに拘束されるとの考え方もあるが，ここまでの原告の権能を認める必要性はなく，条件付きの申立ては許されないとの原則に照らして，このような予備的併合は許されないと解すべきであろう。単純併合とすることが可能な論理的に両立する請求を予備的併合とすることはできないとした裁判例として，福岡高判平成8・10・

17（判タ942号257頁）がある。同判決は，予備的請求に係る訴えを不適法なものとして却下している。これを単純併合として扱い，予備的請求について無条件の申立てと扱うことは，申立てを超えた判決をすることになって246条（⇨ **9-5**）に反するが，裁判所が釈明権を行使して原告がこれを単純併合とすれば（一種の訴えの変更），両請求についての本案判決が可能となろう。

11-2-2-3 選択的併合

選択的併合は，択一的併合ともいい，複数の請求のうちの1つが認容されることを他の請求の審理と判決の解除条件とする併合形態である。すべての請求が解除条件付きであり，無条件の請求はない。

訴訟物理論（⇨ **2-2-3**）について旧訴訟物理論をとることを前提に，請求権が競合するときなどに同一の目的を持つ複数の請求権を訴訟物とする場合に用いられる併合形態とされており，実務上も多くみられる。たとえば，医療過誤を理由として病院を開設する法人を被告として，患者が債務不履行に基づく損害賠償請求と不法行為（使用者責任）に基づく損害賠償請求とを選択的に併合するような場合である。このような場合は，**11-2-2-2** で述べたような予備的併合が認められる理由と基本的に同様の理由で，条件付き申立ても許容されることとなる。

新訴訟物理論をとる学説には選択的併合という形態の存在を認めないものがあるが，請求権競合の場合以外にも認める余地があるので訴訟物理論のいかんを問わず認められ得るとの考え方が妥当である。もっとも，実質的な目的ないし利益が同一である場合に要件を限定する必要がある。ちなみに，最判平成元・9・19（判時1328号38頁）は，遺産確認請求と（その遺産の）共有持分権確認請求との選択的併合を適法なものと取り扱っている。遺産確認請求は当該財産が共同相続人の遺産分割前の共有関係にあることの確認を求めるという実質を持つので（最判昭和61・3・13民集40巻2号389頁参照），これらの請求は実質的には同一の目的を持つものといえるが，請求の趣旨は異なり，請求権競合の場合ではない。

11-2-3 併合請求の審理と判決

併合要件の審理と併合要件が認められない場合の取扱いについては，**11-2-1** で述べた。ここでは，併合請求における本案の審理と判決について述べる。

11-2-3-1 単純併合の場合

　単純併合の場合，裁判所は，すべての請求について審理・判決をしなければならない。各請求の審理は同一期日に並行して進められ，判決も1つの判決書でされる。このような審理と判決の共通により，事実上，各請求についての判断が矛盾なくされることが期待できる。

　弁論の分離（152条1項）や一部判決（243条2項・3項）は，原則として可能であり，分離をするかどうかは，裁判所の裁量に委ねられる。ただし，請求相互の関係や当事者の意思等の事情によっては，弁論の分離が相当でない場合がある。これらの裁判所の裁量やその相当性については，**11-6-2**で述べる。

　このように一部判決は可能であるが，裁判所はすべての請求について判決をしなければならないので，一部判決がされた後に残部判決がされることが予定されている。誤って一部の請求について判決をしなかった場合，裁判の脱漏（258条1項。⇨ **9-2-2-3**）に当たる。

　単純併合がされた請求についての判決に対して上訴が提起されると，たとえ一部の請求についての判決のみに不服が申し立てられていても，判決の全部について確定が遮断され（116条2項），請求のすべてが上訴審に移審する。これを**上訴不可分の原則**という（⇨ **13-1-4-2**(2)）。控訴審において，請求は弁論の分離がされなければ併合されたままの状態であるが，当事者に不服のない請求は審判の対象とならない（296条1項・304条。⇨ **13-2-2-1**）。しかし，当事者は，控訴審係属中に控訴申立ての拡張や附帯控訴（293条。⇨ **13-2-3**）をすることにより審判の対象に加えることができる。

11-2-3-2 予備的併合の場合

(1) 審理と判決の概要

　予備的併合の場合，予備的請求についても解除条件付きで申し立てられており，請求の当初から，これについても審理はされている。主位的請求を認容する判決をする場合には，裁判所は，予備的請求については判決を求める申立てがされていないものと取り扱うこととなり，裁判をすることができない。主位的請求を棄却または却下する判決をする場合には，予備的請求について判決をしなければならない。このように，原告が付した条件によって複数の請求が結び付けられており，裁判所はこの順位づけ・条件づけに拘束される（⇨ **11-2-2-2**）。

裁判所は，原告がした順位づけ・条件づけに拘束されることから，これらの弁論を分離したり（152条1項），一部判決をしたり（243条2項・3項）することができない。口頭弁論を整序するためには，弁論の制限（152条1項）によるべきこととなる。

判決に対して上訴があれば，単純併合の場合と同様に，上訴不可分の原則が働き，請求の全部について判決確定が遮断され，移審の効果が生じる。

(2) 上訴審での審判の範囲

上訴審での審判の範囲（⇨ **13-2-2-1**）については次のように考えられる（なお，判決の内容は本案の判断に応じて想定される主要なものを挙げており，訴え却下，控訴却下，原判決一部取消し〔控訴一部棄却〕等は省略している）。

(a) 第1審で主位的請求を認容する判決がされた場合 この場合には，被告のみが控訴の利益（⇨ **13-2-1**）を有する。被告の控訴を受けた控訴裁判所は，原判決が相当であると判断するときは「控訴棄却」，主位的請求には理由がないが予備的請求には理由があると判断するときは「原判決取消し，主位的請求棄却，予備的請求認容」，主位的請求にも予備的請求にも理由がないと判断するときは「原判決取消し，主位的請求棄却，予備的請求棄却」の判決ができる（最判昭和33・10・14民集12巻14号3091頁参照）。予備的請求については第1審の判決がなく，控訴審ではじめて判決がされるが，主位的請求と予備的請求とは一方が他方の存在を排斥する関係にあるため，それらの判断の基礎となる事項に共通部分が多いことが想定されるので，第1審への差戻し（⇨ **13-2-6-3**(3)）をしなくても審級の利益（⇨ **13-1-3**）を害することにはならないと解されている。

(b) 第1審で主位的請求を棄却し，予備的請求を認容する判決がされた場合 この場合には，原告，被告ともに控訴の利益を有する。

(i) 双方が控訴したとき 双方が控訴（または附帯控訴）をしたときは，控訴裁判所は，原判決が相当であると判断するときには「双方の控訴棄却」，主位的請求を認容すべきであると判断するときは「原告の控訴に基づき原判決取消し，主位的請求認容，被告の控訴棄却」，主位的請求も予備的請求も棄却すべきであると判断するときは「原告の控訴棄却，被告の控訴に基づき原判決の予備的請求に関する部分の取消し，予備的請求棄却」というそれぞれの判決ができる。

(ii) **原告のみが控訴したとき** 原告のみが控訴した（被告は附帯控訴もしなかった）とき，控訴審では，原判決が相当であるときは「控訴棄却」，主位的請求に理由があるときは「原判決取消し，主位的請求認容」の判決ができる。控訴裁判所が主位的請求にも予備的請求にも理由がないと判断しても，「原判決取消し，予備的請求棄却」の判決は，控訴人（原告）にとっての不利益変更になるので，できない。

(iii) **被告のみが控訴したとき** 主位的請求を棄却して予備的請求を認容する判決に対して被告のみが控訴した（原告は附帯控訴もしなかった）ときの控訴裁判所の審判の範囲については，控訴裁判所が主位的請求に理由があると判断した場合の処理をめぐって見解の対立がある。判例（最判昭和58・3・22判時1074号55頁。上告審に関して最判昭和54・3・16民集33巻2号270頁）・多数説（上訴必要説と呼ばれる）は，仮に控訴裁判所が主位的請求に理由があると判断しても，主位的請求について第1審で敗訴した原告が控訴していない以上，主位的請求に対する第1審判決の当否は控訴審の審判の対象とならないので，「原判決取消し，主位的請求認容」の判決は，控訴人（被告）にとって不利益な判決であって不利益変更禁止の原則（304条）に反してできないとする。

なお，控訴裁判所が原判決を相当であると判断するときに「控訴棄却」，主位的請求にも予備的請求にも理由がないと判断するときに「原判決の予備的請求に関する部分の取消し，予備的請求棄却」の判決がそれぞれできることに争いはない。

(c) **第1審で主位的請求と予備的請求をいずれも棄却する判決がされた場合** この場合には，原告のみが控訴の利益を有する。原告の控訴を受けた控訴裁判所は，「控訴棄却」，「原判決取消し，主位的請求認容」，「原判決の予備的請求に関する部分の取消し，予備的請求認容」のいずれの判決もできる。

> **すこし詳しく 11-3** 主位的請求棄却・予備的請求認容の第1審判決に対して被告のみが控訴した場合の議論
>
> ▶本文(b)(iii)で述べた問題に関し，判例・多数説（上訴必要説）に反対する説（上訴不要説）は，原告が控訴していなくても，主位的請求に対する第1審判決の当否も控訴審の審判の対象となっており，控訴裁判所が主位的請求に理由があると判断すれば「原判決取消し，主位的請求認容」の判決ができ，それをすべきであるとする。主位的請求と予備的請求とは法律上または事実上両立しないのが原則であるので，予備的請求が棄却される場合にはそれと裏腹に主位

的請求が認容される可能性があるにもかかわらず，上訴必要説に立った場合，原告にとっては両請求ともに棄却される結果になることがこの問題の基礎にある。上訴不要説は，主位的請求も変更できるとするのが合理的解決につながること，予備的請求を認容された原告が主位的請求について控訴または附帯控訴をしないのも無理がないので，上訴必要説では原告に酷な結果となることなどを理由とする。これに対し，上訴必要説は，主位的請求を棄却された原告は控訴をしようと思えばできたし，被告の控訴に応じて附帯控訴も可能であるので，原告にとって不当に酷な結果とはならず，かえって，原告からの明示の控訴なしに主位的請求を控訴審の範囲に加えることは，被告に不当な不利益をもたらすとする。本書は上訴必要説に従う。

11-2-3-3　選択的併合の場合

　選択的併合では，すべての請求が他の請求の認容判決を解除条件として申し立てられている。請求の当初から，すべての請求について審理がされていることについては，単純併合や予備的併合の場合と同様である。1つの請求を認容する判決をする場合には，裁判所は，他の請求については判決を求める申立てがされていないものと取り扱うこととなり，裁判をすることができない。裁判所は，1つの請求を認容する判決，または，全部の請求を棄却もしくは却下する判決をすることとなる。予備的併合の場合と同様に，裁判所はこの条件づけに拘束される。裁判所は，これらの弁論を分離したり（152条1項），一部判決をしたり（243条2項・3項）することができない。しかし，1つの請求に審理を集中するため，弁論の制限（152条1項）をすることは可能であり，どの請求に審理を集中するかは裁判所の裁量で決められる。

　判決に対して上訴があれば，単純併合の場合と同様に，上訴不可分の原則が働き，請求の全部について判決確定が遮断され，移審の効果が生じる。

　A請求とB請求とが選択的に併合された訴訟の第1審でのA請求の認容判決がされ，これに対して被告が控訴をした場合，原告はそもそも控訴の利益を有さず，控訴または附帯控訴をしていなくても両請求をともに維持する意思であるとみられるので，控訴裁判所がA請求に理由があるとはいえないが，B請求について理由があると判断するときには，控訴裁判所は原判決を取り消してB請求を認容しなければならない（最判昭和58・4・14判時1131号81頁参照）。控訴裁判所がいずれの請求も理由がないと判断したときは，原判決を取り消し，いずれの請求も棄却する判決をすることになる。

原告の請求をいずれも棄却する第1審判決に対して原告が控訴した場合には，控訴裁判所は，いずれかの請求に理由があると判断すれば原判決を取り消してその請求を認容する判決をすることになる。

法律審である上告審の場合は，原審で判断されていない請求については自判（326条）せず，原審に差し戻す（325条1項・2項）のが原則的な取扱いである。自判できるのは，原判決が認定した事実を前提としながら法的評価が原判決と異なる場合などで被告の防御権を害さないときに限られるだろう（自判した例として最判平成元・9・19判時1328号38頁がある）。

11-3　訴えの変更

11-3-1　訴えの変更の意義

訴えの変更（143条）とは，訴訟係属中に被告との関係で別の請求を審判対象とすることを求める原告の申立てをいう。これによって変更されるのは，訴えの内容となる請求（訴訟物）である（⇨ *2-1-1-1*）。請求は，訴え提起の際に原告が提出する訴状に記載される請求の趣旨と請求の原因（134条2項2号，規53条1項）によって特定すべきものとされているところ（⇨ *2-1-3-2*, *2-1-3-3*），これに応じて，訴えの変更は，「請求又は請求の原因を変更すること」である（143条1項）。ここにいう「請求」は訴状の記載にいう「請求の趣旨」に，「請求の原因」は訴状の「請求の原因」（請求を特定するのに必要な事実。規53条1項参照）に対応する。同一当事者間での請求の変更がここでいう訴えの変更であり，当事者の変更を伴う場合（任意的当事者変更につき，⇨ *4-2-2-2*，訴訟承継につき，⇨ *12-9-1*）とは別の事柄である。

訴えの変更は，原告が被告との関係で，それまでの請求よりも適切な新たな請求をする必要が生じた場合に，従前の審理の結果（訴訟資料。⇨ *7-1-1-1*, *7-1-1-3*）を生かして新請求について審理と判決ができるようにすることが，紛争解決や権利実現の実効性・迅速性および訴訟経済等の観点から適当であると考えられることから，一定の要件（⇨ *11-3-3*）を満たす場合に認められている。

訴訟物が変更される場合が訴えの変更である。訴訟物に変更をもたらさず，攻撃方法の追加・交換にとどまる場合には，訴えの変更ではないので，143条

の定める要件を満たす必要はない（たとえば，最判昭和29・7・27民集8巻7号1443頁は，建物所有権確認請求訴訟において，原告がはじめ建物の所有権の承継取得を主張し，後にその原始取得を主張するに至った場合につき，訴えの変更に当たらないとしている）。このことから，訴訟物理論（⇨ **2-2-3**）について旧訴訟物理論をとるか新訴訟物理論をとるかで訴えの変更に当たるか否かが分かれる場合がある（例として，所有権に基づく建物明渡請求を賃貸借契約終了に基づく同一建物の明渡請求に変更する場合）。

　請求の趣旨のみを変更する場合については議論がある。請求の拡張をするとき（請求の趣旨に掲げた金額を増額するなど）には訴えの変更に当たるとするのが多数説である。他方，請求の減縮をするとき（請求の趣旨に掲げた金額を一部弁済を受けたなどの理由で減額するときなど）には，訴えの変更ではなく訴えの一部取下げである（したがって，143条ではなく，261条の規律に従う）とするのが判例（最判昭和27・12・25民集6巻12号1255頁）・多数説である。

11-3-2　訴えの変更の態様

　訴えの変更の態様には，訴えの追加的変更と訴えの交換的変更とがある。**訴えの追加的変更**は，旧請求を維持しながら，新請求を追加して旧請求との併合審判を求める場合である。たとえば，土地の所有権確認請求訴訟の係属中に，その土地の所有権に基づく引渡請求を追加するような場合である。新請求の追加後の併合形態は，請求の客体的併合の場合（⇨ **11-2-2**）と同様に，単純併合，予備的併合，選択的併合の3種類がある。この例の場合は単純併合となる。

　訴えの交換的変更は，旧請求について審判を求めることをやめて，新請求についての審判を求めるものである。判例（最判昭和31・12・20民集10巻12号1573頁，最判昭和32・2・28民集11巻2号374頁）は，訴えの変更とは，本来，新たな請求に係る訴えを追加的に併合提起すること（つまり，訴えの追加的変更）をいい，旧請求に係る訴訟係属を消滅させるためにはその請求に係る訴えを取り下げるか請求を放棄することを要し，訴えの取下げにはその要件（261条．被告の同意等）が必要となるとする。ただし，被告が訴えの交換的変更に異議なく応訴した場合には，旧請求に係る訴えの取下げについて黙示の同意をしたことになる（最判昭和41・1・21民集20巻1号94頁参照）。

　救済の形式を変更する場合（例として，敷金返還請求権存在確認請求訴訟からそ

の給付訴訟への変更）や併合形態を変更する場合（例として，予備的併合から選択的併合への変更）も訴えの変更に含まれるものと解されている。新請求を主位的請求とし，旧請求を予備請求とする訴えの追加的変更は，旧請求について審理および判決がされない可能性を生じさせるものであるので，訴えの取下げに準じて被告の同意を要する（仙台地判平成4・3・26判時1442号136頁参照）。

11-3-3 訴えの変更の要件

訴えの変更の要件としては，①事実審の口頭弁論終結前であること（143条1項本文），②請求の基礎に変更がないこと（同項本文），③訴えの変更によって著しく訴訟手続を遅滞させないこと（同項但書），④新旧両請求が同種の訴訟手続による場合であること（136条参照）が挙げられる。

まず，①事実審の口頭弁論終結前であることが原則として必要である（143条1項本文）。控訴審でも訴えの変更が可能である（297条・143条1項本文。なお，301条1項はこれを前提とした規定である）。請求の基礎に変更がないならば，被告の審級の利益を害することはないと考えられるからである。法律審である上告審においては，原則として訴えの変更はできない（最判平成14・6・11民集56巻5号958頁参照。なお，例外的な場合につき，最判昭和61・4・11民集40巻3号558頁参照）。

次に，②請求の基礎に変更がないこと（143条1項本文）は，訴えの変更に関する最も特徴的な要件であり，変更前の訴訟資料が新請求に用いられることによって被告の正当な利益ないし期待が損なわれることがないようにするために必要とされている。たとえば，旧請求について被告がした訴訟行為が無関係な新請求について訴訟資料になると，被告は予期せぬ不利益を被ることがある。なお，人事訴訟については，この要件は適用されない（人訴18条）。人事訴訟では，紛争を画一的，一回的に解決する要請が強く働くからであり，人訴法25条1項もこれに対応している（⇨ *11-1-2*）。

請求の基礎についての変更の有無は，新旧両請求についてその内容となる利益や基礎となる事実関係に共通性があるかどうか，従前の裁判資料がどの程度利用可能か（通常，これらは相関関係にある）などを総合的に考慮して判断される。判例上，請求の基礎に変更がないと認められた事例として，約束手形金請求訴訟の係属後，その手形が被告会社の被用者が偽造したものであるとすれば

手形割引金相当の損害を被ったことになるとして損害賠償請求を予備的・追加的に併合した場合（最判昭和32・7・16民集11巻7号1254頁），土地の売買を理由とする所有権移転登記手続請求訴訟の係属中，被告が当該土地を他に売却しその所有権移転登記がされたことを理由に損害賠償請求に変更した場合（最判昭和37・11・16民集16巻11号2280頁）などがある。

　この要件は被告の利益の保護に重点を置くものであるので，訴えの変更に被告の同意があれば，請求の基礎に変更があっても訴えの変更は許容される（黙示の同意を認めた判例として，最判昭和29・6・8民集8巻6号1037頁がある）。また，被告の提出した防御方法を是認したうえで被告の主張事実に立脚して新たに請求をする場合（被告の陳述した事実を新請求の原因とする場合など）には，請求の基礎に変更があっても，訴えの変更は許される（最判昭和39・7・10民集18巻6号1093頁）。請求の基礎に変更があることは，責問権の放棄・喪失（90条。⇨ **5-3-4-3**）の対象となる（大判昭和11・3・13民集15巻453頁）。

　そして，③訴えの変更によって著しく訴訟手続を遅滞させないことが要件となる（143条1項但書）。旧請求について既に審理が終結に近づいており，新請求について審理をすると新たな訴訟資料の収集を必要とするなど著しく訴訟手続を遅滞させる場合には，たとえ請求の基礎に変更がなくても，旧請求のみについて判決をして，新請求については別訴を提起させる方が，司法資源（⇨ **1-2-3-2❶**3）を効率的に活用することができ，訴訟制度の運営の仕方として妥当である。そこで，この要件が定められている。これは，公益を守るための要件なので，著しく訴訟手続を遅滞させるときは，被告の同意があっても，また，被告の主張に基づいて原告が訴えを変更した場合であっても，訴えの変更は許されない。

　そのほかに，④新旧両請求が同種の訴訟手続による場合であることが要件となる（136条参照。⇨ **11-2-1**）。追加的変更の場合はもちろんであるが，交換的変更の場合でも，旧請求についての訴訟資料が新請求についても訴訟資料になることから，同種の訴訟手続によって審理されていたことが必要になるのである。

11-3-4　訴えの変更の手続

　訴えの変更は，書面でしなければならず，その書面は相手方に送達しなけれ

ばならない（143条2項・3項）。原告が被告に対して新たな請求をすることになるので，訴えの提起（134条・138条参照）と同様の手続によるべきこととなる。通説は，請求の趣旨と請求の原因のいずれの変更の場合でも書面によるべきであるとしているが，判例（最判昭和35・5・24民集14巻7号1183頁）は，請求の原因のみの変更の場合は，書面によることを要しないとしている。判例は，143条2項が「請求の変更」としており，これが同条1項の「請求又は請求の原因」にいう「請求」すなわち「請求の趣旨」のみを意味すると解するようである。なお，書面の提出や送達の欠缺は，責問権の放棄・喪失（90条）の対象となる（最判昭和31・6・19民集10巻6号665頁）。

　この書面を提出した時に新請求について時効の完成猶予の効力が生じる（147条）。ただし，平成29（2017）年改正前民法の時効中断に関して，新請求と旧請求との関係や時効の対象となる権利の性質等を考慮して時効の中断の生じる時点を柔軟に解していた判例（訴えの交換的変更の場合に旧請求に係る訴え提起による時効中断の効力が失われないとした最判昭和38・1・18民集17巻1号1頁，旧請求に係る訴え提起時から新請求に関する催告〔民150条1項参照〕が続いていたと解する最判平成10・12・17判時1664号59頁）の趣旨は改正後民法のもとでも妥当する。

　裁判所は，訴えの変更が許されないとするときは，これを許さない旨の決定をしなければならない（143条4項）。この決定を口頭弁論で当事者に告知するか，終局判決の中でするかは，裁判所の裁量に委ねられており，終局判決中でする場合も，主文に不許を掲げる必要はなく，理由中で述べれば足りるとされている（最判昭和43・10・15判時541号35頁参照）。この決定は，審理の対象を旧請求に限定し，弁論を整序する趣旨の裁判であるので，これに対して独立の上訴は許されず，終局判決に対する上訴審において，訴えの変更を許さなかった原審の判断が正当かどうかが判断される。上訴審が原審の判断を不当と考えた場合には，原審のその決定を取り消し，新請求について自判するか，原審に差し戻すこととなる。

　裁判所が訴えの変更を許す場合には，とくに明示的に判断を示す必要はなく，そのまま新請求について審理を始めればよいが，被告が変更の許否を争う場合には，143条4項の上記規律と同様に，明示的に許可決定をするか，終局判決の理由中で判断を示すべきものと解されている。

11-3-5 訴えの変更後の審判

　訴えの変更後の審判は，追加的変更の場合（原告が交換的変更を申し立てたが被告が旧訴の取下げに同意しない場合を含む）は請求の併合として審判し，交換的変更の場合（旧訴の訴訟係属が適法に消滅した場合）は新請求についてのみ審判する。

　旧請求について既に提出されていた訴訟資料は，すべて新請求の訴訟資料となる。既にされた自白も新請求についてそのまま効力を有する。もっとも，利息請求を元本請求に変更した場合のように，訴えの変更の結果，係争利益の価値が著しく異なってくる場合には，訴訟追行の態度を変更する自由を当事者に認めるべきであるから，訴えの変更による自白の取消しの余地を認めるべきであるとする見解も有力である。

　控訴審で訴えの変更があった場合の判決主文は，控訴審で第1審とは異なる請求について判断していることが明確になるように，結論が第1審判決の主文の文言と合致する場合でも，単に控訴棄却の判決をすべきではなく，第1審判決を取り消し，新請求について改めて判断を示すべきである（最判昭和31・12・20民集10巻12号1573頁，最判昭和32・2・28民集11巻2号374頁，最判昭和43・3・7民集22巻3号529頁参照）。

11-4 反　訴

11-4-1 反訴の意義

　反訴（146条）とは，訴訟の係属中に，被告が原告に対して，同じ訴訟手続での審判を求めて提起する訴えをいう。「反訴」に対する用語として，原告が訴えている係属中の訴訟を「本訴」という。反訴を起こす被告は，反訴請求との関係では「反訴原告」となり，その相手方である原告は同様に「反訴被告」となる。

　反訴が認められる趣旨は，原告に請求の客体的併合（⇨ **11-2**）や訴えの変更（⇨ **11-3**）が認められていることとの公平を図り，かつ，関連した請求について審理の重複を避け，判断の統一を図ることができるようにするためである。

もっとも，被告は，反訴ではなく別訴で原告に対して請求することが原則として可能である。ただし，別訴を提起すると二重起訴の禁止（142条）ないし重複訴訟の禁止（⇨ *11-7*）に反するような場合には，二重起訴の禁止等に触れないようにするために，本訴と同一の訴訟手続での審判を求める反訴を選ばざるを得ないこととなる（別訴が二重起訴等となる場合に反訴であれば適法となり得ることにつき，⇨ *11-7-3* す 11-4）。

反訴には，本訴についての判決の内容を問わずに審理と判決を求める単純反訴と，本訴請求が却下または棄却されることを解除条件とする予備的反訴がある。単純反訴の例として，所有権移転登記手続請求の本訴に対する所有権確認の反訴が挙げられる。予備的反訴の例としては，原告の所有権移転登記手続請求に対して，被告が，売買契約の無効を主張しながらも，仮に売買契約が有効であって本訴請求が認容されるのであれば代金を支払うよう原告に求める反訴を起こすことが考えられる。

11-4-2　反訴の要件

(1) 概　　要

反訴の要件としては，①本訴が事実審に係属し，口頭弁論終結前であること（146条1項本文），②本訴の請求または防御方法と関連する請求を目的とすること（同項本文），③著しく訴訟手続を遅滞させないこと（同項2号），④請求の併合の要件があること（136条），⑤反訴請求が他の裁判所の法定専属管轄に属しないこと（146条1項1号），⑥反訴が禁止されていないことが挙げられる。そのほか，控訴審での反訴については，反訴被告の同意があること（300条1項）が必要である（⇨ *11-4-3*）。

これらのうち，①・③・④については，訴えの変更の要件①・③・④について *11-3-3* で述べたことが基本的に当てはまる。①に関し，法律審である上告審での反訴の提起は許されないとされている（最判昭和43・11・1判時543号63頁参照）。本訴の訴訟係属は，反訴提起時にあれば足り，その後本訴が取り下げられても反訴は適法なものとして係属し続ける。しかし，反訴が本訴を契機として提起されるものであるという被告（反訴原告）の動機や両当事者間の公平を考慮し，本訴が取り下げられた後は，反訴原告が反訴を取り下げるのに反訴被告の同意は不要とされている（261条2項但書）。

上記⑤の反訴請求が他の裁判所の法定専属管轄（⇨ **3-2-2-2**）に属するとき（146 条 1 項 1 号）は，その裁判所に訴えを提起できないので，併合審判の前提が欠けることになる。なお，特許権等に関する訴訟については東京地方裁判所と大阪地方裁判所の専属管轄に属するが（6 条 1 項），これらの両裁判所のうちの一方の専属管轄に属する請求について他方に反訴を起こすことができる（146 条 2 項。その理由について，⇨ **3-2-2-2** す 3-5）。

また，上記⑥の反訴を禁止する規定としては，351 条・369 条などがある。ところで，占有の訴えは本権（所有権等）に関する理由に基づいて裁判をすることができないとされている（民 202 条 2 項）ことから，占有の訴えに対して本権に基づく反訴を提起することができるかが問題となる。このような反訴は禁じられておらず，適法に提起できるとするのが判例（最判昭和 40・3・4 民集 19 巻 2 号 197 頁）・多数説である。

(2) 関連性の要件

前述(1)の反訴の要件のうち，②本訴の請求または防御方法と関連する請求を目的とすること（146 条 1 項本文。「関連性」の要件）は，本訴請求に関連する請求のみならず，被告（反訴原告）の提出した防御方法に関連する請求もできるとするものである。これは，本訴原告が訴えの提起時に緩やかな要件で請求の客体的併合をすることができることとの公平を図る趣旨とされている。

「関連する請求」とは，反訴請求が，本訴の請求や防御方法と内容または発生原因事実において共通することを意味する。この要件は，反訴被告が応訴や本訴の審理への影響によって被る不利益に配慮するものであるから，反訴被告が同意する場合には，これを満たさなくても反訴は適法である。責問権の放棄・喪失（90 条。⇨ **5-3-4-3**）の対象にもなる。

11-4-3　控訴審での反訴

控訴審での反訴については，反訴被告の同意があることが要件となる（300 条 1 項）。控訴審での訴えの変更については相手方の同意を要しない（297 条・143 条。⇨ **11-3-3**）のに対し，反訴に相手方の同意を要するのは，訴えの変更では「請求の基礎」の同一性（143 条 1 項）が要件となっているので，変更後の訴えについても第 1 審で審理が実質的に実施されていたとみることができるのに対し，反訴では，本訴の目的である請求のみならず防御の方法と関連する請

求であれば目的とすることができるので（146条1項本文参照），第1審で審理が実施されていない請求が反訴の目的となることがあり，相手方の第1審での審理を受ける利益（審級の利益）が害されるおそれのあることが考慮されている。なお，控訴審での反訴に対し，相手方が異議を述べないで本案について弁論をすると，反訴の提起に同意したものとみなされる（300条2項）。300条のこのような趣旨からして，第1審で，反訴の訴訟物である請求について，実質的に審理が尽くされているとみられるため，相手方が審級の利益を奪われるおそれがない場合には，相手方の同意を要しないと解されている。第1審で原告の土地明渡請求に対し，被告が同土地について賃借権を有する旨主張し，第1審判決が被告のこの主張を認めて原告の請求を棄却したところ，第1審被告が，控訴審で，反訴としてその賃借権の存在を主張して賃借権確認の訴えを提起したという事案において，判例（最判昭和38・2・21民集17巻1号198頁）は，第1審原告に第1審の審理を失う不利益を与えるものとは解されず，この反訴提起については第1審原告の同意を要しないとしている。

なお，人事訴訟においては，人訴法18条で，被告は第1審または控訴審の口頭弁論の終結に至るまで，関連性の要件を要せずに，また，控訴審でも相手方の同意なしに，反訴を提起できるとされている。これは，人事訴訟では画一的，一回的解決の要請が強く働くことによるものである（人訴25条2項と対応している。⇨ *11-1-2*。また，最判平成16・6・3家月57巻1号123頁参照）。

11-4-4 反訴の手続

反訴については訴えに関する規定によるとされており（146条4項），反訴の提起の手続は，訴え提起に関する規定（134条等）に従う。

反訴がその要件（⇨ *11-4-2*）を欠く場合には，判例はこれを却下すべきであるとしているが（最判昭和41・11・10民集20巻9号1733頁，最判昭和43・11・1判時543号63頁），学説上は，独立の訴えとしての要件を備えるかぎり，弁論を分離し，必要があれば管轄裁判所に移送して，適法な独立の訴えとして扱うべきであるとの見解が多く，客体的併合の要件を欠く併合訴訟に関する判例は既にそのような方向を示している（⇨ *11-2-1*）。

反訴が適法であれば，本訴請求と反訴請求との併合審判がされる。これらについて弁論の分離（152条1項）や一部判決（243条2項・3項）が可能かどうか

については，請求の客体的併合の場合と同様の考慮が働く（⇨ **11-2-3-1**，**11-2-3-2**）。すなわち，単純反訴であればこれらが原則として可能であるが，相当でない場合もある。予備的反訴であれば弁論の分離や一部判決はできない。

11-5　中間確認の訴え

中間確認の訴え（145条）とは，ある請求についての訴訟手続の中で，当事者が，その請求の当否の判断の前提として争いとなっている法律関係を訴訟物として，その存在または不存在の確認の判決を求める訴えである。例として，土地の所有権に基づく所有権移転登記抹消登記手続請求訴訟の係属中に，原告が中間確認の訴えとして当該土地の所有権確認を求める訴えを起こす場合が挙げられる。

中間確認の訴えは，原告のみならず被告も提起することができる。原告が起こす場合は，訴えの追加的変更の特別類型であり，被告が起こす場合は，反訴の特別類型である。上の例で，被告は，当該土地の所有権確認を求めて中間確認の反訴を起こすことがあり得る。

所有権に基づく所有権移転登記抹消登記手続請求や，所有権に基づく物の引渡請求は，それが確定判決で認容されても棄却されても，所有権の存否は判決理由中で判断されるにすぎず，その存否の判断には既判力が生じない（114条1項。⇨ **9-6-7-1**）。そこで，ここでの所有権のようないわゆる先決関係にある権利や法律関係の存否について，当事者が既判力を得て，その権利や法律関係をめぐる争いを最終的に解決するための手段を与えたのが中間確認の訴えである。

中間確認の訴えの要件は，訴訟の進行中に争いとなっている法律関係の成否がその訴訟の訴訟物に関する判断の前提となっており（前提関係ないし先決性といわれる），その法律関係について当事者間に争いがあることである。

中間確認の訴えは，上記のように訴えの変更または反訴の特別類型であるが，これらの要件が存在することにより，訴えの変更の要件である「請求の基礎の同一性」や反訴の要件である「本訴との関連性」は当然に満たされると考えられることとなる。

なお，その法律関係についての訴訟が他の裁判所の法定専属管轄に属する場合には，中間確認の訴えは許されない（145条1項但書。同条2項の場合を除く。

同条2項は，**11-4-2**でみた146条2項と同様の規定で，その趣旨について，⇨ **3-2-2-2** す 3-5）。

　中間確認の訴えは，訴えの追加的変更または反訴の一種として，書面による必要があり，その書面は相手方に送達される（145条4項・143条2項・3項）。この書面の提出時に時効の完成猶予の効力が生じる（147条）。

　中間確認の訴えによって拡張された請求と，それまで係属していた請求とは，単純併合の形で併合され，審判される（⇨ **11-2-2-1**，**11-2-3-1**）。中間確認の訴えが提起される前に提出されていた訴訟資料も，そのまま訴訟資料となる。

11-6　弁論の分離・併合

11-6-1　弁論の分離・併合の意義

　弁論の分離（口頭弁論の分離）とは，複数の請求が併合審理されている訴訟の係属中に，それらを分けて，その後は別々の手続で審理・判決するという裁判所の決定である。同一当事者間に係属する複数の請求を分離する場合もあるし，共同原告または共同被告が追行している訴訟で原告ごとまたは被告ごとに手続を分離して1つの手続で審理される当事者の数を減らす場合もある。

　弁論の併合（口頭弁論の併合）とは，別々に係属している（別々の手続で審理されている）複数の請求を1つにまとめて，その後は同一の手続で審理・判決することとする裁判所の決定である。客体的併合（同一当事者間の請求の併合）もあるし，主体的併合（当事者の併合）もある。

　裁判所は，訴訟指揮権の行使として，弁論の分離や弁論の併合の決定をすることができる（152条1項）。裁判所は，審理を整理したり，効率的に手続を進めたり，紛争を効果的に解決したりできるように，裁量によりそのような決定をする権限を与えられている。弁論の分離や併合は，条文の文言上は「命令」であるが，裁判の種類は裁判所の「決定」である（⇨ **9-1-3-1**）。当事者は，申立権を持たず，裁判所の職権発動を促すことができるのみであると解するのが（反対説はあるが）通説的見解である。なお，152条1項にこれらと並列的に定められている弁論の制限は，やはり審理を整理するための決定ではあるが，請求の併合関係には変動を及ぼさない（⇨ **5-3-1-5**）。

本章の **11-2** から **11-5** までで述べたように，請求の客体的併合（訴えの提起時からの原始的複数），訴えの変更，反訴，中間確認の訴え（以上は訴訟係属後の後発的複数）によって複数請求訴訟が生まれる。これらは，すべて，当事者が複数請求訴訟を発生させるものである。また，**第12章**（542頁）で取り上げられる多数当事者訴訟でも，当事者の行為により複数の請求が審判の対象とされることがある（共同訴訟として提起する訴え，独立当事者参加等）。これに対して，弁論の併合は，裁判所が裁量で行うものである。当事者が権利として審理・判決の併合を求めることができない場合（たとえば，判例は，通常共同訴訟が成立する場合について主体的追加的併合を認めない。⇨ **12-5-2-2**）であっても，裁判所が裁量で弁論の併合をすることは可能であり，当事者がそのような裁判所の職権行使を促すこともある。

当事者を異にする事件について弁論の併合を命じた場合に，その前に尋問した証人について尋問の機会がなかった当事者が尋問の申出をしたときは，その尋問をしなければならない（152条2項）。併合前の各手続での訴訟資料は併合後の手続でも訴訟資料になることを前提として，その当事者の証人尋問権を保障する趣旨の規定である。

11-6-2 弁論の分離・併合についての判断

裁判所は，請求が併合されている場合に弁論の分離をするかどうかの判断において，弁論や証拠調べを同時に行うことによる便宜，裁判の矛盾抵触の回避等の併合審判の利点と，併合審判による手続の複雑化や遅延という欠点とを比較考量する。請求ごとに複数の手続が進められている場合に弁論の併合をするかどうかの判断においても，これと同様の比較考量が行われることになる。これらの判断にあたっては，請求または当事者の同一性ないし関連性，訴訟の進行状況や訴訟資料の状況，弁論終結や判決の時期および判決の内容についての見通し，当事者の意思などが考慮されることになる。いわゆる手続裁量論（⇨ **5-3-1-1 す** 5-2）の働く場面の1つである。

一度弁論を併合した後，また弁論を分離することも可能である。弁論併合がされた事件で一部判決をすることについては明文の規定がある（243条3項）。

弁論の併合は，明文の例外規定（人訴17条，行訴16条等）がないかぎり，同種の訴訟手続による請求の間でしかできない（136条。⇨ **11-2-1**）。併合要件を

第 11 章　複数請求訴訟

欠く請求を併合した訴えが提起された場合（136 条の要件を具備しない併合請求，38 条の要件を欠く共同訴訟，行訴 16 条～19 条の要件を欠く場合等）や，反訴の要件（146 条 1 項本文）を欠く反訴が提起された場合に，弁論を分離して，訴えとして適法として取り扱うべきかが問題となる（⇨ 11-2-1, 11-4-4）。

　弁論の併合は，一定の場合に，明文の規定により法律上義務付けられることがある。同一の請求を目的とする会社の組織に関する訴えについて弁論と裁判の併合を義務付ける明文の規定があり（会社 837 条），人訴法にも弁論の併合を義務付ける定めがある（人訴 8 条 2 項・17 条 3 項。人事訴訟では裁判の併合は義務付けられていないので，いったん併合した後，弁論を分離したり一部判決をしたりすることは可能である）。

　次に，請求相互の関連性からして 1 つの手続で審理・判決することが必要不可欠であり，弁論の分離が許されない場合がある。具体的には，次のような場合であり，これらの場合には，一部判決（243 条 2 項）も許されない。まず，予備的併合（最判昭和 38・3・8 民集 17 巻 2 号 304 頁は，予備的併合において主たる請求を排斥する一部判決が許されないとした），選択的併合，予備的反訴の場合は，いずれも，請求相互の関係に関する当事者の意思ないし期待を尊重するため，弁論の分離は許されない。また，必要的共同訴訟（40 条）については合一確定の要請が働くので，弁論の分離は許されない。同時審判の申出のあった共同訴訟，および，引受承継のされた訴訟については，弁論の分離と一部判決を禁ずる明文の規定がある（41 条 1 項，その 50 条 3 項による準用）。独立当事者参加がされた訴訟についても，弁論の分離は許されないとするのが多数説である（一部判決が許されないとした判例として，最判昭和 43・4・12 民集 22 巻 4 号 877 頁。また，東京高判平成 13・5・30 判時 1797 号 131 頁は，片面的独立当事者参加について分離を許さないとした）。同一目的の形成訴訟（例として，離婚事件の本訴と反訴）や，本訴と反訴が同一の，または，両立しない権利関係を目的とする場合（例として，債務不存在確認の本訴に対する同一請求権に基づく給付の反訴，同じ土地についての所有権確認の訴えに対する所有権確認の反訴。⇨ 11-7-3）についても分離は許されない。また，請負代金債権と瑕疵修補に代わる損害賠償債権とがそれぞれ請求されている本訴と反訴が係属しており，反訴において本訴原告から請求債権を自働債権とする相殺の抗弁が主張された場合には，本訴と反訴との弁論を分離することは許されない（最判令和 2・9・11 民集 74 巻 6 号 1693 頁。142 条の趣旨

との関係について，⇨ **11-7-4**)。さらに，前述の会社法837条は，弁論の併合を義務付け，分離を許さない規定である。

これらに反した弁論の分離は，訴訟手続の違法をもたらし，その訴訟手続を経た判決は，控訴審における取消事由（305条）や上告審における破棄事由（325条1項・2項）となり得，取消しまたは破棄後の差戻審で是正されることになる（308条2項・325条3項）。

以上に挙げたものとは異なり，単純併合の場合や通常共同訴訟（39条参照）の場合（同時審判の申出に係るものを除く）には，裁判所に弁論を分離するかどうかの裁量があると解される。ただし，前述の請求相互の関連性や審理の状況等の考慮要素を総合的に勘案して，事案によっては，弁論の分離が裁量権を逸脱し，違法であると評価されることがあろう。たとえば，貸金元本請求とその利息の請求とを分離するとか，所有権確認請求と所有権に基づく所有権移転登記抹消登記手続請求とを分離するといった事案である。なお，弁論の併合についても，裁量権行使の当否は理論的には問題になり得る。

11-7 重複訴訟の処理

11-7-1　二重起訴禁止の趣旨と重複訴訟の処理

民訴法142条は，裁判所に係属する事件については，当事者は，さらに訴えを提起することができないと定めている。これは，**二重起訴の禁止**，**重複起訴の禁止**などと呼ばれている。これは，訴訟係属の効果であり（⇨ **2-4-2**)，多くの体系書では訴え提起と関連づけて説明されるが，本書では，複数請求訴訟の章で取り扱う（⇨❶ 35)。

二重起訴禁止の制度趣旨については，伝統的に，二重に提起された後訴を適法とすると既判力（⇨ **9-6**)が矛盾抵触するおそれが生じること，審判の重複によって裁判所の資源が無駄遣いされ訴訟制度上の不経済が生じること，二重に訴訟追行を強いられる相手方（被告）にとって迷惑になることという3つの観点から説明されることが多い。

しかし，このような説明に対しては，これらの根拠を漫然と並列しても解釈論としての意味は薄く，また，根拠として既判力の矛盾抵触のおそれが挙げら

れるべきであるとすると，これが解釈論の指針となり，それがない場合には142条の趣旨が働かなくなる一方，それがある場合には，それを理由に当事者の訴えや主張を過度に制約する方向での142条の解釈につながってしまうとの批判がある。批判説は，まず，従来の議論は前訴と後訴とで原告と被告とが入れ替わっている場合や当事者が一部異なる場合でも二重起訴禁止に触れることがあるとするが，被告の迷惑という根拠はこれらの場合に妥当しないとされる。また，既判力の矛盾抵触に関して，この批判説は，142条の解釈論においては，二重起訴禁止を含みつつもそれより広い場面や規律を対象とする「重複訴訟の処理」を問題とすべきであることを前提として，このような重複訴訟の処理において解釈論の指針として根拠とすべきは「判決内容の矛盾抵触」のおそれであって，「既判力の矛盾抵触」のおそれではないとする。そして，批判説は，既判力の矛盾抵触のおそれを解釈指針とすると，たとえば，XのYに対する土地所有権に基づく所有権移転登記手続請求訴訟の係属中にYがXに対して別訴で同一土地のYの所有権の確認の訴えを提起することは142条に違反しないとした判例（最判昭和49・2・8金判403号6頁）のように，これら整合的な結論を得るべき両訴訟が同時に係属する場合にも何らの規律を働かせることができないという不適切な結果となる一方で，既判力の矛盾抵触のおそれがあっても訴えや主張を適法とすべき場合（後から提起された手形訴訟につき，⇨ **11-7-3す** 11-5，相殺の抗弁の取扱いにつき，⇨ **11-7-4**）に適切な対応ができないとする。なお，批判説からは，既判力の矛盾抵触自体は，民訴法が用意した方法によって解決可能であるとされる。具体的には，後に提起された訴え（後訴）について二重起訴であることを看過して判決がされ，それが先に確定すれば，前に提起された訴え（前訴）の判決の方が後訴の確定判決に従う必要が生じるところ，同時並行的な訴訟係属を前提とする重複訴訟の場面では，既判力によって利益を受ける当事者と裁判所のいずれもがそれを見逃すという事態はほとんど考えられないし，仮に前訴の裁判所が既判力ある後訴確定判決の存在を看過してそれと矛盾する判決をしてそれが確定しても，この前訴確定判決は，既判力違反（338条1項10号）を根拠として再審の訴えにより取り消されるので，実際上既判力が抵触して解決のつかない状況が生じることは想定できないとされる。

批判説が説くように，伝統的に挙げられてきた3つの根拠を分析すると，そこには疑問の余地がある。とくに，被告の迷惑については，原告が被告に全く

同じ訴えを二重に提起するという，典型的ではあるが要件や効果についてとりたてて論じるまでもない事案を主に念頭に置く理由づけであるし，訴訟不経済と別個独立に取り上げる必要性は乏しい。また既判力の矛盾抵触のおそれに関しては，それが重複訴訟の処理が問題となる重要な場面であることを否定すべきではないが（批判説も，既判力の矛盾抵触も重複訴訟論の根拠となり得ること自体は否定しない），民訴法の解釈上，重複訴訟の処理が問題になることの根拠としては，「判決内容の矛盾抵触」のおそれを挙げるのがより適切である。

そして，本書は，先の批判説の問題意識に沿い，伝統的な「二重起訴の禁止」を含みつつも，それとは区別した意味で，「重複訴訟の禁止」という問題設定をする（⇨❶35）。142条が明文で定める「二重起訴の禁止」は，たとえば，XがYに対し，甲土地の代金1000万円での売買契約に基づいて甲土地の売買代金1000万円を請求する訴えを提起し，その係属中に，XがYに対して全く同じ売買契約に基づいて甲土地の売買代金1000万円を請求する訴えを提起することはできないというものであり，このように同じ訴えが二重に提起された場合に，後の訴えが訴訟要件を欠き，不適法になるという規律である。しかし，このような単純な形での二重の訴えが実際に提起されることはまれである。142条との関係で判例上または学説上問題とされている事例では，2つの訴えの間で原告と被告が入れ替わっていたり，当事者が一部異なっていたり，訴訟物が異なっていたり，一方の訴えで訴訟物となっている権利が他方で相殺に供されたりといった具合に，単純な二重の訴えとは異なるものの，実質的には審理の全部または大部分が重複することが予想されたり，既判力が抵触する可能性が生じたりするという事例である。そして，このような事例の処理のためには，142条が二重起訴禁止の効果として定める訴訟要件の欠如を理由とする後訴の却下という処理とは異なる処理をすべき場合がある。そこで，本書は，二重起訴禁止を含む重複訴訟の処理の必要性の根拠として，訴訟不経済の防止と判決内容の矛盾抵触のおそれの回避との2つを挙げるべきであると考える。

以下では，**11-7-2**で二重起訴の禁止について述べ，**11-7-3**でより広い場面を対象とする重複訴訟の処理について検討する。また，**11-7-4**で取り上げる相殺の抗弁の取扱いも，142条が本来予定する二重起訴の禁止からは外れるが，重複訴訟の処理の問題に含まれる事柄である。

> **TERM** ㉟ 「二重起訴の禁止（重複起訴の禁止）」と「重複訴訟の処理」の用語法
>
> 　本書は，「二重起訴の禁止」と「重複訴訟の禁止」ないし「重複訴訟の処理」とを使い分け，「重複訴訟の処理」は，「二重起訴の禁止」を含むが，それに限らず，より広い場面や規律を対象とする事柄であるという考え方に立つ。なお，「重複起訴の禁止」は「二重起訴の禁止」と同じ意味であり，142条の題名は「重複する訴えの提起の禁止」であるので「重複起訴の禁止」という語を用いた方が条文の文言に忠実であるが，「重複訴訟の禁止」との間で見た目が紛らわしいので「二重起訴の禁止」という語を主に用いる。そして，本文で述べたように，142条の文言よりも広い場面（要件）または多様な処理（効果）を考慮に入れた議論をするには，「二重起訴の禁止」とは区別した「重複訴訟の禁止」や「重複訴訟の処理」という用語を用いるのが適切である。そこで，本書では，複数の請求が定立されていることに着目して，「二重起訴の禁止」を含めてこの問題を複数請求訴訟の章で取り扱うとともに，**11-7**の項目名も「重複訴訟の処理」としている。

11-7-2　二重起訴の禁止の要件と効果

　二重起訴に当たるのは「裁判所に係属する事件」と同一の事件について訴えを提起する場合である。すなわち，訴えの係属中に同一の訴えを提起することである。前訴の係属の発生時点は被告への訴状の送達の時であると解され（⇨ **2-4-1-1**），その係属の終了時点は，判決の確定（⇨ **9-4-2**）または当事者の行為（⇨ **第10章**〔481頁〕）による訴訟の終了の時である。

　後訴が前訴との間で事件として同一であることが二重起訴の要件となる。これを「事件の同一性」という。事件の同一性は，「当事者の同一」と「訴訟物の同一（審判の対象の同一）」との双方を満たす場合に認められると考えるのが通説である。これらの要件を満たすのは，前訴と後訴の当事者が同一であり，かつ，訴訟物である権利または法律関係が同一である場合である。具体例として，**11-7-1**で挙げた土地売買代金1000万円の請求の訴えの二重提起がある。

　そして，二重起訴禁止の効果として，このような後訴が不適法な訴えとして却下される（「前訴優先原則」といわれる）。同一の事件について訴訟が係属していないことが訴訟要件となるということである。

　ただし，二重起訴禁止に違反した後訴について，その違反を看過して判決がされ，前訴の判決よりも先に確定すれば，後訴の確定判決が既判力を持ち，そ

の後は前訴についてその既判力に従った判決をしなければならないことになる。前訴の裁判所が既判力に反する判決をすれば，338条1項10号で再審事由となる。

11-7-3 重複訴訟の処理

(1) 総　説

142条が直接的に対象にしているのは前述 **11-7-2** の場合であるが，そのほかにも，伝統的な通説は，既判力の抵触のおそれがある場合（相反する内容の既判力が発生する可能性のある場合）には，二重起訴禁止の制度趣旨（⇨ **11-7-1**）に鑑み，「当事者の同一性」と「訴訟物の同一性」からなる「事件の同一性」を肯定することができるので142条の要件を満たすという解釈論を示してきた。具体的には後述(2)(3)で挙げるような場合である。そして，その効果については，前訴優先原則に立ち，後訴が不適法な訴えとなり，却下されるというのが伝統的な考え方である。

しかし，既判力の抵触のおそれがあるからといって，直ちに142条によって後訴が不適法となるという効果に結び付けるべきではない。事案の類型に応じて，裁判所が弁論の併合（152条1項。⇨ **11-6**）の義務を負い，また，裁判所が違えば，弁論併合の前提として，一種の管轄違いであるとして16条1項（⇨ **3-2-5-1**）により，または，当事者間の衡平を図る必要があるとして17条（⇨ **3-2-5-2**）により移送をする義務を負うものと解し，これらの措置により，いずれの訴えも適法なものと取り扱って審理および判決をすべき場合がある。

本書では，重複訴訟の処理が問題となる場合として，**11-7-2** で挙げた二重起訴に当たる場合のほか，伝統的な考え方が既判力の抵触のおそれがあるため142条の要件を満たすと考えていた後述(2)(3)のような場合（いわば二重起訴にかなり近い場合），さらに，既判力が矛盾抵触するわけではないが，判決内容の矛盾抵触のおそれがある場合（たとえば，**11-7-1** でみた批判説が挙げる所有権に基づく所有権移転登記手続請求訴訟と所有権確認訴訟が別々に係属する場合）があるものと考える。そして，それらの処理としては，上記のように，後訴の不適法却下という処理以外の方法を採るべき場合もあるとするものである。この所有権に基づく所有権移転登記手続請求訴訟と所有権確認訴訟とは，同一審級に係属中であれば，裁判所が（移送・事件分配の割替え・弁論の併合等の所要の手続を経て）

併合審理をすべき義務を負うと解すべきであろう。

　なお，近時は，さらに広く，社会的な事実関係や訴訟資料が共通する場合には重複訴訟となるという見解や，主要な争点が共通であれば重複訴訟となるといった見解も示されている。これらの場合には，裁量による弁論の併合（⇨ 11-6）が問題となり得ることがあるが，ここでの重複訴訟の問題には含めないこととする。

(2)　**当事者が同一で原告と被告が入れ替わっている場合**

　たとえば，YがXに対し，甲土地の売買契約の無効を主張してその契約に基づく代金1000万円の支払債務の不存在確認の訴えを提起したのに対し，その係属中に，XがYに対し当該売買契約に基づいて代金1000万円の支払請求をした場合，Xの後訴が不適法とならないかが問題となる。この場合，通説的見解は，Xが反訴として訴えを提起すれば適法であるが，先に係属している訴訟手続での審理と判決を求めない別訴であれば，原告と被告とが入れ替わっていても当事者の同一性の要件を満たし，訴えの一方が給付の訴え，他方が確認の訴えであっても，同一の権利を目的とするものであるので，後訴が不適法であるとする。説明の仕方としては，同一の訴訟物であるとみて142条の直接適用というか，訴訟物は別であるとみて同条の類推適用というかの両方があり得る。

　この考え方に対しては，債権者が別訴として後から給付の訴えを提起した場合であっても，債権者側からの権利行使が本来の形であり，給付を求める必要性もあるから，後訴であるXの給付の訴えが適法となり，前訴であるYの債務不存在確認の訴えが確認の利益を欠くか重複訴訟禁止に触れるかの理由で不適法となるとの見解がある。また，別訴として訴訟を進行させられないとしても，一方の訴えの弁論を他方の訴えの弁論に併合するのが望ましい場合があり，とりわけ債務不存在確認の前訴の手続が相当程度進行しているときには，後から提起された給付の訴えを前訴に併合するのが相当であるとの見解もある。

> **すこし詳しく 11-4**　**反訴であれば重複訴訟に当たらないことの意味**
> ▶通説的見解からも，反訴であれば，本訴と併合審理されるので，既判力の矛盾抵触のおそれは小さいし，審理の重複による訴訟不経済も生じないことから，142条が禁止する二重起訴には当たらないとされる。判例も，債務不存在確認の訴えに対する反訴として債権者が給付の訴えを提起すれば，本訴である債務不存在確認の訴えが確認の利益を欠き，不適法となるとしてい

る（最判平成 16・3・25 民集 58 巻 3 号 753 頁参照）。もっとも，反訴であるからといって弁論の分離ができないとは直ちにはいえないので，重複訴訟禁止に触れないという結論を導くためには，弁論を分離するとそのような問題が生じるような場合には裁判所は弁論の分離をしてはならないと解することが前提となる。そのように解すべきであろう。

すこし詳しく 11-5　後から提起された手形訴訟の取扱い
▶伝統的な考え方のように債務不存在確認の訴えの後に当該債権に基づく給付の訴えが別訴として提起された場合には給付の訴えが二重起訴に当たると解するとしても，手形金債務不存在確認訴訟の係属中にその被告である手形債権者が手形金請求を手形訴訟（350 条以下。⇨ **14-2**）として提起する場合には，二重起訴禁止には触れないと解するのが通説である（裁判例として，大阪地判昭和 49・7・4 判時 761 号 106 頁，大阪高判昭和 62・7・16 判時 1258 号 130 頁，東京地判平成 3・9・2 判時 1417 号 124 頁参照）。このような場合にまで二重起訴に当たるとしてしまうと，手形訴訟は通常訴訟とは訴訟手続が異なる（352 条等参照）ので反訴として手形訴訟を提起することはできず（136 条），手形訴訟を封じようとする債務者からの先制攻撃的な債務不存在確認の訴えが功を奏することになって手形所持人の簡易迅速な権利実現という手形訴訟の趣旨を損なうことになるからである。

(3)　その他の場合

以上のような場合のほか，伝統的な通説は，次のような場合に二重起訴に当たるとする。

当事者の同一性との関係では，一方の訴えの当事者が他方の訴えの判決の効力を受ける場合（115 条 1 項 2 号・4 号）も，既判力の抵触または重複の可能性があるので，二重起訴禁止に当たるとされる。たとえば，債権者 X の第三債務者 Y に対する債権者代位訴訟（民 423 条）が係属している間に債務者 Z が自己の同じ債権を行使して第三債務者 Y に対する給付訴訟を提起する場合であり，この場合は，いずれも訴訟物は債務者 Z の第三債務者 Y に対する債権であって同一であり，かつ，債権者代位訴訟の既判力は債務者 Z に及ぶ（115 条 1 項 2 号。⇨ **9-6-9-2**）からである。この場合，Z は XY 間の訴訟への共同訴訟参加（52 条）が可能であり，また，Z が X の Z に対する債権（被保全債権）の存在を争うときには独立当事者参加（47 条 1 項）もできる（⇨ **12-8-3-1**(3)）。そして，この処理をさらに発展させれば，債務者 Z が Y を被告として別訴を提起しても弁論の併合の義務付けと共同訴訟参加または独立当事者参加の規律

(⇨ **12-8-8-3**, **12-8-5**, **12-8-6**, **12-4-4**) で対応すべきであるとの議論があり得よう。

次に，訴訟物（審判の対象）の同一に関し，権利は異なるものであっても，互いに両立しない権利である場合には，142条の要件を満たすとされている。たとえば，XがYに対して提起した甲土地の所有権確認訴訟の係属中にYがXに甲土地の所有権確認の訴えを提起したような場合である。この場合，Yの訴えがXの訴えに対する反訴であれば適法であるが，別訴であれば二重起訴に当たるとされる。両方の請求が認容された場合，同じ土地についてXとYのいずれの所有権も存在するとの既判力ある判断が並立してしまい，一物一権主義に反して矛盾することになるからである。しかし，このようなYの別訴も，却下すべきではなく，弁論の併合をすることによって適法な訴えとして取り扱うべきであろう。Xが提起した前訴で請求棄却判決がされてもYの所有権が認められる効果は生じないところ，双方の所有権の主張は対等に扱われるべきだからである。

11-7-4 相殺の抗弁の取扱い

訴訟物である請求権を減殺するために被告から主張される相殺（民505条以下）の抗弁に係る債権は，訴訟物ではない。これは，理由中で判断される事項であり，また，事案によっては判断されるかどうかも確実でない。しかし，訴訟物に対抗するものとして判断の対象となれば，対抗した額の不存在について既判力を生じるので（114条2項。⇨ **9-6-7-2**），既判力の矛盾抵触という問題は生じ得る。そこで，相殺の抗弁について二重起訴と同様に取り扱うべきかどうかという議論がある。そして，別訴の提起と相殺の抗弁の提出との前後関係により，次の2つの場面が問題となる。①YがXに対して提起した訴えでA債権が訴訟物となっている場合に，XがYに対して提起した訴訟でYがA債権を自働債権として相殺の抗弁を適法に主張できるか（訴え先行型）。②XがYに対して提起した訴訟においてYがB債権を自働債権とする相殺の抗弁を主張している場合に，YがB債権を訴訟物とする別訴を適法に提起できるか（抗弁先行型）。

判例は，①の訴え先行型の場合につき，審理が重複して訴訟上の不経済が生じるし，相殺をもって対抗した額の不存在に既判力が発生し自働債権の存否に

つき抵触する判決が生じて法的安定性を害する可能性があるので，二重起訴禁止の趣旨によって相殺の抗弁の主張は不適法であるとする（最判昭和63・3・15民集42巻3号170頁，最判平成3・12・17民集45巻9号1435頁）。ただし，先行する別訴が債権の一部を明示して請求する訴訟であり，その残部債権を自働債権とする相殺について，最判平成10・6・30（民集52巻4号1225頁）は，明示の一部請求の既判力は残部には及ばないことを挙げたうえで（一部請求後の残部請求の可否につき，⇨ **9-6-8-2**），債権の一部と残部とで異なる判決がされ事実上の判断の抵触が生じる可能性や審理の重複，被告と裁判所の負担等を検討する必要はあるものの，相殺の抗弁は訴えの提起とは異なり相手方の提訴を契機として防御の手段として提出されるものであり，相手方の訴求する債権と簡易迅速かつ確実な決済を図るという機能を有するものであることから，1個の債権の残部をもって他の債権との相殺を主張することは，債権の分割行使による相殺の主張が訴訟上の権利の濫用に当たるなど特段の事情の存する場合を除いて，正当な防御権の行使として許容されるとしている。また，最判平成18・4・14（民集60巻4号1497頁）は，本訴および反訴が係属中に，反訴請求債権を自働債権とし，本訴請求債権を受働債権として相殺の抗弁を主張することは許されるとしており，その理由として，この場合，反訴原告が異なる意思表示をしないかぎり，反訴は，反訴請求債権につき本訴において相殺の自働債権として既判力ある判断が示された場合にはその部分については反訴請求としない趣旨の予備的反訴に変更されることになり，そうすれば，二重起訴の問題は生じないことを挙げている。さらに，最判平成27・12・14（民集69巻8号2295頁）は，本訴の訴訟物である債権が時効消滅したと判断されることを条件として，反訴において，その債権を自働債権として相殺の抗弁を主張することは許されるとする（なお，時効消滅した債権による相殺も可能な場合があることについて，民508条参照）。これら最判平成18・4・14と最判平成27・12・14の判断は，それらの場合には複数の請求に係る弁論の分離ができないとの考え方を前提とするものと理解できる。そして，弁論の分離の禁止と相殺の抗弁の許容性との関係をより明確にした判例として，最判令和2・9・11民集74巻6号1693頁がある（**11-6-2** でも挙げた）。この判例は，請負代金債権と瑕疵修補に代わる損害賠償債権の一方を本訴請求債権とし，他方を反訴請求債権とする本訴と反訴が係属している場合に，本訴原告から，反訴において，本訴請求債権を自働債権とし，

反訴請求債権を受働債権とする相殺の抗弁が主張されたときは，本訴と反訴の弁論を分離することは許されず，本訴と反訴が併合して審理判断される限り，相殺の抗弁について判断をしても，本訴請求債権の存否等に係る判断に矛盾抵触が生ずるおそれはないので，相殺の抗弁を主張することは，142条の趣旨に反するものとはいえないとしている。

訴え先行型の事例での相殺主張の適法性について，判例は，先行する訴えの訴訟物と相殺の自働債権の重なりによる既判力の抵触のおそれの有無を分水嶺にしているようにみえるが，後述の適法説からは，たとえ既判力の抵触のおそれが皆無ではないにしても，同一当事者間で同時期に訴訟係属がある以上，一方の既判力が他方の訴訟で見逃されることは現実には考えにくいので，前掲最判平成10・6・30が挙げている相殺の簡易決済機能や担保的機能を重視すべきであると批判されている。

②の抗弁先行型の場合について最高裁判所の判例は示されておらず，従来は後の訴えを適法とする裁判例がみられたが，近時の下級審裁判例は，142条の類推適用により相殺の抗弁の後で提起された訴えを不適法とする傾向にある（大阪地判平成8・1・26判時1570号85頁，東京高判平成8・4・8判タ937号262頁）。

学説は分かれており，判例や近時の裁判例と同様に①②ともに142条の類推適用を認めて抗弁主張や訴えを不適法とするものがあるほか，①②ともに適法であるとするもの，①は適法であるが②は不適法であるとするもの，①は不適法であるが②は適法であるとするものがある。

いずれも適法であると解する見解は，相殺の主張は裁判所によって必ず判断されるとはかぎらないこと，相殺の抗弁を許容して相殺の簡易な決済機能（別訴を提起して強制執行をするのと相殺をするのとでは手間のかかり方が全く違う）および担保的機能（Xの資力が低い場合に，Yが相殺の主張をすることができないと，YはXから自働債権の回収ができないのに，Xからの債務の取立てを甘受しなければならないが，そのような事態を避けるために相殺の担保的機能が重要となる）を保護すべきこと，既判力の抵触は決定的な理由とはならないことなどから，相殺の抗弁を訴えと同視することはできないとする。以前の多数説はこの考え方であったとみられ，近時も有力である。

これに対して，①は適法であるが②は不適法であるとする考え方も有力である。その理由は，①の訴え先行型の場合はYが相殺の簡易決済機能や担保的

機能を確保するためには相殺をするほかはないので（Yは別訴を提起しているので，別訴を取り下げないと相殺の抗弁を提出することができないが，それには261条2項によってXの同意が必要であり，事実上難しい），これを適法とすべきであるが，②の抗弁先行型の場合には，Xの訴えに対してYは抗弁を提出して既に相殺の機能を享受しており，また，Xの訴えに対して反訴を提起することも可能であるので，既判力の抵触の危険を冒してまであえて別訴を許容する必要はないからである。

11-7-1 および **11-7-3**(1)で述べたような重複訴訟論からは，既判力の抵触のおそれは，それをもって後に出された訴えや相殺主張を直ちに不適法とすべき理由とはならない。そこで，少なくとも，相殺主張の必要性の大きい①の訴え先行型の場合は，判例とは異なり，相殺の抗弁の主張を適法と解すべきである。他方，②の抗弁先行型の場合には，抗弁提出者は，反訴を提起することにより既判力抵触のおそれを回避することが可能であるので，別訴を提起できる地位を保障する必要まではなく，別訴は，反訴が禁止されている場合を除いて，重複訴訟の禁止に触れて不適法となると解してよいであろう。

すこし詳しく 11-6　訴え先行型で相殺の抗弁の主張を不適法とした判例の問題点

▶本文で述べたように，前掲の最判昭和63・3・15と最判平成3・12・17は①の訴え先行型で相殺の抗弁の主張を不適法としている。とくに最判平成3・12・17は，相殺の自働債権を訴訟物とする訴訟の弁論と相殺の抗弁が提出された訴訟の弁論とが併合された場合であっても相殺の抗弁の主張は不適法であるとしたものであり，いわば絶対的不適法説に立つものであるが，これに対しては従来から強い批判がある。重複訴訟の問題が生じる場合でも当事者の合理的な利益を保護する必要がある場合には弁論の併合等によって訴えや抗弁主張をできるだけ適法と扱うべきであるとする本書の立場からは，当然のことながら，この判断は是認できない。また，この判断は，弁論が併合されても裁判所の裁量によって分離される可能性があることを前提にしているとみられるが，本件の原審がいったん併合した両訴訟の弁論を分離したことにも批判が強い。このような弁論の分離は，審理の重複や既判力の矛盾抵触を避ける方法である併合審判を消滅させて相殺の抗弁の実効性を失わせる結果をもたらすものであって，裁判所の裁量権を逸脱した違法なものとみるべきである（⇨ **11-6-2**）。

第12章

多数当事者訴訟

12-1 多数当事者訴訟の意義
12-2 共同訴訟および訴訟参加の諸類型
12-3 通常共同訴訟
12-4 必要的共同訴訟
12-5 主体的追加的併合
12-6 補助参加
12-7 訴訟告知
12-8 独立当事者参加
12-9 訴訟承継

12-1 多数当事者訴訟の意義

　多数当事者訴訟とは，1つの訴訟手続に3人以上の者が当事者または補助参加人として関与する訴訟形態をいう。このような訴訟形態としては，第1に，原告または被告が複数になる場合がある。たとえば，債権者が主債務者と保証人を共同被告とする訴訟形態がそれであり，共同訴訟と呼ばれる。第2に，訴外第三者が既存の訴訟に当事者または補助参加人として関与する場合がある。たとえば，債権者が保証人を相手に訴えを提起したところ，主債務者が保証人を勝訴させるために補助参加人として参加するという場合であり，訴訟参加と呼ばれる。第3に，当事者が交代する場合がある。たとえば，当事者の一方が係争物を第三者に譲渡したところ当該第三者が参加承継をしたという場合であり，訴訟承継と呼ばれる。

12-2　共同訴訟および訴訟参加の諸類型

12-2-1　共同訴訟の諸類型

「**共同訴訟**」とは1つの訴訟に複数の原告または複数の被告が関与する訴訟形態をいう。かかる共同訴訟は，通常共同訴訟，固有必要的共同訴訟，類似必要的共同訴訟に分類される。これらの訴訟形態は訴訟開始時から成立している場合もあるが，事後的に成立する場合もある。

通常共同訴訟，固有必要的共同訴訟，類似必要的共同訴訟は，講学上，訴訟共同の必要と合一確定の必要という2つの観点から整理される。共同訴訟にしないと訴え自体が不適法となる場合を「訴訟共同の必要がある」，単独訴訟も許される場合を「訴訟共同の必要がない」と表現する。また，共同訴訟が成立した際に，共同訴訟人の足並みを揃わせて，それによって判決の内容の統一を図る必要がある場合を「合一確定の必要がある」，そのような必要がない場合を「合一確定の必要がない」と表現する。

以上の観点に従うと，通常共同訴訟は，訴訟共同の必要も合一確定の必要もない訴訟形態，固有必要的共同訴訟は訴訟共同の必要と合一確定の必要の双方がある訴訟形態，類似必要的共同訴訟は，訴訟共同の必要はないが，合一確定の必要はある訴訟形態ということになる。

なお，通常共同訴訟の中には，同時審判申出共同訴訟という特殊な形態が含まれる。これは，訴訟共同の必要がなく，合一確定の必要もないが，弁論の分離および一部判決が禁じられるという点で通常共同訴訟とは異なる規律に服するものである。

12-2-2　訴訟参加の諸類型

「**訴訟参加**」とは第三者が自らの利益を守ることを目的として既存の訴訟に関与するための手段である。訴訟参加をする第三者を参加人という。訴訟参加には，参加人が当事者として参加する形態と，当事者とはならずに参加する形態とがある。

参加人が当事者として参加する形態は「**当事者参加**」と呼ばれ，参加人は，

自ら請求を定立したうえで，他人間の訴訟において訴訟追行を行う。当事者参加は，独立当事者参加，共同訴訟参加に分類され，独立当事者参加はさらに権利主張参加と詐害防止参加に分類される。

参加人が当事者とはならずに参加する形態（当事者参加との対比でいえば非当事者参加ということができる）には，補助参加がある。この場合の参加人は，自ら請求を定立せずに，既存当事者の一方を勝訴させることを通じて自らの利益を守ることを目的として他人間の訴訟において訴訟追行をする。

12-3 通常共同訴訟

12-3-1 通常共同訴訟の意義

「**通常共同訴訟**」とは，訴訟共同の必要も合一確定の必要もない共同訴訟形態である。各共同訴訟人の，または各共同訴訟人に対する請求を併合審理に付すことで，審理の効率化および統一的な解決を図ることを目的とする。

ただし，もともと訴訟共同の必要はないのであるから，各当事者の訴訟追行の自由は可能なかぎり尊重される。したがって，共同訴訟形態が維持されたとしても，常に論理的に矛盾のない判決がなされることまで保障されているわけではない。

12-3-2 通常共同訴訟の要件

38条は，①訴訟の目的である権利または義務が数人について共通であるとき，②訴訟の目的である権利または義務が同一の事実上および法律上の原因に基づくとき，③訴訟の目的である権利または義務が同種であって，事実上および法律上の同種の原因に基づくときのいずれかに該当する場合に原告は共同訴訟を利用できる，としている。複数の原告または複数の被告が関与している場合，関連性がない請求を併合審理に付しても審理の重複の回避による効率化が期待できない一方で，かえって審理が複雑になるおそれが生じるなど当事者に対する弊害が大きいからである（単なる請求の客体的併合の場合に関連性が要求されていないことについては，⇨ **11-2-1**）。

①は，訴訟物が同一であること，または，訴訟の基礎となる法律関係に共通

性が認められることを意味する。同一土地に関する所有権確認請求訴訟を，複数人を共同被告として提起する場合が前者の例であり，主債務者と保証人を共同被告にする場合が，主債務が共通する法律関係であるから，後者の例とされる。②の例としては，共同不法行為による被害者が複数の加害者に対して訴えを提起する場合が挙げられる。③の例としては，貸金業者が複数の借主に対して貸金返還請求訴訟を提起する場合が挙げられる。①と②はいずれであっても効果に差異はないので厳格に区別する必要はないが，①②と③とでは，管轄の規律について違いが生じるので（7条但書），その局面では明確な区別が必要となる。

　38条の要件は，職権調査事項ではなく，被告の異議がある場合に限り審査される。38条の保護法益は早期解決に対する被告の利益であり，裁判所が効率的な審理について有する利益ではない，ということである。もっとも，裁判所は，弁論の分離を通じて，審理の効率化を図ることができる（152条1項）。

　共同訴訟は複数の訴訟物が併合審理に付されているという意味で客体的併合でもある（ただし，必要的共同訴訟に関しては議論がある）。したがって，客体的併合の要件を満たす必要があり，各請求は原則として同種の手続に服するものでなければならない（136条）。この要件は職権調査事項である。また，受訴裁判所が各請求について管轄を有していることも，共同訴訟を適法に成立させるためには必要である。ただし，7条の関連裁判籍は常に認められるわけではなく，38条前段（前記①または②）の要件を満たした場合にのみ認められる（7条但書）。共同被告の1人が応訴しなければならない裁判所において他の共同被告も応訴しなければならないとは当然にはいえないため，請求相互間の関連性が密接であり，併合審理のメリットが大きい場合にのみ関連裁判籍を認めることとしたのである。

> **すこし詳しく 12-1**　**固有必要的共同訴訟における請求の個数**
> ▶かつての通説は，固有必要的共同訴訟では，1個の権利について複数人が訴訟追行権を共同行使しなければならないことになるため，請求も1個しか存在せず，また，請求が1個であることから訴訟追行権の共同行使を通じた共同訴訟人の一体化が生じる，と論じていた。もっとも，この見解に対しては，請求が1個である，あるいは，共同訴訟人の一体化が生じるというのは比喩的表現にとどまり，実際には共同訴訟人を各別に当事者として扱わざるを得ない以上，請求も共同訴訟人ごとに観念する必要があるという批判があ

る。現在はこの批判説が多数説を形成している。

12-3-3　共同訴訟人独立の原則

12-3-3-1　共同訴訟人独立の原則の意義

通常共同訴訟は併合して審理されるが、共同訴訟人の1人の訴訟行為、共同訴訟人の1人に対する相手方の訴訟行為および共同訴訟人の1人について生じた事項は、他の共同訴訟人に影響を及ぼさない（39条）。これを「**共同訴訟人独立の原則**」という。このことは、同一の事故により損害を被った旨を主張する X_1 と X_2 が Y に対して不法行為に基づく損害賠償請求訴訟を提起したという場合を例にとると、① X_1 が Y の過失行為の存在を主張しても、X_2 が同一の主張をしたことには当然にはならない、② X_1 は、X_2 が争っているか否かにかかわらず、Y の主張を自白することができ、その拘束力は、X_1 にのみ及ぶ、③ X_1 は、X_2 の意思にかかわらず、訴えを取り下げ、請求を放棄し、または Y と訴訟上の和解を締結することができる、④ Y が X_1 に対して何らかの主張をしても、当然に X_2 に対して同様の主張をしたことにはならない、⑤ X_2 について中断事由が生じたからといって、X_1 についての訴訟手続まで中断するわけではない、⑥ X_1 のみが上訴した場合および Y が X_1 のみを相手として上訴をした場合には、その確定遮断効と移審効は、X_1 が Y に対して定立した請求についてのみ生じる、といったことを意味する。通常共同訴訟となるような場合は、本来個別訴訟を提起することも許され、その場合には他の共同訴訟人の牽制を受けることなく自由に訴訟追行することができるのであるから、共同訴訟の場合にも可能なかぎり同様に扱うということである。

12-3-3-2　共同訴訟人間の主張共通

共同訴訟人独立の原則を共同訴訟人の主張に厳格に適用することについては問題も指摘されている。たとえば、債権者 X が主債務者 Y_1 と保証人 Y_2 を相手取って共同訴訟を提起した場合、Y_1 のみが期日に出席し争うということがしばしばみられるが、この場合に共同訴訟人独立の原則を適用すると、Y_1 が勝訴しても Y_2 は敗訴せざるを得ない。しかし、このような処理は、Y_1Y_2 双方の期待を裏切るものというだけでなく（Y_1 は事実上 Y_2 のためにも争っており、Y_2 もそれを期待していることが多い）、敗訴した Y_2 を Y_1 に対して求償せざるを得ない状況に追い込む結果、紛争を一層紛糾させるものではないか、というのであ

る。

　そこで，このような場合には，特別な申出を待たずにY_1はY_2に対して補助参加したものとし（当然の補助参加），Y_1の主張をY_2のためにもしたものとして扱うべきである，という見解が提示されたことがあるが，判例はかかる立場を採用しなかった（最判昭和43・9・12民集22巻9号1896頁）。いかなる場合に当然の補助参加の効果を認めるかにつき明確な基準を欠き，訴訟を混乱させる，という理由である。

　しかし，この判例に対しては，共同訴訟人間の主張共通を認めるべきであるという立場から応答することが考えられる（原被告間の主張共通とは別である。これについては，⇨ **7-1-1-5**）。補助参加の利益の有無にかかわらず，各共同訴訟人の訴訟行為が積極的に抵触するのでないかぎり，ある共同訴訟人のなした他の共同訴訟人に有利な主張は後者のためにも効力を生じるとすれば，補助参加の利益について困難な審理をせずに，また，各共同訴訟人の自律を損なわずに妥当な解決を図ることができるからである。もっとも，この見解に対しては，主張しないという選択をした当事者に対する不当な干渉となり得る，積極的な訴訟活動を行っていないにもかかわらず有利な判決を得る共同訴訟人が生じ得るというのは，相手方に対して不意打ちとなり得るといった批判があり，なお多数の支持を得るには至っていない。

12-3-3-3　共同訴訟人間の証拠共通

　以上のように共同訴訟人間の主張共通は一般的には認められていないが，共同訴訟人独立の原則に対する例外として，「**共同訴訟人間の証拠共通**」が認められることは広く受け入れられている（原被告間の証拠共通とは別である。これについては，⇨ **7-4-2-5**）。共同訴訟人間の証拠共通とは，ある共同訴訟人が申し出た証拠の取調べの結果裁判所が得た証拠資料は，すべての請求の審判に関して用いることができる，というものであり，判例でも認められている（大判大正10・9・28民録27輯1646頁，最判昭和45・1・23判時589号50頁）。たとえば，X_1およびX_2を共同原告，Yを被告とする訴訟で，X_1の申し出た証人尋問から得られた証拠資料は，X_2がYに対して定立した請求の当否を判断するためにも用いられるということである。これは，X_2とYの関係のみを切り出してみると，いずれも申し出ていない証拠調べがなされているという意味で，弁論主義の証拠原則の例外をなすとみることができるが，共同訴訟人間の証拠共通を認

めないと、裁判所に対して矛盾する事実認定を強い、自由心証主義に対する不当な制約となることから、このような例外が認められている。

> **すこし詳しく 12-2　共同訴訟人間の証拠共通の正当化根拠**
>
> ▶共同訴訟においては同一の期日に審理がなされる以上、ある共同訴訟人が申し出た証拠の取調べについては他の共同訴訟人も関与する機会が与えられているという点を共同訴訟人間の証拠共通を支える根拠として強調する見解がある。この見解においては、弁論の併合によって共同訴訟となった場合、併合前にそれぞれの事件でなされた証拠調べの結果は、その証拠調べに立ち会う機会を持たなかった当事者の事件との関係では当然には証拠資料とならず、この者が併合後の口頭弁論で援用した場合に限って証拠資料となると解するのが一貫する。しかし、平成8（1996）年民訴法改正によって、併合前に証人尋問がなされた場合に尋問する機会のなかった当事者の申出がある場合には、改めて尋問をしなければならない旨が規定されたことで（152条2項）、このような解釈は維持し難くなった。同項は、併合前にそれぞれの事件でなされた証人尋問の結果は、併合後には全事件について当然に証拠資料となることを前提としつつ、尋問の機会のなかった当事者に対して尋問の機会を与えようというものだからである。以上のように、現行法は併合前になされた証拠調べに関与する機会のなかった共同訴訟人による援用を不要としつつも、証人尋問に関するかぎりで、このような者の証拠調べに関与する機会を実質化するための規律を整備するものであるが、再尋問の申出は、併合前に証人尋問がなされたことを知らなければなし得ない。訴訟記録を閲覧すれば併合前に証人尋問がなされたことを認識し得るのは確かであるが、裁判所にも釈明権の行使を通じて再尋問の申出の機会を実質化するよう配慮することが期待される。また、併合前になされた証人尋問以外の証拠調べについては特別な規律は設けられていないが、これらについても、関与する機会のなかった共同訴訟人に対して意見を述べる機会を与えることは重要である。したがって、裁判所には、釈明権の行使により、併合前になされた証拠調べの存在を知らせる、あるいは併合前になされた書証について、これに関与する機会のなかった共同訴訟人に対して改めて文書の成立の真正について認否を求めるなどの配慮をすることが求められる。

12-3-4　同時審判申出共同訴訟

12-3-4-1　同時審判申出共同訴訟の意義

　XはY_1の代理人と称するY_2と交渉して、Xを買主、Y_1を売主とする売買契約を締結した。しかし、Y_1は、Y_2に代理権を与えたことはないと主張して、売買目的物を引き渡さない。このような場合、Xとしては、Y_1に対して目的物引渡請求訴訟を提起することと、Y_2に対して無権代理を理由とする損害賠

償請求訴訟（民117条1項）を提起することが考えられるが，この2つを別訴として提起した場合，問題が生じる。XとY$_1$の訴訟においてはY$_2$の無権代理という理由で請求棄却となり，XとY$_2$の訴訟では，Y$_2$の有権代理という理由で請求棄却となる可能性が生じるからである。

この問題は，共同訴訟を利用したとしても必ずしも解消しない。XのY$_1$Y$_2$双方に対する請求が併合審理に付されるかぎりは整合的な判断が保障されるが，裁判所の裁量によって弁論の分離が行われる可能性があるからである（152条1項）。また，そもそも実体法上はいずれかに対してしか勝訴し得ない地位にあるにもかかわらず，Y$_1$Y$_2$双方に対する勝訴判決を二重に求めることは信義に反すると評価される可能性もある。

そこで，弁論の分離や信義に反するという非難を回避するため，「**主体的予備的併合**」という併合形態が利用されることがある。主体的予備的併合とは，Y$_1$に対する請求（主位的請求）が認容されることを解除条件として，Y$_2$に対する請求（予備的請求）についての審理および判決を求める併合形態である。この併合形態によると，予備的併合である結果，弁論の分離は禁じられるという効果が得られ，また，同時に双方の認容判決を要求しているわけではないことになる結果，不当な二重取りであるとの非難も回避できる。

もっとも，判例は主体的予備的併合を不適法としている（最判昭和43・3・8民集22巻3号551頁）。主位的請求が認容された場合，予備的請求に係る被告は判決を得られないことになるが，この者をそのような不安定な地位に置くことは許されないという理由である。

このような状況で平成8（1996）年民訴法改正によって設けられたのが「**同時審判申出共同訴訟**」（41条）である。複数の請求が単純併合に付された通常共同訴訟の一種ではあるが，弁論の分離が禁じられるという新たな訴訟形態を認めることで，原告の利益に配慮しつつ，被告の地位の不安定を解消することを図るものである。

12-3-4-2　同時審判申出共同訴訟の要件

弁論の分離禁止は，被告や裁判所に対して審理の複雑化や遅延という不利益をもたらす可能性があるため，41条の規律が適用される範囲はある程度限定せざるを得ない。そこで，41条1項は，まず，「共同被告の一方に対する訴訟の目的である権利と共同被告の他方に対する訴訟の目的である権利とが法律上

併存し得ない関係にある場合」に限定している。「法律上併存し得ない関係」の意味は必ずしも明らかではないが，前述の例における，Y_1 に対する契約上の債務の履行請求権と，Y_2 に対する無権代理を理由とする損害賠償請求権との関係は，この要件を満たすのに対し，契約締結の相手方が A であるか B であるかが争われる場合における AB 双方に対する契約上の履行請求権は，事実上併存不可能であるにすぎず，「法律上併存し得ない関係」は認められないと考えられている。前者においては，代理権の存在は Y_1 との関係では請求原因，Y_2 との関係では抗弁であるため，X は，代理権の存在につき真偽不明となったとしても，Y_2 には勝訴できる立場にあるのに対し，後者においては，A との関係では A と契約を締結したことが，B との関係では B と契約を締結したことが請求原因であり，AB のいずれが契約相手方であるかにつき真偽不明に陥れば原告はいずれに対しても敗訴せざるを得ない地位に置かれている，という原告の要保護性の違いがかかる取扱いの背後にあると考えられる。もっとも，上記両類型における原告の要保護性の差異は必ずしも大きいものではなく，契約の相手方不明の例においても，運用上は特別の事情がないかぎり分離しないことが要請されよう（その他に分離しないことが要請される例については，⇨ **11-6-2**）。

　次に，同時審判申出共同訴訟とするためには，控訴審の口頭弁論終結時までに原告が同時審判の申出をすることが要求される（41 条 1 項・2 項）。原告の二重敗訴の危険に対処するための制度であるから，原告の申出を要件とするということである。なお，この申出は控訴審の口頭弁論終結までは，いつでも撤回することができる（規 19 条 1 項）。

　そのほかに，条文上は明らかではないが，既に通常共同訴訟が成立していることも要件として当然に要求されていると考えられている。弁論の併合（152 条 1 項）によって事後的に通常共同訴訟が成立した場合であってもよい。他方，併合審理に付されていないものについて，同時審判の申出をすることで裁判所に対して併合審理を強制することはできない。

12-3-4-3　同時審判申出共同訴訟の審理

　弁論の分離と一部判決を禁じるのみであり（41 条 1 項），その他については通常共同訴訟の規律が妥当する。したがって，双方の被告が自白をした場合などには原告が双方の被告に対して勝訴するということもあり得ることになる。

もっとも，細部については議論がある。

第1は，共同被告の1人について中断事由が生じた場合である。39条によれば，このような場合，中断するのは中断事由が生じた被告についての訴訟手続のみであり，他方の被告についての訴訟手続は進行するはずである。しかし，同時審判申出共同訴訟においては，一部判決が禁じられているため，一部の被告についての訴訟手続を進めることに大きな意味があるわけではない。早期解決を欲する原告の利益保護も，受継の申立てまたは同時審判の申出の撤回に委ねれば足りる。中断事由のない被告の有する早期に訴訟から解放される利益も，一部判決ができないかぎりは保護されないのであるから，特別な配慮をする必要はない。したがって，少なくとも運用としては全体として審理を進めないということにならざるを得ない。

第2は，上訴である。XのY_1とY_2に対する請求について，第1審で前者が請求認容，後者が請求棄却となったところ，Y_1が前者について上訴し，Xが後者について上訴するという場合，共同訴訟人独立の原則が適用されるため，控訴審では別々の裁判所に係属するということもあり得る。もっとも，これでは同時審判を求めるXの利益が害されるので，この場合には，控訴審は両請求を併合審理に付することが義務付けられている（41条3項）。

上訴に関して，より厄介な問題は，第1審においてY_1に対する請求が認容され，Y_2に対する請求が棄却されたという事例でY_1のみが上訴する場合である。この場合，XのY_2に対する請求を棄却する第1審判決は確定するため，控訴審での審理次第では，XはY_1にもY_2にも敗訴するということがあり得ることになる。したがって，Xとしてはこのような帰結を回避するためにY_2を相手取って控訴を提起しておく必要があるということになるが，Y_1に対する認容判決を得ることで満足しているXに対して念のための控訴を強いることが合理的か，という点は問題となり得る。

> **すこし詳しく 12-3** **主体的予備的併合の適法性**
>
> ▶主体的予備的併合の適法性については議論がある。同時審判申出共同訴訟によって主体的予備的併合の機能は代替できると考える論者は，主体的予備的併合を不適法と解する傾向にあるのに対して，なお主体的予備的併合には固有の意義があると考える論者は，適法説を採用する。主体的予備的併合固有の意義として考えられるのは次の2点である。第1に，主位的請求と予備的請求とが事実上併存し得ない場合，同時審判申出共同訴訟は利用できな

いが，主体的予備的併合であれば利用できると考える余地がある。第2に，主体的予備的併合については，40条を類推するという有力説があり，これによると，主位の請求棄却，予備的請求認容の場合に，原告が念のための上訴をしなくても，予備的請求に係る被告の上訴で当然に全請求について確定が遮断され，移審するために，上訴における合一確定は達成しやすくなる。もっとも，前者の点については，事実上併存し得ない場合も，特段の事情がないかぎり，弁論は分離しないことが要請されると考えることができるのであるから，主体的予備的併合を認める必要はない，と指摘できる。また，後者の点については，そもそも40条類推の根拠が必ずしも明らかではないだけではなく，40条を類推することには手続を重くするという副作用を伴うことを考えれば，主体的予備的併合を許容する根拠として十分ではない，と指摘できる。したがって，主体的予備的併合は不適法であると解するのが相当である。

12-4　必要的共同訴訟

12-4-1　必要的共同訴訟の意義

「**必要的共同訴訟**」とは，訴訟の目的が共同訴訟人の全員について合一にのみ確定する必要のある共同訴訟を指す。ここでいう合一確定の必要とは，共同訴訟人間で訴訟資料と手続進行を統一することによって判決の内容を統一することが要求されるということを意味する。このような意味での合一確定の必要をもたらす場面は2つに分かれる。

第1は，複数人が共同原告となり，または複数人を共同被告として訴えを提起しなければ，当事者適格を欠くこととなるために訴えが不適法になるという場面，すなわち訴訟共同の必要がある場合である。これは「**固有必要的共同訴訟**」と呼ばれ，共同原告または共同被告は訴訟追行権を共同でのみ行使することができることから，その結果として合一確定がもたらされることになる。

第2は，訴訟共同の必要があるわけではないが，共同訴訟となった場合には，合一確定が要請されるという場合である。これは「**類似必要的共同訴訟**」と呼ばれ，ここでの合一確定の要請は，互いに判決効が拡張する場合であることから，判決効の矛盾抵触を回避するためには判決内容を統一する必要があるという観点から説明される。

以下では，まず固有必要的共同訴訟となる場合と類似必要的共同訴訟となる

場合を概観したうえで，審理の規律をみることにする。

12-4-2　固有必要的共同訴訟

12-4-2-1　固有必要的共同訴訟の意義

固有必要的共同訴訟は，訴訟共同の必要がある訴訟形態であるが，いかなる場合に訴訟共同の必要が認められるか，ということが法文上常に明定されているわけではない。したがって，固有必要的共同訴訟の範囲は，個別の実体法の規定の趣旨を探り，時には訴訟法的な考慮も加味することによって確定されるというほかはない。そこで，以下，訴訟共同の必要の有無が問題となる領域について，比較的議論の少ない領域から，深刻な議論のある領域という順で概観していく。

12-4-2-2　共同の管理処分権の行使が必要とされている場合

一定の権利関係について複数人が共同して管理処分権を行使すべき場合，当該権利関係にかかる訴訟においては，これらの複数人が共同原告または共同被告とならなければならない。例としては，破産手続において破産管財人が複数選任された場合における破産財団に関する訴訟（破76条）や，数人の信託財産管理者がいる場合における信託財産に関する訴訟（信託66条2項）が挙げられる。管理処分権を共同行使すべき場合である以上，訴訟追行権も共同して行使する必要があるということである。

12-4-2-3　他人間の法律関係に変動を生じさせる訴訟

他人間の法律関係に変動を生じさせる形成訴訟の場合，当該法律関係の主体全員を共同被告としなければならない。たとえば，Cが，AとBとの婚姻取消しを求めて訴えを提起するという場合，AB双方を被告としなければ，この訴えは不適法とされる（人訴12条2項）。

このような処理については，婚姻関係は夫と妻が共同して管理処分すべきものであるから，婚姻関係に係る訴訟追行権も共同して行使する必要があるという説明が可能である。しかし，身分関係の管理処分権という概念に違和感があるとすれば，一方を被告とするのみで，婚姻取消しという効果を他方に及ぼすことは手続保障無しで不利益を与えることを意味し，反面，他方に婚姻取消しという効果が及ばないとすれば，そもそも本案判決をする実益を欠く，という点から説明することも考えられる。なお判例は取締役解任の訴えにつき，手続

保障という観点を挙げたうえで会社と取締役の双方を被告とすべきであると判示したことがある（最判平成10・3・27民集52巻2号661頁）。

12-4-2-4 共同所有の場合

固有必要的共同訴訟となるか否かが深刻に問題となるのは，共同所有に関する訴訟においてである。学説の議論も錯綜しているが，本書では判例を中心としてその基礎にある考え方を概観する。その際には共同所有者の側が第三者に対して訴えを提起する場合，第三者が共同所有者に対して訴えを提起する場合，共同所有者が共同所有者に対して訴えを提起する場合を分けて考える。それぞれにおいて異なる考慮が必要となるからである。

(1) **共同所有者から第三者に対する訴え**

判例は，訴訟物たる権利関係の実体法的性質に依拠して固有必要的共同訴訟の成否を決定している。以下，共同所有を総有以外と総有とに分けて説明する。

(a) **総有以外の場合**　第1に，共有持分権の確認を求める訴訟は固有必要的共同訴訟ではない（最判昭和40・5・20民集19巻4号859頁）。共有持分権は各共同所有者に帰属する権利である以上，訴訟追行も各共同所有者の自由に委ねられるということである。

第2に，ある土地がABCの共有に属することの確認を求める訴えを第三者に対して提起する場合は，ABC全員が原告にならなければならない（最判昭和46・10・7民集25巻7号885頁）。理由としては，共同所有者全員の有する1個の所有権そのものが紛争の対象となっている以上，共同所有者全員が共同して訴訟追行権を行使すべきであること，その紛争の解決いかんについては共同所有者全員が法律上利害関係を有することから，判決による解決は全員に矛盾なくなされることが要請されることが挙げられている。

第3に，不動産の共同所有者の1人が当該不動産の登記簿上の所有名義者に対してその登記の抹消を求める訴えは固有必要的共同訴訟ではない（最判昭和31・5・10民集10巻5号487頁）。理由としては，持分権は共有物全体に及んでおり，持分権に基づく妨害排除請求として自らの持分割合を超えた部分についても抹消登記を請求できるため，各持分権者が提訴できてよい，という点が挙げられるが，判例は，補強的な理由として，抹消登記請求は民法252条5項の保存行為に属するという点も挙げる。保存行為とは，現状を維持するものであり，他の共同所有者の不利益にならない行為を指すが，持分権の行使といえど

も共有物全体に影響が及び得る場合には自由にすることができるわけではなく，保存行為であり，他の共同所有者の不利益にならないという要件を満たさなければならない，という考えが判例の背景にあるものと解される。

　第4に，共有地全体に関する所有権移転登記請求訴訟は固有必要的共同訴訟である（前掲最判昭和46・10・7）。抹消登記請求訴訟とは扱いが異なることになるが，共有地全体についての所有権移転登記請求は持分権を基礎としてできるわけではないこと，所有権移転登記請求の場合，いかなる持分割合での移転登記をするかが原告の意思にかかっており，保存行為の範疇を超えることの2点を区別の根拠として挙げることができる。

すこし詳しく 12-4　持分権に基づく妨害排除請求における保存行為という構成
▶判例は，前述のように，持分権に基づく妨害排除の請求としての抹消登記手続の請求について訴訟共同の必要を否定する際に，保存行為であるという理由を挙げる。持分権の行使といえども，他の共同所有者の利害に関わる場合には，保存行為でなければ訴訟共同の必要を否定し得ない，という前提に基づくものと理解することができる。ところが，持分権者の一部から第三者に対してなされた不実の所有権移転登記の抹消を他の持分権者が妨害排除の請求として求めた事案において，保存行為という理由に言及せずに，原告の請求を認容することを認めた判例が現れている（最判平成15・7・11民集57巻7号787頁）。これは，持分権は，共有物全体に及んでいる以上，保存行為を理由とするまでもなく，持分権に基づく妨害排除請求として，不実の登記の抹消を求めることができるという前提を置いているようにみえ，持分権に基づく妨害排除請求について訴訟共同の必要を否定するために保存行為という構成が必要かという点についてはなお検討の余地がある。

(b)　**総有の場合**　　ある土地が複数の入会権者の総有に属することの確認を求める訴訟においては総有権者たる入会権者全員が原告とならなければならない（最判昭和41・11・25民集20巻9号1921頁）。この点は総有以外の場合と同じであるが，総有の場合は，入会地に関する地上権設定仮登記の抹消を求める訴訟についても入会権者全員が原告にならなければならないとするのが判例である（最判昭和57・7・1民集36巻6号891頁）。総有においては，通常の共有におけるような持分権を観念できない以上，妨害排除としての抹消登記の請求は，入会権自体に基づいてすることになるが，入会権に基づく抹消登記請求権の訴訟上の行使は，入会権の管理処分に関する事項であり，構成員全員ですべきであると考えられるからである。なお，判例も，土地上の草および小柴等の採取

を内容とする使用収益権が各入会権者に帰属し得ることを前提として，かかる使用収益権の確認を各入会権者が単独で求めることは認めるが，このような内容の使用収益権は，地上権設定仮登記によって妨害を受けるとはいえないから，使用収益権に基づく抹消登記請求は認められない（前掲最判昭和57・7・1）。

(c) **共同所有者の一部が提訴を拒否する場合** 原告側で訴訟共同の必要がある場合，提訴拒否者が1人でもいると，その他の共同所有者は適法に訴えを提起することができなくなる。とりわけ総有の場合には，訴訟共同が必要となる局面が比較的多くなるのみならず，共同原告となるべき者が多数に上ることもしばしばあるため，このようなことは深刻な問題となり得る。そこで，判例は，第三者Zに対する入会権確認訴訟提起を望む入会権者Xらは，提訴に同調しない入会権者YらをZとともに被告とすることでこの訴えを適法に提起することができる，とするに至っている（最判平成20・7・17民集62巻7号1994頁）。原告の訴権は保護されるべきであること，提訴を拒否する構成員は被告とされるかぎり，訴訟に関与することができる以上，利益を害されるとはいえないことを理由とする。

> **すこし詳しく 12-5** **最判平成20・7・17の問題**
> ▶最判平成20・7・17は，提訴拒否者がいる場合の他の共同所有者による提訴困難という問題を緩和するものという点で大きな意義を有するが，なお検討すべき点を残す。第1は，この判決の射程は，給付訴訟については及ばないのではないか，という点である。給付訴訟においては権利の帰属主体と主張する者のみが原告適格を有するという原則が妥当することから，たとえば全入会権者に帰属するとされる抹消登記請求権を給付訴訟において主張する場合に，提訴拒否者を被告に回すという処理を用いることは，第三者の権利を確認対象とすることも当然には否定されない確認訴訟以上に困難とならざるを得ないのである。第2は，この判決と従来の判例との関係をいかに理解するか，という点である。共有関係確認訴訟においてすべての共同所有者による共同提訴を要求する従来の判例は，請求棄却判決が確定した場合，共有目的物を処分したのと実質的には同様の効果が生じることになる以上，共有関係の確認を求める訴えの提起は共有物の処分と同視することができるという理解を前提としていると解する余地がある。従来の判例は，このような理解を前提とすることで，共有物の処分には全共同所有者の同意が必要である以上，それと同視することができる共有関係の確認を求める訴えの提起についても全共同所有者が共同して行うことを要求しているものと解するのである。しかし，このような理解は，最判平成20・7・17とは両立し難い。提訴を拒否する共同所有者を

被告とすることによって，この者が共有関係の確認を求める訴えの提起に同意したものとすることは当然にはできないからである。

> **すこし詳しく 12-6** 境界確定訴訟における固有必要的共同訴訟
> ▶判例は，前掲最判平成20・7・17の前に境界確定訴訟において提訴を拒否する共同所有者を被告に回すという処理を認めたことがある（最判平成11・11・9民集53巻8号1421頁。境界確定訴訟については，⇨ **2-1-2-4**，**8-5-2-5**）。境界確定訴訟において，隣接する土地の一方が数名の共有に属する場合には，共同所有者全員が共同してのみ訴え，または訴えられることができるところ（最判昭和46・12・9民集25巻9号1457頁），共同所有者のうちに提訴に同調しない者がいるときは，その余の共同所有者は，隣接する土地所有者とともに，提訴に同調しない者を被告として訴えを提起することができる，としたのである。もっとも，この結論を支える理由として判例は，公簿上の境界を定めるに際して，裁判所は当事者の主張に拘束されずに境界線を定めることができるという境界確定訴訟の特殊性を挙げている。したがって，提訴拒否者を被告に回すという処理を認めた点では共通するといっても，最判平成11・11・9と最判平成20・7・17とではその論理において相当の差があることに注意を要する。

(2) 第三者から共同所有者に対する訴え

判例は，土地売主の相続人に対する買主からの所有権移転登記請求訴訟について，各相続人の移転登記義務は不可分債務であり，買主は各相続人に対して全部の履行を請求し得るから（民430条・436条），訴訟共同の必要はない，とする（最判昭和36・12・15民集15巻11号2865頁，最判昭和44・4・17民集23巻4号785頁）。また，判例は，所有権に基づく建物収去土地明渡しを求める訴えについて，建物の共同所有者全員を被告にする必要はないとしつつ，次の点を主たる理由として提示する（最判昭和43・3・15民集22巻3号607頁）。すなわち，①建物収去土地明渡しの義務は不可分債務に当たる，②建物の共同所有者を具体的に把握することの困難を考えれば，固有必要的共同訴訟とするのはいたずらに原告に大きな負担を課すこととなる，③訴訟共同の必要を否定しても，原告は共同所有者各自に対して債務名義を取得するか，あるいはその同意を得たうえでなければ，その強制執行をすることが許されない以上は，他の共同所有者の保護に欠けることはない，といった点である。

他方，判例は，特段の理由を付すことなく，所有権移転登記の共有名義人に対する所有権移転登記の抹消を求める訴えは固有必要的共同訴訟である，とす

る（最判昭和38・3・12民集17巻2号310頁）。そこで，本判決と前段落の判例とをいかに区別するかが問題となるが，合理的な区別の理由は学説および判例のいずれにおいても明確にされていない。最判昭和38・3・12は前段落に挙げた判例によって，実質的には先例としての意義を失ったという理解も有力である。

(3) **共同所有者間の訴え**

共同所有者間の紛争としては，ある者の共有持分の有無や量が争われる場合がある。この場合，持分権確認訴訟といった形で訴訟に発展することが多いが，判例によれば，これは固有必要的共同訴訟ではない（大判大正13・5・19民集3巻211頁）。持分権については各共同所有者が管理処分権を有しており，個別に訴えを提起することができるからである。持分権の観念できない総有関係についても構成員たる資格の有無が団体内で争いとなり，構成員たる資格または使用収益権の存否確認訴訟に発展することがあるが，判例はこれも同じ理由で固有必要的共同訴訟ではないとする（最判昭和58・2・8判時1092号62頁）。

これに対して，共同所有者間で共有関係そのものが争いになることがある。たとえば，ある法定相続人は，ある土地が遺産に属すると考えているが，他の法定相続人は，同土地はそもそも自分のものであって，遺産ではない，と主張する場合がこれに当たる。この場合には，当該土地が遺産に属することの確認の訴え（遺産確認の訴え）が提起されるのが通例であるが，かかる訴えは，判例によれば，当該土地が法定相続人による遺産分割前の共有関係にあることの確認を求める訴えである（最判昭和61・3・13民集40巻2号389頁）。そして判例は，共有関係の管理処分権が全法定相続人に帰属するうえ，遺産帰属性は遺産分割の前提問題である以上，相続人間で合一的に確定している必要が高いことから，全法定相続人を当事者としなければならない固有必要的共同訴訟となる，とする（最判平成元・3・28民集43巻3号167頁）。訴訟物の実体法上の性質のみならず，訴訟法的な考慮も加味して訴訟共同の必要を導いている点に特徴がある。このような訴訟法的な考慮は，相続人の地位不存在確認訴訟を相続人全員が当事者とならなければならない固有必要的共同訴訟であるとした判決においてより色濃く表れている（最判平成16・7・6民集58巻5号1319頁）。

12-4-3 類似必要的共同訴訟

12-4-3-1 類似必要的共同訴訟の意義

　権利関係の合一確定の必要が高いため，第三者への判決効の拡張が予定されている訴訟類型がある。たとえば，身分関係に関する訴訟がそうであり，Y_1Y_2 間の婚姻取消しの訴え（民 744 条）に係る判決の既判力は対世的に及ぶ（人訴 24 条 1 項）。この場合，X_1 と X_2 が共同して提起する Y_1Y_2 間の婚姻取消しの訴えにつき，X_1 と X_2 との関係を通常共同訴訟と解すると必ずしも妥当な結論を導かない。通常共同訴訟であるとすれば，X_1 と Y ら，X_2 と Y らの間の弁論が分離され，X_1 の請求を棄却する判決，X_2 の請求を認容する判決がなされ，確定することがあり得ることになるからである。この場合，対世効が互いに衝突することによって，事態はより混乱するおそれがある。また，X_1 の請求を棄却する判決が先に確定する結果，その対世効によって X_2 の裁判を受ける権利が損なわれる，ということもあり得る。したがって，以上の危険を回避するためには X_1 の訴えと X_2 の訴えについて合一確定を確保するための訴訟形態として類似必要的共同訴訟が必要となる。また，株主 X_1 と株主 X_2 が代表取締役 Y を相手取って株主代表訴訟（会社 847 条）を提起するという場合も，会社の受けた判決の効力は原告以外の株主も争えなくなるため，類似必要的共同訴訟として扱われる（最判平成 12・7・7 民集 54 巻 6 号 1767 頁。なお，この判例については **9-6-9-6** ❶ 28 も参照）。

　以上は伝統的な通説に依拠した説明であるが，この説明は X_1 と X_2 が Y 会社を相手に株主総会決議無効確認の訴え（会社 830 条 2 項）を提起したという場合には妥当しない可能性がある。この場合，請求認容判決の効力のみ対世効を有することとされているため（会社 838 条），X_1 の請求棄却判決が先に確定することで，X_2 の裁判を受ける権利が害されるということはなく，また，X_1 の請求棄却判決と，X_2 の請求認容判決の効力が互いに衝突する局面でも，対世効が認められる X_2 の請求認容判決が優先する結果，既判力の矛盾抵触も生じないと考える余地があるからである。仮にこのように考えながら，株主総会決議無効確認訴訟は類似必要的共同訴訟であるという通説を維持しようとすれば，株主総会決議無効確認訴訟においては，X_1 が敗訴しても，X_2 が勝訴すれば，X_1 の敗訴判決は無意味になる以上，当初から足並みを揃えさせる方が簡便で

ある，と説明するか，X_1 の受けた敗訴判決の既判力が X_2 に及ぶわけではないが，事実上の不利益は X_2 に及ばざるを得ず，それを回避するために類似必要的共同訴訟にする，と説明することになろう。いずれにせよ，類似必要的共同訴訟の意義は場合によって異なるということになる。

12-4-3-2 類似必要的共同訴訟の要件

類似必要的共同訴訟となる典型例は，ある共同訴訟人の受けた判決の既判力が，勝訴の場合も敗訴の場合も他の共同訴訟人に及ぶ場合である。X_1，X_2 が共同して Y_1Y_2 間の婚姻取消しの訴えを提起する場合がこれに当たる。

認容判決についてのみ既判力の拡張が定められており，棄却判決の既判力は第三者には拡張しない，という場合も類似必要的共同訴訟である。たとえば，株主総会決議無効確認訴訟がこれに当たる。ただし，前述のとおり，ここで類似必要的共同訴訟を用いる意味は，婚姻取消しの訴えの場合とは異なると理解する余地がある。

> **すこし詳しく 12-7　反射効**
> ▶反射効を肯定する立場においても，反射効の拡張は類似必要的共同訴訟を基礎づけない，とするのが通説である（反射効については，⇨ 9-6-9-6）。たとえば，債権者が主債務者と保証人を共同被告として，それぞれに対して主債務と保証債務の履行を求めて訴えを提起したという場合，類似必要的共同訴訟は成立しない。伝統的な理解に従うかぎり，反射効は実体法上の効果であって，既判力の矛盾抵触とは関係がないからである。これに対して，反射効を既判力の拡張として構成する立場によれば，この事案も類似必要的共同訴訟であると考える余地が生ずるが，この場合も，主債務者に対する請求と保証人に対する請求とでは訴訟物が異なるため，合一確定が要求されるのは，共通の争点となる主債務の存否に限定されることになる。

12-4-4　必要的共同訴訟の審理と判決

必要的共同訴訟においては，合一確定が要求される。そのためには，訴訟資料と手続進行を統一しなければならない。判決の基礎となる訴訟資料が食い違えば，判決の内容に矛盾が生じる可能性があり，また，手続進行の統一を緩和し，一部判決や弁論の分離を許せば，結局訴訟資料の不一致，判断主体の不一致によって判決の内容が矛盾するおそれが生じるからである。

40条1項は，共同訴訟人の1人の訴訟行為は全員の利益においてのみその効力を生ずると定める。これによれば，共同原告の1人が請求原因事実を主張

し、または相手方の主張を争った場合には、それは利益なものとして全員に対して効力が生じる一方で、裁判上の自白は1人で行っても効力を生じず、裁判所は自白をした当事者についても自白に反する事実を認定できる、ということになる。訴訟資料を統一する趣旨である。また、40条1項によれば、請求の放棄・認諾、訴訟上の和解、上訴権の放棄、上訴の取下げは、不利な行為に分類され、共同訴訟人全員でなされなければ、効力を生じない。これらの行為を共同訴訟人全員で行うべきものとすることで、結論の矛盾を回避する趣旨である。

40条2項は、共同訴訟人の1人に対する相手方の訴訟行為は、全員に対してその効力を生ずると定める。これによれば、共同訴訟人の一部が欠席した場合も、相手方は出席している共同訴訟人に対して準備書面に記載されていない事実を主張することができ、これは欠席した共同訴訟人との間でも効力を生じる、ということになる。相手方の便宜を優先しつつ、訴訟資料を統一するということである。また、40条2項によれば、相手方が共同訴訟人の1人に対して上訴した場合も全員に対して上訴したことになり、手続進行の統一が図られる。

40条3項は、手続進行の統一を図るための規定である。共同訴訟人の1人について訴訟手続の中断または中止の原因があるときは、その中断または中止は、全員についてその効力を生ずる、とすることで、一部の共同訴訟人についてのみ審理を進めるということを回避するのである。

明文規定はないが、手続進行の統一および訴訟資料の統一という観点から、弁論の分離および一部判決は当然禁じられる。誤って一部判決をした場合、追加判決をしてしまうと事件が二分されることになるから、追加判決は許されない。これは、誤ってなされた一部判決も全部判決とみるということであるから、名宛人でない共同訴訟人による上訴も許される。また、上訴が提起された場合、上訴審は原判決を取り消し、事件を原審に差し戻すことになる。

以上の規律は、固有必要的共同訴訟と類似必要的共同訴訟に共通するが、それぞれで規律が異なる場合がある。第1は訴えの取下げである。類似必要的共同訴訟においては、そもそも訴訟共同の必要がないため、訴えの取下げは各共同訴訟人が自由になし得る。しかし、訴訟共同の必要を伴う固有必要的共同訴訟においては1人の訴えの取下げでも訴え全体が違法となってしまうため、か

かる行為は40条1項にいう全共同訴訟人に対して不利な行為として，共同訴訟人全員が行わなければ効力を生じない（最判昭和46・10・7民集25巻7号885頁）。

　第2は上訴である。訴訟共同が要求される固有必要的共同訴訟においては，共同訴訟人の1人のみが上訴した場合も，40条1項によって，全共同訴訟人が上訴人となる。これに対して，類似必要的共同訴訟である住民訴訟と株主代表訴訟について，判例は，共同訴訟人の1人が上訴した場合，他の共同訴訟人は上訴人にならないとする（最大判平成9・4・2民集51巻4号1673頁，最判平成12・7・7民集54巻6号1767頁）。訴訟共同の必要がない訴訟類型であるから，全体として確定が遮断し，移審するという効果が確保されていれば足りるということである。もっとも，数人の提起する養子縁組無効訴訟は類似必要的共同訴訟であると解されるところ，共同原告の1人の上訴で他の共同原告も上訴人になることを前提とする判例もあり（最決平成23・2・17判時2120号6頁），住民訴訟と株主代表訴訟における判例の射程がどこまで及ぶかは必ずしも明らかではない。

12-5　主体的追加的併合

12-5-1　主体的追加的併合の意義

　これまでは訴え提起の時点で共同訴訟が成立する場合を念頭に置いてきたが，訴え提起の後に共同訴訟が発生する場合も考えることができる。このような場合としては裁判所による弁論の併合（152条1項）に基づく場合と当事者の訴訟行為に基づく場合とがあるが，後者の場合を「**主体的追加的併合**」という。民訴法も，一定の状況では明文規定をもって主体的追加的併合の許容性を認めているが（参加承継，引受承継，共同訴訟参加等），ここでは明文規定のない場合について，原告の申立てによる主体的追加的併合，被告の申立てによる主体的追加的併合，第三者の申立てによる主体的追加的併合の順に説明する。

12-5-2 原告がイニシアティヴをとる場合

12-5-2-1 原告の申立てによる主体的追加的併合の意義

　原告が事後的に共同訴訟を成立させることを望む場合がある。第1に，訴え提起時から複数人を被告とすべきであったが，誤って一部のもののみを被告としていたことが事後的に判明した場合である。とくに，訴訟共同が要求される場面において当事者に欠缺があったことが判明した場合が問題となる。第2に，意図的に一部のもののみを相手取り，勝訴の見込みが生じた段階で，残りのものも被告に加えようとする場合である。

　このように，事後的な共同訴訟を成立させることが認められるとすれば，原告にとって便宜かもしれない。もっとも，新たに追加される被告，従前の被告および裁判所にとっては問題がある。新たに追加される被告が従前の審理の結果について十分に関与できないとすれば，手続保障の観点から問題であり，他方で，新たに追加される被告に従前の審理の結果について改めて十分な手続関与を認めるとすれば，従前の被告および裁判所はある程度の訴訟遅延を甘受せざるを得ないからである。そこで，そもそもかかる主体的追加的併合が認められるのかが問題になる。

12-5-2-2 主体的追加的併合の適法性

　判例は，通常共同訴訟が成立する場合について主体的追加的併合を認めない旨判示したことがある（最判昭和62・7・17民集41巻5号1402頁）。これを認めた場合，①併合前の訴訟状態を新たに追加された当事者との関係で当然に利用できる保障がなく，かえって訴訟を複雑化させるおそれがある，②軽率な提訴ないし濫訴が増えるおそれがある，③事後的に共同訴訟を作り出したければ，新たに被告として追加したい者を相手取って別訴を提起したうえで，裁判所による弁論の併合を待てば足りる，というのが理由である。

　これに対して，学説では，主体的追加的併合にはなお固有の意義が認められるという指摘もある。弁論の併合をするためには，既に係属中の訴訟と新たに提起された訴訟とが官署として同一の裁判所に係属していることが必要であるが，前者の裁判所が後者の訴訟について管轄を有する保障はない。しかし，主体的追加的併合を認めるならば，既に訴訟が係属している裁判所が新たな被告に対する訴えにつき固有の管轄を有していないとしても，関連裁判籍を定める

563

7条の類推適用を導くことができる，というのである。

しかし，以上の議論に対しては，別訴を提起する際にも，同時に38条前段の要件を満たすような共同訴訟を成立させる弁論の併合を求めるのであれば7条を類推適用するという解釈を採用することは可能であるとする指摘がある。また，新たに追加される被告の管轄の利益という観点からは，7条の類推適用を認めることが当然に好ましいとも言い難い。以上のことを考えると，判例の述べるとおり，別訴の提起と弁論の併合に委ねれば足り，主体的追加的併合は不適法と解するのが相当である。

なお，以上の議論は，主体的追加的併合の結果，通常共同訴訟が成立する場合を念頭に置いたものであるが，被告側で訴訟共同の必要がある場合において，欠けている被告を追加するために主体的追加的併合を用いることの適法性については異なる解釈をする余地がある。この場合も，判例が提示する上記①②③の理由は妥当するものの，主体的追加的併合を許さないとした場合，訴えは不適法になるため，原告にとって酷に過ぎると考えることができるからである。もっとも，このような場合に原告が別訴を提起し，弁論の併合を要求したならば，裁判所は原則として弁論を併合しなければならないと解することによっても原告にとって酷な結果を回避することができるのであり，主体的追加的併合を認めることが原告の利益を保護するための唯一の選択肢であるというわけではない。

12-5-3 被告がイニシアティヴをとる場合

被告は，原告が定めた当事者の範囲を変更することを望む場合がある。第1に，原告と同種の権利を主張するものが共同原告となっていない場合，被告がこれらの者を原告の側に引き込みたいと望むことがあり得る。同一の事故で複数の者に被害が生じたが，そのうちの1人から訴えを提起されたという場合である（反訴型）。第2に，被告が原告に敗訴し，義務を履行した際に，第三者に求償ないし損害賠償を請求し得る関係にある場合，被告が当該第三者を引き込みたいと望むことがあり得る。たとえば，債権者から訴えを提起された保証人が主債務者に対して求償権を行使するという場合である（塡補型）。第3に，いずれが権利者であるかを争う2人のうち，1人から訴えを提起されたという場合，被告が他方を訴訟に引き込みたいと望むことがあり得る。たとえば，債権

譲渡の効力を争う譲受人と譲渡人のうち，1人から訴えを提起され，他方を引き込みたいという場合である（権利者指名型）。

以上のように被告はさまざまな理由によって主体的追加的併合を求める可能性があるが，原告がイニシアティヴをとる場合に関して述べたのと同様，いずれについても別訴の提起と弁論の併合の組合せでほぼ対応することができる。また，7条の類推適用をこの場合にも認めるのであれば，主体的追加的併合を認める実益はさらに乏しくなろう。

12-5-4　第三者がイニシアティヴをとる場合

同一事故に基づく複数被害者の一部が加害者に対して提起した訴訟係属中に他の被害者が自らの請求についても審理を受けることを欲する場合がある。このような場合，訴外の被害者には，原告を自己のためにも原告となるべき者として選定することが認められている（追加的選定，30条3項。⇨ **4-5-4-2**）。もっとも，選定者の請求が追加されるか否かは選定を受けた者の意思に係るため，かかる追加的選定のみで訴外の被害者にとって十分というわけではない。

そこで，第三者の申立てによる主体的追加的併合の可否が問題となるが，本書はこれについても別訴の提起と弁論の併合に委ねれば足り，第三者に主体的追加的併合の申立権を与える必要はないという理解を採用する。理由は既に述べたところと同様である。

12-6　補助参加

12-6-1　補助参加の意義

当事者の一方の勝訴について法律上の利害関係を有する第三者が，その当事者を補助して訴訟追行するために訴訟に参加することを「**補助参加**」という（42条）。この場合の第三者を「**補助参加人**」，補助される当事者を「**被参加人**」という。たとえば，保証人が債権者から訴えられている場合，主債務者は保証人を勝訴させれば，保証人からの求償を免れるという意味での法律上の利害関係を有するから，保証人を補助して訴訟追行するために補助参加をするということが考えられる。

補助参加人は，自ら請求を定立するものではなく，判決の名宛人にもならない。しかし，補助参加の趣旨は，当事者の一方を勝訴させることを通じて自らの法的利益を保護する機会を補助参加人に与えることである。したがって，一定の要件が満たされるかぎり，補助参加は，当事者の意思に反してでもすることができ，また，補助参加人は自らの名と費用において訴訟追行をすることが許される。

12-6-2 補助参加の要件

12-6-2-1 訴訟係属

補助参加は，他人間で訴訟が係属している間に限りすることができる。このことは42条には明定されていないが，これは，判決確定後であっても，補助参加を申し出つつ，再審の訴えを提起することは許される（45条1項），と定められていることとの整合性に配慮したためであり，再審の場合を除いては，訴訟係属はなお必要であると解されている。ただし，訴訟係属中であれば足りるので，事件が既に上告審に係属中であっても補助参加をすることは可能である。

12-6-2-2 補助参加の利益

(1) 補助参加の利益の意義

補助参加に対して当事者が異議を述べた場合，補助参加の利益が要求される（44条1項）。補助参加は訴訟関係の複雑化，訴訟遅延という不利益を当事者に与える可能性があるため，当事者が異議を述べた場合には，参加申出人が参加することに十分な利益を有する場合に限り補助参加を認める趣旨である。他方，当事者が異議を述べない場合に補助参加の利益が職権で審理されることはないが，これは，補助参加人は参加時の訴訟状態を承認しなければならないなど権限が限定されており（45条1項但書参照），補助参加の利益を職権で調査するほどには訴訟関係の複雑化や訴訟遅延による司法資源の浪費は生じないと考えられたからである。

(2) 補助参加の利益の判断

補助参加の利益は参加申出人が訴訟の結果について利害関係を有する場合に認められる（42条）。このような利害関係は，(a)他人間の訴訟の結果が，(b)参加申出人の法的利益に対して，(c)事実上の影響を及ぼす場合に認められると

解されている。以下，順に概観する。

　(a)　訴訟の結果に関しては，第1に，判決主文中の判断，つまり訴訟物たる権利関係の存否についての判断のことを指すという見解（訴訟物限定説）がある。これは，訴訟物たる権利関係に関する判断が，実体法上，参加申出人と一方当事者との間の権利関係の論理的前提にあるといえる場合にのみ訴訟の結果についての利害関係を認める立場である。たとえば，債権者が保証人に対して提起した保証債務履行請求訴訟につき，主債務者が被告側に補助参加を申し出る場合は，訴訟物である保証債務に関する判断が，実体法上，保証人の主債務者に対する求償権の存否の論理的前提となっているといえるため，訴訟の結果についての利害関係が認められる。他方，XがYに対して提起した不法行為に基づく損害賠償請求訴訟につき，Yの同一の不法行為による被害者Aが，Yによる過失行為の存在の主張・立証を支援するためにX側に補助参加を申し出るという場合には，訴訟の結果に関する利害関係は認められない。XのYに対する損害賠償請求権の存否が，実体法上，A自身の損害賠償請求権の論理的前提となっている，とはいえないからである。

　これに対し，42条の訴訟の結果は，判決理由中の判断も含むとする見解（訴訟物非限定説）もある。この立場によれば，後者の不法行為事例のAについても補助参加の利益を認める余地が生じる。Yによる過失行為は，AのYに対する損害賠償請求権の成立要件の1つであり，その認定は，AのYに対する損害賠償請求権の存否に関する判断に影響を及ぼすからである。

　伝統的には，判決理由中の判断は当事者さえも拘束しないという理由により，訴訟物限定説が通説的地位を保っていた。しかし，その後，そもそも既判力に服するわけではない第三者にとっては，判決主文中の判断も理由中の判断も事実上の影響を及ぼすにすぎず，区別する根拠はないとする訴訟物非限定説が支持を集め，現在は多数説となっている。ただし，近時は，①いずれかの当事者を勝訴させるために補助参加が認められており，一定の争点についてのみ被参加人を支援するための補助参加というのは想定されていない以上，訴訟物限定説の方が素直であること，②訴訟物に利害関係のない者まで上訴や再審の訴えをなし得るとするのは疑問であること，③補助参加人は，参加不許の裁判が確定するまでは訴訟行為をなし得るとされている以上（45条3項），参加の利益の有無についての判断は迅速になされなければならないが，訴訟物非限定説だ

と争点整理終了までは参加の利益の有無について判断し得ないという事態が生じるおそれがあること，を理由として訴訟物限定説を支持する考え方も主張されている。

判例は，一般論としては訴訟物限定説に親和的な判断を示したことがあるが（最決平成13・2・22判時1745号144頁），訴訟物限定説では説明しにくい判例もある。たとえば，ある村の大字の決議に基づいて，同大字の出納員が住民の1人に対して提起した寄付割当金請求訴訟において，他の住民がなした被告側への補助参加を認めた事例（大決昭和8・9・9民集12巻2294頁）は，前述の不法行為事例に近いものである。また，株主代表訴訟における会社の被告取締役側への補助参加を認めた判例（最決平成13・1・30民集55巻1号30頁，会社法制定前のもの）は，取締役会の意思決定の違法性という理由中の判断に対する会社の利害関係を理由に補助参加を認めており，これも訴訟物限定説からは説明がしにくい面がある。下級審にも訴訟物非限定説に親和的な裁判例（東京高決昭和49・4・17下民集25巻1～4号309頁，東京高決平成2・1・16判タ754号220頁）と訴訟物限定説に親和的とも評価できる裁判例（東京高決平成20・4・30判時2005号16頁）があり，判例の立場は必ずしも明らかとはいえない。

(b) 他人間の訴訟の結果が事実上の影響を与える対象は，参加申出人の法的利益でなければならない。法的利益は，財産法上のものに限らず，身分法上のものでも，公法上，刑事法上のものでもよい。たとえば，訴訟物非限定説の立場からは，第三者による詐欺に基づく取消しが争点となっている場合，詐欺罪で訴追されるおそれのある当該第三者は補助参加をできると解し得ることになるが，ここでは刑事法上の法的利益が問題になっているということになる。

以上の裏面として，参加申出人の事実上の利益は，補助参加の利益を基礎づけるのに十分ではない。友人を助けたいという感情的利益や，一般債権者が債務者の財産の維持に対して持つ経済的な利益は，事実上の利益にすぎない。

(c) 他人間の訴訟の結果が参加申出人の法的地位に対して及ぼす影響は，法律上のものである必要はなく，事実上のもので足りる。その具体的な意味は，既判力が直接参加申出人に及ぶことまでは必要ではなく，当事者間の判決の主文における判断または理由中の判断が（訴訟物限定説では主文における判断に限る），参加申出人の法的地位の論理的前提となっている結果，被参加人が敗訴すれば，参加申出人に対する義務履行の請求がなされるであろうことが予想さ

れる，あるいは，被参加人と相手方との間になされた判決が，参加申出人を当事者とする後訴において参考にされることが予想される，という程度で足りるということである。たとえば，債権者の保証人に対する保証債務履行請求訴訟において主債務者が保証人側に参加を申し出たという場合，保証債務が存在するという主文における判断が，参加申出人の求償義務の論理的前提となっている結果，保証人が敗訴すれば保証人による主債務者への求償請求がなされるであろうことが予想でき，また，保証人が敗訴すれば，そこでの主債務に関する認定は保証人による主債務者に対する求償訴訟において一定の影響力を持ち得ることが予想できるため，訴訟の結果が参加申出人の法的地位に対して及ぼす影響は十分だと評価できることになる。

すこし詳しく 12-8　訴訟物限定説と訴訟物非限定説の対立の意味
▶訴訟物限定説と訴訟物非限定説とは鋭く対立しているようにみえるが，その具体的帰結はそう大きく異ならない可能性もある。訴訟物非限定説に立ったとしても，(c)の事実上の影響を厳格に認定するならば，補助参加の利益を認められる範囲は狭くなる。また，訴訟物限定説の論者の中には，所有権に基づく移転登記請求訴訟における所有権を訴訟物に組み込むものがおり（所有権に関する判断は理由中の判断にすぎないというのが一般的な理解である），この議論によれば，補助参加の利益が認められる範囲は見かけほどには限定されたものにならない。このように，訴訟物限定説と訴訟物非限定説に，具体的な帰結においてどの程度違いが生じるかは，他の関連する論点についていかなる立場を採用するかに相当程度依存するという点には注意が必要である。

12-6-3　補助参加の手続

12-6-3-1　補助参加の申出

補助参加の申出は，参加の趣旨および理由を明らかにして，補助参加により訴訟行為をすべき裁判所に対してする（43条1項）。参加の趣旨としては，参加すべき訴訟といずれの当事者を補助するかを明らかにし，参加の理由としては，訴訟の結果についての利害関係を基礎付ける事実関係を明らかにする。申出は，書面でなしても口頭でなしてもよい（規1条1項）。申出書または口頭での申出の記載された調書（規1条2項）は当事者双方に送達される（規20条1項）。

参加の申出はいつでも取り下げることができるといわれるが，そこにいう参加の申出の取下げの意義については必ずしも理解が一致しておらず，少なくと

も2つの理解が考えられる。第1は，訴えの取下げと同様に，参加の申出は遡及的になかったものになるという理解であり，第2は，遡及的に参加の申出がなかったことになるわけではなく，ただ，以後参加人として訴訟行為をし，訴訟書類の送達等を受ける権利を放棄したにすぎないという理解である。前者の理解によれば，参加の申出が取り下げられた場合，参加的効力は当然には発生しないことになるため，取下げには，参加的効力の発生を期待していた被参加人の同意が必要であると解するか，参加の申出が取り下げられた場合も，訴訟告知がなされたのと同視し得るため参加的効力はなお発生するなどと論じることによって，被参加人の同意は不要であると解することになる。他方，後者の理解によれば，参加的効力は当然には消滅しないのであるから，参加の申出の取下げに被参加人の同意は必要ないということになる。

12-6-3-2 補助参加の許否

補助参加の許否については，当事者が補助参加について異議を述べたときに限り，裁判所が決定で裁判する（44条1項前段）。もっとも参加の申出の有効要件である申出人の訴訟能力や代理人の代理権の存否は異議の有無にかかわらず職権で調査すべきであるから，当事者の異議がある場合に限り調査するのは主として補助参加の利益である。なお，補助参加についての異議は，当事者がこれを述べないで弁論をし，または弁論準備手続において申述した場合には，述べることができない（44条2項）。

当事者が異議を述べた場合，参加申出人は補助参加の利益について疎明しなければならない（44条1項後段）。ただし，要件審査が行われる場合も，参加を許さない裁判が確定するまでは，参加申出人は訴訟行為をなし得る（45条3項）。参加人の権限の従属性を反映した規律である。なお，補助参加の許否に関する裁判に対しては即時抗告をすることができる（44条3項）。また，補助参加人の訴訟行為は，補助参加を許さない裁判が確定した場合においても，当事者が援用したときは，その効力を有する（45条4項）。

12-6-4 補助参加人の地位

12-6-4-1 請求の非定立

補助参加人は自らの固有の請求を持たない。したがって，判決の名宛人となることはない。その意味で，補助参加人は真の意味での当事者ではなく，従た

る当事者と呼ばれることもある。その結果，補助参加人は，証人となることも鑑定人となることもできる。

12-6-4-2 独立的地位

もっとも，補助参加は，補助参加人自身の利益を保護するための制度であるから，補助参加人は，被参加人の同意を要せずとも，自らの名で，一切の訴訟行為をすることができ（45条1項本文），呼出状や判決正本等の訴訟書類の送達も，被参加人とは別に受ける。このことを，補助参加人は，被参加人とは独立した手続的地位を有すると表現する。

前述のとおり，判決正本は補助参加人にも送達されるが，補助参加人の上訴期間は独自に起算されると解すべきか否かについては争いがある。判例はこれを否定し，補助参加人への判決正本の送達が被参加人への判決正本送達より遅れたという場合において被参加人の上訴期間経過後に補助参加人が上訴する余地を認めないが（最判昭和37・1・19民集16巻1号106頁），補助参加人も固有の利益に基づいて参加している以上，補助参加人に独自の上訴期間を保障すべきであると説く見解も有力である。

12-6-4-3 従属的地位

補助参加人の手続的地位は，一定の限度で，制約を受ける。このことを補助参加人の手続的地位は従属的であると表現することがある。具体的には以下のとおりである。

第1に，補助参加人は，参加時の訴訟状態を承認しなければならない（45条1項但書）。したがって，参加時に被参加人がなし得ない行為を補助参加人がすることはできない。たとえば，被参加人自身が提出したとすれば157条1項により時機に後れたものとして却下されるべき攻撃防御方法は，補助参加人が提出したとしても却下される。参加による訴訟の遅延や混乱を最低限に抑制する趣旨である。

第2に，補助参加人は，訴訟自体を処分することはできない。したがって，訴えの取下げ，請求の放棄，認諾，訴訟上の和解はできない。他人の請求について処分権を持たないことを反映した規律である。なお，請求の放棄，認諾，訴訟上の和解については，被参加人に不利な行為であるからなし得ないという説明が加えられることもある。

第3に，補助参加人は，被参加人の行為と抵触する行為をすることはできな

い（45条2項）。その結果，たとえば，①被参加人が自白した事実を補助参加人が争うことはできない，②補助参加人が一定の証拠の申出や主張をしても，被参加人は撤回をすることによってその効力を失わせることができる，③参加人が相手方の主張した事実を自白したとしても，被参加人がそれを遅滞なく撤回すれば（自白の撤回要件を満たす必要はない），裁判上の自白の効果は失われる，④被参加人が上訴権を放棄している場合，補助参加人は上訴できない，ということになる。参加人の訴訟行為と被参加人の訴訟行為が抵触する場合には，被参加人の訴訟行為を優先させる趣旨である。なお，被参加人が相手方の主張を争わない場合，参加人はこの主張を争うことができる。争わないというのみでは被参加人の行為と抵触するとはいえないからである。

第4に，多数説によると，補助参加人は被参加人に帰属する形成権を行使できない。被参加人に帰属する権利を行使するか否かは，被参加人に委ねられるべきだからである。これに対して，被参加人が出席せず，訴訟追行を全面的に補助参加人に委ねているような場合，被参加人の意図にも反して被参加人側が敗訴するという帰結を回避するためには補助参加人による形成権行使を認めるべきであるという少数説もある。もっとも，多数説からは，補助参加人は，被参加人に訴訟外で形成権を行使させるか，形成権行使の授権を得るべきであるという反論がなされている。

第5に，補助参加人につき訴訟手続の中止または中断事由が生じても訴訟手続は停止しない。その結果，判決に影響を及ぼす重要な訴訟行為をする機会を逸したという場合も，参加的効力（⇨ 12-6-5）発生の有無において考慮されるにとどまる。

> **すこし詳しく 12-9　補助参加人による自白の取扱い**
>
> ▶補助参加人は，被参加人の抵触行為がないかぎり，裁判上の自白をなし得るというのが前述の説明の前提であるが，補助参加人の自白は，被参加人に不利な訴訟行為として，そもそも効力を生じないとする見解もある。被参加人に不利に働く訴訟行為をするのは補助参加の趣旨に反する，あるいは，いったん自白としての効力が生じた後に，被参加人の抵触行為によって，その効力が失われるとすれば相手方の信頼が害されるということを論拠とする。もっとも，①補助参加人は一切の訴訟行為をすることができるとする45条1項からは，裁判上の自白についてのみ他の訴訟行為と異なる取扱いをすることは説明しにくいこと，②たとえば被告の補助参加人が抗弁を提出する場合には，原告の主張する事実を一定の限度で認めなければ，主張の説得力を十分に維持

し得ないおそれが生じることもあること，③被参加人による撤回があり得るということが明らかであるかぎりは，補助参加人による自白を認めたとしても相手方の信頼が過度に害されるとはいえないことから，本書は，補助参加人は，被参加人の行為と抵触しないかぎり，裁判上の自白をすることができるという立場を採用する。

12-6-5 参加的効力

12-6-5-1 参加的効力の意義

YがZから買い受けた物につき，XがYに対して所有権に基づく引渡請求訴訟を提起したところ，ZがY側に補助参加して，Xの所有権をYと共同して争ったとする。ここで，Xが勝訴した場合，YはZに対して担保責任を追及する訴訟を提起する可能性があるが，この訴訟において目的物の所有権は自己に帰属していた旨のZの主張が既判力によって妨げられることはない。Zは前訴の判決名宛人ではなく，しかも，所有権の帰属は理由中の判断にすぎないからである。この結果，後訴裁判所がZの主張を容れることになった場合，Xに目的物を追奪されたという不利益は全面的にYが負うことになるが，前訴でYがXに敗訴した責任の一端がZの訴訟追行にもあることを考えると，以上のような帰結は衡平とはいえない。

そこで認められているのが46条の「**参加的効力**」であり，被参加人が敗訴した後，被参加人と補助参加人との間で訴訟となった場合，敗訴の原因となった認定について補助参加人はもはや争えないことになる。先の例であれば，Xが所有権者であるという認定に反する主張をZはなし得ない。所有権者であるという認定は，理由中の認定であるが，あくまで衡平上の効力であるから，既判力と異なり，そこまで効力を生じさせてよい，という判断である（最判昭和45・10・22民集24巻11号1583頁）。また，衡平上の効力であるため，当事者による援用がなければ，参加的効力は顧慮されない。既判力のように職権調査事項ではない。

12-6-5-2 参加的効力の要件

敗訴の結果に補助参加人も加担した，というのが参加的効力の根拠であるから，参加的効力を生じさせるためには補助参加人が十分に争う機会を保障されたということが必要である。したがって，参加の時期が遅れたため，一定の訴

訟行為をなすことができなかった場合（46条1号），被参加人の訴訟行為と抵触したため，補助参加人の訴訟行為が効力を生じなかった場合（同条2号），これと重なるが，被参加人が補助参加人の訴訟行為を妨げた場合（同条3号。参加人が提起した上訴の取下げ，参加人の証拠の申出の撤回，参加人の有する証拠の毀棄隠匿など），被参加人が，参加人のすることのできない訴訟行為を故意または過失によってしなかった場合（同条4号。被参加人が自ら有する証拠を提出しない場合など）には参加的効力は生じない。

12-6-5-3　参加的効力の客体的範囲・主体的範囲

　参加的効力は，訴訟物たる権利関係の存否についての判断だけでなく，判決理由中の判断にも生じ得る。しかし，訴訟告知（⇨ 12-7）に基づく参加的効力についてであるが，判例は，あらゆる理由中の判断について生じるのではなく，判決の主文を導き出すために必要な主要事実にかかる認定および法律判断などについてのみ生じるとする（最判平成14・1・22判時1776号67頁，ただし傍論的な判断である）。この判例の具体的な適用は次のようになる。たとえば，XがAに対して売買代金100万円の支払を求めて訴えを提起したところ，Aが本件売買契約を締結したのは自分ではなくYだと主張し，YがX側に補助参加をしたとする。裁判所が，本件契約を締結したのはAではなくYであると認定し，Xの請求を棄却した場合，XのYに対して提起した売買代金の支払を求める後訴において参加的効力を生じるのは，「売買契約を締結したのはAであるとは認められない」という認定であり，「売買契約を締結したのはYである」という認定ではない。前者は判決主文を導き出すために必要な主要事実にかかる認定であるが，後者は間接事実にかかる認定であるとともに，判決主文を導き出すためにここまでの認定が必要であるとはいえないからである（「売買契約を締結したのはYである可能性がある」程度の認定で十分である）。なお，この判例は，間接事実にかかる認定を，参加的効力が生じる範囲からカテゴリカルに除外しているようにも理解し得るが，事案によっては，間接事実にかかる認定が判決の主文を導き出すのに不可欠という場合も想定し得る以上，そのような理解は妥当ではない。

　参加的効力は，補助参加人と被参加人との間にのみ生じる。これらの者の間の衡平を確保するための制度だからである。もっとも，補助参加人と相手方との間に争点効（⇨ 9-6-7-3(2)）が生じ得るか，という点は別途考慮する余地が

ある。

12-6-6 共同訴訟的補助参加

12-6-6-1 共同訴訟的補助参加の意義

補助参加では，被参加人の訴訟行為と抵触する訴訟行為を行うことができないなど，補助参加人の地位は従属的なものにとどめられている。現実に従属を強いられた場合には46条各号によって参加的効力が生じないとすることで均衡を図っているのである。しかし，参加的効力の発生を待たずとも判決効が拡張するような場合にまで参加人に従属を強いるならば，参加人は，十分に手続権を行使し得ないまま，自らの利益ないし権利を奪われるおそれがある。

そこで，かかる問題に対応する規律が要求されることとなるが，参加人に強力な権限を与える共同訴訟参加（⇨ **12-8-8**）や詐害防止参加（⇨ **12-8-3-2**）は要件が厳格であり，常に問題の解決になるわけではない。そこで解釈上認められてきたのが，40条を一定程度類推適用することで補助参加人の権限を強化する共同訴訟的補助参加であり，判例もその存在を認める（最判昭和45・1・22民集24巻1号1頁）。

なお，平成8（1996）年改正の立案過程においては，共同訴訟的補助参加に関する規定を設けることが検討されたが，共同訴訟的補助参加人の地位を得るべき者を過不足なく規定すること，および，共同訴訟的補助参加人の地位を適切に規律することは困難であるとの議論が強かったため，見送られた。しかし，その後，平成15（2003）年の人訴法制定により，検察官を被告とする人事訴訟において，訴訟の結果により相続権を害される第三者（利害関係人）が補助参加をした場合，45条の適用を排除し，40条を一定の限度で準用する旨の規定が設けられた（人訴法15条3項・4項）。これは，一定の局面に限って共同訴訟的補助参加の規定を設けるものであるが，立法技術的に可能な範囲で規定を設けるという趣旨のものであり，この局面以外での共同訴訟的補助参加を否定するという趣旨ではない。

12-6-6-2 共同訴訟的補助参加の要件

共同訴訟的補助参加が認められるためには，判決効が参加申出人に拡張することが原則として必要である。ただし，判決効を受ける者がすべて共同訴訟的補助参加人として扱われるわけではない。たとえば，人事訴訟における判決は

対世効を有するが，当該訴訟に何ら利害関係を持たない者が対世効を受けるという理由で参加できるというのは明らかに不合理である。したがって，共同訴訟的補助参加においても，補助参加の利益は必要である。

補助参加人は，補助参加の申出をする際に共同訴訟的補助参加であることを明示する必要はない。裁判所は，共同訴訟的補助参加の要件を満たすかぎり，そのように取り扱わなければならない（最判昭和40・6・24民集19巻4号1001頁）。

判例は共同訴訟参加が可能である場合に補助参加が申し出られた場合には単純な補助参加として扱われるとする（最判昭和63・2・25民集42巻2号120頁）。共同訴訟的補助参加は明文規定のある参加形態では不十分な場合にのみ補充的に認められるという解釈を前提としたものである。ただし，学説上は，①共同訴訟的補助参加を認めても不都合はない，②判例によると共同訴訟参加をするための出訴期間が経過する前に補助参加の申出をした場合には共同訴訟的補助参加ではないが，出訴期間が経過した後に補助参加の申出をした場合には共同訴訟的補助参加と解されることになるが，このような取扱いは不合理であるなどの理由により，判例の処理に反対する見解が有力である。

12-6-6-3　共同訴訟的補助参加人の地位

共同訴訟的補助参加においては補助参加人の地位が強化される。具体的には，次のとおりである。①共同訴訟的補助参加人は，被参加人の訴訟行為と積極的に抵触する訴訟行為をなし得る（45条2項は適用されない）。したがって，たとえば，共同訴訟的補助参加人が一定の証拠の申出をした場合，これを被参加人が撤回することはできない。②以上を前提として，40条が類推される。45条2項の適用が除外される結果，たとえば，相手方のある主張について被参加人が自白をし，参加人が争った場合，自白の効果と否認の効果が併存するようにみえるが，40条1項が類推されるため，自白の効力は生ぜず，否認の効果は参加人および被参加人の双方に及ぶことになる。

以上は争いのないところであるが，共同訴訟的補助参加人の地位については十分に取扱いが定まっていない点も多い。

第1に，参加人は，被参加人の上訴期間が徒過した後も，自らの上訴期間内であれば上訴し得るか，という点につき，通説は，共同訴訟的補助参加人の地位を強化する必要からこれを肯定するが，判例の立場は不明瞭であった（たと

えば，最判昭和50・7・3判時790号59頁）。もっとも，近時，検察官を被告とする人事訴訟において，訴訟の結果により相続権を害される第三者が補助参加をした場合（人訴15条）に関して，参加人は自らの上訴期間内であれば，被参加人の上訴期間が徒過した後も，適法に上訴を提起し得るとの理解を前提とした処理をする判例が現れており（最決平成28・2・26判タ1422号66頁），学説と判例の距離が縮まりつつある。

第2に，参加人に中断または中止事由が生じた場合の取扱いについては，①訴訟手続は停止しないとする見解，②共同訴訟的補助参加を認める以上は，抵触行為をする機会を与えるべく，訴訟手続は停止すると解する見解，③詐害のおそれがないかぎり訴訟手続は停止しないとする見解がある。なお，人訴法15条4項は，参加人に中止事由が生じた場合には，訴訟手続は停止するとする一方で，中断事由が生じた場合には，訴訟手続は停止しないという規律を採用している。これは，共同訴訟的補助参加一般においても補助参加人に中止事由が生じた場合には訴訟手続は停止すると解する論拠となり得るものであるが，共同訴訟的補助参加一般について，補助参加人に中断事由が生じた場合に訴訟手続は停止しないと解する論拠となり得るものではない。中断事由が生じた場合についての人訴法15条4項の規律は，同条が適用される局面では，参加人に承継を認める必要はないという事情を主たる理由とするものであり，共同訴訟的補助参加一般に妥当するものではないからである。

第3に，参加人自身が，訴えの取下げ，請求の放棄，認諾，訴訟上の和解などの訴訟処分行為をなし得ないことに争いはないが，被参加人によるこれらの行為は，参加人とともに行わないかぎり効力を生じないといい得るか，という点については見解が一致しない。主要なものとしては，①参加人は上記すべての行為を阻止し得る，②訴えの取下げ以外の上記行為は紛争解決内容に関わるため，参加人とともに行わないかぎり効力を生じないという見解が主張されている。

最後に，参加人が，参加時の訴訟状態に拘束されるか，という点も明らかではない。参加人の利益保護という観点から拘束力を否定する見解が主張されるが，従前の被参加人の訴訟追行が詐害的であるような場合は，詐害防止参加に委ねれば足りると考えられるとすれば，共同訴訟的補助参加においては訴訟状態への拘束力を肯定するという見解もあり得る。

12-7 訴訟告知

12-7-1 訴訟告知の意義

「**訴訟告知**」とは，法律上の形式に則って，当事者の一方が，訴訟係属を第三者に知らせる行為である。訴訟係属を知らせる者を「**告知者**」，知らせを受ける者を「**被告知者**」という。

訴訟告知は，第1に，訴訟係属を第三者に知らせ，第三者にとっての参加の機会を実質化するという意義を有する。わが国はさまざまな参加類型を用意しているが，これは第三者が他人間の訴訟係属を知らなければおよそ機能しない。そこで，訴訟告知という制度を用意して第三者が他人間の訴訟係属を認識し得る機会を広げるのである。

第2に，訴訟告知は告知者の利益を保護するという意義を有する。被告知者が実際に参加するか否かにかかわらず，一定の場合には告知者と被告知者との間に参加的効力が発生することとなるため，告知者は，かかる効力によって被告知者との間で後に提起される訴訟を有利に進めることができるのである。

以上のように訴訟告知は，被告知者にとって利益になる面と不利益になる面の双方を有している。したがって，被告知者の利益となる訴訟告知自体は広く認める一方で，被告知者の不利益となる参加的効力については合理的な範囲に限定をする必要がある。

12-7-2 訴訟告知の要件と手続

12-7-2-1 訴訟告知の要件

訴訟告知は，訴訟の係属中になされなければならない（53条1項）。もっとも，事実審に係属中である場合に限られず，上告審に係属中であってもよい。

被告知者は，参加することができる第三者でなければならない（53条1項）。参加の形態は，補助参加，独立当事者参加，共同訴訟参加のいずれでもよく，また，告知者側に参加できる者であっても，相手方に参加できる者であってもよい。

告知者は，当事者にかぎらず，補助参加人，被告知者であってもよい（53条

1項・2項)。たとえば，訴訟告知を受けた手形裏書人は，自ら補助参加することなく，前の裏書人に訴訟告知をすることができる。

　特別の規定がない限り，訴訟告知が義務付けられることはない。なお，特別の規定としては，会社法849条4項，地方自治法242条の2第7項等があり，また，平成29（2017）年の民法改正により，債権者代位訴訟，詐害行為取消訴訟に関して訴訟告知を義務付ける規定が置かれることとなった（民423条の6・424条の7第2項）。

12-7-2-2　訴訟告知の手続

　訴訟告知は，告知の理由と訴訟の程度を記載した書面（訴訟告知書）を裁判所へ提出するという方式でなされる（53条3項）。告知の理由とは，被告知者がその訴訟に参加するにあたって有する利益であり，訴訟の程度とは，当該訴訟の進行状況を指す。裁判所は，訴訟告知書の方式を審査し，不適式の場合には告知人に補正を求め，補正がなされない場合には決定によって告知書を却下する。適式であれば訴訟告知書の副本を被告知者に送達する（規22条1項・2項）。

　裁判所は，訴訟告知書が提出された段階で参加的効力発生の有無を判断せず，参加的効力の有無は，告知者と被告知者との間で後訴が提起された段階ではじめて判断される。したがって，訴訟告知書の送達を受けた被告知者は，自己責任で参加的効力の有無を判断しなければならないが，裁判所は，訴訟告知書が提出された段階では参加的効力発生の有無を判断する必要がないことから訴訟告知書の記載についても入念な審査をしないようであり，その結果，被告知者が参加的効力発生の有無を判断することが可能な程度に詳細な記載のない訴訟告知書が送達されることもあるといわれる。なお，訴訟告知書は相手方にも送付される（規22条3項）。これは被告知者が参加してきた場合に異議を述べる準備をする機会を与えるためである。

12-7-3　参加的効力の要件

12-7-3-1　補助参加の利益

　被告知者は，補助参加をしなかった場合においても，参加することができた時に参加したものとみなされ，それを前提に46条により参加的効力の発生が判断される（53条4項）。補助参加することができたことが参加的効力発生の

前提であるから被告知者が告知者側に補助参加する利益を有することが要求される。したがって，補助参加はなし得ないが，他の参加はなし得るという者に対して訴訟告知をしても，参加的効力が生ずることはない。

12-7-3-2 告知者と被告知者との間の実体関係

伝統的な通説は補助参加の利益で足りるという立場を採用しているが，有力説は，これに加えて，被告知者による告知者に対する協力が正当に期待できることが必要であると説く。参加的効力の根拠は，実際に訴訟追行した参加人も被参加人とともに敗訴の責任を負担するのが衡平であるという点に求められるのであるから，実際に参加していない被告知者に参加的効力を及ぼすためには，それを正当化するさらなる理由が必要であるというのである。そして，有力説は，被告知者による告知者に対する協力が正当に期待できる場合とは，告知者が敗訴した場合，それを直接の原因として告知者が被告知者に対して求償ないし賠償を求め得るような実体関係がある場合である，と論じる。告知者が敗訴した場合に告知者の求償に応じなければならないような者は，告知者勝訴に向けて協力すべきであると考えられるからである。たとえば，債権者から保証債務の履行を求められた保証人による訴訟告知を受けた主債務者は，保証人敗訴の際は求償に応じなければならないから，参加して告知者に協力すべきであり，それをしなかった以上，参加的効力が生じてもやむを得ないといいやすいであろう。なお，判例は伝統的な通説に親和的な判断を示したことがあるが（最判平成14・1・22判時1776号67頁），傍論的な判断であり，その立場が明確になっているとはいえない。

> **すこし詳しく 12-10　告知者と被告知者の認識が異なる場合**
> ▶訴訟告知を受けた被告知者が，告知者が主張するような実体関係は存在しないと考えている場合がある。たとえば，XがYに対して提起した保証債務履行請求訴訟においてYが，Zが主債務者であるという認識に基づいてZに対して訴訟告知をしたところ，Z自身は，自分は単にYによる借入れを仲介したにすぎないと考えている場合である。このような場合，Zが補助参加をして自分は主債務者ではないと主張したとしても，被参加人の行為と抵触するものとして効力を生じない結果となる可能性があるため，Zが補助参加を申し出ないとしても無理からぬところがある。しかし，Zが補助参加を申し出ないままYが敗訴した場合，YはZに対して求償請求訴訟を提起し，参加的効力を主張することが予想される。この参加的効力を認めてよいか，というのがここでの問題であるが，①参加的効力が発生するとすれば，Yが相

応の訴訟追行をしたにもかかわらず敗訴したという場合であろうから（46条），参加的効力が発生することはやむを得ず，このような事態を阻止するためには，Zは補助参加をし，被参加人に抵触行為をさせる必要があるとする見解と，②このような場合にZに補助参加の負担を課すのは酷であるから，Zは補助参加をしなくても参加的効力に拘束されないと解すべきであるという見解が対立する。②の見解は，①を採用すると告知者と被告知者との間の実体関係が実際には存在しないという場合にも参加的効力は生じ得るということになり，告知者と被告知者との間の実体関係を要求した趣旨に合致しないという問題が生じることを重くみる見解であるが，訴訟告知に基づく参加的効力の実効性を著しく低下させるという問題がある。訴訟告知に基づく参加的効力が定められている以上，解釈論としては①を採用せざるを得ない。

12-7-3-3 補助参加が現実になされた場合

被告知者が実際に告知者側に補助参加をした場合には，原則として，現実の補助参加を基準に参加的効力の発生の有無を考えれば足りる。したがって，たとえば，被参加人の抵触行為によって十分な訴訟追行がなし得なかった場合には告知自体が適時になされていても参加的効力の発生は否定される。

他方，被告知者が相手方に補助参加した場合については，訴訟告知に基づく参加的効力が告知者と被告知者の間に生じるとする下級審裁判例がある（仙台高判昭和55・1・28高民集33巻1号1頁）。訴訟告知は，告知者に参加的効力を得させることを目的とする制度であることを強調し，告知者の主観による利害と被告知者の主観による利害が食い違ったときは，前者を優先するべきである，というのである。もっとも，多数説は，かかる処理に反対であり，被告知者が現実に相手方に補助参加した場合には，補助参加に基づく参加的効力のみが生じると主張する。補助参加をしても訴訟告知の効果が残存するとすれば，被告知者による相手方への参加を制約することになるからである。また，訴訟告知は参加を誘引するものであるから，現実の参加がなされれば訴訟告知は背後に退くということも理由として主張される。

12-7-4 訴訟告知の実体法上の効力

訴訟告知が，告知者の被告知者に対する権利につき時効の完成猶予の効力または時効更新の効力を有する旨を定める明文の規定が置かれる場合がある。訴訟告知により時効の完成が猶予される旨を明文で定めるものとしては，手形法86条1項，小切手法73条1項，地方自治法242条の2第8項があり，訴訟告

知により，訴訟終了時から告知者の被告知者に対する権利につき時効期間が新たに進行を始める旨を定めるものとしては，手形法86条2項，小切手法73条2項がある。

上記のような明文規定がない場合，訴訟告知は，民法147条1項1号にいう裁判上の請求には該当しないが，民法150条の催告としての効力は認められるとするのが通説である。そして，訴訟告知による催告は，訴訟係属中継続的になされていると考えられるから，訴訟終了後6か月が経過するまでは時効は完成しない（大阪高判昭和56・1・30判時1005号120頁）。

12-8　独立当事者参加

12-8-1　独立当事者参加の意義と分類

「独立当事者参加」とは，第三者が，当事者の一方または双方に対して請求を定立し，その請求と既存の請求とを併合審判に付すための参加形態である（47条）。権利主張参加と詐害防止参加に分類されるが，いずれにおいても40条が準用されており，合一確定が保障されている点に特徴がある。

12-8-2　権利主張参加・詐害防止参加の意義

12-8-2-1　権利主張参加の意義

「権利主張参加」とは，第三者が，訴訟の目的の全部または一部が自己の権利であることを主張して参加する参加形態である。たとえば，XのYに対する甲土地の所有権確認訴訟に，Zが，甲土地の所有権は自己に帰属すると主張して，X，Y双方に対して所有権確認請求を立てつつ参加する場合が権利主張参加の典型となる。

このような局面で40条を準用し，合一確定を保障する意義の理解については変遷がある。権利主張参加においては，通常，参加人に対する判決効の拡張は認められず，また，訴訟共同の必要もないため，必要的共同訴訟と同様の論理で合一確定の必要を説明することができない。そこで，かつての判例は，同一の権利関係について，原告の被告に対する請求，参加人の原告および被告に対する請求という3個の請求が鼎立する訴訟を統一的に解決するものとして権

利主張参加を理解していた（最大判昭和42・9・27民集21巻7号1925頁）。いわゆる三面訴訟説である。

　しかし，このような理解に対しては，参加人と原被告の一方との間に紛争がない場合もあり得るにもかかわらず，常に原被告双方に対して請求を定立することを要求することは必ずしも妥当ではないという疑問が提起された。とくに権利主張参加の形式によって参加承継をする場合には（49条。参加承継については，⇨ **12-9-3**)，承継人と被承継人とで同一の訴訟代理人に訴訟委任することも多いが，原被告双方に請求を定立しなければならないとすれば，双方代理の禁止に抵触するおそれがあるという不都合もあった。

　そこで，平成8（1996）年民訴法改正によって原被告の一方に対してのみ請求を定立する形での権利主張参加も明示的に認められるに至ったが（47条1項），その際，立案担当者は，従来の三面訴訟説を修正し，三当事者間の牽制関係という表現で権利主張参加を説明した。もっとも，このような説明も明確なものとはいえず，現在では，潜在的な三面紛争の統一的な解決という三面訴訟説に近い説明を維持する立場と既存の訴訟によって不利益を受ける可能性のある第三者に既存の当事者の訴訟追行を牽制する権限を与える制度として権利主張参加を理解する立場が併存している。また，近時は，そもそも判決効の拡張や訴訟共同の必要がない局面で40条を準用すること自体の意義を疑い，40条が準用される局面を可能なかぎり限定しようとする立場も主張されている。この立場によれば，参加人に強い牽制権限が与えられることはなく，また合一確定が強く保障されるということもなくなるため，権利主張参加の意義は，同一の権利関係についての原告および参加人の請求を併合審理に付すことで事実上矛盾のない解決を保障するという点に置かれることになる。

12-8-2-2 詐害防止参加の意義

　「詐害防止参加」とは，第三者が，訴訟の結果によって権利が害されることを主張して他人間の訴訟に参加する参加形態である。いかなる場合に詐害防止参加を認めるかは **12-8-3-2** で述べるように議論の余地があるが，判例上認められた例としては，XがYを相手に提起した土地所有権移転登記抹消請求訴訟においてYが欠席し，Xの主張を争わない場合に，Yの債権者であり本件土地を差し押さえているZが，本件土地がYの所有に属することの確認を求めて参加を申し出たという事案がある（最判昭和42・2・23民集21巻1号169頁）。

詐害防止参加に関しては，その意義が参加人の利益保護にあることは明らかであり，争いはない。

12-8-3　独立当事者参加の要件

12-8-3-1　権利主張参加の要件

(1)　請求の両立不可能性

権利主張参加は，原告の請求と参加人の定立する請求とが論理的に両立しない場合に限りすることができる。たとえば，原告がある不動産についての所有権の確認を請求しているのに対し，第三者が同不動産の所有権は自己に帰属すると主張して独立当事者参加を申し出る場合や，原告がある貸金債権の履行を請求しているのに対して，第三者が当該債権は自己に帰属すると主張して参加を申し出る場合が，この要件を満たす典型例である。なお，47条1項の文言自体は，原告と参加人の請求が相互に両立し得ないことを明示的に要求していないが，権利主張参加は控訴審においてもすることができ，また，その審理には40条が準用されるという強い規律を伴うものであることを考えると，一定の限定解釈を施すことにも理由がある。

ところで，原告と参加人の請求が相互に両立不可能であるか否かを判断する際に，狭義の訴訟物の次元でのみ両立不可能性を考える立場と，判決内容の実現可能性の次元まで含めて両立不可能性を考える立場（この立場は，請求の趣旨の次元での両立不可能性を要件とするものと表現されることもある）とがある。このような立場の違いが具体的な帰結の違いに結び付き得る例としては不動産の二重譲渡事例がある。

(2)　不動産の二重譲渡事例

XのYに対する不動産売買契約に基づく所有権移転登記請求訴訟に，Zが，XY間の売買契約の成立および有効性を前提としながら，Zも同不動産をYから買い受けた旨の主張に基づく所有権移転登記請求をYに対して定立しつつ参加を申し出たという場合，原告と参加人の請求の両立不可能性を狭義の訴訟物の次元で考えれば，権利主張参加の要件は満たさない。Xが主張する移転登記請求権とZの主張する移転登記請求権は，実体法上双方が同時に認められてもよいとされるからである。他方，原告と参加人の請求の両立不可能性を，判決内容の実現の次元まで含めて考えれば，Zの参加申出は権利主張参加の要

件を満たすと考える余地が生じる。X，Zがそれぞれ主張する移転登記請求権は実体法上両立可能なものであるが，「YはXに対して移転登記手続をせよ」という判決と「YはZに対して移転登記手続をせよ」という判決がなされた場合，実現可能なのは一方のみだからである。

なお，この問題については，より実質的な次元においても権利主張参加の許否について論じられる。許容説は，権利主張参加を参加人の利益保護のための制度とみたうえで，Xが先に登記を具備することは，対抗関係上，Zの利益を著しく侵害するから，権利主張参加を認めるべきである，と論じるのに対して，非許容説は，登記の自由競争は実体法も認めているところであり，Xが先んじることでZが不利益を受けるとしても，それは法が認めた不利益であるとの反論を加える。

判例は，二重譲渡事例における独立当事者参加を認めなかったことがある（最判平成6・9・27判時1513号111頁）。本件における参加の申出は所有権の所在の確定を求める申立てを含むものではなく，原告，被告，参加申出人の間で合一的に確定すべき権利関係が訴訟の目的となっていない，という理由である。もっとも，本件は，参加申出人が紛争対象たる土地に関する仮登記に基づく本登記請求を定立したという事例であった，という点には注意を要する。参加申出人は，仮登記を備えている以上，原告に対する移転登記が先に経由されたとしても，事後的に本登記の承諾請求訴訟を原告に提起すれば勝訴することができ（仮登記の順位保全効，不登106条），いかなる立場においても参加を認める必要は大きくないからである。

(3) 債権者代位訴訟

Zに対して金銭債権を有するXが，債権者代位権に基づいて，ZのYに対する貸金返還請求権を主張し，自らへの支払を請求する訴えを提起した場合，Xの被保全債権の不存在を主張するとともに，自らへの支払を請求するためにZがこの訴訟に参加したいと考えることがある。このような場合，Zとしては独立当事者参加または共同訴訟参加をすることが考えられるが，平成29（2017）年民法改正前は，いずれも認めるのが困難であった。まず，共同訴訟参加については，参加人が係属中の訴訟手続の訴訟物につき当事者適格を有することが要件とされているところ，債権者が適法に代位権行使に着手し，債務者に対しその事実を通知するかまたは債務者がこれを了知したときは，債務者

は被代位権利につき代位権行使を妨げる処分権限を失うとする判例（大判昭和14・5・16民集18巻557頁）を前提とした場合，Zに当事者適格を認めることはできなかった（さらに，Xの共同原告という資格でXの原告適格を争うことがどこまで可能か，という点にも問題があった）。次に，独立当事者参加については，詐害防止参加の要件を常に充足するとは限らず，また，XとZは同一の権利を主張することになる以上，権利主張参加の要件である請求の両立不可能性が認められるとは言い難かった。このような状況の中，判例は，独立当事者参加を認めたが（最判昭和48・4・24民集27巻3号596頁），要件の充足を十分に検証したものではなかった（強いて説明するとすれば，ZとXはいずれか一方しか被代位権利について当事者適格を認められないという両立不可能性に着目して，独立当事者参加の転用を認めたものと見ることになろう）。

　上記のとおり，債権者代位訴訟における債務者の参加に関しては，前掲大判昭和14・5・16が議論の前提を形成していたと考えられるが，平成29年民法改正はこれ自体を変更することとなった。債権者が被代位権利を行使した場合であっても，債務者は，被代位権利について自ら取立てその他の処分をすることを妨げられないこととされたため（民423条の5），債権者代位訴訟が提起された後も，債務者は被代位権利につき当事者適格を失わないこととなったからである。その結果，債務者が債権者代位訴訟において原告側に共同訴訟参加をすることを許容する余地が生じた一方，代位債権者と債務者の当事者適格は両立することとなったために独立当事者参加の許容性は一層疑わしくなったということができる。議論はなお流動的であるが，その要件充足が比較的明確な共同訴訟参加のみが許されるとする見解と，債務者が原告の被保全債権の存在を争う際の便宜から共同訴訟参加とともに独立当事者参加も許されるとする見解が成り立ち得るものと考えられる（重複訴訟との関係については，⇨ **11-7-3**(3)）。

12-8-3-2　詐害防止参加の要件

　詐害防止参加の要件は，訴訟の結果によって第三者の権利が害される場合であることであるが，「訴訟の結果によって権利が害される」の解釈については議論がある。

　第1に，第三者に不利な判決効が及ぶ場合に限り詐害防止参加は許されるとする立場がある。判決効説と呼ばれる立場である。反射効を肯定する立場を前提とすると，XがYに対してYの唯一の財産たる不動産の引渡請求訴訟を提

起したという場合，Yの一般債権者であり，反射効によってYの敗訴判決を承認しなければならなくなる結果，債権回収が困難になるZは詐害防止参加をすることが可能となる（反射効については，⇨ 9-6-9-6）。

第2に，XYが詐害的な意思を持って訴訟追行をなし，それによって第三者Zの権利が害される場合には判決効が拡張されるか否かにかかわらず，詐害防止参加が許されるとする立場がある。詐害意思説と呼ばれる立場である。たとえば，後に主債務者Zに求償する意図で，自称債権者Xと自称保証人Yが馴合訴訟を行い，X勝訴判決を作出しようとする場合，その判決効がZに及ぶわけではないが，Zには馴合訴訟を阻止するために詐害防止参加をすることが認められる。ただし，この説の内部にもニュアンスの差があり，XYの詐害意思を強調する見解と，XYの訴訟追行が客観的に詐害的なものであれば足りるとする見解とがある。

第3に，参加人の法的地位が当事者間の権利関係の存否を論理的に前提としているため，当事者間の判決の結果の影響を事実上受ける場合を意味するという立場がある。これは利害関係説と呼ばれる。詐害性を問わず，客観的にZの権利がXY間の訴訟の影響を受ければ足りるとする点に特徴がある。

以上の諸説の中では，詐害意思説が多数の支持を得ている。判決効説には詐害防止参加が認められる局面が狭すぎ（とくに反射効を認めない場合），その程度であれば共同訴訟的補助参加，共同訴訟参加で十分に賄えるという難点があり，また，利害関係説では補助参加との役割分担が不明確になるなどの問題があるのに対して，詐害意思説はこれらの問題を免れており，また，沿革にも適合的であると解されるからである。判例も客観的な詐害性を重視する傾向を示す（最判昭和42・2・23民集21巻1号169頁）。しかし，前述の自称債権者と自称保証人による馴合訴訟において主債務者に対して生じ得る不利益は必ずしも重大なものではなく，このような場合にまで詐害防止参加を認める必要があるか，という点には疑問も呈されており，近時は判決効説を再評価する見解も現れている。

12-8-3-3　共通の要件

他人間に訴訟が係属していることは権利主張参加であれ，詐害防止参加であれ要求される。ただし，訴訟が上告審に係属している間における参加の可否については争いがある。上告審での参加を否定する見解は，上告審において参加

人が請求を定立しても事実審ではない上告審では審理ができないという点を重視する。これに対して上告審での参加を肯定する見解は，自らに不利な判決が原被告間で確定することを阻止し，原判決の破棄差戻しを求める利益を重視する。判例は前者を支持する（最判昭和44・7・15民集23巻8号1532頁）。

12-8-4　独立当事者参加の手続

独立当事者参加の申出は訴え提起の実質を持つ。したがって申出は書面でしなければならず（47条2項），申出書は当事者双方に送達される（47条3項）。申出書には参加の趣旨および理由を記載し，独立当事者参加により訴訟行為をすべき裁判所に対して提出する（47条4項・43条1項）。参加の趣旨としては47条による参加をすること，参加の理由としては，権利主張参加または詐害防止参加要件に該当する理由を記載する。また，独立当事者参加は原被告の双方または一方に請求を定立するものであるから，参加申出書には請求の趣旨および原因も記載する必要がある。

独立当事者参加の申出には訴えの提起としての側面と参加の申出としての側面があり，前者については一般の訴訟要件が，後者については47条の要件が要求されるところ，これらの要件の調査は，訴えとしての側面を重視して，口頭弁論に基づいてなされる。その結果，一般の訴訟要件が欠けることが判明すれば，判決をもって訴えを却下する。これに対して一般の訴訟要件を欠くわけではないが，47条の参加要件を欠くという場合，別訴として扱うというのが判例である（最判平成6・9・27判時1513号111頁）。別訴としてならば訴訟追行するつもりはない，という参加申出人が存在することも十分に考えられるが，この場合は訴えの取下げで処理することになる。

12-8-5　独立当事者参加訴訟の審理

12-8-5-1　40条準用の意義

権利主張参加および詐害防止参加には，40条が準用される（47条4項）。したがって，いずれの参加においても結果としては合一確定がもたらされるが，その意味合いは異なり得る。詐害防止参加においては，参加人に，自らに不利益な判決が原告，被告間になされるのを阻止するため，原告または被告の訴訟追行を牽制する権限を与えつつ，当事者間の公平を確保するために原告，被告

にも同様の権限を与えるという点に力点が置かれ，合一確定はその結果にすぎない。他方，権利主張参加においては，三面紛争の統一的解決を重視する立場を採用すれば合一確定はそれ自体が目的となるのに対して，参加人の利益保護を重視する立場を採用すれば40条準用の意義は詐害防止参加と同様に把握される。

いずれにせよ，独立当事者参加においては共同訴訟人という観念を容れる余地はないから，40条準用の意味は，二当事者限りで，他の当事者に不利な行為をすることを許さない，という形で表れる。たとえば，原告の主張について被告が自白しても，これは，参加人に不利な行為として，参加人の同意がないかぎり原告・被告間でもその効力を生じず，被告が原告に対して一定の主張をしない場合も，参加人が当該主張をすれば，これは被告に有利な行為として，原被告間でも訴訟資料となる（40条1項）。1人の当事者につき中断事由が生じた場合，手続進行面での統一を図るため，訴訟は全体として停止する（40条3項）。

12-8-5-2　二当事者間の訴訟上の和解等

二当事者間の訴訟上の和解が，他の1人に対して不利な行為として無効となるか否かは困難な問題である。伝統的には，他の1人の同意がないかぎり効力を生じないと考えられてきたが（一律無効説），二当事者間における訴訟上の和解にも他の当事者に不利益をもたらさないものがあり，これを無効とする必要はない，という見解も有力に主張される（一部無効説）。かかる見解は，参加人の利益保護を重視する立場からは当然に受け入れられるものであるが，紛争の統一的解決を重視する立場でも，参加人の主張と矛盾しない形でなされる原告・被告間の訴訟上の和解を無効にする必要性に乏しいため，同様の帰結を採用することができる。また，近時は二当事者間の訴訟上の和解を一律有効にするという見解も支持を集めつつある（一律有効説）。訴訟外の和解は自由になし得る以上，訴訟上の和解のみを無効にする規律は意義に乏しく，むしろ，自らの意思に反して三当事者訴訟とされてしまった原告，被告には，参加人の意思によらず，三当事者訴訟を解消する権利を与える必要がある，という理由である。さらに，一律有効説の論者の一部は，独立当事者参加に40条を準用することの政策的な妥当性それ自体に対する疑問もその背景に有している。なお，請求の放棄，認諾に関しても，訴訟上の和解と同様の議論が妥当する。

原告の訴え取下げについては，261条2項によって要求される被告の同意の他に参加人の同意も必要とする，というのが判例である（最判昭和60・3・15判時1168号66頁）。判例はその理由を述べていないが，紛争の統一的解決を重視する立場では，統一的解決の機会を維持するためであると，参加人の利益保護を重視する立場からは，取下げ後に再度原告が被告に対して訴訟を提起することで，参加の趣旨が無にされるのを回避するためであると説明することが可能である。

12-8-5-3 上　訴

上訴に関しては，不服を持ち得る当事者の一部しか上訴しない場合の取扱いが問題になるが，以下，簡単な事例を用いながら，この問題について説明する。基本となるのは，XがYに対してある債権の履行請求訴訟を提起したところ，Zが，当該債権は自己に帰属すると主張し，Yに対して当該債権の履行請求，Xに対して当該債権が自己に帰属することの確認請求を定立しつつ，参加を申し出たという場合である。ここからまず派生するのは，第1審裁判所は，XのYに対する請求につき請求棄却，ZのXおよびYに対する請求につき請求認容判決をなし，XのみがYおよびZを相手として控訴したという事例であり（事例1），第2に派生するのは，Xの請求が認容され，ZのXおよびYに対する請求が棄却された後，YのみがXに対して控訴したという事例である（事例2）。

事例1において，控訴裁判所がXの請求を認容し，ZのXに対する請求を棄却すべきであるという心証に至った場合，ZのYに対する請求認容判決を取り消し，請求棄却判決をすることが，三者間紛争の統一的解決の観点からもXの利益保護の観点からも妥当である。そこで，そもそも直接不服申立ての対象になっていないZのYに対する請求を認容する判決について確定遮断効および移審効が生じるのか（確定遮断効と移審効については，⇨**13-1-4-2**(1)），Yが不服を申し立てていないにもかかわらず，ZのYに対する請求認容判決を取り消すのは利益変更禁止の原則（304条）に抵触しないか，という点が問題になる（利益変更禁止の原則については，⇨**13-2-2**）。

この点については，XのZに対する控訴はYにとっても有利な訴訟行為であり，YもZに対して控訴人になるから（40条1項），ZのYに対する請求認容判決についても確定遮断効および移審効が生じ，また，ZのYに対する請

求認容判決を取り消すことは利益変更禁止の原則に抵触しない，と説明することが考えられる。しかし，判例は，このような説明を採用せず，端的に合一確定に必要な範囲ではZのYに対する請求認容判決について確定遮断効および移審効が生じ，Yに有利に変更することができる，とする（最判昭和48・7・20民集27巻7号863頁）。判例が前者の説明を採用しなかった理由は必ずしも明らかではないが，控訴をYにとって有利な行為と性質決定すると，Xによる控訴の取下げはYにとって不利益な行為となり，X単独での控訴の取下げがなし得なくなるという窮屈な面が生じるという観点から判例の処理を支持することは可能である。なお，判例は，原告の請求も参加人の請求も棄却されたところ，参加人が被告のみを相手に上訴をしたという事例において，原告は，40条1項によって上訴人になるのではなく，40条2項によって被上訴人になるとする（最判昭和50・3・13民集29巻3号233頁）。ここからも判例が，上訴しない当事者を上訴人とすることを避けようとする意図が読み取れる。

　次に，事例2において，控訴裁判所が，ZのXおよびYに対する請求を認容し，XのYに対する請求を棄却すべきであるという心証に至った場合を検討する（まずはすべての請求につき確定遮断効と移審効が認められることを前提とする）。この場合，XのYに対する請求を棄却するとともに，ZのXおよびYに対する請求を認容するのが，控訴裁判所の心証に合致する扱いではある。しかし，ZのXおよびYに対する請求を認容しなくても，訴訟物たる権利関係に対する判断の次元では矛盾が生じるわけではなく（XZ双方とも債権者ではないという判断は論理的に問題ない），合一確定の必要という観点からZのXおよびYに対する請求を認容する意義は大きくない。また，ZのXおよびYに対する請求を認容するのは，実際に上訴をしたYの利益に反する取扱いであり，単にZに棚ぼた的利益を与えるだけである，という問題もある。したがって，事例2では，控訴審はZのXおよびYに対する請求を認容することはできないと解すべきである。そして，そうだとすれば，ZのXおよびYに対する請求に係る判決の確定を遮断し，これらの請求を移審させる必要はないから，Yが控訴したとしても，ZのXおよびYに対する請求については，確定遮断効も移審効も生じないと解するのが相当である。

　以上のように解すると，事例1と事例2とでは，確定遮断効および移審効が生じる範囲に違いが生じることになるが，このような違いは，控訴人の不服の

範囲という観点から説明できるとする見解がある。この見解によると，事例1では，控訴人Xの不服は，自らのYに対する請求棄却判決に対してのみならず，ZのYに対する請求認容判決にも向けられているので，控訴裁判所が後者の判決を変更することが許容される。それに対して事例2では，控訴人Yの不服はXの自らに対する請求認容判決にのみ向けられているので，ZのYに対する請求棄却判決を変更することは許容されず，結局，ZのXおよびYに対する請求棄却判決は第1審かぎりで確定することになる。

12-8-6　独立当事者参加訴訟の判決

　独立当事者参加がなされた場合，全請求につき1個の判決で同時に裁判をしなければならない。一部判決は許されない。一部判決の禁止は合一確定を保障するための措置なので，判決の内容も全請求につき論理的に矛盾のないものでなければならない。誤って一部判決をした場合には，追加判決で補正する余地はない。上訴によって取り消され，事件は原審に差し戻される（最判昭和43・4・12民集22巻4号877頁）。

　既判力の客体的範囲，主体的範囲については特別な規律はない。たとえば，甲土地についてXがYに対して所有権確認訴訟を提起し，Zが自らの所有権確認請求をXYに対して定立しつつ権利主張参加をしたところ，XのYに対する請求が認容され，ZのXYに対する請求が棄却され，確定したという場合，XY間では，Xが所有権者であることが，ZX間，ZY間ではZが所有権者でないことが既判力によって確定されるにすぎない。1個の判決で全請求について判断されるからといって，Xが所有権者であり，Zが所有権者でないことが，XY，ZX，ZY間すべてにおいて既判力をもって確定されるというわけではない。

12-8-7　訴訟脱退

12-8-7-1　訴訟脱退の意義

　独立当事者参加がなされた後，既存の当事者の一方が訴訟追行する意欲を失う場合があり得る。たとえば，XによるYに対する貸金返還請求訴訟に対し，訴求債権は自分が譲り受けたと主張するZが47条の参加を申し出たという場合，債権譲渡を自認するXが訴訟追行の意欲を失うことも，債務の存在自体

は認めており，後はXZ間で真の権利者を決定してほしいと考えるYが訴訟追行をする意欲を失うこともあり得る。このような場合に訴訟追行の意欲を失った当事者に，訴訟から円滑に離脱する機会を与えるというのが訴訟脱退の意義である。

12-8-7-2 訴訟脱退の効果

判決は，脱退した当事者に対してもその効力を有するとされるが（48条），その意味についてはさまざまな見解が対立する。第1説（伝統的な通説）は，脱退当事者に対する判決効を，条件付きの放棄認諾によって説明する見解である。たとえば，XのYに対する貸金返還請求訴訟に，同債権を譲り受けたと主張するZが権利主張参加をしたところ，Yが脱退したという場合，Yの脱退は，XZ間でXが勝訴した場合にはXの，Zが勝訴した場合にはZの請求を認諾する趣旨であると捉えるのである。これによれば，XZのうち勝訴した当事者は，認諾の効力によってYに対する強制執行をすることができるのであり，Yの脱退が残存当事者に不利益をもたらすことは回避されている。もっとも，この見解には，上記の例でZが勝訴した場合，XとYとの間の権利関係が定まらないという難点があり（XがYに対して蒸返し的に債務の履行を請求した場合，Yのみならず，Zの利益も害される可能性がある），また，48条の文言にそぐわないという批判もある。

第2説は，訴訟脱退を脱退者の請求または脱退者に対する請求について，残存当事者間の判決の結論と適合する内容の認容または棄却判決があったのと同一の効力を生ぜしめるものとして48条を位置付ける見解である。これによれば，先の例でZがXに勝訴した場合，ZのYに対する請求については認容判決があったのと，XのYに対する請求については棄却判決があったのと同一の効力が生じる結果，すべての権利関係が定まることになる。もっとも，この説でも，XがZに勝訴した場合，Zが債権者ではないことが確定されるのみで，Xが債権者であることは確定されないから，XY間の権利関係は定まらないという問題は残る。

第3説は，第1説と第2説とを組み合わせる見解である。これによれば，Yが脱退した後，XがZに勝訴したという場合，ZのYに対する請求については棄却判決があったのと同一の効力が生じるとともに，XのYに対する請求についてはYが認諾をしたことになるため，すべての権利関係が定まり，第

2説の難点は回避されることになる。もっとも、脱退の効果を条件付放棄または認諾で説明することについては、48条の文言にそぐわないという批判がなお妥当するうえ、第1説と第2説とを組み合わせる理由が十分に説明されておらず、やや便宜的である、という問題を抱える。

第4説は、Yが脱退した後も、XのYに対する請求、ZのYに対する請求は残存し、裁判所は、XZによって提出された訴訟資料によって、XのYに対する請求、ZのYに対する請求に対しても判決をすべきであるとする見解である。これによれば先の例で、訴訟資料からXが債権者であると認定された場合、ZのXに対する請求、ZのYに対する請求は棄却され、XのYに対する請求は認容される、という形で処理され、権利関係はすべて定まる。しかし、この説については、48条前段が訴訟脱退の要件としている「相手方の承諾」を十分に説明し得ないという難点も指摘されている。第4説によるかぎり、残存当事者が脱退によって不利益を受けることはなく、相手方の承諾が要求される理由を説明するのは難しいからである。

第5説は、端的に残存当事者間の判決の既判力が脱退者にも拡張するのみである、とする見解である。先の例でYが脱退し、XZ間でZが勝訴した場合、Zが債権者であることがXY間、およびZY間でも既判力をもって拡張されるとするのである。これによればZはYに対する債務名義を取得することができず、XのYに対する債権の存否も既判力をもって確定されないことになるが、そうだからこそ、48条前段の相手方の承諾は説明しやすくなると説くのである。

以上概観したとおり、さまざまな見解が主張されているが、いずれも他を凌駕するほどの支持を得ておらず、定説はないというのが現在の議論状況である。

12-8-7-3 訴訟脱退の要件

48条前段は権利主張参加についてのみ脱退を認めているが、これは、脱退は通常権利主張参加で必要となると考えられたからにすぎず、詐害防止参加について脱退を否定する理由はない。

脱退には相手方の承諾が要求される（48条前段）。ここでいう相手方に残存する原告または被告のみならず、参加人も含むか、という点が問題になるが、第5説においては、参加人も脱退により不利益を受ける可能性があるため、参加人も含むと解される。他方、第3説、第4説においては、残存する原告また

は被告および参加人の双方とも脱退によって不利益を受けることは想定しにくいため、そもそも承諾は不要であると解することになる。48条の文言には反することになるが、趣旨が明らかでない規定であるから、このような解釈もおよそ採り得ないということはないであろう。なお第1説、第2説からは、残存する原告または被告の承諾で足りると主張されるが、第1説では、参加人も、残存する原告または被告と同程度の不利益を脱退により受け得るので、このような帰結を正当化するのは困難である。

判例は、残存する原告または被告の承諾を得れば足り、参加人の承諾は不要であるとする（大判昭和11・5・22民集15巻988頁）。残存する原告または被告と参加人との間でなされた判決の効力は脱退者にも及び、既判力、執行力等の関係では、脱退者自ら同一の判決を受けたのと変わりがない、という理由である。もっとも、第1説について述べたように、残存する原告または被告の承諾のみ要求することを説得的に説明することは困難である。

12-8-8 共同訴訟参加

12-8-8-1 共同訴訟参加の意義

「共同訴訟参加」とは、訴訟の目的が当事者の一方および第三者について合一にのみ確定すべき場合に、その第三者が原告または被告の共同訴訟人として参加することを指す（52条）。

株主Xが会社Yに対して提起した株主総会決議無効確認訴訟（会社830条2項）において、他の株主ZがXの共同訴訟人として参加するという場合のように、参加の結果類似必要的共同訴訟となる場合を典型例とするが、固有必要的共同訴訟における当事者の欠缺を治癒するために共同訴訟参加を用いることも排除されない。

12-8-8-2 共同訴訟参加の要件および手続

まず、他人間で訴訟が係属していることが必要である。訴訟が上告審に係属している間でもよい。共同訴訟人の定立する請求の内容は従前の請求と同様であり、新たな審理を要しないからである。

次に、参加人の請求と、係属中の訴訟の請求とが、合一にのみ確定すべき場合であることが要求される。換言すれば、第三者が原告または被告の共同訴訟人として参加した結果、類似必要的共同訴訟または固有必要的共同訴訟が成立

することが必要である。参加人は，共同訴訟人として参加するのであるから，当事者適格を持つ者でなければならない。したがって，たとえば，取締役選任株主総会決議取消訴訟（会社831条）において被選任取締役が被告会社側に共同訴訟参加をすることはできず（会社834条17号），共同訴訟的補助参加が認められるにとどまる（最判昭和36・11・24民集15巻10号2583頁）。

　共同訴訟参加の申出は書面によってしなければならない（52条・47条2項）。申出書には参加の趣旨と理由を記載し，共同訴訟参加により訴訟行為をすべき裁判所に対して提出する（52条・43条1項）。参加の趣旨としては，どの訴訟につき，原被告のいずれの側に参加するかを明らかにし，参加の理由としては，合一確定の必要があること，当事者適格を有することを明らかにすることが要求される。当事者として参加する以上，参加人は自らの請求を定立することになるが，これは係属中の訴訟の請求と同じ内容のものか，これを否定する内容のものになる。なお，申出書は当事者双方に送達される（52条・47条3項）。

　共同訴訟参加の申出は実質的には訴えに相当するから，要件を欠く参加申出は終局判決によって却下しなければならない。

12-8-8-3　共同訴訟参加により成立した共同訴訟の審理

　参加後は類似必要的共同訴訟または固有必要的共同訴訟となるので，審理の規律はそれに準じる。

12-9　訴訟承継

12-9-1　総　説

12-9-1-1　訴訟承継の意義

　訴訟係属の発生から訴訟の終了までには時間がかかる。したがって，訴訟係属中に当事者が死亡したり，係争物が譲渡されたりすることがある。このような場合に相続人や係争物の譲受人などを当事者とする訴訟を改めて開始しなければならないとすれば，非効率であるだけでなく，敗訴する可能性が高い場合に敗訴を逃れるために係争物を譲渡するというような行動を助長するおそれがある。そこで，当事者の一方の相続人や係争物の譲受人などに従前の訴訟追行の結果を引き継がせるための制度として用意されているのが「**訴訟承継**」であ

る。

12-9-1-2 訴訟承継の種類

訴訟承継には，当然承継，参加承継，引受承継の3種類がある。「**当然承継**」は，相続や合併など当事者の地位が包括的に第三者に承継された場合（包括承継）に生じる訴訟承継である。承継人は特別な手続を要せずに当事者の地位を取得することとなるため，当然承継と呼ばれる。

それに対して参加承継と引受承継は，係争物の譲渡や債務引受など，当事者の特定の権利義務関係が第三者に承継される場合（特定承継）に利用される訴訟承継の手段である。「**参加承継**」は承継人の側から積極的に従前の訴訟の結果を引き継ぐために利用される手続であり，「**引受承継**」は，相手方当事者の側で承継人に従前の訴訟の結果を引き継がせるための手続である。いずれにせよ，承継人は当然に当事者の地位を取得するわけではなく，法定の手続を経なければならないという点で当然承継とは区別される。

12-9-1-3 訴訟承継の効果

訴訟承継の効果については，訴訟の目的である権利または義務の全部または一部を承継したことを主張して参加承継の手続によって参加した場合，時効の完成猶予に関しては，当該訴訟の係属の初めに，裁判上の請求があったものとみなされ，かつ，その参加は，訴訟の係属の初めに遡って法律上の期間の遵守の効力を生ずる，という定めしか置かれていない（49条・51条）。しかし，通説は，これに加え，訴訟承継が生じた場合，承継人は承継の原因が生じた時点（参加がなされた時点や引受決定がなされた時点ではない）での訴訟状態を承認しなければならないとする（訴訟状態承認義務）。訴訟状態とは，訴訟進行の各段階における，従前の訴訟追行を前提とした，勝訴または敗訴の見込みとしての利益状態を意味し，証拠調べや弁論の全趣旨によって形成された裁判官の心証，自白や時間の経過によって生じた攻撃防御方法の提出の制約などによって構成される。したがって，訴訟状態を承認するとは，既存の訴訟資料は当然に承継人との関係でも資料となり，被承継人に生じている自白の拘束力や時機に後れた攻撃防御方法提出制限の効果などは承継人に引き継がれる，ということを意味する。

以上のような訴訟状態承認義務が承継人に対して課される根拠としては，次の点が挙げられる。第1に，訴訟状態承認義務が認められないとすると，相手

方は承継人を相手として改めて訴訟追行をしなければならないこととなり，既得的地位が害される。第2に，承継人は被承継人のした処分の結果を承継すべき実体法上の地位にあることから，被承継人の訴訟追行によって形成された訴訟状態を承認せざるを得ないとしてもやむを得ない。第3に，承継原因が生じるまでは被承継人こそ訴訟に最も密接な利害関係を有する者であったのであり，この者に対する手続保障によって承継人に対する手続保障もある程度は代替されているといい得る。

> すこし詳しく 12-11 **訴訟状態承認義務に対する批判**
> ▶訴訟状態承認義務については，近時批判が加えられている。その主たる論拠は，第1に，承継人に対する手続保障を損なうというものであり，第2に，従前の訴訟資料は，訴訟承継後，両当事者のいずれかによって援用されるのが通例であるから，訴訟状態承認義務を導入する必要は大きくないというものである。たしかに，訴訟状態承認義務を導入した場合，承継人に対する手続保障は薄くならざるを得ないが，前述したとおり，このようなことが全く正当化できないというわけではない。また，自白の拘束力等，従前の訴訟資料の援用によって代替するのが困難なものもあり，訴訟状態承認義務を導入する必要性がないともいえない。以上のように考えれば訴訟状態承認義務はなお維持可能であると見てよい。

12-9-2 当然承継の原因

当然承継の原因を直接定めた条文はない。ただし，当然承継においては，特別な手続を要せず当然に当事者の地位を取得することとなる承継人が現実に訴訟追行をなし得る時まで訴訟手続を中断させるという処理が必要となる。したがって，訴訟手続の中断事由を定める規定を手がかりとすることで，当然承継の原因を探ることが可能となる。

かかる規定としては，まず124条1項が挙げられる。これによれば，①当事者の死亡（同項1号），②当事者である法人の合併による消滅（同項2号），③当事者である受託者の信託の任務の終了（同項4号），④一定の資格を有する者で自己の名で他人のために訴訟の当事者となるものの死亡その他の事由による資格の喪失（同項5号），⑤選定当事者の全員の死亡その他の事由による資格の喪失（同項6号）が当然承継の原因となる。その他の法律にも中断事由が定められていることがあり，たとえば，破産法44条1項・4項は⑥破産手続の開始または終了を中断事由としている。それぞれの場合における承継人は，①相続

人，相続財産の管理人，相続財産の清算人その他法令により訴訟を続行すべき者，②合併によって設立された法人または合併後存続する法人，③新受託者等，④同一の資格を有する者，⑤選定者の全員または新たな選定当事者，⑥開始の場合は破産管財人，終了の場合は破産者である。もっとも，①の場合も，訴訟物たる権利関係の性質が一身専属的である場合，死亡に基づく承継は生じないので，訴訟承継もそれに伴う手続の中断も生ぜず，訴訟は終了する。判例は，養子縁組取消請求権は一身専属権であるとして，原告たる養親の死亡と同時に訴訟は終了するとするが（最判昭和51・7・27民集30巻7号724頁），有限会社社員の会社解散請求権，社員総会決議取消請求権，同無効確認請求権は，共益権とはいえ社員自身の経済的利益を図るために認められるものであり，自益権とともに移転することも可能であるから，一身専属権とはいえず，訴訟は相続人に承継されるとする（最大判昭和45・7・15民集24巻7号804頁）。

以上の当然承継の原因は訴訟係属中に発生しなければならない。かかる原因がもたらす訴訟手続の中断は，係属中の訴訟手続が法律上進行できない状態になることを指すからである。もっとも，訴状提出後，被告への送達がなされる前に被告が死亡したような場合に，対立する二当事者を欠き，不適法であるとして却下するとすれば，帰責性のない原告に対して不利益を与えることになるのみならず，訴訟経済に反する。したがって，多数説は，このような場合には124条1項1号を類推し，相続人が訴訟を承継すると説く。また，訴え提起前に既に原告が死亡していることに気付かず，生前の原告から訴訟委任を受けた訴訟代理人が原告を当事者として表示して訴えを提起した場合についても，判例は124条1項1号と，訴訟代理権は本人の死亡によって消滅しないとする58条1号を類推適用し，相続人が当事者として訴訟を承継するとする（最判昭和51・3・15判時814号114頁）。

なお，当然承継の原因が生じたことによる中断および受継の手続については，⇨ *5-3-5-2*。

12-9-3 参加承継・引受承継

12-9-3-1 参加承継・引受承継の原因

参加承継・引受承継の原因は，第三者が，訴訟の係属中その訴訟の目的である権利の全部もしくは一部を譲り受けたこと（49条・50条），または，訴訟の

係属中その訴訟の目的である義務の全部もしくは一部を承継したこと（51条）である。

かかる文言の解釈は基本的に115条1項3号の口頭弁論終結後の承継人の解釈に準じる（口頭弁論終結後の承継人については，⇨ 9-6-9-3）。したがって，ここでいう訴訟の目的たる権利義務の承継とは，訴訟物たる権利義務の承継のみを指すと狭く解すべきではなく，当該訴訟物について原告または被告となることを適切なものとするような実体法上の地位の承継を指すと解すべきである。たとえば，所有権に基づく土地明渡請求訴訟の係属中，同土地の占有を被告Aから承継したBは，訴訟物たる明渡義務を直接承継しているとはいえないが，この訴訟物について被告となることを適切なものとするような実体法上の地位を承継しているといえるので，承継原因になる。

ところで，判例は，賃貸借契約終了に基づく建物収去土地明渡訴訟の係属中に被告がその建物に借家人を住まわせた場合に，原告が，借家人を相手として土地所有権に基づく建物退去請求を定立しつつなした引受申立てを認容したことがある（最判昭和41・3・22民集20巻3号484頁）。①収去義務は退去義務を包含し，後者に関する紛争の主体たる地位は借家人に移転したと考えることができること，②建物退去義務の存否の判断は，土地賃貸借契約の終了に関する判断に依存し，従前の訴訟資料を利用できることを理由とする。本書の立場では，借家人は，賃貸借契約終了に基づく建物収去土地明渡請求において被告となることを適切なものとする実体法上の地位（土地の占有者としての地位）を承継したことから承継原因が認められると説明することになろう。

なお，参加承継・引受承継の原因は，法律行為，競売などの国家行為，法の規定いずれであるかを問わない。ただし，当然承継の原因は除かれる。

12-9-3-2　参加承継・引受承継の手続

(1)　参加承継の手続

権利承継人による参加承継は，承継人が，訴訟の係属中その訴訟の目的である権利の全部または一部を譲り受けたことを主張して，47条1項の規定により独立当事者参加の形式により訴訟参加をすることによって行う（49条）。義務承継人による参加承継の場合も，同様に訴訟の係属中その訴訟の目的である義務の全部または一部を承継したことを主張して，独立当事者参加の形式で訴訟参加をすることによって行う（51条・49条）。たとえば，貸金返還請求訴訟

において，原告から当該貸金債権を譲り受けたと主張する者が参加承継をする場合には，参加の趣旨および原因ならびに被告に対して貸金の返還を請求する旨を記載した参加申出書を裁判所に提出する。所有権に基づく土地明渡請求訴訟において当該土地の占有を被告から承継した者が参加承継をする場合には，参加の趣旨および原因ならびに原告に対して所有権に基づく土地明渡請求権の不存在確認を請求する旨を記載した参加申出書を提出する。被承継人に対する請求を立てる必要はないが，立てることもできる。たとえば，貸金返還請求の事例で債権譲渡の事実について被承継人との間に争いがある場合などには被承継人に対する請求を立てることが考えられる。いずれの場合も，被承継人は脱退をすることができる。

　判例は，参加承継の申出は，事実審の口頭弁論終結時までにしなければならない，とする（大判昭和13・12・26民集17巻2585頁）。参加承継の申出は訴えの実質を持つため事実審理が許されない上告審ではなし得ないとするものであると解される。ただし，原判決が破棄され事実審に差し戻される可能性があるかぎりは，上告審における参加申出も許すべきである，とする有力説もある。

　参加承継の申出は，その主張自体から承継原因が存在しないことが明らかな場合に却下される。参加承継の申出は訴えの実質を有するので，申出の却下は判決の形式によって行う。なお，承継原因に該当する事実が主張されているかぎり，その主張が真実であるか否かは本案の問題であり，参加承継の申出の適法性には関わらない。

(2) 引受承継の手続

　第三者が訴訟の目的である義務の全部もしくは一部または権利の全部もしくは一部を承継したとき，裁判所は，当事者の申立てにより，決定で，その第三者に訴訟を引き受けさせることができる（50条1項・51条）。権利の承継の場合も，義務の承継の場合も，引受承継は利用可能ということである。なお，引受承継がなされた場合，被承継人は脱退することができる（50条3項・48条）。

　申立ては，期日においてする場合を除き，書面で行う（規21条）。申立てに基づく引受決定は承継人に当事者としての地位を与えるという重大な効果を持つためである。申立てにおいては，引受けの範囲と承継の原因を明らかにする必要がある。また，申立ては事実審の口頭弁論終結時までになされなければならない（最決昭和37・10・12民集16巻10号2128頁）。

被承継人の相手方当事者が申立権を有することに争いはないが，被承継人からの申立てがなされることがある。被承継人が承継人に訴訟追行をさせたいと考える場合や，承継人自身も訴訟追行するつもりはあるが，参加承継によると，訴えに準ずる手数料の納付が求められるため，被承継人の側で，低廉な手数料で足りる引受けの申立てをするという場合である（引受申立ての場合は，一律500円。民訴費別表第1の17）。しかし，引受承継は，相手方の既得的地位を保護するための制度である以上，被承継人による申立ては認められないというべきである。もちろん，手数料上の利益のみに依拠した引受けの申立てを許す必要はなく，その旨判示した下級審裁判例もある（東京高決昭和54・9・28下民集30巻9〜12号443頁）。

引受申立人が引受人に対する請求を掲げる必要があるか否かについては争いがある。とくに問題があるのは，原告側に承継があり，被告が引受けを申し立てた場合である。たとえば，XのYに対する所有権確認訴訟において，XからZに所有権の移転があり，Yが引受けを申し立てたという場合につき，学説では，①YがZに対する所有権不存在確認請求を定立する，②YのZに対する所有権不存在確認請求は，引受けの申立てに包含されていると考える，③引受決定と同時に，ZからYに対する所有権確認請求を擬制する，といった説が主張されているが，本書は③を採用する。もともと受動的な地位にあったYに請求の定立を要求するのは相当ではなく，また，無理にYに請求を定立させようとすると，上述のとおり，Zの所有権不存在確認請求のような本来確認の利益が認められない請求の定立を認めざるを得ない場合が生じるからである。以上は，被告により引受けの申し立てがなされた場合であるが，被告側に承継があり，原告が引受けを申し立てたという場合については，引受申立人はもともと能動的な当事者であるから，改めて引受人に対する請求を定立させれば足りる。

裁判所は，訴訟引受けの申立てにかかる決定をする場合には，当事者および第三者を審尋しなければならない（50条2項）。審尋の結果，裁判所は，承継原因の存在が疎明されたとの判断に至れば引受決定をし，疎明はなされなかったという判断に至れば申立てを却下する決定をする。承継原因の主張では足りないという点で参加承継とは異なる。申立てを却下する決定は通常抗告の対象になるが（328条1項），引受決定に対する抗告は認められていない。終局判決

に対する上訴の中で引受決定に対する不服を申し立てることができるという見解もあるが，上訴審で，承継原因の存在が否定されても，本案の問題として扱えばよく，引受決定の取消しや，引受人の当事者としての地位の喪失といった効果は生じないと考えるべきである（なお，この点は，**12-9-3-3**(3)とも関連する）。

12-9-3-3 参加承継・引受承継訴訟の審理と判決

(1) 参加承継訴訟の審理

権利承継人による参加承継は独立当事者参加の形式でなされるため，必要的共同訴訟に関する審理の規律が準用される（47条4項・40条）。義務承継人による参加については，当然には独立当事者参加の要件を満たすものではないが，51条が47条4項を準用しているため，同様に必要的共同訴訟に関する審理の規律が準用される。

以上の結果，参加承継後の審理の規律は独立当事者参加における審理の規律に接近するが，承継人には訴訟状態承認義務が課されるため，全く同じにはならない。たとえば，通常の独立当事者参加であれば，参加人は，被承継人が参加前にした裁判上の自白に拘束されないと解されるのに対して，参加承継における承継人はかかる自白に拘束される可能性がある。したがって参加承継と独立当事者参加は別物であると理解すべきである。

(2) 引受承継訴訟の審理

この場合，その後の審理には41条1項および3項が準用される（50条3項・51条）。同時審判申出共同訴訟の規律が妥当するということであり，その結果，弁論の分離と一部判決は禁じられる。義務承継の場合，引受申立人たる原告は，訴訟物たる権利の存在さえ認められれば被告ないし承継人のいずれか一方には勝訴し得る立場にあるという意味で，同時審判申出共同訴訟における原告と同様の利害状況にある，ということが41条を準用する実質的な論拠となろう。権利承継の場合における引受申立人たる被告も少なくとも二重敗訴を回避し得る地位にあるという意味で同様の議論が妥当する。

(3) 参加承継・引受承継訴訟の判決

審理の結果，承継の事実が否定された場合，参加承継では参加自体が不適法になるわけではなく，承継人の請求を棄却することになる。

他方，引受承継の場合については争いがあり，①承継原因の欠缺は，引受人の当事者適格の欠缺を意味するから，引受人の，またはこれに対する訴えを却

下する（東京高決昭和40・6・24 東高民時報16巻6号123頁），②引受人に関する請求を理由無しとして棄却する（大阪高判昭和39・4・10 下民集15巻4号761頁），③引受決定を取り消して，引受けの申立てを却下する，という3説が提示されている。

以上の見解のうち，①は，本案判決がなされないため再訴の可能性が残る，訴え却下判決に対して控訴が提起され控訴審では承継原因ありとの判断がされた場合には必要的差戻し（307条）になるといった訴訟経済に反する帰結を生ぜしめるおそれがある。また，③は，従前の審理が無駄になるうえ，被承継人が脱退している場合の処理が問題となるなどの難点を抱える。この点，②は，従前の審理を無駄にせず，妥当な結論を導けるため多数説となっているが，理論的な説明に問題が残る。②は，引受決定によって承継人は当事者の地位を確定的に取得したのであり，引受決定の当否は以後問題とならないという理解を前提とするが，このような理解と，本案判決に対する上訴の中で，引受決定に対する不服を申し立てることができるという見解（⇨ **12-9-3-2**(2)）との間の整合性に問題があるのである。②を維持するのであれば，引受決定はおよそ不服申立ての対象にならないとするのが素直である。

12-9-4 訴訟承継主義の限界

前述のとおり，わが国においては，訴訟係属中に訴訟物について原告または被告となることを適切なものとするような実体法上の地位の承継があった場合，このことを訴訟に反映させるという規律が採用されている。これは「**訴訟承継主義**」と呼ばれるが，これについては限界も指摘されている。訴訟係属中に以上のような地位の承継があったとしても，これが相手方当事者に認識されないかぎり，相手方当事者は無意味な訴訟追行を継続せざるを得ないからである。たとえば，所有権に基づく土地明渡請求訴訟において，被告から第三者への土地占有の移転を認識できなければ原告は引受承継の申立てをなし得ず，その後原告が勝訴したとしてもその判決の効力を占有を承継した第三者に及ぼすことはできない。

そこで，外国の法制の中には，訴訟係属中に前述のような意味での承継が生じた場合も，被承継人によるさらなる訴訟追行を認めるとともに，被承継人が受けた判決の効力を承継人に拡張するという規律を採用するものもみられる。

これを「**当事者恒定主義**」という。

　また，わが国においても訴訟承継主義を前提としつつ，当事者恒定主義に接近させるための仕組みが民保法において用意されている。たとえば，原告は所有権に基づく土地明渡請求訴訟提起前に占有移転禁止の仮処分（民保62条）を取得しておけば，訴訟係属中に係争不動産の占有が第三者に移転したとしても，その事実は本案審理の中では考慮されず，被承継人に対する勝訴判決に基づいて承継人に対し，明渡しの強制執行をすることができるのである。ただし，仮処分を利用できるのは原告に限定されるため，原告側で承継が生じることによって被告が無意味な訴訟追行を続けることになるリスクはなお十分に対応されないまま残されている。

第 *13* 章
不服申立て

13-1 上　　訴
13-2 控　　訴
13-3 上告と上告受理
13-4 抗　　告
13-5 特別上訴
13-6 再　　審

13-1 上　訴

13-1-1 上訴の概念

　上訴は裁判に対する不服申立ての一種である。「**不服申立て**」とは，裁判の取消または変更を求める訴訟行為を指し，これはさらに通常の不服申立てと非常の不服申立てに分けられる。

　「**通常の不服申立て**」は，裁判の確定前にその裁判の取消または変更を求める不服申立てである（確定の概念については，⇨ **9-4-2**）。その中には上訴と異議が含まれる。「**上訴**」は上級裁判所に対して未確定の裁判の取消または変更を求める不服申立てであり，対象となる裁判の確定を妨げ（確定遮断効），上級審における訴訟係属を発生させる効果（移審効）を持つ。それに対して，「**異議**」は裁判をした裁判所または裁判をした裁判官が属する裁判所に対して未確定の裁判の取消または変更を求める不服申立てである（357条・378条等）。未確定の裁判が対象となる点で上訴と共通するが，上級裁判所に対する不服申立

てではない点で上訴とは異なる。

　「**非常の不服申立て**」は，確定した裁判の取消しまたは変更を求める不服申立てであり，その中には再審と特別上訴が含まれる。「**再審**」は，裁判の基礎となった手続や資料に重大な瑕疵がある場合に，確定した裁判の取消しまたは変更を求める不服申立てである。確定した裁判が対象になる点，原則としてその裁判をした裁判所に対する不服申立てである点で上訴とは異なる。「**特別上訴**」は，最高裁判所が憲法上最終的な法令審査権を有していることに鑑み（憲81条），通常の不服の申立ての尽きた裁判について，憲法違反を理由とする取消しまたは変更を最高裁判所に対して求める不服申立てである。上級裁判所に対する不服申立てである点は上訴と共通するが，対象となる裁判の確定を妨げる効果がない点で上訴と異なる。

13-1-2　上訴制度の目的

　上訴制度一般の目的は，当事者の救済である。人間が限られた資料と時間で行う裁判には常に誤判の危険がつきまとうため，かかる誤判による利益侵害から当事者を救済することが目的とされるのである。

　もっとも，上告，上告受理申立ておよび許可抗告に関しては法令解釈の統一という側面も無視できない。下級裁判所が従前の判例に反する判断を提示した場合，または，いまだ確立した取扱いが存在しない新たな問題が現れた場合に，当事者の上告，上告受理申立てまたは抗告許可の申立てを契機として最高裁判所による法令解釈の統一を図ることはきわめて重要と考えられるからである。そこで，これらの上訴においては当事者の救済と法令解釈の統一のいずれが主要な目的であるかが議論されることになるが，この点は上告および上告受理について説明する際に論ずる（⇨ **13-3-3**）。

13-1-3　上訴の種類

　上訴は判決に対するものと，決定または命令に対するものに分類される。

　判決に対する上訴には控訴と上告がある。「**控訴**」は地方裁判所，家庭裁判所または簡易裁判所が第1審裁判所としてした終局判決に対する不服申立てである（281条1項，人訴29条2項）。地方裁判所，家庭裁判所の終局判決に対する控訴は高等裁判所に対して提起し，簡易裁判所の終局判決に対する控訴は地

607

方裁判所に対して提起する（裁16条1号・24条3号）。

　「**上告**」は原則として控訴裁判所のした終局判決に対する不服申立てであるが，例外的に高等裁判所が第1審裁判所として終局判決をする場合，および，飛越上告の合意（当事者双方が上告をする権利を留保したうえでする控訴しない旨の合意。281条1項但書）がなされた場合には，第1審裁判所のした終局判決に対する不服申立ても上告となる（311条1項・2項）。上告は，第1審裁判所が地方裁判所，家庭裁判所または高等裁判所の場合には最高裁判所に対して提起し，第1審裁判所が簡易裁判所の場合には高等裁判所に対して提起する（311条1項，人訴29条2項，裁7条・16条3号）。なお，「**上告受理申立て**」は，当然には移審の効果を持たないが，原判決の確定を妨げる効力を持つため（116条2項），上訴の一種とみることができる。以上のように控訴，上告（または上告受理）という2段階の上訴が存在する結果，同一事件については最大三審級の審理が認められ得るということになる。このような制度を「**三審制**」という。また，複数の審級の審理を受けられるということを当事者の利益とみて「**審級の利益**」といい，これを保護するための規定も置かれている（300条1項・3項・307条等参照）。

　決定または命令に対する上訴には，「**抗告**」があり，これはさらに「**最初の抗告**」（328条）と「**再抗告**」（330条）とに分けられる。「**最初の抗告**」は，決定または命令に対する第1の上訴であり，最初の抗告のことを単に抗告と呼ぶこともある。最初の抗告は，簡易裁判所の決定または命令については地方裁判所に対して，地方裁判所または家庭裁判所の決定または命令については高等裁判所に対して提起する（裁16条2号・24条4号）。高等裁判所の決定または命令について最初の抗告を提起することはできない。最高裁判所は，訴訟法においてとくに定める抗告についてのみ管轄を有するとされるところ，最初の抗告はこれに当たらないからである（裁7条2号）。

　「**再抗告**」は最初の抗告を受けた抗告裁判所の決定に対する上訴であり（330条），地方裁判所が抗告裁判所としてした決定に対する再抗告は高等裁判所に対して提起する（裁16条2号）。高等裁判所が抗告裁判所としてした決定についての最高裁判所への再抗告は認められない。再抗告も，裁判所法7条2号にいう訴訟法においてとくに定める抗告には当たらないからである。

　なお，最高裁判所への抗告として訴訟法がとくに定めるもの（裁7条2号）

には，許可抗告と特別抗告がある。「**許可抗告**」とは，高等裁判所の決定および命令に対して，当該高等裁判所の許可に基づき許される最高裁判所への抗告である（337条）。許可抗告については原裁判の確定を遮断する効果の有無に関して議論があり，このため上訴といえるか否かについても疑義が生じているが，本書ではさしあたり上訴の1つとして取り扱う（確定遮断効の有無については，⇨ **13-4-5-4 す** 13-3）。これに対して特別抗告（336条）が特別上訴の1つに分類されることには争いがないので，本書でもこれは特別上訴の項において扱う（⇨ **13-5-3**）。

> **TERM ㊱ 事実審と法律審**
> 「**事実審**」とは，事実の存否に関する判断と法律問題に関する判断の双方を行う審級を指し，「**法律審**」とは法律問題に関する判断のみを行う審級を指す。第1審と控訴審および最初の抗告審は事実審であるのに対して，上告審および再抗告審は法律審である（321条・331条但書）。ただし，上告審および再抗告審も職権調査事項に関するかぎりは独自の事実認定をなし得る（322条・331条但書）。

13-1-4　上訴の要件と効果

13-1-4-1　上訴の要件

　上訴に特有の適法要件を「**上訴要件**」という。各上訴共通の上訴要件としては，①上訴提起行為が有効であり，所定の方式に従っていること，②上訴期間を徒過していないこと，③上訴の対象となった裁判が性質上不服申立ての対象となり得る裁判であり，その裁判に適した上訴が申し立てられたこと，④不上訴の合意や上訴権の放棄がないこと，⑤上訴を提起する者（上訴人）が上訴の利益を有すること，が挙げられる。

　以上の上訴要件は原則として審理の終結時に備わっていなければならず，その不充足が明らかになった時点で上訴は不適法として却下される。ただし，①の要件は上訴提起時に備わっていれば足りる。たとえば上訴提起後に上訴人が訴訟能力を喪失したからといって，上訴自体が不適法として却下されるわけではない（上訴人に訴訟能力が欠けていても上訴却下とすべきでない場合については，⇨ **4-3-3-5**）。

　ところで，上訴要件を形式的には備えているが，実質的には訴訟の完結を遅

第13章　不服申立て

延させることのみを目的とする上訴が提起されることがある。これは「**上訴権の濫用**」の一種であり，上訴裁判所は上訴人に対し上訴提起の手数料として納付すべき金額の10倍以下の金銭の納付を命じることができる（303条1項・313条・331条）。また，このような濫用がなされた場合には信義則違反（2条）として上訴を却下することもあり得る。特許出願の拒絶査定を是認する審決に対する取消訴訟において棄却判決が言い渡された後に原告が特許出願を取り下げたうえで訴えの利益の欠缺を理由として訴え却下を求めて上告を提起したという事案において，上訴権の濫用として上告を却下した判例がある（最判平成6・4・19判時1504号119頁）。

すこし詳しく 13-1　違式の裁判

▶判決によって裁判すべき事項について決定または命令がなされる場合を違式の決定または命令，逆に決定または命令で裁判をすべき事項について判決がなされる場合を違式の判決といい，あわせて「**違式の裁判**」という。違式の決定または命令は，常に通常抗告の対象となり（328条2項），違式であることが認められれば原裁判は取り消される。本来なされるべき裁判の形式ではなく，実際になされた裁判の形式を基準とする上訴の形式を取らせることで，本来するべき裁判の形式を判定する負担から当事者を解放する趣旨である。また，判例は，この場合には，331条によって準用される306条および308条の解釈上，当然に差し戻すべきであるとする（大判昭和10・5・7民集14巻808頁）。違式の判決についても，明文規定はないが，同様に，不服申立ての形式や不服申立期間の遵守に関しては控訴または上告の規律に従った上訴をすべきものとされる。もっとも，判決の形式でなされたということはより充実した手続保障がなされたということであるから，違式の判決というのみで原裁判が取り消されるわけではない。また，原審が誤って判決という形式によって判断したからといって，決定または命令の形式で裁判がなされそれに対して抗告がなされたとすれば抗告審において審理の対象とならない事項までが審理の対象になるわけでもない（最判平成7・2・23判時1524号134頁）。

13-1-4-2　上訴の効果

(1)　確定遮断効と移審効

裁判は，上訴期間内は確定せず，この期間内に適法に提起された上訴は，上訴の対象となった裁判の確定を遮断する（116条・122条）。この効果を「**確定遮断効**」といい，これによって判決の確定に基づいて生じる判決の効力の発生は妨げられる（ただし，仮執行宣言が付されている場合，執行力の発生は妨げられず〔民執22条2号〕，執行を停止させるためには，執行停止の裁判を得る必要がある〔403

条1項〕)。また，適法に提起された上訴は，上訴の対象となった事件に関する原審の訴訟係属を消滅させ，上訴裁判所における訴訟係属を発生させるという効果を持つ。これを「**移審効**」という。

(2) 上訴不可分の原則

　たとえば，貸金1000万円の返還請求訴訟において，第1審裁判所が600万円の限度で請求を認容し，原告のみが控訴を提起したという場合，600万円の限度で請求を認容し，その余の請求を棄却した原判決の全体が確定を遮断され，移審する。控訴人に不服のない，原判決中600万円の限度で請求を認容する部分も確定しない。このように，不服申立ての範囲にかかわらず，原裁判全体について確定遮断効と移審効が生じることを「**上訴不可分の原則**」という。もっとも，控訴人に不服のない，原判決中600万円の支払請求を認容する部分について控訴裁判所が当然に取り消し，または変更できるというわけではなく，この部分を取り消し，または変更するためには，被控訴人の控訴または附帯控訴が必要となる。以上の処理は，被控訴人による附帯控訴の余地を残すためのものであると評価することも可能であるが，この点は附帯控訴の説明に際して再論する（⇨ **13-2-3**）。

　上訴不可分の原則は，請求の客体的併合の局面においても妥当する（請求の客体的併合については，⇨ 第 *11* 章〔505頁〕）。たとえば，①XがYに対してA請求とB請求とを定立しており，第1審裁判所が，AB両請求を棄却する判決をしたところ，XがB請求を棄却する判決についてのみ控訴をしたという場合，AB両請求についての判決が確定を遮断され，事件は全体として移審する。また，②A請求が棄却され，B請求が認容された場合においてYのみが上訴したという場合も，AB両請求についての判決の確定が遮断され，事件は全体として移審する。ただし，いずれにおいてもA請求についての第1審判決は，当然には控訴審における取消しまたは変更の対象にはならない。

　請求の客体的併合の局面において上訴不可分の原則が認められる理由は状況によって異なる。②では，被控訴人に附帯控訴の余地を残すという説明が可能である。他方，①では被控訴人たるYには不服を申し立てる余地はなく，被控訴人に附帯控訴の余地を残す，という説明は妥当しない。上訴人は上訴状によって不服の範囲を明示することを要求されておらず，明示したとしても口頭弁論終結までは変更可能であることから（⇨ **13-2-4**），全体として上訴の効果

611

を及ぼさざるを得ないと説明することになる。

ところで，通常共同訴訟の場合には異なる扱いがなされる。XがY_1，Y_2を共同被告とする通常共同訴訟において，第1審でY_1，Y_2双方に対する認容判決を得たところ，Y_1のみが控訴を提起したという場合，確定遮断効と移審効が生ずるのはY_1に対する請求についてのみである。これは共同訴訟人独立の原則が適用されるためである（39条）。なお，必要的共同訴訟の場合，一部の共同訴訟人による上訴によって全請求について確定遮断効と移審効が生ずるが，これは合一確定の必要という異なる配慮によるものであって，上訴不可分の原則の適用結果ではない（共同訴訟人独立の原則については，⇨ **12-3-3**，必要的共同訴訟における上訴については，⇨ **12-4-4**）。

13-2 控　　訴

控訴は，第1審終局判決に対する第2の事実審裁判所への上訴を指す（281条1項，人訴29条2項）。控訴を提起する者を「**控訴人**」，その相手方を「**被控訴人**」と呼ぶ。

終局判決のみが控訴の対象であり，中間判決ならびに中間的な決定および命令は独立には控訴の対象にならない。ただし，これらの中間的な裁判（中間判決や証拠申出の採否など）の当否は，原則として，とくにこれらに対する不服申立てがなくても，終局判決に対する控訴を受けた控訴裁判所の判断を受ける（283条本文）。もっとも，そもそも不服申立ての対象にならない裁判や，抗告によって不服を申し立てることができる裁判については控訴裁判所を拘束する（283条但書）。前者の例としては，管轄裁判所を指定する決定（10条3項），裁判官の除斥または忌避を理由があるとする決定（25条4項）などがあり，後者の例としては移送決定，移送申立却下決定（21条），裁判官の除斥または忌避を理由がないとする決定（25条4項）などがある。

13-2-1　控訴の利益

上訴は，相手方や裁判所に対して負担を課すものであるから，不要な上訴は排除しなければならない。そこで，上訴を提起する正当な利益を有する者による上訴のみが適法な上訴とされる。この利益のことを「**上訴の利益**」といい，

控訴については，「**控訴の利益**」という。以下，控訴の利益について論じるが，これは上訴一般に妥当する議論である。

通説は，申立てにおいて求めた判決を得られた当事者には控訴の利益は認められないとする。このように申立てと判決とを比較し，前者が後者より大きければ控訴の利益を認め，そうでなければ認めないという考え方を「**形式的不服説**」という。これによると，全部敗訴した当事者または一部敗訴した当事者には控訴の利益が認められるのに対して，全部勝訴した当事者が判決理由中の判断とは別の理由による勝訴判決を求めて控訴を提起したとしても控訴の利益を認められないということになる（最判昭和31・4・3民集10巻4号297頁）。なお，被告は申立てを明示しないこともあるが（たとえば，いわゆる欠席判決の場合），このような被告にも請求認容判決に対する上訴を認める必要はある。形式的不服説においては，このような被告についても，形式的不服説を適用する際には，請求棄却判決の申立てがなされているという前提で控訴の利益の有無を判断することになる。

形式的不服説はその簡便性により多くの支持を受けているが，一定の例外を認めなければならないことも知られている。第1に，予備的相殺の抗弁により全部棄却判決を得た被告は，形式的不服説の単純な適用によれば控訴の利益を持たないはずであるが，このような被告にも控訴の利益はあると解されている。この場合，相殺に供した反対債権の不存在について既判力が生じる以上（114条2項），被告は予備的相殺以外の理由による全部棄却判決を得る利益を持つと考えられるからである。第2に，黙示の一部請求が全部認容された原告について控訴の利益を認める下級審裁判例がある（名古屋高金沢支判平成元・1・30判時1308号125頁）。そのまま確定させると原告は残額を後訴で請求できないことになるからである（一部請求については，⇨ **9-6-8**）。第3に，当事者の一方が，原判決の取消しを求めて控訴を提起したところ，控訴裁判所により原判決を取り消し，事件を第1審に差し戻す旨の判決がなされたが，取消理由への不満から控訴人が原判決の破棄を求めて上告を提起したという場合も，取消理由は差戻審およびその後の上級審を拘束する以上（裁4条），上告の利益が認められる（最判昭和45・1・22民集24巻1号1頁）。

以上のように，形式的不服説は一定の例外を認めざるを得ないものであるが，近時は，例外を含めてより包括的な形で控訴の利益を定式化するため，控訴人

が判決効によって別訴での救済を受けられなくなる場合に控訴の利益は肯定されるとする考え方が提唱されている。この考え方は「**新実体的不服説**」と呼ばれる。この考え方によると，たとえば，明示の一部請求において全部勝訴した原告は，後訴で残部請求をすることが認められるため，請求の拡張を目的として控訴を提起したとしても控訴の利益は認められないが，黙示の一部請求において全部勝訴した原告は後訴における残部請求をすることが妨げられるから，原告が請求を拡張するためにする控訴には控訴の利益は認められるということになる。また，制定法上の特別な失権効（たとえば人訴25条）によって別訴での救済が妨げられる場合も，全部勝訴者による控訴につき控訴の利益が認められる余地がある。

新実体的不服説によれば，形式的不服説が例外として説明せざるを得なかった諸事例は原則の適用として処理されることになるが，この考え方でもすべてを統一的に説明できるわけではない。しばしば問題となるのは，訴え却下判決に対する控訴の利益である。請求棄却判決を申し立てた被告が訴え却下判決に対して棄却判決を求めて控訴する利益を有することに争いはないが（最判昭和40・3・19民集19巻2号484頁），判決効によって別訴での救済が受けられなくなる場合に控訴の利益を認める新実体的不服説からは，このような扱いの説明に苦しむ。却下判決の判決効によって被告が別訴での救済を受けられなくなるわけではないからである。

以上のように，あらゆる局面について妥当な結論を導ける基準というのは今のところ存在しない。したがって，本書は，個別の利害状況の分析によって修正する必要はあるということを留保しつつ形式的不服説を支持する。

> **すこし詳しく 13-2　旧実体的不服説**
> ▶新実体的不服説が「新」実体的不服説と名づけられているのは，既に別の実体的不服説があったからである。これは後に「旧」実体的不服説と呼ばれることとなる見解であり，実体的に有利な判決を得る可能性があるかぎり控訴の利益を認めるというものである。控訴審は続審である以上，控訴審の口頭弁論終結までの事実関係の変更を予想したうえで全部勝訴者が訴えの変更または反訴をするために控訴することも認められてよい，ということを理由とする。しかし，旧実体的不服説は余りにも広く控訴の利益を認めすぎるため，現在では支持者は少ない。

13-2-2 利益変更・不利益変更禁止の原則

13-2-2-1 利益変更・不利益変更禁止の原則の意義

　控訴裁判所は，不服申立ての限度でのみ，第1審判決の取消しおよび変更をすることができる（304条）。控訴裁判所は，不服申立ての範囲を超えて控訴人に有利に第1審判決の取消しまたは変更をすることはできず，また，相手方の控訴または附帯控訴がないかぎり，控訴人の不利に第1審判決の取消しまたは変更をすることはできないということである。前者を「**利益変更禁止の原則**」といい，後者を「**不利益変更禁止の原則**」という。

　たとえば，XがYに対して，A請求，B請求，C請求について併合の訴えを提起し，第1審裁判所がA請求認容，B請求棄却，C請求棄却という判決をしたところ，XがB請求棄却判決の取消しのみを求めて控訴を提起し，Yは控訴も附帯控訴もしなかったとする。この場合，控訴裁判所は，利益変更禁止の原則により，第1審裁判所のC請求棄却判決を取り消し，C請求を認容することはできず，不利益変更禁止の原則により，第1審裁判所のA請求認容判決を取り消し，A請求を棄却することもできない。判例における以上の原則の適用例として，相殺を理由とする請求棄却判決に対して原告のみが控訴したところ，控訴裁判所が，訴求債権は相殺以外の理由により不存在であるという心証に至った場合，原判決を取り消し，改めて請求棄却とするのではなく，控訴棄却にとどめなければならない，とするものがある（最判昭和61・9・4判時1215号47頁）。前者の処理では，反対債権の不存在を確定する既判力が失われる点で控訴人に不利益となるからである。また，原審の訴え却下判決に対して，第1審原告が上告受理を申し立てたという事案で，訴えは不適法である旨の原審の判断は誤りであるが，原審が仮定的にした第1審原告の本案請求には理由がない旨の判断は是認でき，上告人の請求は棄却を免れないものである以上，上告棄却にとどめるほかはないとするものもある（最判平成25・7・12判時2203号22頁）。

　利益変更・不利益変更禁止の原則は処分権主義に由来すると解するのが多数説であるが，このような理解によれば処分権主義の妥当しない局面においてはこれらの原則も妥当しないということになる。実際，判例は処分権主義が妥当しない境界確定訴訟においては不利益変更禁止の原則は妥当せず，第1審より

も控訴人に不利な境界を定めることも可能であるとする（最判昭和38・10・15民集17巻9号1220頁。境界確定訴訟については，⇨ **2-1-2-4**）。離婚訴訟において，被告に財産分与を命じた判決に対する被告の控訴に際して控訴裁判所が財産分与額を増額することは不利益変更禁止の原則に反しないとする判例（最判平成2・7・20民集44巻5号975頁）も同様である。しかし，学説においては，とくに不利益変更禁止の原則については，上訴を萎縮させないための政策的なものであり，処分権主義との直接的なつながりは乏しいと位置付ける有力説もある。このような見解を前提にするのであれば，処分権主義の妥当しない局面においても不利益変更禁止の原則はなお妥当し得るということになろう。

13-2-2-2 **合一確定が必要な場合と利益変更禁止・不利益変更禁止の原則**

独立当事者参加や必要的共同訴訟のように合一確定が必要な訴訟類型においては，合一確定を確保するために利益変更禁止・不利益変更禁止の原則を後退させなければならない場合が生じる。

まず，独立当事者参加について説明する。第1審裁判所が，原告Xの被告Yに対する請求を棄却し，参加人ZのXおよびYに対する請求を認容したところ，XのみがYおよびZを相手取って控訴をしたとする。この場合，控訴裁判所がXのYに対する請求を認容し，ZのXに対する請求を棄却すると同時に，ZのYに対する請求を棄却に変更し得るか，という点が問題となるが，判例は，このような変更を許容する（最判昭和48・7・20民集27巻7号863頁）。このような処理は，控訴を提起していないYの利益に判決を変更しているという意味で，利益変更禁止の原則に抵触する面があるが，合一確定の要請を優先させたということである（独立当事者参加と上訴については，**12-8-5-3** も参照）。

次に，必要的共同訴訟について説明する。Xが Y_1 および Y_2 を被告として提起した Y_2 の相続人としての地位不存在確認請求訴訟（これは全相続人が当事者となるべき固有必要的共同訴訟である）において，第1審の請求棄却判決に対するXの控訴を受けた原審が合一確定の要請に反する形で，XのY$_2$に対する請求を認容し，XのY$_1$に対する控訴を却下する判決をしたところ，Y$_2$のみが上告を提起したとする。この場合，XのY$_1$に対する請求を棄却する第1審判決を維持する原判決を破棄したうえで，XのY$_1$に対する第1審判決を取り消し，請求を認容することができるか，という点が問題となるが，判例はこれを許容する（最判平成22・3・16民集64巻2号498頁）。このような処理は，Xの上告が

ないにもかかわらず，Xの利益に原判決を変更しているという意味で利益変更禁止の原則に抵触するおそれがあるものであると同時に，40条1項によって上告人になると解されるY_1の不利に原判決を変更しているという意味で不利益変更禁止の原則にも抵触するおそれのあるものであるが，ここでも合一確定の要請を優先させたということである（必要的共同訴訟と上訴については，⇨ **12-4-3**）。

13-2-3 附帯控訴

　被控訴人は，控訴権が控訴期間の経過や控訴権の放棄によって消滅した後であっても，控訴審の口頭弁論の終結に至るまで，原判決に対して不服を申し立てることができる。かかる不服申立てを「**附帯控訴**」という。

　たとえば，1000万円の支払を求める訴えについて，「被告は原告に対して600万円を支払え。原告のその余の請求を棄却する。」という判決がなされ，原告のみが控訴を提起したとする。この場合，第1審判決全体が確定を遮断され，事件全体が移審するが（上訴不可分の原則については，⇨ **13-1-4-2**），原告の請求を認容した部分は不利益変更禁止の原則により控訴審での取消しまたは変更の対象にならない（296条1項）。附帯控訴は，この部分をも控訴審における取消し，変更の対象とするという効果を持つ。このように，附帯控訴は，その対象たる判決について既に確定が遮断され，移審効も生じているということを前提とするものであり，それ自体は確定遮断効，移審効を持たない。したがって，この2つの効果をもって上訴を定義する場合には附帯控訴は上訴とは異なる特殊な訴訟行為として位置付けられることになる。

　附帯控訴の意義としては，第1に当事者間の公平の確保が挙げられる。控訴人は請求の範囲内で不服申立ての範囲を拡張することができるのに（不服申立ての範囲は控訴審の口頭弁論終結までに特定していれば足りることにつき，⇨ **13-2-4**），被控訴人がそれをなし得ないのは公平に反するからである。また，第2に，附帯控訴の意義としては，訴訟経済という点も挙げられる。被控訴人が附帯控訴をなし得ないとすると，相手方が控訴する場合にかぎり控訴しようと考えている当事者が，自らの控訴期間経過後に相手方から控訴され，防戦一方になることをおそれて念のための控訴を提起するという不経済が生じ得るからである。

　附帯控訴が認められるのは，以上のような趣旨であるから，控訴が取り下げ

られた場合，附帯控訴は，独立して控訴の要件を備えるものでないかぎり効力を失う（293条2項）。独立の控訴の要件を備えるものは「**独立附帯控訴**」と呼ばれる。なお，附帯控訴の提起の方式は，控訴の提起に準じるが，控訴提起から相当な期間が経過してから提起されることもあり得るため，附帯控訴状は控訴裁判所に提出することも認められている（同条3項。控訴状は第1審裁判所に提出する〔286条1項〕）。

以上のように附帯控訴とは，一部認容判決あるいは複数請求のうち一部の請求のみを認容する判決に対して当事者の一方が上訴した場合を念頭に置いた制度であるが，全部勝訴者が，相手方が控訴を提起した際に，訴えの変更または反訴をしようとするときも附帯控訴の方式によってする必要があるか否かが問題となる。たとえば，明示の一部請求に対する全部認容判決に対して被告が控訴したところ，原告が請求拡張を求めるという場合であるが，伝統的な通説はこの場合における原告の請求拡張は附帯控訴の方式によってする必要があると考えてきた。その理由としては，①附帯控訴がないと，不利益変更禁止の原則を排除したうえで被告に不利益な判決をすることができない，②控訴審の審判対象は不服申立ての当否であるから，訴え変更または反訴にも附帯控訴という衣をかぶせる必要がある，という点が挙げられる。なお，この例における原告には控訴の利益は認められないはずではあるが，附帯控訴は上訴ではないから控訴の利益は不要であると説明される。

もっとも，近時は附帯控訴を経由しない請求の拡張を認めるべきであるとする説も有力に主張されている。その理由としては，①附帯控訴についても控訴の利益は必要であると考えるのが自然である，②不利益変更禁止の原則を排除するためには，訴えの変更または反訴のみで十分である，③訴えの変更または反訴によって控訴審で追加された請求については原審の判断がないのであるから，それに対する不服を求めることは不自然である，と主張される。ただし，判例は，従来の多数説を前提にしている（最判昭和32・12・13民集11巻13号2143頁，最判昭和58・3・10判時1075号113頁）。

13-2-4 控訴の提起

控訴の提起は，判決書または調書判決における調書の送達を受けた日から2週間の不変期間内に（285条本文，控訴期間），控訴状を第1審裁判所に提出する

ことによって行う（286条1項）。判決言渡し後判決送達前に提起された控訴も有効である（285条但書）。判決言渡し前に控訴が提起された場合，控訴が却下される前に判決が言い渡されたとしても瑕疵は治癒されないというのが判例であるが（最判昭和24・8・18民集3巻9号376頁），反対説もある。

控訴状には，当事者および法定代理人，第1審判決の表示とその判決に対して控訴する旨を記載すれば足りる（286条2項）。不服の範囲および不服の理由（控訴理由）を控訴状に記載することは要求されていない。控訴期間内にそこまで明らかにするのが困難であることもあるからである。しかし，控訴状に不服の範囲および控訴理由を記載することは当然好ましく（規179条・53条），攻撃防御方法が記載されている控訴状は準備書面を兼ねるものとされる（規175条）。なお，不服の範囲は，原判決を取り消しまたは変更し得る限度を画するものであるから，控訴審の口頭弁論終結時には特定されている必要がある（それまでは変更することもできる）。

控訴が不適法でその不備が補正できないことが明らかである場合には，第1審裁判所において決定により控訴を却下することができる（287条1項）。控訴期間の経過が明らかである場合がその例である。却下決定に対しては即時抗告が認められる（同条2項）。第1審裁判所が控訴却下の決定をしないときは，第1審裁判所の裁判所書記官は，遅滞なく控訴裁判所の裁判所書記官に対して訴訟記録を送付しなければならない（規174条）。

訴訟記録の送付を受けた控訴裁判所の裁判長は，控訴状の審査を行う。控訴状が必要的記載事項の記載を欠く場合や，手数料の納付がない場合には，裁判長は補正を命じ，控訴人が補正に応じなければ，命令で，控訴状を却下する（288条・137条1項・2項）。控訴状却下命令に対しては即時抗告ができる（288条・137条3項，ただし裁7条）。控訴裁判所の裁判長により適式と認められた控訴状は被控訴人に送達される（289条1項）。被控訴人の住所不明などで控訴状の送達ができない場合または送達に必要な費用が予納されない場合，裁判長は補正を命じ，補正がされない場合，控訴状を却下する（289条2項・137条1項・2項）。また，控訴裁判所は，期日の呼出しに必要な費用の予納を相当の期間を定めて控訴人に命じた場合において，その予納がないときは，決定で，控訴を却下することができる（291条1項）。被控訴人は既に第1審の判決を得ているので，その同意は不要である（これに対して第1審で呼出費用の予納がないこ

とを理由として決定で訴えを却下する場合には，被告の請求棄却判決を得る利益を保護するため，被告の異議がないことが要件とされている。141条1項参照）。

　控訴状に控訴理由を記載しなかった場合，控訴人は控訴の提起後50日以内に控訴理由書を控訴裁判所に提出することを要求される（規182条）。控訴理由の主張は控訴の適法要件ではなく，控訴審における審理対象を限定するものでもないが，控訴審における審理の効率化のため，政策上要求されるものである。なお，裁判長は被控訴人に対しても，相当の期間を定めて，控訴理由に対する反論書の提出を命じることができる（規183条）。

> **TERM ㊲ 不服の範囲と不服の理由**
>
> 　不服の範囲とは不服申立ての範囲のことである。これを控訴状に記載しなくてよいとは，たとえば，同一の被告に対するA請求B請求をともに棄却する第1審判決に対して原告が控訴を提起する際，いずれの請求に対する判決の取消または変更を求めているかは記載しなくてよいという意味である。他方，不服の理由とは，原判決の取消または変更を求める事由のことを意味し（規182条），判決の取消しまたは変更を求める際に根拠となる事由を指す。控訴においては控訴理由とも呼ばれる。不服申立ての範囲に含まれている原判決の結論に影響を与える事実認定の誤り，法令解釈の誤りなどがこれに当たる。控訴理由を控訴状に記載しなくてよいとは，これらの事由を控訴状に記載する必要はないという意味である。

13-2-5　控訴審の審理

13-2-5-1　控訴審の構造

　控訴審の構造を類型化する際には，①控訴審における1次的な審判の対象を(ア)請求の当否と見るか，(イ)第1審判決に対する不服申立ての当否と見るか，という軸と，②審理の際の訴訟資料について，(ⅰ)第1審とは独立に収集するか，(ⅱ)第1審で提出された訴訟資料に限りしん酌するか，(ⅲ)第1審で提出された訴訟資料に加えて控訴審で提出された訴訟資料をもしん酌するか，という軸を設定することが有益である。この2つの軸の設定により論理的には6通りの構造を観念することが可能ではあるが，その中で現実味のあるものとして従来論じられてきたのは，(ア)と(ⅰ)を組み合わせる覆審制，(イ)と(ⅱ)を組み合わせる事後審制，(イ)と(ⅲ)を組み合わせる続審制である。

　覆審制においては，控訴審は第1審とは独立に訴訟資料を収集し，請求の当

否について直接判断をする。事後審制においては，控訴審は，第1審で提出された訴訟資料に照らして，第1審判決を維持し得るか否かを判断し，維持し得るのであれば控訴を棄却し，維持し得ないのであれば原判決を取り消す旨の判決をする。原判決を取り消す場合，請求の当否についての応答義務が復活することになるが，控訴審として新たに訴訟資料を収集しない事後審制においては，改めて請求の当否について判断するに足る訴訟資料が控訴審で利用可能であるとは限らず，事件を原審に差し戻さなければならないことが多くなる。続審制では，第1審と控訴審において提出された訴訟資料に照らして請求の当否を審理したうえで，その結果と第1審判決とを比較し，第1審判決を維持し得るかを判断する。維持し得るのであれば控訴棄却であり，維持し得ないのであれば原判決は取り消される（判決主文において第1次的に判断すべきは請求の当否ではなく，不服申立ての当否である）。続審制では，控訴審として請求の当否を判断するのに必要な訴訟資料を収集することができるから，原判決を取り消す場合，控訴審自ら請求の当否について判断をするのが原則となる（これを自判という）。

現行法は以上3つの構造のうち続審制を採用している（296条2項・298条1項・301条1項）。なお，続審制においては，控訴審での新たな訴訟資料の提出が許容される結果，既判力の基準時は控訴審の口頭弁論終結時となる。

13-2-5-2 口頭弁論

控訴裁判所は，控訴が不適法でその不備を補正できないときを除き（290条），必ず口頭弁論を開かなければならない（87条1項）。また，当事者は，口頭弁論において，第1審の口頭弁論の結果を改めて陳述しなければならない（296条2項）。これを「**弁論の更新**」という。直接主義の要請を満たすための規律である。第1審の口頭弁論の結果は一体として陳述されなければならず，一部のみを陳述することは許されない。そのようなものであるから，陳述は当事者の一方によりなされれば足りる。なお，第1審で尋問をした証人の再尋問が当事者から申し出られたとしても，裁判所は，その尋問をしなければならないわけではない（249条3項が準用されないことにつき，最判昭和27・12・25民集6巻12号1240頁）。

控訴裁判所は，控訴理由書に提示されていない点を審理し，それを理由に原判決を取り消すこともできる。ただし，実際には平成8（1996）年民訴法改正によって控訴理由書の提出が義務化されたこともあり，控訴裁判所の審理は控

訴理由を中心になされる傾向にある。これを控訴審の事後審的運用ということもある。

続審たる控訴審においては，新たな攻撃防御方法を提出することも妨げられない。これを当事者は弁論の更新権を持つと表現する。ただし，裁判長は，当事者の意見を聴いたうえで，攻撃防御方法の提出，訴えの変更，反訴の提起または選定者にかかる請求の追加をすべき期間を定めることができる（301条1項）。新たな攻撃防御方法の提出等ができる期間を制限することで，控訴審における審理の効率化を図るものであるが，既に第1審での審理がなされていることから，控訴裁判所は，第1審よりも一般的な形で期間制限をなし得るとされている点に特徴がある（147条の3第3項および162条と対比）。この期間経過後に新たな攻撃防御方法を提出するなどした当事者には裁判所に対する理由説明義務が発生する（301条2項）。この義務に違反した場合の制裁は用意されていないが，不十分な説明が時機に後れた攻撃防御方法の却下に結び付くことはあり得る。なお，第1審において準備の口頭弁論が終了し，または弁論準備手続もしくは書面による準備手続が終結している場合，その効力は控訴審でも維持されるから（298条1項），控訴審において新たな攻撃防御方法が提出される際には，167条・174条・178条に基づく説明義務が生じる（298条2項）。

その他の審理の規律に関しては，特別の定めがないかぎり，第1審の訴訟手続に関する規定が準用される（297条，規179条）。したがって，控訴審における最初の期日においては控訴状等の陳述の擬制が認められ（297条・158条），訴えの変更も可能である。

13-2-6 控訴審の判決

13-2-6-1 控訴却下

控訴要件が欠ける場合，控訴裁判所は終局判決により控訴を不適法として却下する。控訴が不適法でその不備を補正することができない場合は，口頭弁論を経ないで判決によって控訴を却下することができる（290条）。

13-2-6-2 控訴棄却

控訴要件は具備されているが，原判決の結論を維持できるという心証に至る場合，控訴裁判所は控訴棄却の判決をする（302条1項）。これは常に口頭弁論に基づいてする必要がある。原判決の理由は不当であるが，異なる理由から結

局同一の結論に達する場合も控訴棄却である（同条2項）。理由中の判断には既判力が生じない以上、理由の齟齬を瀰瀰に判決に反映させる必要はないということである。したがって、相殺の抗弁を理由とする請求棄却から他の理由による請求棄却へと理由が変わる場合には、既判力の範囲に違いがあるので、原判決を取り消して改めて請求棄却の判決をしなければならない。

13-2-6-3 原判決の取消し

(1) 原判決を取り消さなければならない場合

第1審判決が不当である場合、控訴裁判所は原判決を取り消さなければならない（305条）。第1審判決が不当であるとは、第1審の本案に関する判断が結論において誤っている場合のみならず、その基礎となった訴訟手続に重大な違背がある場合をも含む。次に、第1審の判決の手続が法令に違反している場合も、控訴裁判所は原判決を取り消さなければならない（306条）。ここでいう判決の手続とは、判決の成立過程、すなわち評決手続、判決書の作成手続、判決言渡し手続を指し、第1審の訴訟手続を総称する意味の判決手続ではない（大判昭和15・12・24民集19巻2402頁）。判決の成立手続に違法がある場合、判決不成立であるためそもそも取消しの対象にならないという疑問も生じ得るため取消対象になることを明示したのである。

(2) 自　　判

原判決が取り消された場合、請求についての裁判所の審判義務が復活する。続審制における控訴審は原則として自らかかる審判義務を果たす。これを「**自判**」という。この場合、控訴裁判所は「原判決を取り消す」と判示したうえで、新たになすべき判決をするか、取消しと自判をあわせて「原判決を次のように変更する」としたうえで、変更後の判決をする。

(3) 差　戻　し

訴えを不適法として却下した第1審判決を取り消す場合には、控訴裁判所は原審において改めて審理させるため、事件を第1審に差し戻さなければならない（307条本文）。これを「**必要的差戻し**」という。この場合、原審では本案について十分な審理がなされていない可能性があるため、自判によると当事者は審級の利益を失うことになるからである。もっとも、訴訟判決がなされた場合でも、実質的には本案審理を受けたと評価される場合、事件を原審に差し戻す必要はない（同条但書。最判昭和58・3・31判時1075号119頁）。

第1審判決が訴え却下でない場合でも，原審で改めて審理するのが望ましい場合には，控訴裁判所は自判せず，事件を原審に差し戻すことができる（308条1項）。これを「**任意的差戻し**」という。たとえば，原判決が，第1審訴訟手続の重大な違反によって取り消された場合，改めて原審で適法な手続による審理を受ける機会を与えるため差し戻すということが考えられる。

差戻審における審理は控訴前の審理の続行としてなされる。したがって，第1審における訴訟資料は当然に差戻し後の審理における資料になるが，控訴審における資料は当然には差戻し後の資料にはならず，当事者による援用が必要となる。また，第1審裁判所における訴訟手続が法律に違反したことを理由として事件が差し戻されたときは，その訴訟手続は取り消されたものとみなされる（308条2項）。

確定した差戻判決は差戻審を拘束する（裁4条）。この拘束力を本書は手続内拘束力と呼ぶ（⇨ **9-4-3-2**）。手続内拘束力は，差戻審が控訴前の判断に固執することで，原審と控訴審との間で事件が際限なく往復することを避けるために認められる。なお，差戻判決は，差戻審の判決に対して控訴，上告がなされた場合の控訴裁判所や上告裁判所をも拘束する（最判昭和30・9・2民集9巻10号1197頁）。したがって差戻判決の理由に不満がある当事者は，差戻判決に対して上告を提起し，または上告受理を申し立てておかなければならない。

(4) 移　送

管轄違いによって原判決が取り消される場合，控訴裁判所は原判決を取り消したうえで，判決により事件を管轄裁判所に移送しなければならない（309条）。事件を差し戻したうえで，差戻審に移送させるのは迂遠だからである。控訴審において当事者が主張できるのは専属管轄違背のみであるから（299条1項），移送も専属管轄裁判所に対するものに限られる。任意管轄違いが顧慮されないのは，訴訟経済に配慮したためである（最判昭和23・9・30民集2巻10号360頁）。

13-2-7 当事者の意思による控訴権の処分

第1審の判決に対して控訴の利益を持つ者は，不服の当否につき控訴裁判所の審判を受けることができる。このような権利を「**控訴権**」といい，終局判決の言渡しによって発生するが，当事者は一定の限度でこれを処分することができる。

13-2-7-1 不控訴の合意

「**不控訴の合意**」とは当事者の双方が控訴しない旨の合意を指す。不控訴の合意は訴訟に関する合意であるから，訴訟能力の具備等訴訟に関する合意一般の要件が要求される（訴訟に関する合意については，⇨ **5-2-2-2**）。また，このような合意は，①一定の法律関係に基づく訴えに関し，かつ，②書面（電磁的記録を含む）でしなければその効力を生じない。したがって，一般的に控訴しない旨の合意や，口頭での合意は効力を生じない。なお，不控訴の合意につき①②の要件を定める直接の規定はないが，281条2項およびこれによって準用される11条2項・3項が，終局判決後，当事者双方が共に上告をする権利を留保して控訴をしない旨の合意（飛越上告の合意）について①②を定めており，飛越上告の合意は不控訴の合意の特別な形であることから，不控訴の合意にもこれらの条文が類推適用されると解されている。

不控訴の合意は，判決言渡しの前でも後でもできるというのが多数説である。飛越上告の合意は判決言渡し後にしかなし得ない以上（281条1項但書），不控訴の合意も判決言渡し後にしかなし得ないという少数説もあるが，飛越上告の場合，第1審で確定した事実に争いがないことを確認させることを重視するものであるから，不控訴の合意と同列に扱う必要はない。むしろ，仲裁人による仲裁判断を終局的なものとする仲裁合意の有効性が認められる以上は，第1審判決を終局的なものとする不控訴の合意を許さなければ，均衡を欠くというべきである。

不控訴の合意が終局判決言渡し前に有効になされている場合，終局判決が言い渡されても控訴権は発生しない。したがって，この場合，判決言渡しと同時に判決は確定する。他方，終局判決言渡し後に両当事者が控訴しない旨の不控訴の合意が成立した場合，その時点で控訴権は消滅し，判決は確定する。

不控訴の合意がなされたにもかかわらず提起された控訴は不適法として却下される。合意が解除された場合，控訴期間が経過する前であれば，控訴権が復活するが，解除によって却下された控訴の効力が当然に復活したり，控訴期間経過後の控訴の追完が当然に認められたりするわけではない（97条1項参照）。

終局判決言渡し前になされる一方のみが控訴しない旨の合意は無効である，とするのが判例である（大判昭和9・2・26民集13巻271頁）。このような合意は，社会的または経済的に優越な地位にある者から社会的または経済的に不利な

地位にある者に対して押し付けられるおそれがあるからである。

13-2-7-2　控訴権の放棄

「**控訴権の放棄**」とは，控訴権を有する当事者が，自らこれを行使しない旨の意思を裁判所に対して表示する訴訟行為である。単独行為であり，各当事者は，相手方の同意を得ることなく控訴権を放棄することができる（284条）。ただし，終局判決言渡し前における控訴権の放棄は無効である。判決の内容が不分明の段階で一方当事者のみの控訴権を消滅させるのは不公平だからである。第1審判決を言渡し時に確定させたいのであれば，当事者双方が控訴しない旨合意する不控訴の合意によるべきである。

控訴権の放棄は，控訴の提起前は第1審裁判所に対する申述によって，控訴の提起後は訴訟記録の存する裁判所に対する申述によって行う（規173条1項）。なお，控訴の提起後であれば，控訴の取下げとともにしなければならない（同条2項）。

控訴権が放棄されたにもかかわらずなされた控訴は不適法であり，裁判所は控訴を却下する必要がある。控訴の提起後，控訴権の放棄がなされたが，控訴の取下げがなされなかった場合も同様である。

13-2-7-3　控訴の取下げ

控訴人は控訴を取り下げることができる（292条1項）。「**控訴の取下げ**」は控訴の撤回を意味し，これがなされると，控訴ははじめから控訴審に係属していなかったものとみなされる（292条2項・262条1項）。控訴権の放棄とは異なるから，控訴期間の経過前であれば控訴取下げ後に再度控訴を提起することができる。

控訴の取下げは，原則として訴訟記録の存する裁判所に対して書面でしなければならないが，口頭弁論，弁論準備期日または和解期日においては口頭ですることができる（292条2項・261条3項，規177条1項）。訴えの取下げと異なり，被控訴人の同意は不要である。控訴取下げによって被控訴人にとって不満のない第1審判決が確定するのみだからである。また，訴えの取下げと異なり，控訴の取下げは控訴審の終局判決がなされた後はすることができない（292条1項）。控訴人に第1審判決と控訴審判決とを比較して有利な方を選択することを許すことは不公平だからである。

なお，当事者が訴訟追行に不熱心である場合には，控訴の取下げが擬制され

ることがある（不熱心な訴訟追行については，⇨ **5-3-3**）。要件は訴えの取下げの擬制に準じる（292条2項・263条）。

13-3　上告と上告受理

13-3-1　上告の意義

　上告とは控訴審の終局判決に対する法律審への上訴である。ただし，高等裁判所が第1審裁判所になる場合や飛越上告の合意が成立している場合には第1審判決に対する上告が認められる（311条1項・2項）。

　312条所定の理由を上告理由として主張するかぎり，上告は権利として認められ，その他の上訴要件が具備されていれば，上告審は不服申立ての当否について審判をしなければならない。その意味で，この場合の上告は権利上告と呼ばれることもある。ただし，いかなる事由が上告理由になるかは，最高裁判所が上告裁判所になる場合と，高等裁判所が上告裁判所になる場合とで違いがあり，原判決に，判決に影響を及ぼすことが明らかな法令違反があることは，高等裁判所が上告裁判所になる場合にのみ上告理由となる（312条3項）。唯一の存在である最高裁判所の負担を軽減する趣旨である。

13-3-2　上告受理の意義

　312条3項所定の法令違反が原判決に含まれることは，最高裁判所への上告においては上告理由に該当しない。しかし，法令違反が問題となる場合には，最高裁判所による判断を通じた法令解釈の統一を必要とする重要な事項が含まれる場合がある。上告受理とはこのような場合に最高裁判所への途を開くために設けられた制度である（318条1項）。当事者が上告受理を申し立てた場合，最高裁判所が，法令解釈に関する重要な事項を含むと認め，上告を受理する決定をした場合に限って上告があったものとみなされる（同条4項前段）。

13-3-3　上告および上告受理の目的

　上告および上告受理の目的については，①法令解釈の統一が主たる目的である，②当事者救済が主たる目的である，③両者は主従の関係にはない，という

3説が主張されている。

　①は，伝統的な通説であり，上告審は法律審として構成されていること，上告を唯一の存在たる最高裁判所に集中させていることを根拠とする。確かに高等裁判所が上告裁判所となる場合もあるが，この場合も憲法その他の法令の解釈について，その高等裁判所の意見が最高裁判所の判例等と相反するときには，決定で，事件を最高裁判所に移送しなければならないとされており（324条，規203条），法令解釈の統一に対する配慮はなされている。また，平成8（1996）年民訴法改正後は，最高裁判所への上告では法令違反は上告理由とならず，法令違反については「法令解釈に関する重要な事項」を含む場合に限り，上告を受理するとされたことも根拠として挙げられる。

　②は，有力説であり，上告の提起が当事者に委ねられていること，法令解釈が不当でも，判決の結論が正当であれば，原判決は破棄されないこと，判決の結論に影響を及ぼす法令解釈の誤りがあれば，それが重要でなくても原判決は破棄されなければならないことを根拠とする。

　③は，平成8年改正前には多数説となっていた立場であり，その根拠としては，一方の目的のために他方の目的が犠牲になるような仕組みとはなっていないということが挙げられる。上告審が法律審として構成されているのも，事件から遠い位置にある上告裁判所が事実認定をするのは必ずしも合理的ではないという配慮からくるものであり，当事者救済と矛盾するものではなく，上告の提起が当事者に委ねられているということも，その範囲内で法令解釈の統一を図ることを妨げるものではない，というのである。

　以上のように学説は対立するが，いずれの説を採用するかで，解釈論に決定的な影響が生じるということはない。たとえば，②は，上告受理申立理由である「法令の解釈に関する重要な事項」（318条1項）は，一般的重要性を有するものだけでなく，当事者の救済上重要な事項をも含むという解釈を導くことを念頭に置いて主張されることがあるが，①と③も当事者の救済を目的から外すわけではないから，このような解釈を①や③から導くことが不可能というわけではない。

13-3-4　上告理由

　上告は一定の上告理由が主張された場合に限り適法となる。以下，個々の上

告理由を概観する。

13-3-4-1 憲法違反

上告は，原判決に憲法の解釈の誤りがあることその他憲法の違反があることを理由とするときに，することができる（312条1項）。法文上は，憲法違反が判決に影響を及ぼしたという意味での因果関係が要求されていないため（312条3項と対比），これをどう解釈するかが問題となるが，①憲法違反も法令違反の一態様であるとして，憲法違反が判決に影響を及ぼすことが明らかであることを要求する説，②法体系において占める憲法の優越性に鑑み，憲法違反が判決に影響を及ぼす可能性があれば足りる，とする説，③文言解釈としては結論に対する影響をおよそ要求しないと解さざるを得ないとする説がある。

以上のうち，本書は②を採用する。①には，憲法の重要性が反映されておらず，また文言との乖離も大きいという難点があり，③には，文言には合致するものの，判決の結論に影響を与えないことが明らかな場合にまで上告を認める点で行き過ぎの面があるのに対して，②は，これらの問題を免れていると考えられるからである。もっとも，法律審たる上告審は，憲法違反と結論の誤りとの間の因果関係の強度を判断するに適しておらず，①と②の間に実質上の差はない，とする指摘もある。

13-3-4-2 絶対的上告理由

上告は，312条2項が定める理由が主張される場合にも認められる。ここに定められる理由は絶対的上告理由と呼ばれるが，これは，これらの事由が判決に影響を与えたという意味での因果関係を問わないという趣旨である。手続法違反に関しては，それが判決に影響を与えたか否かが不明確であることが多いため，手続の根幹に関わる違法に関しては，因果関係を問わず，上告理由としたのである。以下，同項に列挙されている理由を概観する。

第1は法律に従って判決裁判所を構成しなかったときである（312条2項1号）。判決裁判所とは，当該事件について判決により判断を示す裁判所を指す。判決裁判所の構成の法律違背の例としては，判決裁判所を構成する裁判官数が法定の員数（裁18条・26条・35条）に合致しない場合などが挙げられる。また，判例は，249条1項の定める直接主義に違反し，判決の基本となる口頭弁論に関与しなかった裁判官が判決をした裁判官として署名押印をした場合にもこの理由に該当するという（最判昭和32・10・4民集11巻10号1703頁，最判平成19・

1・16 判時 1959 号 29 頁等。直接主義については，⇨ **5-1-2-4**）。

　第2は，判決に関与することができない裁判官が判決に関与したときである（312条2項2号）。除斥原因ある裁判官が判決の作成に関与した場合がこれに該当する。もっとも，除斥原因のある裁判官であっても，判決の言渡しに関与するのみであれば，本号には該当しない（大判昭和5・12・18民集9巻1140頁）。

　第3は，日本の裁判所の管轄権の専属に関する規定に違反したことである（312条2項2号の2）。国際裁判管轄に関しても，次に述べる国内管轄の場合と同様，公益性の高いものについて日本の裁判所の管轄権の専属に関する規定を置いていることから，その規定に違反した場合を絶対的上告理由としたものである。

　第4は，専属管轄違反である（312条2項3号）。法定された専属管轄は，公益に配慮して定められるものであるから，その違反を絶対的上告理由としたものである。第1審裁判所に既に専属管轄違反があったが，当事者が控訴審で指摘していない場合であっても，その公益性に鑑み，上告理由となる。

　第5は，代理人の代理権不存在である（312条2項4号）。代理人として訴訟を追行した者に代理権がなかった場合だけでなく，代理人による訴訟追行が要求されているにもかかわらずこれが欠けた場合も含む。たとえば，未成年者または成年被後見人が，法定代理人による訴訟追行を要求されているにもかかわらず，自ら訴訟追行した場合である。なお，判例は，当事者が破産宣告（現在の破産手続開始決定）を受けたため訴訟手続が中断していたにもかかわらず審理および判決をしたという事案において，この当事者は法律上訴訟行為をすることができない状態において審理および判決を受けたという点で代理人に適法に代理されなかった場合と同視できるとして上告理由を認めている（最判昭和58・5・27判時1082号51頁）。このように判例は，当事者が訴訟行為をなし得ない状態で審理および判決を受けた場合にまで本号の上告理由を拡張する傾向にあることから，とくに訴状の送達に瑕疵がある場合に本号の上告理由が認められるかという点が問題となるが（実際には本号と同じ文言の338条3号の再審事由が認められるかという形で問題になることが多い），この点については，⇨ **9-9-3**。

　第6は，口頭弁論の非公開である（312条2項5号）。憲法82条および裁判所法70条に違反して判決の基本となった口頭弁論を公開しなかった場合を意味する。第1審の口頭弁論の非公開が控訴審の口頭弁論の公開により治癒される

か，という点については争いがある。また，裁判所が，憲法82条2項の手続に従って，公序良俗を害するおそれがあることを理由に公開停止とすることを決し，法律に従った手続が踏まれた場合，その判断の不当が本号の上告理由になるかという点についても議論がある。否定説は，公開停止の判断は裁判所の自由裁量に属すると主張するが，一切上告理由にならないというのは行き過ぎであるという指摘もある。なお，口頭弁論公開の事実は，口頭弁論調書の記載によってのみ証明される（160条3項本文）。

　第7は，理由不備・理由の食い違いである（312条2項6号）。理由不備とは，主文を導き出すための理由の全部または一部が欠けている場合を指す（最判平成11・6・29判時1684号59頁）。たとえば，被告の抗弁を容れながら，再抗弁についての判断を示さないまま請求を認容する場合は，再抗弁についての判断が欠けていると考えられるため，理由不備に当たる。これに対して，判決がその理由において論理的に完結していれば，当事者の主張の一部に対して判断がなされていないとしても理由不備に当たらない。たとえば，抗弁を容れて請求を棄却したという場合，主張された再抗弁についての判断が欠けていても，再抗弁が判決中に摘示されていなければ，理由はそれ自体論理的に完結しているので，理由不備には当たらない。ただし，当事者の主張についての判断が欠けているのであるから，判断の遺脱という再審事由（338条1項9号）に該当するとされる可能性はある。次に，理由の食違いとは，理由としての論理的一貫性を欠き，主文における判断を正当化するに足りないと認められる場合を指す。被告の抗弁を認める旨の説示と認めない旨の説示が同居してしまっている場合が理由の食い違いの典型例となる。

13-3-4-3　判決に影響を及ぼすことが明らかな法令違反

　判決に影響を及ぼすことが明らかな法令違反は，高等裁判所が上告裁判所になる場合に限り，上告の適法性を基礎づける上告理由として認められる（312条3項）。

　法令違反には，①廃止された法令，未施行の法令の適用，②抵触法上，当該事件に適用すべきではない法令の適用，③法令解釈の誤り，すなわち法令の意味内容の誤解，および④法令適用の誤り，すなわち当該法令に包摂され得ない事実関係への当該法令の適用があり得る。いずれにおいても，法令違反がなければ判決の結論が異なるものになっていたことについて蓋然性が要求される。

経験則違反に関してかつての判例は，経験則は一般法則であるからその違反（正しい経験則の不適用や誤った経験則の適用）は法令違反に準じて扱われると述べたことがある（大判昭和8・1・31民集12巻51頁）。しかし，あらゆる経験則違反が法令違反に準じて上告理由になるとすると，事実審と法律審とを区別する意義が失われるため，学説では，上告理由となり得る経験則違反となり得ない経験則違反とを区別するためさまざまな見解が主張されている。

第1は，一般的経験則と専門的経験則を分けるという見解である。専門的経験則については上告裁判所といえども十分な知識を有しておらず，原審の専門的経験則に関する理解の是非を議論する資格を持たないことから，専門的経験則違反は上告理由にはなり得ないが，一般的経験則の適用の是非については最高裁判所も十分に判断ができるので，一般的経験則違反は上告理由となる，と説く。もっとも，この説に対しては，専門的経験則と一般的経験則との区別は容易ではないうえ，前者の違反をおよそ上告理由から排除するのは，上告理由を狭くしすぎる，という指摘がある。

第2は，専門的経験則と一般的経験則という区別を捨て，問題は経験則の証明力の強度であり，高度の蓋然性をもって一定の結果を推論させる経験則（要するに一応の推定の根拠になるような経験則）の無視や誤用が上告理由となり，そこまで強度な証明力を持たない経験則の違反は上告理由にならない，とする見解である（一応の推定については，⇨ **7-4-5-7**(1)）。しかし，この見解にも，一応の推定を基礎づけるような経験則の適用の誤りのみが上告理由となるとするのは狭すぎるという指摘がある。

第3は，余りに不合理な経験則の採用は，247条の自由心証主義違反の主張として上告理由となる余地がある，とする見解である（自由心証主義については，⇨ **7-4-3-2**）。自由心証主義は，硬直的な法定証拠主義を否定するという点に意味があるのであり，裁判官は依然として証拠調べの結果について評価考量を尽くす義務を負い，かかる義務違反は，247条違反と構成できると論じるのである。法律構成としては，この説が最も無理のないものであると考えられる。

13-3-4-4 再審事由の上告理由該当性

338条1項に規定される再審事由のうち，絶対的上告理由と重なる部分は絶対的上告理由として処理されるので問題にならない（338条1項1号～3号）。問題はそれ以外の再審事由であり，これらが「最高裁判所への」上告を基礎づけ

る事由に当たるか，という点については争いがある。

　これらは最高裁判所への上告を基礎づける事由に当たらないという見解（消極説）は次の点を論拠とする。①平成8（1996）年改正前においては，再審事由は判決に影響を及ぼすことが明らかな法令の違反に当たると解されることが多かったが，現行法では，法令違反は最高裁判所への上告を基礎づける上告理由とされていない。②その存在が判決に影響を与えることを要求すると解される338条1項5号以下の再審事由（⇨ **13-6-2**）を絶対的上告理由に準ずるものと考えることは解釈として無理がある。③事実認定を不可避とする338条1項4号～7号の再審事由を法律審において審理させるのは適切でなく，最高裁判所の負担軽減という立法趣旨にも沿わない。④（③と緊張関係に立つ面はあるが）再審事由は上告受理申立理由になると解されるから，無理に積極説を採用する必要はない。

　これに対して再審事由はなお最高裁判所への上告を基礎づける事由に当たるという見解（積極説）は次の点を根拠とする。①当事者が控訴または上告により主張し得た再審事由による再審の訴えは認められないとされている以上（338条1項但書），再審事由は当然に上告理由になる。②338条1項4号～7号の可罰行為を上告理由とする際には，338条2項の有罪確定判決等を要求するのが判例（最判昭和35・12・15判時246号34頁）であるから，事実認定が法律審の過剰な負担になることはない。③再審の訴えに委ねるよりは，同一手続内で処理した方が効率的である。とりわけ，再審事由とその他の上告理由ないし上告受理申立理由が同時に主張されるべき場合に，上告または上告受理の申立てにより後者を主張し，そこでの判決確定を待って，再審の訴えを提起しなければならないというのは，当事者双方にとって迂遠である。④消極説の④が再審事由は常に上告受理申立理由になるという趣旨であるならば，それはむしろ権利上告を基礎づける上告理由に準じて扱う方が体系上は好ましい。⑤再審事由は公益に関わるものであるから，その存在が疑われる限りにおいて上告裁判所は職権で調査しなければならないのであり，再審事由を上告理由から外したからといって上告裁判所の負担軽減につながるとはいえない。

　以上のように学説は拮抗しているが，判例は，消極説に親和的であるといえそうである。平成8年改正前から判例は，再審事由の上告理由該当性を認めてきたが，その際には再審事由が存在する場合には，原判決に，判決に影響を及

ぼすことが明らかな法令違反があったものとする扱いが確立しており，このような傾向は，平成8年改正後も，再審事由を上告受理申立理由として取り上げる判例に踏襲されているからである（最判平成15・10・31判時1841号143頁）。

13-3-5　上告の手続

　上告の提起は，原判決の送達から2週間の不変期間内に（313条・285条，上告期間），原裁判所に上告状を提出することで行う（314条1項）。記載事項は控訴状と同様である（313条・286条2項）。

　必要的記載事項の欠缺，貼用印紙額の不足などの不備が認められる場合，原裁判所裁判長は補正を命じ，不備が補正できない場合は，上告状却下命令を発する（314条2項・288条・137条）。原裁判所の裁判長に上告状の審査権限を付与することで上告審の負担を軽減する趣旨である。また，上告状自体は適法であっても，上告期間の経過などによって上告が明らかに不適法でその不備を補正できない場合も原裁判所の段階で上告を却下する決定をすることができる（316条1項1号）。却下決定に対しては即時抗告が可能であると定められているが（同条2項），最高裁判所に対しては，とくに訴訟法が定めた場合しか抗告は許されないので（裁7条2号），かかる即時抗告は高等裁判所が上告裁判所の場合にのみなし得る（最決昭和46・11・10判時653号89頁）。

　上告状却下命令または316条1項1号による上告却下の決定があった場合を除いて，原裁判所の裁判所書記官は，上告人および被上告人に対して上告提起通知書を送達する（規189条1項）。被上告人には同時に上告状も送達される（同条2項）。

　上告理由は上告状に記載することもできるが，記載されない場合，上告人は上告提起通知書送達から50日以内に上告理由書を原裁判所に対して提出しなければならない（315条1項，規194条）。上告人がこの期間内に上告理由書を提出せず，または上告理由の記載が民訴規190条または191条の定める方式に違反していることが明らかである場合には原裁判所は，決定で，上告を却下しなければならない（316条1項2号。なお民訴規190条または191条違反の場合の補正命令については規196条を参照）。この決定に対する即時抗告は高等裁判所が上告裁判所の場合に限り認められる（同条2項，裁7条2号）。

　原裁判所は，上告状却下の命令または上告却下の決定があった場合を除き，

事件を上告裁判所に送付しなければならない（規197条1項）。この事件の送付は，原裁判所の裁判所書記官が，訴訟記録を上告裁判所の裁判所書記官に送付することで行う（同条2項）。

13-3-6　附帯上告の手続

「**附帯上告**」とは，被上告人が上告に附帯して，原判決を自己に有利に変更することを求める申立てである。その意義や機能は附帯控訴に準じる（⇨ **13-2-3**）。

附帯上告は判決が言い渡されるまですることができるが，口頭弁論が開かれる場合には，附帯控訴同様，口頭弁論の終結までにしなければならない（313条・293条1項）。もっとも，上告理由として主張されていない理由を主張する場合には，上告人との間の公平を担保するため，上告提起通知書の送達後50日以内に原裁判所に附帯上告状および附帯上告理由書を提出する必要がある（最判昭和38・7・30民集17巻6号819頁）。

13-3-7　上告審の審理と判決

13-3-7-1　書面審理

上告審にも必要的口頭弁論を定めた87条1項本文が適用されるが，例外的に口頭弁論を開かずに裁判をすることができる場合が多く定められている。それが上告裁判所の負担軽減につながること，法律審であるため，口頭弁論を経ずに判断し得る場合が多いことが根拠である。

例外の第1として，上告が不適法でその不備を補正し得ないとき，または，上告理由書が提出されておらず，もしくは上告の理由記載が民訴規190条または191条の定める方式に違反しているとき，上告裁判所は決定で上告を却下することができる（317条1項・316条1項）。決定で裁判することが認められているため，口頭弁論は開かなくてもよい（87条1項但書）。

第2に，主張された上告理由が明らかに312条1項および2項に規定する事由に該当しない場合には，上告裁判所たる最高裁判所は，決定で上告を棄却することができる（317条2項）。上告人は，形式的には，その主張する上告理由が312条1項または2項に規定する事項に該当すると主張しているものの，実質的には，原判決の事実認定を批判するにすぎず，その主張する上告理由が

312条1項または2項に規定する事項に該当しないことが明らかな場合において上告を簡易に処理することを認めるものであるが（規50条・50条の2も参照），これも決定での裁判であるから，口頭弁論は開かなくてよい。なお，上告却下ではなく上告棄却とされているのは，簡易ではあれ本案の判断がなされているからである。

第3に，以上の場合に該当しない場合であっても，上告裁判所は，上告状，上告理由書，答弁書その他の書類により，上告を理由がないと認めるときは，口頭弁論を経ないで，判決で，上告を棄却することができる（319条）。なお，上告却下決定または上告棄却決定によって処理しない場合，上告裁判所は原則として上告理由書を被上告人に送達しなければならないが（規198条本文），上告裁判所が口頭弁論を経ないで判決をする際に，必要がないと認めるのであれば上告理由書の送達はしなくてよい（同条但書）。口頭弁論を経ない場合には原則として上告棄却判決となるため，もっぱら上告裁判所における審理の便宜という観点から上告理由書の送達の要否を決する趣旨である。

13-3-7-2　口頭弁論

原判決を破棄する場合には原則に立ち返って口頭弁論を開かなければならない（87条1項本文）。この場合，被上告人に対して口頭での主張をする機会を与える必要性が高いからである。もっとも，判例は口頭弁論を開かないで原判決を破棄できる場合があることを認める。たとえば，①不適法で不備を補正できない訴えについてなされた原審の本案判決を破棄し，訴え却下とする場合（最判平成14・12・17判時1812号76頁），②原告に一身専属的に帰属する権利に関する訴訟において，原告が死亡したにもかかわらず，なされた原審の本案判決を破棄し，訴訟終了宣言をする場合（最判平成18・9・4判時1948号81頁），③訴訟手続に中断事由が生じたのに，そのことを看過して手続が続行されてきたとして，原判決を破棄し，中断事由が生じた時点に立ち戻って訴訟手続の受継をさせる場合（最判平成19・3・27民集61巻2号711頁），④固有必要的共同訴訟であるにもかかわらず，原告による一方の被告に対する控訴を却下し，他方の被告に対する請求を認容する原判決を破棄し，自判する場合（最判平成22・3・16民集64巻2号498頁）等である。

①は，不適法で不備を補正できない訴えを口頭弁論を経ないで却下することを認める140条が上告審に準用されている（313条・297条），ということを根

拠とするものであり，解釈論としては無理が少ない。②も，形式的には訴えを却下するものではないが，二当事者対立構造が崩れ，訴訟自体が成り立たないというわけであるから，広い意味で訴えが不適法になった場合として，140条に包摂することはそう無理のあるものではない。これに対して，③，④は，319条および140条を援用しているものの，訴えを不適法とするわけではなく，これらの条文に包摂することにはかなり無理が伴う事案である。記録上破棄すべきことが明らかであり，口頭弁論を開く意味がないという実質に依拠したというほかはない。しかし，口頭弁論を経ないでよい場合を限定的にのみ認める現行法は，上告審が自明と考える事柄が口頭弁論における当事者の主張によって崩される可能性はあるという前提に立っているものと解され，文言解釈を大きく超えて，口頭弁論を経ずに原判決を破棄することには問題がある。

13-3-7-3 上告審における調査の範囲

(1) **不服の申立てがあった限度での審判**
上告裁判所は，上告人または附帯上告人の不服申立ての限度においてのみ原判決を破棄することができる（313条・304条）。たとえば，原告Xと被告Yとの間でA請求とB請求とが併合審理に付されている事案において，双方を認容する原判決のうち，A請求認容部分についてのみYが不服を申し立てている場合，上告裁判所は，A請求認容部分についてのみ破棄することができる。B請求認容部分は，上訴不可分の原則によって確定を遮断され，移審しているけれども，上告裁判所がこれを破棄することはできない。

(2) **上告の理由に基づく調査**
上告審は，原則として上告人が主張した上告理由のみを調査することができる（320条）。ただし，これには例外が多い。以下，説明する。

(a) **法令の解釈適用の誤りの分類**　法律審たる上告裁判所で調査されるのは，原則として法令の解釈適用の誤りであるが，これは判断の過誤と手続上の過誤に分けられる。判断の過誤とは，主として実体法の解釈適用の誤りであるが，既判力の範囲のように判断枠組みとなる事項に関する解釈適用の誤りも含む。これに対して，手続上の過誤とは，以上を除いた訴訟法の解釈適用の誤りを指す。

(b) **判断の過誤**　判断の過誤については，上告裁判所は，上告理由として主張されている事項のみならず，上告理由として主張されていない事項であっ

ても調査をし，過誤が認定されれば原判決を破棄することができる（最高裁判所が上告裁判所である場合も，上告理由ではない法令の解釈適用の誤りに基づいて原判決を破棄し得ることについては325条2項および **13-3-7-4**(3)を参照)。その根拠としては，事実に対して法律を適用するのは裁判所の職責であるという点が指摘されることが多いが，法令の解釈適用は職権調査事項であるから，322条により320条の適用が除外されると説く見解もある。なお，いずれの説明を採用するにしても，上告裁判所には，上告理由として主張されていない判断の過誤を調査する義務があるとまではいえない。

(c) **手続上の過誤** 手続上の過誤については，通説は，職権調査事項とそうでないものを分ける。職権調査事項である手続上の過誤については，322条により320条が適用除外とされているため，上告裁判所はかかる違反の疑いを抱くかぎり，上告理由として主張されたか否かにかかわらず調査しなければならない。絶対的上告理由に該当する事項や当事者能力が職権調査事項の例である。これに対して，職権調査事項ではない手続上の過誤については，上告理由として主張されたもののみが調査される（320条）。黙示の責問権の放棄があったとみることができる場合も少なくなく，手続上の過誤は潜在的にしか存在しないため，当事者の指摘がないと発見が難しい，ということが理由である。なお，職権調査事項については，321条が適用されないため（322条），必要な場合，上告審が独自の事実認定をすることとなる。

(3) **原判決の確定した事実**
原判決において適法に確定した事実は，上告裁判所を拘束する（321条1項）。また，飛越上告の合意がなされた場合には，原判決における事実の確定が法律に違反したことを理由として，その判決を破棄することもできない（同条2項）。原判決における事実の確定が法律に違反したとは，たとえば，裁判上の自白に反する事実が判決の基礎とされた場合を指す。飛越上告の合意がある場合はこのような事実も上告裁判所を拘束するということであるが，飛越上告の合意は第1審が確定した事実を争わない意思を含むということを理由とする。なお，職権調査事項については，上告審が独自の事実認定をなし得るという点は前述のとおりである。

13-3-7-4 判　決
(1) **終局判決の種類**

　却下決定ないし棄却決定によって上告を処理しない場合，上告裁判所は終局判決によって上告について裁判をしなければならない。終局判決の種類としては，上告却下判決，上告棄却判決，原判決破棄判決が想定されるが，上告が不適法な場合には 317 条の却下決定がなされるであろうから，上告却下判決は，通常はなされない。

(2) **上 告 棄 却**

　上告棄却判決は，原判決が維持できる場合になされる。上告理由が認められても，他の理由によって原判決が維持できる場合には上告棄却となるのが原則であるが（313 条・302 条 2 項），絶対的上告理由が認められる場合は原判決の結論との因果関係を問わないとされる以上，この場合も原判決を破棄することになる。

(3) **破　　棄**

(a) **破 棄 理 由**　　破棄判決とは，原判決を取り消す判決である。上告理由に該当する事由が認められる場合には，原判決を破棄しなければならない（325 条 1 項）。職権調査事項ではない手続上の過誤以外の上告理由については，上告人が主張していなくても，その存在が認められるかぎり破棄理由となる（職権破棄）。最高裁判所が上告裁判所となる場合，判決に影響を及ぼすことが明らかな法令違反は上告理由ではないが，かかる事由が認められる場合も，上告裁判所たる最高裁判所は，原判決を破棄できる（同条 2 項）。なお，325 条 2 項が同条 1 項と異なり，「できる」と定めている点については，破棄するか否かを決する裁量を最高裁判所に認めたものと解する説と，上告理由でない事由に基づいて破棄する権限があることを示すものであり，裁量を認める趣旨ではないとする説が対立するが，判決に影響を及ぼすことが明らかな法令違反を発見しながら破棄しないというのは，裁判所の職責上問題があり，後説が妥当である。

(b) **差戻しと移送**　　上告裁判所が原判決を破棄すると請求に対する審判義務が復活するが，法律審である上告裁判所では事件を原審に差し戻すのが原則となる（325 条 1 項）。もっとも，原判決に関与した裁判官は差戻し後の審理に関与できないとされることから（325 条 4 項），原裁判所では適法な控訴裁判所

第13章　不服申立て

を構成できない場合，上告裁判所は差戻しに代えて，原裁判所と同等の裁判所に移送することになる（325条1項・2項）。

　(c)　自　　判　　上告裁判所が，憲法その他の法令の適用の過誤を理由として原判決を破棄する場合において，事件が確定した事実に基づき裁判をするのに熟する場合には，新たに事実認定をする必要がないから，自判しなければならない（326条1号）。このような自判に請求の当否に対する判断を示し，事件を終局的に落着させる場合が含まれるのは当然であるが，それ以外のものが含まれることもある。たとえば，第1審が訴えを却下し，原審が第1審判決を取り消し，請求を認容したところ，上告審が，原判決を破棄したうえで，第1審判決を取り消し，事件を第1審に差し戻すというのも自判に当る。

　次に，上告裁判所は，事件が裁判所の権限に属しないことを理由として原判決を破棄する場合も自判しなければならない（326条2号）。なお，326条2号の趣旨は，職権調査事項たる訴訟要件について上告裁判所は独自の事実認定をすることができるため，差し戻すには及ばないということであるから，2号は例示であって，職権調査事項である訴訟要件の欠缺の場合一般に妥当すると解されている。

13-3-7-5　差戻判決の拘束力

　差戻審は，原審の続行として審理する。もっとも，325条4項によって，裁判官はすべて交代しているから，直接主義を満たすため弁論の更新手続を取る必要がある（249条2項）。もちろん，破棄された事項は効力を失う。

　破棄理由となった法律上，事実上の判断は差戻審を拘束する（325条3項）。差戻審が従前の判断に固執することで原審と上告審との間で同一事項について際限ない往復がなされるのを回避するために認められた特殊な拘束力である（手続内拘束力）。この拘束力は同一手続内にしか及ばない一方，同一手続内であれば差戻し後の判決に対する上告を受けた上告裁判所も拘束する（最判昭和46・10・19民集25巻7号952頁）。

　拘束力を持つ法律上の判断は，破棄の直接の理由となる，原判決による法の解釈または適用を不当とする否定的判断である。したがって，原判決の採用した解釈Aは不当であるということを直接の理由として原判決を破棄する際に，解釈Bが正当であるという旨が破棄判決において判示されていたとしても，手続内拘束力が生じるのは，解釈Aは不当であるという点のみであり，差戻

審が解釈Cを採用することが許されないというわけではない。もっとも，直接の破棄理由となる否定的判断の論理的前提となる判断については，肯定的判断であっても手続内拘束力が生じると解されている。たとえば，訴訟要件の欠缺が上告理由として主張されたところ，上告審は訴訟要件の存在を認めたうえで，原審が本案について採用した法解釈を不当として原判決を破棄する判決をしたという場合，訴訟要件を認める旨の肯定的判断についても手続内拘束力が認められる。また，理由不備や判断遺脱が破棄理由となっている場合も，欠けている点について判断をせよという積極的な判断が手続内拘束力を持つと解されている。

325条3項によって拘束力を与えられる事実上の判断は上告裁判所が職権調査事項について自らした事実認定に限定される。原審において適法になされたものとして上告裁判所の判断の基礎となった事実認定は差戻審を拘束しない（最判昭和36・11・28民集15巻10号2593頁）。その結果，差戻審が，差戻し前と異なる事実を認定することとなれば，仮に，破棄判決の，差戻審に対して一定の指示をする積極的な判断が手続内拘束力を持つ場合であったとしても，その拘束力は失われる（最判昭和43・3・19民集22巻3号648頁）。

13-3-8　上告受理制度

13-3-8-1　上告受理制度の意義

最高裁判所が上告裁判所となる場合，原判決に法令の違反があることは上告の適法性を基礎づける上告理由とはならない（312条）。しかし，原判決が法令解釈に関する重要な事項を含むため，最高裁判所自身が判断を提示することにより法令解釈の統一を図る必要性が高い場合もある。そこで最高裁判所の負担軽減と法令解釈の統一の必要性とを調和するために導入されたのが上告受理制度である。最高裁判所が，法令解釈に関する重要な事項を含むと認め，上告を受理した場合に限って上告の効果が生じるとすることで法令解釈の統一の必要性と最高裁判所の負担軽減という2つの要請の間の調整を図るものである。

13-3-8-2　上告受理申立理由

上告受理申立理由とは，最高裁判所による上告受理を基礎づける事由であり，法令の解釈に関する重要な事項が原判決に含まれていることがこれに当たる。原判決に最高裁判所の判例（これがない場合には，大審院または上告裁判所もしく

は控訴裁判所である高等裁判所の判例）と相反する判断がある場合がその例である（318条1項）。下級審裁判所が過去の判例に反する判断を提示した場合，最高裁判所として過去の判例を維持するか，変更するかを明らかにする必要性が高いので，例示されているのである。

そのほかに，原判決に判例と相反する判断が含まれているわけではないが，当該事件を超えて一般的に広く影響する法的判断を含み，これについて最高裁判所としての判断を示すことが法令解釈の統一のために必要と考えられる場合も，上告受理申立理由に当たる。一般的な影響は大きくないが，当事者の救済のために重要な法令の解釈に関する事項を含む場合に上告受理申立理由が認められるか否かについては，上告および上告受理の目的論との関係で議論がある（目的論については，⇨ 13-3-3）。なお，上告理由は上告受理申立理由にはなり得ない（318条2項）。したがって上告理由と上告受理申立理由の双方を主張するときは，上告と上告受理申立ての双方をすることになるが，この2つを1通の書面ですることは妨げられない（規188条）。

13-3-8-3 　上告受理申立ての手続

上告受理申立ての手続は上告の提起に準じる（318条5項）。したがって，上告受理申立てが不適法でその不備を補正することができない場合，原裁判所は決定で上告受理申立てを却下することができるが，上告受理申立理由として主張されている事由が318条1項の要件を満たさないことを理由として申立てを却下することはできない（最決平成11・3・9判時1672号67頁）。かかる判断は最高裁判所のみがなし得る事項だからである。

上告受理の決定がなされた場合，上告があったものとみなされる（318条4項）。この場合，上告受理申立理由として主張されたものは，上告理由とみなされる（同項）。ただし，最高裁判所は，上告受理申立理由として主張されたもののうち重要でないものを排除することができ（318条3項），この権限に基づいて排除された理由は上告理由とはみなされない（同条4項）。なお，上告受理決定がなされた後の手続は上告の場合と基本的に同様である。

13-4 抗　告

13-4-1 抗告の意義と種類

　抗告は決定または命令に対する不服申立てであり，簡易な不服申立てとしての意義がある。これはいくつかの観点から分類できる。

　第1に「**通常抗告**」と「**即時抗告**」の分類がある。前者には，抗告期間の定め，執行停止の効力がないのに対し，後者には双方ともある（332条・334条1項）。

　第2に「**最初の抗告**」と「**再抗告**」という分類がある。決定または命令に対して最初になされる抗告が最初の抗告であり，最初の抗告に対する抗告審の裁判を対象とした法律審への抗告が再抗告である。再抗告も通常抗告である場合と即時抗告である場合がある。

　第3に，最高裁判所に対する抗告は「**特別抗告**」と「**許可抗告**」に分類される。特別抗告は憲法の解釈の誤りがあることその他憲法の違反があることを理由とするときに認められる抗告の形式である。最高裁判所を，法令の憲法適合性を判断する終審裁判所であるとする憲法81条を受けたものである。許可抗告は，最高裁判所における法令の解釈統一が必要な場合に対応するために認められる抗告の形式である。いずれも裁判所法7条2号の訴訟法においてとくに定める抗告に当たる。なお，特別抗告は非常の不服申立てに位置付けられるので，**13-5-3**で特別上訴の一種として扱う。許可抗告についても，通常の不服申立てといえるか否かについて疑義があるけれども，便宜上，本節で扱う。

13-4-2 抗告のできる裁判

13-4-2-1　328条1項

　口頭弁論を経ないで訴訟手続に関する申立てを却下した決定または命令が通常抗告の対象となる（328条1項）。したがって，第1に，決定または命令でなければならない。もっとも，受命裁判官，受託裁判官の命令は，これに対する不服申立てとして異議が法定されているので（329条1項），抗告の対象にはならない。受命裁判官または受託裁判官の命令に対する異議の申立てについての裁

判に対しては，抗告の一般的要件を満たすかぎり，抗告することが認められる（329条2項。受命裁判官および受託裁判官については，⇨ **3-1-2-3**）。裁判長の命令は，合議体の代表者としての資格でなされる場合と，独立の裁判機関としての資格でなされる場合があり，それぞれ異議（150条・202条3項・203条の2第3項・215条の2第4項），抗告の対象となり得る（裁判長の権限については，⇨ **3-1-2-2**）。

第2に，口頭弁論を経ないでなされる決定または命令でなければならない。口頭弁論を経たうえでなされる決定または命令とは，本案の口頭弁論に基づいて判断される必要のある決定または命令を指す。その典型は証拠の申出に関する決定や攻撃防御方法の却下申立てに関する裁判である。要するに，本案に関する不服申立ての中であわせて処理するのが適切な決定または命令を通常抗告から除外する趣旨である。

第3に，訴訟手続に関する申立てにかかる裁判であることが必要である。ここでいう訴訟手続に関する申立てとは，現に係属しまたは係属しようとする訴訟に関して必要な裁判所の裁判その他の行為を求める一切の申立てであって，それに対して裁判所が応答する義務を負うものをいう。したがって，当事者に申立権が認められていることが必要であり，たとえば，弁論の再開（153条）の申立ては，裁判所の職権を促すのみであると解されるから，これを却下する決定は抗告の対象にはならない。

第4に，申立てを却下する裁判でなければならず，認容する裁判は除外される。申立てを認容する裁判に対しては，申立人は不服を持たないからである。申立人以外の者がこの裁判によって不利益を受ける場合もあるが，そのような場合も個別に抗告を認める規定がなければ抗告は認められない。

最後に，以上の要件を満たしていても，個別に不服申立てが禁じられている場合は，抗告はできない。たとえば，提訴前証拠収集処分の申立てを却下する決定がこの場合に当たる（132条の8）。

なお，違式の決定または命令（328条2項）については，⇨ **13-1-4-1** す 13-1。

13-4-2-2 明文規定がある場合

法律が個別に抗告を認めている裁判も抗告の対象となる。その後の手続の論理的前提となる裁判（21条・25条5項等）や，相対的に本案との関係の薄い裁判（69条3項・71条7項・192条2項・199条2項・223条7項等）につき抗告が認められることが多い。ただし，現行法が個別に認める抗告は即時抗告のみであ

る。

13-4-3 抗告および抗告審の手続

13-4-3-1 抗告の手続

　抗告権は原裁判によって法律上の不利益を受ける者に帰属する。申立却下決定を受けた申立人，文書提出命令を受けた文書所持者等が抗告権者の例である。抗告権者は抗告を提起することで「**抗告人**」となる。抗告は必ずしも対立当事者を必要としないが（たとえば訴状却下命令に対する抗告），対立当事者が存在することもある。たとえば補助参加を許さない旨の決定に対して補助参加申出人が即時抗告を提起した場合，補助参加に異議を述べた当事者が「**相手方**」となる。

　抗告は，原裁判所に抗告状を提出することによって提起する。抗告状には当事者および法定代理人ならびに原裁判の表示およびその裁判に対して抗告する旨を記載する（331条・286条）。抗告状に抗告理由を記載する必要はないが，記載しなかった場合には抗告提起後14日以内に抗告理由書を原裁判所に提出しなければならない（規207条。ただし，提出しなくても抗告が不適法として却下されるわけではない）。抗告状の提出は即時抗告にあっては裁判の告知を受けた日から1週間の不変期間内にする必要があるが（332条），通常抗告にはかかる期間の制限はなく，抗告の利益があるかぎり，適法な抗告の提起が可能である。

　抗告状の提出を受けた原裁判所は，抗告が不適法でその不備を補正できないことが明らかである場合には決定で抗告を却下する（331条・287条1項）。また，原裁判をした裁判所または裁判長は，抗告につき理由があると認めるときは，その裁判を更正しなければならない（333条）。これを「**再度の考案**」という。法文上更正という文言が使われているが，単なる計算違いや誤記の修正ではなく，裁判の取消し，変更を意味するという点で，判決の更正（257条1項）とは異なる（判決の更正については，⇨ **9-4-3-1**(2)）。かかる裁判の取消し，変更は法令違反の場合のみならず事実認定が不当である場合にもすることができ，必要があれば，口頭弁論を行うことや，抗告人または相手方を審尋することも認められる（87条1項但書・2項）。更正決定がなされると，抗告の対象が失われることにより抗告手続は終了する。

　抗告を却下せず，かつ，抗告を理由がないと認める場合，原裁判所は意見を

付して事件を抗告裁判所に送付する（規206条）。

13-4-3-2 抗告審における**審理と裁判**

抗告審における審理も決定手続であるから，口頭弁論を行うか否かは抗告裁判所が裁量で決する（87条1項但書）。口頭弁論を行わない場合，抗告裁判所は，抗告人その他の利害関係人を審尋することができる（335条）。審理の範囲や審理構造については控訴に準じる。

抗告裁判所は決定によって裁判する。抗告が不適法であれば抗告却下決定，抗告に理由がなければ抗告棄却決定をする。抗告に理由がある場合には原裁判を取り消す。原裁判の性質によっては取り消すのみで足りることもあるが（たとえば，証人に対する過料の裁判），そうでない場合には控訴に準じて自判ないし差戻しとする必要がある。

13-4-4 再 抗 告

再抗告とは，抗告裁判所の決定に対してなされる法律審への上訴であり，その決定に憲法の解釈の誤りがあることその他憲法の違反があること，または決定に影響を及ぼすことが明らかな法令の違反があることを理由とする場合に限り提起することができる（330条）。ただし，最高裁判所には再抗告に関する裁判権は与えられていないので，抗告裁判所たる高等裁判所の決定に対して再抗告を提起することは認められない（裁7条2号）。

最初の抗告の対象となった裁判が抗告の対象としての要件を満たす場合，抗告却下決定および抗告棄却決定のいずれも再抗告の対象となる。これらの決定は抗告の対象としての要件を満たす裁判を維持するものだからである。また，抗告の対象にはなり得ない裁判を対象とするものであるという理由で最初の抗告を却下する決定も，再抗告の対象となる。この場合の抗告審の裁判は，328条1項の要件を満たすからである。これに対して抗告認容決定が再抗告の対象になるかは決定の内容による。たとえば，裁判官に対する忌避申立却下決定に対する即時抗告を受けた抗告裁判所が忌避決定をした場合，これに対する再抗告はなし得ない（25条4項）。

再抗告にも通常抗告と即時抗告の別がある。最初の抗告の対象とされている裁判が即時抗告の対象となる裁判である場合，これを維持する抗告却下ないし抗告棄却の決定に対する再抗告は即時抗告となる。他方，抗告裁判所において

原裁判が変更されている場合には，その裁判内容に応じて即時抗告か通常抗告かが決せられる。

　再抗告の手続は，その性質に反しない限り上告の手続に準じる（331条但書，規205条但書）。したがって再抗告においても再抗告理由書の提出が要求され，これが再抗告理由書提出期間内に提出されず，またはその記載が規則の定める方法に違反しているときは，再抗告は不適法として却下される。なお，再抗告理由書提出期間は再抗告提起通知書の送達を受けた日から14日以内である（規210条1項）。

13-4-5　許可抗告

13-4-5-1　許可抗告の意義

　平成8（1996）年民訴法改正以前の最高裁判所は，決定または命令に対する抗告については，憲法違反を理由とするものについてしか裁判権を行使し得なかった。しかし，迅速性への要請が高まり，重要な事柄が決定または命令で処理されることも多くなった今日においては，憲法違反を理由とする場合以外の場合についても，法令解釈に関する重要な事項を含む抗告について最高裁判所の裁判権を認め，法令解釈の統一を図る必要が高い。許可抗告が導入されたのはかかる必要性に対応するためである。

13-4-5-2　許可抗告の対象

　許可抗告の対象は高等裁判所の決定および命令である（337条1項）。ただし，高等裁判所の決定および命令であっても，①再抗告についての決定および命令，②抗告許可申立てについての決定および命令（同項本文かっこ書），③その裁判が地方裁判所の裁判であるとした場合に抗告することのできないものは許可抗告の対象から除外される（同項但書）。①は，許可抗告を認めれば4審級を与えることになり，行き過ぎであることを，③は，本案判決に対する不服申立てによって一括処理される決定・命令や，そもそも不服申立ての対象となっていない決定・命令まで許可抗告の対象とすべきでないことを理由とするものである。②については後述する（⇨ **13-4-5-4**）。

　③については，高等裁判所がした保全抗告についての裁判が許可抗告の対象になるかという点が問題となったことがある。民保法41条3項は保全抗告についての裁判に対してはさらに抗告をすることはできないと定めており，保全

抗告についての裁判が地方裁判所でなされたとすると，これに対する抗告はできないため，高等裁判所がした保全抗告についての裁判に対する許可抗告は民訴法337条1項但書によって排除されると考えることもできるからである。もっとも，判例は，保全抗告に関する裁判に法令の解釈についての重要な事項が含まれ，法令解釈の統一を図る必要性が高いことは，執行抗告等と変わらないとして，許可抗告を認めた（最決平成11・3・12民集53巻3号505頁）。文言よりも，許可抗告の趣旨を重視したものということができる。

13-4-5-3　抗告許可理由

抗告許可理由は原裁判所たる高等裁判所による抗告許可を基礎づける事由である。原裁判について，最高裁判所の判例（これがない場合には，大審院または上告裁判所もしくは抗告裁判所である高等裁判所の判例）と相反する判断がある場合その他法令の解釈に関する重要な事項を含むと認められる場合がそれに当たる（337条2項）。その趣旨は上告受理申立理由に準じる。

13-4-5-4　許可抗告および許可抗告審の手続

抗告許可の申立ては，原裁判の告知を受けた日から5日の不変期間内に（337条6項・336条2項），申立書を原裁判所である高等裁判所に提出して行う（337条6項・313条・286条1項）。申立書および申立てが適法であれば，高等裁判所は当事者に対して抗告許可申立通知書を送達する（規209条・189条）。抗告許可理由が抗告許可申立書に記載されていない場合，抗告許可申立通知書の当事者への送達から14日以内に高等裁判所に対して抗告許可理由書を提出しなければならない（規210条2項・1項）。

抗告許可理由の存否は上告受理の場合と異なり，原裁判をした裁判体の属する高等裁判所が判断する。最高裁判所の負担を軽減する趣旨であり，判例はかかる措置も合憲とする（最決平成10・7・13判時1651号54頁）。抗告許可理由が認められる場合には，原裁判所は決定で抗告を許可しなければならず，許可があった場合，最高裁判所に対する抗告があったものとみなされる（337条2項・4項）。なお，抗告許可申立てについての決定・命令は許可抗告の対象とならない（⇨ **13-4-6-2** の②）。その理由としては，申立てを却下する決定に対して許可抗告を認めると，抗告許可の申立てと却下が無限に繰り返される可能性があること，抗告許可決定がなされた場合にはこれに独立の上訴を認める必要はなく，最高裁判所の判断に委ねれば十分であることが挙げられている。

高等裁判所の抗告許可決定に基づき事件の送付を受けた最高裁判所は，裁判に影響を及ぼすことが明らかな法令の違反があるときは，原裁判を破棄することができる（337条5項）。抗告許可理由として主張されていない法令の違反に基づいて原裁判を破棄することもできる。

> **すこし詳しく 13-3　許可抗告の確定遮断効**
>
> ▶許可抗告に確定遮断効を肯定し得るか否かが問題となるが，条文解釈としては，以下のとおり，これを否定するのが相当である。すなわち，特別抗告については特別上告の規定がその性質に反しないかぎりにおいて準用されていることから（336条3項），確定遮断効を定める116条が特別上告に適用されないのと同様，特別抗告に関しても122条に基づく116条の準用はない。そして，許可抗告に関する337条6項は，特別抗告に関する336条3項を全面的に準用しているため，許可抗告に関しても，122条に基づく116条の準用はない。以上のような理解によれば，許可抗告は上訴ではなく，特別上訴に近いものとして位置付けられることになる。

13-5　特別上訴

13-5-1　特別上訴の意義

最高裁判所は，一切の法律，命令，規則または処分の憲法適合性について判断権を有する終審裁判所であるが（憲81条），最高裁判所への通常の不服申立てとしての上訴が制度上認められていない場合がある。このような場合に憲法適合性について最高裁判所の判断を得るために認められているのが**「特別上訴」**である。特別上訴は通常の不服申立ての途が尽きた後に認められる非常の不服申立てであり，移審効はあるが確定遮断効はない。

13-5-2　特別上告

「特別上告」は，高等裁判所が上告審としてした終局判決および少額訴訟の終局判決に対する異議後の判決（⇨ **14-3-2-2**）に対して，その判決に憲法の解釈の誤りがあることその他憲法の違反があることを理由とするときに限り，認められる（327条1項・380条2項）。特別上告の手続には，その性質に反しない限り，上告に関する規定が準用される（327条2項）。確定遮断効がないことに

については116条1項の第1のかっこ書を参照。

13-5-3 特別抗告

「**特別抗告**」は，地方裁判所および簡易裁判所の決定および命令で不服を申し立てることができないもの，ならびに高等裁判所の決定および命令に対して，その裁判に憲法の解釈の誤りがあることその他憲法の違反があることを理由とするときに限り，認められる（336条1項）。特別抗告は，裁判の告知を受けた日から5日の不変期間内にしなければならない（同条2項）。その他の手続については，その性質に反しない限り，特別上告に関する規定が準用される（同条3項）。

13-6 再 審

13-6-1 再審制度の意義

権利関係の安定を確保するためには確定判決は尊重されなければならない。確定判決に既判力が与えられるのもそのためであるが，確定判決の基礎となった訴訟手続や訴訟資料にきわめて重大な瑕疵のある場合は，かかる瑕疵の是正を通じた法的正義の回復や司法に対する信頼の維持の要請が権利関係の安定の要請を上回ることもある。このような場合に確定判決の持つ既判力を解除するための制度が「**再審**」である。

再審は確定判決に対する不服申立てであるため，確定遮断の効果はない。また，上級裁判所への不服申立てではないので，移審の効果もない。その意味で上訴とは異なる非常の不服申立ての1つとして位置付けられる。

13-6-2 再審事由

再審事由とは，原確定判決の内容の再審理を開始するための事由を指し，338条1項に規定されている。同項1号〜3号は絶対的上告理由と重なるものであるから，これらについての説明は省略する（⇨13-3-4-2）。なお，3号は，訴訟に関与する機会が与えられないまま判決がされたと評価される場合に拡張して適用される傾向にあり，この点で訴状の送達の瑕疵がしばしば問題になる

が，これについては，⇨ **9-9-3**。

　338条1項4号ないし7号は判決の基礎となる訴訟資料ないし判断主体たる裁判官に犯罪行為またはそれに準ずる行為が介在した場合であるという点で共通性を有するが，4号と5号ないし7号とでは若干趣旨が異なる。後者は，犯罪行為またはそれに準ずる行為による判決の基礎資料のゆがみを是正することを通じて，判決の結論の適正を確保することを目的とするものであるが，4号については，判決の結論の適正確保よりも司法の廉直性確保が主たる目的とされているのである。したがって，5号ないし7号においては，瑕疵が判決の結論に影響を及ぼした蓋然性が認められることが要求されるのに対して，4号では瑕疵と判決の結論との間の因果関係は必要ないと解されている。

　同項8号は，その基礎となった民刑事の判決その他の裁判または行政処分が事後的に変更されたことによって，結果として不適切な基礎に依拠してなされたこととなった判決の是正を認めるものである。これも終局的には判決の結論の適正確保を目的とするものであるから，瑕疵と判決の結果との間の因果関係が要求される。かかる因果関係の蓋然性さえ認められれば，先行する民刑事の裁判ないし行政処分が原裁判所を既判力等によって法的に拘束したことまでは必要ない。

　同項9号は，判決の結論に影響を与える蓋然性のある当事者の攻撃防御方法について判断がなされていない場合に，判決の是正を認めるものである（理由不備との異同については，⇨ **13-3-4-2**，裁判の脱漏との異同については，⇨ **9-2-2-3**）。判決の結論に影響を与える蓋然性がある職権調査事項について，当事者が調査を促したにもかかわらず判断しなかったという場合も本号に該当する（大判昭和7・5・20民集11巻1005頁）。

　同項10号は，職権調査事項たる既判力を看過してなされた，既判力と抵触する判決の取消しを認めるものである。職権調査事項を看過したということに重点が置かれているため，争点効や反射効など当事者の援用を必要とする判決効を認めるとしても，それと抵触する判決について本号の再審事由の存在が認められるわけではない。

13-6-3　再審開始の要件

13-6-3-1　出訴期間の制限

再審の訴えは，当事者が判決確定後再審事由を知った日から30日の不変期間内に提起しなければならない（342条1項）。いったん確定した判決を覆すことのもたらす法的不安定に鑑み，再審事由を知る当事者に早期の行動を促す趣旨である。判決確定前に再審事由を知った場合におけるこの不変期間の始期は判決が確定した時であると解されている。

判決確定日または再審事由発生日のうち遅い方から5年を経過したときは，当事者が再審事由を知らなくても，再審の訴えを提起することはできなくなる（342条2項）。一定の期間が経過した場合には，当事者の再審事由に関する知不知にかかわらず，再審の訴えを不適法とし，法的安定性を優先するということである。したがって5年の期間は，期間の伸縮，付加期間の定め，追完（96条・97条）の余地がない除斥期間と解されている。

338条1項3号に掲げる事由のうち代理権を欠いたこと，または先行する確定判決との抵触（同項10号）を再審事由とする再審の訴えについては，以上の期間制限は適用されない（342条3項）。前者の場合，一切手続に関与する機会を与えられなかった当事者の保護が優先されるべきこと（したがって代理権はあるものの特別授権を欠いた場合には342条1項・2項の期間制限に服する），後者の場合，判決の抵触解消が優先されるべきことが根拠して挙げられている。もっとも，とくに前者については，再審事由を知った後も無制限に再審の訴えが提起できることにつき，法的安定性を著しく害するとして，立法論的な批判を向ける見解も多い。

13-6-3-2　確定した有罪判決，過料の裁判

338条1項4号～7号の事由を主張する場合には，原則として確定した有罪判決または過料の裁判が存在しなければならない（338条2項）。再審の訴えを，再審事由が存在する蓋然性が高い場合に限定し，濫訴を防止する趣旨である。したがって，この要件は，再審の訴えの適法要件である（最判昭和45・10・9民集24巻11号1492頁）。

ところで，証拠がないという理由以外の理由により有罪の確定判決または過料の確定裁判を得ることができない場合がある。たとえば，被疑者死亡，公訴

権の時効消滅または起訴猶予処分となった場合である。このような場合，再審の訴えをおよそ認めないというのは酷であるから，338条2項の後半は，この場合も，再審の訴えを提起することを認める。もっとも，この場合も，濫訴を回避する必要があるから，原告は有罪の判決を得る可能性について立証しなければならない（最判昭和42・6・20判時494号39頁）。

なお，有罪確定判決がある限り，338条2項の要件は満たされることになるが，再審事由の認定に際しては，裁判所は，有罪確定判決に拘束されるわけではなく，同判決で認められた犯罪行為は認められないとして再審請求を棄却することができる（前掲最判昭和45・10・9）。

13-6-3-3　338条2項と出訴期間

342条1項の定める出訴期間は，再審事由を認識してから30日であるが，判例は，338条1項4号〜7号の再審事由が主張される場合，この出訴期間の起算点は，有罪判決等の確定を認識した時点または証拠欠乏以外の理由により有罪確定判決等が取得できないこととなったことを認識した時点である，とする（大判昭和12・12・8民集16巻1923頁）。338条2項の要件は，再審事由そのものではなく，再審の訴えの適法要件であるという前提からすると，文言から乖離した解釈ではあるが，再審事由を認識してから30日以内に338条2項の要件が満たされることは期待しにくいので，このように解さざるを得ない。

13-6-3-4　再審の補充性

当事者が控訴または上告によって主張し，またはこれを知りながら主張しなかった再審事由をもってする再審の訴えは許されない（338条1項但書）。再審事由も可能な限り通常の不服申立ての中で処理するのが好ましいということである。これを「**再審の補充性**」という。なお，この要件を満たさない場合，再審の訴えを不適法として決定をもって却下するのか（345条1項），再審の補充性の要件を満たさない再審事由は存在しないものとして決定をもって棄却するのか（345条2項），という点が問題となるが，判例は傍論において前者の処理を明示したことがある（最判昭和45・12・22民集24巻13号2173頁）。本書も再審の補充性を再審の訴えの適法要件として位置付ける。

再審事由を知りながら主張しなかったときとは，上訴を提起して主張しなかった場合のみならず，再審事由を知りながら上訴を提起しなかった場合も含む。判断遺脱（338条1項9号）については終局判決の正本送達によって，これを知

ったものと推定される（最判昭和41・12・22民集20巻10号2179頁）。もっとも，再審事由の現実の了知が要求されるから，判決正本が有効に被告の同居人に対して交付されたというだけでは足りない（最判平成4・9・10民集46巻6号553頁は訴状送達の瑕疵についてこのことを述べる）。

再審事由の最高裁判所に対する上告における上告理由該当性については見解が分かれるが（この論点については，⇨ **13-3-4-4**），該当性を否定する立場を採用した場合，338条1項4号以下の再審事由を知りながらこれを最高裁判所に対する上告により主張しなかったとしても，これらの再審事由に基づく再審の訴えが338条1項但書により不適法になることはない。また，この立場においてもこれらの再審事由を主張して上告受理を申し立てる余地はあるが，これらの再審事由の存在を知りつつ上告受理を申し立てなかったとしても，338条1項但書によってこれらの再審事由に基づく再審の訴えが不適法となることはない。上告受理の申立てについては上告が受理される保障がないからである。

これに対して再審事由の上告理由該当性を肯定する立場においては，再審事由を知りながら，最高裁判所に対する上告によりこれを主張しなかった場合，原則として，当該再審事由に基づく再審の訴えは338条1項但書によって不適法になる。ただし，338条1項4号ないし7号の再審事由が問題となる場合，これらの事由のみならず，338条2項の再審の訴えの適法要件が具備されたことを知りながら上告によって主張しなかった場合に限り，これらの再審事由に基づく再審の訴えは許されないものとなる（最判昭和47・5・30民集26巻4号826頁）。上告理由としてこれらの再審事由を主張する際にも338条2項の要件が充足されている必要があるということを前提とする取扱いである（最判昭和35・12・15判時246号34頁）。なお，証拠欠乏以外の理由により有罪確定判決等が取得できない場合には，有罪確定判決等の取得不可能を基礎づける事情（たとえば被疑者死亡）だけでなく，有罪の可能性を示す証拠の存在を知りながら上告によって再審事由を主張しなかった場合に限り，当該再審事由に基づく再審の訴えは許されないものとなる（最判平成6・10・25判時1516号74頁）。

13-6-3-5 再審の訴えの対象

再審の訴えによる不服申立ての対象となる裁判は，確定した終局判決に限られる（338条1項）。中間的な裁判に再審事由がある場合，この裁判に対する再審の訴えは認められず，終局判決に対する再審の訴えの中で，中間的な裁判に

関する再審事由を主張することとなる。たとえば，中間判決（245条）に再審事由がある場合も，かかる事由は終局判決に対する再審の訴えにおいて主張される。以上の処理は，当該中間的裁判に独立した不服申立ての方法が定められている場合にも妥当する（339条）。当該中間的裁判に対する独立の再審申立てを要求すると，まず当該裁判を再審によって取り消し，それを理由に終局判決に対する再審を申し立てることとなり，二度手間だからである。

なお，349条1項は，即時抗告の対象たる決定または命令で確定したものについては，独立に再審の申立て（準再審）の対象になるとするが，同条は，終局的判決を準備するための中間的裁判という性質を持たず，それ自体終局的な決定または命令は準再審の対象になる，という趣旨に解されている（最大判昭和30・7・20民集9巻9号1139頁）。

同一事件につき審級を異にする複数の終局判決が存在する場合，再審事由が存する限り，それぞれの終局判決が原則として再審の訴えの対象となる。しかし，控訴審において本案判決がなされたときは，第1審の判決に対し再審の訴えを提起することはできない（338条3項）。控訴審で全面的に審理がなされている以上，第1審判決に対して再審を認める必要はないからである。

13-6-3-6　当事者適格

(1) 原告適格

原告適格が認められるためには，まず，確定判決の効力を受け，その取消しについて不服の利益を有することが必要である。また，原告適格が認められるためには，原判決に係る訴訟物について当事者適格が認められるなど原判決に係る訴訟手続の本案について訴訟行為をすることを通じて原確定判決の判断を左右できる者であることも要求される。そうでなければ，再審の訴えを提起してもその目的を達することができないことになるからである。判例も，検察官を相手とする死後認知請求訴訟における確定した請求認容判決に対して，この判決の対世効を受け，かつ，この判決によって相続権を害される第三者が再審の訴えを提起したという事案において，再審原告は，当該死後認知訴訟における当事者適格を有さないという理由で原告適格を否定している（最判平成元・11・10民集43巻10号1085頁）。

当事者として一部または全部敗訴した者は当然に上記要件を満たす。一部または全部敗訴した当事者の口頭弁論終結後の一般承継人も，既判力の拡張を受

け（115条1項3号），また，当然承継により，再審の対象たる原判決に係る訴訟物について当事者の地位を取得するので，上記要件を満たす。他方，一部または全部敗訴者の被担当者に原告適格が認められるか否かは場合による。被担当者は確定判決の効力を受ける者ではあるが（115条1項2号），再審の対象たる原判決に係る訴訟物について当事者適格を有しないことがあるからである。なお，請求の目的物の所持者は，確定判決の既判力を受けるものの固有の利益を有しないものであるため，訴えの利益を欠く。

すこし詳しく 13-4 第三者による再審の訴え
▶他人の訴訟の判決効拡張により，自らの権利を害されるが，この訴訟の訴訟物について当事者適格を認められない者が再審の訴えを提起する手段としては次の2つがある。第1に，再審の訴えにつき原告適格を有する者の側への補助参加の申出とともに再審の訴えを提起することであり（43条2項・45条1項本文），第2に，通説によれば，独立当事者参加の申出とともに元の訴訟の原被告双方を相手として再審の訴えを提起することが可能である。近時の判例にも第2の方法を認めたものがある（最決平成25・11・21民集67巻8号1686頁）。なお，独立当事者参加の申出をする際には，参加人固有の請求を定立しなければならず，単に当事者の一方の請求に対して訴え却下または請求棄却の判決を求めるのみの参加の申出は許されない（最決平成26・7・10判時2237号42頁）。ところで，これらの方法で再審の訴えを提起する第三者が，再審の対象たる判決に係る訴訟手続に自らの責めに帰することのできない理由により参加できず，判決に影響を与える攻撃防御方法を提出することができなかったこと，または，原被告が共謀により当該第三者の権利を害する目的で判決を取得したことを再審事由とすることができるかという点については議論がある。これについては，⇨ **9-6-9-5** ☞ 9-25。

すこし詳しく 13-5 口頭弁論終結後の特定承継人の原告適格
▶口頭弁論終結後に敗訴者から係争物の譲渡を受けた者は不利な既判力の拡張を受ける者であるから，再審の訴えを提起することを認めるべきことについては争いがない。しかし，包括承継人とは異なり，特定承継人は，再審開始決定確定後の本案再審理において当然に当事者の地位を取得するものではないことから，再審開始決定確定後に特定承継人が当事者として訴訟追行をすることを可能にするためには，いかなる手続によって再審の訴えを提起することを認めるのが適切であるか，ということについて議論がなされている。さまざまな見解があるが，なかでも有力なのは，再審開始決定確定前であっても本案についての潜在的な訴訟係属はあると捉えて，特定承継人に参加承継の申出とともに再審の訴えを提起することを許す見解である。参加承継という手

続を経由させることで，特定承継人が当事者として再審開始決定確定後に訴訟追行することを根拠づけようとするものである。これに対して，判例は，伝統的な通説に従い，参加承継の要否に何ら言及しないまま，敗訴当事者の特定承継人は単独で再審原告になると述べたことがあるが（最判昭和46・6・3判時634号37頁），この判例においては，再審事由が認められなかったため，再審開始決定確定後の本案審理において特定承継人は当事者として訴訟追行し得るかという問題が顕在化しなかったという点には注意を要する。

(2) 被告適格

被告適格は，再審の対象とされる判決において全部または一部勝訴した当事者およびこのような当事者の口頭弁論終結後の承継人等判決効の拡張を受ける者に認められる。ただし確定判決に係る訴訟物について当事者適格を有するなど原判決に係る訴訟手続の本案について訴訟行為をすることを通じて原確定判決の判断を左右できる者であることが要求される。したがって，一部または全部勝訴した当事者の被担当者は，原告の場合と同様，被告適格を否定されることがある。

13-6-4 再審訴訟の審理と裁判

13-6-4-1 再審の訴え

再審の訴えは，原則として不服申立てに係る判決をした裁判所の管轄に専属する（340条1項）。ただし，例外として，審級を異にする裁判所が同一の事件についてした複数の判決に対する再審の訴えは，上級の裁判所が併せて管轄する（同条2項）。たとえば，第1審が請求を棄却する判決をし，控訴審が控訴を却下する判決をしたという事例において，双方の判決に対して再審の訴えを提起する場合には，控訴裁判所に対して併合の訴えとして提起することになる。同一の事件について複数の手続が併存することを回避するためである。

再審の訴えは，再審の訴状を管轄裁判所に提出することで行う。訴状には，①当事者および法定代理人，②不服の申立てに係る判決の表示およびその判決に対して再審を求める旨，および③不服の理由を記載しなければならない（343条）。②としては，原判決の全部または一部の取消しを求める旨と，取り消された部分について新たな判決を求める旨を記載し，③としては再審事由を記載することとなる。

13-6-4-2　訴えの適法性および再審事由の審理と裁判

　本案に関する再審理は，訴えの適法性と再審事由の存在が認められ，再審開始決定が確定した後になされる（348条1項）。再審事由の審理と本案の再審理を一体としてなすと，たとえば確定した第1審判決に対して再審の訴えが提起され，原判決を取り消す旨の判決がなされた後，この判決に対する控訴を受けた控訴裁判所が再審事由の存在を否定したために原審における本案再審理が無駄になるという事態が生じ得るからである。

　訴えの適法要件は職権調査事項であり，当事者の要求がなくても，裁判所は，その具備が疑われる場合には審理を開始しなければならない。適法要件が認められなければ却下決定がなされる（345条1項）。これに対しては即時抗告を提起することが認められる（347条）。

　裁判所は，主張された再審事由に限り審理する。原告が再審事由を変更することは許されるが（344条），新たな再審事由が追加された場合，出訴期間の遵守は追加の時点を基準に判断される（最判昭和36・9・22民集15巻8号2203頁）。再審事由の存否は高度の公益に関わるので，その審理については職権探知主義が妥当する。上告審判決に対して再審の訴えが提起された場合も事実審理がなされる。

　再審事由が認められない限り，裁判所は決定により再審の訴えを棄却する（345条2項）。この裁判については即時抗告を提起することができるが（347条），棄却決定が確定した場合，同一の再審事由を不服の理由として，改めて再審の訴えを提起することはできない（345条3項）。

　訴えが適法であり，再審事由の具備が認められれば，裁判所は再審開始決定をする（346条1項）。この決定をする際には被告を審尋することが要求される（同条2項）。この決定に対しては即時抗告をすることができる（347条）。

13-6-4-3　本案の再審理と判決

　再審開始決定が確定すると，不服申立ての限度で本案の審理が再開される。手続の規律は原訴訟手続の規律に従う（341条）。たとえば，上告審判決に対して再審開始決定がなされた場合には，控訴審における適法な事実認定は再審に基づく本案の再審理においても拘束力を持つ（321条）。

　再開される審理は，原訴訟手続の再開・続行としてなされるものであるから，従前の訴訟追行の結果は，再審事由に関わるもの以外は効力を有する。再開さ

れるのが事実審であれば，原訴訟手続の口頭弁論終結後に生じた事由を提出することも妨げられない。

　審理の結果，原判決の結論を維持できないという心証に達した場合には，裁判所は原判決を取り消し，新たな判決をする（348条3項）。他方，原判決の結論は維持できるという心証に至った場合，裁判所は再審請求棄却判決をする（348条2項）。ただし，再開されるのが事実審である場合，原判決の基準時後の事由が考慮された結果として再審請求を棄却する判決がなされることもあり得るので，再審請求が棄却される場合も既判力の基準時は再審訴訟の事実審の口頭弁論終結時となる。

第14章 略式手続

14-1 総　説
14-2 手形訴訟・小切手訴訟
14-3 少額訴訟
14-4 督促手続

14-1 総　説

　民訴法は，第5編（350条〜367条）に「手形訴訟及び小切手訴訟に関する特則」，第6編（368条〜381条）に「少額訴訟に関する特則」，第7編（382条〜402条）に「督促手続」をそれぞれ定めている。これら3種の手続（手形訴訟と小切手訴訟の手続は同じであるので，併せて1種と数える）は，**略式手続**と呼ばれており，簡易・迅速な権利の実現を目的として，審理手続を通常の訴訟手続よりも簡略化し，権利者が迅速に債務名義（⇨ **9-7-1**）を得られるようにする手続であるという点で共通する。

　14-2〜14-4 で述べるように，これらの略式手続では，訴えから終局判決まで，または，申立てから支払督促までの手続が迅速に進み，かつ，仮執行宣言の制度（⇨ **9-7-2**）と結び付いて（259条2項・376条1項・391条1項），債権者が債務名義を短期間で得られる仕組みとなっている。なお，手形・小切手による金銭請求の判決について仮執行宣言が付けられるのは，その権利を迅速に実現するという考慮に基づくもので，通常訴訟によるか手形訴訟・小切手訴訟によるかを問わない（259条2項）。

　また，手形訴訟・小切手訴訟と少額訴訟の仮執行宣言付判決については異議

申立てによる執行停止の要件が比較的厳しいこと（403条1項5号），少額訴訟では控訴が禁止されること（377条・380条1項）なども，権利を実現しやすくする規律である。

債務名義に基づく強制執行の手続は，原則として通常の訴訟の判決に基づく場合と同じであるが，少額訴訟に係る債務名義については，民執法167条の2以下に少額訴訟債権執行の特則がある。

一方，これらの略式手続が開始した後も，当事者（とくに債務者側）が攻撃防御方法を十分に提出できるように，通常の訴訟手続を利用する地位を保障されなければならないので，当事者の行為（申述，異議）により通常訴訟に移行するなどの手当てがされている（353条・361条・373条・395条）。

略式手続は，実務上重要な役割を果たしており，事件数のうえでも一定の存在感を示している。2021年の全国の裁判所の新受件数（提訴または申立ての件数）の統計では，地方裁判所の第1審民事通常訴訟が約13万件，簡易裁判所の第1審民事通常訴訟が約32万件であったのに対し，少額訴訟は約7000件，督促手続は約23万件であった。ただし，手形訴訟・小切手訴訟は，商取引で約束手形が用いられる場面が減っていることを反映して事件数が近年激減しており，地裁・簡裁を合わせて1992年から1999年にかけては1年に8000件前後の訴えが提起されていたのに対して，2021年では31件にとどまっている。

> **TERM** ㊳ 「略式手続」と「略式訴訟」
> 　本文で挙げた3種の手続は，一定の種類の事件が有する特徴に着目して，通常の手続よりも簡易かつ迅速な手続を設けたものである。旧法下では，支払督促の前身の制度が裁判官によって「支払命令」が発せられるという裁判であったので，手形訴訟や小切手訴訟と併せて「略式訴訟」とも呼ばれたが，現行法の督促手続では，裁判所書記官が裁判とはいえない「支払督促」を発するので，そのための手続を含めて「訴訟」と呼ぶことはできない。本書では，通常より略式な手続という意味で「略式手続」という。

14-2　手形訴訟・小切手訴訟

14-2-1　手形訴訟・小切手訴訟の意義

　手形と小切手は，一定の金銭の支払を目的とする有価証券であり，簡易・迅

速に取引上の決済をするための手段として振り出され,譲渡される。そこで,手形や小切手上の権利を行使するための訴訟手続としても,権利者が金銭を迅速に回収できるように簡易・迅速な手続が存在することが要請され,そのために**手形訴訟**および**小切手訴訟**についての特則（350条～367条）が定められている。

手形訴訟の対象となる訴訟物は,手形による金銭の支払の請求およびこれに附帯する法定利率による損害賠償の請求（350条1項）である。ここには,為替手形の引受人や約束手形の振出人に対する手形金額（手28条1項・78条1項）や利息（手5条・77条2項）の請求,裏書人等に対する遡求金額の支払請求（手43条・77条1項4号）などが含まれる。これに対して,手形の原因関係に基づく金銭支払請求権がこれに含まれないことは明らかであるし,手形法上の権利であっても利得償還請求権（手85条）のように手形上の権利そのものとは異なるものは含まれないと解されている。

小切手訴訟の対象も,小切手による金銭の支払の請求とこれに附帯する法定利率による損害賠償の請求であり（367条1項）,小切手の振出人や裏書人に対する遡求金額等の支払請求権（小44条・45条）などである。

なお,これらの請求を訴訟上行使するために,権利者は必ず手形訴訟または小切手訴訟によらなければならないわけではない。手形金や小切手金を請求するために通常訴訟の訴えを提起することも可能である。原告となる権利者が訴状に手形訴訟（または小切手訴訟）による審理および裁判を求める旨の申述を記載した場合（350条2項・367条2項）にのみ手形訴訟（または小切手訴訟）による審理および裁判がされる。

手形訴訟や小切手訴訟の手続については,次にみるように,通常訴訟の手続とは異なる規律がされる部分がある。すなわち,手形訴訟や小切手訴訟と通常訴訟とは,異種の手続であって,同種の訴訟手続ではないので,併合することはできない（136条。⇨ *11-2-1*。また,このことと重複起訴の禁止との関係について,⇨ *11-7-3* す 11-5)。また,迅速審理の観点から,反訴（146条。⇨ *11-4*）は,たとえ同種の手形訴訟によることができる権利を行使する場合であっても,禁止される（351条）。

14-2-2 手形訴訟・小切手訴訟の手続

14-2-2-1 訴えと審理

　ここで，手形訴訟の手続の特色について概観する。小切手訴訟の手続については手形訴訟に関する規定が準用されるので（367条2項，規221条），同様に考えればよい。

　手形訴訟の事物管轄は，通常訴訟の場合（⇨ **3-2-2-3**(2)）と同じく，訴訟の目的の価額が140万円を超えるものは地方裁判所，140万円以下のものは簡易裁判所にある（裁24条1号・33条1項1号）。原告は，手形訴訟による審理と裁判を求める場合，その申述を訴状に記載してする（350条2項）。簡易裁判所での口頭起訴（271条）では，口頭でその旨を述べることになる。

　手形訴訟の最大の特色は，証拠調べの制限（352条）である。すなわち，証拠調べは，原則として書証に限られ（352条1項），しかも，文書提出命令や文書送付嘱託はできない（同条2項）。これは，審理を迅速に進めるためである。例外的に，文書の成立の真否または手形の提示に関する事実についてのみ，当事者尋問に限り人証調べが可能とされている（同条3項）。証拠能力の制限（⇨ **7-4-2-4**）の一種である。

　これらの規律のもとで，実際に手形を所持する原告にとっては，手形法16条による権利の推定，民訴法228条4項による真正な成立の推定などが働くので，権利の立証は難しくない。他方，被告が，原因関係上の抗弁等を立証して争うことは難しい場合が多い。被告がこのような方法で請求を争うためには，いったん手形判決がされた後の異議訴訟で防御方法を提出するしかないのが普通である。

　次に，手形訴訟の審理については，迅速な判決の実現のために1期日審理の原則が定められている（規214条）。実務上も，基本的にこの原則どおりに行われている。

　原告は，口頭弁論が終結するまでは，被告の承諾を要しないで，訴訟を通常の手続に移行させることができる（353条1項・2項）。原告が，手形訴訟をいったん提起したものの，上記のような証拠制限のもとでは立証が難しいと判断した場合などに行われる。被告にはこのような権利はない。

第14章 略式手続

> **すこし詳しく 14-1** 手形訴訟・小切手訴訟での報告証書の証拠能力
>
> ▶訴え提起後または訴え提起を予定して当事者または第三者によって作成された報告証書（⇨ **7-5-5-1**(2)(b)参照。ここで問題となるのは，事実の経過等を記載した陳述書，訴訟外でされた筆跡鑑定についての意見書等）は，形式的には書証だが，証拠制限（352条）を回避する結果になるので，その許容性には議論がある。許容できると解する見解は，このような文書であっても即時に取調べができるので，証拠制限の趣旨に反するわけではないことなどを理由とする。これに対して，許容すべきでないとする見解は，このような文書は，証拠制限を潜脱するものであり，相手方当事者が証拠制限によって作成者を尋問できない以上，反対尋問ができず，文書の記載内容を争う機会を奪われるので，証拠能力を認めると手続的に不公正な結果を生むことなどを理由とする。許容すべきでないとする見解に説得力があり，証拠能力を否定すべきである。

14-2-2-2 判決と不服申立て

手形訴訟の終局判決は**手形判決**と呼ばれる（規216条参照）。請求の全部または一部を認容する判決については，必ず仮執行宣言が付される（259条2項）。もっとも，これは，通常訴訟による手形金の請求でも同じであり，その権利の性質上，迅速な実現のために仮執行宣言が必要的とされているものといえる。

手形訴訟の終局本案判決に対しては控訴が許されず（356条本文），不服がある当事者は，判決書等の送達後2週間以内に，その判決をした裁判所に異議の申立てをする（357条）。訴訟判決（訴え却下判決）に対しては控訴が可能である（356条但書）。

異議の申立てにより，手形判決の確定は遮断される（116条）。しかし，被告が仮執行宣言の付された認容判決の執行停止の裁判を得るためには，その判決の取消しまたは変更の原因となるべき事情について疎明が必要である（403条1項5号）。証拠制限のある簡易迅速な手続に基づいて成立した債務名義ではあるが，その執行停止は，通常訴訟での手形・小切手による金銭請求の仮執行宣言付判決に対する控訴による執行停止（同項4号）と同じ要件となっており，それ以外の請求に係る通常の訴訟での仮執行宣言付判決に対する控訴による執行停止（同項3号）と比べても，執行停止が認められにくくなっている。

適法な異議の申立てがあれば，訴訟は口頭弁論終結前の審理状態に復し，その後は，手形判決をしたのと同じ裁判所で，通常の訴訟手続による審理および裁判が行われる（361条）。これにより，上記の証拠制限（352条）や反訴禁止（351条）が適用されなくなる。異議後の判決では，主文で手形判決の認可また

は取消しがされる（362条）。異議後の判決は，通常の訴訟手続に基づくものであり，これに対して控訴ができる。

14-3　少額訴訟

14-3-1　少額訴訟の意義

　少額訴訟（368条〜381条）は，訴訟の目的の価額が60万円以下の金銭の支払を目的とする訴えについて，簡易裁判所において，簡易・迅速な手続で審理，判決をするという制度である（368条1項）。民事訴訟を国民に利用しやすくすることを目的とした現行民訴法において新たに導入されたものであり，当初は訴額30万円以下の訴えを対象としていたが，良好な実績が認められ，平成15年の改正で60万円以下の訴えに拡大された。少額訴訟の制度は，旧民訴法下で「ミニ地裁化」しているといわれていた簡易裁判所（取り扱う事件の訴額が小さいだけで，用いられる手続は地方裁判所とほとんど変わらず，特徴がないという意味で，そのように評されていた）を，小規模な紛争を抱える市民が使いやすい少額裁判所として独自の機能を発揮させるために再構築するという意味をも持つ。

　少額訴訟の対象となる事件の要件は，訴額60万円以下の金銭の支払請求である。ただし，同一の簡易裁判所において同じ原告が同一の年に少額訴訟を利用できる回数は10回以下に限定されている（368条1項，規223条）。この訴額には利息，遅延損害金等の附帯請求を合算しないので（9条2項），元本が60万円以下であれば要件を満たす。回数制限は，特定の金融業者等が多数回利用することになると，裁判所の処理能力の限界などから，一般市民が少額訴訟の制度を円滑に利用することを妨げるおそれがあることによる。具体的な事件類型としては，賃貸借契約終了時の敷金返還請求，交通事故（とりわけ，物損事故）による損害賠償請求，売買代金請求，請負代金請求，貸金返還請求等がある。

14-3-2　少額訴訟の手続

14-3-2-1　訴えと審理

　原告は，少額訴訟による審理と裁判を求める場合，訴えを提起する際にその

第14章　略式手続

旨の申述をする（368条2項）。

　被告は，原告からの少額訴訟の求めに対し，訴訟を通常の手続に移行させる旨の申述をすることができる（373条1項本文）。ただし，被告が最初にすべき口頭弁論の期日に弁論をし，または，その期日が終了した後は，この申述ができなくなる（同項但書）。訴訟は，被告のこの申述があった時に通常の手続に移行する（同条2項）。少額訴訟の手続は，次に述べるように，通常の訴訟手続に比べて，提出できる攻撃防御方法が限られ，終局判決に対して控訴が許されないなど，相当簡略化されたものとなっているので，原告が少額訴訟の手続を求めた場合でも，被告が防御権を十分に行使できるように，被告の意思によって通常の訴訟手続に移行できるようにしたのである。被告が，上記の時点までに通常の手続に移行させる申述をしなければ，その事件について少額訴訟の手続で決着が図られることに同意したものとみなされるという形で，簡易な手続による紛争解決が正当なものとされる。

　そして，被告が通常の手続に移行させる申述をするかどうかを判断するためには，少額訴訟の手続の内容を知っていることが必要になること，手続の円滑な進行のためには，被告のみならず原告にも少額訴訟の手続の内容を十分に認識させる必要があることから，裁判所書記官および裁判官が当事者に手続の教示をすることになっている（規222条）。

　また，裁判所が職権で通常の手続で審理・裁判することを決定しなければならない場合もある。それは，少額訴訟の要件を欠く場合や，少額訴訟により審理・裁判するのが相当でない場合などである（373条3項各号）。少額訴訟による審理・裁判が相当でない場合とは，たとえば交通事故の態様に争いがあって証人の呼出しや現場検証が必要になる損害賠償請求事件のように，複雑困難な要素があることなどから，以下のような簡易な手続で決着させるのが不相当とみられる場合である。

　少額訴訟においては，1期日審理の原則がとられ（370条），実務上もそのように運用されている。反訴は禁止される（369条）。証拠調べは，即時の取調べが可能な証拠に限ってすることができ（371条。証拠能力の制限〔⇨ **7-4-2-4**〕の一種である），証人または当事者本人の尋問の順序（⇨ **7-5-2-4**(4), **7-5-3-3**）や当事者尋問の補充性（⇨ **7-5-3-2**）に関しても，通常訴訟の場合の原則（202条・210条・207条2項）と異なり，裁判官が相当と認める順序による（372条2項）。

⇨ **7-5-3-2** す 7-13)。これらの特則は、手続を迅速に進めて早期に判決をすることを目的とする。なお、証拠の要件として即時性が要求されているが、事実認定に際しては疎明（188条参照）ではなく証明が必要である（証明と疎明について、⇨ **7-4-2-1**）。

14-3-2-2　判決と不服申立て

少額訴訟の終局判決は「**少額訴訟判決**」と呼ばれ（規229条参照）、判決の言渡しは、相当でないと認める場合を除き、口頭弁論の終結後直ちにされる（374条1項）。すなわち、原則として弁論終結の日のうちに判決が言い渡されることになる。そのことから、判決の言渡しは判決原本に基づかなくてよい（同条2項）。これらは、251条1項、252条の特則である。請求の全部または一部を認容する判決については、必ず仮執行宣言が付される（376条1項）。債務名義（民執22条2号・167条の2第1項2号）を迅速に成立させるためである。

また、裁判所は、請求を認容する判決をする場合に、とくに必要があると認めるときには、一定の範囲内で期限または分割払の定めをすることにより支払の猶予をすることができる（375条1項・2項）。被告の任意履行を促すことが目的であり、強制執行は原告にとっても負担となり得るので、その必要が生じる場合をなるべく減らすという意味がある。実体法上の権利とは異なる内容が定められるという意味で、和解的な判決であるともいえる。原告にとっては、直ちに給付を受けられる権利があるのにそれが猶予されるのは不利益であるが、原告がこのような判決がされ得る少額訴訟の手続を選択したことが正当性の根拠となる。支払猶予の定めについては不服申立てができない（同条3項）。

少額訴訟判決に対しては、双方当事者とも控訴ができない（377条）。ただし、当事者は、判決書等の送達後2週間以内に異議の申立てをすることができる（378条1項。なお、仮執行宣言付少額訴訟判決に対する異議申立てに伴う執行停止の要件については、**14-2-2-2**の手形判決に対する異議の場合と同様である〔403条1項5号〕）。

適法な異議があれば、少額訴訟判決の確定は遮断され（116条）、訴訟は口頭弁論終結前の審理状態に復し、異議後の審理および裁判は、通常の訴訟手続によってされる（379条1項）。すなわち、少額訴訟判決をした簡易裁判所で、弁論終結前の状態から通常の訴訟手続で審理が進められることになる。異議後の訴訟手続では、371条による証拠制限はなくなるが、反訴は異議前と同様に禁

止される（379条2項・369条）。異議後の終局判決は，少額訴訟判決の認可または取消しであり（379条2項・362条），少額訴訟判決と同様に判決による支払の猶予も可能である（379条2項・375条）。

異議後の終局判決は，通常の訴訟手続に基づくものであるが，この終局判決に対して控訴はできないものとされており（380条1項），迅速な決着が徹底されている（最判平成12・3・17判時1708号119頁は，380条1項が憲法32条に違反しないとしている）。

このように少額訴訟では控訴を含めて上訴ができない。なお，当事者が憲法違反の主張をして最高裁判所の判断を求めることまで禁じると憲法81条に反するので，簡易裁判所の判決に対して直接最高裁判所への特別上告（⇨ **13-5-2**）をすることは可能である（380条2項・327条）。

以上のように，少額訴訟は，原告が少額訴訟による審理および裁判を求めた場合に，被告が通常の手続に移行させる申述をせず，裁判所も職権で通常の手続に移行させないときに，簡易裁判所での1審かぎりの決着を可能とするものである。本案の終局判決が確定すれば，当然に訴訟物の内容である権利義務の存否について既判力（114条）も生じる。

14-4　督促手続

14-4-1　督促手続の意義

督促手続（382条～402条）は，金銭その他の代替物または有価証券の一定の数量の給付を目的とする請求について，債権者の申立てにより，簡易裁判所の裁判所書記官が**支払督促**を発し，仮執行宣言を付することにより，簡易・迅速に債権者に債務名義を取得させる手続である。

対象となるのは，「金銭その他の代替物又は有価証券の一定の数量の給付を目的とする請求」（382条本文）に限られる。これは，仮に請求権がないにもかかわらず支払督促が発せられて強制執行がされても，債務者とされた者がこのような不当執行による損害を回復することが比較的容易な場合に限るという趣旨である。簡易裁判所の裁判所書記官が取り扱うものであるが，このような請求であれば，請求の目的の価額に上限はない。

請求権を主張して申立てをする当事者を「債権者」，義務者として申立ての相手方とされる当事者を「債務者」と呼び，支払督促にもそのように表示される。

督促手続では，請求権の根拠となる要件事実の証明や疎明を要せずに，申立ての内容の審査のみで裁判所書記官が支払督促を発し，その送達を受けた債務者の異議がなければ，仮執行宣言等の手続を踏んで債務名義が成立する。他方，支払督促は，債務者の適法な異議（**督促異議**）の申立てがあれば，手続が訴訟に移行する（また，仮執行宣言前の支払督促であれば，当然に失効する。390条）ことになっており，債務者には，義務もないのに強制執行を受けることがないように対処する機会が与えられる。債務者が実際にこの機会を得られるよう，支払督促は，公示送達の方法によることなく日本で債務者に送達できなければ効力が生じないものとされている（382条但書・388条）。

以上のように，督促手続は，債権者にとっては，給付の訴えを提起して訴訟手続を経て判決を得るのと比べるとかなり簡易かつ迅速に債務名義が得られるものであり（なお，支払督促申立ての手数料は，訴え提起の場合の半額である。民訴費3条1項・別表第1の10），しかし，債務者の督促異議があれば手続が訴訟に移行するというものである。そこで，債権者にとっては，債務者が義務の存在を争っていない場合や債務者の争い方に明らかに理由がないと考えられる場合などに利用するメリットが大きく，少額訴訟のような回数制限（368条1項，規223条）もないので，実務上も多用されている（事件数について，⇨ **14-1**）。金融業者等による利用も多く，請求権の種類は，貸金，立替金，求償金，売買代金，リース料等さまざまなものがあるが，日本放送協会（NHK）が督促手続を用いて受信料（放送64条）を請求したケースもある。

なお，旧民訴法のもとでの前身となる手続は，簡易裁判所の裁判官が「支払命令」を発する手続であったが，これが現行民訴法で，裁判所書記官が「支払督促」を発する督促手続に改正された。

14-4-2　督促手続の進行

14-4-2-1　支払督促の申立て

督促手続は，債権者が，簡易裁判所の裁判所書記官に対して支払督促の申立て（383条）をすることにより始まる。職分管轄は，訴額にかかわらず，簡易

裁判所の管轄（383条）であり，土地管轄も同条に定められている。

この申立てには，その性質に反しない限り，訴えに関する規定が準用されるので（384条，規232条），債権者，債務者，法定代理人，申立ての趣旨，申立ての原因を特定すべきことになる（384条による134条2項の準用）。債権者は，申立ての趣旨と原因により請求権の内容（訴えの訴訟物に相当するもの）を特定しなければならない。申立てに基づいて債務名義となる支払督促を発することになるので，申立て時に請求が特定されないことは許容されず，272条の準用はない。しかし，請求を理由づける事実（規53条1項）についてすべて主張する必要まではないと解されている。

支払督促の申立てについては，電子情報処理組織による，いわゆる督促手続オンラインシステムの利用が可能である（397条～402条）。このシステムでは，383条による土地管轄が他の裁判所にある事件であっても，指定簡易裁判所である東京簡易裁判所（「民事訴訟法第132条の10第1項に規定する電子情報処理組織を用いて取り扱う督促手続に関する規則」1条1項）に電子情報処理組織を用いて（インターネットを通じたオンライン提出により）支払督促の申立てをすることができる（397条，上記規則1条2項）。

裁判所書記官は，支払督促の申立てが，382条の要件もしくは383条の管轄の定めに反するとき，または，申立ての趣旨から請求に理由がないことが明らかなときは，申立てを却下しなければならない（385条1項。告知方法と債権者の異議申立てにつき，同条2項～4項参照）。

なお，送達に関する要件（382条但書）が欠けることは，実際には，債権者の申立てのみからは明らかにならず，支払督促を送達したところ債務者の住居所が不明で送達できなかったことにより判明することも多い（その場合，388条2項により支払督促が効力を生じない）。

14-4-2-2 支払督促の効力と督促異議

(1) 支払督促の発付・送達

支払督促は，債務者を審尋せずに発せられる（386条1項）。前述 **14-4-2-1** の却下事由がない限り，債権者の申立てのみで支払督促が発せられ，請求を理由づける事実の証明や疎明は必要ない。支払督促の記載内容は387条に定められている。

支払督促の効力は債務者に送達されたときに生じる（388条1項・2項。送達

できない場合の処理について，同条3項参照)。

(2) 仮執行宣言前の督促異議

債務者は，支払督促に対し，これを発した裁判所書記官の所属する簡易裁判所に督促異議の申立てができる（386条2項）。仮執行の宣言がされる前に督促異議の申立てがあれば，支払督促は当然に効力を失う（390条）。

(3) 仮執行宣言

送達後2週間以内に(2)の督促異議の申立てがないときに，債権者が申立てをすれば，裁判所書記官は，仮執行の宣言をしなければならない（391条1項）。支払督促に記載された仮執行宣言は，当事者に送達される（同条2項本文）。仮執行宣言が付された支払督促は，強制執行のための債務名義となる（民執22条4号）。

(4) 仮執行宣言後の督促異議

上記(3)の仮執行宣言がされた後も，債務者は，仮執行の宣言を付した支払督促の送達を受けた日から2週間以内であれば督促異議の申立て（386条2項）をすることができるが（393条），その場合でも支払督促は当然には失効しない（(2)の仮執行宣言前の督促異議の効果とは違う）。すなわち，督促異議の申立てをした債務者が執行停止の申立てをして執行停止決定を得ないと（その要件は403条1項3号または4号），債権者は，強制執行の手続を進めることができる。

(5) 支払督促の効力

仮執行宣言を付した支払督促に対して適法な督促異議が申し立てられなかった場合には，その支払督促は，確定判決と同一の効力を有する（396条）。したがって，この支払督促は，民執法22条7号で債務名義となり，執行力を有する。

しかし，支払督促は，既判力を有しない。支払督促の発令主体は裁判所書記官であって，裁判官ではないので，裁判ではないからである。また，既判力を有しないことの条文上の根拠として，請求異議の訴えについての民執法35条2項が，現行民訴法の制定に伴う平成8（1996）年の改正前は「確定判決についての異議の事由は口頭弁論の終結後に生じたものに限り，仮執行の宣言を付した支払命令についての異議の事由はその送達後に生じたものに限る。」と規定していたところ，同改正により支払命令に関する部分が削除されたことが挙げられる。つまり，支払督促との時間的先後を問わずに，請求異議の事由とな

るということであり，支払督促に既判力がないことを前提にしている。

14-4-2-3 督促異議の申立てによる訴訟への移行

(1) **訴訟移行の手続**

　適法な督促異議（⇨ **14-4-2-2** の(2)または(4)）があった場合には，督促異議に係る請求については，支払督促の申立ての時に訴えの提起があったものとみなされ，訴額が 140 万円以下の場合は，支払督促を発した裁判所書記官の所属する簡易裁判所に係属し，訴額が 140 万円を超えるときは，地方裁判所の事物管轄であるので（裁 24 条 1 号・33 条 1 項 1 号），その簡易裁判所の所在地を管轄する地方裁判所に係属する（395 条。後者では，訴訟記録も簡易裁判所から地方裁判所に送付される。規 237 条）。

　これによって手続は通常の訴訟に移行し，裁判所による判決に向けて手続が進む。債権者は，原告となり，訴えの手数料と支払督促の申立て手数料との差額を納付しなければならない（民訴費 3 条 2 項 1 号）。異議によって移行した訴訟の訴訟物は，**14-4-2-1** の支払督促申立てで債権者が特定した請求の内容と同じである。なお，督促手続から手形訴訟に移行する場合もある（366 条 1 項）。

(2) **督促手続オンラインシステムによる申立てに基づく場合の管轄の特則**

　督促手続オンラインシステムによる申立てに基づく支払督促に対して適法な督促異議の申立てがあった場合には，本来の土地管轄を定めた 383 条の要件を満たす簡易裁判所またはその所在地を管轄する地方裁判所に訴えが提起されたものとみなされる（398 条 1 項。また，同条 2 項・3 項は 1 項により土地管轄を有する裁判所が複数ある場合の処理方法を定める）。

　395 条に従うと支払督促を発した裁判所書記官の所属する簡易裁判所またはその所在地を管轄する地方裁判所に訴えが提起されたことになるが，それでは，この場合，債務者の住所地等に関わりなく，当然に指定簡易裁判所（東京簡易裁判所）またはその所在地を管轄する地方裁判所（東京地方裁判所）に訴えが提起されたことになり，当事者の利益を害することになる。それでは，債務者の利益を害するのみならず，債権者にとっても不都合な場合があり，ひいてはこのシステムを使いにくくしてしまう。そこで，債務者の住所等を基準とする本来の土地管轄によることとされている。

(3) **訴訟移行後の終局判決**

　仮執行宣言前の督促異議（⇨ **14-4-2-2**(2)）によって訴訟に移行した場合，終

局判決の主文は請求の認容，棄却等，通常の訴えによって開始した場合と同じとなる。これに対して，仮執行宣言後の督促異議（⇨ **14-4-2-2**(4)）によって移行した訴訟の終局判決は，支払督促が効力を有したままなので，手形判決や少額請求判決に対する異議後の判決（362条・379条2項）と同様に，支払督促の認可または取消しがされる（最判昭和36・6・16民集15巻6号1584頁参照）。

2022年民事訴訟法改正の概要

　民事訴訟手続のIT化を図ることなどを目的として，2022年に民事訴訟法等が改正された（令和4年法律第48号による改正。2022年5月25日公布。⇨ *1-1-3-2*）。
　この改正が施行される時期は，対象となる条文によって異なっており，公布の日から起算して9月以内，1年以内，2年以内，4年以内等に分かれている（具体的な施行日は政令で定められる）。9月以内のものは2023年2月20日，1年以内のものは同年3月1日に施行された。また，政府の方針によると，2年以内のものは2024年3月までに，4年以内のものは2026年3月までにそれぞれ施行されることが見込まれている。
　本書第4版では，これらのうち，既に施行されたものと2024年3月までに施行されることが見込まれる改正の内容を本文に組み込んでいる。他方，2026年3月までに施行される改正は，その施行が第4版発行日から3年程度先となることから，本文には組み込んでいない。
　そこで，ここでは，2022年民事訴訟法改正の概要について，今後施行される改正の内容をも含めて，改正の施行時期と本書の章立てを踏まえて整理し，説明することにする。

1　2023年2月20日に施行された改正

　133条から133条の4までが新設され，「当事者に対する住所，氏名等の秘匿」（第1編第8章の章名）の制度が創設された。これについては，訴状の記載事項に関して *2-1-3-2*(1)で解説しており，*4-2-1-1*（当事者の特定と当事者の確定），*5-1-2-2*（公開主義），*5-3-1-6*（訴訟記録）でも言及している。
　また，訴え提起の方式を定めた条文である改正前の133条は，内容はそのままに，条番号が134条に改められた（⇨ *2-1-3* 等）。

2　2023年3月1日に施行された改正

　弁論準備手続（⇨ *6-2-2-3*）の期日を電話会議またはウェブ会議の方法により実施することができることを定めた170条3項が改正された。まず，「当事者が遠隔の地に居住しているとき」という例示が削除され，裁判所が相当と認めるとき一般に，これらの方法を用いることができるものとされた。そして，改正前は当事者のうちの一方が裁判所に現実に出頭することが必要であったが，それが改められ，当事者双方ともに裁判所に現実に出頭していなくても，これらの方法を用いることによって，弁論準備手続期日の手続が実施できるようになった。
　また，和解期日の手続も，電話会議またはウェブ会議の方法を用いることによって，当事者が現実に裁判所に出頭しなくても，実施することができるようになった（民訴89

条2項・3項の新設。⇨ **10-2-3-1**）。

3 2024年3月までの施行が見込まれる改正

87条の2が新設され，ウェブ会議システムを用いる方法によって口頭弁論期日の手続を実施することができるようになる（⇨ **5-1-2-2**）。なお，当事者の映像と音声が法廷で流される必要があり，電話会議システムを用いる方法によることはできない。

4 2026年3月までの施行が見込まれる改正

以下，本書の各章の記述に対応させて，2022年改正の最終的な施行が見込まれる2026年3月までの時点での改正内容を説明する。各章ではこれらの改正を反映していない。ここでは，本書の記述との関係で必要な主なものを挙げており，改正内容の全部を網羅しているわけではない。

(1) 第1章（民事訴訟とは何か）

判決手続における特別手続（⇨ **1-2-3-3**）のうち，(1)簡易裁判所の手続に特有の規律として，ウェブ会議システムによる証人または当事者尋問が，その他の裁判所での要件（後記(7)の改正後の204条）よりも緩やかに，裁判所が相当と認めるとき一般に認められる。

また，判決手続における特別手続として，法定審理期間訴訟手続が加わる（後記(10)）。

訴訟費用に関し，訴えの提起等の手数料の納付は，現在，訴状等に収入印紙を貼付する形によっているが（⇨ **1-3-1-2**），原則として電子納付による方法に改められる（民訴費8条等の改正）。

(2) 第2章（訴訟手続の開始）

訴状の提出と印紙の貼付（⇨ **2-1-3-1**）に関し，すべての裁判所への訴え提起等の申立て等の電子情報処理組織によるオンライン提出が可能となり（132条の10の改正），訴訟委任を受けた訴訟代理人である弁護士や司法書士は，紙媒体ではなく，オンラインによる訴状等の提出をしなければならないこととされる（132条の11の新設）。また，提訴手数料は，前記(1)のように，原則として電子納付となる。

訴え提起後の訴状審査（⇨ **2-1-4-1**）との関係で，提訴手数料の納付がない場合の手続について，137条1項後段の規定が削除され，新たに137条の2が定められる。同条は，裁判所書記官の納付命令（1項），手数料を納付しない場合の裁判長の訴状却下命令（6項），訴状却下命令に対する即時抗告が原審で却下されることがあること（7項但書・8項）などを定める。

(3) 第 3 章（裁判所）

　裁判所書記官等の権限（⇨ **3-1-4** ☞ 3-1）に関し，後記(5)のように訴訟記録が電子化されることなどとの関係で，現行法の「口頭弁論調書の作成」が改正後では「口頭弁論に係る電子調書の作成・更正」（160条・160条の2）となる。また，訴訟費用の担保権利者に対する権利行使催告をする権限（79条3項）が裁判所から裁判所書記官に移される。

(4) 第 4 章（当事者）

　訴訟委任に基づく代理人（⇨ **4-4-4**）に関し，前記(2)のように，訴訟委任を受けた訴訟代理人である弁護士や司法書士は，オンラインによる訴状等の提出をしなければならないこととされる（132条の11の新設）。

(5) 第 5 章（審理の原則）

　当事者の申立て（⇨ **5-2-1-1**）等がすべての裁判所に対してオンラインでできるようになり（132条の10の改正。前記(2)参照），訴訟記録（⇨ **5-3-1-6**）も電子化される（改正後の160条の電子調書の作成・160条の2の電子調書の更正等）。改正後も，本人訴訟の当事者の申立て等については紙媒体によってされることがあるが，紙で提出されたものは裁判所書記官が電子化し，訴訟記録となる（132条の12・132条の13）。

　これに関連して，訴訟行為の追完（⇨ **5-3-1-4**）を定めた97条1項が改正され，「責めに帰することができない事由」の例として裁判所のコンピュータの故障が含まれることが明記される。

　なお，改正前の132条の10の規定の範囲内でも，最高裁判所の定める裁判所での手続に関しては申立て等のオンライン提出が可能であり，既に，2022年の最高裁判所規則（民事訴訟法第132条の10第1項に規定する電子情報処理組織を用いて取り扱う民事訴訟手続における申立てその他の申述等に関する規則）等によって，準備書面，証拠申出書，証拠説明書等をオンラインで提出することが可能となっている（訴状のように手数料の納付を伴うものは，電子納付のシステムが未完成であるので，現時点では，準備書面等の手数料を伴わないものに限られている）。

　また，訴訟記録の閲覧（⇨ **5-3-1-6**）に関し，上記のように電子化された訴訟記録について，当事者はいつでもオンラインで閲覧をすることができるようになることが想定されている。

　98条以下の送達（⇨ **5-3-2**）に関しては，書類の送達と電磁的記録の送達とに分けて規定が置かれる（101条～109条の4の改正または新設）。あらかじめ届出をした者に対するオンラインでの送達も可能となる。公示送達もインターネットで実施されるようになることが想定される（110条～112条の改正）。

(6) 第 6 章（審理の準備）

　準備書面の提出（⇨ **6-1-3**）に関し，準備書面を提出すべき期間の経過後に準備書面を提出する当事者は，裁判所に対し，期間を遵守できなかった理由を説明しなければな

らないものとされる（162条2項）。

弁論準備手続で行うことができる行為（⇨ **6-2-2-3**(3)）として，調査嘱託の結果（186条2項），尋問に代わる書面等の内容（205条3項），鑑定人の意見（215条4項），鑑定嘱託の結果（218条3項）のそれぞれの提示等が加えられる（170条2項等の改正）。

書面による準備手続（⇨ **6-2-2-4**）は，地方裁判所でも受命裁判官（⇨ **3-1-2-3**）が実施できるようになる（176条1項の削除，176条の2の新設等）。

(7) 第7章（事案の解明）

証拠調べの実施（⇨ **7-5-1-4**）の(2)直接主義・公開主義に関し，法廷外の証拠調べをウェブ会議システムを使う方法で実施することができるようになる（185条3項の追加）。

証人尋問の手続（⇨ **7-5-2-4**）のうち(5)公開主義・直接主義の原則とその例外に関し，204条が改正され，証人が受訴裁判所に出頭することが困難である場合（同条1号の改正）や当事者に異議がない場合（同項3号の新設）であって，裁判所が相当と認めるときにも，ウェブ会議システムによる証人尋問が可能となる。当事者尋問の手続（⇨ **7-5-3-3**）でも同様である（210条による準用）。

調査嘱託（⇨ **7-5-4-3** す 7-14）と鑑定嘱託（⇨同す 7-15）について，それらの結果の提示に関する明文の規定が置かれる（186条2項・218条3項の追加）

書証の意義（⇨ **7-5-5-1**）のうち(3)新種証拠に関し，電磁的記録（電子メール，電子契約書，電子カルテ等）に記録された情報の内容についての証拠調べの規定が置かれる（231条の2・231条の3新設）。

検証の手続（⇨ **7-5-6-3**）について，裁判所は，当事者に異議がない場合であって，相当と認めるときには，映像等の送受信による方法による検証ができるものとされる（232条の2新設）。

(8) 第9章（判決）

判決（⇨ **9-1-3-3**，**9-4-1-2**，**9-4-1-3**，**9-4-1-4**等）に関し，判決書は電子判決書となり（252条），言渡しは電子判決書に基づいてされることになる（253条1項）。電子判決書等の送達（255条）については，前記(5)のようにオンラインで送達されることもある。

(9) 第10章（当事者の意思による終了）

和解勧試と和解の成立（⇨ **10-2-3-1**）に関し，和解の手続に訴訟指揮権等についての規定（148条・150条・154条・155条）を準用することが明記され（89条4項・5項の追加），裁判官の権限が明確化される。

また，当事者双方が出頭困難である場合にも，和解条項案の書面による受諾（⇨ **10-2-3-2**(1)）が可能となる（264条2項の追加）。

なお，和解調書について，利害関係のない第三者が閲覧することは許されなくなる（91条2項後段・91条の2第4項の追加・新設）。和解調書が当事者間の合意の内容を示すものであって，公権力の行使としての判決のようには公開の要請が働かないこと，和解の

内容を公にしたくない当事者の利益を考慮すべきことなどが理由である。

(10) 法定審理期間訴訟手続（381条の2〜381条の8新設）

　両当事者の合意がある場合に，一定の期間内に審理を終えて判決を行う訴訟手続として，「法定審理期間訴訟手続」が新たに設けられる。

　この手続は，当事者の双方が法定審理期間訴訟手続による審理と裁判を求める旨の申出をするか，当事者の一方がその申出をし，相手方がこれに同意した場合に用いられる。ただし，裁判所がこの手続によることが当事者間の衡平を害したり，適正な審理の実現を妨げたりすると認めるときには用いられない。消費者契約に関する訴えと個別労働関係民事紛争に関する訴えは対象から除外されている。

　この手続において，裁判所は，法定審理期間訴訟手続により審理と判決をする決定をし，その決定の日から2週間以内の間で口頭弁論または弁論準備手続の期日を指定しなければならず，その期日には，それから6月以内の間で口頭弁論を終結する期日を指定し，かつ，その日から1月以内の間で判決言渡しをする期日を指定しなければならない。当事者が攻撃防御方法を提出できるのは，決定後の初回の期日から5月（より短い期間が定められることもある）以内であり，証拠調べは，その期日から6月（より短い期間が定められることもある）以内にしなければならない（基本的には攻撃防御方法提出期間の終期から1月以内が想定される）。

　裁判所は，当事者双方との間で判決において判断すべき事項を確認し，判決でその事項についての判断を示すことになる。判決への不服申立方法は，控訴ではなく，異議であり，異議があれば，その後は通常の手続によって審理と裁判がされることになる。また，判決の前の段階でも，当事者の申出または裁判所の職権によって通常の訴訟手続への移行が可能である。

事項索引

あ 行

相手方……………………………………645
悪魔の証明………………………………272
斡　旋……………………………………4
案分説……………………………………453
異　議……………………………………606
　　——後の終局判決…………………668
　　——後の判決………………………664
　　——の申立て…………………664, 667
異議権……………………………………176
　訴訟手続に関する——………………176
意　見……………………………………65
遺言執行者………………………114, 128, **129**
遺言の無効確認…………………………375
遺産確認の訴え…………………………558
違式の裁判………………………………610
意思能力………………………………109, **111**
移審効……………………………………611
移　送………………………………**80**, 624
　　——の裁判…………………………82
　管轄違いの場合の——………………80
　裁量——………………………………81
　遅滞を避ける等のための——………81
　必要的——……………………………81
一応の推定………………………………281
1期日審理の原則…………………663, 666
一時的棄却………………………………435
一部請求……………………434, 443, 447, **448**
　明示（的）——…………………451, 452
　黙示（的）——………………………452
一部提出命令……………………………338
一部認容判決………………………421, 422
一部判決…………………………………403
一般公開主義……………………………145
一般提出義務……………………………327
違法収集証拠……………………………256
入会権……………………………………555
入会団体…………………………………392

インカメラ手続…………………**339**, 344
　特別法上の——………………………340
引用文書…………………………………324
ウェブ会議…146, 189, 191, 196, 492, 674, 675, 677
内側説……………………………………453
訴　え……………………………………33
　遺産確認の——………………………558
　会社の組織に関する——……………385
　確定判決変更の——…………………438
　確認の——………………………**36**, 382
　株主総会決議無効確認の——………559
　給付の——………………………**35**, 382
　境界確定の——………………………384
　形成の——………………**37**, 376, 383
　決議取消しの——……………………377
　現在（の）給付の——……………**35**, **361**
　婚姻取消しの——……………………559
　債務不存在確認の——………………376
　証書真否確認の——…………………370
　将来（の）給付の——……………**35**, 421
　人事に関する——……………………109
　請求異議の——……………434, 476, 499
　訴訟内の——…………………………35
　単一の——……………………………34
　中間確認の——…………………445, **527**
　独立の——……………………………35
　併合の——……………………………34
　和解無効確認の——…………………499
訴え提起の効果…………………………58
訴え提起前の和解………………………486
訴えなければ裁判なし…………………57
訴えの一部取下げ………………………482
訴えの客観的併合………………………507
訴えの交換的変更………………………519
訴えの全部取下げ………………………482
訴えの追加的変更………………………519
訴えの取下げ……………………………481
　　——の擬制…………………………174
　　——の合意………………………361, **485**

679

——の効果……483	証書真否——の訴え……370
——の手続……483	将来の法律関係の——……372
——の要件……482	訴訟代理人の代理権の存否——……368
訴えの変更……518	第三者との間の法律関係の——……373
——後の審判……523	売買契約の無効——……372
——の態様……519	身分関係の存否——……386
——の手続……521	確認訴訟原型観……39
——の要件……520	確認訴訟の訴訟物……54
訴えの利益……**359**, 395	確認的裁判……402
狭義の——……360	確認の訴え……**36**, 382
最狭義の——……360	消極的——……36
将来給付の——……363	積極的——……36
ADR（Alternative Dispute Resolution）……4	確認の利益……367
疫学的証明……283	確認判決……**36**, **406**
応訴管轄……73	隔離尋問の原則……304
オンライン提出……670, 675, 676	過去の法律関係の確認……370, **371**
	過失相殺……453
か	家庭裁判所調査官……68
概括的認定……283	仮定的抗弁……228
外交官……352	仮定的主張……228
外国元首……352	株主総会決議無効確認の訴え……559
外国国家……351	株主代表訴訟……127, 380
外国裁判所の確定判決……431	仮執行（の）宣言……411, **470**, 671
会社の組織に関する訴え……385	——後の督促異議……671
解除権……438	——前の督促異議……671
回　避……89	仮執行免脱宣言……471
書留郵便等に付する送達……170	簡易裁判所から地方裁判所への裁量移送……81
拡散の利益……386	簡易裁判所の手続……24
確定遮断効……610	簡易送達……170
許可抗告の——……649	管　轄……**70**, 352
確定判決	——違いの場合の移送……80
——の詐取……476	——の合意……**72**, 354
——の騙取……476	——の指定……71
——変更の訴え……438	——の種類……71
外国裁判所の——……431	——の調査……79
確　認	——の特則……672
遺言の無効——……375	——の発生根拠……71
過去の法律関係の——……370	——の標準時……79
債務不存在——……368, 373	——分配の指標……76
債務不存在——の訴え……376	応訴——……73
事実の——……370	義務履行地の——……353
消極的——……373	競合——……71
条件付権利の——……375	合意——……72

680

事項索引

　国内——·················70
　指定——·················71
　事物——·················76
　職分——·················76
　審級——·················76
　専属——·················74
　専属的——合意············73
　土地——·················77
　任意——·················74
　付加的——合意············73
　不法行為地の——·········354
　法定——·················71
管轄原因···················353
関係者公開·················190
慣習の法源性················10
官署としての裁判所··········62
間接事実···············**211**, 230
　——の自白···············237
　　重要な————········**214**, 215
　　弁論主義と——·········212
間接証拠···················256
間接否認···················229
鑑　定·····················310
　私——···················314
鑑定意見···················312
鑑定義務···················311
鑑定証人···············**293**, 311
鑑定嘱託···············314, 677
鑑定人·····················311
鑑定人質問·················312
監督官庁···············297, 328
管理権·····················380
管理処分権·············**127**, **380**
関連裁判籍··············**78**, 545
関連性の要件···············525

き

議員の資格争訟の裁判·······358
期　間·····················162
　——の伸縮···············162
　裁定——·················162
　不変——·················162
　法定——·················162

棄　却·····················405
期限未到来·················435
期　日·····················161
　——指定についての当事者の申立権······162
　——指定の申立て·········499
　——の延期···············161
　——の指定···············161
　——の続行···············161
　——の変更···············161
期日外釈明·················222
技術職業秘密文書···········331
技術の秘密·················300
基準時·················**396**, 433
擬制自白·······173, 185, **232**, 237, 245, 246, 247
擬制陳述··········173, **185**, 233
覊束力·····················417
起訴後の和解···············486
起訴前の和解···············486
期待可能性·················434
規範的要件············**216**, 217, 282
既判力·················**424**, 475
　——に準ずる効力·········441
　——の客体的範囲·········440
　——の作用する局面·······427
　——の時的限界···········433
　——の双面性·············428
　——の本質論·············425
既判力の作用···············426
　（消極的作用）·······**427**, 434
　（積極的作用）···········427
忌　避·····················85
　——の原因···············86
　——の裁判···············88
忌避事由···················86
義務履行地··················78
　——の管轄···············353
却　下·················**46**, 405
客観的主張責任·············210
客観的証明責任·············267
旧々民事訴訟法··············8
休　止·····················174
旧実体的不服説·············614
休止満了···················174

681

事項索引

求釈明権……………………………222
急速を要する行為 ………………89
旧訴訟物理論 ……………………50
給付訴訟の訴訟物 ………………51
給付の訴え ………………35, 382
給付判決 …………………36, 406
旧民事訴訟法……………………9
旧様式判決 ………………………412
境界確定訴訟 ………38, 384, 557
競合管轄 …………………………71
強行規定 ………………………12, 13
強行法規に違反する権利自白………250
供述義務 …………………………309
強制執行 …………………………363
強制執行手続 ……………………19
行政訴訟 ……………25, 204, 218
共同訴訟 …………………………543
　固有必要的── ………378, 553
　通常── ………………………544
　必要的── …………403, 552, 616
　類似必要的── ………………559
共同訴訟参加 ……………………595
共同訴訟の補助参加 ……………575
共同訴訟の補助参加人の地位 …576
共同訴訟人間の主張共通 ………546
共同訴訟人間の証拠共通 ………547
共同訴訟人独立の原則 …………546
協働的（協同的）訴訟進行 ……175
共有物分割訴訟 …………………38
許可抗告 ……………609, 643, 647
　──の確定遮断効 ……………649
禁反言 ……………………………446

く・け

具体的相続分 ……………………371
クラスアクション ………………387
訓示規定 ………………………12, 14
境界確定訴訟 → 境界確定訴訟（きょうかいかくていそしょう）
計画審理 …………………………150
計画的進行主義 …………150, 196
経験則 ……………………259, 262
　──違反 ………………………632

──の自白 ………………………250
──の証明 ………………………262
刑事関係文書 ……………………335
形式的確定力 ……………414, 424
形式的形成訴訟 …………38, 384
形式的証拠力 ……………………317
　文書の── ……………………318
形式的当事者概念 ………91, 378
形式的不服説 ……………………613
形式秘 ……………………298, 301
刑事手続に付随する損害賠償請求命令の申立手続 ……………25
形成権 ……………………………435
　──の訴訟外行使 ……………159
　──の手続内行使 ……………157
形成訴訟 …………………………471
　──の訴訟物 …………………55
形成的裁判 ………………………402
形成の訴え ………37, 376, 383
形成判決 ……37, 406, 431, 471
形成力 ………………………37, 471
結果責任 …………………………267
決議取消しの訴え ………………377
欠席判決 …………………………174
決　定 ……………………400, 432
決定手続 …………………………92
原因判決 …………………………408
厳格な証明 ………………………253
原　告 ……………………………33
原告適格 …………………………377
現在給付の訴え …………35, 361
検　証 ……………………342, 677
検証協力義務 ……………………343
検証受忍命令 ……………………343
検証物提示命令 …………………343
顕著な事実 ………………………264
　職務上── ……………………264
現地和解 …………………………492
限定承認 …………………423, 441
原　本 ……………………………166
謙抑的和解論 ……………………487
権利義務の帰属主体のための法定訴訟担当…127
権利抗弁 …………………………228

682

事項索引

権利失効の原則………………………446
権利自白………………………………249
　強行法規に違反する——……………250
　日常的な法概念の——………………251
権利主張参加…………………………582
　——の要件……………………………584
権利能力………………………**103**, 391
権利能力なき社団……………………390
権利文書………………………………324
権利保護の資格………………………360
権利保護の必要………………………360
権利保護の利益………………………360

こ

合意管轄…………………………………72
行為規範………………………**12**, **15**, 223
合一確定の必要………………………543
行為能力………………………………105
公益的規定……………………………178
公開主義………………………**145**, 190, 292
　一般——………………………………145
　当事者——……………………………145
合議決定…………………………………63
合議制……………………………………63
合議体……………………………………63
攻撃防御方法…………………………150
　固有の——……………………………461
　時機に後れた——……………………232
　時機に後れた——の却下……………194
　独立した——…………………………407
後見監督人……………………………115
抗　告…………………………608, **643**
　許可——………………………609, 643, **647**
　再——…………………………608, 643, **646**
　最初の——……………………………**608**, 643
　即時——………………………………643
　通常——………………………………643
　特別——…………………………643, **650**
抗告人…………………………………645
交互尋問………………………………304
交互面接方式…………………………191
公示送達………………………171, 478, 479
更正権…………………………………113

公正証書………………………………315
公正と効率………………………………22
控　訴…………………………607, **612**
　——の提起……………………………618
　——の取下げ…………………………626
　——の利益……………………………613
　附帯——………………………………617
控訴権…………………………………624
　——の放棄……………………………626
控訴状…………………………………619
控訴審での反訴………………………525
控訴人…………………………………612
控訴理由………………………………619
控訴理由書……………………………620
公知の事実……………………240, **264**
　——の自白……………………………240
口頭主義………………………………**146**
　——の形骸化…………………………184
口頭陳述の原則………………………305
口頭弁論………………………**139**, 401
　——終結後の承継人…………………457
　——終結時……………………………232
　——における訴訟指揮………………163
　——の一体性…………………………141
　——の更新……………………………148
　——の再開……………………………164
　——の終結……………………………164
　——の制限……………………………164
　——の全趣旨……………249, **258**, 319
　——の等価値性………………………142
　——の必要性………………**142**, 407
　——の分離……………………………528
　——の併合……………………………528
　——への上程…………………………193
　準備的——……………………………188
　任意的——……………………………143
　必要的——……………………………142
　本質的——……………………………188
口頭弁論期日…………………140, **675**
　——指定の申立て……………………499
　——の指定………………………………47
交付送達………………………………168
交付送達の原則………………………168

683

公文書	315, 319	再度の考案	645
抗　弁	227	裁　判	399
仮定的──	228	──の脱漏	404
再──	227	確認的──	402
相殺の──	157, 409, **442**, 453	形成的──	402
予備的──	228	私設の──	5
抗弁事項	**348**, 394	終局的──	402
抗弁事実	227	中間的──	402
公務員の秘密保持義務	297	命令的──	402
公務組織利用文書	334	裁判外の自白	235
公務非組織利用文書	334	裁判外の和解	486
公務秘密文書	**328**, 330	裁判外紛争解決	4
公務文書	330	裁判官	66
効力規定	12	──の弾劾裁判	358
小切手訴訟	661	受託──	66
国際裁判管轄	350, **352**	受命──	65
告知者	578	裁判機関としての裁判所	62
国内管轄	70	裁判権	70
国法上の意味の裁判所	62	裁判所	62
固有の攻撃防御方法	461	官署としての──	62
（形式説）	461	国法上の意味の──	62
（実質説）	461	裁判機関としての──	62
固有必要的共同訴訟	378, **553**	受訴──	62
婚姻取消しの訴え	559	訴訟法上の意味の──	62
コンピュータ用の記録媒体	316	裁判上の自白	**235**, 263, 572
		裁判上の和解	486
さ		──と訴訟要件の具備	491, **502**
債権者代位訴訟	130, **585**	裁判所外における証人尋問	305
再抗告	608, 643, **646**	裁判所が定める和解条項	493
再抗弁	227	裁判所拘束力	**235**, 238, 239, 246
再抗弁事実	227	裁判所書記官	67, 676
財産的独立性	389	裁判所書記官送達	170
最初の抗告	**608**, 643	裁判所調査官	67
再　審	465, 475, 476, 479, 607, **650**	裁判資料	203
──の当事者適格	655	裁判籍	77
──の補充性	430, **653**	関連──	**78**, 545
準──	655	特別──	77
第三者による──の訴え	655	独立──	78
再審開始の要件	652	普通──	77
再審事由	13, 430, 632, **650**	併合請求の──	78
再審訴訟の審理	657	裁判体	63
再訴禁止効	484	裁判長	64
裁定期間	162	裁判費用	28

684

事 項 索 引

債務不存在確認………………368, 373, **423**	事実上の推定………………………259
債務不存在確認の訴え………………376	事実審…………………………………609
在来様式判決 → 旧様式判決	事実の確認……………………………370
裁量移送…………………………………81	死者を当事者とする訴訟……………97
簡易裁判所から地方裁判所への――…81	事　情…………………………………211
裁量評価………………………………276	私設の裁判………………………………5
裁量評価説……………………………260	私　知………………………**251**, 258, 265
詐害再審………………………………465	自庁処理…………………………………80
詐害防止参加…………………………583	私知利用の禁止………………………258
――の要件…………………………586	失権効…………………………………427
差し当たり棄却………………………435	執行停止………………………………471
差置送達………………………………170	執行力…………………………………469
差戻し……………………………**623**, 639	狭義の――…………………………469
任意的――…………………………624	広義の――…………………………469
必要的――…………………………623	実質的意義の民事訴訟法………………7
差戻判決の拘束力……………………640	実質的確定力…………………………424
参加承継………………………………597	実質的証拠力……………………318, **320**
参加的効力……………………………573	実体的当事者概念………………………91
三審制…………………………………608	実質秘…………………298, 301, 328, 331
暫定真実………………………………279	実体的確定力…………………………424
残部判決………………………………403	実体的当事者概念……………………378
	指定簡易裁判所………………………670
し	指定管轄…………………………………71
事案解明義務の理論…………………284	私的自治の原則…………………57, 205
私鑑定…………………………………314	自　白………………………………207, **230**
敷金返還請求権………………………375	――の争点縮小機能………………207
時機に後れた攻撃防御方法…………232	――の撤回の効果…………………248
――の却下…………………………194	――の撤回の要件…………………247
試験訴訟………………………………448	間接事実の――……………………237
事件の同一性…………………………534	擬制――………173, **232**, 237, 245, 246, 247
事件の分配………………………………45	経験則の――………………………250
時効の完成猶予……………………**59**, 362	権利――……………………………249
――の効果…………………………484	行為としての――…………………234
自己拘束力……………………………408, **415**	公知の事実の――…………………240
事後審制………………………………620	裁判外の――………………………235
自己負罪拒否権…………………**297**, 328	裁判上の――………………**235**, 263, 572
自己利用文書…………………………332	状態としての――…………………234
事　実…………………………………411	制限付――…………………………231
――の確認………………………**370**	先行――……………………………241
――の調査……………………………68	法的評価概念の――………………250
事実抗弁………………………………228	補助事実の――……………………239
事実実験公正証書……………………215	自白原則…………………………**207**, 264
事実上の主張…………………………226	支払督促………………………………668

685

事項索引

——の効力	671
——の取消し	673
——の認可	673
——の申立て	669
支払命令	669
自　判	623, 640
事物管轄	76
私文書	315, **319**
司法権	349, 355
司法資源	22, **24**, 245
私法上の意思表示	61
司法書士	119
氏名冒用訴訟	96
釈明義務	214, 221
釈明権	221
——と弁論主義の関係	222
釈明処分	222
遮断効	**427**, 434
主位的請求	511
就業場所送達	169
宗教問題	356
終局的裁判	402
終局判決	402
住所，氏名等の秘匿	95, 674
自由心証主義	212, 257, **258**
弁論主義と——	216
集中証拠調べ	286
集中証拠調べの原則	149
集中審理主義	149
自由な証明	**253**, 263
17条決定	495
重要な間接事実	214, 215
主観的主張責任	210
主観的証明責任	269
受継の裁判	181
受継の申立て	181
主権免除	351
受送達者	168
受訴裁判所	62
主体的の追加的併合	562
主体的の予備的併合	**549**, 551
受託裁判官	66
主　張	151, 226

仮定的——	228
狭義の法律上の——	226
広義の法律上の——	227
事実上の——	226
法律上の——	**226**, 233
予備的——	228
主張共通の原則	210, 229
主張原則	**206**, 264
主張自体失当	234
主張資料	**206**, 209
証拠資料と——の峻別	207
主張責任	209
——の分配	209
客観的——	210
主観的——	210
主張の有理性	234
出訴期間	60
出頭義務	**294**, 309
主　文	411
受命裁判官	65
主要事実	211, 268
準再審	655
純然たる訴訟事件	**18**, 432
準備書面	183, 676
準備的口頭弁論	188
準文書	315, 316
少額訴訟	413, 419, **665**
少額訴訟判決	667
——の取消し	668
——の認可	668
消極的確認	373
消極的確認の訴え	36
消極的釈明	224
消極的訴訟要件	347
証言義務	295
証言拒絶権	296
条件付権利の確認	375
証　拠	254
違法収集——	256
間接——	256
直接——	256
証拠価値	255
証拠共通の原則	257, 289

686

事項索引

上　告……………………………608
　　――の目的……………………627
　　　特別――…………………649
　　　附帯――…………………635
上告受理……………………………627
　　――制度………………………641
　　――の目的……………………627
　　――申立て……………………608
　　――申立理由…………………641
上告状………………………………634
上告提起通知書……………………634
上告理由……………………………628
　　絶対的――……………………629
上告理由書…………………………634
証拠結合主義………………………292
証拠決定……………………………290
証拠原因……………………………255
証拠原則……………………**207**, 287, 344
　　弁論主義の――………………312
証拠裁判主義………**229**, **244**, **251**, **264**
証拠調べ期日………………………141
証拠調べの結果……………………258
証拠調べの方式……………………291
証拠資料………………**206**, **209**, 255
　　――と主張資料の峻別………207
証拠制限契約………………………255
証拠能力……………………………255
　　――の制限……………**255**, 663, 666
証拠の採否…………………………289
証拠の申出…………………………287
証拠弁論……………………………293
証拠方法……………………………254
証拠保全……………………………200
証拠力………………………………255
　　形式的――……………………317
　　実質的――……………………318, **320**
証書真否確認の訴え………………370
上　告………………………………627
上　訴……………401, 409, 414, 474, **606**
　　――の追完……………**163**, 476, 478
　　――の利益……………………612
上訴権の濫用………………………610
上訴制度の目的……………………607
上訴不可分の原則…………………611
上訴要件……………………………609
証　人………………………………293
　　――の出頭……………………303
証人義務……………………………294
証人尋問………………………293, 677
　　――の申出……………………303
　　裁判所外における――………305
証人尋問先行の原則………………308
証人能力……………………………293
証人保護の措置……………………306
消費者団体訴訟……………………387
抄　本………………………………166
証　明………………………………252
　　疫学的――……………………283
　　経験則の――…………………262
　　厳格な――……………………253
　　自由な――………………**253**, 263
　　法規の――……………………263
　　模索的――……………………285
証明責任……………………………266
　　（規範説）……………………**271**
　　（修正法律要件分類説）……273
　　（証明責任規範説）…………267
　　（法律要件分類説）…………270
　　（利益衡量説）………………272
　　――の転換……………………274
　　客観的――……………………267
　　主観的――……………………269
証明責任説…………………………242
証明度………………………………252
証明度軽減説………………………260
証明の必要…………………………269
証明不要効………235, 238, 239, **244**, 264
証明妨害………………………**274**, 341
証明妨害の法理……………………274
証明力………………………………255
将来給付の訴え………………**35**, 421
　　――の利益……………………363
将来給付判決………………………421
将来の不法行為に基づく損害賠償請求………365
将来の法律関係の確認……………372
職業の秘密…………………………300

事項索引

職分管轄 ………………………………… 76
職務上顕著な事実 ……………………… 264
職務上知り得た事実 ……………… 264, 265
職務上の当事者 …………………… 127, 129
書　証 …………………………… 315, 317, 677
　　——の申出 ………………………… 321
除　斥 …………………………………… 82
　　——の裁判 ………………………… 87
除斥原因 ………………………………… 83
職権証拠調べ ………………………… 288
職権証拠調べの禁止 ………………… 208
職権進行主義 ………………………… 159
職権送達の原則 ……………………… 167
職権探知義務 ………………………… 220
職権探知事項 ………………………… 219
職権探知主義 ………… 204, **218**, 395, 429, 465
　　——と弁論権 ……………………… 220
職権調査事項 …………… 253, 348, 394, 429, 638
職権破棄 ……………………………… 639
処　分 ………………………………… 400
処分権主義 ……………… **56**, 399, 418, 449, 481
処分証書 ……………………………… 316
書面尋問 ……………………………… 306
書面による準備手続 ………… **191**, 237, 677
書面の成立の真正 …………………… 370
信義誠実の原則 ……… 22, 155, 444, 445, 447, 452
　　訴訟行為と—— …………………… 155
　　訴訟上の—— ……………………… 22
信義則 → 信義誠実の原則
真偽不明 ……………………………… 266
審級管轄 ……………………………… 76
審級の利益 …………………………… 608
信教の自由 …………………………… 356
進行協議期日 ………………………… 196
人事訴訟 …… 24, 64, 68, 129, 204, 218, 385, 464, 491
新実体的不服説 ……………………… 614
人事に関する訴え …………………… 109
新種証拠 ………………………… 316, 677
人　証 ………………………………… 255
心証度 ………………………………… 252
審　尋 ………………………………… 144
審尋請求権 ………………………… **18**, 23, 145
新訴訟物理論 ………………………… 50

審判権の限界 …………………… 350, **355**, 360
審判排除効 …………………………… 236
審問請求権 → 審尋請求権
新様式判決 …………………………… 412
審理計画 …………………………… 150, 197
審理の現状に基づく判決 ………… **173**, 174
審理排除効 …………………… 235, 246, 262

す・せ

随時提出主義 ………………………… 148
推　定
　　一応の—— ……………………… 281
　　事実上の—— ……………………… 259
　　二段の—— ……………………… 320
　　法律上の—— ……………………… 276
　　法律上の権利—— ………………… 277
　　法律上の事実—— ………………… 277
請　求 ………………………………… **33**, 518
　　——の拡張 ………………………… 519
　　——の基礎 ………………………… 520
　　——の客体的併合 ……………… 507, **508**
　　——の客体的予備的併合 ………… 404
　　——の客観的併合 ……………… 507, **509**
　　——の原因 ………………… **43**, 408, 518
　　——の原始的複数 ………………… 506
　　——の減縮 ………………………… **482**, 519
　　——の後発的複数 ………………… 506
　　——の趣旨 ………………………… 43
　　——の追加 ………………………… 138
　　——の特定 ………………………… 44
　　——の認諾 ………………………… 501
　　——の認諾と訴訟要件の具備 …… 502
　　——の認諾の効果 ………………… 503
　　——の認諾の手続 ………………… 501
　　——の認諾の要件 ………………… 501
　　——の併合 ………………… **507**, 509
　　——の放棄 ………………………… 501
　　——の放棄と訴訟要件の具備 …… 502
　　——の放棄の効果 ………………… 503
　　——の放棄の手続 ………………… 501
　　——の放棄の要件 ………………… 501
　　——の目的物を所持する者 ……… 463
　　——の予備的併合 ………………… 421

事項索引

請求異議の訴え……………………………434, 476, 499
請求棄却判決………………………………………405, 411
請求原因……………………………………………44, 227
請求原因事実…………………………………………227
請求権の適格…………………………………………366
請求適格………………………………………………360
請求認容判決…………………………………………405
請求目的物の所持者…………………………………464
制限付自白……………………………………………231
制限的訴訟能力者………………………………105, 110
制限的訴訟無能力者……………………………105, 110
制限免除主義…………………………………………351
正当な当事者…………………………………………377
成年被後見人…………………………………………109
正　　本………………………………………………166
責問権…………………………………………………176
　　──の喪失……………………………………14, 177
　　──の放棄……………………………………14, 177
積極的確認の訴え……………………………………36
積極的釈明……………………………………………224
積極的訴訟要件………………………………………347
積極的和解論…………………………………………487
積極否認………………………………………………229
絶対的上告理由………………………………………629
絶対免除主義…………………………………………351
説明義務………………………………………………193
先決性…………………………………………………527
先決問題………………………………………………428
先行自白………………………………………………241
前審の裁判……………………………………………84
宣　　誓………………………………………………303
宣誓義務…………………………………………295, 309
宣誓認証私署証書……………………………………321
宣誓能力………………………………………………295
専属管轄………………………………………………74
　　特許権等に関する訴訟の──…………………75
専属的管轄合意………………………………………73
選択的認定……………………………………………283
選択的併合………………………………………513, 517
前提関係………………………………………………527
選定者…………………………………………………136
選定当事者……………………………………………136
全部判決………………………………………………403

専門委員………………………………………………68

そ

総合法律支援法………………………………………32
相殺権……………………………………………436, 437
相殺の抗弁…………………………157, 228, 409, 442, 453
　　──と二重起訴の禁止…………………………538
争訟的非訟事件………………………………………19
相続財産管理人………………………………………128
相続財産清算人………………………………………128
相対的解決の原則……………………………………454
送　　達…………………………………165, 413, 477, 676
　　──しなければならない書類…………………166
　　──に関する機関………………………………167
　　──に関する事務………………………………167
　　──の実施………………………………………167
　　──を受けるべき者……………………………168
　　書留郵便等に付する──………………………170
　　簡易──…………………………………………170
　　公示──…………………………………171, 478, 479
　　交付──…………………………………………168
　　交付──の原則…………………………………168
　　裁判所書記官──………………………………170
　　差置──…………………………………………170
　　就業場所──……………………………………169
　　訴状の──………………………………………46
　　出会──…………………………………………169
　　付郵便──…………………………………170, 480
　　補充──…………………………………169, 479
送達受取人の届出……………………………………172
送達実施機関…………………………………………167
送達事務取扱者………………………………………167
送達名宛人……………………………………………168
送達場所の届出………………………………………172
送達報告書……………………………………………168
争　　点………………………………………………187
　　狭義の──………………………………………187
　　広義の──…………………………………184, 187
争点形成機能…………………………………………229
争点効……………………………………444, 445, 446
争点縮小機能……………………………………231, 235
争点整理手続……………………………………186, 187
争点中心型審理………………………………………186

689

事項索引

送　付	166
双方審尋主義	**145**, 191
訴　額	40
即時確定の必要	374
即時確定の利益	374
即時抗告	643
続審制	620
訴　状	40, 675
訴訟委任に基づく訴訟代理人	113, **118**, 676
訴訟救助	31
訴訟共同の必要	543
訴訟記録	164, 676
――の閲覧	165, 676
――の閲覧の制限	165
――の謄写	165
訴訟行為の追完	676
訴訟係属	58
――の効果	61
――の遡及的消滅	483
訴訟契約	14, **154**
訴訟結果にかかる重大な利益	379
訴訟行為	106, **150**
――と私法行為	152
――と条件	157
――と信義則	155
――についての実体法規適用の有無	154
――の追完	163
――の撤回	156
当事者の――	150
訴訟告知	131, 578
訴訟参加	543
訴訟指揮	160
口頭弁論における――	163
訴訟指揮権	160
訴訟事件	
――の非訟化	15, 17
形式的意味における――	16
純然たる――	432
訴訟終了効	417
訴訟終了宣言判決	399, **405**
訴訟障害	347
訴訟承継	460, **596**
訴訟承継主義	460, **604**

訴訟状態承認義務	597
訴訟上の形成権行使	157
訴訟上の合意	14, 154
訴訟上の信義則	22
訴訟上の請求	33
訴訟上の代理	112
訴訟上の代理人	112
訴訟上の和解	**486**, 589
――と訴訟要件の具備	491, **502**
――の既判力	496
――の効果	495
――の手続	492
――の法的性質	489
――の要件	490
訴訟資料	203, **209**
訴状審査	45
訴訟信託の禁止	132, 135
訴訟代理権	
――の授与	123
――の証明	123
――の消滅	124
――の範囲	122
訴訟代理人	113
訴訟委任に基づく――	113, **118**, 676
法令上の――	113, **124**
訴訟代理人の代理権の存否確認	368
訴訟脱退	592
訴訟担当	**126**, 378, 384, 392, 456, 466
第三者による――	126
任意的――	126, **132**, 136, 385, 387
法定――	**126**, 384
訴訟追行権	377
訴訟手続	
――に関する異議権	176
――の受継	181
――の中止	182
――の中断	**180**, 413, 598
――の停止	88, 179
同種の――	509
訴訟内の訴え	35
訴訟に関する合意	152
訴訟能力	104
訴状の送達	46

690

事項索引

訴訟判決	*405*, *411*, *431*
訴訟費用	*27*, *295*
訴訟費用確定の手続	*30*
訴訟物	*47*, *420*, *449*
——の同一	*534*
確認訴訟の——	*54*
給付訴訟の——	*51*
形成訴訟の——	*55*
訴訟法上の意味の裁判所	*62*
訴訟法上の特別代理人	*115*
訴訟法律行為	*151*
訴訟無能力者	*105*, *108*, *109*, *115*
訴訟要件	*108*, **345**, *405*, *431*
裁判上の和解と——の具備	*491*, **502**
消極的——	*347*
請求の認諾と——の具備	*502*
請求の放棄と——の具備	*502*
積極的——	*347*
即決和解	*486*
続行命令	*181*
外側説	*443*, *453*
疎　明	*252*
損害額の認定	*259*

た　行

対外的独立性	*389*
大規模訴訟	**64**, *305*
第三者再審	*465*
第三者との間の法律関係の確認	*373*
第三者による訴訟担当	*126*
対質尋問	*304*
代償請求	*365*
対象選択の適切性	*369*
大正15（1926）年改正	*9*
対　審	*141*
対審の原則	*19*, *145*
対世効	*383*, *385*, **464**
対内的独立性	*389*
代　人	*170*
代表者の権限	*393*
代理権の消滅	*116*
択一的認定	*283*
択一的併合	*513*
多数当事者訴訟	*542*
立退料	*423*, **424**
建物買取請求権	*436*, **438**
単一の訴え	*34*
単純否認	*229*
単純併合	**511**, *514*
団体訴訟	*387*
担当者のための法定訴訟担当	*127*
単独制	*63*
単独体	*63*
遅滞を避ける等のための移送	*81*
中間確認の訴え	*445*, *527*
中間的裁判	*402*
中間の争い	*408*
中間判決	*402*, *406*
仲　裁	*5*
仲裁合意	*347*, *349*, *361*
抽象的管轄権	*350*
調査嘱託	*313*, *677*
調書判決	*412*
調　停	*4*
——に代わる決定	*495*
重複起訴の禁止	*531*
重複訴訟の処理	**531**, *535*
直接主義	**147**, *292*, *410*
直接証拠	*256*
直　送	*166*
陳　述	*307*
陳述禁止	*119*
陳述書	**306**, *310*
沈　黙	*232*
追加的選定	*137*
追加判決	*404*
追　認	*107*, *112*
通常共同訴訟	*544*
通常抗告	*643*
通常の不服申立て	*414*, *606*
付添命令	*119*
出会送達	*169*
定期金賠償	*420*, **422**, *438*
提訴前の照会	*199*
提訴前の証拠収集処分	*199*
手形訴訟	*419*, *537*, **661**

691

事項索引

手形判決	664
──の取消し	665
──の認可	664
適時提出主義	148
手数料	40, 675
撤回制限効	235, 246
手続裁量論	160
手続内拘束力	417
手続保障	23, 254, 426
非訟手続における──	18
テッヒョー草案	8
テレビ会議システム	305
電子情報処理組織	670, 675
電磁的記録	677
電子判決書	677
天　皇	350
倒産処理手続	20
当事者	90, 307
──の確定	95
──の実在	93
──の訴訟行為	150
──の同一	534
──の特定	95
正当な──	377
当事者概念	90
形式的──	91
実体的──	91
当事者確定の基準	95
（意思説）	96
（規範分類説）	98
（行動説）	96
（実質的表示説）	96
（表示説）	96
当事者欠席の場合の取扱い	172
当事者権	23, 94
当事者公開主義	145
当事者拘束力	235, 238, 239, 246
当事者恒定主義	458, 605
当事者参加	543
当事者主義	203
当事者照会	198
当事者尋問	307
当事者尋問の補充性	308

当事者適格	377, 395, 456
再審の──	655
当事者に対する住所，氏名等の秘匿	95, 674
当事者能力	103, 378, 388
当事者費用	29
同時審判申出共同訴訟	404, 548
同時提出主義	148
同種の訴訟手続	509
当然承継	180, 597
当然の補助参加	547
統治行為論	358
答弁書	184
謄　本	166
督促異議	669
──の申立てによる訴訟への移行	672
仮執行宣言後の──	671
仮執行宣言前の──	671
督促手続	668
督促手続オンラインシステム	670
特別抗告	643, 650
特別裁判籍	77
特別授権事項	123
特別上告	649
特別上訴	607, 649
特別代理人	114
特別法上のインカメラ手続	340
独立裁判籍	78
独立した攻撃防御方法	407
独立当事者参加	582, 616
独立の訴え	35
独立附帯控訴	618
土地管轄	77
特許権等に関する訴訟の専属管轄	75
飛越上告	608, 625, 638
取消権	436, 437
取立訴訟	127

な　行

内部組織性	389
馴合い訴訟	467
二重起訴の禁止	531
──の効果	534
──の要件	534

相殺の抗弁と	538
二段の推定	320
日常的な法概念の権利自白	251
二当事者対立構造	**92**, 399
日本司法支援センター	32
ニューヨーク条約	6
任意管轄	74
任意規定	12, 13
任意訴訟の禁止	14
任意訴訟の禁止の原則	153
任意代理	113
任意代理人	113
任意的規定	178
任意的口頭弁論	143
任意的差戻し	624
任意的訴訟担当	126, **132**, 136, 385, 387
（実質関係説）	134
（正当業務説）	134
任意的当事者変更	98, 100, **101**
認証謄本	166
ノンリケット → 真偽不明	

は

敗訴可能性説	242
敗訴者負担の原則	27, 29
売買契約の無効確認	372
破　棄	639
破産管財人	128
破産者	380
判　決	**398**, 400
——の言渡し	413, 677
——の確定	414
——の更正	415
——の相対効	454
——の内容上の効力	417
——の不成立	473
——の不存在	473
——の変更	416
——の法律要件的効力	418
——の無効	473
一部——	403
一部認容——	421, 422
確認——	36, **406**
給付——	36, 406
旧様式——	412
形成——	37, **406**, 431, 471
原因——	408
控訴審の——	622
残部——	403
終局——	402
将来給付——	421
新様式——	412
請求棄却——	**405**, 411
請求認容——	405
全部——	403
訴訟——	**405**, 411, 431
訴訟終了宣言——	399, **405**
中間——	402, **406**
調書——	412
追加——	404
非——	473
引換給付——	423, 424
併合請求の——	513
本案——	**405**, 430
判決確定証明	415
判決事項	418
判決書	410
判決手続	8
判決理由中の判断	440, 442
判　事	66
判事補	66
反射効	455, **466**, 560
反射的効果 → 反射効	
反射的効力 → 反射効	
反　証	**269**, 277, 281
——の権利	265, 266
反　訴	**523**, 536
——の手続	526
——の取下げ	482
——の要件	524
反訴原告	523
反訴被告	523
反対意見	65
判断拘束効	235, 236, 245
判断の遺脱	404
判　例	11

693

事項索引

——の法源的機能 …………………… 11

ひ

比較衡量論 ……………………… 301, 302
引受承継 ………………………………… 597
引換給付判決 …………………… 423, 424
非公開審理手続 ………………………… 145
被控訴人 ………………………………… 612
被　　告 ………………………………… 33
被告知者 ………………………………… 578
被告適格 ………………………………… 377
被参加人 ………………………………… 565
非訟事件 …………………………… 15, 218
　形式的意味における—— …………… 16
　争訟的—— …………………………… 19
　非争訟的—— ………………………… 19
非訟手続 ………………………………… 16
　——における手続保障 ……………… 18
非常の不服申立て …………………… 607
非争訟的非訟事件 ……………………… 19
必要的移送 ……………………………… 81
必要的記載事項 ………………………… 42
必要的共同訴訟 ……………… 403, 552, 616
必要的口頭弁論 ………………………… 142
必要的差戻し ………………………… 623
ビデオリンク …………………………… 305
秘匿決定 ………………………………… 43
否　　認 ……………………………… 229
　——事実 ……………………………… 230
　——の争点形成機能 …………… 207, 229
　間接—— ……………………………… 229
　積極—— ……………………………… 229
　単純—— ……………………………… 229
　理由付—— …………………………… 229
非判決 ………………………………… 473
秘密保持命令 ……………………… 146, 340
評価規範 ……………………… 12, 15, 224
評　　議 ………………………………… 65
表見証明 ……………………………… 282
表見法理 ……………………………… 116
表示の訂正 …………………………… 100
標準時 ………………………………… 433

ふ

不意打ち防止機能 ……………… 206, 207
付加的管轄合意 ………………………… 73
不起訴の合意 ……………… 347, 349, 361
副位的請求 …………………………… 511
複雑訴訟 ……………………………… 505
覆審制 ………………………………… 620
複数請求訴訟 ………………………… 505
副　　本 …………………………… 61, **166**
不控訴の合意 ………………………… 625
不告不理の原則 ………………………… 57
不在者の財産管理人 ………………… 114
不執行の合意 ……………………… 423, 441
不上訴の合意 ………………………… 414
附帯控訴 ……………………………… 617
　独立—— …………………………… 618
附帯上告 ……………………………… 635
不　　知 ……………………………… 231
普通裁判籍 ……………………………… 77
物　　証 ……………………………… 255
不動産の二重譲渡 …………………… 584
不服の範囲 …………………… 619, 620
不服の理由 …………………… 619, 620
不服申立て …………………………… 606
　通常の—— ……………………… 414, 606
　非常の—— ………………………… 607
部分社会の法理 ……………………… 358
不変期間 ……………………………… 162
不法行為地 …………………… 78, 354
付郵便送達 …………………… **170**, 480
不利益性 ……………………………… 241
不利益変更禁止の原則 ……………… 615
不利益要件不要説 …………………… 243
文　　書 ……………………………… 315
　——の形式的証拠力 ……… **240**, 318
　——の成立の真正 ………………… 318
　——の特定 ………………………… 337
　引用—— …………………………… 324
　技術職業秘密—— ………………… 331
　刑事関係—— ……………………… 335
　権利—— …………………………… 324
　公—— ………………………… 315, 319

公務──	330
公務秘密──	**328**, 330
自己利用──	332
私──	315, **319**
準──	315, 316
法定専門職秘密──	330
法律関係──	325
名誉に関する──	328
利益──	324
文書送付嘱託	341
文書提出義務	322
──の一般義務化	323
文書提出命令	322
文書特定手続	337
紛争管理権	387
紛争の主体たる地位	458
紛争の成熟性	374

へ

併行審理主義	149
併合請求の裁判籍	78
併合請求の審理	513
併合請求の判決	513
併合の訴え	34
平成8（1996）年改正	9
並列的併合	511
弁護士会照会	202, 368
弁護士会の懲戒処分	120
弁護士強制主義	118
弁護士代理の原則	**118**, 125, 132, 135
弁護士費用の敗訴者負担	28
弁護士法25条	121
（異議説）	121
弁理士	119
弁　論	142
──の更新	621
──の更新権	622
──の再開	164
──の終結	164
──の制限	164
──の全趣旨	249, **258**, 319
──の分離	528
──の分離が許されない場合	530
──の併合	528
弁論権	**23**, 94, 145, 204, 225
職権探知主義と──	220
弁論主義	**203**, 395, 419
──と間接事実	212
──と自由心証主義	216
──と補助事実	215
──の証拠原則	312
釈明権と──の関係	222
弁論主義の根拠	205
（本質説）	205
弁論準備手続	**189**, 236, 674, 677
弁論能力	118
弁論の全趣旨	249, **258**, 319

ほ

法　規	263
法規不適用説	267
報告証書	**316**, 664
法　源	
事実上の──	11
制度上の──	11
法人格のない団体	388
法人格否認の法理	99, 455
法人等の代表者	116
妨訴抗弁	349
法定意思解釈	280
法定管轄	71
法定期間	162
法定証拠主義	258
法定証拠法則	**280**, 319, 340
法定序列主義	148
法定審理期間訴訟手続	10, **678**
法定専門職の守秘義務	299
法定専門職秘密文書	330
法定訴訟担当	**126**, 384
権利義務の帰属主体のための──	127
担当者のための──	127
法定代理	113, **114**
法定代理人	109, 113, 114, 115
法的観点指摘義務	225
法的評価概念の自白	250
法テラス　→　日本司法支援センター	

報道機関の取材源の秘匿……………302
法のゆりかご………………………1
方法選択の適切性…………………368
法律関係文書……………………325, 326
法律上の権利推定…………………277
法律上の事実推定…………………277
法律上の主張……………………**226**, 233
　　狭義の――……………………226
　　広義の――……………………227
法律上の推定………………………276
法律上の争訟……………355, 361, 369
法律審………………………………609
法律扶助……………………………31
法令上の訴訟代理人……………113, **124**
保佐人………………………………109
補佐人………………………………114
補充送達……………………**169**, 479
保証人………………………………466
補助参加……………………………565
　　――の利益……………………566
補助参加人…………………………565
　　――の地位……………………570
補助事実……………………………211
　　――の自白……………………239
　　弁論主義と――………………215
補助人………………………………110
補　正…………………………107, 112
補足意見……………………………65
本　案……………………………26, 27
本案判決………………345, **405**, 430
本質的口頭弁論……………………188
本　証……………………**269**, 277, 281
本　訴………………………………523
本人訴訟……………………………118
本来的効力…………………………417

ま　行

未成年者……………………………108
みなし相続財産……………………371
身分関係の存否確認………………386
民事裁判権…………………………349
　　――の対人的制約……………349
　　――の対物的制約……………350

　　――の免除…………………349, 350
民事訴訟の機能……………………2
　（政策実現機能）…………………2
　（法創造機能）……………………2
民事訴訟の目的論…………………1
　（権利保護説）……………………2
　（私法維持説）……………………2
　（私法秩序維持説）………………2
　（多元説）…………………………2
　（紛争解決説）……………………2
　（法秩序維持説）…………………2
　（目的論棚上げ説）………………2
民事訴訟費用等に関する法律……**27**, **28**
民事訴訟法…………………………7
　　旧――……………………………9
　　旧々――…………………………8
　　狭義の――………………………7
　　形式的意義の――………………7
　　広義の――………………………7
　　実質的意義の――………………7
民事保全手続………………………20
民法上の組合……………………135, 391
民法上の和解………………………486
無効の判決…………………………475
矛盾関係……………………………428
矛盾挙動禁止………………………446
明示（的）一部請求……………451, 452
明治民事訴訟法　→　旧々民事訴訟法
名　誉………………………………297
　　――に関する文書……………328
命　令………………………………400
命令的裁判…………………………402
申立て………………………………151
申立権………………………………175
申立事項……………………………418
申　出………………………………151
黙示（的）一部請求………………452
模索的証明…………………………285

や　行

唯一の証拠の原則…………………290
遺言執行者　→　遺言執行者（いごんしっこうしゃ）

事項索引

遺言の無効確認　→　遺言の無効確認（いごんのむこうかくにん）
有理性審査………………………………234
要件事実…………………………………211
要証事実…………………………………262
予告通知…………………………………199
横田基地事件……………………………367
予備的抗弁………………………………228
予備的主張………………………………228
予備的請求………………………………511
予備的併合………………………511, 514
　主体的——……………………549, 551
　請求の——……………………………421
　請求の客体的——……………………404

ら 行

利益文書…………………………324, 326
利益変更禁止の原則……………590, 615
略式訴訟…………………………………661
略式手続……………………………25, 660
理　由……………………………………411
　——の食い違い………………………631
理由付否認………………………………229
理由不備…………………………………631
稟議書……………………………………334

類似必要的共同訴訟……………………559
労働審判…………………………………17

わ 行

和　解………………123, 138, **486**, 492, 677
　——に代わる決定……………………494
　——の解除……………………………500
　——の試み……………………………492
　訴え提起前の——……………………486
　起訴後の——…………………………486
　起訴前の——…………………………486
　現地——………………………………492
　裁判外の——…………………………486
　裁判上の——…………………………486
　訴訟上の——……………………**486**, 589
　即決——………………………………486
　民法上の——…………………………486
和解勧試……………………………488, **492**
和解期日……………………………492, 674
和解条項
　裁判所が定める——…………………493
和解条項案の書面による受諾……493, 677
和解調書……………………………493, 677
和解無効確認の訴え……………………499

697

判 例 索 引

* [百選○] は，高橋宏志＝高田裕成＝畑瑞穂編『民事訴訟法判例百選〔第5版〕』を示す。
○の数字は，同書の項目番号を示す。

大審院・最高裁判所

大判明治 31・2・24 民録 4 輯 2 巻 48 頁	290
大判明治 38・12・26 民録 11 輯 1860 頁	290
大判明治 44・12・11 民録 17 輯 772 頁	423
大判大正 4・6・30 民録 21 輯 1165 頁	99
大判大正 5・12・23 民録 22 輯 2480 頁 [百選 49]	213
大連判大正 6・3・9 民録 23 輯 222 頁	179
大判大正 8・2・6 民録 25 輯 276 頁	421
大判大正 10・1・27 民録 27 輯 111 頁	264
大判大正 10・9・28 民録 27 輯 1646 頁	547
大判大正 12・6・2 民集 2 巻 345 頁	38, 39
大判大正 13・3・3 民集 3 巻 105 頁	239
大判大正 13・5・19 民集 3 巻 211 頁	558
大判大正 14・4・24 民集 4 巻 195 頁	499
大判大正 15・12・6 民集 5 巻 781 頁	290
大判昭和 2・11・5 新聞 2777 号 16 頁	239
大決昭和 3・12・28 民集 7 巻 1128 頁	351
大判昭和 5・6・18 民集 9 巻 609 頁	167
大決昭和 5・8・2 民集 9 巻 759 頁	89
大判昭和 5・12・18 民集 9 巻 1140 頁	83, 630
大判昭和 5・12・20 民集 9 巻 1181 頁	161
大決昭和 6・4・22 民集 10 巻 380 頁	490, 499
大判昭和 6・11・24 民集 10 巻 1096 頁	362
大判昭和 7・5・20 民集 11 巻 1005 頁	651
大決昭和 7・9・10 民集 11 巻 2158 頁	46
大判昭和 8・1・31 民集 12 巻 51 頁	632
大判昭和 8・2・9 民集 12 巻 397 頁	242
大判昭和 8・6・16 民集 12 巻 1519 頁	168
大判昭和 8・7・4 民集 12 巻 1752 頁	409
大決昭和 8・9・9 民集 12 巻 2294 頁	568
大判昭和 8・11・7 民集 12 巻 2691 頁	373
大判昭和 9・2・26 民集 13 巻 271 頁	625
大判昭和 9・3・7 民集 13 巻 278 頁	467
大判昭和 10・5・7 民集 14 巻 808 頁	610
大判昭和 10・5・28 民集 14 巻 1191 頁	391

判例索引

大判昭和11・1・14民集15巻1頁	135
大判昭和11・2・18新聞3959号11頁	85
大判昭和11・3・13民集15巻453頁	521
大判昭和11・5・22民集15巻988頁	595
大判昭和12・7・2新聞4157号16頁	85
大判昭和12・12・8民集16巻1923頁	653
大判昭和13・12・26民集17巻2585頁	601
大判昭和14・2・4法学8巻791頁	85
大判昭和14・5・16民集18巻557頁	586
大判昭和14・8・12民集18巻903頁	490, 499
大判昭和14・9・14民集18巻1083頁	179
大連判昭和15・3・13民集19巻530頁	365
大判昭和15・4・9民集19巻695頁	136
大判昭和15・7・22法学10巻91頁	239
大判昭和15・12・24民集19巻2402頁	623
大判昭和16・2・24民集20巻106頁	59
大判昭和16・3・7判決全集8輯12号9頁	60
大判昭和16・5・3判決全集8輯18号617頁	397
大判昭和18・6・22民集22巻551頁	85
最判昭和23・9・30民集2巻10号360頁	74, 624
最判昭和24・2・1民集3巻2号21頁	147
最判昭和24・4・12民集3巻4号97頁	163
最判昭和24・8・18民集3巻9号376頁	619
最判昭和25・6・23民集4巻6号240頁	168
最判昭和25・7・11民集4巻7号316頁	248
最判昭和25・7・14民集4巻8号353頁	265
最判昭和25・11・10民集4巻11号551頁	419
最判昭和26・3・29民集5巻5号177頁	290
最判昭和26・4・13民集5巻5号242頁	458, 459
最判昭和27・6・17民集6巻6号595頁	185
最大判昭和27・10・8民集6巻9号783頁	356
最判昭和27・11・27民集6巻10号1062頁	229
最判昭和27・12・25民集6巻12号1240頁	621
最判昭和27・12・25民集6巻12号1255頁	482, 519
最判昭和27・12・25民集6巻12号1282頁	45
最判昭和28・10・15民集7巻10号1083頁	502
最判昭和28・11・17行裁集4巻11号2760頁	355
最判昭和28・12・23民集7巻13号1561頁	377
最判昭和28・12・24民集7巻13号1644頁	368
最判昭和29・6・8民集8巻6号1037頁	521
最判昭和29・6・11民集8巻6号1055頁[百選16]	111
最判昭和29・7・27民集8巻7号1443頁	519
最判昭和29・10・7集民16号19頁	397

判例索引

最判昭和 29・11・5 民集 8 巻 11 号 2007 頁 ··· *290*
最判昭和 29・12・16 民集 8 巻 12 号 2158 頁 ·· *369*
最判昭和 30・1・28 民集 9 巻 1 号 83 頁〔百選 4〕 ·· *86*
最判昭和 30・3・29 民集 9 巻 3 号 395 頁·· *84*
最判昭和 30・4・5 民集 9 巻 4 号 439 頁··· *195*
最判昭和 30・4・27 民集 9 巻 5 号 582 頁·· *290*
最判昭和 30・5・10 民集 9 巻 6 号 657 頁·· *129*
最判昭和 30・5・20 民集 9 巻 6 号 718 頁·· *368*
最大判昭和 30・7・20 民集 9 巻 9 号 1139 頁·· *655*
最判昭和 30・9・2 民集 9 巻 10 号 1197 頁·· *624*
最判昭和 30・9・9 民集 9 巻 10 号 1242 頁·· *290*
最判昭和 30・9・30 民集 9 巻 10 号 1491 頁··· *502*
最判昭和 30・12・22 ジュリ 101 号 68 頁··· *291*
最判昭和 30・12・26 民集 9 巻 14 号 2082 頁·· *367, 375*
最判昭和 31・3・30 民集 10 巻 3 号 242 頁··· *497*
最判昭和 31・4・3 民集 10 巻 4 号 297 頁〔百選 110〕···································· *613*
最判昭和 31・5・10 民集 10 巻 5 号 487 頁··· *554*
最判昭和 31・5・25 民集 10 巻 5 号 577 頁··· *238*
最判昭和 31・6・19 民集 10 巻 6 号 665 頁··· *522*
最判昭和 31・7・20 民集 10 巻 8 号 947 頁··· *265*
最判昭和 31・7・20 民集 10 巻 8 号 965 頁··· *467*
最判昭和 31・9・18 民集 10 巻 9 号 1160 頁··· *115, 128, 130*
最判昭和 31・10・4 民集 10 巻 10 号 1229 頁·· *370, 372, 375*
最判昭和 31・12・20 民集 10 巻 12 号 1573 頁··· *519, 523*
最判昭和 32・2・28 民集 11 巻 2 号 374 頁〔百選 33〕···································· *519, 523*
最判昭和 32・5・10 民集 11 巻 5 号 715 頁··· *283*
最判昭和 32・6・7 民集 11 巻 6 号 948 頁〔百選 81〕····································· *452*
最判昭和 32・6・11 民集 11 巻 6 号 1030 頁··· *412*
最判昭和 32・6・25 民集 11 巻 6 号 1143 頁〔百選 A21〕································ *289*
最判昭和 32・7・16 民集 11 巻 7 号 1254 頁··· *521*
最大判昭和 32・7・20 民集 11 巻 7 号 1314 頁··· *371*
最判昭和 32・7・30 民集 11 巻 7 号 1424 頁··· *475*
最判昭和 32・10・4 民集 11 巻 10 号 1703 頁·· *630*
最判昭和 32・12・13 民集 11 巻 13 号 2143 頁〔百選 A38〕······························ *618*
最判昭和 33・2・28 民集 12 巻 2 号 363 頁··· *85*
最大判昭和 33・3・5 民集 12 巻 3 号 381 頁··· *497*
最判昭和 33・4・17 民集 12 巻 6 号 873 頁··· *136*
最判昭和 33・6・14 民集 12 巻 9 号 1492 頁〔百選 93〕·································· *497*
最判昭和 33・10・14 民集 12 巻 14 号 3091 頁·· *515*
最判昭和 33・11・4 民集 12 巻 15 号 3247 頁·· *147*
最判昭和 34・2・20 民集 13 巻 2 号 209 頁··· *452*
最判昭和 34・9・17 民集 13 巻 11 号 1372 頁·· *247*
最判昭和 34・9・17 民集 13 巻 11 号 1412 頁·· *272*

700

判例索引

最大判昭和 34・12・16 刑集 13 巻 13 号 3225 頁 ················ *358*
最判昭和 35・2・2 民集 14 巻 1 号 36 頁［百選 63］·············· *273*
最大判昭和 35・3・9 民集 14 巻 3 号 355 頁 ····················· *358*
最判昭和 35・4・26 民集 14 巻 6 号 1064 頁 ····················· *290*
最判昭和 35・5・24 民集 14 巻 7 号 1183 頁 ····················· *522*
最大判昭和 35・6・8 民集 14 巻 7 号 1206 頁···················· *359*
最判昭和 35・6・28 民集 14 巻 8 号 1558 頁 ····················· *135*
最大決昭和 35・7・6 民集 14 巻 9 号 1657 頁···················· *497*
最大判昭和 35・10・19 民集 14 巻 12 号 2633 頁················· *358*
最判昭和 35・12・15 判時 246 号 34 頁 ····················· *633, 654*
最判昭和 36・1・26 民集 15 巻 1 号 175 頁······················ *124*
最判昭和 36・4・7 民集 15 巻 4 号 706 頁······················· *84*
最判昭和 36・4・28 民集 15 巻 4 号 1115 頁 ····················· *262*
最判昭和 36・6・16 民集 15 巻 6 号 1584 頁 ····················· *673*
大判明治 36・6・17 民録 9 輯 742 頁··························· *264*
最判昭和 36・9・22 民集 15 巻 8 号 2203 頁 ····················· *658*
最判昭和 36・10・5 民集 15 巻 9 号 2271 頁 ····················· *248*
最判昭和 36・11・24 民集 15 巻 10 号 2583 頁［百選 A33］····· *385, 596*
最判昭和 36・11・28 民集 15 巻 10 号 2593 頁 ··················· *641*
最判昭和 36・12・12 民集 15 巻 11 号 2778 頁 ··················· *436*
最判昭和 36・12・15 民集 15 巻 11 号 2865 頁 ··················· *557*
最判昭和 37・1・19 民集 16 巻 1 号 106 頁［百選 A34］············ *571*
最判昭和 37・5・24 民集 16 巻 5 号 1157 頁 ····················· *435*
最判昭和 37・7・13 民集 16 巻 8 号 1516 頁 ················ *134, 135, 137*
最判昭和 37・8・10 民集 16 巻 8 号 1720 頁 ····················· *452*
最判昭和 37・9・21 民集 16 巻 9 号 2052 頁 ····················· *321*
最決昭和 37・10・12 民集 16 巻 10 号 2128 頁 ··················· *601*
最判昭和 37・11・16 民集 16 巻 11 号 2280 頁 ··················· *521*
最判昭和 37・12・18 民集 16 巻 12 号 2422 頁［百選 9］············ *391*
最判昭和 38・1・18 民集 17 巻 1 号 1 頁························ *522*
最判昭和 38・2・21 民集 17 巻 1 号 182 頁［百選 19］············· *123*
最判昭和 38・2・21 民集 17 巻 1 号 198 頁······················ *526*
最判昭和 38・3・8 民集 17 巻 2 号 304 頁 ··················· *404, 530*
最判昭和 38・3・12 民集 17 巻 2 号 310 頁······················ *558*
最判昭和 38・7・30 民集 17 巻 6 号 819 頁······················ *635*
最判昭和 38・10・1 民集 17 巻 9 号 1128 頁 ····················· *485*
最判昭和 38・10・15 民集 17 巻 9 号 1220 頁 ················· *38, 616*
最大判昭和 38・10・30 民集 17 巻 9 号 1266 頁［百選 20］·········· *121*
最判昭和 38・11・7 民集 17 巻 11 号 1330 頁 ···················· *289*
最判昭和 38・11・15 民集 17 巻 11 号 1364 頁 ···················· *81*
最判昭和 39・4・3 民集 18 巻 4 号 513 頁······················· *290*
最判昭和 39・4・7 民集 18 巻 4 号 520 頁······················· *512*
最判昭和 39・5・12 民集 18 巻 4 号 597 頁［百選 70］············· *320*

701

最判昭和 39・7・10 民集 18 巻 6 号 1093 頁 ……………………………………………… 521
最判昭和 39・9・4 集民 75 号 175 頁 ……………………………………………………… 85
最判昭和 39・10・13 民集 18 巻 8 号 1619 頁 …………………………………………… 85
最判昭和 39・10・15 民集 18 巻 8 号 1671 頁 ……………………………………… 389, 390
最判昭和 40・3・4 民集 19 巻 2 号 197 頁〔百選 34〕 …………………………………… 525
最判昭和 40・3・19 民集 19 巻 2 号 484 頁 ……………………………………………… 614
最判昭和 40・4・2 民集 19 巻 3 号 539 頁 ………………………………………………… 436
最判昭和 40・5・20 民集 19 巻 4 号 859 頁 ……………………………………………… 554
最判昭和 40・6・24 民集 19 巻 4 号 1001 頁 ……………………………………………… 576
最大決昭和 40・6・30 民集 19 巻 4 号 1089 頁〔百選 2〕 ………………………………… 18
最判昭和 40・9・17 民集 19 巻 6 号 1533 頁〔百選 76〕 ………………………………… 423
最判昭和 40・12・21 民集 19 巻 9 号 2270 頁 …………………………………………… 476
最判昭和 41・1・21 民集 20 巻 1 号 94 頁 ………………………………………………… 519
最判昭和 41・1・27 民集 20 巻 1 号 136 頁〔百選 64〕 ………………………………… 273
最判昭和 41・3・18 民集 20 巻 3 号 464 頁〔百選 21〕 ………………………………… 363
最判昭和 41・3・22 民集 20 巻 3 号 484 頁〔百選 109〕 …………………………… 459, 600
最判昭和 41・4・12 民集 20 巻 4 号 560 頁 ………………………………………… 371, 372
最判昭和 41・4・14 民集 20 巻 4 号 649 頁 ……………………………………………… 289
最判昭和 41・7・14 民集 20 巻 6 号 1173 頁 ……………………………………………… 156
最判昭和 41・7・28 民集 20 巻 6 号 1265 頁 ……………………………………………… 115
最判昭和 41・9・22 民集 20 巻 7 号 1392 頁〔百選 54〕 ………………………………… 238
最判昭和 41・9・30 民集 20 巻 7 号 1523 頁 ……………………………………………… 117
最判昭和 41・11・10 民集 20 巻 9 号 1733 頁 …………………………………………… 526
最判昭和 41・11・25 民集 20 巻 9 号 1921 頁 …………………………………………… 555
最判昭和 41・12・22 民集 20 巻 10 号 2179 頁 …………………………………………… 654
最判昭和 42・2・23 民集 21 巻 1 号 169 頁 …………………………………………… 583, 587
最判昭和 42・2・24 民集 21 巻 1 号 209 頁〔百選 A12〕 ………………………………… 478
最判昭和 42・6・20 判時 494 号 39 頁 …………………………………………………… 653
最判昭和 42・6・30 判時 493 号 36 頁 …………………………………………………… 397
最判昭和 42・7・18 民集 21 巻 6 号 1559 頁〔百選 82〕 ………………………………… 434
最大判昭和 42・9・27 民集 21 巻 7 号 1925 頁 …………………………………………… 583
最大判昭和 42・9・27 民集 21 巻 7 号 1955 頁〔百選 A8〕 ……………………………… 120
最判昭和 42・10・19 民集 21 巻 8 号 2078 頁〔百選 8〕 ………………………………… 390
最判昭和 43・2・15 民集 22 巻 2 号 184 頁〔百選 94〕 ………………………………… 500
最判昭和 43・2・16 民集 22 巻 2 号 217 頁 ……………………………………………… 273
最判昭和 43・2・20 民集 22 巻 2 号 236 頁 ……………………………………………… 234
最判昭和 43・2・22 民集 22 巻 2 号 270 頁〔百選 35〕 …………………………………… 38
最判昭和 43・2・27 民集 22 巻 2 号 316 頁 ……………………………………………… 476
最判昭和 43・3・7 民集 22 巻 3 号 529 頁 ………………………………………………… 523
最判昭和 43・3・8 民集 22 巻 3 号 551 頁〔百選 A30〕 ………………………………… 549
最判昭和 43・3・15 民集 22 巻 3 号 607 頁〔百選 99〕 ………………………………… 557
最判昭和 43・3・19 民集 22 巻 3 号 648 頁〔百選 115〕 ………………………………… 641
最判昭和 43・4・12 民集 22 巻 4 号 877 頁 ………………………………………… 530, 592

判例索引

最判昭和 43・5・31 民集 22 巻 5 号 1137 頁	128, 130
最判昭和 43・6・21 民集 22 巻 6 号 1297 頁	120
最判昭和 43・8・27 判時 534 号 48 頁［百選 A4］	138
最判昭和 43・9・12 民集 22 巻 9 号 1896 頁［百選 95］	547
最判昭和 43・10・15 判時 541 号 35 頁	522
最判昭和 43・11・1 判時 543 号 63 頁	524, 526
最判昭和 44・2・20 民集 23 巻 2 号 399 頁	81
最判昭和 44・2・27 民集 23 巻 2 号 441 頁	28
最判昭和 44・4・17 民集 23 巻 4 号 785 頁	557
最判昭和 44・6・24 判時 569 号 48 頁［百選 84］	446
最判昭和 44・7・8 民集 23 巻 8 号 1407 頁［百選 86］	476, 477
最判昭和 44・7・10 民集 23 巻 8 号 1423 頁［百選 15］	356
最判昭和 44・7・15 民集 23 巻 8 号 1532 頁	588
最判昭和 44・10・17 民集 23 巻 10 号 1825 頁［百選 92］	486
最判昭和 44・11・27 民集 23 巻 11 号 2251 頁	60
最判昭和 45・1・22 民集 24 巻 1 号 1 頁	575, 613
最判昭和 45・1・23 判時 589 号 50 頁	547
最判昭和 45・3・26 民集 24 巻 3 号 165 頁	313
最判昭和 45・4・2 民集 24 巻 4 号 223 頁［百選 30］	377
最判昭和 45・6・11 民集 24 巻 6 号 516 頁［百選 52］	223
最大決昭和 45・6・24 民集 24 巻 6 号 610 頁	432
最大判昭和 45・7・15 民集 24 巻 7 号 804 頁［百選 A35］	599
最大判昭和 45・7・15 民集 24 巻 7 号 861 頁［百選 A9］	372
最判昭和 45・7・24 民集 24 巻 7 号 1177 頁	452
最決昭和 45・9・29 判時 610 号 47 頁	86
最判昭和 45・10・9 民集 24 巻 11 号 1492 頁	652, 653
最判昭和 45・10・22 民集 24 巻 11 号 1583 頁［百選 103］	573
最大判昭和 45・11・11 民集 24 巻 12 号 1854 頁［百選 13］	135, 380
最判昭和 45・12・4 判時 618 号 35 頁	291
最判昭和 45・12・15 民集 24 巻 13 号 2072 頁［百選 18］	117
最判昭和 45・12・22 民集 24 巻 13 号 2173 頁	653
最判昭和 46・6・3 判時 634 号 37 頁［百選 117］	657
最判昭和 46・6・25 民集 25 巻 4 号 640 頁［百選 91］	483
最判昭和 46・10・7 民集 25 巻 7 号 885 頁［百選 A31］	554, 555, 562
最判昭和 46・10・19 民集 25 巻 7 号 952 頁	640
最決昭和 46・11・10 判時 653 号 89 頁	634
最判昭和 46・11・25 民集 25 巻 8 号 1343 頁［百選 75］	423, 424
最判昭和 46・12・9 民集 25 巻 9 号 1457 頁	557
最判昭和 47・1・21 集民 105 号 13 頁	406
最判昭和 47・2・15 民集 26 巻 1 号 30 頁［百選 23］	369, 372
最判昭和 47・5・30 民集 26 巻 4 号 826 頁	654
最判昭和 47・6・2 民集 26 巻 5 号 957 頁	392
最判昭和 47・10・12 金法 668 号 38 頁	320

703

最判昭和 47・11・9 民集 26 巻 9 号 1513 頁［百選 A10］ ················· *372*
最判昭和 47・11・9 民集 26 巻 9 号 1566 頁［百選 A5］ ·················· *128*
最判昭和 47・11・16 民集 26 巻 9 号 1619 頁································ *423*
最判昭和 48・3・13 民集 27 巻 2 号 344 頁······································ *363*
最判昭和 48・4・5 民集 27 巻 3 号 419 頁［百選 74］················ *54, 420, 454*
最判昭和 48・4・24 民集 27 巻 3 号 596 頁［百選 108］························ *586*
最判昭和 48・7・20 民集 27 巻 7 号 863 頁［百選 106］···················· *591, 616*
最判昭和 48・7・20 民集 27 巻 7 号 890 頁······································ *156*
最判昭和 48・10・26 民集 27 巻 9 号 1240 頁［百選 7］············· *99, 102, 156*
最判昭和 49・2・8 金判 403 号 6 頁·· *532*
最判昭和 49・4・26 民集 28 巻 3 号 503 頁［百選 85］···················· *423, 441*
最判昭和 49・10・24 判時 760 号 56 頁·· *460*
最判昭和 50・3・13 民集 29 巻 3 号 233 頁····································· *591*
最判昭和 50・6・12 判時 783 号 106 頁·· *320*
最判昭和 50・7・3 判時 790 号 59 頁·· *577*
最判昭和 50・10・24 民集 29 巻 9 号 1417 頁［百選 57］······················ *252*
最判昭和 51・3・15 判時 814 号 114 頁·· *599*
最判昭和 51・7・27 民集 30 巻 7 号 724 頁····································· *599*
最判昭和 51・9・30 民集 30 巻 8 号 799 頁［百選 79］···················· *155, 447*
最判昭和 51・10・21 民集 30 巻 9 号 903 頁［百選 90］······················· *468*
最判昭和 52・3・15 民集 31 巻 2 号 234 頁····································· *358*
最判昭和 52・3・15 民集 31 巻 2 号 280 頁····································· *358*
最判昭和 52・4・15 民集 31 巻 3 号 371 頁····································· *239*
最判昭和 52・7・19 民集 31 巻 4 号 693 頁［百選 A29］···················· *484, 485*
最判昭和 52・12・23 判時 881 号 105 頁······································· *460*
最判昭和 53・3・23 判時 885 号 118 頁·· *290*
最判昭和 53・3・23 判時 886 号 35 頁［百選 89］····························· *467*
最判昭和 53・3・30 民集 32 巻 2 号 485 頁····································· *41*
最判昭和 53・6・23 判時 897 号 59 頁·· *420*
最判昭和 53・7・10 民集 32 巻 5 号 888 頁［百選 31］························ *155*
最判昭和 53・9・14 判時 906 号 88 頁［百選 88］····························· *456*
最判昭和 54・3・16 民集 33 巻 2 号 270 頁····································· *516*
最判昭和 54・7・31 判時 942 号 39 頁·· *242*
最判昭和 54・7・31 判時 944 号 53 頁·· *479*
最判昭和 55・1・11 民集 34 巻 1 号 1 頁［百選 1］··························· *356*
最判昭和 55・2・8 判時 961 号 69 頁··· *391*
最判昭和 55・9・26 判時 985 号 76 頁·· *107*
最判昭和 55・10・23 民集 34 巻 5 号 747 頁［百選 77］······················· *436*
最判昭和 55・10・28 判時 984 号 68 頁·· *163*
最判昭和 56・2・16 民集 35 巻 1 号 56 頁····································· *273*
最判昭和 56・9・24 民集 35 巻 6 号 1088 頁［百選 41］······················· *164*
最判昭和 56・10・16 民集 35 巻 7 号 1224 頁·································· *353*
最大判昭和 56・12・16 民集 35 巻 10 号 1369 頁［百選 22, A20］ ········ *366, 421*

判例索引

最判昭和 57・5・27 判時 1052 号 66 頁 ……………………………………………… *479*
最判昭和 57・7・1 民集 36 巻 6 号 891 頁 ……………………………………… *555, 556*
最判昭和 58・2・8 判時 1092 号 62 頁 …………………………………………… *558*
最判昭和 58・3・10 判時 1075 号 113 頁 ………………………………………… *618*
最判昭和 58・3・22 判時 1074 号 55 頁 [百選 111] ……………………………… *516*
最判昭和 58・3・31 判時 1075 号 119 頁 ………………………………………… *624*
最判昭和 58・4・1 民集 37 巻 3 号 201 頁 ……………………………………… *466*
最判昭和 58・4・14 判時 1131 号 81 頁 ………………………………………… *517*
最判昭和 58・5・26 判時 1088 号 74 頁 ………………………………………… *289*
最判昭和 58・5・27 判時 1082 号 51 頁 ………………………………………… *630*
最判昭和 59・3・29 判時 1122 号 110 頁 ………………………………………… *510*
最判昭和 60・3・15 判時 1168 号 66 頁 ………………………………………… *590*
最判昭和 60・12・20 判時 1181 号 77 頁 ………………………………………… *387*
最判昭和 61・3・13 民集 40 巻 2 号 389 頁 [百選 24] ……………………… *369, 513, 558*
最判昭和 61・4・11 民集 40 巻 3 号 558 頁 ……………………………………… *520*
最判昭和 61・7・10 判時 1213 号 83 頁 ………………………………………… *382*
最判昭和 61・7・17 民集 40 巻 5 号 941 頁 [百選 83] …………………………… *435*
最判昭和 61・9・4 判時 1215 号 47 頁 [百選 112] ……………………………… *615*
最判昭和 62・2・6 判時 1232 号 100 頁 ………………………………………… *420*
最判昭和 62・4・23 民集 41 巻 3 号 474 頁 ……………………………………… *130*
最判昭和 62・7・17 民集 41 巻 5 号 1402 頁 [百選 96] ………………………… *563*
最判昭和 63・1・26 民集 42 巻 1 号 1 頁 [百選 36] …………………………… *155*
最判昭和 63・2・25 民集 42 巻 2 号 120 頁 ……………………………………… *576*
最判昭和 63・3・1 民集 42 巻 3 号 157 頁 ……………………………………… *386*
最判昭和 63・3・15 民集 42 巻 3 号 170 頁 …………………………………… *539, 541*
最判昭和 63・3・31 判時 1277 号 122 頁 ………………………………………… *366*
最判昭和 63・12・20 判時 1307 号 113 頁 ……………………………………… *358*
最判平成元・3・28 民集 43 巻 3 号 167 頁 [百選 100] ………………………… *558*
最判平成元・9・8 民集 43 巻 8 号 889 頁 ……………………………………… *356*
最判平成元・9・19 判時 1328 号 38 頁 ………………………………………… *513, 518*
最判平成元・11・10 民集 43 巻 10 号 1085 頁 …………………………………… *655*
最判平成元・11・20 民集 43 巻 10 号 1160 頁 ………………………………… *46, 351*
最判平成 2・7・20 民集 44 巻 5 号 975 頁 ……………………………………… *616*
最決平成 3・2・25 民集 45 巻 2 号 117 頁 ……………………………………… *87*
最判平成 3・12・17 民集 45 巻 9 号 1435 頁 [百選 38 ①] …………………… *539, 541*
最判平成 4・4・28 判時 1455 号 92 頁 …………………………………………… *478*
最判平成 4・9・10 民集 46 巻 6 号 553 頁 [百選 116] …………………… *170, 479, 654*
最判平成 4・10・29 民集 46 巻 7 号 1174 頁 [百選 62] ………………………… *284*
最判平成 4・10・29 民集 46 巻 7 号 2580 頁 …………………………………… *377*
最判平成 5・2・18 民集 47 巻 2 号 632 頁 ……………………………………… *81*
最判平成 5・3・30 民集 47 巻 4 号 3334 頁 ……………………………………… *374*
最判平成 5・7・20 民集 47 巻 7 号 4627 頁 ……………………………………… *510*
最判平成 5・9・7 民集 47 巻 7 号 4667 頁 …………………………………… *356, 357*

705

| 判例索引 |

最判平成5・11・11民集47巻9号5255頁……………………………………………363, 423, 442
最判平成6・2・8民集48巻2号373頁……………………………………………………460
最判平成6・4・19判時1504号119頁………………………………………………………610
最判平成6・5・31民集48巻4号1065頁〔百選11〕……………………………………392, 393
最判平成6・9・27判時1513号111頁〔百選105〕………………………………………585, 588
最判平成6・10・25判時1516号74頁………………………………………………………654
最判平成6・11・22民集48巻7号1355頁〔百選113〕…………………………………443, 454
最判平成7・2・23判時1524号134頁〔百選A42〕…………………………………………610
最判平成7・3・7民集49巻3号893頁………………………………………………………371
最判平成7・3・7民集49巻3号919頁………………………………………………………384
最判平成7・12・15民集49巻10号3051頁〔百選78〕……………………………………436
最判平成8・5・28判時1569号48頁…………………………………………………………46
最判平成9・3・14判時1600号89頁①〔百選A27〕…………………………………………55
最大判平成9・4・2民集51巻4号1673頁……………………………………………………562
最判平成9・7・11民集51巻6号2530頁……………………………………………………431
最判平成9・11・11民集51巻10号4055頁…………………………………………………353
最判平成10・3・27民集52巻2号661頁……………………………………………………554
最判平成10・4・30民集52巻3号930頁〔百選44〕…………………………………158, 159
最判平成10・6・12民集52巻4号1147頁〔百選80〕…………………………………155, 452
最判平成10・6・30民集52巻4号1225頁〔百選38②〕………………………………539, 540
最決平成10・7・13判時1651号54頁………………………………………………………648
最判平成10・9・10判時1661号81頁①②〔百選39〕………………………① 171, ① 480, ② 476
最判平成10・12・17判時1664号59頁……………………………………………………60, 522
最判平成11・1・21民集53巻1号1頁〔百選27〕………………………………………375, 421
最決平成11・3・9判時1672号67頁…………………………………………………………642
最決平成11・3・12民集53巻3号505頁……………………………………………………648
最判平成11・6・11家月52巻1号81頁〔百選26〕…………………………………………375
最判平成11・6・29判時1684号59頁………………………………………………………631
最判平成11・9・28判タ1014号174頁………………………………………………………357
最判平成11・11・9民集53巻8号1421頁……………………………………………………557
最決平成11・11・12民集53巻8号1787頁〔百選69〕…………………………332, 333, 335
最判平成11・12・16民集53巻9号1989頁…………………………………………………130
最判平成12・2・24民集54巻2号523頁〔百選25〕………………………………………371
最決平成12・3・10民集54巻3号1073頁〔百選A24〕………………………290, 301, 331, 338
最決平成12・3・10判時1711号55頁………………………………………………………326
最判平成12・3・17判時1708号119頁………………………………………………………668
最判平成12・3・24民集54巻3号1126頁……………………………………………………123
最判平成12・7・7民集54巻6号1767頁〔百選101〕……………………………466, 559, 562
最判平成12・7・18判時1724号29頁………………………………………………………252
最決平成12・12・14民集54巻9号2743頁…………………………………………………338
最決平成13・1・30民集55巻1号30頁………………………………………………………568
最決平成13・2・22判時1742号89頁…………………………………………………286, 338
最決平成13・2・22判時1745号144頁………………………………………………………568

判例索引

最決平成13・12・7民集55巻7号1411頁 ………………………………………… *334*
最判平成14・1・22判時1776号67頁〔百選104〕 …………………………… *574, 580*
最判平成14・4・12民集56巻4号729頁 …………………………………………… *351*
最判平成14・6・7民集56巻5号899頁 …………………………………………… *390*
最判平成14・6・11民集56巻5号958頁 …………………………………………… *520*
最判平成14・12・17判時1812号76頁 ……………………………………………… *636*
最判平成15・7・11民集57巻7号787頁〔百選98〕 ……………………………… *555*
最判平成15・10・31判時1841号143頁〔百選A39〕 ……………………………… *634*
最決平成16・2・20判時1862号154頁 ……………………………………………… *326*
最判平成16・3・25民集58巻3号753頁〔百選29〕 …………………………… *368, 537*
最決平成16・5・25民集58巻5号1135頁〔百選A23〕 …………………………… *336*
最判平成16・6・3家月57巻1号123頁 …………………………………………… *526*
最判平成16・7・6民集58巻5号1319頁 …………………………………………… *558*
最決平成16・11・26民集58巻8号2393頁 ……………………………… *300, 331, 333*
最判平成17・7・14判時1911号102頁 ……………………………………………… *224*
最決平成17・7・22民集59巻6号1837頁 ………………………………………… *325, 336*
最決平成17・10・14民集59巻8号2265頁〔百選A22〕 …………………………… *328*
最決平成17・11・10民集59巻9号2503頁 ……………………………………… *333*
最決平成18・2・17民集60巻2号496頁 …………………………………………… *334*
最判平成18・3・23判時1932号85頁 ………………………………………………… *447*
最判平成18・4・14民集60巻4号1497頁〔百選A11〕 …………………………… *539*
最判平成18・7・21民集60巻6号2542頁 ………………………………………… *351*
最判平成18・9・4判時1948号81頁 ………………………………………………… *636*
最決平成18・10・3民集60巻8号2647頁〔百選67〕 …………………………… *301, 302*
最判平成19・1・16判時1959号29頁 ………………………………………………… *630*
最決平成19・3・20民集61巻2号586頁〔百選40〕 …………………………… *170, 479*
最決平成19・3・27民集61巻2号711頁 ………………………………… *99, 219, 636*
最判平成19・5・29判時1978号7頁 ………………………………………………… *367*
最決平成19・8・23判タ1252号163頁 ……………………………………………… *333*
最決平成19・11・30民集61巻8号3186頁 ………………………………………… *333*
最決平成19・12・11民集61巻9号3364頁 ………………………………………… *332*
最決平成19・12・12民集61巻9号3400頁 ………………………………………… *325, 336*
最決平成20・5・8家月60巻8号51頁 ……………………………………………… *18*
最判平成20・7・10判時2020号71頁 ………………………………………………… *453*
最判平成20・7・17民集62巻7号1994頁〔百選97〕 …………………………… *556, 557*
最決平成20・7・18民集62巻7号2013頁〔百選3〕 ……………………………… *80*
最決平成20・11・25民集62巻10号2507頁〔百選68〕 …………… *301, 331, 332, 339*
最判平成21・12・18民集63巻10号2900頁 ………………………………………… *375*
最判平成22・3・16民集64巻2号498頁 ……………………………………… *617, 636*
最判平成22・4・13集民234号31頁 ………………………………………………… *476*
最判平成22・5・25判時2085号160頁 ……………………………………………… *85*
最判平成22・7・16民集64巻5号1450頁 …………………………………………… *431*
最判平成23・2・15判タ1345号129頁 ……………………………………………… *382*

707

最決平成 23・2・17 判時 2120 号 6 頁……………………………………………………*562*
最決平成 23・5・18 民集 65 巻 4 号 1755 頁………………………………………………*79*
最決平成 23・5・30 判時 2120 号 3 頁………………………………………………………*79*
最判平成 24・1・31 集民 239 号 659 頁……………………………………………………*420*
最判平成 24・2・24 判時 2144 号 89 頁………………………………………………………*28*
最判平成 24・12・21 判時 2175 号 20 頁……………………………………………………*366*
最判平成 25・6・6 民集 67 巻 5 号 1208 頁…………………………………………………*452*
最判平成 25・7・12 判時 2203 号 22 頁……………………………………………………*615*
最決平成 25・11・21 民集 67 巻 8 号 1686 頁［百選 118］………………………*466, 656*
最決平成 25・12・19 民集 67 巻 9 号 1938 頁…………………………………………*328, 334*
最判平成 26・2・27 民集 68 巻 2 号 192 頁［百選 10］……………………………………*392*
最決平成 26・7・10 判時 2237 号 42 頁………………………………………………………*656*
最判平成 26・9・25 民集 68 巻 7 号 661 頁…………………………………………………*372*
最決平成 27・5・19 民集 69 巻 4 号 635 頁……………………………………………………*41*
最判平成 27・11・30 民集 69 巻 7 号 2154 頁…………………………………………*406, 420*
最判平成 27・12・14 民集 69 巻 8 号 2295 頁………………………………………………*539*
最決平成 28・2・26 判タ 1422 号 66 頁……………………………………………………*577*
最判平成 28・6・2 民集 70 巻 5 号 1157 頁…………………………………………………*135*
最判平成 28・10・18 民集 70 巻 7 号 1725 頁………………………………………………*202*
最判平成 28・12・8 判時 2325 号 37 頁……………………………………………………*367*
最決平成 29・10・5 民集 71 巻 8 号 1441 頁………………………………………………*121*
最決平成 30・12・18 民集 72 巻 6 号 1151 頁…………………………………………………*82*
最判平成 30・12・21 民集 72 巻 6 号 1368 頁………………………………………………*368*
最判平成 31・3・5 判タ 1460 号 39 頁………………………………………………………*386*
最判令和元・7・5 判時 2437 号 21 頁………………………………………………………*156*
最判令和 2・7・9 民集 74 巻 4 号 1204 頁…………………………………………………*439*
最判令和 2・9・3 民集 74 巻 6 号 1557 頁…………………………………………………*377*
最判令和 2・9・7 民集 74 巻 6 号 1599 頁…………………………………………………*374*
最判令和 2・9・11 民集 74 巻 6 号 1693 頁……………………………………………*530, 539*
最決令和 3・4・14 民集 75 巻 4 号 1001 頁…………………………………………………*122*
最判令和 3・4・16 判時 2499 号 8 頁………………………………………………………*155*
最決令和 3・4・27 判時 2500 号 3 頁…………………………………………………………*41*
最判令和 3・11・2 民集 75 巻 9 号 3643 頁……………………………………………………*54*
最判令和 4・4・12 判タ 1499 号 71 頁………………………………………………………*392*
最判令和 4・6・24 裁判所時報 1794 号 51 頁………………………………………………*386*

高等裁判所

大阪高判昭和 29・10・26 下民集 5 巻 10 号 1787 頁………………………………………*102*
大阪高判昭和 33・12・9 下民集 9 巻 12 号 2412 頁………………………………………*474*
大阪高判昭和 39・4・10 下民集 15 巻 4 号 761 頁…………………………………………*604*
大阪高判昭和 39・5・30 判時 380 号 76 頁…………………………………………………*102*
東京高決昭和 40・6・24 東高民時報 16 巻 6 号 123 頁……………………………………*604*
大阪高判昭和 40・12・15 金法 434 号 8 頁…………………………………………………*320*

東京高決昭和 45・5・8 判時 590 号 18 頁	86
大阪高判昭和 46・4・8 判時 633 号 73 頁［百選 A28］	464
大阪高決昭和 48・7・12 下民集 24 巻 5～8 号 455 頁	301
東京高判昭和 49・4・17 下民集 25 巻 1～4 号 309 頁	568
名古屋高決昭和 52・2・3 高民集 30 巻 1 号 1 頁	324
東京高判昭和 52・7・15 判時 867 号 60 頁	256
大阪高判昭和 54・3・15 判タ 387 号 73 頁	325
東京高決昭和 54・9・28 下民集 30 巻 9～12 号 443 頁［百選 A36］	602
仙台高判昭和 55・1・28 高民集 33 巻 1 号 1 頁	581
大阪高判昭和 56・1・30 判時 1005 号 120 頁	582
仙台高判昭和 59・1・20 下民集 35 巻 1～4 号 7 頁［百選 A7］	125
名古屋高金沢支判昭和 61・11・5 判時 1239 号 60 頁	99
大阪高判昭和 62・7・16 判時 1258 号 130 頁［百選 37］	537
名古屋高金沢支判平成元・1・30 判時 1308 号 125 頁［百選 A37］	613
東京高決平成 2・1・16 判タ 754 号 220 頁	568
東京高判平成 2・10・29 判時 1385 号 119 頁	234
東京高判平成 3・1・30 判時 1381 号 49 頁［百選 61］	276
東京高判平成 8・4・8 判タ 937 号 262 頁	540
福岡高判平成 8・10・17 判タ 942 号 257 頁	512
東京高判平成 10・4・22 判時 1646 号 71 頁	261
東京高判平成 13・5・30 判時 1797 号 131 頁	530
東京高判平成 16・8・31 判時 1903 号 21 頁	405
東京高決平成 20・4・30 判時 2005 号 16 頁［百選 102］	568
大阪高決平成 21・5・15 金法 1901 号 132 頁	335
東京高判平成 25・3・14 判タ 1392 号 203 頁	420
東京高判平成 31・4・24 金判 1577 号 18 頁	477

地方裁判所

広島地決昭和 43・4・6 訟月 14 巻 6 号 620 頁	325
大阪地決昭和 45・11・6 訟月 17 巻 1 号 131 頁	324
大阪地判昭和 49・7・4 判時 761 号 106 頁	537
東京地八王子支決昭和 51・7・28 判時 847 号 76 頁	301
大阪地判平成元・10・30 判時 1354 号 126 頁	283
横浜地小田原支決平成 3・8・6 自由と正義 43 巻 6 号 120 頁	87
東京地判平成 3・9・2 判時 1417 号 124 頁	537
仙台地判平成 4・3・26 判時 1442 号 136 頁	520
大阪地判平成 8・1・26 判時 1570 号 85 頁	540
東京地決平成 9・3・31 判時 1613 号 114 頁	416
東京地判平成 14・6・24 判時 1809 号 98 頁	135
東京地判平成 15・1・21 判時 1828 号 59 頁	499
東京地判平成 15・7・1 判タ 1157 号 195 頁	261
東京地判平成 21・12・18 判タ 1322 号 259 頁	357
金沢地決平成 28・3・31 判時 2299 号 143 頁	86

判例索引

東京地判令和2・3・6 判時 2520 号 39 頁 ……………………………………………………… *387*

【LEGAL QUEST】
民事訴訟法〔第 4 版〕

2013 年 3 月 30 日 初　版第 1 刷発行	2023 年 3 月 30 日 第 4 版第 1 刷発行
2015 年 3 月 15 日 第 2 版第 1 刷発行	2025 年 3 月 25 日 第 4 版第 5 刷発行
2018 年 7 月 30 日 第 3 版第 1 刷発行	

著　者　　三木浩一，笠井正俊，垣内秀介，菱田雄郷
発行者　　江草貞治
発行所　　株式会社有斐閣
　　　　　〒101-0051 東京都千代田区神田神保町 2-17
　　　　　https://www.yuhikaku.co.jp/
装　丁　　島田拓史
印　刷　　株式会社理想社
製　本　　大口製本印刷株式会社
装丁印刷　萩原印刷株式会社

落丁・乱丁本はお取替えいたします。定価はカバーに表示してあります。
©2023, K. Miki, M. Kasai, S. Kakiuchi, Y. Hishida.
Printed in Japan ISBN 978-4-641-17956-1

本書のコピー，スキャン，デジタル化等の無断複製は著作権法上での例外を除き禁じられています。本書を代行業者等の第三者に依頼してスキャンやデジタル化することは，たとえ個人や家庭内の利用でも著作権法違反です。

[JCOPY] 本書の無断複写（コピー）は，著作権法上での例外を除き，禁じられています。複写される場合は，そのつど事前に，(一社)出版者著作権管理機構（電話03-5244-5088，FAX03-5244-5089，e-mail:info@jcopy.or.jp）の許諾を得てください。